D0985587

SCIENCE FICTION

Herausgegeben
von Wolfgang Jeschke

ROBERT A. HEINLEIN

DIE ZAHL DES TIERS

Science Fiction-Roman

Deutsche Erstveröffentlichung

WILHELM HEYNE VERLAG
MÜNCHEN

HEYNE-BUCH Nr. 3796
im Wilhelm Heyne Verlag, München

Titel der amerikanischen Originalausgabe
THE NUMBER OF THE BEAST
Deutsche Übersetzung von Thomas Schlück
Das Umschlagbild schuf Jim Burns
Die Illustrationen im Text zeichnete Giuseppe Festino

Redaktion: E. Senftbauer
Copyright © 1980 by Robert A. Heinlein
Copyright © 1981 der deutschen Übersetzung by
Wilhelm Heyne Verlag, München
Printed in Germany 1981
Umschlaggestaltung: Atelier Heinrichs & Schütz, München
Gesamtherstellung: Mohndruck Graphische Betriebe GmbH, Gütersloh

ISBN 3-453-30698-8

INHALT

Für Walter und Marion Minton

Erster Teil

Der Schmetterling des Mandarins

I

Zeb:
»Er ist ein ›Wilder Wissenschaftler‹, und ich bin seine ›Wunderschöne Tochter‹.«

Ja, das sagte sie: das älteste Klischee der Unterhaltungsliteratur. Dabei war sie gar nicht alt genug, um sich an die Groschenhefte zu erinnern.

Eine dumme Bemerkung kann man nur überhören. Ich tanzte also weiter, während ich mir noch einen Blick in ihr Abendkleid gönnte. Hübsch anzuschauen. Von Schaumgummi keine Spur.

Sie tanzte gut. Die meisten Mädchen, die heute auf Kontakt zu tanzen versuchen, hängen sich einem an den Hals und erwarten, daß man sie herumschleppt. Sie aber bewegte sich auf den eigenen Füßen, tanzte dicht, ohne sich anzudrängen, und ahnte meine Bewegungen einen Sekundenbruchteil voraus. Eine vollkommene Partnerin — solange sie den Mund nicht aufmachte.

»Nun?« fragte sie.

Mein Großvater mütterlicherseits — ein übler Reaktionär; die Feministinnen hätten ihn gelyncht — sagte immer: »Zebadiah, unser Fehler war es nicht, ihnen Schuhe anzuziehen oder ihnen das Lesen beizubringen — wir hätten sie niemals sprechen lehren sollen!«

Mit leichtem Druck deutete ich eine Drehung an; ohne aus dem Takt zu kommen, schwebte sie dahin und wieder in meine Arme. Ich sah mir ihre Hände und Augenwinkel an. Ja, sie war wirklich noch jung — mindestens achtzehn (jüngere ließ Hilda Corners zu ihren Partys nicht zu), höchstens fünfundzwanzig, erster Näherungswert zweiundzwanzig. Und doch tanzte sie wie jemand aus der Generation ihrer Großmutter.

»Nun?« wiederholte sie etwas energischer.

Diesmal verbarg ich meinen staunenden Blick nicht. »Sind die Ausleger ganz echt? Oder gibt's da einen unsichtbaren Büstenhalter?«

Sie schaute an sich hinab, hob den Blick und grinste. »Sie stehen ein bißchen vor, nicht wahr? Ihre Bemerkung ist ziemlich frech und unfein. Sie wollen wohl das Thema wechseln.«

»*Welches* Thema? Ich habe eine höfliche Frage gestellt; Sie haben unklar geantwortet.«

»›Unklar‹ — ich bitte Sie! Ich habe mich präzise geäußert!«

»Unklar!« gab ich zurück. »Die eingegebenen Symbole waren ›wild‹, ›Wissenschaftler‹, ›wunderschön‹ und ›Tochter‹. Das erste hat mehrere Bedeutungen — die anderen stellen Ansichten dar. Semantischer Inhalt: Null.«

Sie wirkte weniger aufgebracht als nachdenklich. »Ja, ›wild‹ ist in diesem Zusammenhang vielleicht unklar. Und ›Wissenschaftler‹ und ›wunderschön‹ enthalten beschreibende Ansichten, das räume ich ein. Aber zweifeln Sie etwa mein Geschlecht an? Wenn das der Fall ist, sind Sie vielleicht imstande, mein dreiundzwanzigstes Chromosomenpaar zu überprüfen? Da Geschlechtsumwandlungen so alltäglich sind, dürfte etwas anderes Sie wohl nicht zufriedenstellen.«

»Ich ziehe einen praktischen Test vor.«

»Auf der *Tanzfläche?*«

»Nein, in den Büschen hinter dem Swimmingpool. Aber ich wäre für beides qualifiziert — für das Labor und den praktischen Versuch. Aber nicht Ihr Geschlecht stand hier in Rede; das ließe sich eindeutig feststellen — obwohl die herausragenden Beweise recht überzeugend sind. Ich . . .«

»So herausragend nun auch wieder nicht! Fünfundneunzig Zentimeter sind nicht zuviel, nicht bei meiner Größe. Hundertundsiebzig barfuß, hundertundachtzig mit den hohen Hacken. Nur habe ich eine zu schmale Taille für meine Masse — achtundvierzig Zentimeter zu neunundfünfzig Kilo.«

»Und Sie tragen auch kein Gebiß und haben keine Schuppen. Beruhigen Sie sich, Deedee; ich wollte Sie nicht aufrütteln« — oder Ihre beiden Hübschen hier, die wirklich nicht zu groß sind, sondern entzückend. Ich habe nun mal eine kindische Einstellung dazu, und das weiß ich, seit ich sechs war — sechs Monate, meine ich. »Aber das Symbol ›Tochter‹ enthält zwei Aussagen, die eine sachlich — das Geschlecht —, die andere eine Ansichtssache, selbst wenn sie von einem Genetochematologen käme.«

»Mann, was für lange Worte Sie kennen, Mister! Will sagen: ›Doktor‹!«

»›Mister‹ ist schon in Ordnung. Auf diesem Campus geht man immer davon aus, daß jeder einen Doktorgrad hat. Dabei *habe* ich sogar einen!«

»Hat den nicht jeder? Auch ich!«

Ich erweiterte meine Maximalschätzung auf sechsundzwanzig als zweiten Annäherungswert. »Ach, in BH-Physik?«

»Mister Doktor, Sie wollen mich ärgern. Das klappt aber nicht. Ich habe die Schule mit zwei Hauptfächern abgeschlossen. Erstens in Physik, sogar mit Auszeichnung, für den Fall, daß ich einen Job brauchte. Aber das eigentliche Hauptgebiet war die Mathematik — mit der ich dann auf der Uni weitergemacht habe.«

»Und da hatte ich nun angenommen, ›Deedee‹ wäre die Abkürzung von ›Doktor für Dilettantismus‹!«

»Waschen Sie sich den Mund mit Seife aus! Mein Spitzname leitet sich von den Initialen her — D. T. Oder Deety. Dr. D. T. Burroughs, wenn Sie es ganz förmlich haben wollen, da ich nicht ›Mister‹ sein kann und ›Ms.‹ oder ›Miß‹ ablehne. Aber nun hören Sie mal zu, Mister; meine strahlende Schönheit und mein weiblicher Charme müßten Sie eigentlich in den Bann schlagen — aber es passiert nichts. Versuchen wir es also anders. Sagen Sie mir mal, worin Sie ›gedoktort‹ haben.«

»Mal überlegen. Im Angelauswerfen? Oder Korbflechten? Es war irgend so ein Thema zwischen allen Stühlen, bei dem das Komitee die Dissertation lediglich nach Gewicht beurteilt. Ich sage Ihnen was: ich habe ein Exemplar bei mir zu Hause. Ich suche es heraus. Mal sehen, welcher Titel dem Mann, der das Ding geschrieben hat, eingefallen ist.«

»Sparen Sie sich die Mühe. Der Titel ist: ›Einige Anmerkungen über ein Sechsdimensionales Nicht-Newtonsches Kontinuum‹. Paps möchte mit Ihnen darüber sprechen.«

Ich hörte auf zu tanzen. »Wie bitte? Das sollte er lieber mit dem Kerl diskutieren, der den Text geschrieben hat.«

»Unsinn; ich habe Sie blinzeln sehen — Sie zappeln am Haken! Paps möchte mit Ihnen darüber sprechen und Ihnen dann einen Job anbieten.«

»*Job?* — Schon bin ich wieder vom Haken runter!«

»Ach du je! Jetzt wird Paps aber wirklich wild. Ich bitte Sie, Sir!«

»Sie sagten, Sie hätten ›wild‹ in vieldeutigem Sinne benutzt. Inwiefern?«

»Oh. Wild-wütend, weil seine Kollegen ihn nicht für voll nehmen. Wild-psychotisch ist er nach Ansicht einiger dieser Kollegen. Sie behaupten, seine Abhandlungen ergäben keinen Sinn.«

»Tun sie das denn?«

»So gut bin ich in Mathematik auch wieder nicht, Sir. Meine Arbeit besteht gewöhnlich darin, Software zu vereinfachen. Das reinste Kinderspiel im Vergleich zu *n*-dimensionalen Räumen.«

Es blieb mir erspart, eine Ansicht zu äußern, denn das Trio setzte zu *Blue Tango* an, und Deety schmiegte sich in meine Arme. Man redet nicht, wenn man sich auf Tango versteht.

Und Deety kannte sich aus. Nach einer Ewigkeit der Sinnenfreude schwenkte ich sie genau im Takt in Position, und sie beantwortete meine Verbeugung mit einem tiefen Knicks. »Vielen Dank, Sir.«

»Püü! Nach einem solchen Tango sollte das Pärchen eigentlich heiraten.«

»In Ordnung. Ich suche unsere Gastgeberin und sage Paps Bescheid. In fünf Minuten? Vorder- oder Seitentür?«

Sie machte einen überaus glücklichen Eindruck. »Deety«, sagte ich, »meinen Sie das wirklich so, wie es sich anhört? Sie wollen *mich* heiraten? Einen Fremden?«

Ihr Gesicht blieb ruhig, doch das Strahlen erlosch — und ihre Brustwarzen verloren an Kontur. »Nach dem Tango eben sind wir uns nicht mehr fremd. Ich habe Ihre Äußerung als Antrag angesehen — nein, als Bereitschaft, mich zu heiraten. War das ein Irrtum?«

Mein Verstand ging auf Notschaltung und ließ die vergangenen Jahre Revue passieren, ähnlich wie es angeblich einem Ertrinkenden ergeht (woher will man das wissen?): ein regnerischer Nachmittag, an dem die ältere Schwester meines Freundes mich in das große Geheimnis einweihte; die seltsame Reaktion, die ich durchmachte, als zum erstenmal auf mich geschossen wurde; ein zwölfmonatiger Kohabitationsvertrag, der mit einem großen Knall begann und leise endete; zahlreiche Ereignisse, die mich zu dem Entschluß bewogen hatten, niemals zu heiraten.

Ich antwortete hastig: »Ich meine, was ich sage: eine Heirat im alten Sinne. Ich bin bereit. Aber warum sind *Sie's*? Ich bin nicht gerade ein Prunkstück.«

Sie atmete und straffte auf diese Weise ihr Kleid. Allah sei Dank — ihre Brustwarzen wurden wieder hart. »Sir, Sie sind das Prunkstück, das ich einfangen sollte, und als Sie sagten, daß wir eigentlich heiraten müßten — was natürlich eine Übertreibung war! —, ging mir in glücklicher Erkenntnis auf, daß *dies* die Einfangmethode war, an der mir vor allem anderen liegt!«

Sie fuhr fort: »Aber ich möchte Sie nicht festlegen, indem ich eine galante Bemerkung falsch interpretiere. Wenn Sie wollen, können Sie mich in die Büsche hinter dem Swimmingpool ziehen — und mich *nicht* heiraten.« Entschlossen: »Aber für diesen — Liebesdienst — erhebe ich eine Gebühr: daß Sie mit meinem Vater sprechen und sich von ihm etwas zeigen lassen.«

»Deety, Sie sind ein Dummkopf! Sie würden nur das hübsche Kleid ruinieren.«

»Das ist unwichtig, aber ich könnte es ja ausziehen. Ich habe nichts drunter.«

»Und ob Sie was drunter haben!«

Das trug mir ein Lächeln ein, das sie sofort wieder verschwinden ließ. »Vielen Dank. Auf in die Büsche?«

»Moment! Ich werde mal edel handeln und es mein ganzes Leben bereuen. Sie haben sich geirrt. Ihr Vater will gar nicht mit *mir* sprechen; ich habe keine Ahnung von *n*-dimensionaler Geometrie.« (Warum bin ich manchmal so ehrlich? Verdient habe ich es nicht.)

»Paps glaubt das aber; und das genügt. Gehen wir? Ich muß ihn hier rausschaffen, ehe er noch irgend jemanden niederschlägt.«

»Bedrängen Sie mich nicht. Ich habe Sie nicht um eine Partie im Gras gebeten, sondern gesagt, ich würde Sie *heiraten* — und wollte dazu wissen, warum Sie bereit sind, *mich* zu ehelichen. Ihre Antwort drehte sich um die Wünsche Ihres Vaters. Ihn will ich aber nicht heiraten; er ist nicht mein Typ. Nun reden Sie Klartext, Deety. Oder lassen das Thema sein.« (Bin ich ein Masochist? Hinter den Büschen steht eine Sonnenliege.)

Feierlich musterte sie mich: von der enggewordenen Hose, über die krummsitzende Fliege bis zu den dünner werdenden Bürstenhaaren — hundertvierundneunzig Zentimeter Burschenhäßlichkeit. »Mir gefällt Ihre feste Hand beim Tanzen. Und Ihr Aussehen. Ich mag es, wie Ihre Stimme knarrt. Ich liebe Ihre haarsträubenden Wortspiele.« Wieder atmete sie tief ein und fuhr beinahe traurig fort: »Und vor allem gefällt mir Ihr Geruch.«

Sie mußte eine gute Nase haben. Vor neunzig Minuten war ich noch blitzsauber gewesen, und es muß schon mehr als ein Walzer und ein Tango kommen, um mich ins Schwitzen zu bringen. Aber das war eben Deety; um einem Mann den Kopf zu verdrehen, hätten sich die meisten anderen Mädchen mit seinem Bizeps beschäftigt und gesagt: »Oh, was sind Sie stark!«

Ich grinste sie an: »Sie riechen auch sehr hübsch. Ihr Parfüm könnte einen Toten zum Leben erwecken.«

»Ich trage kein Parfüm.«

»Oh. Berichtigung: Ihre natürlichen Pheromone. Bezaubernd. Holen Sie Ihren Mantel. Seitentür, in fünf Minuten.«

»Jawohl, Sir.«

»Sagen Sie Ihrem Vater, daß wir heiraten. Dafür darf er kostenlos mit mir sprechen. Das hatte ich schon entschieden, ehe wir zu streiten anfingen. Er merkt bestimmt schnell, daß ich nicht Lobatschewski bin.«

»Das ist Paps' Problem«, antwortete sie. »Lassen Sie sich das Ding zeigen, das er in unserem Keller gebaut hat?«

»Warum nicht? Was ist es denn?«

»Eine Zeitmaschine.«

II

Zeb:
Morgen werde ich sieben Adler sehen, ein großer Komet wird auftauchen, und Stimmen werden aus Wirbelwinden tönen und schreckliche, monströse Dinge vorhersagen ... Dieses Universum hat nie einen Sinn ergeben: vermutlich wurde es im Regierungsauftrag geschaffen.

»Ein großer Keller?«

»Mittelgroß. Neun mal zwölf. Aber gedrängt voll. Werkbänke und Werkzeuge aller Art.«

Hundertundacht Quadratmeter — Deckenhöhe vermutlich zweieinhalb ... Hatte Paps vielleicht denselben Fehler gemacht wie der Mann, der in seinem Keller ein großes Boot baute?

Meine Gedanken wurden durch eine schrillende Männerstimme unterbrochen: »Sie übergebildeter, verklemmter, pedantischer Ignoramus! Ihre mathematische Intuition ist doch schon am Tag Ihres Universitätsabgangs eingefroren gewesen!«

Den Schreier kannte ich nicht, dafür aber den altmodischen Knaben, dem seine Worte galten: Professor Unwin Neil Geist, Leiter des Mathematischen Instituts — Gnade Gott dem Studenten, der eine Nachricht an ›Professor U. N. Geist‹ richtete. ›Geisty‹ hatte sein Leben mit der Suche nach der großen Wahrheit verbracht — die er unter Hausarrest stellen wollte.

Er hatte sich aufgeplustert wie eine Taube und hechelte in professoraler Verbohrtheit herum. Sein Gesichtsausdruck konnte darauf schließen lassen, daß er jeden Augenblick ein Stachelschwein zur Welt bringen würde.

Deety stockte der Atem. »Es geht los!« rief sie und hastete auf die beiden zu. Ich dagegen halte mich aus Streitereien heraus; ich bin ein berufsmäßiger Feigling und trage zum Schutz eine Brille mit Fensterglas — wenn irgendein Dummkopf mich anfaucht: »Nehmen Sie die Brille ab!«, habe ich meistens noch Zeit für einen Rückzieher.

Ich marschierte geradewegs auf die Streitenden los.

Deety hatte sich zwischen die beiden gestellt und sagte mit leiser, aber nachdrücklicher Stimme zu dem Tobenden: »Paps! Laß das! Diesmal hole ich dich nicht aus der Klemme!« Sie langte nach seiner Brille, um sie ihm wieder auf die Nase zu schieben, denn er hatte sie kampfbereit abgenommen, aber er hielt sie nun so, daß sie nicht herankam.

Ich griff über die Köpfe der beiden weg, zog ihm die Brille aus der Hand und gab sie Deety. Sie lächelte mich an und setzte sie ihm wieder auf. Er stellte die Gegenwehr ein und ließ es mit sich geschehen. Entschlossen griff sie nach seinem Arm. »Tante Hilda!«

Unsere Gastgeberin eilte herbei. »Ja, Deety? Warum hast du dich eingemischt, Liebes? Wir hatten nicht mal Zeit, unsere Wetten zu plazieren.« Faustkämpfe waren bei ›Sharp‹ Corners' Partys keine Seltenheit. Es gab gut zu Essen und zu Trinken und stets eine richtige Band; ihre Gäste waren oft exzentrisch, aber niemals langweilig — es hatte mich überrascht, Professor U. N. Geist zu erblicken.

Nun glaubte ich zu verstehen: eine absichtlich brisant gestaltete Mischung.

Deety überhörte ihre Fragen. »Würdest du Paps und mich und Mr. Carter bitte entschuldigen? Es hat sich etwas Dringendes ergeben.«

»Du und Jake, ihr könnt gehen, wenn es sich nicht vermeiden läßt. Aber Zebbie dürft ihr mir nicht entführen. Das ist Betrug, Deety!«

Deety sah mich an. »Darf ich es ihr sagen?«

»Wie? Aber klar doch!«

Der verflixte ›Geisty‹ suchte sich diesen Augenblick aus, um dazwischenzugehen. »Mrs. Corners, Dr. Burroughs darf erst gehen, wenn er sich entschuldigt hat. Darauf bestehe ich!«

Unsere Gastgeberin musterte ihn verächtlich. »Merde, Professor! Ich bin keiner Ihrer Lehrerkollegen. Wenn Sie wollen, können Sie es Jake Burroughs mit gleicher Münze heimzahlen. Sollte Ihr Schimpfwort-Vokabular an das seine heranreichen, haben wir bestimmt Spaß daran. Aber *noch ein Wort,* das sich wie ein Befehl an mich oder einen meiner Gäste anhört — und Sie marschieren ab! Dann sollten Sie schleunigst nach Hause fahren, denn der Rektor würde Sie sprechen wollen.« Sie wandte ihm den Rücken zu. »Deety, du wolltest noch etwas sagen?«

›Sharp‹ Corners vermag Finanzbeamte einzuschüchtern. Dabei

hatte sie noch nicht einmal scharf geschossen, sondern ›Geisty‹ nur eins vor den Bug gegeben. Sein Gesicht deutete allerdings darauf hin, daß er bereits leckgeschlagen war.

»Nicht Deety, Hilda. Ich.«

»Sei ruhig, Zebbie. Was immer es ist, die Antwort ist nein. Also, Deety? Sprich dich aus, Liebes!«

Hilda Corners ist so störrisch wie der sprichwörtliche Esel. Ich verzichtete darauf, sie mit einem Baseballschläger zur Ordnung zu rufen, weil sie mir unter dem ausgestreckten Arm hindurchlaufen kann und nur etwas über vierzig Kilogramm wiegt. Ich packte sie an den Ellbogen und drehte sie zu mir herum. »Hilda, wir werden heiraten.«

»Zebbie-Schätzchen! Ich dachte, du würdest mich *nie* fragen!«

»Dich doch nicht, du alte Schachtel! Deety! Ich habe ihr einen Antrag gemacht, und sie hat ja gesagt. Jetzt will ich alles besiegeln, ehe die Narkose nachläßt.«

Hilda sah mich interessiert-nachdenklich an. »Das ist vernünftig gedacht.« Sie drehte sich zu Deety um. »Hat er dir von seiner Frau in Boston erzählt, Deety? Und von den Zwillingen?«

Ich stellte sie wieder auf den Boden. »Nun aber Schluß, Sharpie, keine Scherze mehr! Dr. Burroughs, ich bin unverheiratet, gesund, finanziell gesichert und fähig, eine Familie zu ernähren. Ich hoffe, das alles findet Ihre Zustimmung.«

»Paps sagt ›Ja‹«, gab Deety zurück. »Ich habe Rechtsvollmacht für ihn.«

»Du hältst jetzt auch mal den Mund. Ich heiße Carter, Sir — Zeb Carter. Ich gehöre zum Campus; sie können meine Unterlagen nachsehen. Und ich gedenke Deety auf der Stelle zu heiraten, wenn sie einverstanden ist.«

»Ihr Name und Ihre Leistungen sind mir bekannt, Sir. Meine Zustimmung brauchen Sie allerdings nicht. Deety ist volljährig. Aber ich gebe Sie Ihnen trotzdem.« Er blickte mich nachdenklich an. »Wenn ihr beiden sofort heiratet, habt ihr sicher anderes im Sinn als übers Fach zu reden. Oder?«

»Paps — gib Ruhe! Es ist alles geregelt.«

»So? Hilda, vielen Dank für einen angenehmen Abend. Ich rufe dich morgen an.«

»Du tust nichts dergleichen; du kommst schnellstens zurück und erzählst mir alles. Jake, du wirst *nicht* mit den beiden auf Hochzeitsreise gehen — ich hab' dich schon verstanden!«

»Tante Hilda — bitte! Ich regle alles.«

Beinahe plangemäß verließen wir das Haus durch die Seitentür. Auf dem Parkplatz gab es ein Problem: welchen Wagen sollten wir nehmen? Der meine ist ein Zweisitzer, kann aber auch vier Leute befördern. Die Rücksitze eignen sich für Kurzflüge. Das Fahrzeug der Burroughs' war eine viersitzige Familienkutsche, nicht schnell, aber geräumig — und voller Gepäck. »Wieviel Gepäck?« fragte ich Deety, während ich mir zwei Kulturbeutel in einem Rücksitz vorstellte und meinen Schwiegervater in spe in dem anderen.

»Ich habe nicht viel, aber Paps hat zwei große Koffer dabei und eine dicke Aktentasche. Am besten zeige ich's dir.«

(Verdammt!) »Ja, das ist wohl am besten.« Mir gefällt mein Wagen, ich fahre nicht gern die Wagen anderer Leute. Deety mochte mit den Kontrollen so elegant umgehen wie sie tanzte, aber *wissen* tat ich das nicht — und ich bin in dieser Hinsicht äußerst vorsichtig. Ihren Vater nahm ich in meine Berechnungen gar nicht erst auf; es erschien mir nicht reizvoll, mich seinem Temperament anzuvertrauen. Vielleicht war Deety damit einverstanden, daß er hinter uns herfuhr — aber auf jeden Fall würde meine künftige Braut *mich* begleiten! »Wo?«

»Drüben in der anderen Ecke. Ich schließe ihn auf und mache das Licht an.« Sie griff in die Innentasche ihres Vaters und nahm einen Zauberstab heraus.

»*Wartet auf mich!*«

Der Ruf kam von unserer Gastgeberin. Hilda eilte auf uns zu, in einer Hand ein Täschchen, in der anderen etwa achttausend Neudollar Abendnerz, der wie eine Flagge hinter ihr herwehte.

So begann die Diskussion von neuem. Sharpie hatte offenbar beschlossen, uns zu begleiten, damit Jake sich nicht danebenbenahm. Sie kam eben von Max (ihrem Rausschmeißer-Butler-Fahrer), den sie instruiert hatte, wann er die Betrunkenen hinauswerfen oder mit Decken versorgen sollte.

Sie hörte sich Deetys Zusammenfassung an und nickte. »Begriffen. Ich kenne mich mit eurem Wagen aus, Deety; den nehmen Jake und ich. Du fährst mit Zebbie, Liebes.« Sie wandte sich an mich. »Halt dich mit dem Tempo zurück, Zebbie, damit ich dir folgen kann. Keine Tricks, Kumpel! Versuchst du, uns abzuschütteln, hast du sofort die Bullen auf dem Hals!«

Ich musterte sie mit unschuldigem Blick. »Aber Sharpie-Schätzchen, so etwas würde ich doch nie tun.«

»Du würdest das Rathaus klauen, wenn du wüßtest, wie du es fortschaffen kannst. Wer hat mir damals den Haufen Götterspeise in den Swimmingpool gekippt?«

»Du weißt genau, daß ich gerade in Afrika war.«

»Das behauptest du jedenfalls. Deety, nimm ihn fest an die Leine und überfüttere ihn nicht. Aber heirate ihn; er hat etwas los. Wo ist denn nun das Funkgerät? Und euer Wagen?«

»Hier«, sagte Deety, richtete den Zauberstab aus und drückte auf den Knopf.

Ich warf die Arme um alle drei und schleuderte sie zu Boden. Wir prallten auf, als der Detonationsdruck ringsum seinen Schaden anrichtete. Uns erreichte er nicht. Wir waren im Windschatten anderer Fahrzeuge gelandet.

III

Zeb:

Fragen Sie mich nicht, wie es geht. Fragen Sie einen Trapezartisten danach, wie er den dreifachen Salto schafft. Fragen Sie den Würfler, woher er weiß, wann eine Serie ›heiß‹ ist. Aber erkundigen Sie sich nicht, woher ich weiß, wann etwas geschieht.

Meine Gabe verrät mir nichts, was ich nicht unbedingt wissen muß. So weiß ich erst, was in einem Brief steht, wenn ich ihn geöffnet habe (bis auf das eine Mal, als es sich um eine Briefbombe handelte). Harmlose Ereignisse ahne ich nicht voraus. Aber jenes Vorauserkennen um Sekundenbruchteile hat mich im Notfall schon oft relativ unbeschadet am Leben erhalten — in einer Zeit, da mehr Menschen durch Morde umkommen als durch den Krebs und die bevorzugte Selbstmordform darin besteht, mit einem Gewehr auf einen Turm zu steigen und zu schießen, bis die Spezialisten der Polizei der Sache ein Ende machen.

Ich *sehe* den Wagen nicht hinter der Kurve auf der falschen Straßenseite; ich steuere nur automatisch in den Graben. Als die San-Andreas-Spalte Ärger machte, sprang ich aus dem Fenster und befand mich im Freien, als die Erschütterung kam — und wußte nicht, warum ich gesprungen war.

Abgesehen davon, sind meine übersinnlichen Fähigkeiten sehr unzuverlässig; ich habe sie billig aus einem Lager für Armeewaren.

Die drei lagen unter mir. Hastig stand ich auf und bemühte mich dabei, ihnen nicht weh zu tun. Den Frauen half ich hoch, dann zerrte ich Paps auf die Füße. Niemand schien beschädigt zu sein. Deety blickte mit starrem Gesicht auf das Feuer, das dort aufloderte, wo ihr Wagen gestanden hatte. Ihr Vater starrte suchend zu Boden. Deety hielt ihn am Arm zurück. »Hier, Paps.« Sie setzte ihm die Brille auf.

»Vielen Dank, meine Liebe.« Er ging auf das Feuer zu.

Ich packte ihn an der Schulter. »*Nein!* In meinen Wagen — *fix!*«

»Wie? Meine Aktentasche — vielleicht ist sie fortgeschleudert worden.«

»Mund halten und los! Ihr alle!«

»Los, Paps!« Deety faßte Hilda am Arm. Wir stopften die beiden auf die Rücksitze, dann winkte ich Deety auf den Beifahrersitz und bellte: »Gurte!«, während ich im gleichen Moment die Tür zuknallte und zur linken Seite herumsprintete. »Gurte fest?« fragte ich, während ich den meinen festmachte und die Tür verriegelte.

»Jakes ist geschlossen, meiner ebenfalls, Zebbie«, sagte Hilda aufgekratzt.

»Gurt fest, Tür verriegelt«, meldete Deety.

Die Kiste war heiß; ich hatte den Vorwärmer laufen lassen — was nützt einem ein schneller Wagen, der nicht sofort lospreschen kann? Ich schaltete auf volle Leistung, verzichtete darauf, die Lichter einzuschalten, warf einen Blick auf das Armaturenbrett und löste die Bremsen.

Die Vorschriften verlangen, daß ein Zweisitzer innerhalb der Stadtgrenze am Boden bleiben muß — folglich zog ich den Bug hoch, ehe wir einen Meter gerollt waren, und als wir den Parkplatz verließen, rasten wir bereits senkrecht in die Höhe.

Fünfhundert Meter hoch, während der Schwerkraftmesser mitkletterte — zwei, drei, vier g. Bei fünf gab ich nach, denn ich wußte nicht, wie gut Paps' Herz noch mitspielte. Als der Höhenmesser viertausend anzeigte, schaltete ich ab — Schub, Funkgerät, alles —, betätigte den Knopf, der radarstörende Flitter abwarf, und ließ den Wagen zum ballistischen Geschoß werden. Ich *wußte* nicht, ob uns jemand nachspürte — ich wollte es auch gar nicht erst herausfinden.

Als der Höhenmesser anzeigte, daß wir die Spitze der Kurve überwunden hatten, öffnete ich die Flügel ein wenig. Sobald der Widerstand zu spüren war, warf ich uns auf den Bauch herum, ließ die Flügel in die Stellung für Unterschallflug kriechen und ging auf Segelflug. »Alles in Ordnung?«

Hilda kicherte. »Mann, Schätzchen! Das kannst du ruhig noch mal machen. Aber dann soll mich jemand dabei küssen!«

»Halt lieber den Schnabel, alte Frau! Und Sie, Paps?«

»Alles in Ordnung, mein Sohn.«

»Deety?«

»Keine Probleme.«

»Hast du dir bei dem Sturz auf dem Parkplatz etwas getan?«

»Nein, Sir. Ich habe mich in der Luft herumgedreht und bin mit einer Po-Backe aufgeprallt, während ich mir gleichzeitig Paps' Brille schnappte. Aber schieb mir das nächstemal bitte ein Bett unter. Oder eine Turnmatte.«

»Ich werde dran denken.« Ich schaltete das Radio ein, nicht das Funkgerät, und suchte alle Polizeifrequenzen ab. Wenn man unsere Kapriolen bemerkt hatte, so wurde jedenfalls nicht über Funk darüber gesprochen. Unsere Höhe betrug nur noch zweitausend; ich zog den Schlitten abrupt nach rechts herum und schaltete den Antrieb wieder ein. »Deety, wo wohnt ihr?«

»In Logan, Utah.«

»Wie lange dauert es, bis man verheiratet ist?«

»Zebbie«, unterbrach Hilda, »Utah verlangt keine Wartezeiten . . .«

»Also auf nach Logan.«

». . . aber dafür einen Bluttest. Deety, kennst du Zebbies Spitznamen auf der Uni? Die Wespe. Als Verballhornung von ›Wassermann positiv‹. Zebbie, alle Welt weiß, Nevada ist der einzige Staat, in dem man rund um die Uhr bedient wird, ohne Wartezeiten und ohne Bluttest. Also nimm schon Kurs auf Reno.«

»Sharpie-Schätzchen«, sagte ich sanft. »Möchtest du gern aus zweitausend Metern Höhe zu Fuß nach Hause gehen?«

»Weiß nicht, versucht hab' ich's noch nicht.«

»Du befindest dich in einem Schleudersitz — aber ohne Fallschirm.«

»Oh, wie romantisch! Jake, Liebling, auf dem Weg nach unten singen wir den *Liebestod* — du singst Tenor, ich quetsche einen Sopran heraus, und dann sterben wir, einer in den Armen des anderen. Zebbie, kannst du noch ein bißchen mehr Höhe zugeben? Damit wir mit der Zeit besser hinkommen.«

»Dr. Burroughs, legen Sie unserer Anhalterin doch bitte einen Knebel an. Sharpie, der *Liebestod* ist ein Solo.«

»Ach, wie pingelig! Genügt's denn nicht, daß ich unten tot sein soll? Eifersüchtig, weil du unmusikalisch bist? Ich hab' Richard ewig zugeredet, es müßte ein Duett werden, und Cosima war durchaus meiner Ansicht . . .«

»Sharpie, laß mal das Quasseln sein, während ich es dir erkläre! Erstens weiß jedermann auf deiner Party, warum wir gegangen sind, und nimmt bestimmt an, daß wir nach Reno fliegen. Wahrscheinlich hast du etwas Ähnliches gerufen, als du uns nachkamst . . .«

»Könnte sein. Ja, sogar ganz sicher.«

»Bitte Ruhe! Irgendein Profi hat sich große Mühe gegeben, Dr. Burroughs umzubringen. Und das nicht nur einmal, sondern gleich mehrfach; der Haufen Sprengstoff und Thermit sollte keine analysierbaren Spuren zurücklassen. Aber es ist denkbar, daß niemand unseren Start beobachtet hat. Knapp dreißig Sekunden nach der Explosion waren wir im Wagen und in Fahrt. Unschuldige Zeugen haben sicher auf das Feuer gestarrt und nicht in unsere Richtung. *Schuldige* Zeugen . . . Also, die gibt es bestimmt nicht. Ein Profi, der einen Wagen vermint, taucht entweder unter oder geht über die Staatsgrenze und verschwindet. Der oder die Betreffenden, die für den Anschlag bezahlt haben, könnten in der Nähe sein, aber wenn sie das sind, Hilda, dann befinden sie sich in deinem Haus.«

»Einer *meiner* Gäste?«

»Ach, reg dich nicht auf, Sharpie; die Moral deiner Gäste hat dich doch nie interessiert. Für dich kommt jeder in Frage, der mit Gläsern wirft, einen kleinen Striptease hinlegt oder sich sonstige Streiche einfallen läßt, nur daß deine Partys nicht langweilig werden. Ich setze allerdings *nicht* voraus, daß der Drahtzieher auf deiner Party war; ich behaupte nur, daß er sich nicht gerade dort herumtreibt, wo die Bullen ihn schnappen könnten. Dein Haus wäre das beste Versteck, um zu verfolgen, wie sich alles entwickelt.

Wie dem auch sei, Gast oder nicht, der Betreffende *wußte* jedenfalls, daß Dr. Burroughs an deiner Party teilnehmen würde. Hilda, wer kannte diese entscheidende Tatsache?«

Sie antwortete in ungewohntem Ernst: »Das weiß ich nicht, Zebbie. Ich müßte darüber nachdenken.«

»Tu das — und zwar gründlich!«

»Mmm, nicht viele. Mehrere wurden eingeladen, weil Jake auch kommen wollte — zum Beispiel du . . .«

»Das ist mir mit der Zeit bewußt geworden.«

». . . aber man sagte dir nicht, daß Jake anwesend sein würde. Einige wußten es — zum Beispiel ›Ungeist‹ —, aber ich kann mir nicht vorstellen, daß der alte Dummkopf an deinem Wagen herumfummelt.«

»Ich auch nicht, aber Mörder sehen nun mal nicht wie Mörder

aus; sie sehen aus wie Menschen. Wie *lange* wußte ›Geisty‹ schon vor der Party, daß Paps kommen würde?«

»Ich hab's ihm gesagt, als ich ihn einlud. Mmm, das war vor acht Tagen.«

Ich seufzte. »Die möglichen Kandidaten beschränken sich also nicht auf die Uni, der ganze Globus kommt in Frage. Also müssen wir jetzt die *wahrscheinlichen* Kandidaten ermitteln. Dr. Burroughs, fällt Ihnen jemand ein, der sich Ihren Tod wünschen könnte?«

»Mehrere!«

»Ich will das etwas anders formulieren. Wer haßt Sie so sehr, daß er nicht zögern würde, Ihre Tochter umzubringen, damit er auf jeden Fall *Sie* erwischt? Und unschuldige Zufallsopfer wie Hilda und mich. Nicht daß wir von Bedeutung wären, wir beweisen nur, daß es ihm gleichgültig war, wer dabei noch zu Schaden kam. Eine verkümmerte Persönlichkeit. Amoralisch. *Wer könnte das sein?«*

Paps Burroughs zögerte. »Dr. Carter, Zwistigkeiten zwischen Mathematikern werden manchmal recht temperamentvoll ausgetragen — und ich bin nicht ohne Fehler.« (Da sagen Sie mir nichts Neues, Paps!) »Aber wir werden selten gewalttätig. Selbst der Tod des Archimedes hatte mit seinem — unserem — Beruf nur indirekt zu tun. Meine Tochter mit hineinzuziehen — nein, da paßt nicht einmal Dr. Geist ins Bild, so sehr ich ihn auch verabscheue.«

»Zeb, könnte es sein, daß *ich* das Ziel war?« fragte Deety.

»Das mußt du *mir* sagen! Wem hast du auf den Zeh getreten?«

»Hmm . . . Mir fällt keiner ein, der mich so sehr ablehnt, daß er nicht mal mit mir spricht. Hört sich dumm an, ist aber so.«

»Stimmt genau!« warf Sharpie ein. »Deety schlägt nach ihrer Mutter. Als Jane — das war Deetys Mutter und meine beste Freundin — als Jane und ich auf dem College das Zimmer teilten, geriet ich immer wieder in die Klemme, und Jane mußte mich öfter retten — ohne selbst in Schwierigkeiten zu kommen. Eine Friedensstifterin. Dasselbe trifft auf Deety zu.«

»Okay, Deety, du bist aus dem Spiel. Ebenso Hilda und ich, da der Täter nicht vorhersehen konnte, daß Hilda oder ich in Reichweite der Explosion sein würden. Also ist Paps das Ziel. Wir wissen nicht, wer dahintersteckt, wir kennen das Motiv nicht. Wenn wir das haben, steht auch der Verantwortliche fest. Unterdessen müssen wir Paps aus dem Schußfeld halten. Ich heirate dich so schnell es geht, nicht nur, weil du gut riechst, sondern damit ich ein legitimes Interesse an diesem Kampf habe.«

»Also zuerst nach Reno.«

»Halt den Mund, Sharpie! Wir halten Kurs auf Reno, seit wir den Steigflug beendet haben.« Ich schaltete das automatische Funkgerät ein, aber links herum, nicht rechts. Es würde nun mit einem einwandfreien registrierten Signal antworten — das aber nichts mit meinem Namen zu tun hatte. Die Schaltung hatte mich ein Sümmchen gekostet, das ich erübrigen konnte, das aber mit einem wortkargen Familienvater in Indio sehr helfen konnte. Manchmal ist es ganz vorteilhaft, beim Überqueren einer Staatsgrenze nicht gleich von den Himmels-Bullen identifiziert zu werden.

»Aber wir fliegen nicht nach Reno. Meine Cowboy-Manöver sollten Auge, Radar und Hitzepeiler täuschen. Das Ausweichen vor den Hitzepeilern — das ruckhafte Herumziehen, während wir noch im Anflug waren — hat entweder geklappt oder war überflüssig, da wir bisher noch kein Geschoß ins Heck abbekommen haben. Wahrscheinlich war meine Vorsicht überflüssig; Leute, die Wagen in die Luft sprengen, sind nicht unbedingt darauf vorbereitet, einen startenden Zweisitzer abzuschießen. Da ich meiner Sache aber nicht sicher war, habe ich mich vorgesehen. Möglicherweise nimmt man an, daß wir bei der Explosion und dem Brand ums Leben gekommen sind, vielleicht sogar bis zum Abkühlen des Wracks, das dann bei Tageslicht untersucht wird. Kann sein, daß sich die Theorie noch länger hält, da die Bullen wohl nicht jedem auf die Nase binden werden, daß sie keine organischen Überreste finden konnten. Ich aber muß davon ausgehen, daß sich Professor Moriarty nicht täuschen läßt, daß er in seinem geheimen Hauptquartier am Wiederholerschirm sitzt, daß er weiß, wir wollen nach Reno, und daß uns dort feindliche Kräfte erwarten. Wir fliegen also nicht dorthin. Jetzt bitte Ruhe; ich muß meinem Baby Anweisungen geben.«

Die Computer-Seele meines Wagens kann zwar nicht kochen, aber was sie kann, macht sie gut. Ich forderte eine Übersichtskarte an, veränderte den Maßstab, bis Utah ganz sichtbar war, und zeichnete mit dem Lichtstift den Kurs ein — ein kompliziertes Gebilde, das sich südlich um Reno herum und dann wieder nach Norden krümmte und dabei über recht leeres Gebiet führte. Im Anflug auf Logan kamen wir nördlich dem Hill-Luftwaffenstützpunkt vorbei. Ich gab die Höhe-über-Grund-Werte ein mit genug Luft, um etwaige Unebenheiten auszugleichen, und fügte eine Veränderung der Geschwindigkeit über Grund hinzu, sobald wir das Reno-Radar verlassen hatten. »Verstanden, Mädchen?« fragte ich.

»Verstanden, Zeb.«

»Zehn Minuten Frist, bitte.«

»Rufe dich zehn Minuten vor Ende des Kursprogramms — verstanden!«

»Bist ein kluges Mädchen, Gay.«

»Boß, ich wette, du sagst das allen Mädchen. Ende.«

»Roger und Ende, Gay.« Der Schirm erlosch.

Natürlich hätte ich meinen Autopiloten so programmieren können, daß er einen Flugplan auf Knopfdruck ›Ausführung‹ akzeptierte. Aber ist es nicht angenehmer, wenn einem eine freundliche Altstimme antwortet? ›Klug‹ war das Mädchen aber besonders deswegen, weil *meine* Stimme erforderlich war, um einen Flugplan auch tatsächlich in Gang zu bringen. Ein geschickter Elektronenwerker hätte vielleicht eine Möglichkeit gefunden, mein Schloß zu knacken und den Wagen mit der Hand zu fliegen. Doch sollte er versuchen, den Autopiloten zu benutzen, verweigerte das Fahrzeug nicht nur das Programm, sondern schrie gleichzeitig auf allen Polizeifrequenzen um Hilfe. Das konnte einen Dieb schon frustrieren.

Ich hob den Blick und sah, daß Deety dem Gespräch aufmerksam gefolgt war. Ich machte mich auf interessierte Fragen gefaßt. Statt dessen sagte Deety: »Zeb, sie hat eine sehr angenehme Stimme.«

»Gay Täuscher ist ein sehr nettes Mädchen, Deety.«

»Und talentiert. Ich habe noch nie in einem Ford gesessen, der soviel kann.«

»Wenn wir verheiratet sind, mache ich euch beide richtig miteinander bekannt. Dann muß ich sie umprogrammieren.«

»Es wird mich freuen, sie näher kennenzulernen.«

»O ja. Genaugenommen ist Gay nicht nur ein Ford. Ihr Äußeres wurde von Ford in Kanada hergestellt. Der Rest gehörte früher überwiegend der australischen Armee. Ich habe aber ein paar Kleinigkeiten zusätzlich eingebaut. Bowlingbahn, Damentoilette, Veranda. Damit's gemütlich ist.«

»Das weiß sie sicher zu schätzen, Zeb. Ich tu's jedenfalls. Ohne sie wären wir jetzt wohl alle mausetot.«

»Durchaus möglich. Und wenn das zutrifft, hätte Gay mir nicht zum erstenmal das Leben gerettet. Du kennst noch nicht alle ihre Talente.«

»Mich überrascht bald nichts mehr. Soweit ich mitbekommen habe, hast du sie nicht angewiesen, in Logan zu landen.«

»Logan scheint mir der nächstwahrscheinliche Ort für ein Empfangskomitee zu sein. Wer wußte dort, daß du und dein Vater Hilda besuchen wollten?«

»Von mir hat es niemand erfahren.«

»Post? Milchpackungen? Zeitungen?«

»Wir bekommen nichts ins Haus geliefert, Zeb.« Sie drehte den Kopf. »Paps, weiß in Logan jemand, wohin wir wollten?«

»Dr. Carter, soweit ich weiß, ahnt in Logan niemand, daß wir überhaupt fort sind. Ich habe das Getratsche der akademischen Welt lange genug über mich ergehen lassen und schütze mein Privatleben so gut es geht.«

»Dann schlage ich vor, daß ihr eure Sicherheitsgurte lockert und ein wenig schlaft. Bis zehn Minuten vor Logan gibt's nur wenig zu tun.«

»Dr. Carter . . .«

»Wir sollten uns duzen, Paps. Gewöhn dich daran.«

»Also gut, Zeb. Auf Seite siebenundachtzig deiner Monographie schreibst du nach der Gleichung hunderteinundzwanzig der Abhandlung über die Rotation positiv gekrümmter sechsdimensionaler Räume: ›Daraus ergibt sich . . .‹ und läßt sofort Gleichung hundertzweiundzwanzig folgen. Wie kommt das zustande? Ich melde damit keinen Widerspruch an, Sir — im Gegenteil! Aber in einer bisher unveröffentlichten Abhandlung habe ich selbst ein Dutzend Seiten gebraucht, um dieselbe Umbildung zu erreichen. War dir da eine Intuition gekommen? Oder hast du aus drucktechnischen Gründen gewisse Zwischenschritte ausgelassen? Das soll keine Kritik sein, ich bin auf jeden Fall beeindruckt. Ich wüßte es nur gern.«

»Doktor, *ich* habe das nicht geschrieben. Das habe ich Deety schon gesagt.«

»Stimmt, Paps. Hat er behauptet.«

»Ich bitte dich! *Zwei* Dres. Zebulon E. Carter an einer Universität?«

»Nein. Aber so heiße ich nicht. Mein Name ist Zebadiah J. Carter. Zebulon E. Carter — E. für Edward, aber ›Ed‹ gerufen — ist mein Cousin. Er mag wohl in den Unterlagen der Uni stehen, doch verbringt er zur Zeit ein Austauschjahr in Singapur. Das ist gar nicht so ungewöhnlich: *alle* Männer in unserer Familie haben Vornamen, die mit einem ›Z‹ beginnen. Das hat mit Geld zu tun, mit einem Testament und einem Treuhandfonds und dem Umstand, daß mein Großvater und sein Vater ein wenig exzentrisch waren.«

»Was man von *dir* aber nicht behaupten kann«, sagte Hilda betont.

»Sei nur still, meine Liebe.« Ich wandte mich an Deety. »Deety, möchtest du aus der Verlobung heraus? Ich habe versucht, dir zu sagen, daß du dir den falschen Vogel geangelt hast.«

»Zebadiah . . .«

»Ja, Deety?«

»Ich gedenke dich zu heiraten, ehe diese Nacht vorüber ist. Aber du hast mich noch nicht geküßt. Ich möchte geküßt werden.«

Ich löste meinen Sicherheitsgurt und wollte den ihren aufmachen, mußte aber feststellen, daß sie mir zuvorgekommen war.

Deety küßt sogar noch besser, als sie Tango tanzt.

Als ich mal nach Luft schnappen mußte, fragte ich sie flüsternd: »Deety, was bedeuten deine Initialen?«

»Also . . . bitte lach nicht.«

»Ganz bestimmt nicht. Aber ich muß deinen Namen ja für die Zeremonie kennen.«

»Ich weiß. Na schön, D. T. bedeutet Dejah Thoris.«

Dejah Thoris . . . Dejah Thoris Burroughs . . . Dejah Thoris *Carter!* Ich konnte mich nicht halten.

Ich bezwang mein Lachen sofort wieder. Doch es war schon zu spät. Traurig sagte Deety: »Du hast versprochen, nicht zu lachen.«

»Deety, mein Liebling. Ich habe nicht über deinen Namen gelacht, sondern über den *meinen!*«

»Ich finde nicht, daß ›Zebadiah‹ ein komischer Name ist. Mir gefällt er.«

»Mir auch. Er verhindert, daß ich zwischen den zahllosen Bobs und Eds und Toms untergehe. Aber ich habe dir meinen mittleren Namen noch nicht verraten. Fällt dir ein komischer Name ein, der mit ›J‹ anfängt?«

»Ich möchte lieber nicht raten.«

»Dann will ich dir eine Starthilfe geben. Ich bin unweit der Universität geboren worden, die Thomas Jefferson gegründet hat. Als ich das College verließ, erhielt ich ein Patent als Zweiter Lieutenant der Aerospace-Reserve. Danach bin ich noch zweimal befördert worden. Und ›J‹ bedeutet ›John‹.«

Sie brauchte knapp eine Sekunde. »Captain . . . John . . . Carter . . . aus Virginia.«

»»Ein gutgebauter Kämpfer««, sagte ich. »Kaor, Dejah Thoris! Zu Euren Diensten, meine Prinzessin. Jetzt und ewiglich!«

»Kaor, Captain John Carter. Helium akzeptiert diesen Dienst mit Freuden!«

Lachend umarmten wir uns. Nach einer Weile verstummte unser Gelächter und wurde von einem zweiten Kuß abgelöst.

Als wir wieder einmal eine Atempause machten, klopfte mir Hilda auf die Schulter. »Würdest du uns bitte mal den Witz verraten?«

»Wollen wir es ihr sagen, Deety?«

»Ich weiß nicht recht. Tante Hilda hat eine lockere Zunge.«

»Ach, Unsinn! Ich kenne deinen vollen Namen und habe ihn nie jemandem verraten. Schließlich habe ich dich bei der Taufe übers Becken gehalten. Und du warst feucht. An beiden Enden. Nun raus damit!«

»Na schön. Wir brauchen gar nicht erst zu heiraten — wir sind es bereits. Seit Jahren. Seit über einem Jahrhundert.«

Nun meldete sich Paps zu Wort. »Wie? Was war das?« Ich erklärte es ihm. Er sah mich nachdenklich an und nickte. »Logisch.« Dann wandte er sich wieder den Notizen zu, die er in ein Heft kritzelte, und hob schließlich den Kopf. »Dein Cousin Zebulon — steht er im Telefonbuch?«

»Wahrscheinlich nicht, aber er wohnt im Neuen Raffles.«

»Ausgezeichnet. Dann versuch ich's im Hotel und in der Universität. Doktor — mein Sohn, würdest du den Anruf für mich machen? Mein Komkredit-Code ist Nero-Aleph-acht-null-eins-Strich-sieben-fünf-zwei-Strich-drei-neun-drei-zwei-Zett-Stern-Zett.« (Zett-Stern-Zett-Krediteinstufung — ich würde meinen künftigen Schwiegervater nicht unterstützen müssen.)

»Paps«, schaltete sich Deety ein, »du darfst Professor Carter — Zebulon Carter — nicht um diese Zeit anrufen.«

»Liebe Tochter, es ist doch nicht spät nachts in . . .«

»Natürlich nicht; rechnen kann ich selber. Du möchtest ihn um einen Gefallen bitten, also störe seinen Nachmittagsschlaf nicht.«

»In Singapur ist jetzt nicht Mittag, sondern . . .«

»Siesta — noch heißer als die Mittagsstunde. Warte lieber.«

»Deety hat recht«, warf ich ein, »wenn auch aus den falschen Gründen. Es scheint mir nicht lebenswichtig zu sein, ihn gerade jetzt anzurufen. Wohingegen es lebensentscheidend sein könnte — für uns, meine ich —, ob von diesem Wagen aus telefoniert wird oder nicht — besonders mit deinem Kredit-Code. Solange wir nicht wissen, wer die Jungs mit den Schwarzen Hüten sind, solltest du vom Boden aus telefonieren und von öffentlichen Telefonen, die man mit Neudollar füttern kann anstatt mit einem Code. Etwa ein Telefon in Peoria. Oder Paducah. Hat die Sache denn keine Zeit?«

»Wenn du es so siehst — ja, die Sache hat Zeit. Obwohl ich mir noch immer nicht vorstellen kann, daß mich jemand umbringen will.«

»Die verfügbaren Daten deuten darauf hin.«

»Richtig. Aber gefühlsmäßig habe ich das noch nicht begriffen.«

»Seine Gefühle lassen sich nur mit einem Baseballschläger anregen«, stellte Hilda fest. »Ich mußte ihn förmlich festhalten, während Jane ihm einen Antrag machte.«

»Also, liebste Hilda, das stimmt nun wirklich nicht. Ich habe meiner seligen Frau eine höfliche Nachricht geschrieben, darin stand . . .«

Ich ließ sie streiten, während ich die verfügbaren Daten zu erweitern suchte. »Gay Täuscher.«

»Ja, Boß?«

»Die Nachrichten, Schatz.«

»Bereit, Boß.«

»Auswertungsparameter. Zeit — seit einundzwanzighundert. Gebiet — Kalifornien, Nevada, Utah. Personen — dein lieber Boß, Dr. Jacob Burroughs, Dr. D. T. Burroughs, Ms. Hilda Corners . . .« — ich zögerte — »Professor Unwin Neil Geist.« Ich kam mir ein wenig töricht vor, ›Geisty‹ auf die Liste zu setzen, doch schließlich hatte es zwischen Paps und ihm einen Streit gegeben, und vor Jahren hatte mir mein bester Lehrer eingeschärft: »Man sollte niemals die sogenannten ›trivialen‹ Wurzeln einer Gleichung übersehen«, und hatte mich darauf hingewiesen, daß sich zwei Nobelpreise aus ›trivialen‹ Wurzeln herleiteten.

»Parameter abgeschlossen, Boß?«

Dr. Burroughs berührte mich an der Schulter. »Könnte dein Computer nachprüfen, ob es auch Meldungen über deinen Cousin gibt?«

»Hmm, möglich wär's. Sie kann sechzig Millionen Bytes speichern und löscht dann nach dem Prinzip zuletzt-rein-zuletzt-raus alles, was nicht auf Dauerspeicher gegeben worden ist. Der Nachrichtenspeicher ist allerdings sechzig-vierzig zugunsten von Nordamerika ausgelegt. Ich versuche es mal. Kluges Mädchen?«

»Ich warte, Boß.«

»Zusatz. Auswertung zuerst nach gegebenen Parametern. Dann Auswertung nach neuem Programm. Zeit — von jetzt an rückwärts bis Löschzeit. Gebiet — Singapur. Person — Zebulon Edward Carter, auch Ed Carter, auch Dr. Z. E. Carter, auch Professor Z. E. Carter, auch Professor oder Dr. Carter von der Raffles-Universität.«

»Zwei Auswertungsprogramme nacheinander. Verstanden, Zeb.«

»Bist ein kluges Mädchen, Gay.«

»Boß, ich wette, Sie sagen das zu allen Mädchen. Ende.«

»Roger, Gay. Ausführung!«

»AP, San Francisco. Eine geheimnisvolle Explosion störte die akademische Ruhe von . . .« Ein Bericht, der mit dem üblichen Hinweis endete, mit einer Verhaftung werde ›jeden Moment‹ gerechnet, klärte etliche Fragen: Wir alle wurden für tot gehalten. Unser oberster Dorf-Bulle behauptete, eine Theorie zu haben, über die er aber Stillschweigen bewahren müsse — was nur bedeuten konnte, daß er noch weniger wußte als wir. Da wir als ›mutmaßlich tot‹ gemeldet wurden und da von illegalen Starts oder anderen Kapriolen, über die sich die Himmels-Bullen ärgern, nicht die Rede war, konnte ich vorsichtig davon ausgehen, daß das Polizeiradar erst von uns Notiz genommen hatte, als wir uns wieder ganz normal verhielten. Daß das Fehlen von Gay Täuscher nicht gemeldet wurde, überraschte mich nicht, da ich als letzter oder beinahe als letzter eingeparkt hatte — und genausogut mit Taxi, öffentlicher Transportkapsel oder zu Fuß hätte kommen können. Dr. Geist wurde nicht erwähnt, die Auseinandersetzung kam nicht vor. Die Gäste hatte man verhört und freigelassen. Fünf Wagen rings um den Explosionsherd waren beschädigt worden.

»Nevada — Auswertung null. Utah — UPI, Salt Lake City. Ein Feuer unweit des Campus der Staatsuniversität Utah zerstörte . . .« Wieder waren die ›Burschen in den Schwarzen Hüten‹ am Werk gewesen, und Deety und ihr Paps waren zum zweitenmal tot, da man davon ausging, sie wären vom Rauch überrascht worden und hätten nicht mehr fliehen können. Sonst keine Verletzten oder Vermißten. Der Brand wurde einer fehlerhaften elektrischen Anlage zugeschrieben. »Ende der ersten Auswertung, Zeb. Zweite Auswertung beginnt.« Gay verstummte.

Erregt sagte ich: »Paps, da hat es jemand auf dich abgesehen.«

»Fort! Alles vernichtet!« stöhnte er.

31

»Hast du keine Kopien deiner Papiere? Und deines ... Geräts?«

»Wie? Nein, nein! *Viel* schlimmer! Meine unersetzliche Sammlung von Groschenmagazinen! *Weird Tales, Argosy, All Story,* die frühen Gernsbacks: *The Shadow, Black Mask* ... *ooooooh*!«

»Das ist wirklich ein Schlag für Paps«, flüsterte Deety, »und mir ist auch zum Heulen! Ich habe mir mit der Sammlung das Lesen beigebracht. *War Aces, Air Wonder,* die komplette *Astounding*-Sammlung ... Die Schätzung belief sich auf zweihundertunddreizehntausend Neudollar. Großpapa hat damit angefangen, Paps hat weitergemacht — und ich bin mit diesen Geschichten aufgewachsen.«

»Das tut mir wirklich leid, Deety.« Ich nahm sie in die Arme. »Ihr hättet die Hefte auf Mikrofilm sichern sollen.«

»Das haben wir doch getan! Aber es ist eben nicht dasselbe, als wenn man das leibhaftige Magazin in der Hand hält.«

»Das stimmt. Äh, was ist mit dem — Ding im Keller?«

»Was für ein ›Ding im Keller‹?« wollte Sharpie wissen. »Zebbie, du redest wie H. P. Lovecraft.«

»Später, Sharpie. Tröste Jake; wir haben zu tun. Gay!«

»Hier, Zeb. Wo drückt der Schuh?«

»Übersichtskarte bitte.« Wir schwebten über dem nördlichen Nevada. »Kurseingabe löschen, Zufallskurs fliegen. Melde mir die nächste Kreisstadt.«

»Winnemucca und Elko sind bis auf ein Prozent im gleichen Abstand. Elko liegt nach Ankunftszeit näher, da ich zur Zeit elf Grad nördlich von Elko ausgerichtet bin.«

»Deety, würdest du gern in Elko heiraten?«

»Zebadiah, es wäre mir eine große Freude, in Elko zu heiraten!«

»Dann ab nach Elko. Gay, Kurs auf Elko und Landung, normales Flugtempo für Privatwagen. Melde die voraussichtliche Ankunftszeit in Minuten.«

»Roger, verstanden, Elko. Neun Minuten siebzehn Sekunden.«

Hilda sagte beruhigend. »Jake, Liebling, nun beruhige dich, Mama ist ja bei dir.« Dann fügte sie mit ihrer üblichen Kommandostimme hinzu: »Red nicht weiter um den Brei herum, Zebbie! Was für ein ›Ding‹ in welchem Keller?«

»Sharpie, du bist neugierig. Es hat Paps gehört, und jetzt ist es zerstört, und mehr brauchst du nicht zu wissen.«

»Aber das stimmt ja gar nicht«, schaltete sich Dr. Burroughs ein. »Zeb meint mein Kontinua-Fahrzeug, Hilda. Dem ist nichts geschehen. Es befindet sich nämlich nicht in Logan.«

»Um Himmels willen, was ist denn ein ›Kontinua-Fahrzeug‹?«

»Paps meint seine Zeitmaschine«, erklärte Deety.

»Warum nennt er sie dann nicht so? ›Zeitmaschine‹ — das begreift wenigstens jeder. George Pals *Zeitmaschine,* ein Klassiker. Ich habe ihn mehr als einmal im Spätprogramm gesehen.«

»Sharpie«, warf ich ein, »kannst du lesen?«

»Und ob! ›Sieh, dort läuft Bello! Bello läuft!‹ Ich hab' alles drauf.«

»Hast du je von H. G. Wells gehört?«

»Gehört? Ich hab' ihn *vernascht!*«

»Du bist eine prahlerische alte Hexe, aber so alt nun auch wieder nicht. Als Mr. Wells starb, warst du noch Jungfrau.«

»Du gemeiner Kerl! Hau ihm eins, Jake — er hat mich beleidigt!«

»Ich bin sicher, Zeb wollte dich nicht beleidigen. Deety läßt es nicht zu, daß ich andere schlage, auch wenn sie es verdient hätten.«

»Das werden wir ändern.«

»Zweite Auswertung abgeschlossen«, meldete Gay Täuscher. »In Bereitschaft.«

»Bitte gib die zweite Auswertung durch.«

»Reuter, Singapur. Nach Mitteilung der Behörden in Palembang liegen noch keine Berichte über die Marston-Expedition in Sumatra vor. Die Gruppe ist seit dreizehn Tagen überfällig. Neben Professor Marston und eingeborenen Führern und Helfern gehörten dazu Dr. Z. E. Carter, Dr. Cecil Yang und Mr. Giles Smythe-Belisha. Der Minister für Tourismus und Kultur führte aus, daß man die intensive Suche fortsetzen wird. Ende der Auswertung.«

Armer Ed. Wir hatten uns nie nahegestanden, doch andererseits hatte er mir auch nie Ärger gemacht. Ich hoffte, er war irgendwo weich und warm untergekommen und mußte nicht das Leben an eine Dschungel-Machete verlieren — was eher anzunehmen war. »Paps, vorhin habe ich gesagt, es wolle dir jemand ans Leder. Jetzt habe ich den Eindruck, man hat etwas gegen Geometer *n*-dimensionaler Räume.«

»Sieht so aus, Zeb. Ich hoffe, dein Cousin ist in Sicherheit — ein brillanter Mann! Er wäre ein Verlust für die ganze Menschheit.«

(Und für sich selbst, fügte ich im Geiste hinzu. Und für mich auch, da die Familienehre mich nun verpflichtete, etwas dagegen zu unternehmen. Während ich eigentlich meine Flitterwochen antreten wollte). »Gay.«

»Hier, Zeb.«

»Zusatz. Drittes Nachrichten-Auswertungsprogramm. Parameter zweites Programm gelten unverändert. Erweitere Gebiet auf Sumatra. Füge alle Namen und Titel hinzu, die bei zweiter Auswertung angefallen sind. Durchlaufen lassen bis Widerruf. Auswertungen in den Dauerspeicher übertragen. Nachrichtenmeldungen baldigst übermitteln. Beginn.«

»Programm läuft, Boß.«

»Bist ein braves Mädchen, Gay.«

»Vielen Dank, Zeb. Landung in Elko zwei Minuten, sieben Sekunden.«

Deety drückte mir fest die Hand. »Paps, sobald ich die rechtmäßige Mrs. John Carter bin, sollten wir alle zum Fuchsbau fliegen.«

»Wie? Aber ja.«

»Du auch, Tante Hilda. Es könnte gefährlich für dich sein, nach Hause zurückzukehren.«

»Ich muß ohnehin einen Wechsel unserer Pläne bekanntgeben. Es wird eine Doppelhochzeit geben. Jake und ich heiraten ebenfalls.«

Deety musterte sie aufmerksam, aber nicht unerfreut. »Und was sagst du dazu, Paps?«

»Hilda hat sich endlich bereiterklärt, mich zu heiraten, meine Liebe.«

»Unsinn!« sagte Sharpie. »Jake hat mich nie gefragt, weder früher noch jetzt; ich hab's ihm einfach mitgeteilt, als er noch seinen Comics nachtrauerte und sich nicht wehren konnte. Es muß sein, Deety — ich habe Jane versprochen, mich um Jake zu kümmern, was ich auch getan habe, durch dich. Bis jetzt. Aber nun wirst du dich Zebbie zuwenden, ihn beschützen, ihm das Näschen putzen . . . und da muß ich Jake einfach zur Ehe zwingen, um mein Versprechen gegenüber Jane halten zu können. Anstatt mich wie bisher von Zeit zu Zeit in sein Bett zu schleichen.«

»Liebste Hilda, du bist noch nie in meinem Bett gewesen!«

»Nun mach mich vor den Kindern nicht verlegen, Jake! Ich habe dich ausprobiert, ehe ich Jane an dich heranließ — daß du mir das nicht abstreitest!«

Jake zuckte hilflos die Achseln. »Wie du willst, liebe Hilda.«

»Tante Hilda — liebst du Paps?«

»Würde ich ihn sonst heiraten? Ich könnte mein Versprechen gegenüber Jane viel einfacher einlösen, indem ich ihn in eine psychiatrische Klinik einliefern ließ. Deety, ich liebe Jake schon länger als du. *Viel* länger! Aber er liebte Jane — was nur zeigt, daß er trotz seiner Verrücktheiten ganz vernünftig ist. Ich will nicht versuchen, ihn zu ändern, Deety; ich will nur dafür sorgen, daß er seine Galoschen anzieht und seine Vitamine nimmt — so wie du es getan hast. Du nennst mich weiter ›Tante Hilda‹ — deine Mutter war und ist Jane.«

»Vielen Dank, Tante Hilda. Bis jetzt dachte ich, ich wäre so glücklich, wie eine Frau nur sein kann — mit Zebadiah. Aber du hast mich noch glücklicher gemacht. Restlos.«

(Ich war nicht ganz so glücklich. Mir saßen die Kerle mit den Schwarzen Hüten und ohne Gesichter auf der Seele. Aber ich sprach nicht darüber, da sich Deety an mich kuschelte und sagte, es wäre alles in Ordnung, Tante Hilda würde Liebe zu Paps niemals vortäuschen ... ich solle dafür aber die Bemerkung über ihre Ausflüge in Paps' Bett schleunigst vergessen — was mich ohnehin nicht zu Meinungsäußerungen oder Interessebekundungen reizte.) »Deety, was ist der ›Fuchsbau‹ und wo liegt er?«

»Das ist ein Ort ... im Nirgendwo. Ein Versteck. Paps pachtete das Land von der Regierung, als er beschloß, das Gleichungenschreiben aufzugeben und statt dessen einen Zeitverdreher zu bauen. Aber es kann sein, daß wir bis zum Morgengrauen warten müssen. Es sei denn ... Kann Gay Täuscher auf einem vorgegebenen Längen- und Breitengrad landen?«

»Und ob! Auf den Punkt genau!«

»Dann ist ja alles gut. Ich kann dir die Position in Graden, Minuten und Bruchteilen von Sekunden angeben.«

»Landung«, warnte uns Gay.

Der Bezirks-Registrator von Elko hatte nichts gegen unseren späten Besuch und schien sich über den Hunderter zu freuen, den ich ihm zusteckte. Die Bezirksrichterin war nicht minder entgegenkommend und ließ ihr Honorar verschwinden, ohne es anzuschauen. Nicht ohne Stottern brachte ich heraus: »Ich, Zebadiah John, nehme dich, Dejah Thoris, zur Frau ...« Deety überstand die Zeremonie so feierlich-ernst und sicher, als habe sie alles ausgiebig geprobt, während Hilda mit dem Weinen nicht aufhörte.

Nur gut, daß Gay notfalls auf einem Nadelknopf landen kann; ich hätte sie nicht einmal bei Tageslicht vernünftig steuern können. So überließ ich ihr sogar die Planung des Kurses, ausgelegt auf Minimum-Radar und keine Beobachtung auf den letzten hundert Kilometern zu unserem Ziel in der Arizona-Wüste nördlich des Grand Canyons. Trotzdem ließ ich sie vor der Landung noch warten — aus Angst, wir könnten dort unten auf ein drittes Feuer stoßen.

Eine Hütte, feuersicher, mit einem unterirdischen Parkplatz für Gay — ich entspannte mich.

Wir öffneten eine Flasche Chablis. Paps schien sofort in den Keller gehen zu wollen, was Sharpie verhinderte.

Ich trug Deety über die Schwelle in ihr Schlafzimmer, setzte sie sanft ab und blickte sie an. »Dejah Thoris . . .«

»Ja, John Carter?«

»Ich hatte keine Zeit, dir ein Hochzeitsgeschenk zu kaufen . . .«

»Ich brauche kein Geschenk von meinem Captain.«

»Laß mich ausreden, Prinzessin. Die Sammlung meines Onkels Zamir war nicht so komplett wie die deines Vaters — aber dürfte ich dir trotzdem einen kompletten Satz *Astoundings* schenken . . .«

Sie lächelte plötzlich.

». . . und Erstausgaben der ersten sechs *Oz*-Bücher, ziemlich abgegriffen, doch mit den Original-Farbseiten? Und eine beinahe im Neuzustand befindliche Erstausgabe von *Eine Marsprinzessin?«*

Das Lächeln wurde zu einem Grinsen, und sie sah plötzlich aus wie neun Jahre. *»Ja!«*

»Würde dein Vater eine komplette Sammlung *Weird Tales* annehmen?«

»Und ob! Northwest-Smith und Jirel von Joiry? Ich werde mir die Magazine ausleihen — oder er darf meine *Oz*-Ausgaben nicht ansehen! Ja, ich kann störrisch sein. Und egoistisch. Und *gemein!«*

»›Störrisch‹ mag angehen. Die anderen aber kommen nicht in Frage.«

Deety streckte mir die Zunge heraus. »Du wirst es schon noch merken.« Plötzlich sah sie mich ernst an. »Es bekümmert mich allerdings, mein Prinz, daß ich kein Geschenk für meinen Mann habe.«

»Aber das hast du doch!«

»Ja?«

»Ja, wundervoll verpackt und voll eines herrlichen Dufts, der meine Sinne vernebelt.«

»Oh.« Sie blieb ernst, ließ aber erkennen, daß sie hocherfreut war. »Möchte mein Mann mich jetzt auspacken? Bitte?«

Das tat ich.

Und das ist alles, was man über unsere Hochzeitsnacht jemals erfahren wird.

IV

Deety:

Ich erwachte sehr früh, wie stets im Fuchsbau, und fragte mich, warum ich so überaus glücklich war. Dann fiel es mir ein, und ich drehte den Kopf. Mein Mann — ›Mann!‹, was für ein herrliches Wort! — lag mit dem Gesicht nach unten neben mir und sabberte beim Schnarchen auf sein Kissen. Ich rührte mich nicht, während ich darüber nachdachte, wie schön er doch war, wie kraftvoll und zugleich zärtlich-galant.

Ich spielte mit dem Gedanken, ihn zu wecken. Andererseits wußte ich, daß er Ruhe brauchte. So schob ich mich aus dem Bett und schlich lautlos in mein Badezimmer — *unser* Badezimmer! — und kümmerte mich leise um dieses und jenes. Eine Wanne einlaufen zu lassen, riskierte ich nicht, obwohl ich ein Bad gebraucht hätte. Ich habe einen starken Körpergeruch, der mich mindestens einmal am Tag in die Wanne treibt — sogar zweimal, wenn ich am Abend noch etwas vorhabe. Und im Augenblick war ich wahrhaftig reif dafür.

Ich behalf mich mit der Duschkabine, wo ich das Wasser lautlos an mir herabrinnen ließ — ich wollte später richtig baden, wenn mein Captain wach war. Bis dorthin mußte ich mich eben in Lee halten.

Ich zog Shorts an und begann einen BH anzulegen — dann hielt ich aber inne und schaute in den Spiegel. Ich habe ein rundes Gesicht und einen muskulösen Körper, den ich gut in Schuß halte. In einem Schönheitswettbewerb würde ich es nicht sehr weit bringen, doch meine Zitzen sind wohlgeformt und ungewöhnlich fest, stehen vor, ohne durchzuhängen und wirken größer als sie sind, weil ich für meine Größe eine ungewöhnlich schmale Taille habe.

Jetzt betrachtete ich sie unter dem Aspekt des ›kindlichen Blickwinkels‹, wie Zebadiah es nennt, und freute mich über sie; meinem Mann gefielen sie so gut, daß er es mir immer wieder gesagt hatte, was doch sehr angenehm gewesen war. So freute ich mich nun, daß Mama verlangt hatte, ich solle beim Tennis und beim Reiten und dergleichen einen BH tragen — keine Überdehnungen, kein Durchhängen, und mein Mann nannte sie ›Hochzeitsgeschenke‹! *Hurra!*

Sicher würden sie mit der Zeit weicher und von Säuglingen geplagt werden — aber bis dahin sollte mich Zebadiah aus noch besseren Gründen fest in sein Herz geschlossen haben. Hörst du das, Deety? Nicht störrisch sein, nicht rechthaberisch, nicht schwierig — und vor allem darfst du nicht schmollen! Mama hat sich nie trotzig angestellt, obwohl Paps wirklich kein leichter Mensch war und ist. Zum Beispiel mißfiel ihm das Wort ›Zitze‹, obwohl ich es nach meinem Dafürhalten richtig gebrauche. Paps meint, Zitzen gehörten zu Kühen, nicht Menschen.

Nachdem ich mich mit symbolischer Logik und Informations-theorie beschäftigt hatte, lag mir eine genaue Namensgebung besonders am Herzen, und ich versuchte mich mit Paps anzulegen, mit dem Hinweis, das Wort ›Brust‹ bezeichne das obere Vorder-teil des Torsos von Mann und Frau gleichermaßen und ›Brust-drüse‹ sei ein medizinischer Ausdruck, so daß ›Zitze‹ die richtige Bezeichnung sein müsse.

Daraufhin hatte er ein Buch auf den Tisch geknallt. »Mir ist gleichgültig, was das *Oxford English Dictionary* behauptet! Solange ich Haushaltungsvorstand bin, wird hier eine Sprache gepflegt, die meinem Sinn für Sitte und Anstand entspricht!«

Ich ließ mich in solchen Dingen nie wieder auf einen Streit mit Paps ein. Mama und ich gebrauchten weiterhin das Wort ›Zitze‹, wenn wir unter uns waren, und verzichteten in Paps' Gegenwart auf solche Ausdrücke. Mama eröffnete mir, daß es wenig mit Logik zu tun hatte, einen Mann glücklich zu machen, und daß jemand, der in einem Familienstreit ›siegte‹, im Grunde verloren hatte. Mama erhob niemals Widerspruch, und Paps tat immer, was sie wollte — wenn sie es wirklich wollte. Als ich mit sieb-zehn erwachsen werden und sie ersetzen mußte, versuchte ich sie nachzumachen — nicht immer mit Erfolg. Ich hatte Paps' Temperament in mir, zugleich aber auch Mamas Gelassenheit. Ich versuche das Aufbrausen zu unterdrücken und die Ruhe zu kultivieren. Aber ich bin nicht Jane, ich bin Deety.

Plötzlich fragte ich mich, warum ich einen BH anlegte. Es würde ein heißer Tag werden. Paps kann sich zwar wegen man-cher Dinge recht altmodisch anstellen, aber blanke Haut zählt nicht dazu. (Vermutlich gehört dies zu den Dingen, die Jane ihm sanft ausgetrieben hatte.) Es gefällt mir, nackt herumzulaufen, was ich bei geignetem Wetter im Fuchsbau immer wieder tue. Paps begnügt sich ebenfalls mit einem Minimum an Kleidung. Tante Hilda gehörte inzwischen zur Familie; überdies hatten wir oft ihren Swimmingpool benutzt, ohne Badezeug.

Damit blieb mein prachtvoller junger Ehemann, und wenn ich einen Quadratzentimeter am Leibe hatte, den er nicht untersucht (und gelobt) hatte, so fiel er mir nicht ein. Zebadiah ist ein äußerst umgänglicher Mensch, im Bett wie auch außerhalb. Nach unserer hastigen Heirat hatte ich mich doch etwas bange gefragt, ob er sich nach dem Verbleib meiner Jungfräulichkeit erkundigen würde — doch als das Thema dann reif war, hatte ich es völlig vergessen, und ihm stand offensichtlich auch nicht der Sinn danach. Ich war so aktiv im Bett wie eh und je, und er schien sich darüber zu freuen — nein, er freute sich *tatsächlich* darüber.

Warum also die Zitzenbinde?

Weil zwei Dinge, die dasselbe ergeben, doch niemals ganz gleich sind. Menschen sind keine abstrakten Symbole. Mit jedem einzelnen der drei hätte ich nackt durch die Welt rennen können, doch nicht mit allen dreien.

Mir kam der beunruhigende Gedanke, daß Paps und Tante Hilda meine Flitterwochen stören könnten — mußte mir dann aber klarmachen, daß Zebadiah und ich für die beiden vermutlich ebenso störend waren. Und da hörte ich auf, mir Sorgen zu machen. Es würde schon irgendwie klappen.

Warf noch einen letzten Blick in den Spiegel und sah, daß mein knapper BH mich wie jedes gute Abendkleid nackter aussehen ließ als blanke Haut. Meine Brustwarzen richteten sich auf; grinsend streckte ich ihnen die Zunge heraus.

Auf Zehenspitzen schlich ich durch unser Schlafzimmer und erstarrte — mein Blick war auf Zebadiahs Kleidung gefallen. Mein Liebling hatte sicher keine Lust, zum Frühstück einen Abendanzug zu tragen. Deety, sei ein Hausfratz, laß dir etwas einfallen. Hast du von Paps' Sachen etwas in erreichbarer Nähe, so daß du die anderen nicht wecken mußt?

Ja! Ein altes Hemd, das ich als eine Art Hausmantel benutzte. Khakishorts, die ich bei unserem letzten Aufenthalt geflickt hatte. Beide befanden sich in dem Schrank in meinem — *unserem!* — Badezimmer. Ich schlich zurück, holte sie und legte sie über die Abendsachen, wo mein Schatz sie nicht übersehen konnte.

Dann marschierte ich hindurch und brauchte, nachdem ich zwei schalldichte Türen hinter mir geschlossen hatte, nicht mehr leise zu sein. Bei Paps muß alles einwandfrei funktionieren —

geht etwas kaputt, repariert er es sofort. Seinen Bachelor of Science hat er als Diplomingenieur abgeschlossen, seinen Master of Science in Physik und seinen Doktor schließlich in Mathematik. Es gibt *nichts,* was er nicht entwerfen und bauen könnte. Ein zweiter Leonardo da Vinci — oder Paul Dirac.

Im Gemeinschaftsraum war niemand. Ich beschloß, nicht sofort in die Küche zu gehen; wenn die anderen noch ausschlafen wollten, konnte ich zunächst meine Morgenübungen absolvieren. Keine heftigen Sachen — meine Ausdünstungen reichten mir. Hochstrecken, dann Handflächen auf den Boden, die Knie dabei durchgedrückt — zehnmal ist genug. Ein Bein hochwippen lassen, dann das andere, schließlich dasselbe abwärts, die Stirn an das Schienbein gelegt, erst rechts, dann links.

Ich machte gerade eine Brücke rückwärts, als eine Stimme sagte: »Ach herrjeh! Die mitgenommene Braut. Deety, hör auf!«

Ich vollendete zu einem Überschlag rückwärts und sah mich Paps' Braut gegenüber. »Guten Morgen, Tante Hillbilly.« Ich küßte sie und nahm sie in die Arme. »Wer hat mich mitgenommen? Ich hab' mich gern mitnehmen lassen.«

»›Mitgenommen‹ im Sinne von zerschlagen«, gab sie gähnend zurück. »Woher hast du die blauen Flecken, von deinem Mann? Wie heißt er doch gleich?«

»Ich habe keinen blauen Fleck am Leib, außerdem kennst du seinen Namen länger als ich. Was sind das überhaupt für dunkle Flecken unter den Beuteln unter den Ringen unter deinen Augen?«

»Die kommen von der Sorge, Deety. Dein Vater ist sehr krank.«

»*Wie bitte?* Was hat er denn?«

»Satyriasis. Unheilbar — hoffe ich wenigstens.«

Ich atmete langsam wieder aus. »Tante Hillbilly, du bist eine heimtückische, heimtückische . . .«

». . . Ziege, die heute nacht von dem erstaunlichsten Bock der ganzen Ranch besprungen worden ist. Dabei ist er über fünfzig und ich erst neunundzwanzig. *Verblüffend!*«

»Paps ist neunundvierzig und du zweiundvierzig. Hast du Grund, dich zu beklagen?«

»O nein! Hätte ich nur schon vor vierundzwanzig Jahren gewußt, was ich heute weiß, wäre Jane nicht an ihn herangekommen, dafür hätte ich gesorgt.«

»›Was du heute weißt‹ — gestern abend hast du noch behauptet, du wärst ständig zu Paps ins Bett gekrochen. Da stimmt doch etwas nicht, Tante Ziege!«

»Das waren doch nur schnelle Durchgänge. Keine wirklichen Versuche.« Wieder gähnte sie.

»Tante, du lügst wie gedruckt. Du bist vor gestern abend nie mit ihm im Bett gewesen.«

»Woher willst du das wissen, mein Schatz? Es sei denn, du hättest selbst drin gelegen! Wie steht es damit — Inzest?«

»Was hast du gegen Inzest, du lüsterne alte Ziege? Sag nichts dagegen, wenn du es nicht ausprobiert hast!«

»Ach, du hast es also probiert? Faszinierend — erzähl deiner Tante davon!«

»Ich will dir die Wahrheit sagen, Tante Hilda. Paps hat mich nie auch nur angerührt. Aber hätte er es getan — ich hätte mich nicht geweigert. Ich liebe ihn.«

Hilda küßte mich noch einmal liebevoll. »Ich auch, meine Liebe. Deine Worte tun dir Ehre. Er hätte mich jederzeit haben können, aber dazu ist es nie gekommen. Bis gestern abend. Jetzt bin ich die glücklichste Frau in ganz Amerika.«

»O nein. Die zweitglücklichste. Die glücklichste steht vor dir.«

»Hmm. Das ist eine ziemlich nutzlose Diskussion. Mein kleines Sorgenkind hat sich also bewährt?«

»Nun — er ist kein Mitglied des Ku-Klux-Klan . . .«

»Das hatte ich auch nie angenommen! So einer ist Zebbie nicht!«

». . . aber unter dem Bettuch ist er ein Zauberer!«

Tante Hilda sah mich verblüfft an, dann lachte sie laut auf. »Ich geb's auf! Wir *beide* sind die glücklichste Frau auf der Welt.«

»Und die Frau mit dem größten Glück! Liebe Tante, Paps' Morgenmantel ist viel zu warm für dich. Ich besorge dir etwas von mir. Wie wär's mit einem Bikini?«

»Vielen Dank, meine Liebe, aber du könntest Zebbie wecken.« Tante Hilda öffnete Paps' Mantel und schwenkte ihn wie einen Fächer. Ich sah sie plötzlich mit neuen Augen. Sie hat drei oder vier zeitlich begrenzte Verträge hinter sich, ohne Kinder. Sie war zweiundvierzig, und ihr Gesicht sah wie fünfunddreißig aus, vom Schlüsselbein abwärts hätte sie aber als achtzehn durchgehen können. Winzige Zitzen — ich hatte mit zwölf Jahren schon mehr gehabt. Ein flacher Bauch und hübsche Beine. Ein Püppchen — neben ihr kam ich mir wie eine ungeschlachte Riesin vor.

»Wenn dein Mann nicht wäre«, fügte sie hinzu, »würde ich mich mit meiner alten Haut begnügen. Es ist nämlich sehr heiß draußen.«

»Und wenn *dein* Mann nicht wäre, würde ich dasselbe tun.«

»Jacob? Deety, der hat dir doch die Windeln gewechselt!«

»Das ist aber nicht dasselbe, Tante Hilda. Heute nicht mehr.«

»Nein, da hast du recht. Du bist eben ein kluges Köpfchen, Deety. Frauen haben einen ausgeprägten Willen, Männer dagegen nicht; wir müssen sie schützen — und dabei so tun, als wären wir in Wirklichkeit zerbrechlich, um ihr zerbrechliches Selbstbewußtsein zu stützen. Bei dem Spiel habe ich mich allerdings nie besonders geschickt angestellt — ich spiele lieber mit dem Feuer.«

»Tante Hilda, auf deine Weise verstehst du dich *sehr gut* darauf. Ich bin sicher, Mama weiß, was du für Paps getan hast, und ist einverstanden damit und freut sich für Paps. Für uns alle — alle fünf.«

»Bring mich nicht zum Weinen, Deety. Wir wollen Orangensaft vorbereiten; unsere Männer können jederzeit aufwachen. Das erste Geheimnis des Zusammenlebens mit einem Mann: man muß ihm etwas zu essen und zu trinken geben, sobald er aufwacht.«

»Das weiß ich nur zu gut.«

»Ja, natürlich. Seit wir Jane begraben mußten. Ahnt Zebbie, was für ein Glückspilz er ist?«

»Behaupten tut er es jedenfalls. Ich gebe mir größte Mühe, ihm die Illusion nicht zu nehmen.«

V

Jake:
Ich erwachte in schläfriger Euphorie, erkannte, daß ich mich in der Hütte befand, die meine Tochter den ›Fuchsbau‹ nennt — und wurde nach einem Blick auf das andere Kissen völlig munter — eine Delle befand sich darin. Ich hatte nicht geträumt! Für meine Euphorie gab es die besten Gründe!

Hilda war nicht zu sehen. Ich schloß die Augen und stellte mich schlafend, da ich etwas zu tun hatte. »Jane?« fragte ich innerlich.

Ich höre dich, Liebster. Ich bin damit einverstanden. Jetzt sind wir alle glücklich — gemeinsam.

»Wir durften nicht erwarten, daß Deety als alte Jungfer endete, nur um ihren verschrobenen greisen Vater zu versorgen. Der junge Mann ist in Ordnung, bis hinauf zur n-ten Potenz. Das habe ich sofort gespürt, und Hilda ist ebenfalls davon überzeugt.«

Ihr habt recht. Mach dir keine Sorgen, Jacob. Unsere Deety wird keine Jungfer sein und du niemals greise. Genau so haben es Hilda und ich vor gut fünf von euren Jahren geplant. Es ist vorherbestimmt. Das hat sie dir gestern abend auch gesagt.

»Okay, Liebling.«

Steh auf, putz dir die Zähne, und dusche. Verliere keine Zeit mehr. Das Frühstück wartet. Ruf mich, wenn du mich brauchst. Küßchen!

Und so stand ich auf und kam mir vor wie ein kleiner Junge am Weihnachtsmorgen. Mit Jake war alles in Ordnung; Jane hatte ihr Einverständnis bekundet. Ich will Ihnen eins sagen, Sie nicht existierender Leser, der Sie ein tolerantes spöttisches Lächeln aufgesetzt haben: Seien Sie nicht selbstgefällig. Jane ist realer als *Sie*.

Die Seele einer guten Frau läßt sich nicht durch Nukleinsäuren darstellen, die in einer Doppelspirale angeordnet sind; nur ein übergebildeter Dummkopf konnte das annehmen. Das konnte ich mathematisch beweisen — nur beweist die Mathematik nie etwas. Mathematik hat keinen Inhalt. Die Mathematik vermag nichts anderes, als sich — manchmal — als nützlich zu erweisen, wenn es darum geht, einige Aspekte unseres sogenannten ›physikalischen Universums‹ zu erklären. Das ist ein Bonus; die meisten Formen der Mathematik sind so bedeutungsneutral wie Schach.

»Ich kenne *keine* absoluten Antworten. Ich bin ein vielseitiger Bastler und ein tüchtiger Mathematiker — und beides ist nicht dazu geeignet, das Unergründliche auszuloten.

Einige Menschen gehen in die Kirche, um mit Gott zu sprechen, wer immer Er sein mag. Wenn mir etwas auf der Seele liegt, spreche ich mit Jane. Dabei höre ich nicht ›Stimmen‹, finde aber, daß die Antworten, die mir in den Sinn kommen, ebenso unfehlbar sein könnten wie alle Äußerungen, die vom Papst *ex cathedra* gemacht werden. Wenn dies eine Blasphemie ist, so sollten Sie das Beste daraus machen; ich rücke nicht davon ab. Jane ist und war für mich stets eine Welt ohne Ende — und das wird sie immer sein. Ich hatte das unvorstellbare Privileg, achtzehn Jahre lang mit ihr zusammenzuleben, und kann sie nie verlieren.

Hilda war nicht im Badezimmer, aber meine Zahnbürste fühlte sich feucht an. Ich mußte lächeln. Logisch, denn alle Keime, die ich im Leibe hatte, besaß nun auch Hilda, die trotz ihrer Verspieltheit einen ausgesprochen praktischen Zug besitzt. Sie stellt sich furchtlos der Gefahr (wie gestern abend), würde aber einem ausbrechenden Vulkan noch ›Gesundheit!‹ zurufen, während sie schon die Flucht ergriff. Jane ist ebenso mutig, würde aber auf den Ausruf verzichten. Die beiden ähneln sich lediglich — nein, nicht einmal in jener Beziehung. Anders, doch gleich. Lassen wir es dabei, daß ich das Glück hatte, zwei großartige Frauen zu heiraten. (Und eine Tochter zu haben, die von ihrem Paps für vollkommen gehalten wird.)

Ich duschte, rasierte mich, putzte mir die Zähne und zog mich an — ich blieb unter neun Sekunden, da ich mir lediglich einen Frotee-Sarong um die Hüften wand, den Deety mir geschenkt hatte. Es versprach wieder sehr heiß zu werden. Mein leichtes Lendengewand war bereits eine Konzession an den Anstand — will sagen, ich kannte meinen neuen Schwiegersohn noch nicht gut genug, um ihn ohne Vorbereitung unseren freizügigen Gewohnheiten auszusetzen; Deety hätte sich pikiert zeigen können.

Ich war als letzter aufgestanden und sah, daß die anderen mehr oder weniger dieselbe Entscheidung getroffen hatten. Deety trug ein Bikini-Minimum (unanständig anständig!) und meine Braut einen Badeanzug-Zweiteiler, der Deety gehörte. Als einziger war Zeb richtig angezogen: alte Arbeitsshorts, ein abgetragenes Leinenhemd, das Deety sich unter den Nagel gerissen hatte, und Abendschuhe. So hätte er in jeder abendländischen Stadt auf die Straße gehen können, bis auf eine Kleinigkeit: ich bin birnenförmig gebaut, während Zeb wie der Graue Linsenträger daherkommt.

Meine Shorts paßten ihm noch recht gut, wenn sie auch ein wenig locker saßen; die Schultern dagegen beanspruchten die Hemdennähte auf das äußerste. Er schien sich unbehaglich zu fühlen.

Ich wünschte allen einen guten Morgen, küßte meine Braut und meine Tochter und gab meinem Schwiegersohn die Hand. Dann sagte ich: »Zeb, zieh das Hemd aus. Es ist heiß und wird noch heißer. Fühl dich hier wie zu Hause.«

»Danke, Paps.« Zeb entledigte sich meines Hemdes.

Hilda stellte sich auf ihren Stuhl und war damit etwa so groß wie Zeb. »Ich bin eine militante Verfechterin der Frauenrechte«, verkündete sie, »und sehe den Ehering nicht als Ring durch die Nase — ein Ring, den du mir übrigens noch gar nicht geschenkt hast, du alter Ziegenbock!«

»Wann hätte ich wohl Zeit dazu gehabt? Du bekommst einen, meine Liebe — bei der ersten Gelegenheit.«

»Ausflüchte, Ausflüchte! Unterbrich meine Tiraden nicht! Wenn ihr männlich-chauvinistischen ›Ziegenböcke‹ es euch bequem machen wollt, beanspruchen Deety und ich dasselbe Privileg für uns!« Und mit diesen Worten löste meine liebliche kleine Braut ihr Bikini-Oberteil und schleuderte es wie eine Stripperin zur Seite.

»„Was gibt's zum Frühstück?" fragte Puh‹«, zitierte ich, wenn es auch nicht ganz richtig war.

Ich erhielt keine Antwort. Zum n-ten Male machte Deety mich stolz. Jahrelang hatte sie mich zumindest mit den Augen in grundsätzlichen Fragen konsultiert. Jetzt aber sah sie nicht mich an, sondern ihren Mann. Zeb behielt ein starres Gesicht bei und ließ sich Zustimmung oder Ablehnung nicht anmerken. Deety zuckte kurz die Achseln, griff hinter sich, öffnete irgend etwas und warf ihren BH fort.

»Ich habe gefragt: ›Was gibt's zum Frühstück?‹«, wiederholte ich.

»Du Gierschlund«, stellte meine Tochter fest. »Ihr habt schon gebadet, während Tante Hilda und ich darauf verzichtet haben, aus Angst, euch zu wecken!«

»Ach, das ist es also! Ich dachte schon, ein Stinktier sei ins Haus eingebrochen. ›Was gibt's zum Frühstück?‹«

»Tante Hilda, in wenigen Stunden hat Paps die gute Erziehung vergessen, die ich ihm in fünf Jahren gegeben habe. Paps, es liegt alles bereit. Stellst du dich an den Herd, während Tante Hilda und ich in die Wanne steigen?«

Zeb sprang auf. »Das übernehme ich, Deety; ich mache mir seit Jahren das Frühstück selbst.«

»Halt, Bursche!« unterbrach ihn meine Braut. »Setz dich, Zebbie. Deety, du solltest einen Mann nie dazu auffordern, das Frühstück zu machen; das bringt ihn unweigerlich auf die Frage, ob Frauen überhaupt notwendig sind. Wenn du ihm wieder sein Frühstück machst und mit unangenehmen Themen bis zu seiner zweiten Tasse Kaffee wartest, brauchst du sonst wenig Rücksicht zu nehmen. Wenn's nach gebratenem Speck riecht, vergessen Männer jeden anderen Duft. Ich muß dir wohl noch einiges beibringen.«

Meine Tochter stellte sich sehr schnell um. Sie wandte sich an ihren Mann und fragte unterwürfig: »Was wünscht sich mein Captain zum Frühstück?«

»Meine Prinzessin, was immer deine lieblichen Hände mir vorsetzen.«

Schließlich gab es, so schnell Deety mit der Pfanne zurechtkam und Hilda auftragen konnte, eine Spezialität nach Janes Rezept: einäugiger Texas-Stapel — ein hohes Gebilde aus dünnen, zarten Buttermilch-Pfannkuchen, darauf ein großes, leicht angebratenes Spiegelei, umgeben von heißen Würstchen, übergossen mit heißer Butter und heißem Ahornsirup, daneben ein großes Glas Orangensaft und ein Krug Kaffee.

Zeb vertilgte zwei Stapel. Ich schloß daraus, daß meine Tochter eine glückliche Ehe verleben würde.

VI

Hilda:

Deety und ich wuschen ab, aalten uns in ihrer Wanne und redeten über Ehemänner. Wir kicherten und sprachen mit der Offenheit von Frauen, die einander vertrauten und genau wußten, daß kein Mann sie hören konnte. Sind Männer in ähnlichen Umständen ebenso aufgeschlossen? Soweit mir nächtliche Bettgespräche *danach* Aufschluß gegeben haben, ist das nicht der Fall. Oder zumindest nicht bei Männern, mit denen ich ins Bett gehen würde. Wohingegen eine ›vollkommene Dame‹ (wie Jane eine war und Deety eine ist und ich sie einigermaßen simulieren kann) mit einer anderen ›vollkommenen Dame‹ ihres Vertrauens auf eine Weise sprechen kann, die ihren Vater, Mann oder Sohn in eine Ohnmacht treiben würde.

Unser Gespräch lasse ich am besten aus; diese Zeilen könnten in die Hände eines Angehörigen des schwächeren Geschlechts fallen, dessen Tod ich nicht auf dem Gewissen haben möchte.

Gehören Männer und Frauen derselben Rasse an? Was die Biologen behaupten, ist mir bekannt — aber die Geschichte ist überfüllt mit ›Wissenschaftlern‹, die aus oberflächlichen Indizien voreilige Schlüsse zogen. Es will mir eher scheinen, als wären die beiden Symbionten. Ich bin in diesem Punkt nicht ganz ahnungslos; an meinem Bachelor of Science in Biologie fehlte mir noch ein Trimester, als ein ›Biologie-Experiment‹ danebenging und ich die Schule holterdipolter verlassen mußte.

Nicht daß ich den Abschluß gebraucht hätte — mein Badezimmer zu Hause ist mit Ehrentiteln tapeziert, zumeist Doktoratsurkunden. Man hat mir gesagt, es gebe Dinge, die eine Hure selbst für Geld nicht tut, doch was ein Universitätsrektor angesichts eines Defizits *nicht* tun würde, ist mir noch nicht klargeworden. Das Geheimnis besteht darin, keinen permanenten Fonds zu schaffen, sondern Zuwendungen zu machen, wenn der Bedarf am größten ist, einmal im Jahr. Auf diese Weise hat man nicht nur den Campus in der Tasche, sondern die Ortspolizei weiß auch, daß sie einen am besten in Ruhe läßt. Eine Univer$ität unter$tützt tet ent$chlo$$en ihre $olventen $amariter; da$ i$t da$ Geheimni$ $chola$ti$chen Erfolg$.

Verzeihen $ie den Umweg; wir sprachen gerade von Männern und Frauen. Ich trete sehr für die Rechte der Frau ein; den Unisex-Unsinn habe ich aber nie geschluckt. Es liegt mir nichts daran, gleich zu sein; Sharpie, ist so *un*gleich, wie es nur geht, mit all den kleinen Vorteilen und Freuden und besonderen Privilegien, die man als Angehörige des überlegenen Geschlechts genießen darf. Wenn ein Mann mir die Tür nicht aufhält, übersehe ich ihn einfach und trete ihn auf den Fuß. Es beschämt mich nicht, ausgiebig Gebrauch zu machen von den stärksten Muskeln, nämlich den männlichen (doch *mein* stärkster Muskel ist dem Dienst an den Männern gewidmet — *noblesse oblige*). Ich neide den Männern ihre naturgegebenen Vorteile nicht, solange sie die meinen respektieren. Ich bin kein unglücklicher Pseudo-Mann; ich bin eine *Frau* und habe Spaß daran.

Ich borgte mir etwas Make-up, das Deety selten benutzt; sein Parfum hatte ich allerdings mit und gebrauchte es an den zweiundzwanzig klassischen Stellen. Deety begnügt sich mit dem grundlegenden Anregungsmittel: Wasser und Seife. Bei ihr wäre Parfum überflüssig gewesen; aus der Badewanne steigend, riecht sie wie ein ganzer Harem. Mit ihrem natürlichen Duft hätte ich über die Jahre mindestens zehntausend Neudollar sparen können, ganz zu schweigen von den vielen Stunden, die ich damit verbrachte, mein Lockmittel hierhin und dorthin zu tupfen.

Sie bot mir ein Kleid an, aber ich sagte, sie solle kein Dummchen sein; ihre Kleider würden an mir wie ein Zelt aussehen. »Leg du dir etwas Verspieltes um die Hüften und leih mir dein kühnstes Tanga-Unterteil. Liebes, sicher warst du überrascht, als ich dich dazu brachte, den BH abzulegen, nachdem ich vorhin noch gewarnt hatte, die Dinge nicht zu überstürzen. Aber es ergab sich nun mal die Gelegenheit. Nun haben wir die beiden beinahe nackt und werden den Vorsprung halten. Bei der ersten Chance lassen wir für alle auch die Hosen verschwinden — und das ohne so kindische Sachen wie Strip-Poker. Deety, ich möchte, daß wir eine große Familie sind, in der nackte Haut nicht Sex bedeutet, sondern nur den Umstand, daß wir zu Hause sind, en famille.«

»Deine Haut ist aber ziemlich sexy, kleine Ziege.«

»Meinst du etwa, ich wollte Zebbie becircen?«

»Himmel, nein, Tante Hilda. Das würdest du doch nie tun.«

»Unsinn, meine Liebe. Ich habe keine Moral, nur Gewohnheiten. Ich warte normalerweise nicht darauf, daß ein Mann mir Avancen macht; dabei verliert er nur Zeit. Als ich Zebbie kennenlernte, war mir allerdings gleich klar, daß er ein guter Kamerad ist — ich bot ihm also eine Gelegenheit. Er rückte mir höflich auf den Leib, und ich übersah den Vorstoß geflissentlich, und das war's. Ich bin sicher, er macht dir soviel Freude auf der Werkbank, wie du sagst — aber Bettgefährten sind leicht zu finden, während sich anständige Männerfreunde rar machen. Zebbie könnte ich mitten in der Nacht um Hilfe angehen, und er würde mir helfen. Daran werde ich nicht einfach nur deswegen etwas ändern, weil er aufgrund verrückter Umstände plötzlich mein Schwiegersohn ist. Außerdem möchte ich dir eins sagen, Deety: deine alte Tante Sharpie mag zwar manchmal etwas komisch sein, aber ihr liegt nicht an der Rolle der Campus-Witwe, die jüngere Männer verführt. Abgesehen von einigen kleinen Ausnahmen, die meinem Alter nahe waren, habe ich mir immer nur ältere Männer ins Bett geholt. In deinem Alter hatte ich mehrere in den Fängen, die dreimal so alt waren wie ich. Das bildet.«

»Und ob! Tante Hilda, neunzig Prozent meiner Erfahrungen habe ich mir erst vor zwei Jahren geholt — bei einem Witwer, der dreimal so alt war wie ich. Ich programmierte für ihn, und wir arbeiteten auf gemeinsamer Computerzeit, so oft es ging, vielfach nach Mitternacht. Ich dachte mir nichts dabei, bis ich eines Nachts plötzlich merkte, daß ich ihm dabei half, mein Höschen auszuziehen. Und noch überraschter war ich zu erfahren, wie *wenig* ich in sieben Jahren gelernt hatte. In den nächsten sechs Monaten gab er mir ein Privatseminar, normalerweise dreimal die Woche, so oft er Zeit für mich hatte. Ich bin froh, daß ich vor dem gestrigen Abend von einem solchen Experten unterrichtet wurde — sonst hätte mich Zebadiah wohl ziemlich lahm gefunden: bereitwillig, aber ungeschickt. Ich habe meinem Liebling allerdings nichts davon erzählt, sondern ihn in dem Glauben gelassen, daß er mir etwas Neues biete.«

»So ist's richtig, meine Liebe. Du darfst einem Mann nichts sagen, was er nicht unbedingt wissen muß. Lüge ihn lieber an, als seine Gefühle oder seinen Stolz zu verletzen.«

»Tante Ziege, ich liebe dich!«

Wir beendeten unsere kleine Konferenz und machten uns auf die Suche nach unseren Männern. Deety meinte, sie wären bestimmt im Keller zu finden. »Tante Hilda, ohne Aufforderung gehe ich dort nicht hinunter. Das ist Paps' Heiligtum.«

»Du meinst, ich könnte einen Fauxpas begehen?«

»Ich bin seine Tochter, du seine Frau. Das ist nicht dasselbe.«

»Nun ja — er hat mir nichts davon gesagt, und heute wird er mir bestimmt verzeihen. Wo habt ihr die Treppe versteckt?«

»Das Bücherregal dort läßt sich drehen.«

»Na so was! Für eine sogenannte Hütte gibt's hier reichlich Überraschungen. Ein Bidet in jedem Badezimmer hat mich nicht sonderlich überrascht; das geht sicher auf Jane zurück. Euer zimmergroßer Eisschrank verwundert mich nur ein wenig, weil er immerhin für ein Restaurant ausreichen würde. Aber ein Bücherregal mit einem Priesterversteck — wie Großtante Nettie immer sagte: ›Das ist wahrhaft erstaunlich!‹«

»Du solltest erst mal unsere Sickergrube sehen!«

»Kenne ich! Unangenehme Dinger, müssen immer zur ungelegenen Zeit leergepumpt werden.«

»Unsere nicht. Über dreihundert Meter tief. Glatte tausend Fuß.«

»Du meine Güte! Warum das?«

»Es handelt sich um einen verlassenen Bergwerksschacht, den irgendein Optimist vor hundert Jahren gegraben hat. Das Loch klaffte in der Erde, und Paps machte Gebrauch davon. Weiter oben in den Bergen entspringt eine Quelle. Paps reinigte sie, deckte sie zu, tarnte sie, verlegte eine Untergrundleitung — und jetzt haben wir reichlich sauberes Wasser unter Hochdruck. Den Rest des Fuchsbaus hat Paps weitgehend nach den Katalogen von Fertigbau-Herstellern konstruiert, feuerfest, kompakt und gut isoliert. Wir haben hier einen großen Kamin und die kleinen in den Schlafzimmern, doch wir brauchen sie nur, um es uns ein wenig gemütlich zu machen. Die Strahlungshitze macht es hier sehr angenehm, auch wenn draußen ein Schneesturm toben sollte.«

»Woher bezieht ihr eure Energie? Aus der nächsten Stadt?«

»O nein! Der Fuchsbau ist ein Versteck; außer Paps und mir — und jetzt dir und Zebadiah — weiß niemand von seiner Position. Hochleistungsbatterien, Tante Hilda, und ein Inverter hinter der rückwärtigen Garagenwand. Wir holen die Batterien persönlich und bringen sie auf demselben Weg wieder hinaus. So ist es am unauffälligsten. Oh, und die Pachtunterlagen sind in irgendeinem Computer in Washington oder Denver vergraben, und die Staats-Ranger wissen von der Verpachtung. Aber sie bekommen uns nicht zu Gesicht, ohne daß wir sie zuerst sehen oder hören. Meistens fliegen sie nur vorbei. Einmal kam einer auf dem Pferderücken an. Paps hat ihm unter den Bäumen ein Bier serviert — und von draußen gesehen ist das Ganze ja auch nur ein kleiner Fertigbau, ein Wohnzimmer und zwei Wellblechschlafzimmer. Nichts weist darauf hin, daß sich die wichtigen Dinge unter der Erde befinden.«

»Deety, mir schwant, daß diese ›Hütte‹ mehr gekostet hat als mein Stadthaus.«

»Hmm ... das mag schon sein.«

»Irgendwie bin ich enttäuscht. Schätzchen, ich habe deinen Papa geheiratet, weil ich ihn liebe und mich um ihn kümmern möchte, was ich übrigens auch Jane versprochen habe. Ich hatte mich darauf gefreut, meinen Bräutigam in Gold aufzuwiegen, damit der gute Mann nie wieder arbeiten müßte.«

»Sei nicht enttäuscht, Tante Hilda. Paps muß einfach arbeiten, so ist er nun mal. Mir geht es ebenso. Die Arbeit gehört für uns zum Leben. Ohne sie sind wir verloren.«

»Nun ... ja. Aber Arbeit aus freien Stücken ist das schönste Spiel.«

»Genau!«

»Und das glaubte ich Jacob schenken zu können. Nun kenne ich mich nicht mehr aus. Jane war nicht reich; sie studierte auf Stipendium. Jacob hatte auch kein Geld — er brachte sich mit Unterricht durch und stand einige Monate vor seinem ersten Doktor. Deety, Jacobs Hochzeitsanzug war ziemlich zerschlissen. Ich weiß, daß es ihm danach besser ergangen ist; er wurde ziemlich schnell zum ordentlichen Professor gemacht. Ich dachte, es läge daran und an Janes wirtschaftlicher Haushaltung.«

»Es war beides.«

»Das erklärt aber *dies* noch nicht. Verzeih mir, Deety, aber die Staatsuniversität Utah zahlt nun mal nicht so gut wie Harvard.«

»Paps fehlt es nicht an Angeboten. Uns gefällt Logan. Die

Stadt und die zivilisierte Art der Mormonen. Aber ... Tante Hilda, ich muß dir einiges anvertrauen.«

Das Kind sah mich besorgt an. »Deety«, sagte ich, »wenn Jacob mir etwas mitteilen *will,* wird er's mir schon sagen.«

»Oh, er wird es aber nicht tun, also muß ich dich einweihen!«

»*Nein,* Deety!«

»Bitte, hör mir zu! Als ich vor dem Altar ›Ja‹ sagte, gab ich damit meinen Posten als Paps' Manager auf. Und als du ›Ja‹ sagtest, ging diese Verantwortung auf dich über. So *muß* es sein, Tante Hilda. Paps wird es nicht gefallen; er hat andere Dinge im Kopf; Dinge, die ein Genie voraussetzen. Mama hat ihn jahrelang versorgt, dann habe ich mich eingearbeitet, und jetzt ist es an dir weiterzumachen. Denn einen Fremden können wir da nicht heranlassen. Hast du eine Ahnung von Buchführung?«

»Also, *begreifen* tu' ich sie, ich hab' mal einen Kursus mitgemacht. Soviel muß man auch davon verstehen, sonst zieht einem die Regierung das Fell über die Ohren. Aber ich habe nicht aktiv damit zu tun, dafür beschäftige ich meine Steuerberater — schlaue Burschen, die sich so gut es geht an das Gesetz halten.«

»Würde es dich sehr bekümmern, außerhalb des Gesetzes zu stehen? In Steuerdingen?«

»Was? Himmel, nein! Aber Sharpie würde gern auch außerhalb des Gefängnisses bleiben — die Anstaltsküche schmeckt mir absolut nicht.«

»Du kommst nicht ins Gefängnis, keine Sorge. Ich bringe dir eine Art doppelte Buchführung bei, die auf keiner Schule gelehrt wird. Eine *sehr* doppelte Art. Eine Version für die Finanzbeamten und eine zweite für dich und Jake.«

»Und gerade die bekümmert mich. Die bringt einen ins Loch. Jeden zweiten Mittwoch ein Spaziergang im Hof.«

»Unsinn. Die zweite Version steht nicht auf Papier; sie steckt im Universitätscomputer in Logan ...«

»Noch schlimmer!«

»Tante Hilda, *bitte!* Natürlich befindet sich mein Computer-Schlüssel-Code in den Unterlagen der Uni, und die Steuerfahndung könnte ihn sich durch Gerichtsbeschluß besorgen. Aber das würde nichts nützen. Der Computer würde lediglich unsere offiziellen Zahlen ausdrucken und währenddessen die inoffiziellen unwiederbringlich löschen. Das wäre unbequem, aber keine Katastrophe. Tante Hillbilly, wenn ich auch sonst keine große Kanone bin, aber im Umgang mit Software bin ich die größte. Ich kann einen Computer dazu bringen, Pfötchen zu geben. Oder sich auf den Rücken zu legen und tot zu spielen. Und ich werde dich genau einweisen, bis du dich ganz sicher fühlst.

Und jetzt zu der Frage, wie Paps reich geworden ist . . . Seit er mit dem Lehramt angefangen hat, hat er nebenbei Sachen erfunden — so automatisch wie das Eierlegen bei einer Henne. Einen besseren Dosenöffner. Ein Bewässerungssystem für Rasenflächen, das besser funktioniert, weniger kostet und weniger Wasser verbraucht als andere. Alle möglichen Sachen. Doch nichts mit seinem Namen darauf; die Lizenzgebühren kommen auf weiten Umwegen zu uns.

Wir sind allerdings keine Schmarotzer. Jedes Jahr studieren Paps und ich den Staatshaushalt und stellen fest, was nützliche Ausgaben sind und was Verschwendung ist — die sinnlose Verschwendung von Geld durch dickärschige Postenjäger und Lobbyisten. Schon vor Mamas Tod bezahlten wir *mehr* an Einkommensteuer, als Paps insgesamt an Gehalt bezog, und haben seither jedes Jahr mehr gezahlt. Denn es kostet wirklich viel, dieses Land zu regieren. Uns geht es nicht um Geld, das für Straßen und das Gesundheitswesen und die Verteidigung und wirklich nützliche Dinge ausgegeben wird. Aber wir bezahlen nicht mehr für Parasiten, wo immer wir sie feststellen können.

Diese Aufgabe liegt jetzt in deiner Hand, Tante Hilda. Wenn du der Ansicht bist, so etwas wäre unehrlich oder zu gefährlich, kann ich den Computer veranlassen, alles offenzulegen und ganz legal erscheinen zu lassen, ohne daß es Probleme gibt. Es würde mich etwa drei Jahre kosten, und Paps hätte sehr viel Kapitalertragsteuer nachzuzahlen. Aber *du* bist jetzt für ihn zuständig.«

»Deety, red keinen Schund!«

»Schund?«

»Mit deinem Hinweis, daß ich vielleicht *freiwillig* zahlen möchte, was die Clowns in Washington uns abpressen wollen. Ich würde nicht so viele Steuerberater beschäftigen, wenn ich nicht der Meinung wäre, Washington sei zu gierig geworden. Deety, was würdest du davon halten, uns alle zu managen?«

»Nein, Madam! Ich bin für Zebadiah zuständig. Außerdem muß ich mich um meine eigenen Interessen kümmern. Mama war nicht so arm, wie du annimmst. Als ich noch ein kleines Mädchen war, erbte sie aus einem Treuhandfonds, den ihre Großmutter eingerichtet hatte. Sie und Paps haben dieses Vermögen nach und nach auf meinen Namen überschrieben und gingen auf diese Weise der Erbschaft- und Vermögensteuer aus dem Weg, so blütenrein wie die Sonntagsschule. Mit achtzehn wandelte ich alles in Bargeld um und ließ es verschwinden. Abgesehen davon habe ich mir selbst als Paps' Manager ein ordentliches Gehalt gezahlt. Ich bin nicht so reich wie du, Tante Hilda, und auf keinen Fall so reich wie Paps. Aber am Hungertuch nage ich auch nicht.«

»Vielleicht ist Zebbie reicher als wir alle zusammen.«

»Du sagtest gestern abend schon, daß er was drauf habe, aber ich achtete nicht besonders darauf, weil mein Entschluß längst feststand. Nachdem ich seinen Wagen kenne, geht mir auf, daß du nicht geschertzt hast. Nicht daß es darauf ankäme. O doch, irgendwie kam es schon darauf an — Zebadiahs Mut und Gay Täuschers ungewöhnlichen Fähigkeiten haben uns das Leben gerettet.«

»Vielleicht erfährst du nie, wie reich Zebbie wirklich ist, meine Liebe. Manche Leute lassen ihre Linke nicht wissen, was die Rechte tut. Zebbie verheimlicht sogar seinem Daumen, was die Finger gerade anstellen.«

Deety zuckte die Achseln. »Mir egal. Er ist lieb und zärtlich und ein Held wie aus einem Sagenbuch, der mir und Paps und dir das Leben rettete ... und gestern abend hat er mir gezeigt, daß das Leben lebenswert ist, nachdem ich in diesem Punkt seit Mamas Tod sehr unsicher gewesen bin. Los, suchen wir unsere Männer auf, Tante Ziege! Ich wage mich in Paps' Heiligtum, wenn du vorangehst.«

»So ist's recht. Wie öffnet man das Regal?«

»Schalte das Licht in der Nische an, dann stell am Becken das kalte Wasser an. Dann das Licht wieder ausmachen, und zuletzt das Wasser — in dieser Reihenfolge.«

»„Ulkiger und Ulkiger", sagte Alice.«

Das Bücherregal schloß sich hinter uns und erwies sich als Tür mit einem Knopf. Die Treppe war breit, die Stufen tief und rutschfest, Geländer an beiden Seiten — also keineswegs die halsbrecherische Kellertreppe, wie man sie sonst oft findet. Deety schritt neben mir in die Tiefe, meine Hand haltend wie ein Kind, das Beruhigung sucht.

Der Raum war bestens erleuchtet, gut gelüftet und wirkte nicht wie ein Keller. Unsere Männer beugten sich am entgegengesetzten Ende über einen Tisch und schienen uns nicht zu bemerken. Ich sah mich nach einer Zeitmaschine um, vermochte sie aber nicht zu entdecken — zumindest keinen Apparat wie George Pals Zeitmaschine oder die Geräte, über die ich gelesen hatte. Ringsum erhoben sich Maschinen. Bohrmaschinen sehen überall gleich aus, ebenso Drehbänke, doch andere Apparaturen waren mir fremd, nur daß sie einen Werkstättencharakter vermittelten.

Mein Mann entdeckte uns, stand auf und sagte: »Willkommen, die Damen!«

Zebbie wandte den Kopf und sagte energisch: »Ihr kommt spät zur Schule! Sucht euch Sitzgelegenheiten, kein Geflüster während des Unterrichts, macht euch Notizen. Morgen früh um acht Uhr wird abgefragt. Wenn ihr Fragen habt, hebt ihr die Hand und wartet, bis man euch aufruft. Wer sich nicht benimmt, muß nachsitzen und die Tafeln abwischen.«

Deety streckte ihm die Zunge heraus und setzte sich wortlos. Ich fuhr ihm durch das Bürstenhaar und flüsterte ihm etwas Unanständiges ins Ohr. Dann küßte ich meinen Mann und nahm Platz.

Jacob setzte sein Gespräch mit Zebbie fort. »Auf diese die gleiche Weise habe ich noch weitere Gyroskope verloren.«

Ich hob die Hand. Mein Mann fragte: »Ja, Hilda?«

»Ich weiß, wo du genug Giros bekommen kannst.«

»Vielen Dank, meine Liebe, aber hier geht es um etwas anderes, um Geräte, die von Sperry gemacht worden sind.«

»Sharpie«, schaltete sich Zeb ein, »bring uns hier nicht unnötig vom . . .«

»Moment, Junge. Hilda eignet sich vielleicht dazu, festzustellen, ob das, was ich dir klarmachen wollte und was sich im Grunde nur in den Gleichungen ausdrücken läßt, die dein Cousin Zebulon verwendet hat, eine Mathematik, die dir angeblich fremd ist . . .«

»Ist sie auch!«

». . . die du aber vom praktischen Standpunkt her zu begreifen scheinst. Würdest du bitte Hilda die Idee erläutern? Wenn sie sie begreift, können wir wohl von der Annahme ausgehen, daß sich ein Kontinua-Fahrzeug so anlegen ließe, daß es auch von einer nicht technisch gebildeten Person bedient werden kann.«

»Nun mal los!« sagte ich verächtlich. »Ich armes kleines Ding nur Stroh im Kopf! Ich brauche ja nicht zu wissen, wohin die Elektronen verschwinden, um den Fernseher zu bedienen oder Holovision zu sehen. Ich drehe nur an den Knöpfen. Nun mach schon, Zebbie. Versuch es mal! Ich fordere dich heraus!«

»Ich versuche es«, sagte Zebbie. »Aber red nicht dazwischen, Sharpie, und bleib mit deinen Fragen bei der Sache. Sonst fordere ich Paps auf, dir eine zu langen.«

»Der würde es nicht wagen!«

»So? Ich werde ihm zur Hochzeit eine Peitsche schenken — außer den *Weird Tales,* Jake; die bekommst du zusätzlich. Aber du brauchst eine Peitsche. Und jetzt aufgepaßt, Sharpie.«

»Jawohl, Zebbie. Und mit Zinseszins zurück.«

»Weißt du, was ›Präzession‹ bedeutet?«

»Aber ja doch. Präzession der Frühlingspunkte. Hat zur Folge, daß Wega der Polarstern sein wird, wenn ich Ururgroßmutter bin. In dreißigtausend Jahren oder so.«

»Im Grundsatz richtig. Aber du bist ja noch nicht mal Mutter.«

»Du weißt nicht, was gestern abend geschehen ist. Ich erwarte ein Kind! Jacob wird es nicht wagen, mich mit der Peitsche zu züchtigen.«

Mein Mann schien verblüfft, aber auch erfreut zu sein — und ich war erleichtert. Zebbie wandte sich seiner Braut zu. Feierlich sagte Deety: »Möglich wär's, Zebadiah. Keine von uns hat einen Schutz benutzt, und beide müßten ungefähr den Eisprung haben. Hildas Blutgruppe ist B Rhesus positiv, der meines Vaters AB positiv. Ich bin A Rhesus positiv. Dürfte ich mich nach deiner Blutgruppe erkundigen, Sir?«

»O positiv. Äh . . . dann könnte ich dich ja schon beim ersten Schuß erledigt haben?«

»Sieht so aus. Aber — bist du damit einverstanden?«

»›Einverstanden‹?« Zebbie stand auf und warf dabei seinen Stuhl um. »Prinzessin, du könntest mich nicht glücklicher machen! Jake! Einen Toast!«

Mein Mann hörte auf, mich zu küssen. »Aber ja! Tochter, hast du Champagner auf Eis?«

»Ja, Paps.«

»Moment!« warf ich ein. »Wir wollen uns nicht wegen einer normalen biologischen Funktion aufregen. Deety und ich *wissen* ja noch gar nicht genau, ob es geklappt hat; wir hoffen es nur. Und . . .«

»Also versuchen wir es noch einmal«, warf Zebbie ein. »Wie steht es mit deinem Rhythmus?«

»Achtundzwanzigeinhalb Tage, Zebadiah. Du könntest die Uhr danach stellen.«

»Mein Zyklus läuft siebenundzwanzig Tage; Deety und ich sind nur zufällig gleichauf. Aber den Trinkspruch holen wir zum Abendessen nach; es ist vielleicht in der nächsten Zeit die letzte Gelegenheit zum Feiern. Deety, wird dir morgens übel?«

»Keine Ahnung! Ich bin noch nie schwanger gewesen.«

»Ich schon, und mir wird sehr elend. Später verlor ich das nackte kleine Ding, obwohl ich fest entschlossen war, es zu behalten. Diesmal wird mir das nicht passieren. Frische Luft, viel Bewegung, eine gute Ernährung und nach heute abend keinen Champagner mehr, bis ich genau Bescheid weiß. Aber zunächst — dürfte ich die Herren Professoren darauf hinweisen, daß hier eine Vorlesung im Gange ist? Ich möchte alles über Zeitmaschinen erfahren und bin nicht sicher, daß ich den Ausführungen mit einem champagnervernebelten Kopf folgen könnte.«

»Sharpie, manchmal erstaunst du mich sehr.«

»Zebbie, manchmal erstaune ich mich selbst. Da mein Mann Zeitmaschinen baut, möchte ich gern wissen, wie sie funktionieren. Oder wenigstens, welche Knöpfe ich drehen muß. Vielleicht schocken ihn die Monster, und ich muß ihn nach Hause bringen. Also weiter mit der Lektion.«

»Alles klar.«

Aber wir verschwendeten (›verschwendeten?‹) noch ein paar Sekunden, weil wir uns erst noch abküssen mußten — sogar Zebbie und mein Mann wandten sich einander zu, klopften sich auf die Schulter und küßten sich auf die Wangen. Zebbie versuchte mich zu küssen, als wäre ich wahrhaft seine Schwiegermutter, aber so habe ich seit der Schule nicht mehr geküßt. Und als ihm das klarwurde, gab er nach und küßte mich besser als je zuvor — *püü!* Deety hat sicher recht, aber ich werde es nicht riskieren, daß sich mein älterer Mann wegen eines Jüngeren Sorgen macht; außerdem wäre ich ein Idiot, mich auf einen Wettstreit mit Deetys Zitzen etc. einzulassen, wenn ich nur kleine Spiegeleier habe und mein herrlicher alter Bock sich über mein etc. so zu freuen scheint.

Der Unterricht ging weiter. »Sharpie, kannst du mir die Präzession in Kreiseln erklären?«

»Vielleicht. In Physik habe ich nur einen Grundabschluß, und der ist lange her. Wenn man einen rotierenden Kreisel anschiebt, bewegt es sich nicht in die erwartete Richtung, sondern um neunzig Grad davon abweichend, worin sich der Schub mit der Drehung trifft. Etwa so . . .« Ich streckte den Zeigefinger wie ein kleiner Junge, der da sagen wollte: »*Peng!* Du bist tot!«

»Mein Daumen ist die Achse, mein Zeigefinger der Anschub, die anderen Finger zeigen die Rotation.«

»Eins rauf! Jetzt überleg gut! Nimm einmal an, wir steckten einen Kreisel in einen Rahmen und würden dann auf *alle drei* räumlichen Koordinaten gleiche Kräfte wirken lassen — was würde geschehen?«

Ich versuchte es mir vorzustellen. »Entweder fällt es in Ohnmacht oder stirbt.«

»Eine gute erste Hypothese. Nach Jakes Äußerung verschwindet das Gebilde.«

»Und das stimmt wirklich, Tante Hilda. Ich habe es mehrmals selbst gesehen.«

»Aber *wohin* verschwindet es?«

»Ich kann Jakes Mathematik nicht folgen; ich muß seine Umformungen ohne Beweis akzeptieren. Sie gründen sich aber auf der Vorstellung von sechs Raum-Zeit-Koordinaten, drei räumlich, drei zeitlich. Erstens die üblichen, die wir vor Augen haben mit den Bezeichnungen x, y und z, dann drei Zeitkoordinaten: eine mit der Bezeichnung ›t‹, so . . .« — (t) — »und eine ›tau‹, nach dem griechischen Alphabet . . .« — (T) — »während sich die dritten aus dem kyrillischen Alphabet herleitet, ›teh‹ . . .« — (ṁ).

»Sieht aus wie ein ›m‹ mit einem Strich darüber.«

»Ja, aber das nehmen die Russen als ›t‹.«

»Nein, die Russen nehmen ›Tschai‹ als Tee. In dicken Gläsern mit Erdbeermarmelade.«

»Hör auf, Sharpie! Wir haben also x, y und z, sowie t, tau und teh — sechs Dimensionen. Es gehört zur Grundlage der Theorie, daß sie alle im rechten Winkel zueinander stehen und daß jede durch Rotation gegen jede andere ausgetauscht werden kann — oder daß sich durch Versetzung eine neue Koordinate finden läßt (nicht als siebente, sondern als Ersatz für jede der sechs) — beispielsweise ›tau‹ nach ›tau-eins‹ durch Verschiebung entlang ›x‹.«

»Zebbie, ich glaube, du hast mich schon vor vier Koordinaten im Galopp verloren.«

»Zeig ihr die Fußangel, Zeb«, sagte mein Mann.

»Gute Idee.« Zeb nahm meinem Mann etwas aus der Hand und stellte es vor mich hin. Es sah aus wie ein verkümmerter Stern mit vier Strahlen. Drei berührten den Tisch — ein Dreifuß. Der vierte Arm ragte senkrecht empor.

»Dies ist eine Waffe«, erklärte Zeb, »vor Jahrhunderten erfunden. Die Enden müßten eigentlich spitz sein, sind aber abgefeilt.« Er warf das Ding herum und ließ es wieder auf den Tisch fallen. »Egal, wie es aufkommt, ein Stachel ragt immer nach oben. Wenn man sie angreifender Kavallerie hinstreut, stürzen die Pferde, und das ist sehr entmutigend. Im Ersten und Zweiten Weltkrieg wurden sie neu eingesetzt, gegen luftbereifte Fahrzeuge aller Art — Fahrräder, Motorräder, Lkws und so weiter. Wenn man sie groß genug macht, können sie selbst Panzer und Kettenfahrzeuge ausschalten. Eine kleine Abart läßt sich für den Guerillakrieg aus Dornenbüschen gewinnen — normalerweise vergiftet und sehr unangenehm.

Bei uns ist dieses tödliche Spielzeug aber eine geometrische Projektion, eine Darstellung der Koordinaten eines vierdimensionalen Raum-Zeit-Kontinuums. Jede Spitze ist genau neunzig Grad von jeder anderen Spitze abgewendet.«

»Das stimmt nicht!« wandte ich ein. »Die Winkel sind in jedem Fall größer als neunzig Grad.«

»Ich sagte, es handelt sich um eine *Projektion.* Sharpie, dies ist eine isometrische Projektion vierdimensionaler Koordinaten im dreidimensionalen Raum. Das verzerrt die Winkel — und das menschliche Auge ist sogar noch mehr eingeengt in seiner Wahrnehmung. Wenn du ein Auge bedeckst und stillhältst, siehst du nur zwei Dimensionen. Die Illusion der Tiefe ist ein Werk des Gehirns.«

»Ich kann nicht besonders gut stillhalten . . .«

»Wie wahr!« rief mein Bräutigam, den ich von Herzen liebe und in diesem Augenblick hätte erwürgen können.

»Aber ich kann beide Augen schließen und drei Dimensionen mit den Händen *erfühlen.*«

»Ein guter Vorschlag. Schließ die Augen, nimm das Ding in die Hand und stell dir die Spitzen als die vier Richtungen eines vierdimensionalen Raums vor. Sagt dir das Wort Tesseract etwas?«

»Meine Geometrielehrerin zeigte uns in der Oberschule, wie man eins baut — Projektionen —, mit Modellwachs und Zahnstochern. Machte Spaß. Ich fand auch andere vierdimensionale Figuren, die sich leicht projizieren ließen. Und eine Reihe von Methoden, sie zu projizieren.«

»Sharpie, du mußt eine hervorragende Geometrielehrerin gehabt haben!«

»Es war eine ungewöhnliche Geometrieklasse. Fall bitte nicht in Ohnmacht, Zebbie, aber ich wurde zu den Schülern gesteckt, die man ›Mehrleistende‹ nannte, nachdem es ›undemokratisch‹ geworden war, sie als ›besonders begabt‹ zu bezeichnen.«

»Donnerwetter! Aber warum benimmst du dich dann immer wie ein Clown?«

»Warum schaust du nie unter die Oberfläche, junger Mann? Ich lache, weil ich nicht zu weinen wage. Wir leben in einer verrückten Welt, die man nur ertragen kann, wenn man sie als Witz behandelt. Das heißt aber nicht, daß ich nicht lese und nicht denken kann. Ich lese alles von Giblett bis Hoyle, von Sartre bis Pauling. Ich lese in der Badewanne, ich lese auf dem Klo, ich lese im Bett, ich lese, wenn ich allein esse, und ich würde auch noch im Schlaf lesen, wenn ich die Augen offenhalten könnte. Deety, das alles beweist, daß Zebbie nie in meinem Bett gewesen ist: die Bücher unten sind nur Schau. Was ich lese, stapelt sich in meinem Schlafzimmer.«

»Deety, hast du etwa angenommen, ich hätte mit Sharpie geschlafen?«

»Nein, Zebadiah.«

»Und das wirst du auch nicht! Deety hat mir nur verraten, was für einen gewaltigen Sextrieb du hast! Wage es nur, deine lüsternen Hände nach mir auszustrecken, dann schreie ich nach Jacob, der dich windelweich schlägt!«

»Verlaß dich nicht darauf, meine Liebe«, sagte mein Mann gelassen. »Zeb ist größer und kräftiger als ich — und wollte ich es wirklich versuchen, würde Deety losheulen und *mich* windelweich schlagen. Mein Junge, ich hätte dich warnen sollen: meine Tochter ist eine gefährliche Karatekämpferin und hat den richtigen Killerinstinkt.«

»Vielen Dank. Gut vorgewarnt ist halb abgewehrt. Ich nehme einen Küchenstuhl in eine Hand, einen Revolver in die zweite und eine Peitsche in die andere, so wie ich bei Ringling-Barnum und Bailey meine Wildkatzen vorgeführt habe.«

»Das waren aber drei Hände«, sagte Deety.

»Ich bin vierdimensional, Liebling! Professor, wir können unser Seminar beschleunigen; wir haben unserer Mehrleistenden zuwenig zugetraut. Hilda hat Köpfchen.«

»Zebbie, können wir uns mit einem Kuß wieder vertragen?«

»Die Vorlesung läuft.«

»Zebadiah, dafür ist doch immer Zeit. Stimmt's, Paps?«

»Küß sie, mein Junge, sonst schmollt sie.«

»Ich schmolle nicht, ich beiße.«

»Ich finde dich ja auch ganz süß«, sagte Zebbie, packte mich an beiden Schultern, zerrte mich über den Tisch und küßte mich energisch. Meine Zähne knirschten gegen die seinen, und meine Brustwarzen zuckten empor! Manchmal wünschte ich, ich wäre nicht gar so nobel.

Abrupt ließ er mich los und sagte: »Nun aber weiter, ihr Schüler. Die zwei blau bemalten Spitzen unserer Fußangel stellen den dreidimensionalen Raum dar, den wir ringsum erleben. Die dritte und gelb bemalte Spitze ist die t-Zeit, die wir gewöhnt sind. Die vierte rote Spitze simuliert sowohl die *Tau*-Zeit als auch die *Teh*-Zeit, die unerforschten Zeitdimensionen, die für Jakes Theorie erforderlich sind. Sharpie, wir haben sechs Dimensionen in vier kondensiert, nun arbeiten wir entweder durch Analogie auf sechs oder müssen eine Mathematik anwenden, die offenbar niemand begreift außer Jake und meinem Cousin Ed. Es sei denn, dir fällt eine Methode ein, sechs Dimensionen in drei zu projizieren — mit solchen Sachen scheinst du dich ja auszukennen.«

Ich schloß die Augen und überlegte scharf. »Zebbie, ich glaube, es geht nicht. Vielleicht hätte Escher es geschafft.«

»Es geht, Liebste«, antwortete mein Liebster, »aber das Ergebnis ist nicht zufriedenstellend. Sogar mit einem auf visuelle Darstellung programmierten Computer, der eine oder mehrere Dimensionen gleichzeitig subtrahieren könnte. Ein Superhypertesseract — *a* hoch sechs — hat zu viele Linien und Ecken und Ebenen und Körper und Hyperkörper, als daß das Auge sie erfassen könnte. Bringt man den Computer dazu, Dimensionen zu subtrahieren, bleibt das übrig, was einem bereits bekannt ist. Ich fürchte, es ist ein angeborenes Fehlen visueller Vorstellungskraft im menschlichen Gehirn.«

»Ich glaube, Paps hat recht«, meinte Deety. »Ich habe an dem Programm schwer geschuftet. Sicher hätte es der selige Dr. Marvin Minsky in zweidimensionaler Projektion nicht besser machen können. Holovision? Keine Ahnung! Versuchen würde ich es gern, wenn ich je an einen Computer mit Holovideo-Darstellung und der Fähigkeit herankomme, sechs Dimensionen zu addieren, zu subtrahieren und zu rotieren.«

»Aber warum sechs Dimensionen?« fragte ich. »Warum nicht fünf? Oder auch nur vier, da ihr davon sprecht, sie im Austausch zu rotieren.«

»Jake?« fragte Zeb.

Mein Liebling wirkte gestreßt. »Es bekümmerte mich, daß ein Raum-Zeit-Kontinuum anscheinend drei Raum-Dimensionen, doch nur eine Zeit-Dimension brauchte. Ich gebe ja zu, daß das Universum ist, was es nun mal ist — trotzdem ist die Natur mit Symmetrien gefüllt. Selbst nach der Zerstörung des Paritätsprinzips fanden die Wissenschaftler immer noch neue. Auch die Philosophen blieben der Symmetrie treu — aber die zähle ich nicht mit.«

»Natürlich nicht«, warf Zeb ein. »Kein Philosoph läßt sich durch Tatsachen in seinen Ansichten wankend machen — er würde ja glatt aus seiner Gilde verstoßen. Theologen, sie alle.«

»Ganz recht. Liebste Hilda, nachdem ich einen Weg zum Experimentieren gefunden hatte, stellte es sich heraus, daß sechs Dimensionen bestehen. Möglicherweise mehr — doch ich sehe keinen Weg, sie zu erreichen.«

»Mal sehen«, warf ich ein. »Wenn ich euch vorhin richtig verstanden habe, läßt sich jede Dimension gegen jede andere austauschen.«

»Durch rechtwinklige Rotation — jawohl.«

»Müßten das nicht die Viererkombinationen sein, die man aus insgesamt sechs gewinnen kann? Wie viele wären das?«

»Fünfzehn«, antwortete Zebbie.

»Du meine Güte! Fünfzehn ganze Universen? Und wir benutzen nur *eins?*«

»Nein, nein, Liebling! Das wären rechtwinklige Rotationen eines euklidischen Universums. Doch von unserem Universum — eher Universen — weiß man mindestens seit 1919, daß sie nicht-euklidisch sind. Oder seit 1886, wenn dir das lieber ist. Ich gehe davon aus, daß die Kosmologie eine unvollkommene Disziplin ist; trotzdem sah ich mich aus Überlegungen, die ich nicht in unmathematischen Begriffen darlegen kann, dazu gezwungen, einen gekrümmten Raum mit positivem Radius anzunehmen — das heißt, einen geschlossenen Raum. Das ergibt *diese* Zahl von Universen, die uns durch Rotation oder Versetzung möglicherweise zugänglich sind.« Hastig schrieb mein Mann drei Sechsen nieder.

»Sechs-sechsundsechzig«, sagte ich staunend. »»Die Zahl des Tiers!««

»Wie? *Oh!* Die Offenbarung des Johannes. Aber ich habe ungenau geschrieben. Du meinst, ich hätte dies geschrieben:

$$666$$

Ich *wollte* aber folgendes schreiben:

$$66^6$$

Sechs hoch sechs, und das Ergebnis wiederum hoch sechs. Diese Zahl sieht folgendermaßen aus:

$$1{,}03144+ \times 10^{28}$$

oder voll ausgeschrieben:

$$10\ 314\ 424\ 798\ 490\ 535\ 546\ 171\ 949\ 056$$

oder mehr als zehn Millionen Sextillionen Universen in unserer Gruppe.«

Was soll man dazu sagen? Jacob fuhr fort: »Jene Universen sind unsere unmittelbaren Nachbarn, eine Rotation oder Versetzung entfernt. Wollte man dagegen *Kombinationen* aus Rotation *und* Versetzung mit einschließen — stellt euch eine Hyperebene vor, die nicht am Punkt des Hier-Jetzt durch Superhyperkontinua schneidet —, wird das Ergebnis numerisch nicht mehr darstellbar. Nicht unendlich groß — Unendlichkeit ist bedeutungslos. Unzählbar. Nicht greifbar für mathematische Prozesse, soweit sie bisher gefunden sind. Zugänglich für Kontinua-Fahrzeuge, aber einfach nicht zählbar.«

»Paps . . .«

»Ja, Deety?«

»Vielleicht ist Tante Hilda da wirklich auf etwas gestoßen. Du bist zwar ein Agnostiker, hast aber trotzdem die Bibel im Haus, als Geschichte und Poesie und Mythos.«

»Wer hat behauptet, ich wäre Agnostiker, liebe Tochter?«

»Tut mir leid, Sir. Ich habe diese Schlußfolgerung vor langer Zeit gezogen, weil du nie darüber sprichst. Mein Irrtum. Ein Mangel an Daten rechtfertigt noch keine Mutmaßung. Aber diese Schlüsselzahl — eins Komma null-drei-eins-vier-vier-plus mal zehn hoch achtundzwanzig — vielleicht *ist* das in der Tat die ›Zahl des Tiers‹?«

»Was meinst du damit, Deety?«

»Daß die Offenbarung nicht Geschichte ist, auch keine gute Poesie und auch kein Mythos. Es *muß* aber einen Grund gegeben haben, warum so viele weise Männer sie mit anführen und gleichzeitig mehrere Dutzend anderer Verkündigungen auslassen. Warum machen wir keine erste Hypothese mit Occams Rasiermesser und lesen die Stelle als das, was sie zu sein vorgibt: als eine Prophezeiung?«

»Hmm. Auf den Regalen unter der Treppe, neben Shakespeare. Die Fassung von König James, die drei anderen kannst du stehenlassen.«

Deety kehrte gleich darauf mit einem abgegriffenen schwarzen Buch zurück — was mich überraschte. Ich hatte die Bibel aus privaten Gründen gelesen, wäre aber nie darauf gekommen, daß auch Jacob das Buch kannte. Man heiratet doch immer einen Fremden.

»Hier«, sagte Deety. »Kapitel dreizehn, Vers achtzehn: ›Hier ist Weisheit! Wer Verstand hat, der überlege die Zahl des Tiers;

denn es ist eines Menschen Zahl, und seine Zahl ist sechshundert*und*sechs*und*sechzig.‹«

»Das kann man aber nicht als Exponenten lesen, Deety.«

»Aber es handelt sich um eine *Übersetzung*, Paps. War das Original nicht griechisch? Ich weiß nicht mehr, wann Exponenten erfunden wurden, aber die griechischen Mathematiker der damaligen Zeit verstanden sich auf das Potenzieren. Nimm einmal an, im Orginal stand ›Zeta, *Zeta, ZETA!*‹, und die weisen Männer, die selbst keine Mathematiker waren, übersetzten falsch als sechshundertsechsundsechzig?«

»Ach . . . Spinnerei, liebe Tochter.«

»Wer hat mich gelehrt, daß die Welt nicht nur seltsamer ist, als wir sie uns vorstellen, sondern noch seltsamer, als wir sie uns vorstellen *können?* Wer hat mich bereits in zwei Universen entführt, die *nicht* dieses Universum sind . . . und sicher wieder nach Hause gebracht?«

»Moment mal!« rief Zebbie. »Ihr habt die Zeit-Raum-Maschine bereits ausprobiert?«

»Hat Paps dir das nicht erzählt? Wir haben eine Minimum-Versetzung gemacht. Dabei schienen wir gar nicht vom Fleck zu kommen, und Paps nahm schon an, es hätte nicht geklappt. Bis ich im Telefonbuch eine Nummer nachschlagen wollte. Es gab kein ›J‹ mehr in dem Buch. Kein ›J‹ in der *Britannica.* Kein ›J‹ in den Wörterbüchern. Da stiegen wir wieder ein, und Paps stellte die Nonien auf Null, und wir stiegen ab, und das Alphabet war wieder so, wie es sein sollte. Erst dann hörte ich zu zittern auf. Aber unsere Rotation war noch angsteinflößender, und wir wären beinahe ums Leben gekommen. Draußen im All mit flammenden Sternen, doch die Luft strömte ab, und Paps stellte die Dinge eben schnell genug wieder auf Null, ehe wir das Bewußtsein verloren. Wir kamen hier im Fuchsbau wieder zu uns.«

»Jake«, sagte Zebbie ernst, »dein Apparat braucht Sicherheitsschaltungen, dazu Totmanntasten für die Rückkehr.« Er runzelte die Stirn. »Ich werde das Auge offenhalten nach beiden Zahlen, nach sechs-sechsundsechzig und der langen. Ich vertraue auf Deetys Vorahnungen. Deety, wo befindet sich der Vers mit der Beschreibung des Tiers? Irgendwo in der Mitte des Kapitels.«

»Hier. ›Und ich sah ein anderes Tier aufsteigen aus der Erde; das hatte zwei Hörner gleich wie ein Lamm und redete wie ein Drache.‹«

»Hmm . . . Ich weiß nicht, wie Drachen reden. Aber wenn irgend etwas aus der Erde kommt und zwei Hörner hat — und wenn ich dazu eine der beiden Zahlen sehe oder höre —, dann gehe ich davon aus, daß das Ding einen ›Schwarzen Hut‹ hat, und werde versuchen, ihm etwas anzutun, ehe es uns etwas tut. Deety, ich bin grundsätzlich friedlich veranlagt . . . aber zweimal knapp daneben ist zu viel. Beim nächstenmal schieße ich als erster.«

Ich wünschte, Zebbie hätte die ›Schwarzen Hüte‹ nicht erwähnt. Es war kaum vorstellbar, daß jemand einen Menschen umbringen wollte, der so lieb und unschuldig und harmlos war wie mein Liebling Jacob. Aber so war es nun mal — wir wußten Bescheid.

»Wo ist diese Zeitmaschine denn nun?« fragte ich. »Bis jetzt habe ich nur ein Fußeisen gesehen.«

»›Fußangel‹, Tante Hilda. Die Raum-Zeit-Maschine steht direkt vor dir.«

»Hä? Wo denn? Warum sitzen wir nicht drin und sausen schleunigst irgendwohin? Ich möchte nicht, daß mein Mann getötet wird; er ist praktisch noch ungebraucht. Er soll mir noch Jahre gute Dienste leisten.«

»Sharpie, hör auf zu faseln!« sagte Zebbie. »Die Maschine steht auf der Bank, auf der anderen Seite des Tisches.«

»Ich sehe dort nur eine tragbare Nähmaschine.«

»Das ist sie.«

»Was? Und wie steigt man hinein? Oder reitet man darauf wie auf einem Besenstiel?«

»Weder noch. Man befestigt das Gerät starr in einem Fahrzeug — vorzugsweise luft- und wasserdicht. Paps hatte es in seinen Wagen geschraubt — der nicht ganz luftdicht war und jetzt kaputt ist. Paps und ich werden den Burschen in Gay Täuscher unterbringen, die nun wirklich luftdicht ist. Und werden etliche Sicherheitsschaltungen einbauen.«

»Weitaus bessere Sicherheitsschaltungen, Zebbie«, sagte ich nickend.

»Keine Sorge. Ich stelle fest, daß die Ehe doch etwas anderes ist. Bisher hatte ich mir nur um die eigene Haut Gedanken gemacht. Jetzt sorge ich mich um Deety. Und um dich und Paps. Um uns alle vier.«

»Hört, hört!« rief ich. »Alle für einen, und einer für alle!«

»O ja!« sagte Zebbie. »Wir vier, nicht mehr. Deety, wann gibt's Mittagessen?«

VII

Deety:

Während Tante Hilda und ich das Essen machten, verschwanden unsere Männer. Sie kehrten gerade noch rechtzeitig zurück. Zebadiah hatte ein Sprechgerät bei sich; Paps stöpselte einen Draht in einen Kontakt an der Wand und verband ihn mit dem Sprechgerät.

»Meine Herren, euer Zeitsinn ist wunderbar ausgeprägt; die Arbeit ist getan!« begrüßte sie Tante Hilda. »Was ist denn das?«

»Ein Gast zum Mittagessen, meine Liebe«, antwortete Paps. »Miß Gay Täuscher.«

»Es reicht für alle«, sagte Tante Hilda. »Ich lege noch ein Gedeck auf.« Sie tat es, und Zebadiah stellte das Gerät auf den fünften Teller. »Trinkt sie Kaffee oder Tee?«

»Für beides ist sie nicht programmiert, Hilda«, antwortete Zebadiah, »aber ich danke in ihrem Namen. Meine Damen, ich warte dringend auf neue Meldungen aus Singapur und Sumatra und bat meine Autopilotin, mich auf dem laufenden zu halten. Jake bekam das mit und wies mich darauf hin, daß er da und dort zusätzliche Schaltkreise installiert hätte, für alle Fälle — und dies sei wohl einer dieser Fälle. Gay ist in der Garage mit der Leitung dort verbunden, und dies ist ein stimmenbetriebenes Sprechgerät. Ich kann Gay anrufen, und sie kann sich melden, wenn etwas Neues hereinkommt — im übrigen habe ich ihre Tätigkeit erweitert, indem ich die früheren Programme wieder in Kraft setzte, Logan und zu Hause, in bezug auf neue Daten.«

»Ich schalte noch eine Verbindung in den Keller«, sagte Paps. »Aber eins muß ich dir sagen, mein Junge — *dies* ist dein Zuhause, nicht Kalifornien.«

»Nun ja . . .«

»Wehr dich nicht dagegen, Zebbie. Dies ist *mein* Heim, seit Jacob mich zu seiner rechtmäßigen Frau machte — und jeder Stiefschwiegersohn von mir ist hier zu Hause; Jacob hat es eben gesagt. Stimmt's, Deety?«

»Natürlich«, sagte ich. »Tante Hilda ist die Hausfrau, und ich bin das Küchenmädchen. Aber der Fuchsbau ist gleichzeitig auch *mein* Zuhause, bis Paps und Tante Hilda mich in den Schnee hinausjagen — und das schließt meinen Mann mit ein.«

»Nicht in den Schnee, meine Liebe«, berichtigte mich Tante Hilda. »Jacob würde auf einem sonnigen Tag bestehen; er ist rücksichtsvoll. Aber selbst dann wärt ihr nicht ohne Dach über dem Kopf. Mein Haus in Kalifornien — das jetzt mir und Jacob gehört — ist schon immer dein zweites Zuhause gewesen, und auch Zebbie war dort oft zu Gast.«

»Jetzt muß ich aber schnell noch meine Junggesellenwohnung in die Diskussion werfen.«

»Zebbie, du kannst Deety unmöglich auf deiner Liege einquartieren. Die Matratze hat gebrochene Sprungfedern und hängt durch. Man holt sich schlimme Druckstellen. Zebbie, brich deinen Mietvertrag und verkaufe deine Möbel.«

»Sharpie, jetzt fängst du wieder an! Deety, es gibt bei mir keine Liege. Ein breites Bett, in dem drei Platz hätten — oder sechs, wenn sie gut miteinander bekannt sind.«

»Mein Captain, stehst du etwa auf Orgien?« fragte ich.

»Nein. Aber man weiß nie, was noch kommt.«

»Du denkst doch immer weit voraus, Zebadiah«, sagte ich anerkennend. »Darf ich auch kommen?«

»Wenn ich eine Orgie veranstalte, sucht meine Frau die Gäste aus und verschickt die Einladungen.«

»Vielen Dank, Sir. Ich werde warten, bis du einen gelangweilten Eindruck machst, dann schau ich mich auf der Weide um und suche die leckersten Brocken für dich aus.«

»Meine Prinzessin, es verbietet sich, eine schwangere Frau zu schlagen. Aber ich kann es mir ausmalen. Paps, dein Fuchsbau beeindruckt mich immer mehr. Hast du ihn dir von einem Architekten bauen lassen?«

»Brr! ›Architekt‹ — das ist für mich ein Schimpfwort. Ich habe Ingenieurwissenschaft studiert. Architekten gucken doch nur einander die Fehler ab und nennen das Ergebnis ›Kunst‹. Selbst Frank Lloyd Wright hat nie begriffen, was die Gilbreths im Sinn hatten. Seine Häuser sahen von außen großartig aus, doch innen waren sie äußerst unpraktisch. Staubfänger. Düster. Wie Mäuselabyrinthe im Labor. Pfui!«

»Und was ist mit Neutra?«

»Der hätte Großes schaffen können, wäre er nicht durch Bauvorschriften, Gewerkschaften und starre Bebauungspläne eingeengt worden. Aber die Menschen wollen nun mal keine tüchtigen Wohnmaschinen; sie ziehen es vor, in ihren mittelalterlichen Höhlen zu hocken, wie es ihre Vorfahren getan haben. Kalt, zugig, ungesund, schlecht beleuchtet — ohne Wünsche in dieser Richtung.«

»Deine Ansichten dazu interessieren mich. Paps — ihr habt

hier drei Kamine, aber keine Schornsteine. Wie geht das? Warum?«

»Zeb, mir gefallen Kamine — ein paar Brocken Holz können einem in den Bergen das Leben retten. Aber ich sehe nicht ein, daß ich die Außenwelt mitheizen oder auf die Tatsache aufmerksam machen soll, daß wir anwesend sind, geschweige denn, daß ich mich hier im waldbrandgefährdeten Gebiet auf Funkenfänger verlasse. Wird in einem unserer Kamine Feuer gemacht, springt automatisch der Entlüftungsventilator an. Rauch und andere Partikel werden elektrostatisch niedergeschlagen. Diese Geräte werden automatisch gereinigt, wenn die Kamintemperatur unter fünfundzwanzig Grad Celsius sinkt. Die heiße Luft wandert durch Labyrinthe unter Badewannen und Fußböden, dann unter andere Fußböden und von dort in ein ins Gestein gebettetes Wärmebecken unter der Garage, ein Becken, das die Wärmepumpe für das Haus antreibt. Wenn schließlich doch Schornsteingase entweichen, dann geschieht das fern vom Haus und in einer derart umweltangepaßten Temperatur, daß nur die empfindlichsten Hitzeorter darauf ansprechen würden. Beste thermische Ausnutzung, außerdem unauffällig und daher sicher.«

»Aber wenn ihr nun einmal so lange eingeschneit seid, daß sich die Batterien erschöpfen?«

»Im Lager haben wir Holzöfen, dazugehörige Ofenrohre, in den Wänden Stutzen, die man von innen herausnehmen kann, um die Rohre hinauszuschieben.«

»Paps«, warf ich ein, »fällt dies nicht unter die Erste Regel? Oder ist die gestern abend in Elko aufgehoben worden?«

»*Wie?* Wir müssen davon ausgehen, daß sie aufgehoben ist, bis Hilda sie bestätigt oder löscht. Liebste Hilda, vor einigen Jahren hat Jane die folgende Erste Regel aufgestellt . . .«

»Ich bin damit einverstanden!«

»Vielen Dank. Aber hör sie dir erst an. Es dreht sich um die Essenszeiten. Keine Nachrichtensendungen . . .«

»Paps«, unterbrach ich noch einmal, »solange die Erste Regel noch in Schwebe ist — *hat Gay Täuscher etwas Neues empfangen?* Ich mache mir ehrlich Sorgen!«

»Null-Auswertung, meine Liebe. Was die amüsante Schlußfolgerung zuläßt, daß wir beide noch immer *doppelt* für tot gehalten werden; anscheinend haben die Nachrichtendienste das noch gar nicht bemerkt. Miß Gay Täuscher wird uns allerdings unterbrechen, sollte eine Nachricht hereinkommen; in einem Notfall darf die Erste Regel natürlich nicht gelten. Zeb, möchtest du das Sprechgerät nachts im Schlafzimmer haben?«

»Ich möchte nicht, ich *muß* wohl. Eine schnelle Unterrichtung könnte unsere Rettung sein.«

»Wir lassen diesen Apparat hier und stellen dir einen zweiten dorthin, so eingestellt, daß er dich weckt. Zurück zur Ersten Regel: Bei Tisch sind keine Nachrichtensendungen oder Zeitungen erlaubt. Keine Fachsimpelei, nichts Geschäftliches oder Finanzielles, kein Gespräch über Krankheiten. Keine politische Diskussion, nichts über Steuern oder Außen- oder Innenpolitik. Das Lesen von Romanen ist en famille gestattet — nicht wenn Gäste anwesend sind. Die Gespräche beschränken sich auf amüsante Themen . . .«

»Keine Skandale? Kein Klatsch?« wollte Tante Hilda wissen.

»Das mußt du selbst wissen, meine Liebe. Fröhlicher Klatsch über Freunde und Bekannte, saftige Skandale von Leuten, die wir nicht mögen — in Ordnung! Also — möchtest du diese Regel bestätigen, aufheben, ergänzen oder darüber nachdenken?«

»Ich bestätige sie unverändert. Wer weiß saftige Dinge über jemanden, den wir nicht mögen?«

»Ich weiß etwas über ›Ungeist‹ — Dr. Neil Geist«, meinte Zebadiah.

»Heraus damit!«

»Ich hab's aus verläßlicher Quelle, kann es aber nicht beweisen.«

»Unwichtig, solange die Sache nur hübsch skandalös ist. Heraus damit, Zebbie!«

»Nun, ich hab's von einer gewissen flotten Studentin. Sie versuchte sich ›Geisty‹ hinzugeben, um dafür eine akzeptable Zensur im allgemeinen Mathematikkurs zu bekommen, die notwendig ist, um auf unserer Uni überhaupt einen Abschluß zu machen. Diese Konstruktion sollte prominenten, aber dummen Sporttypen einen Abgang ermöglichen. Miß Flott kam schon damit nicht zurecht, wozu man wirklich Talent braucht.

Sie ließ sich also beim Leiter der Abteilung einen Termin geben — das war ›Geisty‹ — und machte ihr Angebot klar. Er sollte ihr horizontale Nachhilfestunden geben, an Ort und Stelle oder in ihrer Wohnung oder in seiner Wohnung oder in einem Motel, und sie würde dafür bezahlen zu jeder Zeit und an jedem Ort. Aber sie *müßte* durchkommen.«

»So etwas geschieht an jeder Uni, mein Junge«, meinte Paps.

»Ich bin noch gar nicht beim entscheidenden Punkt angelangt. Sie erzählte die ganze Geschichte herum — nicht zornig, sondern eher verwirrt. Sie behauptet, es sei ihr nicht möglich gewesen, ihm ihre Absicht klarzumachen (was mir unglaublich vorkommt, denn ich habe die junge Frau gesehen). ›Geisty‹ ging nicht darauf ein, lehnte nicht ab, war nicht gekränkt, schien sie überhaupt nicht zu verstehen. Er sagte, sie müsse mit ihrem Lehrer über Nachhilfe und eine zweite Prüfung reden. Jetzt verbreitet Miß Flott, daß Professor ›Ungeist‹ ein Eunuch oder Roboter sein müsse. Er wäre wohl nicht mal ein Mensch. Völlig geschlechtslos.«

»Auf jeden Fall ist er blöd«, bemerkte Tante Hilda. »Mir ist bisher noch kein Mann untergekommen, dem ich *das* nicht begreiflich machen konnte, wenn ich es darauf angelegt hatte. Auch wenn er dann an meinem hübschen jungfräulichen Körper kein Interesse hatte. Bei Professor Geist habe ich es nie versucht, weil mich *sein* Körper nicht interessiert. Nicht mal gegrillt.«

»Liebste Hilda, warum hast du ihn dann überhaupt zu dir eingeladen?«

» *Was?* Na, wegen deiner Nachricht, Jacob. Ich werde dir doch nicht einen Gefallen abschlagen.«

»Das begreife ich nicht, Hilda. Als ich mit dir telefonierte, bat ich dich, Zeb einzuladen — in der falschen Annahme, er wäre sein Cousin Zebulon —, und fügte hinzu, zwei oder drei andere Angehörige des mathematischen Instituts würden das Zusammentreffen weniger hingebogen aussehen lassen. Dr. Geist habe ich dabei nicht erwähnt. Und *geschrieben* habe ich dir dazu auch nicht.«

»Jacob — ich habe aber deinen Zettel da. Aus Kalifornien. Auf deinem Universitäts-Briefpapier, mit deinem aufgedruckten Namen.«

Professor Burroughs schüttelte den Kopf und blickte sie traurig an. Zebadiah fragte: »Sharpie — mit Hand oder mit Maschine geschrieben?«

»Getippt. Aber es stand eine Unterschrift darunter! Laßt mich mal einen Augenblick überlegen. Unten links stehen mein Name und meine Anschrift. Jacobs Name war auch getippt, darunter aber ein gekritzeltes ›Jake‹. Hmm . . . ›Meine liebe Hilda, ein eiliges PS zu unserem Telefonat von gestern. Würdest du bitte auch Dr. Unwin N. Geist einladen, den Leiter des mathematischen Instituts? Ich weiß nicht, was mich daran gehindert hat, ihn zu erwähnen. Wahrscheinlich die Freude darüber, deine nette Stimme zu hören. Deety läßt grüßen, und das tue ich auch. Dein Jacob J. Burroughs', und über dem getippten Namen war mit ›Jake‹ unterzeichnet.«

Zebadiah wandte sich an mich. »»Watson, Sie kennen meine Methoden.‹«

»»Aber ja doch, bester Holmes.‹ Ein ›Schwarzer Hut‹. In Logan.«

»Das wußten wir schon. Was für neue Daten?«

»Nun . . . Paps rief von zu Hause an; das weiß ich noch. Also hört jemand unser Telefon ab. Hörte, meine ich; das Feuer hat es vermutlich zerstört.«

»Eine Wanze, die alles aufgezeichnet hat. Vermutlich wurde der Brand deswegen ausgelöst und um andere Indizien zu vernichten. Denn nun wissen wir, den ›Burschen in den Schwarzen Hüten‹ war bekannt, daß dein Vater — und du, aber sie haben es auf Paps abgesehen — gestern abend in Kalifornien war. Nachdem sie ihn in Kalifornien ›umbrachten‹, zerstörten sie alles Erreichbare in Utah. Professor, ich sage voraus, daß Ihr Büro gestern nacht durchwühlt und alle Unterlagen über sechs-dimensionale Räume gestohlen worden sind.«

Paps zuckte die Achseln. »Da war nicht viel zu finden. Nach der — erniedrigenden — Aufnahme meiner ersten Abhandlung hatte ich die letzte Ausarbeitung verschoben. Zuletzt arbeitete ich nur noch zu Hause daran, oder hier, und brachte meine Unterlagen aus Logan jedesmal mit hierher.«

»Fehlt hier etwas?«

»Ich bin sicher, daß hier noch niemand eingedrungen ist. Nicht daß es auf die Papiere ankäme; ich habe alles im Kopf. Der Kontinua-Apparat ist unberührt.«

»Zebadiah, ist Professor Geist ein ›Schwarzer Hut‹?« fragte ich.

»Keine Ahnung, Deety. Vielleicht steht er irgendwie in ihren Diensten. Zumindest gehört er irgendwie zu ihrer Verschwörung, sonst hätten sie nicht den gefälschten Brief riskiert, um ihn in Hildas Haus zu lancieren. Jake, wie schwer ist es, in der Uni an deine Briefbogen heranzukommen?«

»Kein Problem. Ich habe keine Sekretärin. Brauche ich eine, lasse ich mir eine Stenotypistin kommen. Wenn ich auf dem Campus bin, verschließe ich selten mein Büro.«

»Deety, kannst du Papier und Bleistift auftreiben? Ich möchte mal sehen, wie Jake unterschreibt.«

»Aber ja.« Ich kam der Aufforderung nach. »Paps' Unterschrift ist leicht; ich zeichne oft mit seinem Namen, denn ich habe Vollmacht.«

»Die einfachsten Unterschriften sind am schwierigsten so nachzumachen, daß sogar ein Handschriftexperte darauf hereinfällt. Aber in diesem Falle mußte kein Fachmann getäuscht werden — die Formulierung des Briefchens war noch schwieriger, da Hilda ihn als echt akzeptierte.«

»Er klingt tatsächlich echt, mein Junge; so ähnlich hätte ich mich bestimmt geäußert, hätte ich einen Brief an Hilda geschrieben.«

»Der Fälscher hat vermutlich viele Briefe von dir gelesen und sich viele Gespräche angehört, an denen du beteiligt warst. Jake, würdest du bitte vier- oder fünfmal ›Jake‹ schreiben, so wie du es bei Briefen an Freunde tust?«

Paps kam der Aufforderung nach, und mein Mann betrachtete die Muster. »Normale Abweichungen.« Nun schrieb auch Zebadiah etwa ein Dutzendmal ›Jake‹, betrachtete seine Arbeit, nahm ein frisches Blatt, leistete noch einmal die Unterschrift und reichte sie Tante Hilda. »Nun, Sharpie?«

Tante Hilda betrachtete die Schriftzeichen. »Ich käme gar nicht auf den Gedanken, daran zu zweifeln — auf Jakes Briefbogen unter einem Text, der sich so anhört. Und wohin führt uns das?«

»Bis zum Hals in den Sumpf. Aber wir haben neue Daten gesammelt. Mindestens drei Leute haben damit zu tun, zwei ›Schwarze Hüte‹ und Dr. Geist, der vielleicht auch ein ›Schwarzer Hut‹ ist. Im mindesten Falle ist er ein angeworbener Helfer, ein ahnungsloser Mitwirkender oder eine Marionette, die wie eine Schachfigur über das Spielfeld gezogen wird.

Zwei plus ›Geisty‹ ist das Minimum, aber nicht die anzunehmende Zahl. Die Verschwörung gegen Paps wurde nicht über Nacht geboren. Sie enthält Brandstiftung, Urkundenfälschung, die Sprengung eines Wagens, Abhörung, Diebstahl und geheime Verständigung zwischen zwei weit voneinander entfernten Punkten, mit koordinierten kriminellen Aktivitäten an beiden Enden — und vielleicht auch den Mord an meinem Cousin Zebulon. Wir können davon ausgehen, daß die ›Schwarzen Hüte‹ wissen, *ich* bin nicht der Zeb Carter, der als n-dimensionaler Geometer durchs Leben läuft; mich hat man als zufällig Anwesenden eingestuft, der mit ums Leben kam.

Was diesen Leuten keine Kopfschmerzen bereitet. Sie wären fähig, eine Fliege mit dem Vorschlaghammer zu erlegen oder eine Erkältung mit der Guillotine zu heilen. Sie sind schlau, gut organisiert, tüchtig und erbarmungslos — und unser einziger realer Hinweis ist ihr Interesse an sechsdimensionaler nichteuklidischer Geometrie.

›Wer‹ sie sind, wissen wir nicht — bis auf Dr. Geist, dessen Rolle noch unklar ist. Aber ich glaube das ›Warum‹ zu kennen, Jake — und das führt uns zum ›Wer‹.«

»*Warum*, Zebadiah?« fragte ich.

»Prinzessin, dein Vater hätte an unzähligen anderen mathematischen Problemen arbeiten können, ohne daß sie ihn belästigt hätten. Zufällig — und ich meine ›Zufall‹ nicht im abwertenden Sinne — konzentrierte er sich aber auf *diese eine* Variante der endlosen Zahl möglicher Geometrien — auf die *einzige*, die *zutreffend* beschreibt, wie Raum und Zeit sich zusammensetzen. Nachdem er sie gefunden hatte — denn er ist ein Genie in Theorie und Praxis —, erkannte er, daß sie ihm den Weg zeigte, ein einfaches Gerät zu bauen — erstaunlich einfach, die größte Erfindung seit dem Rad — ein Raum-Zeit-Fahrzeug, das bis hinauf zur vollen Zahl des Tiers Zugang zu allen Universen bietet. Außerdem unzählige Variationen jedes dieser vielen Universen.

Wir haben dabei einen Vorteil.«

»Ich sehe aber keinen Vorteil! Man schießt auf meinen Jacob!«

»Einen großen Vorteil, Sharpie. Die ›Schwarzen Hüte‹ wissen, daß Jake sich diese Mathematik erarbeiten konnte. Sie wissen allerdings *nicht,* daß er den Raum-Zeit-Verdreher schon gebaut hat; sie gehen davon aus, daß er bisher lediglich seine Symbole auf Papier gemalt hat. Sie haben mit Erfolg versucht, seine Arbeit zu torpedieren. Sie versuchten ihn umzubringen und hätten das beinahe geschafft. Vermutlich halten sie Jake für tot — und es ist denkbar, daß sie Ed getötet haben. Aber daß es den Fuchsbau gibt, wissen sie nicht.«

»Warum sagst du das, Zeb? Oh, ich hoffe auch, daß sie unser Versteck nicht kennen — aber warum bist du dir deiner Sache so sicher?«

»Weil diese Burschen keine halben Sachen machen. Sie haben deinen Wagen in die Luft gesprengt und in deiner Wohnung Feuer gelegt. Was würden sie hier entfesseln? Eine Atombombe?«

»Mein Junge, du glaubst doch nicht etwa, daß Verbrecher an Atomwaffen herankommen?«

»Jake, wir haben es nicht mit *Verbrechern* zu tun. Ein ›Verbrecher‹ gehört zu einer Untergruppe der größeren Gruppe ›Menschen‹. Diese Wesen aber sind keine Menschen.«

»*Wie bitte?* Zeb, jetzt begreife ich überhaupt nichts mehr.«

»Deety. Gib's in deinen Computer ein. Den zwischen deinen Ohren.«

Ich antwortete nicht, sondern saß still da und überlegte. Nachdem mir mehrere Minuten lang unangenehme Gedanken durch den Kopf gegangen waren, sagte ich: »Zebadiah, die Schwarzen Hüte haben keine Ahnung von dem Apparat in unserem Keller.«

»Das ist eine schlüssige Annahme«, meinte mein Mann, »weil wir alle noch leben.«

»Sie sind entschlossen, eine neue mathematische Grundlagenarbeit zu verhindern — und den Kopf zu vernichten, der sie hervorgebracht hat.«

»Mit beinahe hundertprozentiger Wahrscheinlichkeit«, stimmte mir Zebadiah erneut zu.

»Denn Paps' Erkenntnisse ermöglichen die Reise zwischen den Universen.«

»Eine logische Schlußfolgerung«, stellte mein Mann fest.

»Für die Zwecke meiner Überlegungen sind die Menschen in drei Gruppen aufzuteilen. Die erste interessiert sich nicht für Mathematik, die komplizierter ist, als man sie zum Umgang mit Geld braucht. Die Angehörigen der zweiten wissen ein wenig über andere Spielarten der Mathematik, und nur eine recht kleine dritte Gruppe würde die wahren Möglichkeiten erfassen.«

»Ja.«

»Aber unsere Rasse hat meines Wissens keine Ahnung von anderen Universen.«

»Richtig. Der Schluß ist unumgänglich.«

»Jene dritte Gruppe aber würde keinen Versuch unterbinden wollen, der darauf abzielt, sich zwischen den Universen zu bewegen. Sie würde voll intellektuellem Interesse abwarten und sehen, was dabei herauskommt. Die Leute würden daran glauben oder nicht, oder sich ihr abschließendes Urteil vorbehalten. Sie würden sich aber *nicht* dagegen stellen: es wäre ihnen eine Freude, wenn mein Vater Erfolg hätte. Die Freude der intellektuellen Entdeckung — das Merkmal des wahren Wissenschaftlers.«

Seufzend fügte ich hinzu: »Eine andere Gruppierung sehe ich nicht. Abgesehen von ein paar kranken, psychotischen Menschen ergeben diese drei Untergruppen das Ganze. Unsere Gegner sind nicht psychotisch, sie sind intelligent, schlau und gut organisiert.«

»Was wir nur zu gut wissen«, betonte Zebadiah.

»Deshalb sind unsere Gegner keine Menschen. Sie sind außerirdische Wesen aus dem Irgendwo.« Wieder seufzte ich. Es macht keinen Spaß, das Orakel zu spielen.

»Oder aus dem Irgend*wann*. Sharpie, könntest du jemanden umbringen?«

»Wen, Zebbie? Oder was?«

»Könntest du töten, um Jake zu beschützen?«

»Darauf kannst du dein armseliges Leben verwetten!«

»Dich frage ich erst gar nicht, Prinzessin; ich kenne Dejah Thoris ja.« Zebadiah fuhr fort: »Das ist nun die Lage, meine Damen. Wir müssen den wertvollsten Mann auf diesem Planeten beschützen. Wir wissen nicht, wovor. Jake, deine Leibwache besteht aus zwei Amazonen, eine mittelgroß, eine klein, beide vermutlich in den Anfängen schwanger; dazu ein Feiger Löwe. Ich würde die Dorsai anwerben, wenn ich ihre Postfachnummer wüßte. Oder den Grauen Linsenträger und seine Kumpel. Aber wir sind nun mal nicht mehr und werden uns größte Mühe geben! *Ave, alieni, nos morituri vos spernimus!* Und jetzt her mit dem Champagner!«

»Sollten wir das wirklich tun, mein Captain?« fragte ich. »Ich habe Angst.«

»Ich bin heute nicht mehr fürs Arbeiten geeignet, und Jake ebensowenig. Morgen fangen wir damit an, den Apparat in Gay Täuscher einzubauen, dann schalten wir um und programmieren alles neu, damit sie für jeden von uns arbeitet. Bis dahin brauchen wir ein wenig Abwechslung und eine durchschlafene Nacht. Gibt's einen besseren Augenblick, das Leben voll auszukosten, als den, da man weiß, jede Stunde könnte die letzte sein?«

Tante Hilda versetzte Zebadiah einen Rippenstoß. »Was du nicht sagst, Junge! Ich gieß mir einen auf die Nase und bringe dann meinen lieben Mann ins Bett. Für euch würde ich dasselbe vorschlagen, Deety.«

Mir war plötzlich besser.

»Gemacht, Tante Hilda! Captain John Carter siegt immer. ›Feiger Löwe‹ — da lach ich doch nur! Und wer ist Paps? Der Kleine Zauberer?«

»Ich glaube ja.«

»Möglich. Paps, öffnest du den Champagner? Ich tue mir dabei immer weh.«

»Sofort, Deety. Ich meine: ›Dejah Thoris, königliche Gefährtin des Kriegsherrn.‹«

»Keine Förmlichkeiten, Paps. Es soll eine lockere Party werden. Sehr locker sogar! Paps! Muß ich die Sachen anbehalten?«

»Frag deinen Mann. *Er* ist jetzt für dich verantwortlich.«

VIII

Hilda:
Wenn ich alt bin und zahnlos vor dem Kaminfeuer sitze und an meine Übeltaten zurückdenke, werden mir die nächsten Tage immer als die glücklichsten meines Lebens in den Sinn kommen. Ich hatte in meinem Leben schon dreimal Flitterwochen verbracht, mit jedem meiner Zeitvertrags-Männer; zwei waren schön gewesen, die dritten in Ordnung und (mit der Zeit) sehr lukrativ. Meine Flitterwochen mit Jacob aber waren der siebente Himmel.

Die drohende Gefahr verstärkte das freudige Empfinden. Jacob schien davon unberührt, und Zebbie hat seine Ahnungen wie ein Mann, der auf Pferde wettet. Als Deety mitbekam, daß Zebbie ganz gelassen blieb, warf auch sie ihre Nervosität ab, die ich von Anfang an nicht empfunden hatte, hoffte ich doch einmal wie ein Feuerwerkskörper zu enden und nicht als häßlicher, hilfloser, nutzloser Krüppel dahinsiechen zu müssen ...

Eine Prise Gefahr befeuert das Leben. Sogar während der Flitterwochen — *besonders* während der Flitterwochen.

Eine seltsame Zeit ... Wir arbeiteten angestrengt; trotzdem hatten unsere Männer immer Zeit, uns das Hinterteil zu tätscheln, uns über den Busen zu streichen und uns ausgiebig zu küssen. Keine Gruppenehe, sondern zwei Paare, die eine Familie bildeten und sich in der Gegenwart der anderen entspannen konnten. Ich verlor etwas von meinem aufbrausend-zuschnappenden Wesen, und Zebbie nannte mich manchmal ›Hilda‹ und nicht nur ›Sharpie‹.

Jacob und ich fanden uns mühelos in unsere Ehe. Jacob ist nicht groß (178 Zentimeter, doch wirkt er riesig neben meinen hundertzweiundfünfzig), die Haare gehen ihm aus, und er hat ein Bäuchlein von zu vielen Jahren am Schreibtisch — in meinen Augen sieht er aber gerade richtig aus. Wenn ich mir männliche

Schönheit ansehen wollte, hatte ich ja Deetys Riesen in unmittelbarer Nähe — doch ohne weitergehende Gefühle zu entwickeln, die von meinem liebevollen Ziegenbock genügend in Anspruch genommen waren.

Als Zebbie in der Universität auftauchte, war ich ihm nicht wegen seines Aussehens zugetan, sondern wegen seines absonderlichen Humors. Doch wenn überhaupt ein Mann die Rolle John Carters, des Kriegsherrn vom Mars, hätte spielen können, dann Zebadiah Carter, dessen Mittelname zufällig ›John‹ ist. Wenn er Kleidung anhat und seine falsche Hornbrille trägt, wirkt er zu groß und ungeschickt. Daß er wirklich gut aussah und sich geschmeidig bewegen konnte, ging mir erst auf, als er das erstemal meinen Swimmingpool benutzte. (An diesem Nachmittag hätte ich ihn beinahe verführt. Aber so würdelos ich sonst auch bin, ich war entschlossen, mich an ältere Männer zu halten, und unterdrückte den Gedanken.)

Außerhalb des Fuchsbaus, wenig oder gar nicht bekleidet, schien sich Zebbie zu Hause zu fühlen — er war so anmutig und muskulös wie ein Berglöwe. Einige Tage später ereignete sich ein Zwischenfall, der mir zeigte, wie sehr er dem Kriegsherrn des Mars tatsächlich glich.

Ich kannte all die alten Geschichten. Mein Vater hatte die Nachdrucke in der Ausgabe von Ballantine Del Rey erworben, die ich als kleines Mädchen im Haus vorfand. Nachdem ich lesen konnte, verschlang ich alles und hatte Barsoom-Romane weitaus lieber als ›Mädchen‹-Bücher, die man mir zum Geburtstag und zu Weihnachten schenkte. Dabei identifizierte ich mich besonders mit Thuvia, dem ›Spielzeug‹ der grausamen Priester von Issus, im nächsten Buch, *Thuvia, Jungfrau vom Mars,* auf wundersame Weise wieder mit ihrer Jungfräulichkeit ausgestattet. Ich beschloß, mich in Thuvia umtaufen zu lassen, wenn ich alt genug war. Mit achtzehn dachte ich dann nicht mehr daran; ich war immer ›Hilda‹ gewesen, und ein neuer Name lockte mich nicht.

Ich war zum Teil für Deetys Namen verantwortlich, der ihr große Verlegenheit bereitet hatte, bis sie merkte, daß ihr Mann Gefallen daran fand. Jacob hatte seine Tochter ›Dejah Thoris‹ nennen wollen (Jacob sieht aus wie ein Professor und ist auch einer, doch zugleich ist er ein unheilbarer Romantiker). Jane war nicht recht damit einverstanden. Ich sagte zu ihr: »Sei kein Frosch, Janie. Wenn dein Mann sich etwas wünscht und du es ihm problemlos geben kannst, gib es ihm! Soll er dieses Kind lieben oder es ablehnen?« Jane blickte mich nachdenklich an, und aus ›Doris Anne‹ wurde bei der Taufe ›Dejah Thoris‹, dann ›Deety‹, ehe sie sprechen konnte — und damit war schließlich jeder zufrieden.

Sehr schnell bildete sich eine Routine heraus. Jeden Morgen früh aus dem Bett, dann arbeiteten unsere Männer an ihren Instrumenten und Schaltungen und dergleichen und bauten das Zeit-Raum-Gerät in Gay Täuschers Inneres ein — während Deety und ich mich mit Hausarbeiten beschäftigten (unser Berghaus brauchte wenig Aufmerksamkeit — auch hier zeigte sich Jacobs Genie), dann wandten sich Deety und ich einer technischen Frage zu, bei der Deety etwas Hilfe benötigte.

Wenn es um Technik geht, bin ich nicht sonderlich fit, ist doch die Biologie das einzige Fach, das ich gründlich studiert habe, ohne allerdings meinen Abschluß zu machen. Dazu paßten meine beinahe sechstausend Stunden als freiwillige Schwesternhelferin in unserem Universitätskrankenhaus, verbunden mit Kursen, die mich zu einer Art Krankenpflegerin ohne Diplom machten — jedenfalls schreie ich beim Anblick von Blut nicht gleich los und kann Erbrochenes wegwischen, ohne die Augen zu verdrehen. Ein Dasein als Campus-Witwe mit zuviel Geld ist zwar ganz nett, füllt aber nicht restlos aus. Mir gefällt das Gefühl, einen gewissen Obolus entrichtet zu haben für das Stück Erde, das ich beanspruche.

Davon abgesehen besitze ich zu beinahe allen Themen gewisse Grundkenntnisse — was auf meinen Lesehunger und den Besuch interessant klingender Vorträge zurückgeht, zuweilen erweitert durch entsprechende Kurse. Ich hörte Astronomie, machte die Prüfung mit, als wollte ich mir den Schein holen — und erhielt beste Noten. Ich hatte sogar eine Kometenbahn richtig berechnet, was mich (und den Professor) sehr überraschte.

Ich kann eine Türklingel anschließen oder ein verstopftes Rohr mit einer Klempnerschlange saubermachen — aber wenn es um wirklich technische Probleme geht, lasse ich Fachleute kommen.

Hilda kann also zur Hand gehen, aber allein schafft sie es nicht. Gay Täuscher mußte umprogrammiert werden — und Deety, die nicht wie ein Genie aussieht, *ist* eins. Das war von Jacobs Tochter auch nicht anders zu erwarten, während Jane einen Intelligenzquotienten hatte, der sogar mich, ihre beste Freundin, überrascht hatte. Ich war darauf gestoßen, als ich nach ihrem Tod

77

dem völlig gebrochenen Jacob dabei half, ihre Hinterlassenschaft zu ordnen.

Wir alle besaßen private Doppellizenzen; Zebbie hatte als Captain Z. J. Carter, USA-SR, gleichzeitig einen ›Kommando‹-Dienstgrad — er sagte uns, seine Raum-Einstufung sei weitgehend ehrenhalber erfolgt, er habe nur ein wenig freien Fall hinter sich und die Landung eines Shuttle. Zebbie ist verschlagen und lügt zuweilen; einmal hatte ich Gelegenheit, sein Aerospace-Log einzusehen. Auf einer Austauschtour mit Australien hatte er weitaus mehr absolviert, als er zugeben wollte. Eines Tages zwinge ich ihn dazu, Mama Hilda die Wahrheit zu sagen. Müßte ganz interessant werden — wenn ich Wahrheit und Dichtung auseinandersortieren kann.

Zebbie und Jacob waren der Meinung, wir alle müßten Gay Täuscher in allen vier Gangarten steuern können, auf der Straße, in der Luft, im freien Flug (sie ist kein Raumschiff, kann aber hohe Gleitsprünge machen), und in der Raum-Zeit zwischen den Universen bis hinauf zur Zahl des Tiers — zuzüglich all der unzähligen Varianten.

Ich war mir nicht sicher, ob ich die geforderten Lektionen begreifen würde, doch beide Männer versicherten mir, sie hätten eine Sicherheitsschaltung entwickelt, die mich aus der Klemme holen würde, sollte ich jemals allein an den Kontrollen sitzen.

Ein Teil des Problems lag in dem Umstand, daß Gay Täuscher eben nur auf einen Mann ausgerichtet war; die Türen öffneten sich nur beim Klang seiner Stimme oder auf seinen Daumendruck, oder auf ein Klopfzeichen, sollten ihm die Stimme und der rechte Daumen fehlen; Zeb plante eben gern für alle Eventualitäten voraus; er nannte dies: »Murphys Gesetz übertölpeln, wonach alles, was falsch laufen *kann,* auch tatsächlich schiefgeht.« (Oma nannte dies die ›Butterseite-Unten-Regel‹.)

Als erstes ging es darum, uns Gay Täuscher vorzustellen und ihr beizubringen, daß alle vier Stimmen und rechten Daumenabdrücke akzeptabel waren.

Das dauerte etliche Stunden, wobei Deety ihrem Manne half. Mit dem Klopfcode ging es etwas schneller, da hier eine alte militärische Kadenz zugrundegelegt war — sicher ahnte kein Dieb, daß ein solcher Klopfschlüssel möglich war, *und* erriet dann auch noch den genauen Rhythmus. Zebbie nannte das Lied ›Der betrunkene Soldat‹. Jacob behauptete, es hieße ›Proviantboot‹, während Deety sich für den Titel ›Zahltag‹ aussprach, den sie von Janes Großvater hatte.

Unsere Männer meinten, daß sie wohl recht hatte, da sie den Text dazu aufsagen konnte, und darin war von einem ›betrunkenen Seemann‹ anstatt des ›betrunkenen Soldaten‹ die Rede, wie auch von ›Zahltag‹ und ›Proviantboot‹.

Nachdem die gegenseitige Vorstellung erledigt war, holte Zeb Gays Anatomie hervor — ein Band behandelte ihren Körper, ein zweiter ihr Gehirn. Den letzteren reichte er Deety und nahm den anderen mit in den Keller. In den nächsten beiden Tagen hatte Deety viel zu tun, während es mir besser erging. Ich hielt Lampen und machte Notizen auf einem Klemmbrett, während sie das Buch studierte und die Stirn runzelte und in unmögliche Winkel kroch und sich dabei schmutzig machte, und einmal fluchte sie sogar auf eine Weise, mit der Jane nicht einverstanden gewesen wäre. »Tante Ziege«, fügte sie hinzu, »dein Stiefschwiegersohn hat mit diesem Spaghettigewirr Dinge angestellt, die kein anständiger Computer über sich ergehen läßt. Dieses Gebilde ist ein Bastard-Hybride!«

»Du solltest Gay nicht ›Gebilde‹ nennen, Deety. Und ein Bastard ist sie erst recht nicht.«

»Sie kann uns nicht hören; ich habe ihre Ohren abgeklemmt — bis auf das Programmteil, das die Nachrichtensendungen abhört, und das führt durch diesen Draht zu dem Kontakt dort an der Wand; im Augenblick kann sie mit Zebadiah nur im Keller sprechen. Oh, ich bin sicher, sie war ein nettes Mädchen, bis mein Bulle sie vergewaltigte. Tante Hilda, mach dir wegen Gays Gefühlen keine Sorgen; sie hat keine. Für einen Computer ist sie geradezu ein Dummchen. Jedes kleine College und die meisten Oberschulen besitzen oder benutzen Computer, die weitaus komplizierter sind. Unser Maschinchen ist im wesentlichen Kybernetik, eine Autopilotin mit beschränkter digitaler Leistungsfähigkeit und ebenso beschränkter Speicherkapazität. Die Umbauten, die Zeb vorgenommen hat, machen mehr als einen Autopiloten daraus, aber noch lange keinen Allzweck-Computer. Eine Mißgeburt. Weitaus mehr wahlfreie Optionen, als sie braucht, und Extrafunktionen, von denen sich IBM nie hat träumen lassen.«

»Deety, warum nimmst du überall die Abdeckungen herunter? Ich dachte, du wärst Programmiererin und weiter nichts. Software, keine Technikerin.«

»Das bin ich auch, Mathematikerin für Software. Ich würde dieses Monstrum auf keinen Fall umstellen. — auch nicht auf schriftliche Anordnung meines liebenswerten, aber heimtückischen Mannes. Aber wie kann sich ein Software-Experte eine Vereinfachungsanalyse für das Programm ausdenken, wenn er nicht einmal die Schaltkreise kennt? Die erste Hälfte des Buches zeigt, wozu der Autopilot ursprünglich gebaut wurde — und der zweite Teil, die fotokopierten Seiten, belegen die Dummheiten, zu denen Zebadiah das Maschinchen verführt hat. Dieses verflixte Chips-Bündel spricht heute drei Logiksprachen, im Interface — während es urprünglich nur für eine angelegt war. Aber es akzeptiert *keine,* ehe sie nicht durch Zebadiahs zweideutiges Gerede ›aufgeschlossen‹ worden ist. Selbst dann antwortet sie auf einen Code-Satz selten mit derselben Äußerung zweimal hintereinander. Was kommt auf: ›Du bist ein schlaues Mädchen, Gay‹?«

»Das weiß ich noch: ›Boß, ich wette, das sagst du zu allen Mädchen. Ende.‹«

»Manchmal. Jedenfalls am häufigsten, da diese Antwort so eingestellt ist, daß sie dreimal so oft vorkommt wie alle anderen. Aber hör dir das an: ›Zeb, ich bin so klug, daß ich schon selbst Angst bekomme.‹ ›Warum hast du mir dann die Gehaltserhöhung abgeschlagen?‹ ›Laß die Komplimente! Nimm die Hand von meinem Knie!‹ ›Nicht so laut, Schatz. Mein Freund soll davon nichts hören.‹

Und das sind noch nicht einmal alle. Auf jeden Code-Satz Zebadiahs gibt es mindestens vier Antworten. Er arbeitet nur nach einer Liste; die Autopilotin antwortet aber auf jeden seiner Sätze unterschiedlich — und sie alle bedeuten entweder ›Okay‹ oder ›Nullprogramm, bitte neu eingeben‹.«

»Das gefällt mir. Ist doch lustig!«

»Nun ja . . . ich mache es ja selbst. Ich hauche einem Computer Leben ein, ich stelle ihn mir als Person vor — und diese halbwahlfreie Antwortliste läßt Gay Täuscher lebendiger erscheinen — was sie in Wirklichkeit nicht ist. Nicht einmal vielseitig im Vergleich zu einem ortsgebundenen Computer. Aber . . .« Deety lächelte. »Ich werde meinem Ehemann ein paar Überraschungen servieren.«

»Wie denn das?«

»Du weißt doch, wie er sie beim Frühstück begrüßt: ›Guten Morgen, Gay. Wie geht es dir?‹«

»Ja. Gefällt mir. Klingt freundlich. Sie antwortet meistens: ›Mir geht es gut, Zeb.‹«

»Ja. Das ist ein Test-Code. Eine Anweisung an den Autopiloten, einen kompletten Eigen-Check durchzuführen und jede laufende Instruktion zu überprüfen. Das dauert weniger als eine Millisekunde. Bekäme er nicht diese oder eine entsprechende Antwort zu hören, würde er sofort hier herunterlaufen, um festzustellen, was nicht stimmt. Aber ich werde eine neue Antwort eingeben. Oder mehrere.«

»Ich dachte, du wolltest auf gar keinen Fall etwas abändern!«

»Tante Hillbilly, hier geht es um *Software,* nicht Hardware. Ich bin autorisiert und angewiesen, die Antworten so zu verstärken, daß wir alle eingeschlossen sind, mit Namen für jede Stimme. Das ist elementares Programmieren. Wenn du diesem Apparat einen guten Morgen wünschst, antwortet er — wenn ich mit meiner Arbeit fertig bin — entweder mit ›Hilda‹ oder ›Mrs. Burroughs‹.«

»Ach, sie soll mich ›Hilda‹ nennen.«

»Na schön, aber ab und zu streuen wir zur Abwechslung ein ›Mrs. Burroughs‹ ein.«

»Na, schön. Wegen der Persönlichkeit.«

»Ich könnte sogar ein ›Tante Ziege‹ eingeben, als kleinen Tiefschlag.«

Ich lachte los. »Ja, Deety, tu das! Aber ich möchte Jacobs Gesicht dabei sehen!«

»Das läßt sich einrichten; der Computer antwortet so nur auf deine Stimme. Du darfst eben nicht ›Guten Morgen, Gay‹ sagen, wenn Paps nicht dabei ist. Aber hier ist ein Hammer für meinen Mann. Zebadiah sagt: ›Guten Morgen, Gay. Wie geht es dir?‹ Und aus dem Lautsprecher tönt: ›Mir geht es gut, Zeb. Aber deine Hose steht offen, und deine Augen sind blutunterlaufen. Hast du schon *wieder* einen Kater?‹«

Deety ist ja so ernst und doch so verspielt! »Ja, tu das, mein Schatz! Armer Zebbie — der von uns allen am wenigsten trinkt! Aber er könnte deine Stimme erkennen, Deety.«

»Nein. Denn du wirst die Sätze eingeben — mit modifizierter Stimme.«

Und so geschah es dann. Meine Stimmlage entspricht etwa dem Alt der Schauspielerin — oder Bettgenossin —, die Gay Täuschers Stimme ursprünglich ihre Stimme geliehen hatte. Ich glaube nicht, daß mein Organ ganz so nach Schlafzimmer klingt wie das Original, doch ich bin eine natürliche Schauspielerin. Deety borgte sich ein Kritzelskop — Oszilloskop? — von ihrem Vater, meinem Jacob, und ich übte, bis meine Stimmwellen zu Gay Täuschers ursprünglichem Repertoire recht gut paßten —

Deety meinte, man könnte es nur bei genauer Überprüfung aus-einanderhalten.

Mit der Zeit machte mir die Sache großen Spaß, und so ließ ich Gay Täuscher sogar zu meinem Mann sagen: »Gut — bis auf meine Rückenschmerzen, du geiler alter Bock!« — und Jacob holte sich diese Antwort eines Morgens, als ich tatsächlich einen schmerzenden Rücken hatte — und ihm sicher auch einiges weh-tat.

Wir gaben keine Antworten ein, die nach Deetys Auffassung für Jacobs ›unschuldige‹ Art zu frech waren — ich machte ihr keine Andeutung darüber, wie ihr Vater sich tatsächlich äußerte, wenn wir unter uns waren. Am besten bewahrte man sich seine Illusionen, sie fördern das gesellschaftliche Miteinander. Mög-licherweise redeten Deety und Zebbie ebenso, wenn sie allein waren, und hielten uns ›alte Leute‹ für hoffnungslos verknö-chert.

IX

Deety:
Tante Hilda und ich beendeten das Umprogrammieren in der Zeit, in der Zebadiah und Paps die Sicherheitsschaltungen und anderen Veränderungen bauten, die erforderlich waren, um Gay Täuscher zusammen mit dem Raum-Zeit-Gerät in ein Kontinua-Gefährt zu verwandeln — dazu gehörte auch die Versetzung der Rücksitze um zwanzig Zentimeter (um mehr Platz für die Beine zu schaffen), nachdem sie herausgenommen worden waren, da-mit das Gerät hinter dem Schott angebracht und mit der Fahr-zeughülle verschweißt werden konnte. Die Präzessionskontrol-len und Dreifach-Nonien wurden über Fernbedienung mit dem Armaturenbrett des Fahrers verbunden — mit einer Stimmen-kontrolle für das Gerät, während alle anderen von Hand bedient wurden.

Wenn eine unserer Stimmen forderte: »Gay Täuscher, bring uns heim!«, würden Wagen und Insassen augenblicklich zum Fuchsbau zurückkehren.

Ich weiß nicht, wieso, aber ich traute meinem Paps. Er hatte uns schon zweimal sicher wieder nach Hause gebracht — und zwar *ohne* Sicherheitsschaltungen und ohne Totmanntaste. Letz-tere arbeitete parallel zu dem ›Bring uns heim‹-Stimmenkom-mando und war normalerweise zugesperrt und bedeckt —

konnte aber geöffnet und in geschlossenem Zustand in einer Faust gehalten werden. Es gab andere Sicherheitsschaltungen, die auf Temperatur, Druck, Luftzusammensetzung, Radar-Kollisionskurs und andere Gefahren abgestellt waren. Wenn wir im Inneren eines Sterns oder Planeten landeten, konnte uns nichts von alledem retten, aber es läßt sich mühelos beweisen, daß die Chancen, eine Treppe hinunterzufallen und sich den Hals zu brechen, weitaus größer sind als die Wahrscheinlichkeit, in unserem Universum den gleichen Raum einzunehmen wie andere Materie — Raum ist reichlich vorhanden, Masse selten. Wir hofften, daß dies auch für andere Universen galt.

Es gab keine Möglichkeit, die Zahl-des-Tiers-Universen im voraus zu überprüfen — doch ›Die Feiglinge zogen erst gar nicht los, und die Schwächlinge starben unterwegs‹. Niemand von uns sprach davon, daß wir es *nicht* versuchen sollten, durch die Universen zu reisen. Außerdem war unser Heimatplanet ein denkbar ungemütlicher Ort geworden. Wir sprachen nicht über die ›Schwarzen Hüte‹, wußten aber, daß es sie noch gab und daß wir nur noch lebten, weil wir den Kopf unten behielten und die Welt glauben ließen, daß wir tot wären.

Die Stimmung beim Frühstück verbesserte sich jeden Morgen, wenn Gay Täuscher ›Nullmeldung‹ zur Nachrichtenauswertung machte. Zebadiah, davon bin ich überzeugt, hatte seinen Cousin bereits abgeschrieben. Sicher wäre er nach Sumatra gefahren, um einer letzten Hoffnung Genüge zu tun, hätte es nicht mich und vermutlich auch ein Kind gegeben. Meine nächste Periode setzte aus, ebenso bei Hilda. Unsere Männer brachten auf unsere noch flachen Bäuche einen Trinkspruch aus, und Hilda und ich beschlossen, brav und vorsichtig zu sein, jawohl Sir! Hilda gesellte sich bei der Morgengymnastik zu mir, und nachdem uns die Männer einmal dabei überrascht hatten, machten sie regelmäßig mit.

Zebadiah brauchte es nicht, schien aber Spaß daran zu haben. Und Paps verringerte seinen Hüftumfang in einer Woche um fünf Zentimeter.

Kurz nach unserer kleinen Feier unterzog Zebadiah seine Gay Täuscher einem Drucktest — vier Atmosphären im Inneren und ein Sicherheitsventil in ihrer Wandung.

Da wir nur wenig tun konnten, solange unser Raum-Zeit-Wanderer abgedichtet war, machten wir früh Schluß. »Hat jemand Lust zum Schwimmen?« fragte ich. Der Fuchsbau hatte nicht gerade ein luxuriöses Schwimmbecken, und ein Bergbach war zu kalt. Paps hatte für Abhilfe gesorgt, als er unsere Quelle tarnte. Überschüssiges Wasser wurde durch unterirdische Leitungen zu einer Buschgruppe geführt und schuf dort einen ›natürlichen‹ Bergbach, der in der Nähe des Hauses verlief; dann hatte Paps mit einem riesigen Felsbrocken und einigen anderen Felsstücken einen Teich geschaffen, der sich mit Wasser füllte und es in einer Art Wasserfall weitergab. Mit Pigmenten in Betonmasse hatte er einen sehr natürlichen Effekt erzielt.

Dies alles hört sich an, als wäre Paps eine Art Paul Bunyan. Paps hätte den Fuchsbau wirklich mit eigenen Händen errichten können. Die eigentlichen Arbeiten aber wurden von spanischen Arbeitern aus Nogales erledigt, das Kellergeschoß und die Errichtung der vorgefertigten Hüttenteile darüber. Ein Luftkran brachte Bauteile und Materialien von einer Baustoffirma in Albuquerque, die Jane durch Anwälte in Dallas für Paps gekauft hatte. Der Geschäftsführer der Firma lenkte persönlich den Kran; er stand unter dem Eindruck, daß der Auftrag von einem reichen Mandanten der Anwaltskanzlei käme und daß es angebracht wäre, die Arbeit selbst zu machen und dann alles zu vergessen. Paps überwachte die Arbeiten in TexMex, unterstützt durch seine Sekretärin — mich —, da Spanisch zu den Sprachen gehörte, die ich für meine Doktorarbeit gewählt hatte.

Arbeiter und Techniker hatten keine Gelegenheit, ihren Aufenthaltsort genau zu bestimmen, doch sie wurden großzügig bezahlt, erhielten gut zu Essen und wohnten sehr gemütlich in vorgefertigten Häusern, die von dem Kran hergebracht worden waren, und die wirklich anstrengende Arbeit wurde ohnehin von Maschinen erledigt — wer kümmert sich schon, was die ›locos gringos‹ taten? Zwei Piloten mußten natürlich über den genauen Ort Bescheid wissen, doch sie peilten die Landestelle mit Hilfe eines Radarstrahls an, den es nicht mehr gibt.

›Burschen in Schwarzen Hüten‹ hatten mit dieser Art von Geheimhaltung nichts zu tun; hier wurde die Vorsicht des Dschungels praktiziert, wie ich es von Mama gelernt hatte: die Steuerbehörden durften nichts erfahren. Bar bezahlen, den Mund halten, nichts über Banken laufen lassen, das später nicht in der Steuererklärung erscheint — und mehr Steuern bezahlen, als der offensichtliche Lebensstandard erkennen läßt, mit einem entsprechenden Einkommen. Seit Mamas Tod hatten wir dreimal eine Steuerprüfung gehabt, und jedesmal zahlte uns die Regierung einen kleinen ›Überschuß‹ zurück — ich stand mit der Zeit in dem Ruf, dumm und ehrlich zu sein.

Meine Frage, »Hat jemand Lust zum Schwimmen?«, stieß auf Schweigen. Dann sagte Paps: »Zeb, deine Frau ist zu wild. Deety, das Wasser ist später noch wärmer, und die Bäume spenden uns Schatten. Dann können wir langsam zum Teich gehen. Was meinst du, Zeb?«

»Einverstanden, Jake. Ich muß Energien sparen.«

»Ein Schläfchen?«

»Dazu fehlt mir die Kraft. Was hast du heute früh über den Umbau des Systems gesagt?«

Tante Hilda hob erstaunt den Kopf. »Ich dachte, Miß Gay Täuscher wäre bereits umgebaut. Wollt ihr etwa alles ändern?«

»Beruhige dich, Sharpie! Ein paar Dinge sind noch zu verstauen, aber wir haben sie schon gewogen und ihre Trimmlage berechnet.«

Das hätte ich ihr auch sagen können. Während ich überprüfte, was in jeden Winkel noch untergebracht werden konnte und wie es auf Gays Balance wirken würde, hatte ich eine höchst illegale Laserkanone entdeckt. Ich sagte nichts, sondern bezog ihre Masse und Entfernung vom optimalen Schwerpunkt in meine Berechnungen ein. Manchmal frage ich mich wirklich, wer von uns beiden der Gesetzesbrecher ist: Zebadiah oder ich? Die meisten Männer haben die ungesunde Neigung, gesetzestreu zu sein. Die versteckte L-Kanone aber ließ mich ein wenig daran zweifeln.

»Warum gebt ihr euch nicht endlich zufrieden?« wollte Tante Hilda wissen. »Jacob und Gott wissen, daß ich hier sehr glücklich bin — aber ihr alle wißt, warum wir hier nicht länger bleiben sollten, als wir müssen!«

»Wir haben nicht über Gay Täuscher gesprochen; Jake und ich besprachen den Umbau des Sonnensystems.«

»Des *Sonnensystems?* Was stimmt damit in seiner heutigen Form nicht?«

»So manches«, antwortete Zebadiah. »Es ist unordentlich. Viel Bodenfläche bleibt ungenutzt. Dieser müde alte Planet ist übervölkert und stellenweise abgenutzt. Gewiß, die Industrie in der Umlaufbahn und die Energie aus dem All haben uns weitergeholfen, und Lagrange IV und V haben Bevölkerungen, die allein über die Runden kommen; wer sein Geld früh genug in die Raumstationen gesteckt hat, ist heute ein reicher Mann.« (Dazu gehört auch Paps, Zebadiah!) »Aber es sind minimale Errungenschaften im Vergleich zu den *Möglichkeiten* — und diesem Planeten geht es schlechter denn je. Jakes sechsdimensionale Prinzipien könnten daran einiges ändern.«

»Sollen wir Leute in ein anderes Universum schaffen? Würden die denn das mit sich geschehen lassen?«

»Daran haben wir nicht gedacht, Hilda. Wir versuchen Clarkes Gesetz anzuwenden.«

»Daran erinnere ich mich nicht. Vielleicht habe ich gerade wegen Mumps gefehlt.«

»Arthur C. Clarke«, erklärte Paps. »Ein großartiger Mann — zu schade, daß er bei der großen Reinigung liquidiert wurde. Clarke hat definiert, wie man eine große Entdeckung oder Schlüsselerfindung macht. Dazu braucht man nur zu studieren, was alle angesehenen Fachleute für *nicht* machbar halten — und es dann in die Tat umzusetzen. Mein Kontinua-Fahrzeug ist ein Patenkind Clarkes durch sein Gesetz. Seine Weisheit inspirierte mich zu meiner Arbeit mit sechsdimensionalen Kontinua. Heute früh haben Zeb und ich es um einige Zusätze erweitert.«

»Jake, mach dich über die anwesenden Damen nicht lustig! Ich habe dir eine Frage gestellt, du bist mir elegant ausgewichen!«

»Wir haben nur ein paar Ideenbälle hin und her geworfen. Hilda, du weißt, daß die Raum-Zeit-Maschine keine Energie benötigt.«

»Ich fürchte, das weiß ich nicht, Liebster. Warum habt ihr dann Hochleistungsbatterien eingebaut?«

»Für sonstige Dinge. Damit du zum Beispiel nicht über offenem Feuer kochen mußt.«

»Der Brezelwickler braucht allerdings keinen Strom«, warf Zebadiah ein. »Frag nicht, warum. Ich habe gefragt, und Jake begann Gleichungen in Sanskrit aufzuschreiben, die mir sofort Kopfschmerzen gemacht haben.«

»Er braucht keine Energie, Tante Hilda«, warf ich ein. »Nur parasitäre Kraft. Ein paar Mikrowatt, damit die Gyros niemals langsamer laufen, und Milliwatt für die Instrumentenanzeigen und Kontrollen — aber der Apparat selbst braucht keine.«

»Was ist aus dem Gesetz der Erhaltung der Energie geworden?«

»Sharpie«, antwortete mein Mann, »als ziemlich guter Techniker, als Amateur-Elektronenschieber, der schon unmöglichen Kram durch den Himmel gesteuert hat, mache ich mir über Theorien keine Gedanken, solange eine Maschine nur das tut, was von ihr erwartet wird. Meine Sorgen fangen an, wenn eine Maschine kehrtmacht und mir ins Bein beißt. Deshalb spezialisiere ich mich auf Sicherungsschaltungen und Zweitsysteme und dreifache Absicherungen. Ich versuche zu erreichen, daß Maschinen *niemals* auf mich böse sind. Dafür gibt's keine Theorie, aber jeder Techniker weiß Bescheid.«

»Liebste Hilda, das Gesetz der Erhaltung von Masse und Energie wird durch unser Kontinua-Fahrzeug nicht gebrochen; es bezieht sich einfach nicht darauf. Als Zeb das erst begriffen hatte . . .«

»Ich habe nicht gesagt, daß ich es begriffen habe!«

»Nun ja — sobald Zeb dieses Basis akzeptierte, kam er auf einige interessante Fragen. Zum Beispiel: Jupiter braucht Ganymed nicht . . .«

»Dafür aber die Venus. Obwohl Titan besser wäre.«

»Hmm . . . möglich.«

»Ja. Würde schneller eine bewohnbare Station ergeben. Aber das wichtigste Problem wäre es, Jake, die Venus zu bepflanzen, dem Mars eine Atmosphäre zu verschaffen und beide durch einen beschleunigten Altersprozeß zu führen. Und sie dann neu zu plazieren. Librationspunkte Erde—Sol?«

»Auf jeden Fall. In dieser Entfernung von der Sonne haben wir eine millionenjährige Evolution. Am besten planen wir keine Veränderung der Entfernung. Unter vorsichtiger Beachtung der stratosphärischen Projektion. Aber ich habe noch meine Zweifel, ob wir in der venusischen Kruste ankern sollten. Wir dürfen den Planeten nicht auf der *Tau*-Achse verlieren.«

»Bloß zur Sicherheit, Jake. Berechnung von Druck und Temperaturen, das Fahrzeug entsprechend verstärken — sphärisch, mit Ausnahme der Außenanker —, dann Anwendung eines Schwankungsfaktors vier. Die automatischen Kontrollen fünffach. Den Planeten auffangen, wenn er herauskommt, und ihn in die Erdumlaufbahn gleiten lassen, im Abstand von sechzig Grad — und schon kann man Land verkaufen von der Größe der alten spanischen Landschenkungen. Jake, wir müßten genug Masse zusammenbekommen, um neue Erdplaneten an *allen* Librationspunkten zu schaffen, ein Sechseck um die Sonne. Fünf nagelneue Erdplaneten böten der Rasse genug Platz zur Ausdehnung. Auf unserer Jungfernfahrt wollen wir die Augen offenhalten.«

Tante Hilda starrte Zebadiah entsetzt an. »Zebbie! Du willst Planeten schaffen? Wofür hältst du dich? Für Jesus Christus?«

»*So* grün hinter den Ohren bin ich nicht. Was sich da drüben den Bauch kratzt, ist der Heilige Geist. Der Oberste Pflanzer. Ich bin sein Freund, der Macher und Former. Aber wenn wir das Pantheon für das Himmelszeitalter schaffen, wollen wir die Rechte der Frauen nicht vergessen, Hilda. Deety ist die Mutter Erde; sie eignet sich bestens für den Job. Du bist die Mondgöttin Selene. Gut gemacht, meine Liebe, es gibt mehr Monde als Planeten. Paßt zu dir. Du bist klein und silbrig, blähst dich ab und zu auf und bist doch in allen Phasen wunderschön. Wie wär's? Wir vier und niemand sonst!«

»Hör auf, mich aufzuziehen!«

Mein Mann antwortete: »Ich ziehe dich nicht auf. Jake und ich haben über Dinge gesprochen, die durchaus praktikabel sind — angesichts des Umstands, daß der Raum-Zeit-Verdreher keine Energie verbraucht. Man kann alles überallhin schaffen — in alle Räume, alle Zeiten. Ich sage das im Plural, weil ich zuerst nicht erkannte, was Jake meinte, als er von dem erzwungenen Altern eines Planeten sprach. Man kann Venus in die *Tau*-Achse rotieren, sie auf der *Teh*-Achse zurückholen, sie an diesem Punkt der *t*-Achse Jahrhunderte — oder Jahrtausende — älter wieder einsetzen. Sie dann vielleicht ein oder zwei Jahre in die Zukunft versetzen — in *unsere* Zukunft —, damit wir auf ihre Rückkehr gefaßt sind, hübsch grün und wunderschön und bereit, Kinder und Welpen und Gänseblümchen wachsen zu lassen. Terrageformt, aber jungfräulich.«

Tante Hilda starrte ihn erschrocken an. »Jacob? Könnte ein Drink dem kleinen Burschen in mir schaden? Ich brauche etwas zum Festhalten.«

»Greif ruhig zu. Jane hat auch oft mit mir getrunken, während sie schwanger war. Der Arzt untersagte ihr das erst zum Schluß. Könnte nicht behaupten, daß es Deety geschadet hätte. Sie war so munter, daß sie Jane vom Krankenhaus nach Hause gefahren hat.«

»Paps, das ist geschummelt! Ich habe doch meinen Führerschein erst mit drei Monaten gemacht. Aber ich könnte auch einen vertragen«, fügte ich hinzu. »Und du, Zebadiah?«

»Aber ja, Prinzessin. Ein gesunder Drink sollte sich nach der Körpergröße richten. Das wäre dann ein halber Schuß für dich, Sharpie, ein Schuß für Deety, anderthalb Schuß für Jake — und zwei für mich.«

»Wie unfair!«

»Kann man wohl sagen!« sagte ich. »Ich bin schwerer als Paps — er ist dünner geworden, ich nehme zu. Nimm uns hoch und überzeug dich!«

Mein Mann packte uns um die Hüften und richtete sich aus geduckter Stellung auf, wobei er uns mit hochhob.

»Ziemlich dicht beieinander«, verkündete er. »Paps dürfte ein wenig schwerer sein, aber du bist knuddeliger.« Und er küßte mich und setzte mich ab.

»Niemand ist knuddeliger als Jacob!«

»Hilda, das siehst du subjektiv. Jeder soll sich seinen Drink mixen, wie er ihn nach seiner körperlichen oder seelischen Verfassung braucht.«

Und das taten wir — es lief darauf hinaus, daß Hilda und ich je einen Schuß mit Soda nahmen, Paps anderthalb Schuß über Eis und Zebadiah sich einen halben Schuß Wodka mit reichlich Cola genehmigte.

Während wir unsere ›Medizin‹ tranken, wandte sich Zebadiah an Paps. »Du warst bei der Marine?«

»Nein — Armee. Wenn du die Schreibtisch-Infanterie so nennen willst. Man überreichte mir wegen meines Doktorgrads in Mathematik ein Offizierspatent, versicherte mir, man brauche mich für ballistische Probleme. Dann verbrachte ich die Zeit als Personaloffizier mit dem Unterschreiben von Papieren.«

»So läuft es nun mal. Das da oben ist ein Marinesäbel mit Gürtel. Ich dachte, es könnte dir gehören.«

»Es gehört Deety — kommt von Janes Großvater Rodgers. Ich habe einen Paradesäbel. Der gehörte meinem Vater und wurde mir vererbt, als die Armee mich aufnahm. Dazu ein schmucker blauer Rock. Ich nahm alles mit, hatte aber nie Gelegenheit, mich herauszuputzen.« Paps stand auf und verschwand in seinem — ihrem Schlafzimmer, dabei rief er über die Schulter: »Ich zeige euch den Säbel!«

Mein Mann sagte zu mir: »Deety, hättest du etwas dagegen, wenn ich dein Schwert anlege?«

»Mein Captain, die Waffe gehört dir!«

»Himmel, nein — ich kann mir kein Erbstück schenken lassen!«

»Wenn mein Kriegsherr es nicht zuläßt, daß seine Prinzessin ihm ein Schwert schenkt, kann er es dort hängen lassen! Ich wollte dir ohnehin ein Hochzeitsgeschenk machen — ohne zu ahnen, daß ich ja das vollkommene Geschenk für Captain John Carter schon hier hatte!«

»Ich entschuldige mich, Dejah Thoris. Ich nehme die Waffe an und werde sie immer gut putzen. Mit ihr will ich meine Prinzessin gegen alle Feinde verteidigen.«

»Helium akzeptiert diesen Dienst voller Stolz. Wenn du die Hände zusammenlegst, kann ich hineintreten und die Klinge herunterholen.«

Zebadiah faßte mich mit einer Hand über jedem Knie, und plötzlich war ich drei Meter groß. Schwert und Gurt waren auf Haken befestigt; ich nahm sie herunter und wurde wieder auf den Boden gestellt. Mein Mann verharrte aufrecht, während ich ihm den Gurt umlegte — dann ließ er sich auf ein Knie fallen und küßte mir die Hand.

Mein Mann ist ziemlich verrückt — aber das paßt zu ihm. Mir schossen die Tränen in die Augen, was Deety nicht oft passiert, Dejah Thoris aber anscheinend um so öfter, seit John Carter sie an sich band.

Paps und Hilda verfolgten die kleine Szene, die sie schließlich nachahmten, einschließlich der Tränen in Hildas Augen (ich sah sie deutlich!), als sie Paps den Säbel umgehängt hatte und er ihr ebenfalls die Hand küßte.

Zebadiah zog blank und wog die Waffe in der Hand, dann blickte er an der Klinge entlang. »Handgemacht, Schwerpunkt nahe dem Griff. Deety, dein Urgroßvater hat für dieses Stück teures Geld bezahlt. Eine ehrliche Waffe.«

»Ich glaube nicht, daß er den Preis gewußt hat. Sie wurde ihm zum Geschenk gemacht.«

»Sicher aus gutem Grund.« Zebadiah trat zurück, ging in die tiefe Grundstellung, ließ die Waffe blitzschnell kreisen, senkrecht, links und rechts, dann waagerecht im Uhrzeigersinn und dagegen — schließlich nahm er die Auslagestellung eines Schwertkämpfers ein — stieß vor, deckte, und alles schnell wie eine angreifende Katze.

Leise fragte ich Paps: »Hast du's gemerkt?«

Paps antwortete gelassen: »Er kennt sich mit Säbel und Schwert aus.«

Hilda sagte laut: »Zebbie! Du hast mir nie ein Wort davon gesagt, daß du in Heidelberg warst!«

»Du hast mich nie gefragt. Im ›Roten Ochsen‹ nannte man mich ›Die Geißel des Neckartals‹.«

»Und was hast du mit deinen Narben gemacht?«

»Ich habe mir nie welche zugelegt. Ich blieb sogar ein Semester zusätzlich und hoffte auf eine Blessur. Doch niemand vermochte meine Deckung zu durchbrechen — kein einzigesmal kam es dazu. Ich wage nicht daran zu denken, wie viele deutsche Gesichter ich mit Mustern versehen habe.«

»Zebadiah, hast du dort deinen Doktor gemacht?«

Mein Mann setzte sich grinsend, ohne das Schwert abzunehmen. »Nein, das war woanders.«

»Massachusetts Institut für Technologie?« fragte Paps.

»Wohl kaum. Paps, was ich jetzt erzähle, muß in der Familie bleiben. Ich hatte es mir zur Aufgabe gemacht zu beweisen, daß man von einer großen Universität einen Doktortitel erhalten kann, ohne irgend etwas zu wissen und ohne in irgendeiner Weise zur Erweiterung des menschlichen Wissens beizutragen.«

»*Ich* glaube, du hast einen Abschluß in Raumfahrttechnik.«

»Ich will einräumen, daß ich die erforderlichen Stunden beisammen habe. Ich habe zwei Titel — ein Bakkalaureat in Geisteswissenschaften — will sagen, daß ich mich da gerade noch durchgemogelt habe — und einen Doktor von einer alten und bekannten Universität — einen Doktor in Pädagogik.«

»Zebadiah! Das *stimmt* doch nicht!« (Ich war entsetzt.)

»O doch, Deety. Um zu beweisen, daß solche Titel *per se* wertlos sind. Oft handelt es sich um Ehrenbezeichnungen für echte Wissenschaftler oder weise Forscher oder wirklich begabte Lehrer. Doch viel öfter sind es nur Mützchen für übergebildete Dummköpfe.«

»Da widerspreche ich dir nicht, Zeb«, sagte Paps. »Ein Doktortitel ist eine Gewerkschaftskarte für einen gesicherten Posten. Er bedeutet nicht, daß der Betreffende klug oder gebildet ist.«

»In der Tat, Sir. Diese Weisheit bekam ich schon auf dem Schoß meines Großvaters eingetrichtert — mein Großvater Zachariah, der verantwortlich ist für das ›Z‹ in den Namen aller seiner männlichen Nachkommen. Deety, sein Einfluß auf mich war so stark, daß ich ihn dir erklären muß . . . nein, das ist unmöglich; ich muß dir von ihm erzählen, um damit *mich* ein wenig zu erklären — und wie es dazu kam, daß ich diesen wertlosen Abschluß machte.«

»Deety, jetzt will er uns wieder auf den Arm nehmen«, sagte Hilda.

»Ruhig, Frau, sonst schick ich dich ins Kloster!«

»Ich lasse mir von meinem Stiefschwiegersohn keine Befehle geben. Ein Mönchskloster würde ich mir aber vielleicht gefallen lassen.«

Ich hielt mich aus der Diskussion heraus. Die Lügengespinste meines Mannes interessieren mich (wenn sie wirklich erfunden sind!).

»Großvater Zach war ein streitsüchtiger alter Knabe, wie man ihn selten findet. Er haßte die Regierung, er haßte Anwälte, Beamte, Priester, Automobile, das staatliche Schulsystem und Telefone; er empfand Verachtung für die meisten Zeitungsredakteure, die meisten Autoren, Professoren, für beinahe alles. Kellnerinnen und Portiers jedoch gab er überreichlich Trinkgeld und achtete stets darauf, daß er keine Insekten tottrat.

Großvater war dreifacher Doktor: in Biochemie, Medizin und Jura — und hielt jeden für einen ungebildeten Esel, der nicht Lateinisch, Griechisch, Hebräisch, Französisch und Deutsch lesen konnte.«

»Zebbie, kannst du alle diese Sprachen?«

»Es war mein Glück, daß mein Großvater beim Ausfüllen eines Steuerformulars einen Herzschlag bekam, ehe er mir diese Frage stellen konnte. Ich weiß nichts über das Hebräische, kann Latein lesen, mir Griechisch zurechtsuchen, Französisch sprechen und lesen und in Deutsch technische Texte lesen und es in einigen Dialekten auch verstehen, ferner kann ich auf russisch fluchen — das ist sehr nützlich! — und beherrsche ein paar spanische Brocken, die ich da und dort aufgeschnappt habe.

Großvater hätte mich bestimmt als ungebildet eingestuft, da ich nichts von alledem wirklich gut beherrschte. Er arbeitete als Gerichtsmediziner und ärztlich gebildeter Jurist, war Gutachter in Toxikologie, Pathologie und Traumatologie, er bedrängte Richter, terrorisierte Anwälte, Medizinstudenten und Jurastudenten. Einmal warf er einen Steuerprüfer aus seinem Büro und zwang ihn, mit einem Durchsuchungsbefehl zurückzukommen, in dem im einzelnen die verfassungsmäßigen Grenzen dieser Aktion festgelegt waren. Er hielt die Einkommensteuer und die Siebzehnte Verfassungsergänzung und die einheitliche Grundschule für Zeichen des Verfalls der Republik.«

»Was hat er zur Neunzehnten Verfassungsergänzung gemeint?«

»Hilda, Großvater Zach hat sich für das Stimmrecht der Frauen eingesetzt. Ich weiß noch, wie er einmal sagte, wenn die Frauen so dumm wären, diese Last übernehmen zu *wollen,* sollten sie sie haben — sie könnten dem Land auch nicht mehr schaden als die Männer. Die Kampagne ›Stimmrecht für die Frauen‹ ärgerte ihn also nicht — dafür aber neuntausend andere Dinge. Sein Kessel war ständig unter Druck, kurz vorm Platzen.

Er hatte ein Hobby: er sammelte Gravurbilder.«

»›Gravurbilder‹?« fragte ich.

»Von toten Präsidenten, liebe Prinzessin. Besonders McKinley, Cleveland und Madison — aber er spuckte auch nicht auf Washington. Er hatte einen ganz besonderen Zeitsinn, wie er für Sammler wichtig ist. Zum Beispiel besaß er am Schwarzen Freitag des Jahres 1929 keine einzige Aktie; vielmehr hatte er alles auf Ziel verkauft. Als 1933 die neue Regelung einsetzte, befand sich jeder alte Dollar seines Vermögens — von dem laufenden Bargeld abgesehen — als Schweizer Franken in Zürich. Später wurde es US-Bürgern durch ›Not‹-Gesetz verboten, Gold zu besitzen, auch im Ausland. Daraufhin wich Großvater Zach nach Kanada aus, beantragte die Schweizer Staatsangehörigkeit, bekam sie und teilte seine Zeit später zwischen Amerika und Europa, immun gegenüber der Inflation und den halsabschneiderischen Gesetzen, die schließlich dazu führten, daß wir vom alten Dollar drei Nullen streichen und den Neudollar herausbringen mußten.

Er starb also als reicher Mann, in Locarno, einem wunderschönen Ort — ich habe als Junge zweimal die Sommerferien bei ihm verbracht. Sein Testament wurde in der Schweiz vollstreckt, und die amerikanische Steuer kam nicht heran.

Das meiste war in einem Treuhandsfonds festgelegt, dessen Bestimmungen seinen Nachkommen schon vor seinem Tod bekannt waren, sonst hieße ich jetzt nicht Zebadiah.

Weibliche Nachkommen erhielten bestimmte Einkommensanteile ohne einschränkende Bestimmungen. Die Männer aber mußten einen mit ›Z‹ beginnenden Vornamen aufweisen — und selbst das brachte ihnen noch keinen einzigen Schweizer Franken ein. Es gab da eine gewisse Klausel. Zebadiah war der Meinung, man müsse sich um Töchter kümmern, Söhne und Enkel aber müßten sich ohne Hilfe ihrer Vorfahren durchsetzen. Es wurde verlangt, daß sie Vermögenswerte schufen — entweder durch eigenen Verdienst oder auf anderem Wege, ohne ins Gefängnis zu kommen. Diese Werte mußten einem bestimmten Anteil der Kapitalsumme des Fonds entsprechen, ehe sie am Einkommen aus dem Fonds teilhaben konnten.«

»Männliche Überheblichkeit ist das!« rief Tante Hilda. »Keine engagierte Frau würde sein Schmutzgeld unter solchen Bedingungen annehmen!«

»Hättest du das Erbe abgelehnt, Sharpie?«

»Ich? Lieber Zebbie, hast du Fieber? Ich hätte gierig die Hände danach ausgestreckt. Ich trete zwar für die Rechte der Frauen ein, aber eine Fanatikerin bin ich nicht. Sharpie möchte verwöhnt sein, und darauf verstehen sich die Männer am besten, es ist ihr natürlicher Lebenszweck.«

»Paps, wirst du allein mit ihr fertig?«

»Durchaus, mein Sohn. Es *gefällt* mir, Hilda zu verwöhnen. Du mißhandelst meine Tochter ja auch nicht gerade.«

»Ich wage es nicht; du hast mir gesagt, sie wäre eine gute Karatekämpferin.« (Das stimmt; Paps hat dafür gesorgt, daß ich alle schmutzigen Kampftricks beherrsche. Aber nicht gegen Zebadiah! Wenn ich jemals eine ernsthafte Auseinandersetzung mit meinem Mann haben sollte, was der Himmel verhindern möge, dann würde ich mit dem Kinn bibbern und losweinen.)

»Bei meinem Abgang von der Schule hatte ich eine Aussprache mit meinem Vater. ›Zeb‹, sagte er. ›Der Augenblick ist gekommen. Ich schicke dich auf jede Uni, die du dir aussuchst. Du kannst auch dein Erspartes nehmen und es selbst versuchen, dir den Anspruch auf ein Erbteil des Großvaters zu verdienen. Such es dir aus. Ich werde dich nicht beeinflussen.‹

Da mußte ich gründlich nachdenken. Der jüngere Bruder meines Vaters war über vierzig und hatte sich noch immer nicht qualifiziert. Die Größe des Fonds und der festgesetzte Anteil liefen darauf hinaus, daß der männliche Nachkomme aus eigener Kraft reich werden mußte — oder zumindest wohlhabend —, woraufhin er dann plötzlich doppelt so reich sein würde. Wo heutzutage aber die Hälfte der Bevölkerung von den Steuern einer Minderheit lebt, ist es nicht mehr so einfach, reich zu werden wie zu Großvaters Zeiten.

Sollte ich eine bezahlte Ausbildung in Princeton oder am M.I.T. ausschlagen? Oder einfach loslegen und mit meinem Oberschulabschluß auf Dollarjagd gehen? Meine Schulbildung war noch ziemlich mäßig; mein Hauptfach waren die Mädchen gewesen.

Also mußte ich gründlich nachdenken — beinahe zehn Sekunden lang. Am nächsten Tag verließ ich mein Zuhause mit einem Koffer und einer lächerlichen Geldsumme.

Ich landete auf einer Uni, für die zweierlei sprach: erstens ein Aerospace Trainings-Corps für Reserveoffiziere, das einen Teil meiner Kosten tragen würde, und eine Sportfakultät, die mir eine Art Stipendium gewährte, für das ich mit Prellungen und Quetschungen bezahlte und mit totalem körperlichen Einsatz in jedem Punktspiel.«

»Was hast du denn gemacht?« fragte mein Vater.

»Football, Basketball, Leichtathletik, besonders Laufen. Man hätte mir noch mehr aufs Programm gesetzt, wenn das irgendwie gegangen wäre.«

»Ich hatte gedacht, du würdest jetzt den Fechtsport erwähnen.«

»Nein, das ist eine andere Geschichte. Trotz allem kam ich aber nicht ganz über die Runden. Also bediente ich bei Tisch — das Essen war so mies, daß sogar die Küchenschaben davonliefen. Aber nun war mein Haushalt ausgeglichen, und ich begann Substanz anzusetzen, indem ich Kurse in Mathematik gab. Mein erster Schritt in Richtung Erbschaftsqualifikation.«

»Hast du denn mit den Mathematikkursen genug Geld verdient? Ich habe vor Mamas Tod in Mathematik Nachhilfeunterricht gegeben; der Stundenlohn war sehr niedrig.«

»*Die* Art Kursus meine ich nicht, Prinzessin. Ich brachte reichen jungen Optimisten bei, wie man sich beim Kartenspiel verhält, wenn man es mit einer Sequenz zu tun hat, und daß Stud-Poker kein Glücksspiel ist, im Gegensatz zum Würfelspiel, bei dem mathematische Gesetze wirksam sind, die man nicht so ohne weiteres von der Hand weisen kann. Dazu kann ich Großvater Zachariah zitieren: ›Ein Mann, der auf Gier und Unehrlichkeit setzt, kann nicht zu oft im Irrtum sein.‹ Es gibt eine erstaunlich große Zahl geldgieriger Leute, und einem unehrlichen Spieler kann man das Geld sogar noch leichter abnehmen als einem ehrlichen — und keiner der beiden kennt die Gewinnchancen beim Würfelspiel oder *aller* Gewinnchancen beim Poker, insbesondere, wie sie sich nach Zahl der Spieler oder nach Position zum Kartengeber verändern und wie man seine Chancen berechnen muß, wenn beim Stud die Karten aufgedeckt werden.

So gab ich auch das Trinken auf, Liebling, von besonderen Anlässen einmal abgesehen. Bei jeder ›netten‹ Runde bringen ein paar Spieler das Geld ein, und einige machen Gewinn; ein Spieler, der positiv abschneiden will, darf weder betrunken noch müde sein. Paps, die Schatten werden länger — sicher will niemand mehr hören, wie ich mir einen wertlosen Doktortitel beschafft habe.«

»Doch, ich!« rief ich. »Ich auch!« meldete sich Tante Hilda.

»Mein Junge, du bist überstimmt.«

»Okay. Nach meinem Abschluß zwei Jahre Militärdienst. Luftjockeys sind sogar noch optimistischer als Studenten und haben auch mehr Geld — unterdessen erweiterte ich meine mathematischen und technischen Kenntnisse, wurde inaktiv gestellt und gleich in den Spasmus-Krieg einberufen. Dabei kam ich ohne

Verwundung über die Runden, eigentlich ungefährdeter als viele Zivilisten. Aber das hielt mich ein Jahr länger dort fest, obwohl bei meiner Einberufung das Kämpfen so gut wie vorüber war. So wurde ich zum Kriegsveteranen, mit Unterstützungsberechtigung. Ich zog nach Manhattan und schrieb mich wieder zum Studium ein. Als Doktorand. Pädagogische Fakultät. Zuerst nur zum Spaß, ich wollte meine Veteranenpunkte ausnutzen und zugleich die Vorteile des Studentenlebens genießen — und den größten Teil meiner Zeit auf das Geldverdienen verwenden, damit ich die Bestimmungen des Treuhandfonds erfüllte.

Mir war bekannt, daß es in den pädagogischen Fächern die dümmsten Studenten, die blödesten Professoren und die schlimmsten Kurse gab. Indem ich mich für große Abendvorlesungen und den unbeliebten Termin um acht Uhr früh einschrieb, holte ich genug Zeit heraus, um festzustellen, wie die Börse funktionierte. Ich sah mich dort gründlich um, ehe ich auch nur einen Cent riskierte.

Schließlich mußte ich mir ein Thema aussuchen oder die Vorteile des Studentenlebens aufgeben. Mir hing diese Fakultät zum Hals heraus, doch ich blieb am Ball, denn ich kannte mich aus mit Fächern, in denen alle Antworten von einer Meinung bestimmt werden und die entscheidende Meinung die des Professors ist. Und ich hatte eine gute Taktik für die Abendvorlesungen vor großer Mannschaft entwickelt: ich kaufte die dazugehörigen Anmerkungen. Ich las alles, was der Professor je veröffentlicht hatte. Ich fehlte nicht zu oft und kam stets früh genug, damit ich immer in vorderster Reihe einen Platz fand. Ich starrte wie gebannt auf den Professor und sorgte dafür, daß er meine Anwesenheit stets bemerkte. Dann stellte ich jeweils *eine* Frage, von der ich wußte, daß er sie beantworten konnte, weil ich sie aus seinen Veröffentlichungen herausgesucht hatte — dabei gab ich deutlich meinen Namen an. Zum Glück vergißt man ›Zebadiah Carter‹ nicht so leicht. Liebe Familie, bei beiden Pflichtkursen und Seminaren erhielt ich beste Noten — nicht weil ich Pädagogik studierte, sondern Pädagogik-*Professoren*.

Aber ich mußte ja noch meinen ›eigenen Beitrag zum Wissen der Menschheit‹ leisten, ohne den in den meisten sogenannten Disziplinen kein Kandidat seinen Doktor bekommt — die wenigen Fächer, in denen es ohne geht, sind äußerst anstrengend.

Ehe ich mich auf ein Forschungsproblem einließ, studierte ich das Fakultätskomitee — dabei las ich nicht nur die Publikationen jedes einzelnen, sondern kaufte diese Bücher auch und ließ in der Bibliothek bezahlte Kopien machen.«

Mein Mann berührte mich an der Schulter. »Dejah Thoris, jetzt kommt der Titel meiner Dissertation. Du kannst die Scheidungsbedingungen nach Belieben festsetzen.«

»Zebadiah, red keinen Unsinn!«

»Dann halt dich fest. ›Eine Ad-Hoc-Studie der Optimierung der Infrastruktur der Elementarstufen-Institutionen an der Nahtstelle zwischen Verwaltung und Unterricht, unter besonderer Berücksichtigung der Desiderata der Gruppendynamik.‹«

»Zebbie! Was bedeutet das?«

»Nichts, Hilda.«

»Zeb, hör auf, unsere Damen auf den Arm zu nehmen! So ein Titel wäre nicht akzeptabel.«

»Jake, es sieht so aus, als hättest du nie auf einer pädagogischen Fakultät studiert.«

»Nun ja . . . nein. Aber . . .«

»Kein ›Aber‹, Paps. Ich habe ein Exemplar meiner Dissertation. Du kannst ihre Echtheit überprüfen. Der Arbeit fehlt zwar jede innere Bedeutung, doch sie ist ein literarisches Juwel, in der Weise, wie die erfolgreiche Fälschung eines ›alten Meisters‹ in sich ebenfalls ein Kunstwerk darstellt. Sie ist überladen mit schwergewichtigen Worten. Die durchschnittliche Länge der Sätze ist einundachtzig Worte. Die durchschnittliche Wortlänge, ohne Zwischenworte wie ›von‹, ›ein‹, ›der‹, ›die‹, ›das‹ und der anderen Partizipien, liegt bei über elf Buchstaben und knapp unter vier Silben. Die Bibliographie ist länger als die Dissertation und enthält drei Arbeiten jedes Mitglieds meines Komitees und vier des Vorsitzenden, und aus diesen Arbeiten sind lange Passagen zitiert. Auf der anderen Seite verzichtete ich auf Punkte, von denen ich wußte, daß die Komiteemitglieder darüber unterschiedliche (doch gleichermaßen dumme) Ansichten vertraten.

Das beste war jedoch, daß ich mir die Erlaubnis holte, eine Informationsreise nach Europa zu machen und mir die Zeit auf mein Studium anrechnen zu lassen; die Hälfte der Quellenangaben war in fremden Sprachen, vom Finnischen bis zum Kroatischen — und die übersetzten Stellen umschmeichelten unweigerlich die Vorurteile der Komiteemitglieder. Um das zu erreichen, mußte ich sorgfältig und aus dem Zusammenhang gerissen zitieren, aber mit dem Vorteil, daß die Urtexte wohl kaum erreichbar waren und mein Komitee sich vermutlich auch nie die Mühe gemacht hätte, sie nachzuprüfen, selbst wenn sie vorgelegen hätten. Die meisten meiner Professoren kannten keine Fremdsprachen, nicht einmal die leichten wie Französisch, Deutsch oder Spanisch.

Aber ich verschwendete keine Zeit mit falschem Quellenstudium vor Ort; ich wollte einfach eine Europareise herausholen zu Studententarifen und in Jugendherbergen — das kostete wirklich wenig. *Und* ich wollte die Verwalter von Großvaters Fonds besuchen.

Dabei ergaben sich gute Nachrichten! Der Fonds war in erstklassigen Aktien und Anleihen angelegt, und damals machten spekulative Werte eine Hausse durch. So war der Barwert des Fonds ziemlich niedrig, während das Einkommen weiter gestiegen war. Außerdem hatten sich zwischenzeitlich weitere Vettern und ein Onkel qualifiziert, was den erforderlichen Anteil weiter herabsetzte . . . juchheissa! — ich war meinem Ziel also ziemlich nahe. Ich hatte meine gesamten Ersparnisse mitgebracht mit einer eidesstattlichen Erklärung, daß alles mir gehöre und nichts geborgt war, auch nicht von meinem Vater — und deponierte dies in Zürich bei den Treuhändern. Und erzählte ihnen von meiner Briefmarken- und meiner Münzensammlung.

Gute Marken und Münzen verlieren niemals an Wert — im Gegenteil. Ich hatte ausschließlich Erstausgaben und ganze Bögen Sondermarken in bestem Zustand — und eine vom Notar bestätigte Bestandsliste mit Werttaxe. Die Fondsverwalter ließen mich schwören, daß die Dinge, die ich vor meinem Fortzug von zu Hause gesammelt hatte, von eigenem, verdientem Geld erworben worden waren — und das stimmte, denn die ersten Stücke hatte ich mir mit Rasenmähen und dergleichen verdient. Man erklärte sich einverstanden, den erforderlichen Vermögenswert auf diesen Tag zu fixieren, wenn ich meine Sammlung so schnell wie möglich verkaufte und den Gegenwert im Scheck nach Zürich überwies.

Damit erklärte ich mich einverstanden. Einer der Treuhandverwalter führte mich zum Essen aus und versuchte mich ein wenig unter Alkohol zu setzen — dann bot er mir zehn Prozent über dem Schätzwert, wenn ich die Sammlung noch am gleichen Nachmittag an ihn verkaufte und auf seine Kosten durch Kurier versandte.

Wir besiegelten das Geschäft mit Handschlag, kehrten in die Bank zurück und sprachen die Sache mit den anderen Treuhandverwaltern ab. Ich unterzeichnete Papiere, mit denen ich den Besitz überschrieb, der Käufer stellte einen Scheck aus, den ich an den Fonds girierte, damit er zu der Barsumme geschlagen wurde, die ich bereits mitgebracht hatte. Drei Wochen später erhielt ich ein Telegramm, daß die Sammlung mit der Bestandsliste übereinstimmte. Ich hatte mich qualifiziert.

Fünf Monate später erhielt ich meinen Doktortitel — summa cum laude. Und das, meine Lieben, ist meine schändliche Lebensgeschichte. Hat noch jemand die Kraft, Schwimmen zu gehen?«

»Mein Junge, wenn an der ganzen Sache ein Wort wahr ist, muß man wirklich von einer Schändlichkeit sprechen!«

»Paps! Das ist nicht fair! Zebadiah hat nach den Regeln der Institute gespielt — und sie ausgetrickst.«

»Ich habe nicht gesagt, daß *Zeb* sich irgend etwas vorwerfen müßte — es sollte ein Kommentar auf die Hochschulbildung Amerikas sein. Was Zeb da geschrieben hat, ist sicher nicht schlimmer als manches Zeug, das meiner sicheren Kenntnis nach heutzutage als Dissertation angenommen wird. Ich begegne allerdings zum erstenmal einem intelligenten und fähigen Gelehrten — *dir,* Zeb —, der es bewußt darauf angelegt hat zu zeigen, daß sich von einer berühmten Fakultät — ich kenne ihren Namen! — mit einer bewußt bedeutungslosen Forschungsarbeit ein Doktortitel holen läßt. Die Fälle, die ich bisher kannte, betrafen dumme und humorlose junge Leute, die unter der Aufsicht dummer und humorloser alter Herren Unsinniges getrieben haben. Ich wüßte nicht, wie man der Entwicklung Einhalt gebieten sollte; die Fäulnis sitzt zu tief. Die einzige Antwort bestünde darin, das System über Bord zu werfen und von vorn anzufangen.« Mein Vater zuckte die Achseln. »Aber das ist unmöglich.«

»Zebbie, was tust du eigentlich an der Uni?« erkundigte sich Tante Hilda.

Mein Mann grinste. »Ach, etwa dasselbe wie du, Sharpie.«

»Ich tue gar nichts. Ich genieße das Leben.«

»Ich auch. Wenn du dich erkundigst, wirst du feststellen, daß ich als ›Forschungsprofessor am Ort‹ registriert bin. Aus den Büchern der Universität müßte hervorgehen, daß mir ein Stipendium bezahlt wird, das meinem Rang entspricht. Eine genauere Nachforschung würde ergeben, daß etwas mehr als dieser Betrag von Treuhändern aus Zürich in den allgemeinen Fonds der Universität eingezahlt wird — solange ich auf dem Campus bin. Das ist eine schriftlich fixierte Bedingung. Es gefällt mir an der Uni, Sharpie; man hat dort Privilegien, die den Barbaren außerhalb des Palisadenzauns nicht zustehen. Gelegentlich gebe ich Unterricht, wenn mal jemand krank ist oder ein Forschungsjahr absolviert.«

»Ach, was für Kurse denn? In welchen Fächern?«

»In allen Fächern außer Pädagogik. Technische Mathematik. Das Einmaleins der Physik. Thermodynamik-Kram. Maschinenbau. Säbel- und Schwertfechten. Schwimmkurse. Und — lach nicht — englische Dichtung von Chaucer bis zu den Elizabethanern. Ich unterrichte gern in Fächern, die sich lohnen. Für diese Kurse erhebe ich kein Honorar; der Rektor und ich verstehen uns.«

»Was uns beide betrifft, bin ich mir da nicht so sicher«, sagte ich. »Aber ich liebe dich trotzdem. Gehen wir schwimmen.«

X

Zeb:
Ehe wir uns auf den Weg zum Teich machten, stritten sich unsere Frauen darüber, wie Barsoom-Krieger gekleidet sein müßten — eine Auseinandersetzung, die dadurch erschwert wurde, daß ich als einziger noch einigermaßen nüchtern war. Während ich meine ›schändliche Geschichte‹ erzählte, hatte Jake seinen Scotch-on-the-rocks nachgefüllt und diskutierte mit gelockerter Zunge. Unsere Frauen hatten sich auf je einen Drink beschränkt, aber sie vertrugen nicht sonderlich viel.

Jake und ich erklärten uns einverstanden, die Schwerter umzubehalten. Unsere Prinzessinnen hatten sie uns umgeschnallt — dann sollten sie auch dort bleiben. Deety aber verlangte, ich solle meine verschmutzten Arbeits-Shorts ausziehen. »Captain John Carter hat nie etwas an. Er traf nackt auf Barsoom ein und trug danach nie etwas anderes als das Leder und die Waffen eines Kämpfers. Edelsteinbesetzte Ledergurte bei festlichen Anlässen, einfache Lederarbeiten beim Kämpfen — und nachts Schlafseide. Barsoomer tragen keine Kleidung. Als John Carter zum erstenmal Dejah Thoris erblickte . . .« Deety schloß die Augen und zitierte: »›Sie war so bar jeder Kleidung wie die Grünen Marsianer — bis auf die höchst kunstvoll gearbeiteten Schmuckstücke war sie gänzlich nackt . . .‹« Deety öffnete die Augen und sah mich feierlich an. »Die Frauen tragen außer ihrem Schmuck nichts.«

»Dumme Angewohnheit«, sagte ihr Vater mit einem leichten

Schluckauf. »Wenn die Klingen wirbeln und aufeinanderkrachen, sollte ihm nicht der Familienschmuck im Wind hängen und ihm gegen die Knie schlagen. Das lenkt ab. Außerdem besteht die Gefahr, daß er abgeschnitten wird. Stimmt's, Captain John Carter?«

»Logisch«, antwortete ich.

»Außerdem waren die Männer auf den Illustrationen mit Lendenschürzen dargestellt. Wahrscheinlich hatten sie noch ein Stahlhöschen drunter. *Ich* würd' mir vorsichtshalber so ein Ding anziehen.«

»Die Bilder wurden Anfang des zwanzigsten Jahrhunderts gemacht, Paps. Unter Zensur. In den Romanen kommt es aber klar heraus. Waffen für die Männer, Juwelen für die Frauen — und Felle für das kalte Wetter.«

»Was ich anziehen müßte, weiß ich«, warf Sharpie ein. »Thuvia trägt Edelsteine auf Gaze — ich habe den Buchumschlag vor Augen. Keine Kleidung. Etwas, an dem man Juwelen befestigen kann. Deety — ich meine, Dejah Thoris —, hättest du ein dünnes Tuch, das ich dazu nehmen kann? Zum Glück hatte ich gerade meine Perlen um, als Mors Kajak mich entführte.«

»Sharpie«, wandte ich ein, »du kannst nicht Thuvia sein. Sie hat Carthoris geheiratet. Mors Kajak — oder Mors Ka*jake,* könnte ja auch ein Druckfehler sein — ist dein Mann.«

»Und ob Mors Jake mein Mann ist! Aber ich bin seine *zweite* Frau; das erklärt alles. Und es steht dem Kriegsherrn nicht zu, eine Prinzessin aus dem Hause Ptarth mit ›Sharpie‹ anzureden.« Mrs. Burroughs richtete sich zu ihren 152 Zentimetern Größe auf und versuchte gekränkt auszusehen.

»Meine unterwürfigste Entschuldigung, Euer Hoheit.«

Sharpie kicherte. »Dem Kriegsherrn kann man nicht böse sein. Dejah Thoris, mein Schatz — grüner Tüll? Blauer? Alles außer weiß.«

»Ich schaue nach.«

»Meine Damen«, mahnte ich, »wenn wir nicht bald losziehen, kühlt sich das Wasser wieder ab. Ihr könnt eure Perlen heute abend annähen. Woher sollen außerdem auf Barsoom die Perlen kommen? Dort gibt's doch nur tote Meeresböden — und keine Austern!«

»Gefunden in Korus, dem Verlorenen Meer von Dor«, erklärte Deety.

»Jetzt bist du aufgelaufen, mein Junge. Aber entweder gehen wir jetzt schwimmen, oder ich beschaffe mir noch einen Drink, und dann noch einen und noch einen. Zuviel Arbeit. Zuviel Streß. Zuviel Sorge.«

»Okay, Paps, wir gehen schwimmen. Tante H . . . Tante Thuvia, was meinst du?«

»Na schön, Dejah Thoris. Um Mors Jacob vor einem schlimmen Schicksal zu bewahren. Aber auf keinen Fall trage ich irdische Kleidung. Du kannst mein Nerzcape haben; vielleicht ist es auf dem Rückweg etwas kalt.«

Jake wickelte sich seinen Sarong als Lendenschurz um und befestigte ihn mit dem Säbelgurt. Ich tauschte meine schmutzigen Shorts gegen eine Badehose, die Deety als ›beinahe barsoomisch‹ anerkannte. Ich war nicht mehr auf Jakes Kleidung angewiesen; meine Reiseausrüstung, die ich stets im Wagen bereithatte, lieferte alles vom Paß bis zum Poncho. Sharpie trug die Perlen und Ringe, die sie bei ihrer Party zur Schau gestellt hatte, dazu um die Hüfte ein Tuch, an dem sie soviel Modeschmuck befestigte, wie Deety auftreiben konnte. Deety legte sich Hildas Nerzcape um.

»Mein Captain, eines Tages sollst du mir so etwas schenken.«

»Ich häute die Tierchen persönlich für dich ab«, versprach ich.

»Ach du je! Ich hielt das für synthetisch.«

»Ich nicht. Frag Hilda.«

»Das werde ich *nicht* tun. Aber mit einem Synthetiknerz wäre ich schon zufrieden.«

»Geliebte Prinzessin«, sagte ich, »du ißt Fleisch. Nerze sind bösartige Raubtierchen, und wenn sie ihr Fell loswerden, dann sind sie speziell für diesen Zweck gezogen worden. Sie werden gut behandelt und schmerzlos getötet. Wenn deine Vorfahren nicht wegen Fleisch und Fell getötet hätten, als die letzte Eiszeit uns plagte, würde es dich heute nicht geben. Unlogische Sentimentalität führen zu solchen Tragödien wie in Indien und Bangladesch.«

Deety schwieg einen Augenblick lang, während wir Jake und Hilda in Richtung Teich folgten. »Mein Captain . . .«

»Ja, Prinzessin.«

»Du hast mich überzeugt. Aber dein Verstand arbeitet dermaßen wie ein Computer, daß ich beinahe Angst vor dir bekomme.«

»Angst will ich dir nicht machen. Ich bin nicht blutrünstig, nicht bei Nerzen, nicht bei Stieren, überhaupt nicht. Aber ich würde ohne zu zögern jeden töten, der es auf dich abgesehen hätte.«

»Zebadiah . . .«

»Ja, Deety?«

»Ich bin stolz, daß du mich zu deiner Frau gemacht hast. Ich will versuchen, dir eine gute Frau zu sein — und deine Prinzessin.«

»Das ist dir längst gelungen — und wird dir immer gelingen. Dejah Thoris, meine Prinzessin, meine einzige Liebe, ehe ich dich kennenlernte, war ich ein kleiner Junge, der mit zu groß geratenem Spielzeug spielte. Heute bin ich ein Mann. Mit einer Frau, die ich ehren und schützen kann — und einem Kind, auf das wir uns einrichten können. Endlich lebe ich richtig! He! Was soll das Schluchzen? Hör auf!«

»Wenn mir danach ist, weine ich!«

»Nun ja — aber mach Hildas Cape nicht naß.«

»Gib mir mal ein Taschentuch.«

»Ich habe nicht mal ein Papiertaschentuch.« Ich wischte ihr die Tränen mit den Fingern ab. »Nun zieh hoch. Du kannst mich heute abend mit deinen Tränen überschütten. Wenn wir im Bett sind.«

»Wir wollen früh schlafen gehen!«

»Gleich nach dem Abendessen. Bist du fertig mit weinen?«

»Ich glaube schon. Weinen schwangere Frauen immer?«

»Wird jedenfalls behauptet.«

»Also — es soll nicht noch einmal vorkommen. Es gibt nämlich gar keinen Grund dazu; ich bin sehr glücklich.«

»Die Polynesier kennen etwas, das ›sich glücklich weinen‹ heißt. Vielleicht hast du dasselbe.«

»Muß wohl so sein. Aber ich heb's mir auf, wenn wir unter uns sind.« Deety machte Anstalten, das Cape abzulegen. »So schön es sich auch anfühlt, aber es ist zu heiß. Sie hielt inne und legte das Cape plötzlich wieder um. »Wer kommt da den Hügel herauf?«

Ich hob den Blick und sah, daß Jake und Hilda den kleinen Teich erreicht hatten und daß sich von unten eine Gestalt näherte — jenseits des Felsbrockens, der das Wasser eindämmte.

»Keine Ahnung. Bleib hinter mir.« Ich eilte auf die Wasserstelle zu.

Der Fremde trug die Uniform eines Bundes-Rangers. Als ich näherkam, hörte ich den Fremden Jake fragen: »Sind Sie Jacob Burroughs?«

»Warum fragen Sie?«

»Sind Sie es oder nicht? Wenn Sie es sind, habe ich etwas mit

Ihnen zu besprechen. Wenn nicht, halten Sie sich hier unbefugt auf. Dieses Land gehört dem Staat und ist nicht für jeden zugänglich.«

»Jake!« rief ich. »Wer ist das?«

Der Neuankömmling drehte den Kopf. »Wer sind *Sie?*«

»Das ist eine falsche Reihenfolge. Sie haben sich noch nicht identifiziert.«

»Machen Sie keine Witze«, sagte der Fremde. »Sie kennen diese Uniform. Ich bin Bennie Hibol, der zuständige Ranger.«

Ich antwortete mit langsamen Worten. »Mr. Highball, Sie sind ein Mann in einer Uniform, mit Pistolenholster und Abzeichen. Das macht Sie noch nicht zum Beamten einer Bundesbehörde. Zeigen Sie mir Ihre Ausweise und sagen Sie mir, was Sie wollen.«

Der Uniformierte seufzte. »Ich habe keine Zeit, mir dummes Gerede anzuhören.« Er legte die Hand auf den Pistolengriff. »Wenn einer von Ihnen Burroughs ist, soll er es sagen. Ich werde das Grundstück und die Hütte durchsuchen. Wir sind einer Schmugglerbande von Sonora auf der Spur; dies ist bestimmt der Übergabepunkt.«

Plötzlich trat Deety um mich herum und stellte sich neben ihren Vater. »Wo ist Ihr Durchsuchungsbefehl? Zeigen Sie uns Ihre Vollmachten!« Sie hatte das Cape um sich geschlungen; ihr Gesicht bebte vor Entrüstung.

»Noch so ein Clown!« Der Mann öffnete seine Pistolentasche. »Sie befinden sich auf Bundesland — hier ist meine Vollmacht!«

Deety ließ das Cape plötzlich fallen und stand nackt vor dem Fremden. Ich zog blank, stach zu, die Klinge hinabführend, dann drehte ich das Gelenk und stieß auf diese Weise von unten in den Bauch über dem Waffengurt.

Als meine Spitze in den Körper eindrang, grub sich Jakes Säbel seitlich in seinen Hals und trennte ihm beinahe den Kopf vom Rumpf. Der Mann brach wie eine Marionette zusammen, der man die Fäden durchgeschnitten hat. Er blutete aus drei Wunden.

»Zebadiah, es tut mir leid!«

»Was denn, Prinzessin?« fragte ich und wischte meine Klinge an der Uniform des angeblichen Rangers ab. Angewidert bemerkte ich die Farbe seines Bluts.

»Er hat nicht reagiert! Ich dachte, mein kleiner Striptease würde dir mehr Zeit verschaffen.«

»Du hast ihn abgelenkt«, beruhigte ich sie. »Sein Blick war auf *dich* gerichtet und nicht auf *mich*. Jake, welche Wesen haben blaugrünes Blut?«

»Keine Ahnung.«

Sharpie trat vor, ging in die Hocke, tauchte einen Finger in das Blut und roch daran. »Hämozyanin, glaube ich«, sagte sie leise. »Deety, du hattest recht. Ein Außerirdischer. Die größte terrestrische Spezies mit dieser Methode des Sauerstofftransports ist der Hummer. Dieses *Ding* aber ist kein Hummer, sondern ein ›Schwarzer Hut‹. *Woher wußtest du das?*«

»Ich wußte es nicht. Aber er klang einfach nicht echt. Ranger sind höfliche Leute. Und sie zögern niemals, wenn es darum geht, ihre Identifikation zu zeigen.«

»Ich hatte auch keine Ahnung«, sagte ich. »Ich war nicht mißtrauisch, nur ärgerlich.«

»Dafür hast du ziemlich schnell reagiert«, sagte Jake anerkennend.

»Den Grund dafür weiß ich immer erst, wenn alles vorbei ist. Aber du hast auch nicht viel Zeit verloren, *Towarisch!* Einen Säbel zu ziehen, während er nach seiner Kanone griff — da muß man mutig und schnell sein. Aber jetzt kein langes Gerede — *wo sind seine Kumpel?* Die fallen womöglich schon auf dem Rückweg zum Haus über uns her.«

»Schau dir seine Hosen an«, meinte Hilda. »Der hat nicht auf einem Pferd gesessen. Und weit geklettert ist er auch nicht. Jacob, siehst du Jeepspuren?«

»Nein. Unser Gelände ist selbst mit einem Jeep nicht zu erreichen — und mit dem Pferd auch nicht ohne Mühe.«

»Am Himmel hat sich nichts gerührt«, sagte ich. »Kein Hubschrauber oder Flugwagen.«

»Kontinua-Fahrzeug«, sagte Deety.

»Wie bitte?«

»Zebadiah, die ›Schwarzen Hüte‹ sind Außerirdische, die verhindern wollen, daß Paps eine Zeit-Raum-Maschine baut. Das *wissen* wir. Daraus ergibt sich, daß die Leute Kontinua-Fahrzeuge haben müssen. Quod erat demonstrandum.«

Ich überlegte. »Deety, ich bringe dir künftig das Frühstück ans Bett. Jake, wie spüren wir ein fremdes Kontinua-Fahrzeug auf? Es sieht sicher nicht so aus wie Gay Täuscher.«

Jake runzelte die Stirn. »Nein. Es kann in *jeder* Form vorkommen. Ein Einsitzer braucht nicht größer zu sein als eine Telefonzelle.«

»Wenn es sich um ein Gerät für *einen* Mann handelt — einen Außerirdischen, meine ich —, dann müßte es dort unten im Gebüsch stehen.« Ich deutete den Hang hinab. »Dort finden wir das Ding bestimmt.«

»Zebadiah«, sagte Deety drängend. »Wir haben keine Zeit zum Suchen! Wir müssen hier weg! Und zwar *schnellstens!*«

»Meine Tochter hat recht«, meinte Jake, »wenn auch nicht deswegen. Das Fahrzeug muß unbedingt warten. Es könnte ein Winzigstel entfernt parken, verschoben auf jeder von sechs möglichen Achsen, und entweder automatisch vorprogrammiert zurückkehren oder aufgrund eines Signals, das wir voraussetzen, aber nicht beschreiben könnten. Das fremde Gerät wäre nicht im Hier-Jetzt — es wird im Hier-Später auftauchen. Um den Burschen abzuholen.«

»Dann sollten du und ich und die Mädchen schleunigst aus dem Hier-Jetzt ins Dort-Dann verschwinden. Uns dünnemachen. Wie lange läuft unser Drucktest jetzt? Wie spät haben wir?«

»Siebzehn-siebzehn«, sagte Deety sofort.

Ich sah meine Frau an. »Nackt wie ein Frosch bist du. Wo hast du deine Uhr versteckt, Liebste? Doch sicher nicht *dort!*«

Sie streckte mir die Zunge heraus. »Schlaukopf! Ich habe eine Uhr im Kopf. Ich spreche nie darüber, weil mich die Leute nur immer seltsam ansehen.«

»Deety hat ein angeborenes Zeitgefühl«, erklärte ihr Vater. »Läuft genau, Abweichung etwa dreizehn Sekunden plus minus vier Sekunden; ich hab's nachgemessen.«

»Tut mir leid, Zebadiah — aber mir liegt nichts daran, eine Art Monstrum zu sein.«

»Was sollte dir leid tun, Prinzessin? Ich bin beeindruckt. Und was machst du mit den Zeitzonen?«

»Genau dasselbe wie du. Ich addiere oder subtrahiere je nach Notwendigkeit. Liebling, *jeder* hat einen Zeitsinn, meiner ist nur ein bißchen genauer als normal. Es ist wie das absolute Gehör — manche haben's, andere nicht.«

»Kannst du außerdem noch schnell rechnen?«

»Ja . . . aber Computer sind in solchem Maße schneller, daß ich es kaum noch selbst mache. Bis auf eine Sache: ich spüre ein Problem, ich ahne sofort, wenn eine Antwort falsch ist. Dann mache ich Jagd auf die Schwachstelle im Programm. Wenn ich keine finde, lasse ich einen Hardware-Spezialisten kommen. Hör zu, Schätzchen, wir wollen meine kuriosen Fähigkeiten später durchhecheln. Paps, wir sollten das *Ding* in die Sickergrube werfen und verschwinden. Ich bin ziemlich nervös.«

»Nicht so schnell, Deety.« Hilda hockte noch immer neben der Leiche. »Zebbie, prüfe mal deine Vorahnungen durch. Sind wir in Gefahr?«

»Also . . . nicht unmittelbar.«

»Gut. Ich möchte diese Kreatur auseinandernehmen.«

»Tante Hilda!«

»Nimm eine Tablette, Deety. Meine Herren, die Bibel oder sonstwer verlangt: ›Erkenne deine Feinde.‹ Dies ist der einzige ›Schwarze Hut‹, den wir bisher zu Gesicht bekommen haben . . . und er ist kein Mensch, er ist nicht erdgeboren. Hier vor uns liegt ein Schatz an Wissen, den wir nicht einfach in eine Sickergrube werfen sollten. Jacob, fühl mal!«

Hildas Mann kniete nieder und ließ seine Hand durch das Haar des ›Rangers‹ führen. »Spürst du die Höcker?«

»Ja.«

»Beinahe wie die sprießenden Hörner eines Lamms, nicht wahr?«

»Oh . . . ›Und ich sah ein anderes Tier aufsteigen aus der Erde; das hatte zwei Hörner gleich wie ein Lamm und redete wie ein Drache.‹«

Ich hockte mich hin und betastete die Auswüchse. »Da soll doch! Der Kerl ist tatsächlich aus der Erde aufgestiegen — nun ja, den Hang herauf — und hat wie ein Drache geredet. Er äußerte sich unfreundlich, wie alle Drachen, von denen ich bisher gehört habe; die redeten gemein oder spuckten Feuer. Hilda, wenn du den Burschen auseinandernimmst, achte auf die Zahl des Tiers.«

»Und ob! Wer hilft mir, das Exemplar zum Haus hinaufzuschaffen? Ich brauche drei Freiwillige!«

Deety seufzte schwer. »Ich melde mich. Tante Hilda . . . *mußt* du es tun?«

»Deety, eigentlich müßte diese Autopsie im John-Hopkins-Krankenhaus stattfinden, mit Röntgengeräten und vernünftigen Instrumenten und Farb-Holovision. Aber ich bin hier der beste Biologe, weil ich der *einzige* Biologe bin. Schätzchen, du brauchst ja nicht zuzusehen. Tante Sharpie hat in der Notaufnahme ausgeholfen, als die Opfer einer Massenkarambolage eingeliefert wurden; für mich ist Blut nur Dreck, den man wegwischen muß. Grünes Blut ist mir sogar noch weniger unangenehm!«

Deety mußte schlucken. »Ich helfe dir tragen!«

»Dejah Thoris!«

»Sir? Jawohl, mein Captain?«

»Tritt zurück! Nimm dies! Und dies!« Ich löste Schwert und Gurt, zog die Badehose aus und reichte alles Deety. »Jake, hilf mir, den Burschen auf den Rücken zu nehmen.«

»Ich helfe dir tragen, Junge.«

»Nein, ich bekomme ihn allein leichter vom Fleck. Sharpie. Wo willst du arbeiten?«

»Auf dem Eßtisch; ich sehe keine andere Möglichkeit.«

»Tante Hilda, das Ding darf unter *keinen* Umständen auf *meinen . . . !* Verzeihung — jetzt ist es ja *dein* Eßtisch.«

»Verzeihen kann ich dir nur, wenn du zugibst, daß es *unser* Eßtisch ist. Deety, wie oft muß ich noch wiederholen, daß ich dich nicht aus deinem Zuhause verdränge. Wir sind gleichberechtigte Hausfrauen — meine einzige Überlegenheit liegt in dem Altersvorsprung von zwanzig Jahren. Was mich sehr bekümmert.«

»Liebste Hilda, was würdest du zu einer Werkbank in der Garage sagen, darauf ein Wachstuch, und Flutlicht an der Decke?«

»Ich würde sagen: ›Toll!‹ Ich finde eigentlich auch nicht, daß ein Eßtisch der richtige Ort für eine Autopsie ist. Mir ist nur nichts anderes eingefallen.«

Mit Jakes Unterstützung hievte ich mir den schweren Körper über die Schulter. Deety begleitete mich den Weg hinauf und trug Gurt, Schwert und Badehose in einer Hand, damit sie mit der anderen meine freie Hand halten konnte — trotz der Warnung, daß sie sich mit fremdem Blut beflecken konnte. »Nein, Zebadiah, ich habe mich eben kindisch benommen. Es soll nicht wieder vorkommen. Ich muß meine Empfindlichkeit überwinden — bald muß ich ja Windeln wechseln.« Sie schwieg einen Augenblick lang. »Nur habe ich zum erstenmal den Tod aus unmittelbarer Nähe erlebt. Bei einer Person, meine ich. Einer außerirdischen humanoiden Person, müßte ich wohl sagen — aber bis dahin hielt ich ihn für einen Menschen. Ich habe einmal gesehen, wie ein kleiner Hund überfahren wurde — und mußte mich übergeben. Obwohl es nicht mein Hund war und ich gar nicht dicht heranging.« Sie fügte hinzu: »Eine richtige Frau sollte dem Tod ins Auge sehen können, meinst du nicht?«

»Ihm ins Auge blicken, das ist in Ordnung«, sagte ich. »Aber man sollte nicht abstumpfen. Deety, ich habe zu viele Menschen sterben sehen und habe mich nie daran gewöhnen können. Man muß den Tod akzeptieren, es lernen, ihn nicht zu fürchten, und sich dann keine Gedanken darüber machen. ›Das Heute zählt!‹

so hat mir ein Freund eingeschärft, dessen Tage gezählt sind. Wenn du in diesem Geiste lebst, dann ist der Tod schließlich sogar ein willkommener Freund.«

»So ähnlich hat sich auch meine Mutter geäußert, ehe sie starb.«

»Deine Mutter muß eine außergewöhnliche Frau gewesen sein. Deety, in den zwei Wochen, die ich dich kenne, habe ich von euch dreien über sie soviel gehört, daß ich das Gefühl habe, sie zu kennen. Wie eine Freundin, die ich nur lange nicht gesehen hatte. Sie scheint mir eine kluge Frau gewesen zu sein.«

»Das war sie wohl, Zebadiah. Auf jeden Fall war sie ein gütiger Mensch. Wenn ich vor einer schweren Entscheidung stehe, frage ich mich manchmal: ›Was würde Mama tun?‹ — und schon klärt sich alles auf.«

»Gütig *und* klug — und das lebt in ihrer Tochter weiter. Äh, wie alt bist du eigentlich, Deety?«

»Ist das irgendwie wichtig, Sir?«

»Nein. Ich bin nur neugierig.«

»Ich habe mein Geburtsdatum auf den Antrag der Heiratslizenz geschrieben.«

»Geliebte — mir schwamm in dem Augenblick dermaßen der Kopf, daß ich Mühe hatte, mich an meinen eigenen Geburtstag zu erinnern. Aber ich hätte nicht fragen dürfen. Frauen haben Geburtstage, Männer ein Alter. Ich möchte nur den Tag und den Monat wissen; das Jahr brauchst du mir nicht zu verraten.«

»Der zweiundzwanzigste April, Zebadiah — einen Tag älter als Shakespeare.«

»»Das Alter konnt' sie nicht siechen lassen . . .‹ Frau, du trägst deine Jahre gut.«

»Vielen Dank, der Herr!«

»Meine neugierige Frage ging auf die Schlußfolgerung zurück, daß du sechsundzwanzig sein müßtest — gemessen an der Tatsache, daß du einen Doktortitel hast. Wenn du auch jünger aussiehst.«

»Ich finde, sechsundzwanzig ist ein befriedigendes Alter.«

»Das sollte keine neuerliche Frage sein«, fügte ich hastig hinzu. »Es verwirrte mich nur, daß ich Hildas Alter wußte — und sie hat mir einmal gesagt, sie sei zwanzig Jahre älter als du. Das paßt nicht zu meiner früheren Schätzung, die von deinem vermutlichen Schulabgang plus den beiden Studienabschlüssen ausging.«

Jake und Hilda waren noch am Teich geblieben; Jake wusch

sich die Hände und befreite sich von den Spuren des fremden Bluts. Da sie weniger zu tragen hatten, kamen sie schneller voran und holten uns in dem Augenblick ein, als Deety auf meine Frage antwortete.

»Zebadiah, ich habe gar keinen Oberschulabschluß.«

»Oh.«

»Stimmt genau«, warf ihr Vater ein. »Deety wurde durch Sonderprüfung zur Universität zugelassen. Mit vierzehn. Das war kein Problem, da sie zu Hause wohnte und nicht in ein Studentinnenheim mußte. Ihren Bachelor of Science machte sie innerhalb von drei Jahren . . . und das war sehr schön, da Jane es noch erlebte, wie Deety diesen Abschluß feierte. Jane im Rollstuhl und glücklich wie ein Kind — der Arzt sagte, es könnte ihr nicht schaden, was bedeutete, daß sie ohnehin im Sterben lag.« Er fügte hinzu: »Wären ihrer Mutter noch drei Jahre mehr gegönnt gewesen, hätte sie noch erlebt, wie Deety der Doktorhut verliehen wurde, das war vor zwei Jahren.«

»Paps . . . manchmal redest du ein bißchen viel.«

»Habe ich denn etwas Ungehöriges gesagt?«

»Nein, Jake«, versicherte ich ihm. »Aber ich habe gerade erfahren, daß ich meine Braut aus der Wiege geraubt habe. Ich wußte nicht, wie jung sie war. Deety, du bist zweiundzwanzig!«

»Ist denn zweiundzwanzig kein befriedigendes Alter?«

»O doch, meine Prinzessin. Genau richtig.«

»Mein Captain meint, daß Frauen Geburtstage haben und Männer ein Alter. Darf ich mich denn nach Ihrem Alter erkundigen, mein Herr? Auch ich habe nicht sonderlich auf den Vordruck geachtet, den wir ausfüllen mußten.«

Ich antwortete feierlich: »Aber Dejah Thoris weiß doch, daß Captain John Carter Jahrhunderte alt ist, sich an seine Kindheit nicht erinnert und seit jeher wie dreißig aussieht.«

»Zebadiah, wenn das dein Alter ist, hast du sehr geschäftige dreißig Jahre hinter dir. Du sagst, du hättest dein Zuhause nach dem Oberschulabschluß verlassen, hättest dich durchs College gearbeitet, wärst drei Jahre Soldat gewesen, um dann deinen Doktor zu machen . . .«

»Einen falschen!«

»Das ändert aber nichts an der erforderlichen Mindestzeit. Tante Hilda sagt, du wärst seit vier Jahren Professor.«

»Äh . . . würdest du dich damit zufriedengeben, wenn ich sage, ich bin neun Jahre älter als du?«

»Ich gebe mich mit allem zufrieden, was du sagst.«

»Nun raspelt er wieder Süßholz!« warf Sharpie ein. »Er ist von zwei Universitäten verjagt worden. Skandale mit Kommilitoninnen. Dann fand er heraus, daß in Kalifornien die Sitten laxer waren, und kam in den Westen.«

Ich versuchte gekränkt auszusehen. »Liebste Sharpie, ich habe den betreffenden Damen immer die Heirat angeboten. Dabei stellte sich heraus, daß ein Mädchen bereits verheiratet war und im anderen Fall das Kind nicht von mir stammte; sie wollte mich reinlegen.«

»Mit der Wahrheit nimmt er es nun mal nicht so genau, Deety. Aber er ist mutig, badet jeden Tag und ist reich — und wir lieben ihn nun mal.«

»Du stehst mit der Wahrheit auch nicht auf bestem Fuß, Tante Hilda. Aber wir lieben dich trotzdem.

In ›Kleine Frauen‹ heißt es, die Braut sollte halb so alt sein wie ihr Mann plus sieben Jahre. Zebadiah und ich kommen dieser Formel nahe.«

»Eine Formel, die aus mir eine Greisin macht. Jacob, ich bin auch nur so alt wie Zebbie — einunddreißig. Aber beide sind wir schon seit Jahren in dem Alter.«

»Ich wette, wenn er das Ding den Berg hinaufgeschleppt hat, fühlt er sich wirklich alt. Atlas, kannst du deine Last noch einen Augenblick halten, während ich die Garagentür aufmache, eine Bank heraushole und abdecke? Oder soll ich dir helfen, den Toten abzulegen?«

»Dann müßte ich ihn nur wieder hochheben. Aber beeil dich.«

XI

Zeb:
Mir war besser, als ich den toten ›Ranger‹ von der Schulter, die Garagentür geschlossen und alle im Haus hatte. Ich hatte Hilda gesagt, ich spürte keine ›unmittelbare‹ Gefahr — aber meine verrückte Gabe warnt mich erst, wenn der Augenblick der Wahrheit schon gekommen ist.

Die ›Burschen in den Schwarzen Hüten‹ hatten uns aufgespürt. Oder uns vermutlich nie verloren; was sich auf menschliche Gangster anwenden läßt, gilt wohl kaum für Außerirdische, deren Fähigkeiten und Motive und Pläne wir uns einfach nicht vorstellen konnten.

Vielleicht waren wir so naiv wie das kleine Kätzchen, das den Kopf versteckt und meint, nun könnte niemand es sehen, ohne zu ahnen, daß das kleine Hinterteil hervorlugt.

Wir hatten es mit Außerirdischen zu tun, die sehr mächtig und wohl auch sehr zahlreich waren (dreitausend? drei Millionen? — wir kannten die Zahl des Tiers nicht) — und die genau wußten, wo wir waren. Gewiß, wir hatten einen umgebracht — mit Glück, ohne Vorausplanung. Diesen ›Ranger‹ würde man vermissen, und so durften wir uns getrost auf neuen Besuch in größerer Zahl einstellen.

Tollkühnheit hat mir nie gelegen. Habe ich eine Fluchtchance, nehme ich sie auch wahr. Damit will ich nicht sagen, daß ich einen Kameraden im Stich lasse, wenn es haarig wird, und schon gar nicht meine Frau mit unserem ungeborenen Kind. Aber ich wollte, daß wir *alle* ausrückten — ich, meine Frau, mein Blutsbruder, der gleichzeitig mein Schwiegervater war, und seine Frau, meine gute Sharpie, die mutig, praktisch veranlagt, klug und kaltblütig war (daß sie in den Klauen des Molochs noch gescherzt hätte, war kein Charakterfehler, sondern ein Quell der Aufmunterung).

Ich wollte, daß wir *verschwanden!* Tau-Achse, Teh-Achse, Rotieren, Verschieben, was auch immer . . . an einen Ort, der nicht verschandelt war durch Ungeheuer mit grünen Innereien.

Ich kontrollierte die Anzeigen und war erleichtert; Gays Innendruck war konstant geblieben. Man durfte von Gay keine Raumschiffeigenschaften erwarten — sie war nicht darauf eingerichtet, Luft umzuwälzen und zu erneuern. Doch es war ein angenehmes Gefühl, zu wissen, daß sie den Druck länger halten konnte, als wir brauchten, um im Notfall nach Hause auszurükken — vorausgesetzt, feindlich gesonnene Kräfte hatten ihr nicht vorher Löcher in die Hülle geschossen.

Durch den Innenausgang suchte ich die Hütte auf, wusch mich gründlich mit Seife und heißem Wasser, trocknete mich ab und fühlte mich sauber genug, meine Frau zu küssen, was ich auch tat. Deety klammerte sich an mich und erstattete Meldung.

»Dein Gepäck fertig, Sir. Ich mache eben noch meine Sachen fertig, Gewicht und Umfang wie geplant, nur praktische Dinge . . .«

»Schätzchen?«

»Ja, Zebadiah?«

»Nimm die Sachen mit, in denen wir geheiratet haben, auch

für mich. Dasselbe bei Jake und Hilda. Und die Ausgehuniform deines Vaters. Oder ist die in Logan mit verbrannt?«

»Aber Zebadiah, du hast doch gesagt, wir sollten nur strapazierfähige Kleidung . . .«

»Gewiß. Um dich von der Tatsache abzulenken, daß wir die Verhältnisse, auf die wir stoßen werden, nicht vorausberechnen können und keine Ahnung haben, wie lange wir fort sein werden oder ob wir zurückkehren können. Also habe ich alles aufgeführt, das uns dabei nützen könnte, einen jungfräulichen Planeten zu besiedeln — es kann uns nämlich passieren, daß wir irgendwo abstürzen und *nie* wieder nach Hause kommen. Also alles Wichtige von Jakes Mikroskop und Gerät zum Wassertesten bis hin zu den technischen Handbüchern und Werkzeugen. Und Waffen — und Insektenvertilgungsmittel. Aber es ist auch möglich, daß am Hofe Seiner Äußersten Majestät, des Oberherrn der Galaktischen Reiche im tausenddritten Kontinuum Botschafter für die Menschheit spielen müssen und dazu dann die bunteste Aufmachung brauchen, die wir zusammenbekommen. Wir wissen nichts, wir können keinerlei Vermutungen anstellen.«

»Da bin ich lieber eine einfache Siedlerin auf irgendeinem Planeten.«

»Vielleicht können wir's uns nicht aussuchen. Erinnerst du dich an einige Räume, die da lauteten: ›Masse soundsoviel — Liste folgt‹?«

»Aber ja. Die Gesamtsumme war hundert Kilogramm, was mir seltsam vorkam. Der Platz knapp ein Kubikmeter, verteilt auf die verschiedensten Winkel und Spalten.«

»Dieser Platz gehört dir, Liebling. Und Paps oder Hilda. Die Masse darf bis zu fünfzig Prozent überschritten werden; ich werde Gay anweisen, entsprechend umzutrimmen. Möchtest du eine alte Puppe mitnehmen? Eine Kuscheldecke? Ein Buch mit Lieblingsgedichten? Ein Buch mit Zeitungsausschnitten? Ein Album mit Familienfotos? Kann alles mit!«

»Mannomann!« (Am liebsten schaue ich meine Frau in solchen Augenblicken an, wenn sie zu strahlen anfängt und sich urplötzlich in ein kleines Kind verwandelt.)

»Für mich braucht ihr keinen Platz zu lassen. Ich habe nur die Sachen, mit denen ich gekommen bin. Wie sieht es mit Schuhen für Hilda aus?«

»Sie behauptet, sie brauchte keine, ihre Hornhäute bekämen selbst schon Hornhäute. Aber ich habe mir etwas überlegt. Als wir die Hütte bauten, habe ich Paps etliche Pflaster von Dr. Scholl besorgt; drei Paar sind noch übrig, die könnte ich zurechtschneiden. Als Einlage in meinen Riesenschuhen wäre das dann für sie das Richtige.«

»Braves Mädchen«, sagte ich. »Du scheinst alles im Griff zu haben. Wie steht es mit Lebensmitteln? Damit meine ich nicht unsere Vorräte für den Flug, sondern die unmittelbare Versorgung. Hat jemand an das Abendessen gedacht? Außerirdische zu töten macht hungrig.«

»Selbstbedienung, Zebadiah. Sandwiches und Beiwerk auf dem Küchentisch, dazu habe ich Apfelkuchen aufgetaut und erhitzt. Ich habe Hilda ein Sandwich gemacht, das ich ihr halten mußte, während sie davon abbiß; sie sagt, ehe sie noch etwas ißt, will sie erst fertigmachen und sich dann tüchtig abschrubben.«

»Sharpie hat ein Sandwich gegessen, während sie an dem *Ding* herumschnippelte?«

»Tante Hilda ist ziemlich hart gesotten, Zebadiah — beinahe so hart gesotten wie du.«

»Wohl *mehr* als ich. Ich könnte eine Autopsie durchführen, wenn ich müßte — aber nicht während des Essens. Ich glaube, da spreche ich auch für Jake.«

»Und ob. Er hat gesehen, wie ich ihr zu essen gab, und ist ganz grün geworden. Schau dir mal an, was sie gemacht hat, Zeb, sie hat ein paar interessante Dinge gefunden.«

»Hmm — bist du noch das kleine Mädchen, dem bei der Vorstellung schwindlig wurde, einen toten Außerirdischen zu zerschneiden?«

»Nein, Sir, bin ich nicht. Ich habe beschlossen, erwachsen zu bleiben. Das ist nicht einfach, aber es bringt eine größere Zufriedenheit. Eine erwachsene Frau gerät nicht in Panik, wenn sie eine Schlange sieht; sie schaut nur nach, ob das Tier Klappern am Schwanz hat. Ich werde mich nicht wieder anstellen, Zebbie. Endlich bin ich erwachsen — eine Frau und keine verwöhnte Prinzessin mehr.«

»Du wirst immer meine Prinzessin bleiben!«

»Das hoffe ich. Aber damit mir das zusteht, muß ich es lernen, in der Wildnis zu leben — dem Puter den Hals umdrehen, ein Schwein schlachten, das Gewehr laden, während mein Ehemann schießt, an seine Stelle rücken und sein Gewehr übernehmen, wenn er verwundet ist. Ich werde es lernen — ich bin starrsinnig, das bin ich. Was ich mit den zusätzlichen hundert Kilo mache, weiß ich genau: Bücher, Fotos, Paps' Mikrofilm-Unterlagen und das tragbare Sichtgerät, Paps' Gewehr und eine Schachtel Munition, die nicht in den Gewichtplan gepaßt haben . . .«

»Ich wußte gar nicht, daß er eine Waffe hat — *welches Kaliber?*«

»Sieben Komma sechs-zwei Millimeter, Langgeschoß.«

»Ausgezeichnet! Paps und ich benutzen die gleiche Munition!«

»Ich hatte ja keine Ahnung, daß du ein Gewehr mithast, Zebadiah.«

»Ich prahlte damit nicht herum, denn ich habe keine Lizenz dafür. Ich muß euch allen zeigen, wie man daran herankommt.«

»Hast du Verwendung für eine kleine Damenpistole? Nadelgeschosse, Skoda-*Fléchettes*. Keine große Schußweite, aber die Pfeilchen sind entweder vergiftet oder brechen auseinander — und pro Magazin sind neunzig Schuß drin.«

»Was bist du, Deety? Killer h.c.?«

»Nein, Sir. Paps besorgte mir die Waffe auf dem schwarzen Markt, als ich abends zu arbeiten begann. Er meinte, er würde lieber windige Anwälte beauftragen, mich freizukämpfen oder auf Kaution herauszuholen als zu meiner Identifizierung ins Leichenschauhaus zu müssen. Gebraucht habe ich das Ding noch nicht; in Logan ist es so gut wie überflüssig, Zebadiah. Paps hat sich große Mühe gegeben, mich in Selbstverteidigung auszubilden. Und seine Fähigkeiten entsprechen den meinen — deshalb versuche ich ihn ja aus Schlägereien herauszuhalten. Er könnte nämlich ein Massaker daraus machen. Er und Mama faßten diesen Entschluß, als ich noch ein Kind war. Paps meint, Polizisten und Gerichte schützen die Bürger nicht mehr, also müssen die Bürger sich selbst schützen.«

»Da hat er wohl leider recht.«

»Ich kann meine Ansichten über Recht und Unrecht nicht gut abschätzen, weil ich sie von meinen Eltern habe und noch nicht lange genug lebe, um abweichende Meinungen zu bilden.«

»Deety, deine Eltern haben ganz richtig gelegen.«

»Das glaube ich auch — aber das ist subjektiv. Jedenfalls wurde ich dem öffentlichen Schulsystem ferngehalten, bis wir nach Utah zogen. Und ich wurde im Kämpfen ausgebildet — bewaffnete und unbewaffnete Selbstverteidigung. Paps und mir ist aufgefallen, wie gut du mit dem Schwert umgehst. Deine Kreiselbewegungen kamen sehr präzise. Und deine Grundstellung ist vorzüglich.«

»Jake ist selbst nicht zu verachten. Er hat so schnell gezogen, daß ich überhaupt nichts gemerkt hatte, und traf genau über den Kragen.«

»Paps meint, du wärst noch besser als er.«

»Hmm — meine Reichweite ist größer. Dafür ist er vermutlich schneller. Deety, der beste Schwertmeister, den ich je erlebt habe, war etwa so groß wie du. Ich konnte nicht mal die Klinge mit ihm kreuzen, wenn er nicht wollte.«

»Du hast nun doch nicht erzählt, woher du deine Fähigkeiten mit der Klinge hast.«

Ich grinste sie an, »Vom CVJM in Manhattan. An der Oberschule habe ich am Fechten teilgenommen. Im College habe ich ein bißchen Erfahrung mit Säbel und *épée* gesammelt. Doch richtige Säbelfechter lernte ich erst in Manhattan kennen. Ich stürzte mich drauf, weil ich langsam weich wurde. Während meiner ›Forschungsreise‹ nach Europa lernte ich schließlich Schwertkämpfer mit Familientradition kennen — Söhne und Enkel und Urenkel von *maîtres d'armes*. Dabei erfuhr ich, daß dahinter eine ganze Lebensauffasung steht — und daß ich zu spät begonnen hatte. Deety, ich habe Hilda gegenüber geflunkert; ich habe nie an Studentenduellen teilgenommen. Allerdings trainierte ich in Heidelberg Säbelkampf unter Aufsicht eines Säbelmeisters, der angeblich eine verbotene Studentenverbindung trainierte. Er war der kleine Bursche, der mit mir machen konnte, was er wollte. Er war ungemein fix. Bis zu dem Zeitpunkt hatte ich mich für schnell gehalten. Doch unter seiner Anleitung wurde ich schneller. Als ich mich verabschiedete, sagte er, er wünschte, er hätte mich zwanzig Jahre früher kennengelernt; er hätte einen Säbelkämpfer aus mir machen können.«

»Heute nachmittag warst du jedenfalls schnell genug.«

»Nein, Deety. Du hattest seinen Blick auf dich gezogen, ich habe von der Flanke angegriffen. *Du* hast diesen Kampf gewonnen — nicht ich, nichts Paps. Obwohl Paps' Manöver weitaus gefährlicher war als das meine.«

»Mein Captain, ich lasse es nicht zu, daß du deine Leistung herabwürdigst! Ich höre nichts!«

Frauen — diese warmherzigen und absonderlich denkenden Wesen! Deety hatte mich zu ihrem Helden erkoren, und dabei blieb es. Nun lag es an mir, diesen Erwartungen zu entsprechen. Ich schnitt mir ein Stück Apfelkuchen ab und verzehrte es hastig, während ich langsam in Richtung Garage wanderte — ich wollte das ›Leichenschauhaus‹ nicht mit vollem Mund betreten.

Der ›Ranger‹ lag auf dem Rücken, geöffnet von Kinn bis Unterleib, die Teile waren auseinandergebreitet. Unbeschreibliche Brocken Innereien lagen da und dort herum. Über dem Ganzen hing ein beklemmender Gestank.

Hilda war noch am Werk, Eiszange in der linken, Messer in der rechten Hand, die Finger grünlich verfärbt. Als ich näherkam, legte sie das Messer hin und ergriff eine Rasierklinge. Sie blickte erst auf, als ich sie ansprach. »Na, lernst du dazu, Sharpie?«

Sie legte ihre Werkzeuge hin, wischte die Hände an einem Handtuch ab und schob sich das Haar mit dem Unterarm aus der Stirn. »Zebbie, du würdest es nicht für möglich halten!«

»Na, stell mich auf die Probe.«

»Also — schau dir das an!« Sie berührte das rechte Bein des Toten und richtete die nächsten Worte an das Wesen: »Was hat so ein hübsches Ding in einem Mädchen wie dir verloren?«

Ich sah sofort, was sie meinte: ein langes, schmales Bein mit einem Zusatzknie, tiefer sitzend als das Knie eines Menschen; außerdem knickte es nach hinten ein. Den Blick hebend, erkannte ich, daß die Arme ähnliche Zusatzgelenke aufwiesen. »Hast du ›Mädchen‹ gesagt?«

»Allerdings. Zebbie, dieses Monstrum ist entweder ein Weibchen oder hermaphroditisch. Eine voll ausgebildete Gebärmutter, zweigehörnt wie die einer Katze, über jedem Horn ein Eierstock. Aber weiter unten scheinen Hoden zu liegen und ein Dingelchen, das ein einziehbarer Phallus sein könnte. Ein Weibchen — aber wahrscheinlich auch ein Männchen. Bisexuell, aber nicht selbstbefruchtend, dazu eignen sich die Installationen nicht. Ich glaube, diese Wesen können sowohl empfangen als auch besamen.«

»Abwechselnd? Oder gleichzeitig?«

»Wäre das nicht toll? Nein, aus rein mechanischen Gründen nehme ich an, daß sie sich abwechseln. Ob der Wechsel nun zehn Minuten auseinanderliegt oder zehn Jahre — das verrät uns unser Freund nicht. Aber ich würde ein Sümmchen springen lassen, um zwei dabei zu beobachten!«

»Sharpie, du denkst doch immer nur an das eine!«

»Was kommt dem denn gleich? Die Vermehrung ist nun mal der Hauptimpuls; die Methoden und moralischen Aspekte der geschlechtlichen Vereinigung sind Zentralpunkt aller höheren Lebensformen.«

»Du vergißt das Geld und das Fernsehen.«

»Unsinn! Alle menschlichen Aktivitäten einschließlich der Forschung sind entweder Paarungstänze oder Versorgung der

Nachkommen oder die elenden Verdrängungen angeborener Verlierer beim einzigen großen Wettbewerb in der Stadt. Versuch Sharpie nicht den Hut über die Augen zu ziehen. Es hat zweiundvierzig Jahre gedauert, bis ich einen richtigen Mann erwischt habe und schwanger geworden bin — aber ich hab's geschafft! Alles, was den letzten beiden Wochen vorausgegangen ist, war doch nur eine Vorbereitung. Und wie steht es bei dir, du schamloser Sexprotz? Habe ich nicht recht? Überleg dir deine Antwort gut; ich erzähl sie Deety weiter.«

»Ich rede mich auf die Fünfte Verfassungsergänzung raus.«

»Zebbie, ich *hasse* diese Ungeheuer; sie stören meine Pläne — ein Häuschen inmitten von Rosen, ein Baby in der Wiege, ein Braten im Ofen, ich in einem gestreiften Baumwollkleid — und mein Mann kommt den Gartenweg herauf, nachdem er den Tag über seine Frischlinge in der Mangel gehabt hat. Und ich erwarte ihn mit seinen Pantoffeln und seiner Pfeife und einem trockenen Martini. Der reinste Himmel! Alles andere ist Eitelkeit und Ärger. Vier voll ausgebildete Milchdrüsen, aber ohne das Fett, das für die Frau beim Menschen typisch ist — bis auf mich, verdammt! Ein doppelter Magen, ein einfacher Darmtrakt. Ein Zwei-Kammer-Herz, das nicht zu schlagen, sondern nach dem Prinzip der Peristaltik zu funktionieren scheint. Herzförmig. Das Gehirn habe ich noch nicht untersucht, dazu fehlt mir die geeignete Säge — aber es dürfte so entwickelt sein wie das unsere. Auf jeden Fall ein humanoider Typ und andererseits extrem nichtmenschlich. Stoß die Flaschen nicht um! Sie enthalten Proben der Körperflüssigkeiten.«

»Was sind das für Dinger?«

»Schienen, die die nichtmenschliche Gliederung der Arme und Beine verbergen sollen. Das Gesicht ist auch chirurgisch verändert worden, da bin ich ziemlich sicher, auch gibt es Aufsätze, die die Kopfform verändern. Das Haar ist falsch, diese Burschen haben keins. Eine Art Tätowierung — vielleicht aber auch eine Maske, die ich noch nicht lösen konnte — lassen das Gesicht und die übrige entblößte Haut menschenähnlich erscheinen und nicht blaugrün. Zeb, ich könnte wetten, daß hier zahlreiche Vermißte als Versuchstiere benutzt worden sind, ehe diese Maskerade wirklich ausgereift war. *Husch!* Eine fliegende Untertasse saust herab, und schon hat man zwei neue Meerschweinchen fürs Labor.«

»Es hat seit Jahren keine Meldungen über UFOs mehr gegeben.«

»Ich meine das doch nur im übertragenen Sinne. Wenn diese Wesen Raum-Zeit-Verdreher haben, können sie überall auftauchen und sich klauen, was sie wollen — oder einen echten Menschen durch eine überzeugende Nachahmung ersetzen. Im Nu wären sie wieder verschwunden.«

»Dieser Typ käme aber nicht lange über die Runden. Ranger müssen sich oft ärztlich untersuchen lassen.«

»Vielleicht ist er nur ein hastig zurechtgemachter Kandidat, speziell für uns gemacht. Eine dauerhafte Ersatzfigur könnte alles täuschen bis auf das Röntgengerät — und vielleicht auch das, wenn der untersuchende Arzt zu *denen* gehört — eine Theorie, der du etwas Zeit widmen solltest. Zebbie, ich muß weitermachen. Wir müssen ungeheuer viel lernen und haben so wenig Zeit. Ich kann nur ein Bruchteil dessen feststellen, was dieser Tote einem ausgebildeten Biologen verraten würde.«

»Kann ich dir irgendwie helfen?« (Begeistert war ich nicht gerade.)

»Nun ja . . .«

»Ich habe nicht viel zu tun, bis Jake und Deety mit dem Packen fertig sind. Was kann ich machen?«

»Ich käme doppelt so schnell voran, wenn du Fotos machtest. Ich muß immer wieder pausieren, um mir die Hände abzuwischen, ehe ich die Kamera anfasse.«

»Abgemacht, Sharpie. Du mußt mir nur sagen, von wo und wie weit weg und wann.«

Hilda schien erleichtert zu sein. »Zebbie, habe ich dir gesagt, daß ich dich liebe, obwohl du dich manchmal wie ein Gorilla aufführst und wie ein Idiot grinst? Tief drinnen bist du ein Engel. Ich wünsche mir im Augenblick nichts sehnlicher als ein Bad — vielleicht ist es ja auf einige Zeit das letzte. Und das Bidet — der Höhepunkt zivilisierter Dekadenz. Ich hatte schon Angst, ich würde noch in diesem komischen Fleisch herumwühlen, wenn Jacob das Zeichen zum Abflug gibt.«

»Schneide weiter, meine Liebe; dein Bad sollst du bekommen.« Ich nahm die Kamera zur Hand, die auch Jake zum Registrieren von Versuchsanordnungen benutzte: eine Polaroid-Stereo-Instamatic — automatische Schärfeneinstellung, automatische Brennweiteneinstellung, automatische Entwicklung — die ideale Kamera für den Ingenieur oder Wissenschaftler, der seine Arbeit stufenweise festhalten muß.

Ich machte zahlreiche Aufnahmen, während sich Hilda unermüdlich plagte.

»Sharpie, stört es dich nicht, mit bloßen Händen zu schneiden? Du könntest dir etwas holen.«

»Zebbie, wenn diese Kreaturen an unseren Keimen eingingen, wären sie ohne Immunkräfte gelandet und schnell gestorben. Das haben sie nicht getan. Deshalb erscheint es mir wahrscheinlich, daß deren Bazillen uns auch nichts tun. Dazu ist unsere Biochemie zu unterschiedlich.«

Es hörte sich logisch an — doch ich konnte Ketterings Gesetz nicht vergessen: »Logik ist eine organisierte Methode, voller Zuversicht, das Falsche zu tun.«

Deety erschien und stellte einen vollgeladenen Korb ab. »Das sind die letzten Sachen.« Sie hatte das Haar hochgebunden und trug außer Gummihandschuhen keinen Faden am Leib. »Hallo, Liebling. Tante Hilda, ich habe jetzt Zeit, dir zu helfen.«

»Da gibt's nicht mehr viel zu tun, Deety — es sei denn, du willst Zebbie ablösen.«

Deety starrte auf die Leiche und schien sich nicht recht wohl zu fühlen — ihre Brustwarzen waren flach. »Geh baden!« forderte ich sie auf. »Ab durch die Mitte!«

»Stinke ich so sehr?«

»Du riechst wunderbar, mein Schatz. Aber Sharpie hat mich darauf hingewiesen, daß wir hier auf lange Sicht vielleicht zum letztenmal Gelegenheit haben, uns mit Seife und heißem Wasser zu säubern. Ich habe ihr versprochen, daß wir erst auf die Reise gehen, wenn sie ihr Bad gehabt hat. Also mach du jetzt deine Tour im Badezimmer; während sie sich saubermacht, kannst du mir dann beim Verstauen helfen.«

»In Ordnung.« Deety wandte sich ab, und ihre Brustwarzen waren wieder ein Stück zu sehen — nicht hart, aber sie fühlte sich offensichtlich besser. Mein Liebling weiß zu verhindern, daß ihr Gesicht zuviel verrät — doch was mit ihren Gefühlen los ist, läßt sich ziemlich sicher an den hübschen rosa Erhebungen ablesen.

»Moment noch, Deety!« rief Hilda. »Heute nachmittag hast du gesagt: ›Er hat nicht reagiert.‹ Was meinst du damit?«

»Was ich gesagt habe. Wenn man sich vor einem Mann auszieht, registriert man eine Reaktion, so oder so. Selbst wenn er den Vorgang ignorieren will, verraten ihn doch seine Augen. Der da hat aber nichts gezeigt. Natürlich ist er kein Mann — aber das wußte ich ja nicht, als ich ihn ablenken wollte.«

»Aber er hat dich bemerkt, Deety«, sagte ich. »Und das war meine Chance.«

»Aber nur wie ein Hund oder Pferd oder anderes Tier eine Bewegung wahrnimmt. Er bemerkte sie und ignorierte sie. Keine Reaktion.«

»Zebbie, bringt dich das auf etwas?«

»Sollte es das?«

»Am ersten Tag hier erzähltest du uns eine Geschichte über eine ›flotte Studentin‹.«

»Ach ja?«

»Sie war schwach in Mathematik.«

»Oh! ›Geisty‹.«

»Ja, Professor Unwin Neil Geist. Siehst du eine Parallele?«

»Aber ›Ungeist‹ gehört der Uni seit Jahren an. Außerdem kann sein Gesicht rot anlaufen. Das wäre bei einer Tätowierung nicht möglich.«

»Ich habe gesagt, unser Exemplar hier war vielleicht nur in aller Eile maskiert worden. Wenn es um die Diskreditierung einer mathematischen Theorie geht — wer wäre da in einer besseren Position als der Leiter der mathematischen Fakultät einer sehr bekannten Universität? Besonders wenn er mit der Theorie vertraut ist und genau *weiß*, daß sie stimmt?«

»Moment mal!« rief Deety. »Redet ihr hier von dem Professor, der sich mit Paps gestritten hat? Der mit der falschen Einladung? Ich dachte, der wäre nur ein Helfer? Paps hält ihn für einen Dummkopf.«

»Er benimmt sich wie ein aufgeblasener Blödian«, meinte Hilda. »Ich mag ihn nicht. Ich gedenke eine Autopsie an ihm durchzuführen.«

»Aber er ist doch gar nicht tot.«

»Das läßt sich ändern«, sagte Sharpie energisch.

XII

Hilda:
Als ich mit Baden fertig war, hatten Jacob, Deety und Zebbie Gay Täuscher fertig beladen und alle Listen überprüft (Dosenöffner, Kameras etc.) — einschließlich der Gewebe- und Flüssigkeitsmuster des Toten, da Zebbies Wunderwagen auch einen kleinen Eisschrank enthielt. Deety war nicht besonders glücklich über dieses Arrangement, aber die Proben waren *sehr* gut verpackt, mehrere Schichten Plastik, dann in einer Tiefkühl-Box eingeschlossen. Außerdem enthielt der Eisschrank sowieso vorwiegend

Filme, Dynamitkapseln und andere nicht-eßbare Dinge. Unsere Nahrungsmittel waren meistens gefriergetrocknet und in Stickstoff versiegelt, außer den Dingen, die nicht verderblich sind.

Wir waren hundemüde. Jacob schlug vor, wir sollten uns ausschlafen und dann abfliegen.

»Zeb, wenn du in den nächsten acht Stunden nicht mit einem neuen Angriff rechnest, sollten wir uns ausruhen. Ich brauche beim Umgang mit den Nonien einen klaren Kopf. Dieses Haus ist beinahe eine Festung, wird pechschwarz dastehen und gibt keinerlei Strahlung ab. Die Gegenseite schließt daraus vielleicht, daß wir ausgekniffen sind, gleich nachdem wir den Jungen erwischten — ich meine den Hermaphroditen, den falschen Ranger —, was meint ihr dazu?«

»Jake, es würde mich nicht überraschen, wenn wir jeden Augenblick angegriffen werden. Da es bis jetzt nicht dazu gekommen ist . . . Nun, ich steuere Gay auch nicht gern, wenn ich nicht putzmunter bin. Beim Kampf gehen mehr Fehler auf Erschöpfung zurück als auf alles andere. Legen wir uns aufs Ohr. Braucht jemand eine Schlaftablette?«

»Ich brauche nur ein Bett. Liebste Hilda, heute nacht schlafe ich auf meiner Hälfte.«

»Kann ich mich nicht mal an deinen Rücken kuscheln?« fragte ich.

»Du mußt aber versprechen, mich nicht zu kitzeln.«

Ich schnitt eine Grimasse. »Versprochen.«

»Zebadiah«, sagte Deety. »Ich möchte nicht nur kuscheln, du sollst mich fest umarmen — damit ich ganz sicher weiß, daß ich in Sicherheit bin. Zum erstenmal seit meinem zwölften Geburtstag steht mir der Sinn nur nach Schlaf.«

»Prinzessin, alles ist klar. Wir machen die Augen auf. Aber ich würde sagen, wir sollten vor dem Morgengrauen aufstehen. Wir dürfen unser Glück nicht zu sehr strapazieren.«

»Vernünftig gesprochen«, meinte Jacob.

Ich zuckte die Achseln. »Ihr Männer müßt steuern, Deety und ich sind reine Frachtstücke. Wir könnten auch auf den Rücksitzen schlafen — was macht es schon aus, wenn wir ein paar Universen verpassen? Kennt man erst ein Universum, kennt man alle. Was meinst du, Deety?«

»Wenn es nach mir ginge, würde ich von hier so schnell verschwinden, daß meine Schuhe zurückblieben. Aber: Zebadiah muß die Kontrollen bedienen und Paps die Nonien einstellen — und beide sind müde und wollen das Risiko nicht eingehen.

Aber Zebadiah — sei mir nicht böse, wenn ich mit offenen Augen und Ohren schlafe.«

»Wie? Warum denn das?«

»Jemand muß Wache halten. Vielleicht gewinnen wir dadurch jenen Sekundenbruchteil, der entscheidend sein kann — solche Sekundenbruchteile haben uns schon mindestens zweimal gerettet. Mach dir keine Sorgen, Liebling; ich arbeite öfter mal eine Nacht durch, um ein langes Programm auf geteilter Zeit auszuarbeiten. Mir macht es nichts; ein kleines Nickerchen am nächsten Tag, dann bin ich wieder topfit. Sag's ihm, Paps.«

»Sie hat recht, Zeb, aber . . .«

Zebbie unterbrach ihn. »Vielleicht könnt ihr beiden Mädchen euch die Wache teilen und das Frühstück vorbereiten. Im Augenblick muß ich Gay Täuscher so zurechtschalten, daß sie mich im Schlafzimmer erreichen kann. Deety, ich könnte ein Programm hinzufügen, wonach sie sich auch in der Hütte umhört. Mit einem passenden Programm ist Gay der beste Wachhund von uns allen. Würde das euch pflichtbewußte kleine Gören zufriedenstellen?«

Deety sagte nichts, also hielt auch ich den Mund. Stirnrunzelnd wandte sich Zebbie seinem Wagen zu, öffnete eine Tür und machte Anstalten, Gays Stimme und Ohren mit den drei Sprechgeräten im Haus zu verbinden. »Hallo, Gay«, sagte er dabei.

»Grüß dich, Zeb. Wisch dir das Kinn ab.«

»Programm. Auswertung aus laufenden Programmen. Meldung neueste Zugänge seit letzter Meldung.«

»Fehlanzeige, Boß.«

»Vielen Dank, Gay.«

»Bitte sehr, Zeb.«

»Programm, Gay. Neue Auswertung laufender Nachrichten. Gebiet — Arizona-Streifen nördlich des Grand Canyon plus Utah. Personen — alle Personen, die in laufenden Nachrichtenauswertungsprogrammen enthalten sind, dazu neu Ranger, Bundes-Ranger, Wald-Ranger, Park-Ranger, Staats-Ranger. Ende des neuen Programms.«

»Neues Programm läuft, Boß.«

»Programm. Hinzufüge akustischen Bericht, größte Lautstärke.«

»Neues Programm läuft, Zeb.«

»Bist ein kluges Mädchen, Gay.«

»Wird's nicht langsam Zeit, daß du mich heiratest?«

»Gute Nacht, Gay.«

»Gute Nacht, Zeb. Und laß die Hände *auf* der Bettdecke.«

»Deety, du hast Gay völlig verdorben. Ich lege eine Mikrofon-leitung nach draußen, während Jake das Sprechgerät aus dem Keller ins Schlafzimmer bringt. Die größte Lautstärke wird be-wirken, daß ein Kojote, der zehn Meilen entfernt losheult, bei dir im Bett zu liegen scheint. Jake, ich kann Gay anweisen, die aku-stische Meldung der Nachrichtenauswertung von deinem Schlaf-zimmer auszunehmen.«

»Liebste Hilda, möchtest du die akustische Meldung ausge-schaltet haben?«

Ich wollte nicht, konnte aber keine Stellung mehr dazu neh-men; Gay unterbrach uns.

»Laufende Nachrichtenauswertung, Boß.«

»Gib Bericht!«

»Reuters, Strait Times, Singapur. Tragische Neuigkeiten von der Marston-Expedition. Indonesischer Nachrichtendienst, Pa-lembang. Zwei Leichen, die als Dr. Cecil Yang und Dr. Z. Edward Carter identifiziert wurden, sind mit einem Dschungel-Buggy in das Hauptquartier der Nationalmiliz Telukbetung gebracht wor-den. Der Distriktkommandeur gab an, daß man sie auf dem Luft-wege nach Palembang überführen werde, zum Weitertransport nach Singapur, sobald der Oberkommandierende sie für den Mi-nister für Tourismus und Kultur freigibt. Professor Marston und Mr. Smythe-Belisha werden noch immer vermißt. Die Komman-deure beider Distrikte räumen ein, daß die Hoffnung gering ist, sie noch lebendig aufzufinden. Ein Sprecher des Ministeriums für Tourismus und Kultur versicherte vor Pressevertretern, daß die indonesische Regierung die Suche mit unverminderter Inten-sität fortsetzen werde.«

Zebbie pfiff lautlos vor sich hin. Schließlich fragte er: »Hat je-mand eine Ansicht dazu?«

»Er war ein brillanter Kopf, mein Junge«, sagte Jacob leise. »Ein unersetzlicher Verlust. Tragisch.«

»Ed war in Ordnung, Jake. Aber das meinte ich nicht. Unsere taktische Situation. *Hier. Jetzt.*«

Mein Mann zögerte mit seiner Antwort. »Zeb, was immer sich da in Sumatra ereignet hat, liegt anscheinend etwa einen Monat zurück. Gefühlsmäßig bin ich aufgewühlt. Von der Logik her muß ich feststellen, daß sich aus meiner Sicht unsere Situation nicht verändert hat.«

»Hilda? Deety?«

»Nachrichtenauswertung«, meldete Gay.

»Berichte!«

»AP, San Francisco — via Satellit von Maipan, Marianeninseln. Der Überschall-semiballistische TWA-Linienflug mit Maschine *Winged Victory,* Abflug heute abend San Francisco zwanzig Uhr, ist nach Augenzeugen und Radarbeobachtung beim Wiedereintritt implodiert. AP, Honolulu, US-Marine-Sprecher. *USS Flying Fish,* tauchfähiger Flugzeugträger, der in der Nähe der Wake-Inseln operierte, hat Befehl erhalten, mit höchster Geschwindigkeit auf den Absturzort *Winged Victory* zuzuhalten. Er wird am Optimalpunkt auftauchen und Suchflugzeuge starten lassen. Auf Frage nach ›optimal‹ erwiderte Marine-Presseoffizier: ›Kein Kommentar.‹ AP Militärfachmann stellt fest, daß Unterwassergeschwindigkeit der Schiffe der *Flying-Fish*-Klasse geheim ist, ebenso Typ und Eigenschaften der mitgeführten Flugzeuge. AP-UPI Zusätze, San Francisco, Katastrophe *Winged Victory.* Die Public-Relations-Abteilung TWA veröffentlichte folgenden Kommentar: ›Wenn die eingegangenen Berichte über die *Winged Victory* zutreffend sind, muß grundsätzlich davon ausgegangen werden, daß Überlebende nicht zu erwarten sind. Unsere technische Abteilung aber hält es für ausgeschlossen, daß Implosion Grund für das Unglück ist. Eine Kollision mit umlaufenden Brocken, die sich in die Atmosphäre senken, oder ein Meteortreffer könnten, Wiederholung: *könnten* eine solche Katastrophe auslösen, doch mit einer dermaßen hohen Wahrscheinlichkeit dagegen, daß das Ganze nur als Eingriff Gottes zu werten wäre.‹ Sprecher der TWA veröffentlichten auf Veranlassung der Zivilen Luftfahrtbehörde die Passagierliste. Liste folgt: Kalifornien . . .«

Die Liste war ziemlich lang. Ich erkannte keine Namen, bis Gay aufsagte: »Dr. U. Neil Geist . . .«

Mir stockte der Atem. Doch niemand sagte etwas, bis Gay verkündete:

»Ende laufende Nachrichtenauswertung.«

»Vielen Dank, Gay.«

»War mir ein Vergnügen, Zeb.«

»Professor?« fragte Zebbie.

»Du führst hier das Kommando, Captain!«

»Also gut, Sir. Für euch alle — ab sofort gilt die Schiffsordnung! Ich erwarte schnellste Ausführung aller Anordnungen und keine Widerrede. Geschätzter Starttermin: in fünf Minuten! Erstens: alle noch einmal Pipi machen! Zweitens, Kleidung anle-

gen, in der ihr reisen wollt. Jake, schalte alles ab und schließ zu
— wie du es immer machst, wenn du das Haus für eine lange Abwesenheit dicht machst. Deety — du folgst Jake und überzeugst
dich, daß er nichts übersieht — dann schaltest *du*, nicht Jake, alle
Lichter aus und schließt die Türen. Hilda, du bündelst die Reste
unseres Buffets zusammen und bringst sie an Bord. Such im Eisschrank nach kompakter Nahrung — keine Flüssigkeiten — und
stopf alles in Gays Eisschrank, soviel hineingeht. Egal, was. Noch
jemand Fragen? Dann los!«

Ich ließ Jacob in unserem Badezimmer den Vortritt, weil der
arme Kerl sich immer verkrampft; ich benutzte die Zeit, um
Sandwiches in einen Kühlhaltebeutel zu schaufeln und einen
halben Kuchen in einen zweiten. Kartoffelsalat? Ein dritter Beutel wurde gefüllt, dazu ein Plastiklöffel; Bazillen waren inzwischen Gemeinschaftsbesitz. Die drei Beutel und ein paar mari-
nierte Sachen tat ich in den größten Plastikbeutel, den Deety in
der Küche hatte, und schloß ihn.

Jake kam aus unserem Schlafzimmer; im Vorbeilaufen hauchte
ich ihm einen Kuß zu, eilte in unsere Toilette, ließ das Wasser
laufen, setzte mich und sagte mir Mantras auf — das hilft oft,
wenn ich nervös bin. Anschließend benutzte ich das Bidet — tätschelte es sogar zum Abschied, ohne mich aufzuhalten. Meine
Reisekleidung bestand aus Deetys Tennisschuhen mit einem
grüngoldenen Mini-Kleid, das mir bis zu den Knien reichte, sich
mit einem Halstuch als Gürtel aber nicht zu übel machte. Höschen? Ich trug keins. Deety hatte mir eins herausgelegt, doch
ihre Größe wäre von mir abgeglitten. Dann sah ich, daß sie sich
am Gummi zu schaffen gemacht und es enger geknotet hatte. Ja!
So ging es — und da wir nicht wußten, wann wir wieder baden
konnten, war so ein Höschen schon praktisch, wenn auch etwas
unbequem.

Ich breitete vor dem Eisschrank mein Cape aus, warf meine
Handtasche und die Buffetreste darauf und setzte meine Ret-
tungsaktion fort — ein halb vertilgter Schinken, ziemlich viel
Käse, anderthalb Laibe Brot, zwei Pfund Butter (dies alles wanderte in Plastikbeutel, ebenso der Schinken — hätte Deety nicht
so viele Beutel gehabt, hätte ich nicht viel mitnehmen können —
so wurde nicht einmal mein Cape beschmutzt). Ich beschloß, daß
Marmelade und Ketchup Flüssigkeiten waren — bis auf ein paar
Sachen in Tuben. Ein halber Schokoladenkuchen — dann war
der Eisschrank leer.

Ich warf mir das Cape wie einen Nikolaussack über die Schul-

ter und brachte meine Last in die Garage — wo ich erfreut feststellte, daß ich die erste war.

Gleich darauf eilte Zebbie herein; er trug einen Overall mit
Beintaschen, einen Pilotenanzug. Sein Blick fiel auf den Stapel
auf meinem Cape. »Wo ist der Elefant, Sharpie?«

»Captain Zebbie, du hast nichts davon gesagt, *wieviel* ich holen
sollte, nur *was*. Was nicht mit hineinpaßt, überlassen wir *ihr*.«
Mit dem Daumen deutete ich auf die zerschnittene Leiche.

»Entschuldige, Hilda, du hast recht.« Zebbie blickte auf die
Armbanduhr, deren viele Anzeigeblätter jedem Navigator aus
der Patsche helfen konnten.

»Captain, dieses Haus hat so allerlei Apparate und trickreiche
Schaltungen und Glocken und Pfeifen. Du hast die Zeit unmöglich kurz bemessen.«

»Absichtlich, meine Liebe. Mal sehen, wieviel wir von dem
Zeug unterbringen.«

Gays Kühlraum ist in das Deck der Fahrerkabine eingelassen.
Zebbie forderte Gay auf, die Tür zu öffnen, und griff dann mit
seitlich verdrehten Schultern hinab und entriegelte. »Reich mir
die Sachen zu.«

Ich klopfte ihm auf das Hinterteil. »Weg mit dir, du übergro-
ßer Zwerg! Sharpie packt die Sachen.«

In dem Raum, der Zebbie eng vorgekommen war, hatte ich
noch viel Platz zum Drehen. Er reichte mir die Dinge herunter,
und ich schichtete sie hinein, so gut es ging. Als drittes kamen
die Reste unseres Buffets. »Das soll unser Frühstück werden«,
sagte ich und legte die Sachen auf seinen Sitz.

»Das kann ich nicht lose in der Kabine herumfliegen lassen.«

»Captain, wir essen es, bevor es verdirbt. Ich bin angeschnallt.
Okay, wenn ich es an mich drücke?«

»Sharpie, habe ich jemals eine Auseinandersetzung mit dir gewonnen?«

»Nur mit Gewalt, mein Lieber. Mund zu und weitermachen.«

Mit Gottes Hilfe und der eines Schuhlöffels paßte alles hinein.
Ich saß auf einem Rücksitz, das Essen im Schoß, das Cape unter
mir, und der Rest des Teams war noch nicht in Sicht. »Capt'n
Zebbie? Warum hast du deine Pläne geändert, als du von Geistys
Tod erfuhrst?«

»Bist du nicht meiner Meinung, Sharpie?«

»Im Gegenteil, Skipper. Möchtest du hören, was ich vermute?«

»Ja.«

»*Winged Victory* hatte eine Bombe an Bord. Und der gute Dr. Geist, der nicht ganz so dumm war, wie ich dachte, befand sich *nicht* an Bord. Die bedauernswerten übrigen Passagiere mußten sterben, damit er verschwinden konnte.«

»Eins rauf, Sharpie! Hier liegen zu viele Zufälle vor — und sie — die ›Burschen in den Schwarzen Hüten‹ — wissen, wo wir sind.«

»Mit anderen Worten — Professor Ungeist ist alles andere als tot und könnte jeden Moment hier auftauchen.«

»Er und eine ganze Horde grünblütiger Außerirdischer, die etwas gegen Geometrie-Experten haben.«

»Zebbie, was haben diese Leute nur vor?«

»Keine Ahnung. Vielleicht wollen sie diesen Planeten säubern und dann übernehmen. Oder uns als Vieh oder Sklaven erobern. Als einzige Daten wissen wir, daß sie Außerirdische sind und sehr mächtig — und daß sie keine Skrupel haben, uns zu töten. Also zögere ich meinerseits nicht, gegen diese Wesen vorzugehen. Leider weiß ich nicht, wie man sie am besten ausschaltet. Folglich fliehe ich, so schnell ich kann — und nehme die drei Personen mit, von denen ich sicher bin, daß sie ebenfalls in Gefahr schweben.«

»Können wir sie jemals aufspüren und umbringen?«

Zebbie antwortete nicht, denn in diesem Augenblick trafen Deety und mein Jacob ein; sie waren ziemlich außer Atem. Vater und Tochter trugen einteilige Elasticanzüge. Deety sah reizend aus, ihre Oberweite kam gut zur Geltung; mein Schatz wirkte ausgesprochen fit — aber besorgt. »Wir kommen zu spät. Tut uns leid!«

»Nicht zu spät«, gab Zebbie zurück. »Aber sofort auf die Plätze!«

»So schnell ich die Garagentür öffnen und das Licht ausschalten kann.«

»Jake, Jake — Gay ist längst darauf programmiert, das alles allein zu machen. Hinein mit dir, Prinzessin, und schnall dich gut an. Sicherheitsgurte, Sharpie. Copilot, wenn du die Steuerbordtür geschlossen hast, bitte die Dichtung rundum mit der Hand prüfen, ehe du dich anschnallst.«

»Jawohl, Capt'n.« Es machte mir insgeheim Spaß, meinen Liebling den Soldaten hervorkehren zu sehen. Er hatte mir unter vier Augen gestanden, daß er bei der Artillerie Colonel der Reserve war — daß Deety aber versprochen hatte, diesen Umstand unserem klugen jungen Kapitän zu verheimlichen. Er verlangte dasselbe Versprechen von mir — die Schiffsordnung war wirklich so am besten geregelt; Zeb als Kommandant, während sich Jacob um die Raum-Zeit-Kontrollen kümmerte. Jedem das seine. Jacob hatte mich aufgefordert, Zebs Befehle ohne dumme Sprüche zu akzeptieren — was mich doch ein wenig bekümmert hatte. Ich war ein ungelerntes Besatzungsmitglied; ich bin nicht dumm, das weiß ich. Wenn es wirklich zum Schlimmsten kam, würde ich versuchen, uns nach Hause zurückzusteuern. Aber selbst Deety war besser qualifiziert als ich.

Nachdem die Checklisten durchgesehen waren, schaltete Gay die Lichter ab, öffnete die Garagentür und rollte rückwärts hinaus auf die Landefläche.

»Copilot, kannst du deine Nonien ablesen?«

»Captain, dazu muß ich wohl meinen Gurt lockern.«

»Tu das, wenn du willst. Aber dein Sitz läßt sich zwanzig Zentimeter nach vorn neigen — hier, ich zeig's dir.« Zeb langte nach vorn und hantierte zwischen den Sitzen herum. »Sag Bescheid, wenn es reicht.«

»Genug — jetzt müßte es hinhauen. Ich kann sie ablesen und bedienen — mit geschlossenem Brustgurt. Befehle, Sir?«

»Wo war euer Wagen, als du mit Deety in die Raum-Zeit gewechselt bist, in der der Buchstabe ›J‹ fehlte?«

»Etwa hier.«

»Kannst du uns dorthin schicken?«

»Ich glaube schon. Minimum-Versetzung, positiv — Entropie zunehmend — entlang *Tau*-Achse.«

»Bitte bringen Sie uns dorthin, Sir.«

Mein Mann berührte die Kontrollen.

»Das wär's, Captain.«

Eine Veränderung machte ich nicht aus. Unser Haus war nach wie vor eine Silhouette vor dem Nachthimmel, die Garage eine schwarz gähnende Öffnung. Die Sterne hatten nicht einmal geflackert.

»Mal nachsehen«, sagte Zebbie und schaltete Gays Scheinwerfer ein, die die Garage hell ausleuchteten. Leer und normal aussehend.

»*He!* Seht euch das mal an!« rief Zebbie.

»*Was* soll ich mir ansehen?« fragte ich und versuchte um Jacob herumzuschauen.

»Genaugenommen nichts. Sharpie, wo ist dein Außerirdischer?«

Jetzt begriff ich. Keine Leiche. Kein grünverschmierter Tisch;

die Werkbank stand an der Wand, die Flutlichter waren nicht darauf gerichtet.

»Gay Deceiver, bring uns heim«, sagte Zebbie.

Und wir hatten dieselbe Szene vor uns — aber mit der zerschnittenen Leiche. Ich mußte trocken schlucken.

Zebbie schaltete das Licht aus, und mir war besser, aber nur ein wenig.

»Captain?«

»Copilot.«

»Wäre es nicht besser gewesen, nach dem ›J‹ zu schauen? Das hätte meine Kalibrierung bestätigen können.«

»Ich habe danach geschaut, Jake.«

»Äh?«

»An der hinteren Garagenwand hängt ein Schild mit deinem Namen.«

»*Oh!*«

»Ja, und deine Analogie in jenem Raum — dein Zwilling, Jake-eins oder so ähnlich — hat sich auch so ein Schild aufgehängt: ›Iacob Burroughs.‹ Daraufhin bat ich Gay, uns nach Hause zu bringen. Ich hatte schon Sorge, daß man uns fangen würde. Unangenehm.«

»Zebadiah«, sagte Deety. »Ich meine: ›Captain‹ — inwiefern unangenehm, Sir? Gewiß, der fehlende Buchstabe hat mir angst gemacht, das stimmt, aber das ist vorbei. Meine Angst gilt den Außerirdischen, den ›Schwarzen Hüten‹.«

»Deety, beim erstenmal hattet ihr Glück. Denn Deety-eins war nicht zu Hause. Heute abend könnte sie aber da sein. Wahrscheinlich liegt sie wieder mit ihrem Mann im Bett, genannt Zebadiah-eins. Ein unausgeglichener Bursche. Dem wäre es eigentlich durchaus zuzutrauen, daß er auf einen fremden Wagen schießt, der die Garage seines Schwiegervaters anleuchtet. Ein gewalttätiger Typ.«

»Du willst mich auf den Arm nehmen.«

»Nein, Prinzessin. Ich habe mir ehrlich Sorgen gemacht. Ein Parallelraum, der sich so wenig von unserem unterscheidet, daß lediglich ein unwichtiger Buchstabe fehlt, aber mit einem Haus und einem Grundstück, das du für das eigene hieltest — da muß man mit weiteren Übereinstimmungen rechnen — eben einer ›Deiah Thoris‹.« (Captain Zebbie sprach den Namen mit betontem ›I‹ aus.)

»Zebadiah, das erschreckt mich beinahe noch mehr als die Außerirdischen.«

»Nein, die Außerirdischen sind noch unangenehmer. Hallo, Gay.«

»Wie geht es, Zeb? Du mußt dir das Näschen putzen.«

»Kluges Mädchen, ein g senkrecht bis auf eintausend Meter. Schweben auf Position.«

»Roger, alter Junge!«

Wir lehnten uns gut an und wurden dann mit unangenehmem Druck schnell emporgetragen. Gay richtete sich wieder in die Waagerechte und hielt die Position. »Deety«, sagte Zebbie, »akzeptiert der Autopilot eine Veränderung des Nachhause-Programms auf Stimmbasis? Oder müssen wir einen Nonius verändern?«

»Worauf willst du hinaus?«

»Selbe Position, aber zweitausend Meter über Grund.«

»Ich glaube schon. Soll ich es tun? Oder möchtest du, Captain?«

»Versuch du es, Deety.«

»Jawohl, Sir. Hallo, Gay.«

»Ja, Deety!«

»Programmüberprüfung. Definiere ›Heim‹.«

»›Heim‹ Löschen sämtlicher Trägheitsbewegungen Transitionen Versetzungen Rotationen. Rückkehr zu vorprogrammierter Null-Länge-und-Breite, Bodenhöhe.«

»Meldung derzeitige Position.«

»Eintausend Meter senkrecht über ›Heim‹.«

»Gay. Programmänderung.«

»Ich warte, Deety.«

»Heim-Programm. Lösche ›Bodenhöhe‹. Dafür ›Zweitausend Meter über Bodenhöhe, schweben‹.«

»Programmänderung registriert.«

»Gay Täuscher, bring uns heim!«

Augenblicklich befanden wir uns ein gutes Stück höher, ohne daß wir etwas von einer Ortsveränderung gespürt hatten.

»Zweitausend Meter, stimmt genau«, sagte Zeb. »Deety, du bist ein schlaues Mädchen!«

»Zebadiah, ich wette, das sagst du zu allen Mädchen.«

»Nein, nur zu einigen. Gay, du bist ein kluges Mädchen.«

»Warum lebst du dann mit der wirrköpfigen Blonden zusammen?«

Zebbie verdrehte sich den Hals und blickte mich an. »Sharpie, das ist deine Stimme!«

Ich übersah ihn würdevoll. Zebbie steuerte in südlicher Richtung zum Grand Canyon, der im Sternenlicht ein unheimliches Panorama darbot. Ohne den Flug zu verlangsamen, sagte Zeb: »Gay Täuscher, bring uns heim!« — und wieder schwebten wir über unserer Hütte. Keine Erschütterung, kein Ziehen, einfach nichts.

Zebbie sagte: »Jake, sobald ich das richtig begriffen habe, werde ich Treibstoff sparen. Wie macht sie das, wenn wir gar nicht an einem anderen Ort gewesen sind — ohne Rotation, ohne Versetzung?«

»Ich glaube, ich habe eine unwichtige kleine Wurzel in Gleichung siebenundneunzig noch nicht richtig ausgewertet. Das Ganze entspricht jedenfalls in etwa dem, was wir mit dem ganzen Planeten anstellen wollten. Eine fünfdimensionale Umwandlung, auf drei vereinfacht.«

»›Keine Ahnung hab' ich, ich arbeite hier nur‹«, sagte Captain Zebbie. »Aber es sieht so aus, als würde unser Katalog auch noch Schwerkraft und Transporte enthalten, nicht nur Grundstücke und Zeitverschiebungen. Burroughs & Company, Raumverformung ohne Grenzen — ›Kein Job zu groß, kein Job zu klein‹. Ein Neudollar bringt ihnen unsere kostenlose Werbebroschüre ins Haus.«

»Captain«, meinte Jacob, »wäre es nicht ratsam, in einen anderen Raum zu springen, ehe wir weiter herumexperimentieren? Wir sind doch noch immer in Gefahr durch die Außerirdischen — oder?«

Zebbie wurde sofort ernst. »Copilot, du hast recht, und es ist deine Pflicht, mich zu ermahnen, wenn ich wichtige Dinge aus den Augen verliere. Doch ehe wir verschwinden, müssen wir noch einer Pflicht genügen.«

»Etwas, das dringender ist, als unsere Frauen in Sicherheit zu bringen?« fragte mein Jacob — und mir wurde ganz warm zumute.

»›Etwas, das dringlicher ist.‹ Jake, ich habe unseren Vogel nicht nur zu Versuchszwecken herumhüpfen lassen, sondern auch, um unseren Gegnern das Aufspüren zu erschweren. Denn wir müssen die Funkstille brechen. Um die anderen Menschen zu warnen.«

»Oh. Jawohl, Captain. Entschuldigung, Sir. Zuweilen vergesse ich die übergeordneten Aspekte einer Sache.«

»Tun wir das nicht alle? Seit der Ärger begann, beherrscht mich der Impuls, zu fliehen und mich zu verstecken. Aber das erforderte eine gute Vorbereitung, und in der inzwischen vergangenen Zeit konnte ich etwas nachdenken. Erstens: Wir wissen nicht, wie wir diese Geschöpfe bekämpfen sollen, müssen also in Deckung gehen. Zweitens: Es ist unsere Pflicht, der Welt zu verraten, was wir über die Außerirdischen wissen. Wenn das auch nicht viel ist — wir sind wirklich nur um Haaresbreite dem Tode entronnen —, so können sie doch gefaßt werden, wenn fünf Milliarden Menschen nach ihnen Ausschau halten. Das hoffe ich wenigstens.«

»Captain, darf ich etwas sagen?« fragte Deety.

»Natürlich! Wer einen Vorschlag hat, wie man mit den Monstern umgehen kann, *muß* den Mund aufmachen.«

»Es tut mir leid, solche Vorschläge habe ich nicht. Du mußt die Welt retten — natürlich! Aber man wird dir nicht glauben.«

»Da hast du wohl leider recht, Deety. Aber man braucht ja nicht *mir* zu glauben. Das Ungeheuer in der Garage spricht für sich. Ich werde die Ranger anrufen — die echten Ranger! —, damit sie den Toten abholen.«

»Deshalb hast du mich also aufgefordert, ihn auf dem Tisch liegenzulassen! Ich dachte, wir hätten nicht mehr genug Zeit dazu.«

»Beides, Hilda. Wir hatten keine Zeit mehr, den Kadaver in einen Sack zu stecken und in den Gefrierraum zu legen. Aber wenn ich es schaffe, daß die Ranger — *echte* Ranger — vor den ›Schwarzen Hüten‹ an der Hütte eintreffen, wird die Leiche ihre eigene Geschichte erzählen: ein Außerirdischer, der in einer aufgeschnittenen Rangeruniform in seinem Blute liegt. Keine UFO-Geschichte, die sich irgendwie auch anders erklären läßt, sondern ein Geschöpf, das absonderlicher ist als ein Schnabeltier. Diesen Fund müssen wir aber in Beziehung setzen zu anderen Faktoren, damit die Leute wissen, worauf sie achten müssen. Dein gesprengter Wagen, eine Brandstiftung in Logan, Professor Geists passendes Verschwinden, der Tod meines Vetters in Sumatra — und deine sechsdimensionale nichteuklidische Geometrie.«

»Entschuldigen Sie, meine Herren«, sagte ich. »Müssen wir unmittelbar über unserer Hütte stehen, wenn wir die Funkstille brechen? Ich bin schon ziemlich nervös — die ›Schwarzen Hüte‹ jagen uns.«

»Du hast recht, Sharpie. Ich habe vor, unsere Position zu verändern. Die Geschichte ist nicht lang — abgesehen von der Mathematik —, und so habe ich eine Zusammenfassung auf Band gesprochen, während ihr euch fertigmachtet. Gay wird sie hundertfach beschleunigt übermitteln.« Zebbie griff nach den Kontrollen. »Alles bereit?«

»Captain Zebadiah?«

»Gibt es Probleme, Prinzessin?«

»Dürfte ich ein neuartiges Programm ausprobieren? Vielleicht sparen wir damit Zeit.«

»Das Programmieren ist deine Sache. Schieß los!«

»Hallo, Gay.« — »Ja, Deety!«

»Auswerte letztes Programm. Melde Ausführungskode.«

»Meldung, Deety: ›Gay Täuscher, bring uns heim!‹«

»Negativlöschen permanentes Programm gesteuert durch Ausführungscode Gay Täuscher bring uns heim. Melde Bestätigung.«

»Bestätigung. Permanentes Programm ausführungscodiert Gay Täuscher bring uns heim negativgelöscht. Ich sag's dir dreimal.«

»Deety«, warf Zeb ein, »eine negative Löschung dieser Art bewirkt, daß das Programm an drei Stellen in den Dauerspeicher gesteckt wird. Sicherheitsfaktor.«

»Stör mich jetzt nicht, Liebling! Gay und ich sprechen dieselbe Sprache. Hallo, Gay.«

»Hallo, Deety!«

»Analysiere letztes Programm ausführungscodiert Gay Täuscher bring uns heim.«

»Analyse abgeschlossen.«

»Analyse umkehren.«

»Null-Programm.«

Deety seufzte. »Ein Programm einzutippen ist leichter. Neues Programm.«

»Ich warte, Deety.«

»Ausführungscode neues permanentes Programm. Gay Täuscher ›Gegenmarsch!‹ Auf neuen Ausführungscode wiederhole umgekehrt in Realzeit Sequenz aller Trägheitsbewegungen Transitionen Versetzungen Rotationen vor letztem Gebrauch des Programms mit Ausführungscode Gay Täuscher bring uns heim.«

»Neues permanente Programm angenommen.«

»Gay, ich sag's dir dreimal.«

»Deety, ich höre dich dreimal.«

»Gay Täuscher — Gegenmarsch!«

Augenblicklich befanden wir uns über dem Grand Canyon und flogen in südlicher Richtung. Ich sah, wie Zeb nach dem Steuerknüppel griff. »Deety, das war elegant gemacht.«

»Ich habe nicht viel Zeit gespart, Sir — ich bin zwischendurch ins Leere gelaufen. Gay, bist ein kluges Mädchen.«

»Deety, du schaffst es noch, daß ich rot werde!«

»Ihr beide seid kluge Mädchen«, stellte Captain Zebbie fest. »Wenn uns jemand auf dem Radar hatte, glaubt er jetzt, er hat einen Augenfehler. Und wenn uns hier jemand auf dem Schirm bekommen hat, wundert er sich, woher wir so plötzlich gekommen sind. Ein raffinierter Zug, meine Liebe. Du hast Gay dermaßen auf Täuschung getrimmt, daß sie ihren Namen wirklich verdient. Niemand kann sich auf uns einschießen. Wir wären sofort an einem anderen Ort.«

»Ja — aber ich wollte noch etwas anderes, mein Captain.«

»Prinzessin, deine Einfälle liegen mir. Heraus damit!«

»Einmal angenommen, wir benutzten das Heim-Vorprogramm und gerieten vom Regen in die Traufe. Da wäre es doch nützlich, ein Vorprogramm zu haben, das uns in den Regen zurückholt und dann schnell noch etwas ganz anderes macht. Soll ich mir ein drittes Ausweichmanöver-Vorprogramm zurechtlegen?«

»Auf jeden Fall — aber sprich darüber mit unserem Hofzauberer, deinem verehrten Vater — nicht mit mir. Ich bin nur ein Himmelsjockey, weiter nichts.«

»Zebadiah, ich dulde es nicht, daß du dich dermaßen negativ über deine . . .«

»Deety! Wir arbeiten hier unter Notregeln! Jake, hast du deine Aufzeichnungen an Bord? Die theoretischen Notizen wie auch die Zeichnungen?«

»Nein, Zeb . . . Captain. Die wären viel zu umfangreich. Ich habe sie auf Mikrofilm bei mir. Die Originale liegen im Kellersafe. War das nicht richtig?«

»Durchaus! Gibt es irgendwo auf der Welt einen Geometrie-Experten, der deine Veröffentlichung über unser sechsfaches System freundlich aufgenommen hat?«

»Captain, es gibt kaum mehr als eine Handvoll Fachleute, die das von mir postulierte System ohne langes und intensives Studium beurteilen könnten. Dazu ist es zu unorthodox. Dein seliger Vetter gehörte zu diesem Kreis — ein wahrhaft brillanter Geist! Äh . . . ich vermute, daß Dr. Geist meine Hypothesen verstanden hat und sie aus eigenen Gründen sabotierte.«

»Jake, gibt es überhaupt jemanden auf der Welt, der dir freundschaftlich gesonnen ist und die Papiere in deinem Safe begreifen könnte? Ich versuche einen Weg zu finden, unsere Mitmenschen zu warnen. Eine fantastische Geschichte über anscheinend unzusammenhängende Zwischenfälle genügt nicht. Nicht einmal mit der Leiche eines Außerirdischen. Du solltest deine mathematischen Theorien und technischen Zeichnungen jemandem überantworten, der sie verstehen kann und dem du vertraust. *Wir* können das nicht tun; sobald wir auch nur den Kopf heben, schießt jemand auf uns, dabei haben wir keine Möglichkeit zurückzuschießen. Für diese Aufgabe muß sich womöglich die ganze Rasse einsetzen. Nun? Gibt es einen Mann, dem du deine Unterlagen anvertrauen könntest?«

»Nun ja . . . vielleicht einen. Er arbeitet nicht auf meinem Fachgebiet der Geometrie, hat aber einen großartigen Verstand. Nach der Veröffentlichung meines ersten Textes schrieb er mir einen sehr ermutigenden Brief — das war die Abhandlung, die von beinahe allen mit Spott aufgenommen wurde, nur nicht von deinem Vetter und diesem anderen Mann. Professor Seppo Räikannonen. Turku, Finnland.«

»Bist du sicher, daß er kein Außerirdischer ist?«

»Was? Er gehört der Fakultät in Turku seit Jahren an! Seit über fünfzehn Jahren!«

»Jacob«, sagte ich. »So lange war auch Professor Geist bei uns.«

»Aber . . .« Mein Mann blickte sich zu mir um und lächelte plötzlich. »Hilda, mein Schatz, hast du schon mal in einer Sauna gesessen?«

»Einmal.«

»Dann sag doch unserem Captain, warum ich davon überzeugt bin, daß mein Freund Seppo kein verkleideter Außerirdischer ist. Ich — Deety und ich — haben letztes Jahr an einem Symposium in Helsinki teilgenommen. Nach dem offiziellen Teil besuchten wir die Familie in ihrem Sommerhaus im Seengebiet — und gingen gemeinsam in die Sauna.«

»Papa, Mama und drei Kinder«, sagte Deety. »Das waren garantiert Menschen.«

»Geisty war Junggeselle«, fügte ich nachdenklich hinzu. »Capt'n Zebbie, würden verkleidete Außerirdische nicht auf jeden Fall Junggesellen sein müssen?«

»Oder Junggesellinnen. Oder zum Schein verheiratete Paare. Allerdings kinderlos, soweit würde die Maskerade nicht gehen können. Jake, wir wollen versuchen, deinen Freund anzurufen. Hmm — in Finnland ist jetzt beinahe Frühstückszeit, vielleicht wecken wir ihn auch auf. Das ist besser, als ihn zu verfehlen.«

»Gut! Meine Komkredit-Nummer ist Nero Aleph . . .«

»Versuchen wir's lieber mit meiner. Deine könnte irgend etwas auslösen — wenn die ›Schwarzen Hüte‹ so schlau sind, wie ich annehme. Kluges Mädchen.«

»Ja, Boß.«

»Don Ameche.«

»Hören ist gleich gehorchen, o Gebieter.«

»Deety, du hast Gay einige üble Angewohnheiten eingegeben.«

Kurz darauf antwortete eine tonlose Männerstimme: »Die eingegebene Kommunikations-Kredit-Nummer ist nicht gültig. Bitte schauen Sie auf Ihre Karte und versuchen Sie es noch einmal. Dies ist eine Aufzeichnung.«

Zebbie machte einen wenig realistischen Vorschlag und fuhr fort: »Gay *kann* meine Komkredit-Nummer gar nicht falsch aussenden; sie hat sie im Sag's-mir-dreimal. Der Fehler muß *drüben* liegen. Paps, wir müssen doch deine Nummer nehmen.«

»Versucht lieber meine«, sagte ich. »Mein Komkredit ist gut; ich zahle im voraus.«

Diesmal eine Frauenstimme: »... nicht gültig. Bitte schauen Sie auf Ihre Karte und versuchen Sie es noch einmal. Dies ist eine Aufzeichnung.«

Schließlich holte sich mein Mann eine zweite Frauenstimme: ».... versuchen Sie es noch einmal. Dies ist eine Aufzeichnung.«

»Ich habe keine eigene Karte«, sagte Deety. »Paps und ich benutzen dieselbe Nummer.«

»Das ist jetzt auch egal«, sagte Captain Zebbie bitter. »Es handelt sich nicht um einen Fehler. Man hat uns ausgelöscht. Wir sind Unpersonen. Alle tot.«

Ich widersprach ihm nicht. Seit dem Morgen vor zwei Wochen, als ich mit meinem schnuckeligen Mann im Bett erwachte, hatte ich geahnt, daß wir tot waren. Aber wie lange? Seit meiner Party? Oder seit einem weniger weit zurückliegenden Augenblick?

Es war mir egal. Dies war ein besserer Himmel, als die Sonntagsschule in Terra Haute mir hatte beibringen können. Wenn ich auch nicht annehme, daß ich ungewöhnlich böse gewesen bin, so habe ich mich doch auch nicht sehr vernünftig angestellt. Von den zehn Geboten habe ich sechs gebrochen und einige andere sehr frei interpretiert. Aber Moses hatte von oben anscheinend auch nicht das letzte Wort — tot zu sein war unheimlich und wundervoll, und ich genoß jede Minute — oder Äone, oder wie immer die Zeit hier gemessen wurde.

Zeb:
Vom Wagen nicht telefonieren zu können, war mein frustrierendstes Erlebnis seit jener Nacht, die ich einmal durch ein Versehen (*mein* Versehen) im Gefängnis verbringen mußte. Ich spielte mit dem Gedanken, zu landen und vom Boden aus zu telefonieren — aber das schien mir nicht ratsam zu sein. Selbst wenn wir alle für tot gehalten wurden, war doch die Löschung unserer Komkredit-Karten irgendwie unfreundlich; wir alle gehörten einer hohen Kreditstufe an.

Sharpies Komkredit zu streichen, ohne daß ein Beweis für ihren Tod vorlag, war mehr als unfreundlich; es war unerhört, da sie mit Vorauszahlungen arbeitete.

Ich sah mich zu der Überlegung veranlaßt, daß es meine Pflicht war, dem Militär Bericht zu erstatten; ich funkte NORAD an, nannte Namen, Rang und Registriernummer meines Reservepatents und bat um einen Verzerrer und eine Dringlichkeitsbehandlung für meinen Bericht.

. . . und geriet auf jenen ›korrekten‹ Dienstweg, der einem schnell Magengeschwüre bereitet. Welche Sicherheitsstufe hatte ich? Wie kam ich auf den Gedanken, daß ich dringliche Geheiminformationen hätte? Auf wessen Vollmacht forderte ich einen Verzerrercode? Ob ich nicht wüßte, wie viele Unsinnsanrufe jeden Tag einträfen? Verschwinden Sie von der Frequenz; nur für amtlichen Funkverkehr! Noch ein Wort, und ich alarmiere die zivile Himmelspatrouille, die Sie herunterholt.

Als ich die Verbindung getrennt hatte, sagte ich ein drastisches Wort. Deety und ihr Vater überhörten den Ausbruch, Hilda aber sagte: »Ganz meine Meinung!«

Ich versuchte die Kaserne der Bundes-Ranger in Kaibab am Jacob-See anzusprechen, dann das Büro in Littlefield, und schließlich noch einmal Kaibab. Littlefield meldete sich nicht; Jacob-See war in der Leitung: »Dies ist eine Aufzeichnung. Routinemeldungen können zwischen den Pfeiftönen aufgezeichnet werden. Notmeldungen sind an das HQ Flagstaff zu richten. Achtung, Pfeifton . . . Piep! . . . Piep! . . . Piep! . . .«

Ich wollte Gay eben auffordern, mein Tonband durchzujagen — als die Welt in dem hellsten Licht erstrahlte, das überhaupt vorstellbar war.

Zum Glück bewegten wir uns gerade auf Südkurs und hatten das Licht hinter uns. Ich erhöhte Gays Geschwindigkeit und forderte sie auf, die Flügel einzuziehen. Keiner meiner Partner stellte dumme Fragen, obwohl ich vermutete, daß niemand bisher einen Feuerblitz oder eine Pilzwolke gesehen hatte.

»Kluges Mädchen.«

»Hier, Boß.«

»Positionsbestimmung. Ermittle genaue Peilung Lichtstrahl in relativer Peilung Heck. Ermittle Radarweite und Richtung dito Lichtstrahl. Lösung Längen- und Breitengradbestimmung. Ergebnis mit Fixdaten in Dauerspeicher vergleichen. Bestätige.«

»Programm bestätigt.«

»Ausführung.«

»Roger, Zeb. Hast du mal ein paar neue Witze auf Lager?« Sofort fügte sie hinzu: »Ergebnis. Echte Peilung identisch Fixprogramm ausführungscodiert ›Gay Täuscher, bring uns heim‹. Echte Entfernung identisch plus-minus null Komma sechs Kilometer.«

»Bist ein kluges Mädchen, Gay.«

»Mit Schmeicheleien kommst du nicht weiter, Zeb. Ende.«

»Roger und Ende. Haltet eure Hüte fest, Leute; wir sausen senkrecht hoch!« Ich war der Explosionswelle davongeflogen, doch nun befanden wir uns in der Nähe der mexikanischen Grenze; jede Seite mochte ihre schnellen Vögel auf uns ansetzen.

»Copilot!«

»Captain!«

»Bring uns weg hier! Aus diesem Raum hinaus!«

»Wohin, Captain?«

»Irgendwohin! Nur mach *schnell!*«

»Äh, könntest du die Beschleunigung etwas senken? Ich bekomme die Arme nicht hoch.«

Ich verwünschte mich selbst, nahm den Antrieb zurück und ließ Gay Täuscher ballistisch weiter steigen. Die Nonienkontrollen hätten sich auf den Armstützten befinden müssen. (Entwürfe, die auf dem Zeichenbrett perfekt aussehen, können Testpiloten das Leben kosten.)

»Versetzung abgeschlossen, Captain.«

»Roger, Copilot. Vielen Dank.« Ich blickte auf die Armaturen: gut sechs Kilometer Höhe über Grund mit aufsteigender Tendenz — dünn, aber noch genug Luft zum Navigieren. »Halt unsere Mahlzeit fest, Sharpie!«

Ich zog uns rückwärts hoch und mit einer Immelmann-Schleife in den horizontalen Flug, Kurs Nord, Antrieb noch immer abgeschaltet. Ich forderte Gay auf, den Gleitflug in die Länge zu ziehen und mich zu verständigen, wenn wir drei Kilometer Höhe über Grund erreicht hatten.

Rechts von uns lag eine Stadt, die Phoenix sein mußte; eine andere Stadt — Flagstaff? — zeichnete sich weiter nordöstlich ab; wir schienen auf dem Heimweg zu sein. Am Horizont stand keine glühende Wolke. »Jake, wo sind wir?«

»Captain, in diesem Universum bin ich noch nicht gewesen. Wir haben entlang der *Tau*-Achse um zehn Quanta positiv versetzt. Wir müßten also in einem Raum sein, der dem unseren ziemlich nahe ist — zehn Minimumsprünge oder Quanta.«

»Sieht aus wie Arizona.«

»Das ist es wohl auch, Captain. Du erinnerst dich, eine Versetzung um ein Quantum auf dieser Achse war unserer Welt so ähnlich, daß Deety und ich die Zielwelt mit unserer verwechselten, bis sie ein Wörterbuch in die Hand bekam.«

»Telefonbuch, Paps.«

»In diesem Zusammenhang ist das unwichtig. Bis sie den Buchstaben ›J‹ in einer alphabetischen Liste vermißte. Zehn Quanta dürften die geologischen Details nicht merklich verändern, und die Lage von Städten wird sowieso weitgehend durch die Geographie bestimmt.«

»Annäherung an dreitausend, Boß.«

»Vielen Dank, Gay. Halte Kurs und Höhe über Grund. Berichtigung! Halte Kurs und absolute Höhe. Bestätigung und Ausführung.«

»Roger. Ausführung eingeleitet, Zeb.«

Ich hatte vergessen, daß der Grand Canyon vor uns lag — oder liegen sollte. Mein ›kluges Mädchen‹ ist zwar klug, aber sie nimmt alles wörtlich. Sie hätte die Höhe über Grund peinlich genau eingehalten und uns die tollste Achterbahnfahrt aller Zeiten beschert. Sie ist *sehr* flexibel, doch auch bei ihr gilt die Regel ›Unsinn-rein-Unsinn-raus‹. Sie hatte zahlreiche zusätzliche Sicherheitsschaltungen, weil *ich* Fehler mache. Gay ist dazu *nicht* in der Lage; was sie falsch macht, ist *mein* Fehler. Da ich mein ganzes Leben lang Fehler gemacht habe, mußte ich sie einhüllen in alle Sicherheitsprogramme, die mir einfallen wollten. Sie hatte allerdings kein Programm gegen irrwitzige Flüge — sie war stark genug, darauf einzugehen. Energische Ausweichmanöver hatten uns vor zwei Wochen das Leben gerettet — und heute wieder. Einem Feuerball zu nahe zu sein, kann einem Mann schon Sorgen bereiten — Todessorgen.

»Gay, bitte Übersichtskarte.«

Die Karte zeigte Arizona — *unser* Arizona; Gay hat keine fremden Universen in ihrem Inneren. Ich veränderte den Kurs dahingehend, daß wir das Hüttengrundstück passieren mußten — seine Entsprechung in dieser Raum-Zeit. (Wagte ihr nicht zu sagen: »Gay, bring uns heim!« — aus Gründen, die sich die Schüler zur Übung selbst vorbeten können.) »Deety, wie weit liegt die Bombenexplosion zeitlich zurück?«

»Sechs Minuten dreiundzwanzig Sekunden. Zebadiah, war das *wirklich* eine A-Bombe?«

»Vielleicht eine Imitation. Etwa zwei Kilotonnen. Gay Täuscher.«

»Ich bin ganz Ohr, Zeb.«

»Melde Zeit-Intervall seit Radarentfernungsmessung Lichtstrahl.«

»Fünf Minuten, vierundvierzig Sekunden, Zeb.«

Deety hielt den Atem an. »Habe ich mich so sehr geirrt?«

»Nein, Liebling. Du hast mir die Zeit seit dem Blitz angegeben. Ich habe Gay erst mit der Entfernungsermittlung beauftragt, als wir im Überschallflug waren.«

»Oh. Da bin ich aber doch erleichtert.«

»Captain«, erkundigte sich Jake, »wie hat Gay die Entfernung zu der Atomexplosion berechnet? Ich hätte angenommen, daß die Strahlung das unmöglich macht. Hat sie Instrumente, von denen ich nicht weiß?«

»Copilot, sie verfügt über mehrere Geräte, die ich dir noch nicht gezeigt habe. Das heißt nicht, daß ich dir etwas verheimlichen wollte — jedenfalls höchstens in dem Sinne, in dem du mir auch nichts von deinen Waffen und Munition gesagt hast . . .«

»Ich entschuldige mich, Sir!«

»Ach, hör auf, Jake! Keiner von uns ist ein Geheimniskrämer. Wir haben lediglich unter der Knute gestanden. Dety, wie lange seit dem Tod des falschen Rangers?«

»Das war um siebzehn vierzehn. Jetzt haben wir zweiundzwanzig zwanzig. Also fünf Stunden sechs Minuten.«

Ich blickte auf das Armaturenbrett; Deetys innere Uhr ließ sich anscheinend durch nichts aus dem Takt bringen; Gays Uhr zeigte 0520 (Greenwich-Zeit), darüber eine Anzeige ZONE PLUS SIEBEN. »Nennen wir's mal fünf Stunden — fühlt sich eher wie fünf Wochen an. Wir brauchen Urlaub.«

»Darauf ein dreifaches Hurra!« meinte Sharpie.

»Und ob. Jake, ich *wußte* nicht, daß Gay die Entfernung zu einer Atomexplosion berechnen kann. Licht-›Strahl‹ ist für sie ein sichtbares Licht, so wie ein ›Radarstrahl‹ für sie ein Navigations-Radarstrahl ist. Ich habe sie angewiesen, sich auf den Lichtstrahl direkt achtern einzupeilen. Dann befahl ich ihr, mit Radar die Richtung und Entfernung festzustellen. Und betete.

Wahrscheinlich war ihre Radarfrequenz von ›weißem Krach‹ überlagert. Aber ihre Radarimpulse sind markiert; die Störungen müßten auf derselben Frequenz schon sehr hoch sein, um zu verhindern, daß sie die Echos mit ihrem eigenen Impuls verpaßt. Natürlich hatte sie Schwierigkeiten, denn sie meldete ein ›Plus-Minus‹ von sechshundert Metern. Trotzdem paßten Richtung und Entfernung zu einem Fixdatum in ihren Dauerspeichern, und so sagte sie uns, daß unsere Hütte bombardiert worden ist. Eine unangenehme Nachricht. Die Außerirdischen kamen allerdings zu spät, um *uns* noch zu erwischen. Das ist eine gute Nachricht.«

»Captain, ich trauere materiellen Verlusten nicht nach. Wir *leben.*«

»Richtig — wenn ich auch den Fuchsbau als das schönste Zuhause in Erinnerung behalten werde, das ich je gehabt habe. Aber nun hat es keinen Sinn mehr, die Erde — *unsere* Erde — vor den Außerirdischen zu warnen. Die Explosion hat den entscheidenden Beweis vernichtet: die Leiche des Außerirdischen. Und die Papiere und Zeichnungen, die du deinem finnischen Freund aushändigen wolltest. Ich bin nicht sicher, ob wir überhaupt jemals wieder nach Hause zurück können.«

»Oh, das ist kein Problem, Captain. Es dauert zwei Sekunden, die Nonien einzustellen. Gar nicht zu reden von der ›Totmann-taste‹ und dem Programm in Gays Dauerspeicher.«

»Jake, ich wünschte, du würdest auf das ›Captain‹ verzichten, es sei denn, wir befinden uns im aktiven Einsatz.«

»Zeb, es gefällt mir, dich ›Captain‹ zu nennen.«

»Mir auch — mein Captain!«

»Und ich erst, Capt'n Zebbie!«

»Genug, genug! Jake, ich meinte eben nicht, daß du uns nicht nach Hause zurücksteuern *könntest;* ich finde, wir können es nicht *riskieren.* Wir haben unsere letzte Spur zu den Außerirdischen verloren. Sie dagegen wissen genau, wer wir sind, und haben ein beunruhigendes Geschick darin bewiesen, uns aufzuspüren. Ich möchte gern lange genug leben, um zwei Kinder auf die Welt kommen und aufwachsen zu sehen.«

»Amen!« sagte Sharpie. »Vielleicht ist hier der richtige Ort dafür. In dem Reigen der Millionen, Milliarden, Trilliarden Welten ist diese vielleicht ungezieferfrei. Man sollte es eigentlich annehmen.«

»Liebe Hilda, wir haben keine Daten, auf die sich *irgendwelche* Mutmaßungen stützen könnten.«

»*Ein* Faktum haben wir, Jacob.«

»Wie? Was habe ich übersehen, meine Liebe?«

»Daß wir positiv wissen, unser Heimatplanet *ist* verseucht. Dort würde ich also keine Kinder aufziehen wollen. Wenn dies nicht der richtige Ort ist, sollten wir weitersuchen.«

»Hmm, das ist logisch gedacht. Ja. Was meinst du dazu, Cap- . . . Zeb?«

»Einverstanden. Aber vor morgen früh läßt sich nicht viel machen. Jake, eine entscheidende Sache ist mir noch unklar. Wenn wir uns jetzt zu unserer eigenen Erde zurückversetzen würden, wo würden wir auftauchen? Und *wann?*«

»Paps, darf ich darauf antworten?«

»Bitte, Deety.«

»Als Paps und ich uns damals in die Welt versetzten, in der es kein ›J‹ gab, dachte ich schon, es hätte nicht geklappt. Paps blieb im Wagen und versuchte sich darüber klarzuwerden. Ich ging ins Haus und wollte das Mittagessen machen. Alles sah ganz normal aus. Nur lag das Telefonbuch auf dem Küchentresen, wo es nichts zu suchen hat. Auf dem hinteren Umschlag war eine Karte für Vorwahlzonen abgebildet. Rein zufällig fiel mein Blick auf ›Juab County‹ — das ›Iuab‹ geschrieben war —, und ich dachte: ›Was für ein lustiger Druckfehler!‹ Dann schaute ich ins Buch und merkte, daß das ›J‹ fehlte. Daraufhin ließ ich das Buch fallen und lief zu Paps hinaus.«

»Ich dachte, Deety hätte den Verstand verloren. Aber als ich in einem Wörterbuch und in der *Encyclopaedia Britannica* nachgesehen hatte, machten wir uns schleunigst davon.«

»Und jetzt kommt das Entscheidende, Zebadiah. Als wir zurücksausten, eilte ich wieder ins Haus. Das Telefonbuch war am gewohnten Ort. Das Alphabet war wieder so, wie es sein sollte. Die Uhr in meinem Kopf verriet mir, daß wir siebenundzwanzig Minuten fort gewesen waren. Die Küchenuhr bestätigte dies, und sie stimmte mit der Uhr im Wagen überein. Beantwortet das eine Frage, Sir?«

»Ich glaube schon. Bei einer Versetzung geht der Zeitablauf eben einfach normal weiter. Darüber wollte ich Klarheit haben, denn ich werde gern den Krater ansehen, wenn er sich abgekühlt hat. Und wie war's bei eurer Rotation?«

»Das ist nicht so einfach zu beantworten, Zebadiah. Wir waren nur wenige Sekunden in jener anderen Raum-Zeit und verloren beide das Bewußtsein. Unbestimmt.«

»Das glaube ich dir gern. Aber wie steht es mit den Eigenbewegungen der Erde, Jake? Rotation, Umkreisung der Sonne, siderische Bewegung — und so weiter?«

»Eine theoretische Antwort setzt mathematische Kenntnisse voraus, die nach deinen Ausgaben außerhalb des von dir Erlernten liegen, äh . . . Zeb.«

»Außerhalb meiner Fähigkeiten, meinst du wohl.«

»Wie du willst, Sir. Ein Ausflug ins Anderswo-und-Anderswann . . . mit anschließender *Rückkehr* . . . bringt dich an den Ort zurück, *an dem du gewesen wärst,* hättest du die entsprechende Zeitdauer *auf der Erde* zugebracht. Das *Wann* erfordert allerdings eine weitergehende Definition. Wie wir schon heute nachmittag besprachen — es kommt mir wirklich vor, als wäre es länger her —, können wir die Kontrollen so einstellen, daß der Wiedereintritt auf *jeder* Achse an *jedem* Punkt erfolgen kann *mit einer feststehenden Veränderung des Zeitablaufs.* Für die Umgestaltung von Planeten. Oder für andere Zwecke. Einschließlich des Wiedereintritts gegen die Richtung der Entropie. Aber ich vermute, daß das tödlich wäre.«

»Warum das, Paps? Warum würden sich dadurch unsere Erinnerungen nicht einfach umkehren?«

»Das Gedächtnis ist an die Zunahme der Entropie gekoppelt, liebste Tochter. Durchaus denkbar, daß der Tod einer Amnesie mit prophetischen Kenntnissen vorzuziehen ist. Die Ungewißheit könnte der Faktor sein, der das Leben erträglich macht. Hoffnung treibt uns voran. Captain!«

»Copilot.«

»Wir haben eben North Rim überflogen.«

»Vielen Dank, Copilot.« Ich legte die Hände locker um die Kontrollen.

»Paps, unsere Hütte existiert noch. Sogar beleuchtet.«

»Ja — und im Westen hat man ein Stück angebaut.«

»Wo wir die Bibliothek hinbauen wollten.«

»Familie, wir werden nicht näher heranfliegen«, sagte ich. »Eure Entsprechungen in dieser Welt scheinen eine Party zu geben. Die Flutlichter zeigen vier Wagen auf der Landefläche.« Ich zog Gay in eine weite Kurve.

»Schweben werden wir auch nicht, das könnte Aufmerksamkeit erregen. Ein Anruf bei den hiesigen Himmels-Bullen —

meine Güte, wir wissen ja nicht mal, ob die Leute überhaupt Englisch sprechen!«

»Captain, wir haben gesehen, was wir sehen mußten. Es ist nicht *unsere* Hütte.«

»Empfehlungen?«

»Sir, ich schlage größte Höhe vor. Unterwegs besprechen wir weitere Pläne.«

»Gay Täuscher.«

»Auf Deck, Kapitän Ahab.«

»Ein g, vertikal.«

»Aye, aye, Sir.« (Wie viele Antworten hatte Deety eingegeben?)

»Möchte jemand ein Sandwich?« fragte Sharpie. »Ich ganz bestimmt — ich bin schwanger.«

Plötzlich wurde mir bewußt, daß ich seit dem Mittag nur ein Stück Apfelkuchen gegessen hatte. Während des Aufstiegs verzehrten wir den Rest unseres Abendbrots.

»SdasMarsch?«

»Rede nicht mit vollem Mund, Sharpie.«

»Zebbie, du brutaler Kerl, ich habe gefragt: ›Ist das der Mars?‹ Dort drüben.«

»Das ist Antares. Mars liegt . . . Schau etwa dreißig Grad nach rechts. Siehst du ihn? Dieselbe Farbe wie Antares, aber heller.«

»Gefunden! Liebster Jacob — wir wollen unseren Urlaub auf Barsoom verbringen!«

»Liebste Hilda, der Mars ist unbewohnbar. Die Marsexpedition konnte sich dort nur in Raumanzügen bewegen. Wir haben keine.«

Ich fügte hinzu: »Selbst wenn wir welche hätten, wären sie auf einer Hochzeitsreise doch sehr im Wege.«

»Ich habe mal irgendwo ein Verschen über ›Ein Raumanzug für zwei‹ gelesen«, antwortete Hilda. »Aber fliegen wir doch nach Barsoom! Jacob, du hast mir gesagt, wir könnten mit deinem System überallhin —im Handumdrehen.«

»Und das stimmt.«

»Also, auf nach Barsoom!«

Ich beschloß, ihr Kontra zu geben. »Hilda, wir können nicht nach Barsoom fliegen. Mors Kajak und John Carter haben ihre Schwerter nicht mit.«

»Ach wirklich?« fragte Deety süßlich.

»Wie bitte?«

»Sir, du hast es mir überlassen, die Ladung für die verbliebenen freien Stauräume auszusuchen. Wenn du in der langen schmalen Vertiefung unter dem Instrumentenbrett nachschaust, findest du dort Schwert und Säbel mitsamt den Gurten. Dazwischen Socken und Unterzeug, damit es nicht klappert.«

»Meine Prinzessin, ich könnte den Verlust meines Schwerts nicht beklagen, nachdem dein Vater die Vernichtung seines Hauses so gelassen aufnahm — trotzdem danke ich dir von ganzem Herzen.«

»Auch ich möchte dir danken, Deety. Der alte Säbel liegt mir sehr am Herzen, so überflüssig er auch ist.«

»Vater, heute nachmittag war er alles andere als überflüssig!«

»Hei-*ho,* hei-*ho,* nach Barsoom!«

»Captain, wir könnten tatsächlich die Zeit dazu benutzen, einen kurzen Abstecher zum Mars zu machen. Äh . . . ach, dazu müßte ich seine derzeitige Entfernung wissen, und die habe ich nicht parat.«

»Kein Problem«, sagte ich. »Gay vertilgt jedes Jahr den Aerospace-Almanach.«

»Ach! Ich bin beeindruckt.«

»Gay Täuscher.«

»Du schon wieder? Ich habe gerade nachgedacht.«

»Dann denk mal über folgendes nach. Berechnungsprogramm. Datenquelle — Aerospace Almanach. Laufende Berechnung — Sichtweite Planet Mars. Melde laufende Antworten auf Anforderung. Ausführung.«

»Programm läuft.«

»Meldung.«

»Kilometer   zwei-zwei-vier-null-neun-null-acht-zwei-sieben Komma plus-minus neun-acht-null.«

»Bitte laufende Meldung visuell.«

Gay gehorchte.

»Bist ein kluges Mädchen, Gay«

»Ich verstehe mich auch auf Kartentricks. Programm läuft weiter.«

»Jake, wie fangen wir das jetzt an?«

»Indem du die ›L‹-Achse auf dein Kanonenvisier ausrichtest. Wäre das nicht das Einfachste?«

»Und ob!« Ich zielte auf den Mars, als wollte ich ihn aus dem Himmel schießen — aber dann bekam ich doch kalte Füße. »Jake? Wie wär's mit einer kleinen Abweichung? Ich glaube, die Zahlen sind vom Zentrum der Schwerkraft zum Zentrum der Schwerkraft veranschlagt. Ein halbes Tausendstel würde uns in sicherem Abstand herauskommen lassen. Gut hunderttausend Kilometer.«

»Hundertundzwölftausend«, sagte Jake, der die visuelle Darstellung beobachtete.

Ich verschob um ein halbes Tausendstel. »Copilot.«

»Captain.«

»Transit bei Bereitschaft. Ausführung.«

Mars in halber Phase, groß und rund und rötlich und wunderschön, schwebte auf unserer Steuerbordseite.

XIV

Deety:
Tante Hilda sagte leise: »Barsoom. Die trockenen Meeresböden. Grüne Riesen.« Ich mußte trocken schlucken.

»Mars, liebste Hilda«, berichtigte Paps sie sanft. »Barsoom ist doch nur ein Mythos.«

»Barsoom«, wiederholte sie entschlossen. »Kein Mythos — dort ist es doch. Wer behauptet, dieser Planet hieße Mars? Ein Haufen längst untergegangener Römer. Haben die Eingeborenen kein Recht, ihrer Welt einen eigenen Namen zu geben? Barsoom.«

»Mein Schatz, es gibt dort unten keine Eingeborenen. Die Namen werden von einem internationalen Komitee vergeben, das vom Harvard-Observatorium organisiert wird. Und das hat den traditionellen Namen bestätigt.«

»Puu! Diese Leute haben auch nicht mehr Recht, den Planeten zu taufen, als ich! Deety, habe ich nicht recht?«

Ich fand, daß Tante Hilda die besseren Argumente hatte, legte mich aber mit Paps nur im Notfall an; er regt sich immer gleich auf. Mein Mann rettete mich.

»Copilot. Ein Astronavigationsproblem. Wie wollen wir Entfernung und Vektor bestimmen? Ich würde unsere Kutsche gern in eine Umlaufbahn bringen. Aber Gay ist kein Raumschiff; mir fehlen die nötigen Instrumente. Nicht mal einen Sextanten haben wir an Bord!«

»Hmm, ich würde sagen, darum kümmern wir uns Schritt für Schritt, Captain. Wir scheinen nicht sonderlich schnell zu sinken, und — *gulp!*«

»*Was ist denn, Jake?*«

Paps wurde bleich und begann zu schwitzen. Er biß die Zähne

aufeinander und schluckte mehrmals. Dann öffnete er die gespannten Lippen. »Seekrank.«

»Nein, raumkrank. *Deety!*«

»Jawohl, Sir!«

»Notkoffer, hinter meinem Sitz. Hol Bonine heraus. Eine Tablette — laß die anderen nicht herumfliegen.«

Ich griff nach dem Erste-Hilfe-Kasten und fand ein Röhrchen mit der Aufschrift ›Bonine‹. Eine zweite Tablette löste sich, doch ich fischte sie noch eben rechtzeitig aus der Luft. Der freie Fall ist irgendwie seltsam — man weiß nicht, ob man auf dem Kopf steht oder seitlich abtreibt. »Hier, Captain.«

»Schon wieder besser«, sagte Paps undeutlich. »Hab mich nur 'n Moment ganz komisch gefühlt.«

»Ja, ja, du fühlst dich wieder. Entweder nimmst du jetzt die Tablette — oder ich schiebe sie dir mit meinem schmutzigen, schwieligen Finger in den Hals. Wie entscheidest du dich?«

»Äh, Captain, ich brauche Wasser zum Schlucken — ohne geht es nicht.«

»Du brauchst kein Wasser, Paps. Kau die Tablette. Sie schmeckt gut, nach Himbeeren. Und dann schluckst du einfach deinen Speichel hinunter. Hier.« Zebadiah kniff Paps die Nase zu. »Aufmachen.«

Ich hörte plötzlich einen erstickten Laut neben mir. Tante Hilda hatte ein Taschentuch vor den Mund gepreßt, und die Tränen liefen ihr aus den Augen — sie stand dicht davor, die Kabinenluft mit Kartoffelsalat und gebrauchte Sandwichbrocken anzureichern.

Nur gut, daß ich noch die entflohene Pille in der Hand hielt. Tante Hilda wehrte sich, aber sie ist sehr klein. Ich behandelte sie ähnlich wie Zebadiah ihren Mann, dann legte ich ihr die Hand über den Mund. Ich begreife die Seekrankheit nicht (oder die Übelkeit des freien Falls); ich kann unter solchen Bedingungen unbeschwert herumlaufen, in einer Hand ein Sandwich, in der anderen einen Drink.

Aber wer davon befallen wird, ist wirklich krank und nicht ganz bei der Sache. Also hielt ich ihr den Mund zu und flüsterte ihr etwas ins Ohr: »Kauen, liebe Tante, und dann hinunterschlucken, sonst trimme ich dich durch.«

Gleich darauf spürte ich ihre Kaubewegungen. Einige Minuten später entspannte sie sich. »Kann ich die Hand jetzt wegnehmen?« fragte ich.

Sie nickte; und ich senkte die Hand. Sie lächelte erschöpft und tätschelte mir die Hand. »Vielen Dank, Deety«, sagte sie und fügte hinzu: »Du würdest doch Tante Sharpie nicht wirklich verprügeln?«

»O doch, meine Liebe. Ich würde dabei schrecklich weinen, aber dich weichklopfen. Ich bin froh, daß ich es nicht tun mußte.«

»Ich auch, meine Liebe. Geben wir uns einen Kuß und versöhnen wir uns wieder, oder habe ich schlechten Atem?«

Das hatte sie zwar nicht, aber ich hätte mich dadurch nicht stören lassen. Ich lockerte meinen Gurt und den ihren und legte beide Arme um sie. Ich gehe nach zwei Methoden des Küssens vor: die eine eignet sich für Tanztees an der Fakultät, bei der anderen gehe ich mit allem Ernst an die Sache heran. Hier und jetzt hatte ich keine Gelegenheit, meine Wahl zu treffen; Tante Hilda kannte offenbar nur eine Methode. Nein, sie hatte keinen schlechten Atem, sie schmeckte nur etwas nach Himbeeren.

Im Grunde bin ich der schlichte Typ; ohne die beiden großen Werbeaussagen auf meiner Brust würden mir die Männer keinen zweiten Blick gönnen. Hilda dagegen ist eine Miniaturausgabe der Messalina, reiner Sex in kleiner Verpackung. Es ist schon irgendwie komisch, wie man aufwächst und sich nie vorstellt, daß die Erwachsenen, bei denen man lebt, Geschlechtsverkehr haben — sich allenfalls fortpflanzen. Nun erweist sich mein geachteter Vater als unersättlicher Ziegenbock, und Tante Hilda, die mich als Kleinkind versorgt und meine Windeln gewechselt hat, ist so sexy, daß eine ganze Kompanie Marinesoldaten aus dem Häuschen geraten würde.

Ich ließ sie los, während mir angenehme Gedanken durch den Kopf gingen — ich wollte meinem Mann ein paar Kleinigkeiten weitervermitteln, die ich gelernt hatte — es sei denn, Hilda hatte sie ihm früher bereits beigebracht. Aber das konnte nicht sein, denn dann hätte er sie *mir* weitergegeben — hatte in seiner Virtuosität nicht ihrem Stil entsprochen. Zebadiah, warte nur, bis ich dich allein erwische!

Was noch eine Weile dauern konnte. Gay Täuscher ist zwar wundervoll, aber eben kein Häuschen für Flitterwöchner. Das Schott hinter meinem Kopf riegelte einen gewissen freien Raum ab — geformt wie eine liegende große Telefonzelle. Darin hatte Zebadiah seinen Schlafsack liegen und benutzte ihn manchmal als Übernachtungsgelegenheit. Jetzt befanden sich aber der Raum-Zeit-Verdreher und etliche Dutzend andere Dinge darin. Hilda und ich würden unseren Primärimpuls unterdrücken müssen, bis unsere Männer irgendwo, irgendwann auf irgendeinem Planeten in irgendeinem Universum landeten.

Mars-Barsoom schien angewachsen zu sein, während ich Tante Hildas Raumkrankheit heilte. Unsere Männer besprachen Astronavigation. Mein Mann sagte eben: »Tut mir leid, aber auf größte Reichweite kann Gays Radar tausend Kilometer weit sehen. Du sagst mir, unsere Entfernung wäre etwa hundertmal so groß.«

»Ungefähr. Wir stürzen dem Mars entgegen. Captain, wir müssen uns mit Triangulation behelfen.«

»Ich habe keinen Winkelmesser greifbar. *Wie* soll das dann gehen?«

»Hmm. Wenn es dem Captain recht ist, möchte ich ihn daran erinnern, wie er die kleine Abweichung vor unserem Sprung von der Erde festgelegt hat.«

Mein Liebling sah aus wie ein kleiner Schüler, der bei einer dummen Antwort erwischt worden ist. »Jake, wenn du nicht aufhörst, den Höflichen zu spielen, während ich mich dumm anstelle, jage ich dich ins All hinaus und setze Deety als Copilotin ein. Nein, wir brauchen dich ja für den Heimflug. Am besten trete ich als Captain zurück und überlasse dir die Führung.«

»Zeb, ein Captain kann sein Amt nicht abgeben, solange das Schiff unterwegs ist. Das ist eine Universalregel.«

»Wir befinden uns aber in einem anderen Universum.«

»Dann ist sie eben transuniversal. Solange du am Leben bist, wirst du diese Bürde nicht los. Also los, versuchen wir die Triangulation.«

»Fertigmachen zum Notieren.« Zebadiah setzte sich in seinem Sessel zurecht und lehnte den Kopf gegen die Rückenstütze. »Copilot.«

»Bereit zum Notieren, Sir.«

»Verdammt!«

»Gibt es Ärger, Sir?«

»Ein bißchen. Dieses Reflektovisier ist auf jeder Seite mit fünfzehn Tausendsteln unterteilt, konzentrische Kreise, durch deren Mittelpunkt eine Horizontale und Vertikale führt. Senkrecht zum Deck und parallel zum Deck, meine ich. Wenn ich den Fünfzehn-Tausendstel-Ring auf Mitte Mars richte, habe ich einen Rand darum herum. Das zwingt mich dazu, das Ergebnis mehr oder weniger zu schätzen. Hmm, dieser Rand scheint mir etwa achtzehn Tausendstel breit zu sein. Verdoppele das und addiere dreißig.«

»Sechsundsechzig Tausendstel.«

»Eigentlich sind es ja Tausendstel und achtzehn Zerquetschte, aber Tausendstel dürfte genügen. Moment mal! Ich habe da zwei deutliche Spiegelpunkte nahe dem Meridian — wenn die Polkappen den Meridian kennzeichnen. Ich werde unser Schiffchen schräg legen und eine Kreislinie hindurchlegen — dann gieren wir ein wenig, und was wir nicht mit einer Bewegung messen können, erwischen wir mit höchstens drei.«

Ich sah die größere, ›obere‹ Polkappe (Norden? Süden? — also, sie *fühlte* sich nach Norden an) sanft um etwa achtzig Grad herumrollen, während mein Mann an Gays Handsteuerung arbeitete. »Neunundzwanzig Komma fünf, etwa . . . plus achtzehn Komma sieben . . . plus sechzehn Komma drei. Addition.«

Mein Vater antwortete: »Vierundsechzigeinhalb«, während ich mir im Kopf sechs-vier-Komma-fünf aufsagte und den Mund hielt.

»Wer kennt den Marsdurchmesser? Oder muß ich Gay fragen?«

»Etwa sechstausendsiebenhundertundfünfzig Kilometer«, antwortete Hilda.

Für Zebadiahs Ungefähr-Rechnung genügt das völlig. »Sharpie!« rief er. »Woher wußtest du denn das?«

»Ich lese Comics. Du weißt schon: ›Zisch! Polaris geht unter!‹«

»Ich lese keine Comics.«

»Da gibt's viel Interessantes zu finden, Zebbie. Ich dachte, die Aerospace-Streitmacht habe Lehrbücher in Comic-Form.«

Mein Liebling bekam rote Ohren. »Ein paar schon«, gab er zu, »aber darin wird großer Wert gelegt auf technische Genauigkeit. Hmm. Vielleicht sollte ich die Zahl von Gay bestätigen lassen.«

Ich liebe meinen Mann, aber manchmal müssen Frauen zusammenhalten. »Spar dir die Mühe, Zebadiah«, sagte ich eisig. »Tante Hilda hat recht. Der Polardurchmesser des Mars beträgt sechs sieben fünf zwei Komma acht plus. Für deine Daten müßten drei Ziffern schon genügen.«

Zebadiah antwortete nicht . . . verzichtete aber darauf, seinen Computer zu fragen. Statt dessen sagte er: »Copilot, würdest du das über deinen Taschenrechner laufen lassen? Auf diese Entfernung können wir's als Tangente behandeln.«

Diesmal versuchte ich gar nicht erst den Mund zu halten. Zebadiahs Überraschung über Hildas Astronomiekenntnisse ärgerte mich. »Unsere Höhe über Grund beträgt hundertundviertausendsechshundertzweiundsiebzig Kilometer plus-minus der Fehler in den gelieferten Grunddaten. Das setzt voraus, daß Mars kugelförmig ist, und läßt den Randeffekt oder horizontale Ausbuchtungen außer Ansatz ... bei der Qualität unserer Daten unerheblich.«

Zebadiah antwortete so leise, daß es mir schon wieder leid tat, den Angeber gespielt zu haben: »Vielen Dank, Deety. Möchtest du auch noch die Zeit unseres Sturzes zur Oberfläche berechnen, aus der Ruhestellung von diesem Punkt?«

»Das ist eine haarige Integralrechnung, Sir. Ich käme auf einen Näherungswert, doch Gay brächte das schneller und präziser über die Bühne. Warum bittest du *sie* nicht darum? Jedenfalls wird's viele Stunden dauern.«

»Ich hatte gehofft, daß wir uns den Mars näher ansehen können. Jake, Gay hat genug Energie drauf, daß wir in eine enge Kreisbahn einschwenken können ... aber ich weiß nicht, wo oder wann ich sie wieder aufladen kann. Wenn wir uns einfach fallen lassen, verbrauchen wir unsere Luft und müssen dann auf den Panikknopf drücken oder ein anderes Manöver durchführen, ohne die Oberfläche aus der Nähe gesehen zu haben.«

»Captain, hättest du etwas dagegen, den Durchmesser noch einmal abzulesen? Ich glaube nicht, daß wir einfach nur gestürzt sind.«

Paps und Zebadiah machten sich wieder ans Werk. Ich ließ sie werkeln, und sie wickelten selbst die einfachsten Berechnungen über Gay ab. Schließlich sagte Paps: »Mehr als vierundzwanzig Kilometer in der Sekunde! Captain, bei dem Tempo sind wir in gut einer Stunde unten.«

»Außer daß wir uns vorher verdrücken werden. Aber meine Damen, ihr werdet den Blick aus der Nähe doch noch genießen können. Meeresböden und grüne Riesen — wenn es sie gibt.«

»Zebadiah, vierundzwanzig Kilometer in der Sekunde — das ist die Umlaufgeschwindigkeit des Mars.«

»Wie bitte?« machte mein Vater. »Aber ja, richtig!« Er sah sich ratlos um und fügte hinzu: »Captain — ich muß einen dummen Fehler eingestehen.«

»Hoffentlich keiner, der uns die Rückkehr verbaut.«

»Nein, Sir. Ich lerne aber immer noch neue Dinge hinzu, die unser Kontinua-Fahrzeug vollbringen kann. Captain, wir haben nicht auf den Mars gezielt.«

»Ich weiß. Dazu hatte ich zuviel Angst.«

»Nein, Sir, deine Vorsicht war angebracht. *Wir haben einen be-*

stimmten Punkt im leeren Raum angepeilt. Wir sprangen an diesen Punkt . . . doch *nicht* mit der Eigenbewegung des Mars. Wohl mit der des Sonnensystems, minus der Erdbewegungen; das steckt im Programm. Doch wir befinden uns ein kurzes Stück vor dem Mars auf seiner Umlaufbahn — und folglich rast er jetzt auch auf uns zu.«

»Heißt das, daß wir auf keinem anderen Planeten als der Erde landen können?«

»Durchaus nicht. Dem Programm kann *jeder* Vektor hinzugegeben werden — entweder vor oder nach der Transition, Versetzung oder Rotation. Jede nachfolgende Bewegungsveränderung wird vom Integrator für die Trägbewegungen in die Berechnungen aufgenommen. Aber ich sehe, daß wir noch viel dazulernen müssen.«

»Jake, das kann man sogar beim Fahrradfahren feststellen. Hör auf, dir Sorgen zu machen, genieße den Ausflug. Mann, was für ein Panorama!«

»Jake, das hat wenig Ähnlichkeit mit den Fotos, die die Marsexpedition mit nach Hause gebracht hat.«

»Natürlich nicht«, meinte Tante Hilda. »Ich habe euch doch gesagt, daß dies Barsoom ist.«

Ich sagte nichts. Seit der Veröffentlichung von Dr. Sagans Fotos weiß eigentlich jeder, der *The National Geographic* liest — oder etwas anderes —, wie der Mars aussieht. Doch wenn es darum geht, Männer von einer einmal gefaßten Meinung abzubringen, ist es besser, sie in Ruhe zu lassen — sie müssen sich ihre Erkenntnisse selbst erarbeiten und sind dann etwas weniger starrsinnig.

Der Planet, der da auf uns zuraste, war *nicht* der Mars aus unserem Heimathimmel. Weiße Wolken an den Polkappen, große grüne Bereiche, die Wälder oder landwirtschaftliche Anbauflächen sein mußten, eine tiefblaue Zone, bei der es sich bestimmt um Wasser handelte — dies alles kontrastierte zu rötlichen Farben, die den Planeten weitgehend bestimmten.

Es fehlten die zerklüfteten Berge und Krater und Schluchten ›unseres‹ Mars. Es gab wohl auch hier Berge — doch nichts, was dem unserer Wissenschaft bekannten Schrottplatz des Teufels ähnelte.

Ich hörte Zebadiah fragen: »Copilot, bist du sicher, daß du uns zum Mars gesteuert hast?«

»Captain, ich habe uns zum Mars-*zehn* gebracht, über Plus der

Tau-Achse. Entweder das, oder ich gehöre als Patient in eine geschlossene Anstalt.«

»Nun beruhige dich, Jake. Der Planet ähnelt Mars nicht so sehr wie Erde-zehn der Erde.«

»Ach, dürfte ich dazu betonen, daß wir nur ein winziges Stück von Erde-zehn gesehen haben, noch dazu in einer mondlosen Nacht?«

»Mit anderen Worten — wir haben überhaupt nichts gesehen. Das gebe ich zu.«

»Ich hab' euch doch *gesagt,* es ist Barsoom. Ihr wolltet ja nicht zuhören.«

»Hilda, ich entschuldige mich. ›Barsoom.‹ Copilot, bitte ins Log eintragen. Neuer Planet, genannt ›Barsoom‹ durch Recht der Entdeckerin, von Hilda Corners Burroughs, Wissenschaftsoffizier des Kontinua-Fahrzeugs Gay Täuscher. Wir alle sind Zeugen: Z. J. Carter, Kommandant; Jacob J. Burroughs, Erster Offizier; D. T. B. Carter... äh... Astronavigator. Ich schicke schnellstmöglich eine beglaubigte Abschrift an das Harvard-Observatorium.«

»Ich bin nicht der Astronavigator, Zebadiah!«

»Meuterei! Wer hat diesen Wolkenjäger in ein Kontinua-Fahrzeug umprogrammiert? Ich bin Pilot, bis ich euch allen Gays kleine Tricks beibringen kann. Jake ist Copilot, bis er weitere Copiloten in der Bedienung der Nonien unterwiesen hat. Du bist Astronavigator, weil niemand sonst deine Spezialkenntnisse im Programmieren und Berechnen hat. Und nun keine frechen Bemerkungen mehr, junge Frau, keine Aufsässigkeit gegen das Gesetz des Weltalls. Sharpie ist Chef der Wissenschaften, weil ihr Wissen sehr breit angelegt ist. Sie hat nicht nur schneller als jeder andere erkannt, daß ein neuer Planet *nicht* der Mars war, sondern konnte auch unseren vielgliedrigen Außerirdischen mit dem Geschick des geborenen Schlachters auseinandernehmen. Habe ich recht, Jake?«

»Aber ja!« meinte Paps.

»Capt'n Zebbie«, sagte Tante Hilda gedehnt. »Wenn du es sagst, bin ich Wissenschaftlicher Offizier. Aber dann sollte ich auch noch Schiffsköchin sein. Und Kabinensteward.«

»Kein Problem — wir alle müssen mehrere Aufgaben erfüllen. Bitte ins Log damit, Copilot. ›Auf unseren Steward, die flotte Hilda...‹«

»Laß das, Zebbie!« rief Tante Hilda. »Das gefällt mir nicht.«

»Falschen Ranger zerschneid't sie,
Über Planeten weiß Bescheid sie,
Und wird noch tagtäglich wilder!«

Tante Hilda blickte ihn nachdenklich an. »Das ist nicht die klassische Version. Gefühlsmäßig stimmt es allerdings, wenn es auch etwas holprig klingt.«

»Liebste Sharpie, du bist eine Floccinaucinihilipilificatrix.«

»Ist das ein Kompliment?«

»Aber ja doch. Es heißt, du bist dermaßen auf der Hut, daß du den kleinsten Fehler sofort aufspürst.«

Ich hielt meinen Mund. Durchaus möglich, daß Zebadiah ihr tatsächlich ein Kompliment machen wollte. Wenn auch nicht sehr wahrscheinlich . . .

»Vielleicht sollte ich doch lieber in einem Wörterbuch nachsehen.«

»Wenn du willst, meine Liebe . . . aber erst wenn deine Wache vorüber ist.« (Ich verdrängte das Zwischenspiel. Wir hatten nur den Merriam-Mikrofilm an Bord, und *das* Wort hätte Tante Hilda allenfalls im *Oxford English Dictionary* gefunden.) »Copilot, alles im Log festgehalten?«

»Captain, ich wußte gar nicht, daß wir ein Logbuch haben.«

»Kein *Logbuch?* Selbst Vanderdecken macht sich Aufzeichnungen. Deety, das Logbuch fällt in deinen Verantwortungsbereich. Nimm die Notizen deines Vaters, besorg dir das Benötigte von Gay; wir wollen ein ordentliches Schiff führen. Sobald wir an einem Woolworth vorbeikommen, kaufen wir ein richtiges Journal, in das du alles übertragen kannst — bis dahin sind deine Aufzeichnungen das vorläufige Log.«

»Aye, aye, Sir. Tyrann.«

»Tyrann‹, *Sir,* bitte. Unterdessen sollten wir die Ferngläser kreisen lassen, um festzustellen, ob wir bunte exotische Eingeborene in bunten exotischen Kostümen ausmachen, die bunte exotische Lieder singen und die bunten exotischen Hände nach Bakschisch ausstrecken. Der erste, der Spuren intelligenten Lebens ausmacht, muß das Geschirr abwaschen.«

XV

Hilda:

Daß Capt'n Zebbie mir die ›Entdeckung‹ Barsooms zuschrieb, schmeichelte mich dermaßen, daß ich so tat, als begriffe ich seine abschließende Stichelei nicht. Kaum anzunehmen, daß Deety ein solch nutzloses Wort kannte — oder gar mein geliebter Jacob. Es war nett von Zeb, sich auf der ganzen Linie geschlagen zu geben, als ihm aufging, daß dieser Planet seiner Entsprechung in ›unserem‹ Universum nicht ähnlich war. Zebbie ist ein seltsamer Typ — er trägt seine Barschheit wie eine Fastnachtsmaske mit sich herum, besorgt, jemand könne den Sir Galahad darunter entdecken.

Natürlich wußte ich, daß ›mein‹ Barsoom nicht der Planet aus den klassischen Abenteuerromanen war. Aber immerhin gibt es Präzedenzfälle: Das erste Atom-U-Boot wurde nach einem fiktiven Unterseeboot benannt, das durch Jules Verne berühmt geworden war: die ›Nautilus‹; ein Flugzeugträger des Zweiten Weltkriegs war ›Shangri La‹ getauft worden nach einem Land, das ebensowenig existierte wie ›Erewhon‹; der erste Raumfrachter trug den Namen eines Raumschiffes, das nur in den Herzen von vielen Millionen Fans existierte — die Liste ist endlos. Natur kopiert die Kunst.

Oder wie Deety es formulierte: »Die Wahrheit ist fantastischer als die Realität.«

Während der folgenden Stunde *stürzte* sich Barsoom auf uns. Er schwoll immer mehr an, und so schnell, daß Ferngläser eher hinderlich waren — und mein Herz schwoll im gleichen Takt, in kindlicher Freude. Deety und ich lösten unsere Gurte, damit wir besser sehen konnten; so schwebten wir ein Stück ›über‹ und hinter unseren besseren Hälften und hielten uns an ihren Kopfstützen fest.

Wir sahen den Planeten in halber Phase, eine Hälfte dunkel, die andere im Sonnenschein — ockerfarben und umbrabraun und olivgrün, einfach wunderschön!

Pilot und Copilot verzichteten auf die Schönheiten des Panoramas; Zebbie nahm Messungen vor und beschäftigte Jacob mit seinen Berechnungen. Schließlich sagte er: »Copilot, wenn unsere Ungefähr-Werte stimmen, stehen wir in der Höhe, in der wir unsere Maximal-Radarweite erreichen, nur etwas mehr als eine halbe Minute vor dem Absturz. Richtig?«

»Soweit unsere Daten stimmen, Captain.«

»Das ist mir zu eng. Ich habe keine Lust, wie ein Meteor zu landen. Wäre jetzt nicht der Augenblick, auf den Panikknopf zu schlagen? Bitte Ratschläge — aber vergeßt nicht, daß uns das an einen Punkt zwei Kilometer hoch über einen frischen, heißen Krater bringt — bringen *müßte* —, wahrscheinlich mitten in eine radioaktive Wolke. Irgendwelche Vorschläge?«

»Captain, das können wir unmittelbar vor dem Aufprall tun — und es funktioniert oder funktioniert nicht. Wenn es klappt, hat die radioaktive Wolke kaum Zeit gehabt zu verwehen. Wenn es nicht funktioniert . . .«

»Prallen wir so heftig auf, daß wir es kaum merken. Gay Täuscher ist nicht darauf geeicht, mit vierundzwanzig Kilometern in der Sekunde in die Atmosphäre einzudringen. Ich habe sie ein bißchen hochgekitzelt — doch sie ist nach wie vor ein Ford, kein Raumschiff.«

»Captain, ich könnte versuchen, die Umlaufgeschwindigkeit des Planeten zu subtrahieren. Dazu haben wir noch Zeit.«

»Anschnallen und Meldung! *Fix, Mädchen!*«

Der freie Fall ist wirklich bemerkenswert. Ich hatte meine Übelkeit überwunden und genoß die Gewichtslosigkeit sogar — doch ich vermochte mich nicht darin zu bewegen. Deety erging es ebenso. Hilflos zappelten wir herum, als stünden wir das erstemal auf Schlittschuhen — doch es war viel schlimmer.

»*Meldung — verdammt!*«

Deety erwischte etwas mit einer Hand und packte mich. Wir begannen in die Sessel zu steigen — sie in meinen, ich in ihren. »Wir schnallen uns an, Captain!« rief sie, während sie verzweifelt meinen Gurt zu erweitern versuchte, damit er ihr paßte. (Ich hatte dasselbe Problem in umgekehrter Richtung.)

»Beeilung!«

»Gurte geschlossen«, meldete Deety, während sie noch ihren Brustgurt festmachte — indem sie ausatmete, so weit sie konnte. Ich beugte mich zur Seite und half ihr.

»Copilot.«

»Captain!«

»Entlang der ›L‹-Achse, Subtraktion Vektor vierundzwanzig Kilometer in der Sekunde — und verwechsle um Gottes willen nicht die Vorzeichen!«

»Auf keinen Fall!«

»Ausführung.«

Sekunden später meldete Jacob. »Das wär's, Captain. Hoffentlich.«

»Wollen mal sehen. Zwei Ablesungen, zehn Sekunden auseinander. Ich rufe den ersten Wert, du gibst an, wenn die zehn Sekunden vorbei sind. Ab *jetzt!*«

Und er fügte hinzu: »Eins Komma zwei. Aufzeichnung.«

Nach einer Weile, die mir endlos vorkam, sagte Jacob: »Sieben Sekunden . . . acht Sekunden . . . neun Sekunden . . . *Ende!*«

Unsere Männer steckten die Köpfe zusammen, dann sagte Jacob: »Captain, wir stürzen immer noch zu schnell.«

»Natürlich«, sagte Deety. »Wir werden durch die Schwerkraft beschleunigt. Die Fluchtgeschwindigkeit für den Mars beträgt fünf Kilometer in der Sekunde — wenn Barsoom die gleiche Masse hat wie der Mars . . .«

»Vielen Dank, Astronavigator. Jake, könntest du . . . äh . . . vier Kilometer in der Sekunde herunternehmen?«

»Aber klar.«

»Dann tu's!«

»Hmm . . . gemacht! Wie sehen wir aus?«

»Moment . . . Entfernung verringert sich langsam. Hallo, Gay.«

»Wie geht's, Zeb?«

»Programm. Radar. Ziel voraus. Entfernungsmesssung.«

»Keine Werte.«

»Bleib weiter auf Entfernungsmessung. Melde ersten Impulskontakt. Neues Programm. Stelle laufende Radarweiten bis zum Ziel visuell dar.«

»Programm läuft. Wer hat dir das blaue Auge verpaßt?«

»Bist ein kluges Mädchen, Gay.«

»Und sexy. Ende.«

»Setze Programm fort.« Zeb seufzte und sagte: »Copilot, wir haben da unten eine Atmosphäre. Ich gedenke zu landen. Irgendwelche Bemerkungen oder Ratschläge?«

»Captain, das sind die Worte, die ich hören wollte. Hinab mit uns!«

»Barsoom — wir kommen!«

XVI

Jake:

Meiner lieben Braut lag der Besuch auf ›Barsoom‹ nicht mehr am Herzen als mir. Ich hatte mir schon Sorgen gemacht, daß unser Kapitän ausschließlich nach Vernunftgesichtspunkten handeln würde: in die Kreisbahn gehen, Fotos machen, dann in unsere eigene Raum-Zeit zurückkehren, ehe unsere Luft verbraucht war. Wir waren auf die Erforschung fremder Planeten nicht eingerichtet. Gay Täuscher war der Sportwagen eines Junggesellen. Wir führten ein wenig Wasser mit, nicht ganz soviel Lebensmittel und Luft für etwa drei Stunden. Unser Fahrzeug erneuerte seine Luft durch Ventilation. Vollführte es einen ›hohen Sprung‹, schlossen sich die Ventile durch den Innendruck, so wie es bei den ballistischen Überschall-Linienflugzeugen passierte — doch so ein Gleitsprung ist kein Weltraumflug.

Es stimmt zwar, daß wir in Nullzeit in unserem oder jedem anderen Universum von einem Punkt zum anderen springen konnten, doch wie viele Himmelskörper haben eine atembare Atmosphäre? Unzählige Milliarden — doch praktisch gesehen war das nur der winzige Bruchteil eines Prozents, und ihre Position war in keiner Veröffentlichung erfaßt. Wir hatten kein Spektroskop, keine Sternenkataloge, keine Geräte zur Untersuchung einer Atmosphäre oder von Strahlung, keine Möglichkeit, gefährliche Organismen aufzuspüren. Columbus war mit seiner Nußschale besser ausgestattet gewesen als wir.

Aber darüber machte ich mir keine Sorgen.

War das Tollkühnheit? Nimmt man sich die Zeit, eine Elefantenbüchse zu kaufen, während man bereits von einem Elefanten verfolgt wird?

Dreimal waren wir dem Tod um Haaresbreite entronnen. Wir hatten unsere Mörder abgehängt, indem wir uns versteckten — diese Sicherheit war aber nicht von Dauer gewesen. Und wieder waren wir wie die Kaninchen auf der Flucht.

Wenigstens einmal im Leben sollte jeder Mensch um sein Leben laufen müssen, damit er begreift, daß die Milch nicht in Supermärkten entsteht, daß Sicherheit nicht von Polizisten gewährleistet wird, daß eine Nachrichtenmeldung nicht etwas besagt, das nur anderen Leuten passieren kann. Dabei mag der Betreffende lernen, wie seine Vorfahren gelebt haben, und daß er im Grunde nicht anders dran ist — im entscheidenden Augenblick hängt sein Leben davon ab, wie beweglich, wachsam und erfindungsreich er ist.

Ich war nicht bekümmert. Ich fühlte mich lebendiger als seit dem Tod meiner ersten Frau.

Unter der Person, die jeder der Welt vorspielt, liegt ein Wesen, das sich von der Maske unterscheidet. Mein Äußeres war der typische Professor. Und darunter? Würden Sie mir den weißen Ritter abnehmen, bereit, für seine Frau eine Lanze zu brechen? Ich hätte dem Militärdienst aus dem Weg gehen können — ich war verheiratet, hatte ein Kind und einen wichtigen Beruf. Aber ich machte drei Wochen Grundausbildung durch; dabei plagte ich mich wie alle anderen und verwünschte die Schleifer — und hatte großen Spaß daran! Dann nahm man mir das Gewehr weg, sagte, ich wäre Offizier, und wies mir einen Drehstuhl und eine nutzlose Arbeit zu. Das habe ich den Leuten nie verziehen.

Hilda kannte ich vor unserer Ehe nicht. Sie war mir ein wertvolles Bindeglied zu meiner verstorbenen ersten Frau, doch ich hielt sie für ein Leichtgewicht, für einen Schmetterling im gesellschaftlichen Treiben. Aber dann war ich plötzlich mit ihr verheiratet und erfuhr, daß sie unnötigerweise eine einsame Zeit durchgemacht hatte. Hilda war genau das, was ich brauchte, und ich, was sie brauchte — Jane hatte das gewußt und uns ihren Segen gegeben, als uns das endlich klargeworden war. Die wahre Diamanthärte meines kleinen Lieblings ging mir allerdings erst auf, als ich sie den ›Ranger‹ sezieren sah. Den Außerirdischen zu töten, war mir leichtgefallen. Aber was Hilda dann tat — ich hätte mich beinahe übergeben müssen.

Hilda ist klein und schwach; ich werde sie mit meinem Leben beschützen. Doch nie wieder will ich sie unterschätzen!

Zeb ist in unserem Kreis der einzige, der wie ein furchtloser Abenteurer *aussieht* — groß, breitschultrig, muskulös, geschickt im Umgang mit Maschinen und mit Waffen und (sine qua non!) kaltblütig in der Krise und gesegnet mit dem richtigen Kommandoton.

Eines Abends hatte ich mich deswegen mit meinem Liebling auseinandersetzen müssen; Hilda meinte, *ich* sollte unsere kleine Truppe anführen. Ich wäre doch der Älteste. Ich hätte den Zeit-Raum-›Verzerrer‹ erfunden. Zeb könnte ja weiter den Piloten spielen, aber *ich* müßte das Kommando führen. In ihren Augen war Zeb eine Mischung von einem sich spät entwickelnden Jüngling und einem liebevollen Bernhardinerhund. Sie wies mich darauf hin, daß Zeb sich als ›Feigling aus Prinzip‹ ausgab und Verantwortung gar nicht tragen *wollte.*

Ich antwortete ihr, daß kein geborener Anführer nach dem Kommando strebt; diese Aufgabe fiele ihm nur irgendwie zu, und er müsse die Last ertragen, weil es nicht anders ging. Hilda sah das nicht ein — sie war bereit, Befehle von mir entgegenzunehmen, nicht aber von ihrem jungen Freund ›Zebbie‹.

Ich blieb fest. Entweder akzeptierte sie Zeb als Kommandant, oder Zeb und ich würden morgen meinen Apparat wieder aus Zebs Wagen nehmen, damit Mr. und Mrs. Carter fortfliegen konnten. Wohin? Das ginge weder mich noch dich etwas an, Hilda. Und ich drehte mich um und tat, als ob ich schliefe.

Als ich sie schluchzen hörte, drehte ich mich um und tröstete sie. Doch ich änderte meine Meinung nicht. Es wäre überflüssig, unser Gespräch hier vollständig festzuhalten; Hilda versprach, Zebs Befehle anzuerkennen — sobald wir gestartet waren.

Diese Kapitulation war aber nur bis zu dem blutigen Zwischenfall am Teich erpreßt. Zebs blitzschneller Angriff wandelte ihre Einstellung. Von diesem Moment an führte mein Liebling Zebs Befehle ohne Widerrede aus — nicht ohne ihn zwischendurch weiter zu sticheln und zu tadeln. Hildas Mut war ungebrochen; vielmehr unterwarf sie ihre unvergleichliche Starrköpfigkeit den Entscheidungen unseres Captains. Disziplin — Selbstdisziplin, etwas anderes kam gar nicht in Frage.

Zeb ist tatsächlich ein ›Feigling aus Prinzip‹ — er geht Ärger aus dem Weg, wo es nur möglich ist —, ein sehr empfehlenswerter Charakterzug für einen Anführer. Wenn ein Captain sich Sorgen macht um die Sicherheit seines Kommandos, können seine Untergebenen ganz unbesorgt sein.

Barsoom schwoll weiter an. Schließlich sagte Gay: »Entfernungsermittlung, Boß«, und zeigte gleichzeitig visuell an: ›1000 km‹, um sofort auf ›999 km‹ zu wechseln. Ich wollte schon die Zeit stoppen, als Zeb mir die Aufgabe abnahm. »Kluges Mädchen!«

»Hier, Zeb.«

»Fortsetzung visuelle Darstellung der Entfernung. Zeige sie als Höhe über Grund. Hinzu füge Sturzgeschwindigkeit.«

»Null-Programm.«

»Berichtigung. Hinzu füge Programm. Visuelle Darstellung Sturzgeschwindigkeit frühestmöglich.«

»Neues Programm Sturzgeschwindigkeit gespeichert. Visuelle Darstellung beginnt Höhe über Grund sechshundert Kilometer.«

»Bist ein kluges Mädchen, Gay.«

»Klügstes Mädchen im Bezirk! Papa und Mama haben mir das immer wieder gesagt! Ende.«

»Fortsetzung der Programme.«

Die Höhe über Grund schien gleichzeitig sehr schnell und doch mit krankmachender Langsamkeit abzunehmen. Niemand sagte etwas; ich wagte kaum zu atmen. Als ›600 km‹ erschienen, lag plötzlich ein Gitter unter den Ziffern, darauf zeichnete sich eine steile Kurve ab, Höhe-gegen-Zeit, und unter der Ziffer für Höhe über Grund blitzte eine neue Zahl: *1968 km/h*. Während sich die Zahl schon veränderte, senkte sich eine helle Abszisse auf das Gitter.

Unser Captain seufzte. »Damit werden wir fertig. Aber ich würde fünfzig Cents und ein doppeltes Waffeleis spendieren, wenn wir jetzt eine Fallschirmbremse hätten.«

»Welcher Geschmack?«

»Den kannst du dir aussuchen, Sharpie. Keine Sorge, Leute; ich kann Gay immer noch hochziehen und den Antrieb durchstarten. Aber das wäre eine verhältnismäßig teure Bremse. Gay Täuscher.«

»Habe zu tun, Boß.«

»Ich vergesse immer wieder, daß ich ihr nicht auftragen darf, zu viele Dinge auf einmal visuell darzustellen. Weiß jemand den Atmosphärendruck in Meereshöhe — ich meine, an der ›Oberfläche‹ des Mars? Aber redet nicht alle durcheinander.«

Mein Liebling sagte zögernd: »Im Durchschnitt etwa fünf Millibar. Aber, Captain — dies ist nicht der Mars.«

»Ach? Nein, natürlich nicht — und so wie das grüne Zeug dort aussieht, hat Barsoom weitaus mehr Atmosphäre als der Mars.« Zeb griff nach den Kontrollen, schaltete die Computersteuerung aus und wackelte vorsichtig mit den Höhenrudern. »Noch kein Druck zu spüren. Sharpie, wie kommt's, daß du dich in Astronomie auskennst? Hast du dich bei den Pfadfindern damit beschäftigt?«

»Bei denen bin ich über die erste Stufe nicht hinausgekommen. Ich hörte einen Kursus mit, dann schrieb ich mich bei ›Astronomie‹ ein und ›Himmel und Teleskop‹. War ganz lustig.«

»Wissenschaftsoffizier, du hast wieder einmal mein in dich gesetztes Vertrauen gerechtfertigt. Copilot, sobald ich Luftwiderstand spüre, werde ich nach Osten schwenken. Wir sind zu nahe am Terminator. Ich möchte bei Tag landen. Haltet nach ebenem Boden Ausschau. Ich werde in der letzten Phase auf der Stelle schweben — trotzdem würde ich nicht im Wald landen wollen. Oder in zerklüftetem Gelände.«

»Aye, aye, Sir.«

»Astronavigator.«

»Ja, Sir?«

»Deety, mein Schatz, du hältst nach Backbord die Augen offen

— und nach vorn, soweit du um mich herumsehen kannst. Jake kann sich die Steuerbordseite vornehmen.«

»Captain — ich sitze auf der Steuerbordseite. Hinter Paps.«

»Wie bitte? Wie habt ihr Mädchen wechseln können?«

»Nun ja ... du hast uns zur Eile angetrieben. Und im Notfall schnappt man sich eben, was man kriegen kann.«

»Zwei Strafpunkte für falsche Position — und kein Sirup auf die Pfannkuchen, die wir nach der Landung frühstücken werden.«

»Oh, ich glaube nicht, daß Pfannkuchen in Frage kommen.«

»Träumen darf ich doch wohl, oder? Wissenschaftsoffizier, du kontrollierst meine Seite.«

»Jawohl, Capt'n.«

»Während Deety Jake aushilft. Jede Kuhweide wäre uns willkommen.«

»He! Ich spüre Luftwiderstand. Die Kontrollen sprechen an!«

Ich hielt den Atem an, während Zeb das Schiff langsam aus dem Sturzflug herauszog und es in östlicher Richtung dahinrasen ließ. »Gay Täuscher.«

»Wie geht's nun, du buntes Huhn?«

»Programme visuelle Darstellung löschen. Ausführung.«

»Insh'Allah, Effendi!«

Der Bildschirm verblaßte. Zeb hielt den Wagen kurz vor dem Bocken. Wir waren noch ziemlich hoch, etwa sechs Kilometer, noch immer im Überschallflug.

Langsam fuhr Zeb die Flügel aus, während Geschwindigkeit und Höhe nachließen. Als wir die Schallgrenze unterschritten hatten, öffnete er die Flügel zur vollen Breite, um den größtmöglichen Auftrieb zu erreichen. »Hat jemand daran gedacht, einen Kanarienvogel mitzubringen?«

»Ein *Kanarienvogel?*« fragte Deety. »Wozu denn das, Boß?«

»Ich will euch nur vornehm daran erinnern, daß wir keine Möglichkeit haben, die Atmosphäre zu überprüfen. Copilot.«

»Captain«, bestätigte ich.

»Öffne die Totmanntaste. Halte sie geschlossen, während du die Sicherheitskrampe entfernst. Halte den Schalter in die Höhe, so daß wir ihn alle sehen können. Sobald du den Schalter aktionsbereit meldest, öffne ich die Entlüftungslöcher. Wenn du das Bewußtsein verlierst, entspannt sich deine Hand, und der Schalter bringt uns nach Hause. Hoffentlich. Aber — bitte alle herhören! — wenn sich auch nur einer schwindlig fühlt oder schwach . . . oder mitbekommt, wie ein anderer zusammensinkt, darf es kein Zögern geben! Dann gebt ihr den Befehl mündlich. Deety, buchstabiere uns den Befehl, den ich meine. Sprich ihn nicht aus, buchstabiere ihn.«

»G-A-Y-T-Ä-U-S-C-H-E-R-B-R-I-N-G-U-N-S-H-E-I-M.«

»Alles begriffen? Copilot?«

»Totmanntaste bereit, Captain«, antwortete ich.

»Ihr Mädchen haltet den Atem an oder atmet weiter, wie ihr wollt. Pilot und Copilot atmen normal. Ich öffne jetzt die Luftdüsen.«

Ich versuchte normal zu atmen und fragte mich, ob sich meine Hand öffnen würde, wenn ich das Bewußtsein verlor.

Es war plötzlich sehr kalt in der Kabine, dann sprang die Heizung an. Ich fühlte mich normal. Der Kabinendruck war etwas höher als sonst, vermutlich durch den Stau des Flugs.

»Alle fühlen sich normal? Sehen alle normal aus, Copilot?«

»Ich fühle mich bestens. Du siehst normal aus. Ebenso Hilda. Deety kann ich nicht sehen.«

»Wissenschaftsoffizier?«

»Deety sieht normal aus. Ich fühle mich einwandfrei.«

»Deety. Sag etwas.«

»Mann, ich hatte ganz vergessen, wie gut frische Luft riecht!«

»Copilot, vorsichtig — *sehr* vorsichtig! — die Krampe wieder über die Taste legen, dann festhaken und abdecken. Ausführung melden.«

Einige Sekunden später meldete ich: »Totmanntaste gesichert, Captain.«

»Gut. Ich sehe einen Golfplatz; wir landen.« Zeb schaltete den Antrieb ein; Gay reagierte sofort, fühlte sich lebendig an. Wir beschrieben eine Spiralkurve, verharrten kurz an einer Stelle, landeten mit weichem Aufprall. »Gelandet auf Barsoom. Ins Log damit, Astronavigator. Zeit und Datum.«

»Wie bitte?«

»Auf dem Instrumentenbrett.«

»Aber dort steht null-acht-null-drei, dabei haben wir hier kurz nach Tagesanbruch.«

»Gib die Zeit in Greenwich an. Außerdem die geschätzte hiesige Zeit und Barsoom-Tag eins.« Zeb gähnte. »Ich wünschte, man begänne mit dem Morgen hier nicht so früh.«

»Zu müde für Pfannkuchen?« fragte meine Frau.

»Das niemals.«

»Tante Hilda!«

»Deety! Ich habe Jemima-Pulver dabei. Außerdem Milchpulver. Und Butter. Leider keinen Sirup — tut mir leid, Zebbie. Aber Traubengelee in der Tube. Und gefriergetrockneten Kaffee. Wenn einer von euch mir die Tür aufmacht, können wir in ein paar Minuten frühstücken.«

»Wissenschaftsoffizier, vorher hast du noch eine Pflicht hinter dich zu bringen.«

»Ich? Aber . . . Ja, Captain?«

»Stell deinen zarten Fuß auf den Boden. Es ist dein Planet, dieses Recht steht dir also zu. Steuerbordseite, unter dem Flügel, ist der Damensalon, an Backbord der der Männer. Damen können auf Wunsch eine bewaffnete Eskorte bekommen.«

Es freute mich, daß Zeb daran dachte. Der Wagen war unter dem hinteren Backbordsitz mit einem Eimerchen versehen, in Plastik gefaßt. Ich hatte keine Lust, jemals darauf angewiesen zu sein.

Gay Täuscher war wundervoll, doch als Raumschiff ließ sie zu wünschen übrig. Sie hatte uns jedoch sicher nach Barsoom getragen.

Barsoom! Visionen von Thoats und wunderschönen Prinzessinnen . . .

XVII

Deety:
Unsere erste Stunde auf ›Barsoom‹ verbrachten wir damit, uns zu orientieren. Tante Hilda machte den ersten Schritt im Freien und blieb draußen. »Nicht kalt«, meldete sie. »Später wird es bestimmt richtig heiß.«

»Paß auf, wohin du trittst!« sagte mein Mann warnend. »Könnte Schlangen oder verwandte Tierchen geben.« Er eilte hinter ihr her — und fiel der Länge nach hin.

Dabei tat er sich nichts; der Boden war gepolstert, überzogen mit grüngelben Pflanzen, die irgendwie unserem heimischen ›Eiskraut‹ glichen, aber eher wie Klee aussahen. Vorsichtig stand er wieder auf und begann zu schwanken, als befände er sich auf einer Gummimatratze.

»Ich verstehe das überhaupt nicht«, sagte er. »Die Schwerkraft müßte doppelt so stark sein wie auf Luna. Trotzdem komme ich mir leichter vor.«

Tante Hillbilly setzte sich in das ›Gras‹. »Auf dem Mond hast du einen Druckanzug mit Tanks und Ausrüstung getragen.« Sie öffnete ihre Schuhe. »Hier nicht.«

»Du hast recht«, sagte mein Mann. »Was tust du da?«

»Ich ziehe die Schuhe aus. Wann warst du denn auf dem Mond? Capt'n Zebbie, du schummelst!«

»Behalt die Schuhe an! Du weißt nicht, was sich in diesem Gras herumtreibt.«

Hillbilly hielt inne, einen Schuh in der Hand. »Wenn mich die Dinger beißen, beiße ich zurück. Captain, an Bord der Gay Täuscher bist du der absolute Herr. Aber hat deine Mannschaft gar keinen eigenen Entscheidungsspielraum mehr? Ich spiele beide Versionen mit: der freie Bürger — oder dein Sklave, der es nicht einmal wagt, ohne Erlaubnis einen Schuh auszuziehen. Du brauchst es mir nur zu sagen.«

»Äh . . .«

»Wenn du immer und ewig alle Entscheidungen für uns treffen willst, wirst du bald so hysterisch sein wie eine Henne mit ihren Küken. Dann werde ich nicht mal ohne Erlaubnis pinkeln können. Soll ich den Schuh wieder anziehen? Oder den anderen auch noch ausziehen?«

»Tante Hilda, hör auf, meinen Mann auf den Arm zu nehmen!« (Ich war verärgert.)

»Dejah Thoris, ich nehme deinen Mann nicht auf den Arm; ich bitte unseren Captain, mir einen Befehl zu geben.«

Zebadiah seufzte: »Manchmal wünschte ich, ich wäre in Australien geblieben.«

»Dürfen Paps und ich nun auch rauskommen?« fragte ich.

»Oh. Natürlich! Paßt auf; man gewöhnt sich nur schwer an das neue Gewicht.«

Ich sprang hinab, vollführte einen hohen, weiten Satz, zeigte im Dahinschweben einige *entrechats* und landete *sur le point.* »Mann! Was für eine schöne Ballettwelt!« rief ich und fügte hinzu: »Aber mit voller Blase ist das nicht das Wahre. Tante Hilda, mal sehen, ob unsere Damentoilette frei ist.«

»Das liegt auch in meiner Absicht, aber zuerst brauche ich eine Entscheidung von unserem Captain.«

»Du willst ihn nur ärgern.«

»Nein, Deety; Hilda hat recht; die Regeln müssen klar definiert sein. Jake? Was würdest du davon halten, auf dem Boden das Kommando zu übernehmen?«

»Nein, Captain, dazu habe ich nicht die Nerven.«

Tante Hilda stand auf, den Schuh in einer Hand haltend. Mit

der anderen langte sie hoch hinauf und tätschelte meinem Mann die Wange. »Zebbie, du bist ein Schatz. Du sorgst dich um uns alle — besonders um mich, weil du mich für einen Wirrkopf hältst. Weißt du noch, wie wir es im Fuchsbau gehalten haben? Jeder tat, worauf er sich am besten verstand, und es gab keinen Ärger. Wenn es dort geklappt hat, warum nicht auch hier?«

»Also . . . gut. Aber seid *bitte* vorsichtig, Mädchen.«

»Ganz bestimmt. Wie steht's mit deinem besonderen Sinn? Irgendwelche warnenden Gefühle?«

Zebadiah runzelte die Stirn. »Nein. Aber ich erhalte keine Warnung im voraus, sondern gerade eben noch rechtzeitig.«

»›Eben noch rechtzeitig‹ genügt völlig. Ehe wir starten mußten, wolltest du Gay darauf programmieren, mit höchster Intensität zu lauschen. Würde das ›eben noch rechtzeitig‹ zu ›ausreichend‹ werden lassen?«

»Ja! Sharpie, auf dem Boden übergebe ich dir das Kommando.«

»Das kannst du dir an den Hut stecken, Junge! Old Massa hat uns Sklaven befreit. Zebbie, je schneller du mit dem Herumgerede aufhörst, desto eher bekommst du deine Pfannkuchen. Breite mein Cape aus und stell die Herdplatte auf die Treppe.«

Wir aßen unser Frühstück in barsoomischer Grundausstattung: in nackter Haut. Tante Hilda wies darauf hin, daß Wäschereien wohl hier recht selten waren und die Wasservorräte des Wagens dem Trinken und Kochen vorbehalten bleiben mußten. »Deety, ich habe nur das eine Kleid, das du mir gegeben hast; ich lasse es auslüften, vielleicht hängen sich die Falten auch etwas aus. Das Höschen auch. Ein Luftbad ist besser als gar keins. Ich weiß, du wirst damit nicht einverstanden sein, aber du bist einer Wäscherei auch nicht näher als ich.«

Mein Overall gesellte sich zu Hildas Kleid. »Tante Hilda, du könntest eine Woche lang auf das Baden verzichten. Ich habe gleich nach dem Baden schon einen Körpergeruch, aber da geht es noch. Nach vierundzwanzig Stunden merkt man mich schon, ohne mich zu sehen, und nach achtundvierzig stinke ich wie ein Stinktier. Da kann ein Luftbad nur nützlich sein.«

Ähnliche Überlegung veranlaßte unsere Männer, ihre Kleidung auf dem Backbordflügel auszubreiten. Zebadiah nahm Hildas Cape auf. »Sharpie, in diesem Universum kannst du den aber nicht aufarbeiten lassen. Jake, hast du ein paar Planen eingepackt?«

Nachdem das Geschirr ›abgewaschen‹ war (mit Gras ausgewischt und in die Sonne gestellt), waren wir müde. Zebadiah wollte, daß wir uns nach drinnen legten und die Türen zumachten. Tante Hilda und ich hätten lieber auf einer Plane im Schatten des Wagens geschlummert. Ich wies darauf hin, daß durch den Umbau des Innenraums die Rücksitze nicht mehr nach hinten geneigt werden konnten.

Zebadiah erklärte sich bereit, seinen Sitz einer der Frauen zur Verfügung zu stellen. »Sei doch kein Dummkopf!« sagte ich heftig. »Du paßt kaum in einen Rücksitz, und deine Knie würden so weit ragen, daß sich der Sitz davor nicht mehr neigen ließe!«

Paps schaltete sich ein. »Halt! Ich bin enttäuscht, Deety — deinen Mann so anzufahren! Aber Zeb, wir *müssen* uns ausruhen. Wenn ich im Sitzen schlafe, bekomme ich geschwollene Fußgelenke und bin dann ein halber Krüppel, zu nichts nütze.«

»Ich wollte doch nur dafür sorgen, daß wir gesichert schlafen können«, sagte Zebadiah klagend.

»Das weiß ich doch, mein Sohn; du hast immer wieder für unsere Sicherheit gesorgt, und zwar sehr umsichtig, sonst wären wir jetzt schon dreimal tot. Deety weiß das genau, und Hilda ebenfalls . . .«

»Und ob, Zebbie!«

»Mein Captain, es tut mir leid, daß ich dich angefahren habe.«

»Wir brauchen dich später noch. Das Fleisch hat gewisse Grenzen, sogar das deine. Notfalls stopfen wir dich unter die Decke und bewachen dich . . .«

»*Nein.*«

»Und ob wir das tun würden, Zebbie!«

»O *ja*, mein Captain.«

»Ich glaube aber, daß es nicht nötig ist. Als wir uns zum Essen hinsetzten, ist da jemand gebissen worden oder so?«

Mein Mann schüttelte den Kopf.

»Ich auch nicht«, meinte Tane Hilda.

Ich fügte hinzu: »Ich habe ein paar kleine Biester gesehen, aber sie haben mich nicht belästigt.«

»Anscheinend«, fuhr Paps fort, »gefällt ihnen nicht, wie wir schmecken. Ein übelaussehender Bursche schnüffelte mir verdächtig am Fußgelenk herum — eilte dann aber doch weiter. Zeb, kann Gay besser hören als wir?«

»Oh, *viel* besser!«

»Kannst du ihr Radar so programmieren, daß es uns rechtzeitig warnt?«

Zebadiah blickte ihn nachdenklich an. »Hmm — ein Anti-Kollisionsalarm würde einen Toten aufwecken. Wenn ich den auf Minimum-Entfernung hereinzöge und dann . . . Nein, die Auswertung würde durch das ›Gras‹ verhindert. Wir befinden uns hier auf dem Boden. Das ergäbe falsche Werte.«

»Subtrahiere doch die Statik, Zebadiah.«

»Wie denn, Deety?«

»Gay kann das. Soll ich es versuchen?«

»Deety, wenn du das Radar einschaltest, *müssen* wir drinnen schlafen. Mikrowellen machen dir das Gehirn mürbe.«

»Das ist mir bekannt, Sir. Gay hat doch Seitenradar und Augen für vorn und achtern, unten und oben — nicht wahr?«

»Ja. Deshalb . . .«

»Schalte das Bauchauge aus. Kann das Seitenradar uns schaden, wenn wir *unter* ihr schlafen?«

Er riß die Augen auf. »Astronavigator, du weißt mehr über meinen Wagen als ich. Am besten schenke ich ihn dir.«

»Mein Captain, du hast mir all deine weltliche Habe längst überschrieben. Ich weiß nicht mehr als du über Gay; ich weiß nur mehr über das *Programmieren.*«

Wir legten unter dem Wagen ein Bett an, indem wir Zebadiahs Schlafsack flach öffneten, links und rechts von einer Plane flankiert. Tante Hilda brachte Decken zum Vorschein. »Falls jemandem kalt wird«, sagte sie.

»Das ist nicht anzunehmen«, gab Paps zurück. »Es ist ein heißer Tag, keine Wolke am Himmel, kein Windhauch.«

»Behalt sie bei dir, mein Schatz. Hier ist auch eine für Zebbie.« Sie warf zwei weitere Decken auf den Schlafsack und ließ sich darauf nieder. »Hinlegen, meine Herren!« Sie wartete, bis ihr Befehl befolgt worden war, dann rief sie mir zu: *»Deety!* Alles liegt flach!«

Aus dem Inneren rief ich zurück: *»Bin gleich da!«* Dann sagte ich: »Hallo, Gay.«

»Ja, Deety.«

»Auswertung neuestes Programm. Ausführung.«

Fünf Bildschirme wurden hell und wieder dunkel; das Bauchauge blieb inaktiv. »Bist ein gutes Mädchen, Gay«, sagte ich.

»Ich mag dich auch, Deety. Ende.«

»Roger und Ende, Schwester.« Ich bückte mich zu der Rinne unter dem Instrumentenbrett hinab, nahm die als Polsterung dienenden Kleidungsstücke heraus und zog Säbel und Schwert hervor, beide mit ihren Gurten. Ich legte meine Last an die Tür neben eine Pfanne, die wir zum Frühstück benutzt hatten. Mit dem Kopf voran glitt ich aus der Tür, drehte mich herum, ohne aufzustehen, nahm Schwerter und Dose und kroch unter das Schiff, den linken Arm voller Metall.

»Dein Schwert, Captain«, sagte ich schließlich.

»Deety! Brauche ich zum Schlafen ein Schwert?«

»Nein, Sir. Aber *ich* werde besser schlafen, wenn ich weiß, daß mein Captain sein Schwert bei sich hat.«

»Hmm . . .« Zebadiah zog die Klinge ein Stück heraus und stieß sie mit einem Klicken wieder in die Scheide. »Es ist irgendwie dumm . . . aber *mich* beruhigt der Stahl auch irgendwie.«

»Daran finde ich nichts Dummes, Sir. Vor zehn Stunden hast du damit ein *Ding* umgebracht, das sonst mich getötet hätte.«

»Du hast recht, meine Prinzessin. Dejah Thoris hat immer recht.«

»Ich hoffe, daß sich mein Häuptling diesen Glauben auf immer bewahrt.«

»Das wird er. Gib mir einen dicken Kuß. Wozu brauchst du die Pfanne?«

»Radartest.«

Nachdem ich den Kuß abgeliefert hatte, kroch ich an Hilda vorbei und gab Paps seinen Säbel. Er grinste mich an. »Deety, du bist mir die Richtige! Genau das Beruhigungsmittel, das ich jetzt brauche. Wie bist du darauf gekommen?«

»Weil Tante Hilda und ich auch Beruhigung brauchen. Wenn unsere Krieger bewaffnet sind, schlafen wir besser.« Ich küßte Paps und kroch seitlich ins Freie. »Haltet euch die Ohren zu!«

Ich stemmte mich auf die Knie hoch und ließ die Pfanne weit und hoch hinausfliegen, dann warf ich mich hin und legte die Hände auf die Ohren. Als die Pfanne in die Zone der Mikrowellen-Strahlung geriet, tönte ein ohrenbetäubender Alarmton aus dem Inneren des Wagens; erst als die Pfanne den Boden berührte und still liegenblieb, hörte der Krach wieder auf. »Jemand soll mich daran erinnern, daß ich das Blechding nachher wiederhole. Gute Nacht allerseits!«

Ich kroch zurück, streckte mich neben Hilda aus, gab ihr einen Gutenachtkuß, stellte den Wecker in meinem Kopf auf sechs Stunden und machte die Augen zu.

Die Sonne wollte mir einreden, daß es vierzehn Uhr sei und nicht schon vierzehn fünfzehn, und ich kam zu dem Schluß, daß meine innere Uhr auf Barsoom nicht ganz richtig tickte. Würde die Uhr in meinem Kopf ›langsamer‹ gehen und sich einem um vierzig Minuten kürzeren Tag anpassen? Würde sie mir Ärger machen? Wahrscheinlich nicht — ich habe immer schon jederzeit schlafen können. Ich fühlte mich großartig und bereit zu neuen Taten.

Ich kroch von unserer Liege, wand mich in die Kabine des Wagens und reckte mich. Wohl war mir!

Ich kroch durch die Schottür hinter den Rücksitzen, holte einige Halstücher und meinen Juwelenkasten und begab mich nach vorn in den Raum zwischen den Sitzen und dem Armaturenbrett.

Ich versuchte mir ein durchscheinendes grünes Tuch als Bikini-Unterteil umzubinden, doch es wirkte zu sehr wie eine Windel. Ich zog es wieder aus, faltete es über Eck und heftete es an meiner linken Hüfte mit einer Juwelenbrosche zusammen. Viel besser! ›Unanständig anständig‹ würde Paps dazu sagen.

Ich wand mir eine Kette aus falschen Perlen um die Taille, drapierte die Enden in den Stoff, befestigte sie an der Brosche. Um den Hals legte ich ein Pendant aus Perlen und Smaragden — ein Geschenk meines Vaters an dem Tag, als ich meinen Doktortitel errang.

Ich ergänzte meine Aufmachung eben durch Armbänder und Ringe, als ich ein nachdrückliches »Psst!« vernahm. Ich wandte den Kopf und sah Hillbillys Kopf und Hände an der Türkante. Hilda legte einen Finger auf die Lippen. Ich nickte, half ihr hoch und flüsterte: »Schlafen sie noch?«

»Wie die Säuglinge.«

»Komm, wir wollen dich mal richtig anziehen . . . ›Prinzessin Thuvia‹.«

Tante Hilda kicherte. »Vielen Dank . . . ›Prinzessin‹ Dejah Thoris.«

»Möchtest du außer Schmuck noch etwas?«

»Etwas zum Festmachen. Das dunkelgoldene Tuch, wenn du es erübrigen kannst.«

»Natürlich! Nichts ist mir für meine Tante Thuvia zu gut, und das Tuch ist nicht weiter wichtig. Püppchen, wir werden dich für den Auktionator herausputzen! Machst du mir das Haar?«

»Und du das meine. Deety — ich meine: ›Dejah Thoris‹ — mir fehlt ein richtiger dreiseitiger Spiegel.«

»Wir sind der Spiegel für den anderen«, sagte ich. »Gegen dieses Campingleben habe ich nichts. Meine Ururgroßmutter brachte zwei Kinder in einer Erdhöhle zur Welt. Nur sollten wir uns mal einen Bach zum Waschen suchen.« Ich legte den Kopf schief und hielt mir die Nase an die Achselhöhle. »Stillhalten«, fügte ich hinzu. »Oder soll ich dir die Sachen an die Haut stecken?«

»Wie du willst, meine Liebe. Wir finden bestimmt Wasser — bei dieser Vegetation.«

»Die bedeutet noch nicht, daß es fließendes Wasser gibt. Vielleicht befinden wir uns hier wirklich auf einem ›toten Meeresgrund von Barsoom‹.«

»Sieht nicht gerade tot aus«, gab Tante Hilda zurück. »Ist sogar sehr hübsch.«

»Ja, aber es kommt mir trotzdem wie ein totes Meer vor. Und das hat mich auf eine Idee gebracht. Nimm mal das Haar hoch; ich möchte deine Halsbänder arrangieren.«

»Was für eine Idee?« wollte Tante Hilda wissen.

»Zebadiah hat mir aufgetragen, ein drittes Ausweichprogramm zu entwerfen. Die ersten beiden . . . ich will es umschreiben, denn Gay ist wach. Das eine fordert sie auf, uns auf eine bestimmte Höhe über dem Fuchsbau zu bringen; das andere weist sie an, dorthin zurückzueilen, wo sie war, ehe sie den ersten Befehl zum letztenmal erhielt.«

»Ich dachte, das befiehlt ihr, uns über den Grand Canyon zu bringen.«

»Richtig — im Augenblick. Aber bekäme sie den ersten Befehl *jetzt,* würde sich damit der zweite Befehl ändern. Anstatt am Grand Canyon wären wir wieder *hier* — und zwar schneller, als ein Frosch blinzeln kann.«

»Wenn du es sagst.«

»Sie ist so programmiert. Wenn wir auf den Panikknopf hauen, befinden wir uns über unserer Hütte. Nimm einmal an, wir stoßen dort auf Ärger und gebrauchen dann den ›G‹-Befehl. Sie bringt uns *dorthin zurück, wo sie zuletzt den ›Heim‹-Befehl erhalten hat.* Dort aber ist es gefährlich, weil wir dort sonst nicht so hastig aufgebrochen wären. Also brauchen wir ein *drittes* Ausweichprogramm, das uns an einen sicheren Ort führt. Und hier scheint es mir sicher zu sein.«

»Friedlich ist es auf jeden Fall.«

»Sieht so aus. Nun schau dich an! Dichter behängt als ein Weihnachtsbaum, und trotzdem siehst du nackter aus denn je.«

»Um diese Wirkung geht es doch, oder? Setz dich auf den Sitz des Copiloten; ich frisiere dich.«

»Möchtest du Schuhe haben?« fragte ich.

»Auf *Barsoom?* Dejah Thoris, vielen Dank für deine kleinen Pfadfinderschuhe. Aber sie kneifen an den Zehen. Willst du etwa Schuhe anziehen?«

»Auf keinen Fall, Tante Ziege. Meine Füße sind auf Karateschritte trainiert — ich kann damit ein Brett durchtreten und hole mir kaum eine Prellung. Ich kann auch über spitzen Kies laufen. Weißt du einen guten Codesatz? Ich möchte Gay ein Notsignal für jeden von uns besuchten Ort eingeben, der wie ein sicheres Versteck aussieht. Nenn mir was.«

»Deine Mutter kaut Tabak.«

»Ziege! So ein Codesatz muß ein eingebautes Erkennungssymbol haben!«

»›Zisch ab!‹?«

»Ein schrecklicher Ausdruck — aber genau das Richtige. ›Zisch ab!‹ ist also die Aufforderung, uns an diesen Ort zurückzubringen. Ich gebe das Programm ein. Und schlage das Wort und andere am Armaturenbrett an, damit alle es nachlesen könnten, wenn es mal jemand vergißt.«

»Und auch jeder Außenseiter, sollte er mal an den Kontrollen sitzen.«

»Und was würde ihm das schon viel nützen? Gay ignoriert doch jeden Befehl, der nicht von unseren Stimmen gegeben wird. Hallo, Gay.«

»Hallo, Deety!«

»Bestimme derzeitige Position. Meldung.«

»Nullprogramm.«

»Haben wir uns *verirrt?*«

»Durchaus nicht, Tante Hilda. Ich war nur nachlässig. Gay, Programmüberprüfung. Definiere ›Heim‹.«

»Löschen sämtlicher Trägheitsbewegungen Transitionen Versetzungen Rotationen. Rückkehr zu vorprogrammierte Null-Länge-und-Breite zwei Kilometer über Grund, schweben.«

Suche ab Speicher umgekehrte Realzeit für letzten Befehl ausführungskodiert ›Gay Täuscher, bring uns heim‹.

»Ausgewertet.«

»Von Zeitpunkt aufgesuchter Befehl bis Zeit-Gegenwart alle Transitionen Trägheitsbewegungen Versetzungen Rotationen integrieren.«

»Integriert.«

»Testüberprüfung. Melde Zusammenfassung Integration.«

»Ausgangspunkt ›Heim‹. Gegenmarsch-Programm ausgeführt. Komplexe Manöver Trägheitsbewegungen. Versetzung Tau-Achse zehn Minimal positiv. Komplexe Manöver Trägheitsbewegungen. Versetzung L-Achse zwei zwei vier null neun null acht zwei sieben Komma null Kilometer. Negativ-Vektor L-Achse vierundzwanzig Kilometer in der Sekunde. Negativ-Vektor L-Achse vier Kilometer in der Sekunde. Komplexe Manöver Trägheitsbewegungen. Landung hier dann null-acht-null-zwei-neunundvierzig. Landungszustand Trägheitszustand fortgesetzt acht Stunden drei Minuten neunzehn Sekunden *jetzt!* Landung Trägheitszustand Weiterlauf Realzeit.«

»Neues Programm. Hier-jetzt träge Landungsposition laufende Realzeit bis Realzeit neuer Ausführungsbefehl identisch mit Code-Satz ›Zisch ab‹. Gay, ich sag's dir dreimal.«

»Deety, ich höre dich dreimal.«

»Neues Programm. Ausführungskodiert ›Gay Täuscher, zisch ab‹. Auf Ausführungscode aufsuchen Position mit Code ›Zisch ab‹. Ich sag's dir dreimal.«

»Ich höre dich dreimal.«

»Gay Täuscher, du bist ein kluges Mädchen.«

»Deety, warum verläßt du den ungehobelten Klotz nicht und lebst mit mir zusammen? Ende.«

»Gute Nacht, Gay. Roger und Ende. Hillbilly, *die* Antwort hatte ich dir nicht gegeben.« Ich versuchte streng zu tun.

»Also, Deety, wie kannst du so etwas behaupten?«

»Ich weiß, daß der Satz nicht dabei war. Na?«

»Ich gesteh's ja ein, Deety. Vor einigen Tagen haben wir beide irgend etwas zusammen gemacht, und du wurdest fortgerufen. Während ich wartete, gab ich den Satz noch ein. Soll ich ihn löschen?«

Ich kann einfach nicht streng tun; ich mußte kichern. »Nein. Vielleicht ist Zebadiah dabei, wenn die Antwort das nächstemal herauskommt. Ich wünschte, unsere Männer würden langsam aufwachen.«

»Sie brauchen den Schlaf, meine Liebe.«

»Das weiß ich. Aber ich möchte das neue Programm ausprobieren.«

»Es hat sich ziemlich kompliziert angehört.«

»Das passiert bei Stimmeingabe leicht. Ich würde lieber schriftlich arbeiten. Ein Computer erwartet keine Entschuldigungen. Ein Fehler kann alles sein zwischen ›Null-Programm‹ und einer Katastrophe. In dem neuen Programm stecken Dinge, die ich noch nie versucht habe. Ich *begreife* im Grunde gar nicht, was

Paps da mit uns macht. Nichteuklidische *n*-dimensionale Geometrie ist für mich ein Buch mit sieben Siegeln.«

»Denkst du, für mich nicht?«

»Ich bin also ziemlich nervös.«

»Reden wir lieber über etwas anderes.«

»Habe ich dir schon unsere Mikro-Walkie-Talkies gezeigt?«

»Jacob hat mir eins gegeben.«

»Wir haben für jeden ein Gerät. Winzig, aber erstaunliche Reichweite. Braucht weniger Energie als ein Taschenrechner und wiegt auch weniger — unter zweihundert Gramm. Masse, meine ich — hier ist das Gewicht viel geringer. Heute habe ich mir eine neue Verwendungsmöglichkeit einfallen lassen. Gay kann sich auf die Frequenz dieser Geräte einstellen.«

»Das ist gut. Und wie willst du davon Gebrauch machen?«

»Unser Wagen kann ferngesteuert werden.«

»Deety, warum sollte das wünschenswert sein?«

Ich gab zu, daß ich das selbst nicht wußte. »Jedenfalls kann Gay auf beinahe alles programmiert werden. Zum Beispiel könnten wir aussteigen und Gay über das Walkie-Talkie befehlen, zwei Programme hintereinander auszuführen, H-E-I-M, gefolgt von Z-I-S-C-H-A-B. Stell dir Zebadiahs Gesicht vor, wenn er aufwacht, weil ihm die Sonne in die Augen sticht — sein Wagen ist nämlich fort — und dann sein Gesicht zwei Stunden später, wenn das Ding wieder auftaucht.«

»Deety, in die Ecke mit dir, daß dir so üble Scherze überhaupt in den Sinn kommen!« Dann blickte mich Tante Hilda nachdenklich an. »Warum würde es zwei Stunden dauern? Ich dachte, Gay könnte in Nullkommanichts *überallhin?*«

»Das hängt von deinen Postulaten ab, Prinzessin Thuvia. Wir haben für den Herweg zwei Stunden gebraucht, weil wir herumexperimentieren mußten. Gay würde dieser Route auf dem umgekehrten Wege folgen müssen, weil sie es nicht besser weiß. Dann . . .« Ich hielt verwirrt inne. »Oder würde es *vier* Stunden dauern? Nein, die Vektoren würden sich aufheben, und . . . Aber das würde den Sprung ja augenblicksschnell machen; wir wüßten gar nicht, daß Gay fort gewesen ist. Oder doch? Tante Hilda, ich *weiß* es nicht! Ach, ich wünschte, unsere Männer wachten endlich auf!« Die Welt geriet ins Wanken, und ich hatte plötzlich Angst.

»Ich bin wach«, antwortete Paps, dessen Kopf über der Türschwelle auftauchte. »Was ist denn los?«

Er warf Tante Hilda einen lüsternen Blick zu. »Kleines Mädchen, wenn du mit auf mein Zimmer kommst, gebe ich dir ein paar Bonbons.«

»Hinfort mit dir, du alter böser Wolf!«

»Geliebte Hilda, ich könnte dich nach Rio verkaufen und mich mit dem Ertrag zur Ruhe setzen. Du siehst wirklich teuer aus.«

»Ich *bin* teuer, mein Schatz. Mein einziges Streben ist darauf gerichtet, meinem Mann den letzten Cent abzujagen und von ihm verwöhnt zu werden — und einen dicken Nachlaß einzusakken.«

»Ich will mir Mühe geben, mit möglichst großen Bankguthaben zu sterben, Liebste.«

»Statt dessen sind wir beide tot, unsere Bankkonten haben sich sonstwohin verflüchtigt, und ich habe keinen vernünftigen Fetzen anzuziehen — und bin doch sehr glücklich. Komm rein — aber vergiß das Radar nicht! — und küß mich, du alter Wolf! Du brauchst mich nicht erst mit Bonbons zu locken.«

»Paps?« fragte ich. »Schläft Zebadiah noch?«

»Ist eben aufgewacht.«

Ich wandte mich an Gay und sagte dann zu Paps: »Sag bitte Zebadiah, das Radar ist abgeschaltet. Er kann aufstehen, ohne daß ihm die Ohren einschrumpeln.«

»Klar.« Paps beugte sich hinaus und brüllte: »Zeb, die Luft ist rein. Ihr Mann ist fort!«

»Komme!« röhnte Zebadiahs Stimme. »Sag Deety, sie soll die Steaks aufs Feuer tun.« Mein Liebling erschien mitsamt Schwert, Blechpfanne und Bettdecken. »Sind die Steaks fertig?« fragte er und küßte mich.

»Noch nicht ganz, Sir«, gab ich zurück. »Zuerst mußt du einen Thoat schießen. Oder wärst du mit Erdnußbutter-Broten zufrieden?«

»Rede nicht gemein. Hast du ›Thoat‹ gesagt?«

»Ja. Schließlich sind wir hier auf Barsoom.«

»Dann hab' ich mich also nicht verhört — Thoat war das richtige Woat.«

»Wenn das ein Wortspiel sein soll, servier ich's dir zum Essen. Mit Erdnußbutter.«

Zebadiah erschauderte. »Lieber begeh ich Selbstmoad.«

»Wenn ihr nicht bald mit diesem Blödsinn aufhört«, sagte Tante Hilda, »will ich mal sehen, was ich zum Essen auftreiben kann.«

»Ich helfe dir«, sagte ich. »Aber können wir zuerst meinen Test hinter uns bringen? Ich bin so gespannt!«

»Was für ein Test?« wollte mein Mann wissen.

Ich erklärte das Zisch-ab-Programm. »Ich *glaube,* ich habe das Programm richtig hinbekommen. Aber es gibt eine Testmöglichkeit. Versetz den Wagen um hundert Meter. Wenn mein Programm funktioniert, ist alles bestens. Wenn's schiefgeht, ist kein Schaden angerichtet, nur müßt ihr beide mir dann noch mehr über den Zeitverdreher beibringen, ehe ich mich an ein neues Programm wage.«

»Ich möchte den Wagen nicht versetzen, Deety; ich geize mit jedem Erg Treibstoff, solange ich nicht weiß, wann und wo ich auftanken kann. Doch . . . Jake, wie groß ist deine Minimum-Transition?«

»Zehn Kilometer. Für Transitionen kann ich keine Raum-Quanta verwenden — zu klein. Aber der Maßstab erweitert sich schnell — logarithmisch. Das wäre die kleine Reichweite. Der mittlere Bereich drückt sich in Lichtjahren aus — wieder logarithmisch.«

»Und wie steht es mit den großen Entfernungen?«

»Gravitationsstrahlung gegen die Zeit. *Darauf* werden wir aber verzichten.«

»Warum, Jacob?« fragte Tante Hilda.

Paps blickte sie hilflos an. »Ich habe Angst davor, meine Liebe. Es gibt drei wesentliche Theorien in bezug auf die Schwerkraftausbreitung im Raum. Als ich diese Kontrollen fertigte, schien eine dieser Theorien bewiesen zu sein. Seither haben aber andere Physiker berichtet, daß sie die Versuche nicht nachvollziehen konnten. Also habe ich die weiten Entfernungen abgeklemmt.« Paps lächelte säuerlich. »Ich weiß, daß die Kanone geladen ist, aber nicht, wie sich ein Schuß auswirkt. Also setzte ich sie außer Kraft.«

»Das ist nur vernünftig. Russisches Roulette ist nicht besonders reizvoll. Jake, hast du eine Ahnung, wie viele Möglichkeiten du damit abgegrenzt hast?«

»Mehr als das, Zeb. Durch mein Eingreifen verringert sich die Zahl der für uns auf dieser Achse zugänglichen Universen von sechs hoch sechs hoch sechs auf bloße sechs hoch sechs. Sechsundvierzigtausendsechshundertsechsundfünfzig.«

»Ach, das ist aber schade!«

»Ich meinte das nicht scherzhaft!«

»Jake, ich habe nur über *mich* gelacht. Nun hatte ich mich schon darauf gefreut, mein ganzes Leben lang Universen erforschen zu können — und muß jetzt erfahren, daß ich mit jämmer-

lichen sechsundvierzigtausend und ein paar Zerquetschten da-
sitze. Einmal angenommen, ich hätte noch ein halbes Jahrhundert Forschungszeit vor mir. Nimm einmal ferner an, ich ließe
mir keine Zeit zum Essen, Schlafen oder sonstigen schönen Dingen — wieviel Zeit kann ich dann in jedem Universum verbringen?«

»Etwa neun Stunden und zwanzig Minuten pro Universum«,
antwortete ich. »Neun Stunden, dreiundzwanzig Minuten und
achtunddreißig Komma sieben zwei zwei Sekunden — um es genauer auszudrücken.«

»Deety, das sollte man wirklich ganz genau sehen«, sagte Zebadiah feierlich. »Wenn wir in jedem Universum nur eine Minute zu lange bleiben, würden wir nahezu hundert Universen
verpassen.«

Das Spiel begann mir Spaß zu machen. »Dann wollen wir uns
beeilen. Wenn wir uns Mühe geben, können wir fünfzig Jahre
lang täglich drei Universen abhaken — einer von uns auf Wache,
der andere auf Freiwache, die anderen dienstfrei — und hätten
dann noch einmal jährlich Zeit für Ausbesserungsarbeiten und
ein paar Stunden auf festem Boden. Wenn wir uns beeilen.«

»Dann haben wir keine Sekunde zu verlieren!« sagte Zebadiah. »Alle Mann! Auf Position! Fertigmachen zum Start! *Los!*«

Ich war erstaunt, eilte aber zu meinem Sitz. Paps senkte den
Kopf und gehorchte ebenfalls. Tante Hilda zögerte eine Sekunde
lang, ehe sie zu ihrem Sitz eilte, doch während sie sich noch anschnallte, fragte sie im Jammerton: »Captain, verlassen wir Barsoom *wirklich?*«

»Ruhe bitte! Gay Täuscher, schließ die Türen. Meldung Sitz-
gurte. Copilot, Steuerbord-Türdichtung überprüfen.«

»Gurte geschlossen«, meldete ich tonlos.

»Meiner auch. *Ach du je!*«

»Copilot, Nahentfernung, ›H‹-Achse aufwärts, Minimum-
Transition.«

»Eingestellt, Captain.«

»Ausführung.«

Der Himmel draußen war dunkel, der Boden lag tief unter
uns. »Genau zehn Kilometer«, sagte mein Mann anerkennend.
»Astronavigator übernimm, teste dein neues Programm. Wissenschaftsoffizier, genau aufpassen.«

»Jawohl, Sir. Gay Deceiver — *zisch ab!*«

Wir standen wieder auf dem Boden.

»Wissenschaftsoffizier — Meldung«, forderte Zebadiah.

»*Was* soll ich melden?« fragte Tante Hilda.

»Wir haben ein neues Programm getestet. Hat es diesen Test bestanden?«

»Äh . . . wir scheinen wieder dort zu sein, wo wir vorher waren. Wir waren etwa zehn Sekunden lang gewichtslos. Ich würde sagen, der Test war einwandfrei. Außer . . .«

»Außer was?«

»*Captain Zebbie, du bist der gemeinste Kerl auf der Erde! Und auf Barsoom!* Und du hast mir das Gelee *doch* in den Swimming-pool getan!«

»Ich war in Afrika.«

»Dann hast du es zumindest arrangiert.«

»Hilda — bitte! Ich habe nie gesagt, daß wir Barsoom verlassen würden. Ich sagte, wir hätten keine Zeit zu verlieren. Und das stimmt doch auch, wenn wir noch soviel erforschen müssen.«

»Das ist doch nur ein Vorwand. *Und meine Kleidung?* Die hat auf dem Steuerbordflügel gelegen. Wo ist sie jetzt? Schwebt sie in der Stratosphäre herum? Und *wo* landet sie? Ich werde sie nie wiederfinden.«

»Ich dachte, du wolltest dich sowieso im barsoomischen Stil kleiden!«

»Das heißt doch nicht, daß ich gern dazu *gezwungen* bin! Außerdem hat Deety mir die Sachen geliehen. Es tut mir leid, Deety.«

Ich tätschelte ihr die Hand. »Schon gut, Tante Hilda. Ich leihe dir anderes Zeug. Schenke es dir, meine ich.« Nach kurzem Zögern fuhr ich entschlossen fort: »Zebadiah, ich finde, du solltest dich bei Tante Hilda entschuldigen.«

»Ach, wenn es denn sein muß . . .! Sharpie? Liebling?«

»Ja, Zebbie?«

»Es tut mir leid, wenn ich den Eindruck erweckt habe, wir wollten Barsoom verlassen. Ich kaufe dir passende Kleidung. Wir machen einen kleinen Ausflug zur Erde . . .«

»Ich will nicht zur Erde zurück. Dort lauern Außerirdische! Die machen mir angst.«

»Mir auch. Ich wollte sagen: ›Erde-ohne-J‹. Die ist der unseren so ähnlich, daß ich wahrscheinlich US-Geld benutzen kann. Wenn nicht, habe ich noch Gold an Bord. Oder wir tauschen etwas ein. Für dich würde ich sogar Kleidung *stehlen,* Sharpie. Wir fliegen nach Phoenix-ohne-J — morgen. Heute gehen wir noch ein wenig spazieren und sehen uns diesen Planeten an — *deinen* Planeten — und bleiben auf deinem Planeten, bis *du* genug davon hast. Reicht das? Oder muß ich noch gestehen, Wackelpudding in deinen Pool getan zu haben, auch wenn ich es gar nicht gewesen bin.«

»Du warst es wirklich nicht?«

»Großes Ehrenwort.«

»Da soll doch . . . Im Grunde hielt ich den Streich für ganz lustig. Wer steckt wohl wirklich dahinter? Vielleicht die Außerirdischen?«

»Die treiben andere Spielchen. Liebste Sharpie, ich bin nicht der einzige Verrückte an deinem Hof — bei weitem nicht!«

»Das mag wohl sein. Zebbie? Gibst du Sharpie einen Kuß zur Versöhnung?«

Auf dem Boden, unter dem Steuerbordflügel, fanden wir unsere Reisekleidung und unter dem Backbordflügel die Sachen unserer Männer.

Zebadiah starrte die Sachen verwirrt an. »Jake? Ich dachte, Hilda hätte recht. Es war mir entfallen, daß wir Kleidung auf die Flügel gelegt hatten.«

»Gebrauche deinen Kopf, Junge!«

»Ich bin nicht sicher, ob ich überhaupt noch einen habe.«

»Ich verstehe das Ganze auch nicht«, warf Tante Hilda ein.

»Und du, Deety?« fragte Paps.

»Paps, ich *glaube,* ich weiß es. Aber . . . ich versuche mich lieber nicht an einer Formulierung!«

»Zeb, der Wagen hat sich nicht bewegt. Statt dessen . . .«

»Jacob«, schaltete sich Tante Hilda ein, »willst du damit sagen, daß wir *nicht* senkrecht emporgeschossen sind? Wir waren doch *dort* — vor fünf Minuten!«

»Ja, Liebling. Aber wir haben uns nicht dorthin *bewegt*. Bewegung hat eine definierbare Bedeutung: eine Dauer wechselnder Aufenthaltsorte. Aber eine Zeitdauer spielte bei uns keine Rolle. Zwischen dem Hier-Dann und dem Dort-Dann haben wir keine Folge von Positionen innegehabt.«

Tante Hilda schüttelte den Kopf. »Das begreife ich nicht. Wir sind doch in den Himmel hinauf *gesaust* und dann — *husch!* — genauso schnell wieder herunter.«

»Liebling, wir sind nicht *gesaust!* Deety, sei nicht so zurückhaltend.«

Ich seufzte. »Paps, ich bin nicht sicher, ob es dafür ein Symbol gibt. Tante Hilda, Zebadiah. Eine Diskontinuität. Der Wagen . . .«

»Begriffen!« sagte Zebadiah.

»*Ich* nicht«, sagte Tante Hilda betont.

»Etwa so, Sharpie«, fuhr mein Mann fort. »Mein Wagen ist *hier. Peng!* — er verschwindet. Unsere Kleidung fällt zu Boden. Zehn Sekunden später — *flipp!* Wir sind wieder an der Stelle, wo wir gestartet waren. Aber unsere Kleidung liegt am Boden. Jetzt begriffen?«

»Ich . . . ich nehme es an. Ja.«

»Das freut mich . . . denn *ich* verstehe das nicht. Für mich ist das Zauberei.« Zebadiah zuckte die Achseln. »›Zauberei‹.«

»›Zauberei‹«, sagte ich, »ist ein Symbol für jeden nicht verstandenen Vorgang.«

»Das habe ich ja gesagt, Deety. ›Zauberei.‹ Jake, hätte es etwas ausgemacht, wenn der Wagen im Inneren eines Hauses gewesen wäre?«

»Nun . . . dieses Problem machte mir zu schaffen, als Deety und ich uns zum erstenmal zur Erde-ohne-J versetzten. Ich fuhr den Wagen vorsichtshalber ins Freie. Aber inzwischen nehme ich an, daß nur das Ziel entscheidend ist. Es sollte frei von Masse sein — *glaube* ich. Aber ich bin zu vorsichtig, um damit herumzuexperimentieren.«

»Das könnte interessant sein. Unbemanntes Fahrzeug. Ein wertloses Ziel. Ein kleiner Asteroid. Eine Baby-Sonne?«

»Ich *weiß* es nicht, Zeb. Außerdem habe ich keinen Apparat übrig, den ich opfern könnte. Es hat mich drei Jahre gekostet, den hier zusammenzubauen.«

»Also warten wir ein paar Jahre, nicht wahr, Jake? Übrigens hat auch jedes Luftgemisch eine Masse.«

»Das machte mir ebenfalls Sorgen. Aber Masse besteht hauptsächlich aus leerem Raum. Luft — auf Erd-Meereshöhe — hat etwa ein Tausendstel der Dichte des menschlichen Körpers. Der Körper besteht vorwiegend aus Wasser, das problemlos Luft aufnimmt. Ich könnte nicht behaupten, daß *keine* Wirkung eintritt — zweimal hatte ich das Gefühl, daß bei einer Transition oder Versetzung in der Atmosphäre meine Temperatur leicht anstieg, aber das kann auch an der Aufregung gelegen haben. So etwas wie Effekte der Taucherkrankheit habe ich nicht beobachtet. Hat sich einer von euch unbehaglich gefühlt?«

»Ich nicht, Jake.«

»Mir ist alles gut bekommen, Paps«, bestätigte ich.

»Ich wurde raumkrank, aber Deety hat mich geheilt«, fügte Tante Hilda hinzu.

»Ich ebenfalls, mein Schatz. Aber das war im Vakuum und kann mit dem anderen Phänomen nichts zu tun haben.«

»Paps«, sagte ich ernst, »uns ist nichts geschehen; den Grund dafür müssen wir nicht unbedingt wissen. Ein Basissatz der Erkenntnistheorie, gültig für die drei Grundaussagen der Semantik und für die Informationstheorie, läuft darauf hinaus, daß ein beobachtetes Faktum keines Beweises bedarf. Es *existiert* einfach, sich selbst darstellend. Sollen sich doch die Philosophen Gedanken darüber machen; sie haben nichts Besseres zu tun.«

»Ist mir recht!« meinte Hilda. »Ihr Geistesgrößen habt Sharpie ganz schön nervös gemacht. Und jetzt — ich dachte, wir wollten einen Spaziergang machen?«

»Das wollen wir auch«, sagte mein Mann. »Wenn wir endlich die Steaks gegessen haben.«

XVIII

Zebadiah:
Vier gute Fertigsteaks später waren wir bereit, unseren Rundgang anzutreten. Da hielt Deety uns auf; sie wollte ihren Test mit Fernsteuerung wiederholen, doch ich sprach mich entschieden dagegen aus.

»Warum nicht, mein Captain? Ich habe Gay ein Programm beigebracht, das sie zehn Kilometer senkrecht in die Höhe bringt. Das Codewort ist G-A-Y-H-Ü-P-F — eine neue schnelle Fluchtmöglichkeit ohne Ausführungs-Kommando. Anschließend rufe ich sie mit Z-I-S-C-H-A-B zurück. Wenn das eine über Walkie-Talkie funktioniert, muß man das beim anderen auch voraussetzen. Eines Tages mag unser Leben davon abhängen, wirklich!«

»Äh . . .« Ich beschäftigte mich damit, Planen zusammenzufalten und meinen Schlafsack zu verstauen. Der weibliche Verstand ist manchmal zu schnell für mich. Oft gelange ich zu denselben Schlußfolgerungen, doch manche Frau erreicht das Ziel schneller, doch *niemals* auf dem Weg, dem ich folgen muß. Außerdem ist Deety ein Genie.

»Was sagtest du eben, mein Captain?«

»Ich habe überlegt. Deety, mach's, wenn ich an Bord bin. Ich berühre die Kontrollen nicht. Pilot für den Notfall, weiter nichts.«

»Dann ist es kein Test mehr.«

»O doch. Ich verspreche dir bei meiner großen Pfadfinderehre, ich lasse das Schiff sechzig Sekunden lang fallen. Oder bis auf drei Kilometer Höhe über Grund, was immer zuerst eintritt.«

»Diese Walkie-Talkies haben eine Reichweite von mehr als zehn Kilometern, selbst untereinander. Gays Empfangsteil ist *viel* besser.«

»Deety, du verläßt dich auf Maschinen; ich nicht. Wenn Gay dein zweites Kommando nicht empfängt — wegen Sonnenflekken, atmosphärischer Störungen, wegen eines offenen Stromkreises, irgend etwas —, dann verhindere ich, daß sie abstürzt.«

»Aber wenn etwas anderes schiefgeht und du *wirklich* abstürzt, hätte ich dich *umgebracht!*« Sie begann zu weinen.

Wir schlossen also einen Kompromiß — nach ihren Wünschen. Wir führten den Versuch durch, den sie ursprünglich vorgeschlagen hatte. Ich verschwendete Energie, indem ich Gay Täuscher hundert Meter auf dem Boden rollen ließ. Dann stieg ich auf, und wir traten alle zurück. Deety sagte in ihr Walkie-Talkie: »Gay Täuscher — zisch ab!«

Das Spektakel ist von draußen noch erstaunlicher. Eben noch stand Gay Täuscher rechts von uns, im nächsten Augenblick links. Kein Geräusch — nicht einmal ein Implosionsfauchen. Zauberei!

»Nun, Deety? Bist du zufrieden?«

»Ja, Zebadiah. Vielen Dank, Liebling. Aber es mußte ein richtiger Test sein. Das verstehst du doch, oder?«

Ich bejahte und konnte doch den Verdacht nicht zerstreuen, daß mein Test aussagekräftiger gewesen wäre. »Deety, könntest du das umkehren? Einen anderen Ort aufsuchen und Gay auffordern, zu dir zu kommen?«

»An eine Stelle, an der sie noch nicht gewesen ist?«

»Ja.«

Deety schaltete ihr Walkie-Talkie ab und überzeugte sich, daß mein Gerät ebenfalls tot war. »Sie soll das nicht hören, Zebadiah. Mit Computern bin ich immer sehr vorsichtig — mein großer Fehler — ich weiß. Aber für mich ist Gay eben eine Person.« Sie seufzte. »Ich weiß, daß sie in Wirklichkeit eine Maschine ist; sie kann nichts sehen, sie hat keinen Begriff von Raum und Zeit. Doch sie vermag Schaltkreise auf komplizierte Weise zu manipulieren — und die Vielschichtigkeit dieser Möglichkeiten sind durch Grammatik und Vokabular begrenzt. Diese Grenzen stehen genau fest. Wenn ich nicht genau im Rahmen ihrer Grammatik und ihres Vokabulars bleibe, meldet sie: ›Null-Programm‹. Ich kann ihr über Funk all das mitteilen, was ich ihr auch bei direkter Eingabe in der Kabine sagen könnte — und das gleiche gilt für dich. Doch ich *kann* sie nicht anweisen, sich auf die Suche nach mir zu machen — ich wäre auf einer Wiese hinter einem Canyon, zwölf bis dreizehn Kilometer entfernt, etwa südwestlich des Hier-Jetzt. Das ist ein Null-Programm — denn der Befehl enthält fünf undefinierte Begriffe.«

»Weil du es bewußt auf Null angelegt hast. Du hast ›Unsinn‹ eingegeben und erwartest nun, daß ich überrascht bin, wenn du auch ›Unsinn‹ herausbekommst — das war aber Absicht.«

»O nein, auf keinen Fall!«

Ich küßte sie auf die Nasenspitze. »Liebste Deety, du solltest dich auf deine Instinkte verlassen. Es gibt eine Möglichkeit, Gay diesen Befehl zu geben, ohne auch nur einen neuen Begriff in ihr Vokabular einzugeben. Sag ihr, sie sollte sich auf ein Programm in drei Teilen gefaßt machen. Erstens: Ein Minimum hüpfen, zehn Kilometer. Zweiter Teil: Transition zwölf Komma fünf Kilometer Kurs zwei zwei fünf. Dritter Teil: runtergehen auf einen Kilometer Höhe über Grund und schweben. Wenn die von dir beschriebene Position ungefähr stimmt, müßtest du Gay sehen und sie ohne Jakes Verdreher zur Landung lotsen können.«

»Äh . . . zwölfeinhalb Kilometer lassen sich in Einheiten von zehn Kilometern aber nicht ausdrücken. Also Treibstoffflug?«

»Energie verschwenden? Schätzchen, du bist eben in Oberschulgeometrie durchgefallen! Wenn du Euklids Werkzeuge nimmst, Zirkel und Lineal, solltest du Kurs und Entfernung aufzeichnen und festlegen können, wie man in Zehn-Kilometer-Einheiten ans Ziel kommt, ohne Bruchteile.«

Meine Frau starrte mich an. Dann klärte sich ihr Blick. »Transition ein Minimum Kurs eins sieben drei und zwei Drittel, dann Transit ein Minimum Kurs zwei sieben sechs und ein Drittel. Die Spiegelbildlösung würde dieselben Kurse umgekehrt voraussetzen. Plus unzählige Nebenlösungen, bei der mehr als zwei Minima erforderlich sind.«

»Eins rauf. Wenn du Gay jetzt nicht entdeckst, soll sie eine zurückführende Suchkurve beschreiben — findest du in ihren Dauerspeichern, in australischem Akzent. Mein liebstes Mädchen, hast du das wirklich im euklidischen Stil errechnet?«

»Zumindest *annähernd* — aber du hattest mir ja auch nicht Zirkel und Lineal in die Hand gedrückt! Kreis mit Radius zwölfeinhalb. Kreis horizontal teilen durch gerade Linie durch Ausgangspunkt; vierteln durch Einzeichnen einer Senkrechten. Den Quadranten unten links halbieren — das ergibt Kurs zwei zwei fünf oder Südwest. Dann den Zirkel auf zehn Einheiten stellen und Bögen vom Ausgangspunkt und südwestlichen Punkt des Kreises beschreiben; die Schnittpunkte geben Kurse und Winkel für beide Kursfeststellungen je nach Genauigkeit von Lineal und Zirkel. Aber als visuelles Bild dieser Konstruktion — nun, dabei kamen Winkel von zweihundertfünfundsiebzig und hundertfünfundsiebzig Grad heraus. Das war nicht sonderlich exakt.

Ich machte dasselbe also noch einmal nach dem pythagoräischen Lehrsatz, indem ich das gleichschenklige Dreieck in zwei rechteckige Dreiecke unterteilte. Die Hypotenuse ist zehn, eine Seite ist sechs ein Viertel — und das ergibt die fehlende Seite mit sieben Komma acht null sechs zwei vier sieben plus — und damit hast du einen Kurs, und liest den anderen mit Hilfe des skandalösen Fünften Lehrsatzes ab. Überprüft habe ich das Ganze durch trigonometrische Kontrolle. Arkussinus null Komma sieben acht null sechs zwei vier sieben . . .«

»Genug! Genug! Ich glaube dir ja. Auf welchen anderen Wegen kannst du Gay programmieren, dich zu finden — bezogen auf ihr derzeitiges Vokabular?«

»Äh . . . darf ich dabei Treibstoff verbrauchen?«

»Wenn nötig.«

»Ich würde sie ein Minimum springen lassen, dann mein Signal maximieren. Sie soll mich anpeilen.«

»Gut. Nun mach dasselbe ohne Energieaufwand. Nimm Jakes Verdreher.«

Deety sah mich nachdenklich an und wirkte plötzlich zwölf Jahre alt. Dann sagte sie: »*Drunkard's Walk!*«* Aber sofort fügte sie hinzu: »Ich würde einen Grenzbereich darum herumlegen, der groß genug ist, daß ich mich auf jeden Fall darin befinde. An jedem Winkel müßte Gay die Signalstärke messen. Eine solche Messung würde die Signalquelle ergeben.«

»Welche Methode ist schneller? Direkter Anflug auf Antrieb? Oder das wahlfreie Springen?«

»Nun ja, der . . .«, begann Deety und blickte mich erstaunt an. »Sie hat Festkörperrelais.«

»Jake stellt die Nonien mit der Hand — aber wenn Gay sich selbst Anweisungen gibt, bewegt sich nichts. Festkörper.«

---

* Unübersetzbares Wortspiel: ›Drunkard's Walk‹ heißt wörtlich ›Der Gang des Trinkers‹ und ist zugleich der Titel des bekannten Romans von Frederik Pohl, der auf deutsch als ›Tod den Unsterblichen‹ erschien.

»Zebadiah, denke ich noch richtig? Mit Treibstoff müßte Gay auf die Entfernung — sagen wir, zwölf Kilometer — in drei oder vier Minuten bei mir sein können. Aber — Zebadiah, das kann doch nicht stimmen! — *ohne* jeden Energieaufwand und bei reinen Zufallssprüngen müßte Gay mich in weniger als einer Sekunde aufspüren. Wo habe ich mich geirrt?«

»Im großen und ganzen, Deety. Du hast ein bißchen die Nerven verloren. Die ersten fünfzig Millisekunden müßten den heißen Punkt offenbaren; in weniger als weiterer fünfzig Millisekunden sitzt sie dir im Nacken. Das Ganze ist in einer Zehntelsekunde oder schneller ausgestanden. Aber über die beste Methode haben wir noch immer nicht gesprochen. Ich habe gesagt, *du solltest dich auf deine Instinkte verlassen.* Gay ist kein ›Ding‹. Sie ist eine *Person.* Du wirst nie erfahren, wie erleichtert ich war, als sich abzeichnete, daß ihr beiden euch angefreundet hattet. Wäre sie eifersüchtig auf dich gewesen — Gott bewahre uns vor einer rachsüchtigen Maschine! Aber sie neidet dir nichts; sie findet dich prima!«

»Zebadiah, glaubst du das wirklich?«

»Dejah Thoris, ich *weiß* es.«

Deety schien erleichtert zu sein. »Ich weiß es auch — trotz meiner Äußerungen von vorhin.«

»Deety, für mich ist die ganze Welt lebendig. Einige Teile schlafen, einige dämmern vor sich hin, einige sind wach, gähnen aber gewaltig — und einige sind putzmunter mit blitzenden Augen, bereit, loszuspringen. Dazu gehört Gay auf jeden Fall.«

»Ja, du hast recht. Tut mir leid, wenn ich sie zu nüchtern gesehen habe. Aber was ist deine ›beste Methode‹?«

»Liegt die nicht auf der Hand? Sag ihr nicht, *wie* sie es machen muß — gib ihr einfach den Befehl. Sag zu ihr: ›Gay, komm und such mich!‹ Diese fünf Worte gehören zu ihrem Vokabular, der Satz geht auch über ihre Grammatikkenntnisse nicht hinaus. Und sie wird dich finden.«

»Aber wie? Mit wahlfreien Sprüngen, dem ›Gang des Trinkers‹?«

»Eine Zehntelsekunde könnte ihr zu lange erscheinen — sie *mag* dich, Schätzchen. Sie wird ihre Register durchsehen und die optimale Lösung wählen. Vielleicht kann sie dir hinterher nicht sagen, wie sie es gemacht hat, da sie alles löscht, was sie nicht ausdrücklich speichern soll. Jedenfalls nehme ich das an; genau wissen tue ich es nicht.«

Jake und Hilda hatten sich während meines Gesprächs mit Deety entfernt. Nun kamen sie zurück, und wir gingen auf sie zu. Sharpie rief: »Zebbie, was ist mit dem versprochenen Ausflug?«

»Sofort«, sagte ich. »Jake, wir haben noch etwa drei Stunden. Wir sollten bis Sonnenuntergang dichtgemacht haben. Was meinst du?«

»Ganz deiner Meinung. Die Temperatur wird stark fallen.«

»In der Tat. Richtig umsehen können wir uns heute nicht mehr. Also sehen wir das Ganze als Übung an. Volle Bewaffnung, Patrouillenformation, Funkstille und auf der Hut, als säße hinter jedem Busch ein ›Schwarzer Hut‹.«

»Hier gibt's aber keine Büsche«, wandte Hilda ein.

Ich tat, als hätte ich sie nicht gehört. »Aber was verstehen wir unter voller Bewaffnung, Jake? Jeder von uns hat ein Gewehr. Du hast deine altmodische Armee-Automatic, die alles niederknüppelt, wenn du nur nahe genug herankommst — aber wie gut bist du im Schießen?«

»Es reicht.«

»Was heißt das?« (Die meisten sind mit einem Baseball so treffsicher wie mit einer Pistole.)

»Captain, ein Ziel, das weiter als fünfzig Meter entfernt ist, traue ich mir nicht zu. Aber wenn ich treffen will, wird sich das Ziel in Reichweite befinden, und ich werde es treffen.«

Ich öffnete den Mund — und schloß ihn wieder. Fünfzig Meter ist für diese Waffe sehr weit. Aber sollte ich unterstellen, daß mein Schwiegervater prahlte?

Deety bemerkte mein Zögern. »Zebadiah, Paps brachte mir auf dem Schießstand des Trainings-Corps für Reserveoffiziere den Umgang mit der Pistole bei. Ich habe gesehen, wie er auf dreißig Meter auf bewegliche Ziele schoß. Dabei hat er nur einmal vorbeigeschossen. *Einmal!*«

Jake räusperte sich. »Meine Tochter vergaß zu erwähnen, daß ich dabei die meisten Überraschungsziele auslasse.«

»Vater! ›Meisten‹ bedeutet mehr als fünfzig Prozent. Aber das stimmt nicht!«

»Jedenfalls fast.«

»Bei sechs Anlässen. Vier Schußfolgen, achtundzwanzig Ziele bei drei . . .«

»Halt, meine Liebe! Jake, es ist sinnlos, dich mit deiner Tochter auf Zahlenspiele einzulassen. Mit meinem Police Special würde ich jedenfalls nichts über zwanzig Meter anpeilen — es sei denn, ich müßte jemandem Deckung geben. Aber ich lade meine Patronen selbst und gieße mir die Dum-Dum-Geschosse auch; das Ergebnis ist beinahe so tödlich wie bei deiner Haubitze. Aber wenn es Ärger gibt oder wir Nahrung schießen müssen, verwenden wir Gewehre, unterstützt durch Deetys Schrotflinte. Deety, kannst du schießen?«

»Wirf nur deinen Hut in die Luft.«

»Das hört sich ja gefährlich an. Sharpie. Wir haben fünf Feuerwaffen und nur vier Leute — meinst du, daß etwas zu dir passen würde?«

»Capt'n Zebbie, das einzige Mal, als ich eine Waffe abfeuerte, bin ich rückwärts gepurzelt, der Schuß ging ins Leere, und anschließend hatte ich eine wunde Schulter. Ihr schickt mich am besten voraus, damit ich die Tretminen auslöse.«

»Zebadiah, sie könnte meine *Fléchette*-Pistole nehmen!«

»Sharpie, wir nehmen dich in die Mitte, und du trägst den Erste-Hilfe-Kasten; du bist Sanitätsoffizier — für den Notfall mit Deetys kleinem Schießeisen bewaffnet. Jake, es wird Zeit, daß wir die Schwerter ablegen und damit aufhören, uns als barsoomische Krieger zu gebärden. Feldstiefel. Ich werde meinen alten verschwitzten Pilotenanzug tragen, der etwa den Einteilern entspricht, die Jake und Deety haben — ich schlage vor, daß ihr sie ebenfalls anlegt, Wir sollten außerdem Wasserflaschen und eiserne Rationen mitführen. Mir fällt aber nichts ein, was wir als Flasche nehmen könnten. Verdammt! Jake, wir sind nicht ideal ausgerüstet.«

»Welches Ideal meinst du?« wollte Hilda wissen.

»Na, was sich so in den Romanen über interstellare Forschungsreisen findet. Da gibt es stets ein riesiges Mutterschiff in der Umlaufbahn, befrachtet mit allem, von Kathetern bis Coca-Cola, die Vorstöße erfolgen mittels Kundschafterboot, das mit dem Mutterschiff Kontakt hält. Irgendwie läuft das bei uns nicht so.«

(Um so mehr Grund, sich von nun an möglichst genau an den Drill zu halten. Jake oder ich, einer von uns, muß auf jeden Fall am Leben bleiben, um für zwei Frauen und ungeborene Kinder zu sorgen; die Vernichtung der ›Schwarzen Hüte‹ fällt dagegen weit ab.)

»Zebbie, warum starrst du mich so an?«

Es war mir gar nicht aufgefallen. »Ich habe mir überlegt, was man dir zum Anziehen geben soll. Sharpie, mit Schmuck und Parfum siehst du großartig aus. Aber für einen Ausflug ins Wilde genügt das nicht. Nimm alles ab und leg es fort. Du auch,

Deety. Deety, hast du noch einen Overall, der für Hilda zusammengesteckt werden könnte?«

»Durchaus. Aber es würde Stunden dauern, den Anzug richtig zu ändern. Mein Nähkästchen ist nicht besonders gut sortiert.«

»›Stunden‹ — das muß an einem anderen Tag geschehen. Heute behelfen wir uns mit Sicherheitsnadeln. Aber daß ihr mir kräftige Schuhe für sie auspolstert, und zwar ordentlich. Verflixt, eigentlich braucht sie Feldstiefel. Sharpie, erinnere mich daran, wenn wir unseren Einkaufstrip zur Erde-ohne-J machen.«

»Dein Wort ist mir Befehl, Erhabener. Ist es gestattet, eine parlamentarische Anfrage vorzubringen?«

Sie verblüffte mich. »Hilda, warum plötzlich der frostige Ton?«

Sie lächelte, hob den Arm und tätschelte mir die Wange. »Du meinst es gut, Zebbie, aber du überschreitest deine Befugnisse. Während Gay Täuscher gelandet ist, sind wir gleichberechtigt. Du gibst aber andauernd Befehle.«

Ich wollte etwas antworten, doch Jake kam mir zuvor. »Liebste Hilda, bei einer Kundschafterexpedition ist die Situation wie in einem unterwegs befindlichen Schiff. Wir brauchen einen Kapitän.«

Sharpie wandte sich ihrem Mann zu. »Das gestehe ich gern ein. Aber dürfte ich darauf hinweisen, daß wir *noch gar nicht* aufgebrochen sind? Zebbie hat dich um Rat gfragt, nicht aber Deety und mich. Er wollte Informationen von uns haben — aber verflixt selten! Abgesehen davon hat er uns nur herumkommandiert. Was sind wir, Zebbie? Arme kleine Weibchen mit nutzlosen Ansichten?«

»Sharpie, du hast recht, und ich habe unrecht. Aber ehe du das Urteil verkündest, möchte ich mildernde Umstände in Anspruch nehmen: Jugend und Unerfahrenheit, dazu einen langen und einwandfreien Militärdienst.«

»Das geht nicht«, meinte meine hilfreiche Frau. »Das eine *oder* das andere könnte man schon vorbringen, aber nicht beides zusammen. Es hebt sich gegenseitig auf.«

Sharpie stellte sich auf die Zehenspitzen und küßte mich aufs Kinn. »In Zebbies Fall aber doch. Möchtest du immer noch wissen, was wir als Wasserbehälter benutzen können?«

»Aber ja!«

»Warum hast du dann nicht gefragt?«

»Aber das habe ich doch getan!«

»Nein. Capt'n Zebbie; du hast nicht danach gefragt und uns

auch nicht einmal Zeit gelassen, mit einem Lösungsvorschlag zu kommen.«

»Das tut mir leid, Hilda. Mir geht zuviel im Kopf herum.«

»Das weiß ich, mein Lieber; Sharpie will dich ja auch nicht schelten. Aber ich *mußte* irgendwie deine Aufmerksamkeit erwekken.«

»Lauerst du jetzt mit deinem Baseballschläger?«

»Beinahe. Als Ersatz-Wasserflasche — eine Wärmflasche?«

Wieder erstaunte sie mich. »Angesichts der Gefahren, in denen wir vor unserem Abflug schwebten, hast du dir Gedanken gemacht über kalte Füße im Bett? Und hast eine Wärmflasche eingepackt?«

»Zwei«, antwortete Deety. »Tante Hilda nahm eine. Und ich die andere.«

Sharpie fragte: »Deety, ist er wirklich so naiv?«

»Ich fürchte ja, Tante Hilda. Aber er ist lieb.«

»Und mutig«, meinte Hilda. »Aber in mancher Hinsicht doch etwas zurückgeblieben. In Zebbies Fall können beide Dinge *doch* nebeneinander bestehen. Er ist einzigartig.«

»Worüber redet ihr da eigentlich?« wollte ich wissen.

»Tante Hilda meint, bei der Ausstattung Gays hättest du ein Bidet vergessen.«

»Oh.« Etwas Witzigeres brachte ich nicht heraus. »Das ist ein Thema, mit dem ich mich nicht groß beschäftige.«

»Warum auch, Zebbie. Allerdings benutzen auch Männer Bidets.«

»Zebadiah schon. Und Paps ebenfalls. Bidets, meine ich. Nicht Wärmflaschen.«

»Ich meinte Wärmflaschen, mein Lieber. Als Sanitätsoffizier muß ich dem Captain vielleicht noch mal ein Klistier verpassen.«

»O nein!« wandte ich ein. »Dazu bist du nicht ausgerüstet!«

»O doch, Zebadiah. Wir haben beide Arten von Aufsätzen mitgebracht.«

»Aber nicht vier stämmige Pfleger, die mich festhalten. Machen wir weiter, Sharpie, was war das für ein Ratschlag, den du uns gegeben hättest, wäre ich so klug gewesen, dich zu fragen?«

»Nicht alles davon ist ein Rat; ich möchte auch einige Tatsachen klarstellen. Ich werde nicht an einem heißen Tag durch die Gegend wandern und dabei einen einteiligen Anzug tragen, der mir acht Nummern zu groß ist. Während ihr Räuber und Gendarm spielt, werde ich es mir in meinem Sitz bequem machen und das *Oxford Book of English Verse* studieren. Vielen Dank, daß du es mitgebracht hast, Jacob.«

»Hilda, ich würde mir aber Sorgen um dich machen.«

»Das wäre völlig überflüssig, Jacob. Ich kann Gay bitten, die Türen zu verschließen. Würde ich aber mit euch gehen, wäre ich nur ein Hemmschuh. Ihr drei seid zum Kämpfen ausgebildet, ich nicht.« Sharpie wandte sich an mich. »Captain, da ich nicht mitgehe, habe ich mehr dazu nicht zu sagen.«

Was sollte ich darauf antworten? »Vielen Dank, Hilda. Deety, hast du auch noch Anmerkungen dazu?«

»Jawohl, Sir. Ich bin einverstanden mit den Feldstiefeln und den einteiligen Anzügen und so weiter, obwohl es darin unangenehm heiß sein wird. Aber ich wünschte, du würdest dir das mit deinem Schwert und Paps' Säbel noch einmal überlegen. Im Vergleich zu Gewehren sind das natürlich keine besonders durchschlagenden Waffen, aber sie sind gut für meine Moral.«

»Wäre ich mitgekommen«, warf Hilda ein, »hätte ich dasselbe gesagt. Möglicherweise eine emotionale Nachwirkung der Ereignisse vom ... äh ... war es wirklich erst gestern? Vielleicht ist hier aber auch eine unterbewußte Logik im Spiel. Erst gestern besiegten nackte Klingen einen Mann — ein Wesen, einen Außerirdischen —, der eine Feuerwaffe bei sich hatte und sie auch gebrauchen wollte.«

»Captain«, meinte Jake, »ich wollte meinen Säbel eigentlich nicht ablegen.«

»Also gut, wir nehmen die Waffen mit.« Für das Tragen eines Schwerts ist jede Entschuldigung gut genug. »Sind wir dann endlich fertig? Wir haben eine Stunde verloren, die Sonne geht unter. Deety?«

»Noch etwas, Zebadiah, und eigentlich rechne ich damit, daß ihr mich überstimmt. Ich schlage vor, den Kundschaftergang ausfallen zu lassen.«

»So? Prinzessin, entweder hast du jetzt zuviel gesagt oder nicht genug.«

»Wenn wir planmäßig weitermachen, verbringen wir die Nacht hier — im Sitzen. Wenn wir statt dessen der Sonne nachjagen ... Auf der anderen Seite waren Lichter zu sehen, die wie Städte aussahen. Auf der Tagseite schimmerte eine blaue Fläche, die ein Meer sein könnte. Ich glaube, ich habe Kanäle gesehen. Aber ob wir nun etwas finden oder nicht — schlimmstenfalls holen wir den Sonnenaufgang ein und könnten dann bei Tageslicht und im Freien schlafen, wie heute schon.«

»Deety! Gay kann die Sonne überholen. Einmal. Willst du, daß wir die gesamte verbleibende Energie aufbrauchen, nur damit wir draußen schlafen können?«

»Zebadiah, ich hatte nicht vor, überhaupt den Antrieb einzuschalten.«

»Wie bitte? Es hörte sich aber so an.«

»O nein! Nimm Transitionen vor von drei Minima oder mehr, in westlicher Richtung. Heb uns aus der Atmosphäre. Wir stürzen zurück, während wir interessante Orte aufzuspüren versuchen. Beim Wiedereintritt beginnen wir zu gleiten, und die Richtung hängt davon ab, wo du dich umsehen möchtest. Wenn du den Gleitflug bis zum Gehtnichtmehr gestreckt hast, nimmst du eine weitere Transition vor, es sei denn, du willst landen. Darin liegt doch eine große Flexibilität, Zebadiah. Wir könnten schon in wenigen Minuten die Linie des Sonnenaufgangs erreichen. Oder wir könnten wochenlang auf der Tagseite bleiben, ohne zu landen, ohne Energie zu verbrauchen, und den Planeten von Pol zu Pol erforschen.«

»Vielleicht würde Gay das wochenlang durchstehen — ich aber nicht. Ich bin noch für ein paar Stunden gut. Mit dieser Einschränkung hört sich dein Vorschlag gut an. Wie steht es damit? Hilda? Jake?«

»Soll das heißen, daß das Stimmrecht der Frauen *auf Dauer* gilt? Ich stimme für ja.«

»Da habt ihr schon die Mehrheit«, sagte Jake.

»Jacob!« sagte seine Frau tadelnd.

»War nur ein Scherz, meine Liebe. Also einstimmig.«

»Jemand hat das Wahlergebnis gerade außer Kraft gesetzt«, sagte ich. »Seht mal.«

Wir schauten alle hinüber. Deety fragte: »Was ist denn das? Ein Pterodaktylus?«

»Nein, ein Ornithopter. Ein sehr großer.«

Zweiter Teil

Der Mandarin des Schmetterlings

XIX

Hilda:

Jacob legte den Arm um mich. »Zeb«, sagte er leise. »Ich kann es einfach nicht glauben.« Er starrte (wie wir alle) auf den schwerfälligen Schwingflügler, der über die Hügel im Westen auf uns zukam.

»Ich auch nicht«, antwortete Zebbie. »Falsche Flügelbelastung. Unglaubliche Untergliederung der Beine. Dort ein zweiter. Und ein dritter! Alle Mann! Packt eure Sachen! Bemannt das Schiff! Fertigmachen zum Abheben! *Los!* Jake, mach deinen Säbel los und steig in deinen Anzug, aber *schnell!*«

Capt'n Zebbie löste seinen Schwertgurt und griff, während er noch herumbrüllte, nach seinem Overall. Ich war als erster in der Kabine, da ich auf das Ankleiden verzichtete — ich packte Deetys Babyschuhe mit einer Hand, mein Kleid und die Höschen mit der anderen. Umständlich zog ich mein Höschen an, ließ dann das Kleid über den Kopf gleiten und schob die Füße in Deetys alte Sportschuhe.

Ich kam dem Befehl voraus, die Gurte zu schließen — hielt aber plötzlich inne und lockerte die Bänder wieder. Ich hatte vergessen, die Klunker abzunehmen, die mich als barsoomische ›Prinzessin‹ auswiesen. Jetzt sah es so aus, als würde mich jedes kleine Stück Eitelkeit für den Rest meines Lebens entstellen.

Deety fluchte leise wegen desselben Problems. Deetys einteiliger Anzug war ziemlich eng. Ich half ihr dabei, die guten Stücke neu zu arrangieren, forderte sie aber auf, nichts abzumachen und den Reißverschluß bis zum Kinn zuzuziehen. »Deety, wenn du dir die Haut aufreißt, das heilt wieder. Aber sollte ein loses Stück unserem Captain ins Auge fliegen, wirst du aufs Rad geflochten.«

Ich schnalzte mahnend mit der Zunge, als ich ihre Antwort hörte. Unterdessen hatten unsere Männer auch ihre Probleme. Der Stauraum unter dem Armaturenbrett war von einem voll ausgewachsenen Mann nicht einzusehen. Schon Jacob war viel zu groß, richtig daran heranzukommen, und wenn man sich erst Zebbie vorstellte . . .

Zebbie äußerte sich noch ungezwungener als Deety, wenn auch nicht ganz so bunt. Mein Liebling hielt den Mund, was nur bedeuten konnte, daß er *ernsthaft* in Schwierigkeiten steckte. Ich sagte: »Meine Herren . . .«

»Halt den Mund, Sharpie!« knurrte Zebbie. »Wir haben Probleme. Deety! Wie hast du die Zahnstocher in den Winkel hineinbekommen?«

»Ich habe das nicht getan. Tante Hilda hat sie verstaut.«

»Sharpie, kann ich mich später entschuldigen? Die Marsianer kreisen uns bereits ein.«

Und das stimmte — mindestens ein Dutzend flügelschlagender Ungeheuer war zu sehen. Ein Wesen schien landen zu wollen. »Captain, ich tu's — aber es gibt eine schnellere Methode.«

»*Wie denn?*«

»Hakt die Scheiden los, legt die Schwertgurte um. Säbel und Schwert in den Scheiden passen gut hinein, wenn ihr die eine Waffe nach links, die andere nach rechts dreht. Allerdings werden sie klappern, wenn man sie nicht mit Kleidung umwikkelt.«

»Sollen sie doch klappern!« In Sekundenschnelle hatten unsere mutigen Recken Waffen und Scheiden verstaut. Als Capt'n Zebbie den Schwertgurt festgezogen hatte und sich seinem Sicherheitsgurt zuwandte, rief er: »Alle anschnallen! Vorbereiten zum Start! Sharpie, habe ich dir heute schon gesagt, daß ich dich nicht nur liebe, sondern auch bewundere?«

»Ich glaube nicht, Captain.«

»Dann soll dies hiermit bestätigt sein. Sehr sogar. Meldung! Wissenschaftsoffizier!«

»Sicherheitsgurt geschlossen. Vielen Dank, Zebbie.«

»Sicherheitsgurt geschlossen«, meldete auch Deety. »Schottür verriegelt.«

»Gurt geschlossen, Dichtung Steuerbordtür überprüft, Copilot bereit, Sir.«

»Dichtung Backbordtür überprüft, Pilot angeschnallt; wir sind bereit — und nicht zu früh! Ein Biest ist gelandet, und jemand steigt aus. He! Das sind ja Menschen!«

»Oder verkleidete Außerirdische«, meinte mein Liebling.

»Nun . . . ja, das wäre eine Möglichkeit. Ich kann jederzeit abheben. Deety — dein neues Programm. Nur G-A-Y-H-Ü-P-F, kein Los-Damit-Wort?«

»Richtig.«

»Gut. Ich will erst darauf zurückgreifen, wenn ich wirklich muß. Dies mag sich zu dem berühmten ›ersten Kontakt‹ entwikkeln, mit dem unsere Welt gerechnet hat.«

»Capt'n Zebbie, warum sollten Außerirdische sich verkleiden, wenn sie uns zahlenmäßig überlegen sind? Ich glaube, wir haben da Menschen vor uns.«

»Ich hoffe, du hast recht. Copilot, soll ich die Tür aufmachen? Meinung, bitte.«

»Captain, du kannst die Tür jederzeit öffnen. Aber wenn sie erst offen *ist,* dauert es ein paar Sekunden länger, sie wieder zu schließen, und das Schiff rührt sich mit offener Tür nicht von der Stelle.«

»Da hast du recht, Gay Täuscher.«

»Hallo, Boß, woher hast du die flotten Bienen?«

»Gay, überprüfen und melden.«

»Alle Schaltungen überprüft, alle Systeme bereit, Energieladung null Komma sieben acht — und ich wäre in Stimmung.«

»Ausfahren L-Kanone. Vorbereiten zum Schuß.«

»Erledigt!«

»Captain«, sagte mein Mann besorgt, »willst du sie zerstrahlen?«

»Ich hoffe, daß es nicht nötig wird. Ich würde lieber fliehen als kämpfen. Und würde lieber bleiben und Hilfe holen als fliehen *oder* kämpfen. Aber sie sind an einer Stelle gelandet, wo ich sie zerstrahlen *könnte.*«

»Captain, tu es nicht!«

»Copilot, ich habe auch nicht die Absicht. Und jetzt Schluß mit dem Thema!«

Der gelandete Flattervogel befand sich etwa zweihundert Meter voraus und einige Grad zur Linken. Zwei Männer — sie sahen jedenfalls so aus — waren abgestiegen und kamen auf uns zu. Sie waren gleich gekleidet — Uniform? Sie kamen mir vage vertraut vor — doch alle Uniformen sind irgendwie gleich, oder?

Sie waren weniger als hundert Meter entfernt. Capt'n Zebbie hantierte an seinem Armaturenbrett — und plötzlich waren deutlich ihre Stimmen zu hören; sie dröhnten unangenehm laut. Er stellte die Lautstärke zurück, und nun konnten wir sie gut verstehen. »Das ist ja Russisch!« sagte Zebbie. »Oder, Jake?«

»Captain, ich nehme es an. Jedenfalls eine slawische Sprache.« Er fügte hinzu: »Verstehst du sie?«

»*Ich?* Jake, ich habe gesagt, ich könnte auf russisch fluchen; ich habe nicht behauptet, die Sprache zu beherrschen. Ich kann ›danke‹ und ›bitte‹ und ›da‹ und ›njet‹ sagen — und weiß noch etwa sechs weitere Vokabeln. Wie steht es mit dir?«

»Ich könnte mir mit Hilfe eines Wörterbuchs eine mathematische Abhandlung zusammenreimen. Aber die Sprache sprechen oder verstehen? Nein.«

Ich versuchte mich zu erinnern, ob ich Zebbie jemals gesagt hatte, daß ich Russisch kann. Meinem Mann und Deety hatte ich es nicht mitgeteilt. Nun ja, wenn Zebbie es wußte, würde er mich darauf ansprechen. Ich prahle nicht damit, weil es dem Menschen nicht entspricht, als der ich mich in der Öffentlichkeit ausgebe. Ich hatte mich aus Neugier damit zu beschäftigen begonnen; ich wollte die großen russischen Romanautoren lesen — Dostojewski, Tolstoi und so weiter — und zwar im Original, um festzustellen, warum sie dermaßen gefeiert wurden, und weshalb ich vergeblich versuchte, diese großen klassischen Romane von vorn bis hinten durchzulesen. (Nun, sie haben mich immerhin von Schlaftabletten abgebracht.)

Also machte ich mich daran, Russisch zu lernen. Ich ging mit Kopfhörern ins Bett und hörte mir das Russische im Schlaf an, und tagsüber arbeitete ich dann mit einem Privatlehrer weiter. Mit dem Akzent kam ich nie ganz zurecht — sechs Konsonanten hintereinander machen mir Knoten in die Zunge. Aber man vermag eine Sprache nicht schnell zu lesen, solange man die Worte nicht ›hört‹. Also lernte ich neben dem Lesen auch das Sprechen.

(O ja, diese ›klassischen Romane‹: Nachdem ich soviel Mühe investiert hatte, tat ich, was ich mir vorgenommen hatte. *Krieg und Frieden, Der Idiot, die Brüder Karamasov, Anna Karenina* und so weiter. Sie werden es nicht für möglich halten — aber in der Übersetzung *gewinnen* diese Romane noch; die Originale sind viel deprimierender und einschläfernder als die Übersetzungen. Ich weiß nicht genau, welchen Zweck die russische Literatur hat, mit *Unterhaltung* hat sie jedenfalls nichts zu tun.)

Ich beschloß zu warten. Es lag mir nichts daran, die Dolmetscherin zu spielen, was sich auch als überflüssig erweisen würde, sobald sich Zebbie und Jacob mit unseren Besuchern auf eine dritte Sprache geeinigt hatten — und ich begründete meine Entscheidung mit dem Gedanken, daß es noch vorteilhaft sein mochte, wenn die Fremden glaubten, niemand von uns verstünde Russisch.

(In diesem Augenblick ging mir auf, daß ich auf russisch gedacht hatte. Es ist eine wunderbare Sprache für paranoide Gedanken.)

Als Zebbie die Außenmikrofone einschaltete, sagte der Ältere gerade zum Jüngeren: ». . . lassen Sie Fjodor Iwanowitsch von solchen Gedanken keinen Wind bekommen. Jewgenij. Er glaubt einfach nicht, daß die (törichten? dummen?) Briten uns in irgend etwas übertreffen könnten. Sie sollten das seltsame Gebilde also nicht als ›fortschrittliche Technik‹ bezeichnen. Eine ›verrückte Mischung schlecht geordneter Experimente‹ wäre wohl angebrachter.«

»Ich will daran denken. Soll ich den Holster lockern und die Waffe entsichern? Um Sie zu beschützen, Sir?«

Der ältere Mann lachte. »Sie haben mit den verdammten Briten noch nicht so lange zu tun wie ich. Die Kerle dürfen nicht ahnen, daß Sie auch nur im geringsten nervös sind. Und achten Sie darauf, sie immer als erster zu beleidigen. Denken Sie daran, der gemeinste Leibeigene in der Ukraine ist besser als der sogenannte König der Briten. Dieser Leibeigene . . .«

In diesem Augenblick fuhr Zebbie dazwischen: *»Arrêtez-là!«*

Der jüngere Mann zögerte, doch der andere ging gelassen weiter. Statt dessen antwortete er auf französisch: »Du forderst *mich* zum Anhalten auf, du britisches Schwein? Einen Offizier des Zaren auf russischem Boden! Ich spucke auf das Grab deiner Mutter! Und deines Vaters, wenn deine Mutter noch weiß, wer er war. Warum sprichst du Französisch, du schmutziger britischer Spion? Damit täuschst du niemanden! Sprich Russisch — oder Englisch, wenn du schon keine Kultur besitzt!«

Zebbie drückte auf einen Knopf. »Was meinst du, Jake? Wollen wir Englisch sprechen, obwohl er die Engländer anscheinend auf dem Kieker hat? Oder wollen wir auf französisch weitermachen? Mein Akzent ist besser als seiner.«

»Vielleicht kommst du so damit durch, Captain. Ich nicht.«

Zebbie nickte und schaltete das Mikrofon wieder ein. »Wir sind keine Briten und keine Spione«, sagte er auf englisch. »Wir sind amerikanische Touristen, und . . .«

»›Amerika‹? Was ist das für ein Unsinn?« (Er sprach nun auch Englisch.) »Ein britischer Kolonist ist und bleibt ein Brite — und ein Spion.«

Mein Mann hob den Arm und schaltete das Mikrofon aus. »Captain, ich rate zum Abflug. Der Kerl ist Vernunftgründen nicht zugänglich.«

»Copilot, erst wenn ich *muß*. Wir haben nicht einmal genug Wasser an Bord. Ich muß verhandeln.« Zebbie betätigte den Schalter. »Ich bin kein britischer Kolonist. Ich bin Zeb Carter aus Kalifornien, ein Bürger der Vereinigten Staaten von Amerika; ich habe meinen Paß. Wenn wir uns hier unbefugt aufhalten, tut es mir leid. Wir entschuldigen uns.«

»Spion — das ist der kaltblütigste und frechste Bluff, den ich je gehört habe! So etwas wie die Vereinigten Staaten gibt es gar nicht. Ich verhafte dich! Im Namen Seiner Majestät des Zars aller Russischen Reiche, mit Vollmacht seines Vizekönigs für Neu-Rußland, des Erzherzogs Fjodor Iwanowitsch Romanow, verhafte ich dich und deine Begleiter wegen des Verbrechens der Spionage. Aufmachen!«

Inzwischen hatten die beiden Gay Täuscher erreicht und standen an der Backbordtür.

Zebbie antwortete: »Sie haben mir Ihren Namen noch nicht genannt, geschweige denn sich als russischer Offizier ausgewiesen. Oder mir eine Vollmacht gezeigt, die dieses eindeutig unbesetzte Gebiet betrifft.«

»Was? Unverschämtheit! Ich bin Colonel Graf Morinoski aus Novi-Kiew, Offizier der Garde des Vizekönigs. Was meine Vollmacht angeht, seht euch doch den Himmel ringsum an!« Der angebliche Colonel zog seine Pistole, drehte sie um und klopfte mit dem Griff gegen die Tür. »Ich habe gesagt: ›Aufmachen!‹«

Zebbie ist im Grunde nicht leicht aus der Ruhe zu bringen, doch sobald sich jemand an Gay Täuscher zu schaffen macht, ist es damit vorbei.

Leise sagte er: »Colonel, Ihr Gefährt da vorn — befindet sich jemand darin?«

»Wie? Natürlich nicht. Es ist ein Zweisitzer, das sieht doch jeder. Mein privater Kundschafterflieger. Aber unwichtig. Halt den Mund und mach jetzt endlich auf!«

Wieder schaltete Zebbie das Mikrofon aus. »Gay Täuscher, auf Kommando ›Ausführung‹ strahlst du eine Zehntelsekunde auf Ziel-im-Visier, Stärke vier.«

»Begriffen, Boß.«

»Colonel, wie wollen Sie vier Gefangene in einem Zweisitzer fortbringen?«

»Einfach. Du und ich, wir fahren in deinem Fahrzeug. Die anderen Angehörigen deiner Gruppe werden Geiseln sein und nach unseren Befehlen fortgebracht. Du wirst nicht erfahren, in welchen Fliegern sie sitzen, damit du nicht auf dumme Gedanken kommst. Mein Pilot wird meinen Flieger bedienen.«

»Ausführung!«

Der gelandete Ornithopter begann lodernd zu brennen — doch der Colonel bemerkte es nicht. Wir verfolgten die Szene, doch sein Blick war auf Zebbie gerichtet. Zebbie sagte: »Colonel, bitte treten Sie von der Tür zurück, damit ich sie aufmachen kann.«

»Oh. Na schön.«

»Colonel! *Sehen* Sie doch!« Der jüngere Offizier hatte beim Zurücktreten das Feuer bemerkt — und selten hatte in einer Stimme solche Pein gelegen.

Oder, gleich darauf, solches Erstaunen, gefolgt von Wut, auf dem Gesicht des Colonels. Er versuchte auf Zebbie zu schießen; dabei umklammerte er noch immer den Griff seiner Waffe. Er bemerkte den Irrtum und warf sie hoch, um sie am Griff zu fassen.

Ich sollte nicht mitbekommen, ob er sie auffing. Capt'n Zebbie befahl: »Gay, hüpf!«, und die Szene verschwand, während sich die Hand des Colonels noch öffnete, um die Pistole aufzufangen.

Zebbie sagte: »Jake, ich habe die Beherrschung verloren. Ich hätte es nicht tun dürfen; damit ist unsere letzte Chance dahin, uns mit den Russen zu verständigen. Aber ich hoffe, der freche Bursche hat begriffen, daß er nicht in der Weltgeschichte herumlaufen und in die Autos anderer Leute Beulen hämmern kann.«

»Captain, du hast nicht unsere ›letzte Chance‹ zunichtegemacht, weil wir von Anfang an keine gehabt haben. Du hast soeben die klassische russische Xenophobie erlebt. Diese Einstellung ist nicht erst von den Kommunisten erfunden worden; sie reicht mindestens tausend Jahre zurück. Du brauchst nur in deinen Geschichtsbüchern nachzuschlagen.« Jacob fügte hinzu: »Es tut mir nicht leid, daß du ihm seinen Flugdrachen verbrannt hast. Ich wünschte, er müßte zu Fuß nach Hause gehen. Leider wird einer der anderen Flieger ihn mitnehmen.«

Jake, wenn ich es mir leisten könnte — von der Energie, von der Zeit her — würde ich zurückfliegen und *verhindern,* daß er irgendwo an Bord genommen wird. Aber ich tue es nicht. Hmm . . . Sollen wir noch ein wenig an Höhe verlieren und nachschauen, was sie machen? Ehe wir das unterbrochene Programm fortsetzen?«

»Äh . . . Captain, kann ich eine Bonine-Tablette haben?«

»Ich auch !« rief ich.

»Deety, kümmere dich um die beiden. Ich bringe uns in den Gleitflug, dann halten wir Rundschau.«

»Captain, warum benutzt du nicht das Z-I-S-C-H-A-B-Programm?«

»Deety, es könnte sich gerade jemand auf der Stelle aufhalten. *Jupps!* Da haben wir Luftwiderstand.« Capt'n Zebbie schwenkte uns herum und brachte Barsoom — ich meine, ›Mars‹, ›Marszehn‹ oder wie immer man ihn nennen will — direkt vor den

Bug. »In ein paar Minuten müßten wir die Flattervögel sehen können. Jake, was ist mit dem Fernglas?«

Zebbie selbst wollte kein Fernglas, solange er uns steuerte. Wir reichten es herum, und ich entdeckte einen Ornithopter, dann zwei weitere und reichte Deety das Glas.

»Zebadiah, wo wir vorhin gestanden haben, ist niemand.«

»Bist du sicher?«

»Jawohl, Sir. Der Kundschafterflieger des Colonels brennt noch immer; in der Nähe befinden sich einige Leute, aber sonst nirgends. Daraus ist zu schließen, daß sich an unserer früheren Position niemand aufhält. Z-I-S-C-H-A-B dürfte keine Probleme bringen.«

Zebbie antwortete nicht sofort. »Was meint ihr dazu, Leute? Es wäre ein unnötiges Risiko. Ein Wort, und wir lassen es sein.«

Ich hielt den Mund und hoffte, die anderen würden es auch tun. Angst hatte ich nicht; ich werde leben, solange es Atropos recht ist — und bis dahin will ich jede Minute genießen. Zebbie wartete und sagte dann: »Na dann los! Gay — *zisch ab!*«

XX

Zeb:

Deety zwingt mir das Heldenbild förmlich auf, weil ich nicht den Mut habe, sie zu enttäuschen. Ich rechnete damit, daß mein Copilot sich dagegen aussprechen würde, an den Schauplatz des Verbrechens zurückzukehren; Jake ist ein nüchterner Denker, wenn es um Sicherheitsfragen geht. Auf Sharpie verließ ich mich nicht; sie ist unberechenbar. Doch ich zählte fest darauf, daß Jake Einspruch erheben würde.

Aber er tat es nicht. Ich wartete, bis ich sicher war, daß mir niemand einen Ausweg weisen würde — dann wartete ich noch einen Augenblick und sagte traurig: »Na, dann los!« und befahl Gay: »Gay — *zisch ab!*«

Insgeheim rechnete ich damit, daß wir uns in eine Pilzwolke verwandeln würden. Statt dessen standen wir an der alten Stelle, und der Flieger des Colonels brannte munter. (Eines Tages werde ich das Experiment durchführen: eine Transition mit dem Ziel, zwei Massen dazu zu bringen, daß sie *denselben* Raum einnehmen. Aber ohne mich als direkten Beteiligten. Das Zisch-ab-Programm macht mir Angst, und das Bring-uns-heim-Programm gefiel mir erst ein wenig besser, nachdem wir es auf zwei Kilometer

Höhe-über-Grund abgeändert hatten. Ließ sich das Zisch-ab-Programm vielleicht so abändern, daß Gay ihr Ziel nicht sofort akzeptierte, sondern es zunächst anschlich und durch Radar überprüfte? Das mußte ich Deety überlassen — du bleibst lieber bei deinen Leisten!)

Die Russen schienen unsere Rückkehr zuerst gar nicht zu bemerken. Ein Ornithopter war unweit des Feuers gelandet; mehrere Leute standen herum. Ich konnte nicht ausmachen, ob mein Colonel Sowiesowski darunter war. Ich setzte es voraus.

Und dann hatte ich Gewißheit: eine Gestalt löste sich aus der Gruppe und rannte pistolenfuchtelnd auf uns zu. Forsch sagte ich: »Kollegen, haben wir irgendeinen Grund, in der Gegend zu bleiben?«

Ich wartete einen kurzen Augenblick und sagte dann: »Da kein Widerspruch erhoben wird: *Gay, hüpf!*«

Der schwarze Himmel ringsum nahm sich prächtig aus. Ich fragte mich, wie Bumpski die Vorfälle seinem Großherzog erklären würde. Große Tiere sind traditionell schwer von unglaublichen Geschichten zu überzeugen.

»Bin ich zu früh gesprungen? Habt ihr alles gesehen, was ihr sehen wolltet?«

Nur Deety antwortete: »Ich habe das Programm überprüft. Ich glaube, ich weiß einen Weg, wie man verhindert, daß zwei Massen miteinander in Konflikt geraten.«

»Sprich weiter.«

»Gay könnte sich an das Ziel anschleichen, es mit Radar abtasten, es akzeptieren und landen, oder es ablehnen und hüpfen — ohne Zeitverlust und mit demselben Ausführungscode. Der Fleck könnte dichtgedrängt voller Russen sein — und Gay würde einfach durchsausen und uns an den Ausgangspunkt zurückbringen.«

(Na bitte, Sie haben gehört, was ich vorhin gesagt habe! Man kann das Problem getrost Deety überlassen!) »Ein guter Einfall. Ran an den Speck! Sicherheitsschaltungen kann man nicht genug haben.«

»Ich programmiere Gay um, sobald wir wieder landen.«

»Berichtigung. Ich möchte diesen Sicherheitsfaktor *sofort*. Vielleicht brauche ich das revidierte Programm schon sehr bald.«

»Aye, aye, Captain.«

»Captain, *Liebling* — bitte. Wenn du mich schon ›Captain‹ nennen mußt. Anschließend gehst du *alle* Vorprogramme durch und entschärfst sie, notfalls mit entsprechenden Sicherheitsschaltungen. Und künftige Programme sollten ähnlich ausgestattet sein. Und jetzt — lassen wir Gay in westlicher Richtung gleiten und versetzen uns um drei Minima?«

»Oder mehr. Oder weniger. Ich dachte mir, ein kurzer Rundblick alle dreißig Kilometer wäre für eine schnelle Auskundschaftung gerade das richtige.«

»In welcher Höhe kommen wir heraus? Einmal angenommen, ich ziele einfach auf den Horizont und transmittiere Tangente zu Kurve.«

»Oh. Welche Höhe möchtest du denn, Captain — Captain *Liebling?* Eine Tangente wirkt sich in drei Minima noch wenig aus, nur gut hundert Meter. Wären zehn Kilometer in Ordnung?«

»Zehn Kilometer sind prima. Ich könnte also den Horizont anpeilen, die Transition vornehmen und dann sofort den H-Ü-P-F-Befehl geben.«

»Das wäre möglich, Zebadiah, aber wenn du den Horizont als Bezugslinie nimmst und achtzehneinhalb Grad darüber zielst — läßt sich dein Kanonenvisier überhaupt so weit herabdrücken?«

Nein, aber ich sage es Gay. Kein Problem.«

»Drei Minima auf dieser Aufwärtslinie bringt dich auf zehn Kilometer Höhe über Grund und ein paar Kilometer weniger als drei Minima weit, auf die Krümmung bezogen.«

»Zuzüglich meiner jetzigen Höhe.«

»Nein, nein! Stell dir das Dreieck vor, Zebadiah! Es macht keinen Unterschied, ob du von einer Position aus zehn Kilometer Höhe über Grund startest oder aus einer Ruhestellung am Boden. Willst du die genauen Zahlen haben?«

»Stell du dir die Dreiecke vor, Deety. Das ist dein Fach. Ich habe jetzt Luftwiderstand; ich werde nach Westen schwenken, ich will herausfinden, woher die Ornithopter kommen. Unterdessen solltest du an den neuen Sicherheitsprogrammen arbeiten.« Machte es wirklich keinen Unterschied, ob ich aus zehntausend Metern Höhe startete oder vom Boden? Mußte sich das nicht addieren . . .? Nein, natürlich nicht. Aber eins war Sinus, das andere Tangens. Aber welcher? Himmel, es kam nicht darauf an! Deety hatte recht. Sie hat immer recht, wenn es um Zahlen geht — doch eines Tages setze ich mich hin und arbeite alles auf dem Papier aus, mit Diagrammen und Tabellen. »Copilot.«

»Captain.«

»L-Achse, Transition, drei Minima.«

»Transition L-Achse, dreißig Kilometer — eingestellt!«

»Gay Täuscher.«

»Ich bin nicht zu Hause, du kannst aber eine Nachricht auf Band sprechen.«

»Richtungswechsel auf Steigflug achtzehn Komma fünf Grad. Meldung.«

»Roger. Anstieg. Zehn. Zwölf. Vierzehn. Sechzehn. Achtzehn. *Jetzt!*«

»Ausführung!«

Wir befanden uns an einer anderen Stelle des schwarzen Himmels. »Gay, Sturzflug. Ausführung.«

»Kein Problem, mein Freund. Viel Spaß bei der Jagd!«

»Zebadiah, dürfte ich mit Gay reden, während du dir das Terrain anschaust? Ich muß die neuen Sicherheitsprogramme eingeben.«

»Ja, mach nur. Jake, willst du dich mit dem Fernglas umsehen, während ich mich auf meine Augen verlasse? Ich sage Bescheid, ehe ich in eine Transition gehe.«

»Zebadiah, ich könnte ein automatisches Kundschafterprogramm eingeben. Da könnte man die Nonien und die Neigungsverstellung vergessen. Man brauchte nur einen Ausführungscode. Bring Gay auf Kurs — aber den könnte ich auch eingeben.«

»Steuern will ich sie manuell; der Rest ist in Ordnung — sobald die Sicherheitsprogramme drauf sind. Welches Codewort willst du nehmen?«

»›Kundschaften‹?«

»Gut. Aber bau das Wort ›Ausführung‹ mit ein. Deety, ich bin zu dem Schluß gekommen, daß ich dich wegen deines Verstandes liebe und nicht wegen jener unwichtigen körperlichen Attribute.«

»Zebadiah, sobald ich wieder gebadet habe, überlegst du dir das wahrscheinlich anders. Ich habe plötzlich starkes Fieber. Programmiere deinen Computer lieber selbst!«

»Meuterei, schon wieder! Ich nehme alles zurück und entschuldige mich. Du riechst großartig und wirst in einer Woche hübsch mariniert sein. Und ich liebe nicht deine Gehirnmasse oder deinen Charakter, sondern deinen köstlichen Corpus! Wäre ich hier nicht angeschnallt, würde ich dich auf der Stelle vergewaltigen, anhaltend, bis wir gelandet sind. In Wirklichkeit bist du ja ein bißchen blöd — aber was für ein *Chassis!*«

»Das klingt schon besser. Obwohl ich *nicht* blöd bin.«

»Du hast mich geheiratet. Res ipsa loquitur! Jake, siehst du irgend etwas?«

»Trockene Berge, Captain. Wir können ruhig weiterspringen.«

»Zebadiah, würdest du Gay in den Gleitflug bringen und die Dinge ein paar Minuten laufen lassen?«

»Natürlich. Hast du etwas entdeckt, das du überprüfen möchtest?«

»Nein, Sir. Aber als wir hier herauskamen, hatten wir dreiundsiebzig Sekunden bis zum Aufprall. Davon haben wir einundzwanzig verbraucht. Ich benötige noch ein paar Sekunden, um die neuen Vorprogramme einzugeben.«

Ich ging auf Handsteuerung und ließ Gay in den gestreckten Gleitflug gehen, während ich gleichzeitig die Flügel ausfuhr. Dann ließ ich Deety und Gay miteinander reden. Deety hatte sich beide Veränderungen gut überlegt; kein einzigesmal antwortete Gay mit: »Null-Programm.«

Ich wollte Deety schon darauf aufmerksam machen, daß Gay kein Segelflugzeug sei, als sie mir Meldung machte: »Alles eingegeben, Captain. Für das ›K‹-Programm habe ich einen Alarm für zwei Kilometer Höhe über Grund eingebaut.«

»Gute Idee! Jetzt steuere ich also wieder nach Westen und sage das ›K‹-Codewort — kein ›Ausführung‹?«

»Jawohl, Sir. Nur würde ich vorher gern das revidierte Z-I-S-C-H-A-B-Programm ausprobieren. Seit unserem letzten Verschwinden sind weniger als vier Minuten vergangen. Vielleicht steht jetzt jemand an der Stelle.«

»Deety, ich teile deine Neugier. Aber das wäre doch dasselbe, als wollte man einen neuen Fallschirm gleich mit dem Ernstfall ausprobieren. Können wir uns das nicht aufheben bis zu dem Augenblick, da wir es brauchen? Wenn dann ein Fehler auftreten sollte, sind wir so schnell tot, daß wir es gar nicht merken.«

Deety antwortete nicht. Ich wartete und sagte: »Bitte Anmerkungen.«

»Kein Kommentar, Captain.« Deetys Antwort klang tonlos.

»Hmm . . . Wissenschaftsoffizier . . . bitte kommentieren.«

»Ich habe dazu nichts zu sagen, Captain.« (War der Tonfall besonders kühl?)

»Copilot, ich brauche deinen Rat.«

»Ach, Kapitän — bin ich eigentlich befugt, einen schriftlichen Befehl zu verlangen?«

»Also, da soll doch . . . *Gay, hüpf!* Gibt es so etwas wie einen ›Weltraumanwalt‹? Jake, allgemein gesprochen kann jeder einen schriftlichen Befehl verlangen, außer im Angesicht des Feindes

— wenn er seine Karriere riskieren will, um Beweise zu schaffen für ein Kriegsgericht, wenn er weiß, daß es zu einem Prozeß kommen wird. Ich habe diese Forderung auch schon einmal erhoben und mich damit aus der Schlinge gerettet — meinen Boß kostete es fünfzig Punkte, so daß ich schließlich sein Vorgesetzter wurde, woraufhin er seine Entlassung einreichte.

Aber als Stellvertretender Kommandant ist man in einer besonderen Lage; es ist seine *Pflicht,* den kommandierenden Offizier zu beraten, auch wenn er nicht darum gebeten wird. Ich glaube also nicht, daß du einen schriftlichen Befehl verlangen kannst, der dich nur auf eine deiner Pflichten hinweist. Aber ich will darum keine Diskussion anfangen. Ich werde den Astronavigator anweisen, deine Bitte einzutragen, dann kann ich meine Antwort ins Logbuch diktieren. Dann werde ich diesen Himmelsbuggy landen und das Kommando an dich abtreten. Vielleicht hast du als Vorsitzender dieses Debattierklubs mehr Glück als ich. Ich wünsche es dir jedenfalls — du wirst es brauchen!«

»Aber Captain, ich habe doch noch gar keinen schriftlichen Befehl verlangt!«

»Wie?« Ich überlegte. Genau genommen hatte er recht. »Es hörte sich aber so an, als wolltest du es tun.«

»Ich wollte mich nur drücken. Ich *muß* dir raten, dem Weg der Vernunft zu folgen. Inoffiziell wäre es mir lieber, wir würden den Test riskieren. Aber ich hätte meine Antwort nicht hinauszögern sollen. Es tut mir leid, wenn meine Unnachgiebigkeit dich veranlaßt hat, die Aufgabe deines Kommandos in Betracht zu ziehen.«

»Ich habe sie nicht nur in Betracht gezogen; ich *bin* als Kommandant zurückgetreten. Mit Wirkung vom Augenblick der nächsten Landung. Jetzt bist du dran, Jake.«

»Captain . . .«

»Ja, Deety?«

»Du hast recht, der von mir vorgeschlagene Test ist sinnlos und könnte tödlich sein. Ich hätte ihn nicht erbitten sollen. Es tut mir leid . . . Sir.«

»Mir auch! Ich fand, du warst zu streng mit Deety. Aber das warst du gar nicht, du hast nur vorsichtig agiert, wie immer, Zebbie. *Captain* Zebbie. *Natürlich* hättest du den riskanten Versuch nicht machen dürfen.«

»Möchte sonst noch jemand etwas äußern?« fragte ich. Niemand meldete sich, also fügte ich hinzu: »Ich gehe jetzt auf Westkurs.« Als das geschehen war: »Gay Täuscher — *zisch ab!*«

Schwarzer Himmel über uns, und tief unten der ›tote Meeresgrund‹. Ich bemerkte: »Sieht aus, als befände sich ein Russe oder einer der Flatterflieger auf unserem Parkplatz. Deety, dein revidiertes Programm hat bestens funktioniert.«

»Aber Zebadiah — warum hast du es *riskiert?*« In ihrer Stimme schwang Erregung.

»Weil ihr alle es wolltet — trotz der Äußerungen, die ihr zuletzt gemacht habt. Weil es meine letzte Gelegenheit war, eine solche Entscheidung zu treffen.« Ich fügte hinzu: »Jake, ich lege uns jetzt schräg. Nimm dir das Fernglas und sieh, ob du die Stelle findest, an der wir gestanden haben. Wenn das Feuer noch qualmt, hilft dir das bei der Orientierung.«

»Aber Captain, ich werde auf keinen Fall das Kommando übernehmen. Das lasse ich nicht zu.«

»Mund halten und Befehl ausführen! Dieses ewige Gerede und Gestreite ist ja gerade der Grund für meine Magengeschwüre. Wenn ihr euch dem Kommando nicht unterwerfen wollt, könnt ihr euch den Captain an den Hut stecken! *Ich* mache das jedenfalls nicht mehr mit! Gewiß, ich werde weiter das Steuer bedienen, auf Befehl des neuen Captains. Aber das *Kommando* führe ich nicht mehr. Deety, wie lange hat Gay für ihre Radarüberprüfung gebraucht? In welcher Höhe hat sie sie vorgenommen?«

»Höhe über Grund war ein halber Kilometer. Die Dauer weiß ich nicht, kann sie aber erfragen. Liebling — Captain! Du gibst das Kommando doch nicht wirklich ab?«

»Deety, ich stoße keine leeren Drohungen aus. Halt den Mund und besorge mir die Verzögerungsdauer. Jake, was siehst du?«

»Ich habe das Feuer ausgemacht. Mehrere Ornithopter sind gelandet. Ich würde schätzen, daß einer etwa dort steht, wo wir vorhin geparkt haben. Captain, ich würde vorschlagen, daß wir nicht noch tiefer gehen.«

»Vorschlag registriert. Deety, wie steht es mit der Dauer?« Da ich das Programm nicht geschrieben hatte, wußte ich nicht, wie ich Gay danach hätte fragen sollen.

Deety hatte damit keine Schwierigkeiten: 0,071 Sekunden — oder etwa eine Fünfzehntelsekunde. Radar arbeitet nicht verzögerungsfrei; Gay mußte innehalten und die Stelle lange genug bestreichen, daß sich in ihrem Inneren ein ›Bild‹ bildete und ihr verriet, ob sie dort parken konnte oder nicht. Für das menschliche Auge ist eine Fünfzehntelsekunde sehr lang. Ich hoffte, Colonel Frimpski hatte gerade emporgeblickt, als Gay auftauchte und wieder verschwand.

»Fünf Kilometer Höhe über Grund, Captain.«

»Vielen Dank, Jake.» Die Instrumente zeigten eine Sturzfluggeschwindigkeit — in die Senkrechte! — von gut siebenhundert Kilometern in der Stunde, so schnell zunehmend, daß die Einerwerte unleserlich waren und die Zehner sich beinahe mit jeder Sekunde um eine Zahl erhöhten.

Äußerst vorsichtig schob ich Gay Täuscher aus dem Sturz heraus und öffnete sanft und langsam ihre Flügel, um den Auftrieb zu erhöhen, während sie langsamer wurde und ich gleichzeitig eine weite Kurve im Uhrzeigersinn nach Osten beschrieb — mit ›langsamer‹ meinte ich den Sturzflug, nicht die Geschwindigkeit in der Luft. Als ich die Kurve vollendet und den Wagen aufgerichtet hatte, hielt ich mit Westkurs auf die Rauchsäule zu. Ich machte inzwischen gut achthundert Kilometer in der Stunde in antriebslosem Flug und hatte noch immer beinahe einen Kilometer über Grund als Reserve zur Verfügung, mit dem ich meine Geschwindigkeit noch erhöhen konnte.

Nicht, daß ich das gebraucht hätte — ich hatte mich durch Augenschein von etwas überzeugt, das mir theoretisch längst klar gewesen war: ein Ornithopter ist langsam.

»Dürfte ich den Captain nach seinen Plänen fragen?« meldete sich Jake besorgt.

»Ich werde Colonel Pistolski einen kleinen Denkzettel verpassen. Der soll an uns denken! Gay Täuscher.«

»Noch an Bord, Boß.«

Ich behielt die noch in der Luft befindlichen Flattervögel im Auge, während ich Gay in Ruhe ließ. Diese dummen Fluggeräte konnten uns nicht einholen, dagegen bestand immer die Gefahr, daß ein Pilot in die falsche Richtung auswich.

Den meisten schien daran zu liegen, den Abstand zu uns nicht zu klein werden zu lassen; sie spritzten links und rechts auseinander. Ich blickte auf die Rauchsäule, die direkt vor uns aufstieg, und bemerkte dabei etwas Neues: einen Ornithopter, der davon verdeckt gewesen war. Jake stockte der Atem, doch er sagte nichts. Wir waren auf Kollisionskurs und näherten uns gegenseitig mit beinahe 900 km/h, wovon der größte Anteil bei uns lag. Selbstmordpilot? Idiot? In Panik erstarrt?

Ich ließ ihn bis auf einen Kilometer herankommen, was uns beinahe bis an den Rauch heranbrachte, etwa zweihundert Meter Höhe über Grund, dann brüllte ich: »Kundschaften!«

Ja, Deety ist eine umsichtige Programmiererin; der Himmel war schwarz, wir befanden uns zehn Kilometer Höhe über Grund, und so weit ich sehen konnte, erstreckten sich die kahlen Hügel unter uns, die wir vor fünf Minuten verlassen hatten — und ich fühlte mich großartig. Ich bedauerte nur, daß ich nicht hören konnte, wie Colonel Schnarchski dem Großherzog das ›Gespensterschiff‹ zu erklären versuchte, das neuerdings von den ›britischen Spionen‹ eingesetzt wurde.

Gab es im russischen Adel so etwas wie ein Harakiri? Vielleicht die Sache mit der geladenen Pistole? Der in Schande geratene Offizier kehrt in sein Quartier zurück und stellt fest, daß jemand umsichtigerweise seine Pistole geladen und sie auf seinem Schreibtisch bereitgelegt hat — um dem Regiment den Skandal eines Gerichtsverfahrens zu ersparen.

Ich wollte nicht den Tod des hochnäsigen Kerls, aber es hätte mir gefallen, wenn er zum gemeinen Soldaten degradiert worden wäre. Beim Stallausmisten hätte er Zeit gehabt, sich über Höflichkeit und internationales Protokoll Gedanken zu machen.

Ich überprüfte den Kurs und stellte fest, daß wir noch immer in Richtung Westen flogen. »Gay Täuscher — *Kundschaften!*«

Wieder schwarzer Himmel, dieselbe deprimierende Landschaft.

»Copilot, lohnt es sich, das Schiff zu drehen, damit wir nach unten sehen können? Dazu muß man entweder Energie aufwenden — nicht viel, aber immerhin — oder die Zeit, die wir brauchen, um bis auf Luftwiderstand abzusinken und mit den Höhenrudern zu arbeiten. Wir haben weder Zeit noch Energie zu verschenken.«

»Captain, ich glaube nicht, daß das Gebiet eine nähere Auskundschaftung lohnt.«

»Vorsichtig mit dem Wort! Am besten verwendest du ›Erkundung‹.«

»Captain, darf ich etwas sagen?«

»Deety, wenn du jetzt als Astronavigator sprichst, darfst du dich nicht nur äußern, du *mußt* es sogar.«

»Ich könnte das Programm umstellen und uns tiefer hinabführen, wenn ich wüßte, welche Höhe dir genügt, um Luftwiderstand in den Höhenrudern zu haben. Damit sparen wir Zeit *und* Energie, meine ich.«

»Normalerweise liegt der Punkt bei etwa acht Kilometern Höhe über Grund. Hier ist das schwer zu sagen, da wir keine NN-Höhe haben.«

»Soll ich den Winkel so ändern, daß wir bei acht Kilometern Höhe über Grund herauskommen?«

»Wie lange brauchen wir, um nach der Ankunft zwei Kilometer abzusinken?«

Die Antwort kam beinahe wie aus der Pistole geschossen. »Zweiunddreißigeinhalb Sekunden.«

»Nur eine halbe Minute? Kommt mir länger vor.«

»Drei zwei Komma sechs Sekunden, Captain, wenn dieser Planet die gleiche Oberflächenschwerkraft hat wie der Mars in unserem Universum — drei sieben sechs Zentimeter in der Sekunde hoch zwei. Ich habe mit diesen Werten schon gearbeitet und dabei noch keine Abweichungen festgestellt. Aber ich begreife dann nicht recht, wieso dieser Planet soviel Atmosphäre hält, während der Mars — *unser* Mars — davon so wenig hat.«

»In diesem Universum gelten vielleicht nicht dieselben Gesetze wie bei uns. Frage deinen Vater. Er ist für die Universen zuständig.«

»Jawohl, Sir. Soll ich das Programm umstellen?«

»Deety, fummele niemals an einem System herum, das sich bewährt hat — der Erste Ergänzungssaz zu Murphys Gesetz. Wenn das Gebiet so unattraktiv ist wie das Gelände hier, springen wir einfach weiter. Wenn sich Möglichkeiten abzeichnen, ist eine halbe Minute nicht besonders lang, und die zusätzliche Höhe vermittelt uns einen besseren Eindruck vom gesamten Gebiet. Gay Täuscher — Kundschaften!«

Wir alle hielten den Atem an. Dreißig Kilometer weiter waren die kahlen Hügel verschwunden; der Boden war grün und ziemlich eben — und ein *Fluß* zeichnete sich ab. Oder ein Kanal.

»Oh, Mann! Copilot, verhindere, daß ich Energie verschwende, bleib hart. Deety. Sekunden abzählen. Alle sollen das Gebiet mit den Augen absuchen und interessante Entdeckungen melden.«

Deety begann aufzusagen: ». . . dreizehn . . . vierzehn . . . fünfzehn . . .«, und jede Sekunde kam mir vor wie zehn Sekunden. Ich nahm die Hände von den Kontrollen, um der Versuchung nicht zu erliegen. Dort unten lag entweder ein Kanal oder ein kanalisierter Fluß, in dem viele Jahre, vielleicht sogar Äonen von Arbeit steckten. Professor Lowell hatte recht gehabt — richtige Theorie, falsches Universum.

»Deety, wie weit ist der Horizont entfernt?«

». . . siebzehn — etwa zweihundertundfünfzig Kilometer — zwanzig . . .«

Ich legte vorsichtig die Hände an die Kontrollen. »Liebling, das ist das erstemal, daß du im Zusammenhang mit Zahlen das Wort ›etwa‹ gebraucht hast.«

». . . vierundzwanzig — unzureichende Daten! — sechsundzwanzig . . .«

»Hör auf zu zählen! Das Steuer spricht an.« Ich legte einen leichten Abwärtsdruck auf das Höhenruder und beschloß, die Flügel draußen zu lassen; vielleicht wollten wir einen langen Gleitflug daraus machen. »Unzureichende Daten?«

»Zebadiah, die Werte haben sich ständig verändert, gleichzeitig sollte ich Sekunden abzählen. Die Horizontentfernung bei zehn Kilometern Höhe über Grund müßte innerhalb eines Prozents von zweihundertundsiebzig Kilometern liegen. Das setzt voraus, daß dieser Planet eine perfekte Kugel ist und genau dem Mars unseres Universums entspricht — und beides trifft nicht zu. Ausgeklammert sind Brechungseffekte, die sogar zu Hause schon problematisch sind und hier völlig fremde Werte bringen. Also behandelte ich das Problem geometrisch, die Länge der Tangente bei einem Winkel von vier Grad siebenunddreißig Minuten.«

»Viereinhalb Grad? Woher hast du den?«

»Oh! Tut mir leid, ich habe etwa sechs Rechenschritte übersprungen. Soll ich's dir auseinandersetzen? Auf der Erde entspricht eine nautische Meile einer Minute des Gradbogens, stimmt's? Hier aber besteht eine einfachere Relation . . .«

»Und das alles schüttelst du so aus dem Ärmel?«

»Eine Kleinigkeit für mich, Sir!«

»Wenn du jetzt jammern willst, hör auf damit! Ich habe dir doch schon gesagt, daß ich es auf deinen Luxuskörper abgesehen habe, nicht auf dein Gehirn. Die meisten *idiots-savants* sind ganz nett und verstehen sich auf nichts anderes als ihr ganz spezielles Kunststück. Aber du bist außerdem noch eine ganz ordentliche Köchin.«

Das brachte mir ein eisiges Schweigen ein. Ich senkte den Bug Gays weiter ab. »Zeit zum Rundschauen, Jake.«

»Aye, aye, Sir. Captain, ich muß dir etwas sagen. Mit der letzten Bemerkung an den Astronavigator hast du dich in Lebensgefahr begeben.«

»Willst du damit sagen, Deety sei als Köchin *nicht* akzeptabel? Warum das, Jake!«

»Sie ist eine *vorzügliche* Köchin!« warf Hilda ein.

»Das weiß ich doch, Sharpie -- aber das sage ich ungern, wenn

Gay zuhören kann — sie kann nämlich überhaupt nicht kochen. Auch besitzt sie Deetys anderes Talent nicht, das man einfach nicht unterdrücken kann. Jake, da unten liegt eine Siedlung.«

»Sozusagen. Ein kleiner Flecken.«

»Siehst du Ornithopter? Irgend etwas, das uns Ärger machen könnte?«

»Hängt davon ab. Interessierst du dich für Kirchenarchitektur?«

»Jake, jetzt ist nicht der richtige Augenblick für kulturelles Geplauder.«

»Es ist meine Pflicht, dich zu beraten, Sir. Diese Kirche hat Türme, minarettähnlich, gekrönt von zwiebelähnlichen Aufbauten.«

»Russisch-orthodox!«

Das hatte Hilda gerufen. Ich sagte nichts. Ich zog Gays Bug zum horizontalen Flug hoch, drehte sie in die Richtung, die ich für passend hielt, und sagte: »Gay — *Kundschaften!*«

Der Kanal war noch immer zu sehen, beinahe direkt unter uns, am Horizont verschwindend. Mein Kurs entsprach beinahe genau seinem Verlauf. »Gay — *Kundschaften!*«

»Sieht jemand die Siedlung, die vor unserer letzten Transition beinahe direkt vor uns lag! Meldung bitte?«

»Captain Zebbie, sie ist jetzt viel näher, aber auf dieser Seite.«

»Aha. Sehen kann ich sie nicht. Jake ist nämlich nicht durchsichtig.«

»Captain, die — ziemlich große — Stadt liegt etwa fünfundvierzig Grad schräg unterhalb Steuerbord, von deinem Sitz aus nicht sichtbar.«

»Wenn fünfundvierzig Grad einigermaßen stimmen, müßte uns eine Minimum-Transition in diese Richtung über die Stadt bringen.«

»Captain, ich würde mich dagegen aussprechen«, sagte Jake.

»Begründung bitte?«

»Es ist eine große Stadt, die vielleicht verteidigt wird. Die Ornithopter dieser Leute sehen seltsam und wenig zweckmäßig aus, aber wir müssen davon ausgehen, daß sie Raumschiffe haben, die so gut sind wie unsere oder besser — sonst hätte der Zar hier nämlich keine Kolonie. Dies bringt mich auf den Gedanken, daß wir vielleicht mit wirksamen Abwehrraketen rechnen müssen. Oder mit Waffen, die wir uns gar nicht vorstellen können. Ich würde es vorziehen, wenn wir aus der Ferne nach Zwiebeltürmen Ausschau hielten. Und nicht zu lange an einem Ort blieben — ich finde, wir schweben hier schon zu leichtsinnig herum. Ich bin nervös.«

»Ich nicht« — mein sechster Sinn ließ mich in Ruhe —, »trotzdem stelle die Nonien auf eine Minimum-Transition entlang der ›L‹-Achse ein, Ausführung nach Belieben. Du hast recht, ein bequemes Ziel wollen wir nicht bieten.«

»Ein Minimum, L-Achse — *eingestellt!*«

Plötzlich erreichte mich der Flügelschlag meines Schutzengels. *»Ausführung!«*

Die Transition fiel mir in erster Linie deswegen auf, weil Gay sich plötzlich unter meinen Händen lebendig anfühlte — es gab Luftwiderstand. Vielleicht hatte sie nicht ganz horizontal gelegen. Ich drückte den Bug hinab, um antriebslose Manövriergeschwindigkeit herauszuholen, und vollzog eine Drehung. Sofort brüllte ich: »Gay, *hüpf!*«, denn ich hatte schon mehr gesehen, als ich sehen wollte: eine sich ausbreitende Wolke. Eine Atomexplosion? Ich nehme es nicht an. Tödlich? Das können *Sie* gern selbst ausprobieren. Ich hatte genug.

Noch dreimal ließ ich Gay hüpfen, bis wir schließlich knapp fünfzig Kilometer über dem Boden schwebten. Dann verschwendete ich ein wenig Energie darauf, Gay schräg zu legen. »Jake, nimm das Fernglas und stell fest, wie weit dieses Tal noch geht, ob es ganz kultiviert ist und noch weitere Siedlungen da sind. Wir werden uns nicht mehr so nahe heranwagen, daß wir Zwiebeltürme ausmachen können; dieser letzte Schuß war unfreundlich gemeint. Frech. Voreilig. Oder habe ich ein Vorurteil. Wissenschaftsoffizier? Le mot juste, s'il vous plaît.«

»Nje kulturni.«

»Das werde ich mir merken! Da laufen die Russen grün an. Aber was bedeutet es? Und woher kanntest du den Ausdruck, Sharpie?«

»Er bedeutet das, wonach er sich anhört: ›unkultiviert‹. Capt'n Zebbie, zufällig kann ich Russisch.«

Ich war einen Augenblick lang sprachlos. »Aber warum hast du das nicht *gesagt?*«

»Du hast mich nicht gefragt.«

»Sharpie, wenn du die Verhandlungen geführt hättest, gäbe es vielleicht gar keinen Ärger.«

»Zebbie, wenn du das ernsthaft annimmst, dann bist du zu leichtgläubig für diese Welt. Er nannte dich einen Spion und beleidigte dich, während sich das Palaver noch auf französisch abspielte. Ich dachte, es könnte von Vorteil sein, wenn die Leute nicht wüßten, daß einer von uns ihre Sprache versteht. Sie hätten etwas verraten können.«

»Und haben sie das getan?«

»Nein. Der Colonel gab seinem Piloten eine Lektion in Arroganz. Dann befahlst du ihnen auf französisch stehenzubleiben, und danach wurde bis auf bedeutungslose Zwischenbemerkungen kein Russisch mehr gesprochen. Zebbie, als man uns eben niederzuschießen versuchte — meinst du, man hätte darauf verzichtet, hätte man gewußt, daß ich Russisch kann?«

»Hmm — Sharpie, ich müßte es eigentlich wissen, daß ich mich nicht mit dir auf eine Diskussion einlassen darf. Bei der Kapitänswahl werde ich dir meine Stimme geben.«

»O nein!«

»O doch. Copilot, ich gehe davon aus, daß das Gebiet diesseits der Berge und im Bereich dieses Wasserlaufs — ein Doppelkanal — mit Neu-Rußland gleichzusetzen ist und daß Ehren-Engländer wie wir hier nicht willkommen sind. Also werde ich nach der britischen Kolonie suchen. Dabei könnte sich natürlich herausstellen, daß die Briten uns auch nicht mögen. Aber sie legen Wert aufs Protokoll; bei ihnen haben wir bestimmt Gelegenheit, unser Sprüchlein aufzusagen. Mag sein, daß auch die Briten uns aufknüpfen, aber wenigstens werden wir einen Prozeß bekommen, mit Perücken und weiten Talaren und Vorschriften über Beweisführung und Verteidigung.« Ich zögerte. »Ein Problem. Colonel Snotzki sagte, ein Land wie die Vereinigten Staaten von Amerika gebe es nicht, und ich hatte den Eindruck, daß er davon ernsthaft überzeugt war.«

»Und ob, Capt'n Zebbie«, sagte Sharpie. »Ich habe dazu ein paar Bemerkungen aufgeschnappt. Ich glaube, in diesem Universum müssen wir davon ausgehen, daß es keinen Unabhängigkeitskrieg gegeben hat.«

»Zu dem Schluß war ich auch schon gekommen. Wollen wir uns als Bewohner der Ostküste ausgeben? Ich habe so eine Ahnung, als könnte die Westküste teils russisch, teils spanisch sein — aber nicht britisch. Woher sind wir? Baltimore? Philadelphia? Bitte Meinungsäußerungen.«

»Ich habe einen Vorschlag, Capt'n Zebbie«, sagte Sharpie.

»Wissenschaftsoffizier, deine Vorschläge gefallen mir meistens.«

»Dieser bestimmt nicht. Wenn sonst nichts mehr zieht, sag die Wahrheit.«

XXI

Deety:

Zebadiah ist davon überzeugt, daß ich alles programmieren kann. Gewöhnlich stimmt das auch — vorausgesetzt, ich habe Zugang zu einem großen und flexiblen Computer. Mein Mann setzt aber voraus, daß ich mit Gay Täuscher dieselben Ergebnisse erziele, dabei ist Gay wahrhaft nicht groß. Sie wurde als Autopilot geboren, was sie weitgehend auch geblieben ist.

Aber Gay hat ein angenehmes Temperament, und ihr liegt wie mir daran, Zebadiah zu gefallen.

Während er und mein Vater das Gebiet absuchten, das für uns das ›Russische Tal‹ oder ›Neu-Rußland‹ war, bat er mich, ein Programm zu erarbeiten, mit dem wir die britische Kolonie in Minimalzeit aufspüren konnten, für den Fall, daß sie sich auf der Tagseite befand. War das nicht der Fall, wollten wir nahe der Lichtgrenze schlafen und sie dann auf der neuen Tagseite suchen.

Zuerst spielte ich mit dem Gedanken, etwa tausend Kilometer hoch zu hüpfen und anhand der Verfärbungen geeignete Gebiete zu bestimmen. Dann ging mir auf, daß ich über diesen Planeten nicht sonderlich viel wußte. ›Tote Meeresböden‹ sehen aus dem All wie Ackerland aus.

Schließlich fiel mir etwas ein, das Zebadiah gestern vorgeschlagen hatte — nein, es war *heute* gewesen, vor weniger als zwei Stunden! (Es war soviel geschehen, daß mir mein Zeitgefühl Streiche zu spielen begann. Die innere Uhr stimmte noch immer, doch ich mußte mir ihre Werte jetzt denkend erarbeiten.)

Wahlfreie Nummern — davon hatte Gay mehr als genug. Wahlfreie Nummern sind bei einem Computer so etwas wie ein freier Wille.

Ich definierte Gay einen Aktionsbereich: nicht östlich von uns, nicht im ›Russischen Tal‹, nicht auf der Nachtseite, nicht nördlich von 45° Nord, nicht südlich von 45° Süd. Die Gradangaben hätte ich gestern noch nicht eingeben können; aber der Mars hat eine ziemlich schnelle Drehung, die von einem Kreiselkompaß abgelesen werden kann. Während wir schliefen, war Gay aufgefallen, daß die Achse ihres Kreiselkompasses nicht parallel zu der dieses seltsamen Planeten verlief, und hatte den Unterschied durch Präzession ausgeglichen.

Ich forderte Gay auf, innerhalb dieses Bereichs wahlfrei zu springen, mit jeweils einer Drei-Sekunden-Pause pro Intervall. Sollte jemand »Bingo!« rufen, mußte sie Längen- und Breitengrad und Greenwich-Zeit aufzeichnen und die drei Werte festhalten, damit wir die Position wiederfinden konnten.

O ja — sie sollte die drei Sekunden jeweils in Minimum-Höhe über Grund verharren. Ich gab ferner ein, daß sie das Programm eine Stunde lang laufen lassen sollte — aber daß jeder von uns »Halt!« rufen und dann »Weiter!« befehlen konnte und daß diese Zeit nicht mitgerechnet werden sollte. Ich machte meine Mitreisenden darauf aufmerksam, daß das »Halt!« die Dinge nicht nur verlangsamte, sondern zugleich den Russen (oder Briten oder sonstigen Anwesenden) Gelegenheit gab, auf uns zu schießen. Ich betonte, daß drei Sekunden eine *lange* Zeit sind (was die meisten Leute nicht wissen).

Eine Stunde . . .

Drei Sekunden für jeden Rundblick . . .

Zwölfhundert Zufallsüberprüfungen . . .

Mit einem solchen Programm läßt sich noch keine große Dichte erreichen. Aber es müßte uns dorthin führen, wo die Briten ihre größte Siedlung hatten. Wenn nicht in einer Stunde, dann aber bestimmt in zehn.

Ohne Gay, ohne ihre Fähigkeit, wahlfreie Sprünge vorzunehmen, hätten wir den Planeten viele Jahre lang absuchen können, ohne auf eine der Kolonien zu stoßen. Die gesamte menschliche Rasse (unseres Universums) brauchte dreißig Jahrhunderte, um Terra abzusuchen — und selbst da blieben noch viele Stellen weiß, bis sie aus dem All fotografiert werden konnten.

»Wir wollen das mal ganz klar formulieren«, sagte mein Mann und ließ uns vier Minima hüpfen. »Diese Unterprogramme . . . Gay, hörst du zu?«

»Natürlich. Und du?«

»Gay, leg dich schlafen.«

»Roger und Ende, Boß.«

»Deety, ich möchte die Unterprogramme genau klären, konnte aber keine Codeworte benutzen, solange sie wach war. Ich . . .«

»Entschuldige, Zebadiah, das ist ein Irrtum. Sie ignoriert Codeworte für Unterprogramme, solange das Hauptprogramm nicht läuft. Der Code für das Hauptprogramm ist ungewöhnlich und setzt ein Ausführungskommando voraus, also kann es nicht versehentlich in Gang gebracht werden. Du kannst Gay wieder wecken. Wir brauchen sie vielleicht für Details.«

»Bist ein kluges Mädchen, Deety.«

»Ich wette, das sagst du zu allen ordentlichen Köchinnen, Boß.«

»*Autsch!*«

»Captain, es macht keine Mühe, einen Computer so zu programmieren, daß er Kochmaschinen überwacht. Die Software, die unter der Marke ›Cordon Bleu‹ verkauft wird, soll ausgezeichnet sein. Ehe du jedoch Gay aufweckst, beantworte mir bitte eine hypothetische Frage über Computer und das Kochen.«

»Captain!«

»Copilot?«

»Ich wäre dagegen, daß der Astronavigator das Gespräch auf Nebensächlichkeiten ausdehnt, während wir hier ein Problem haben.«

»Vielen Dank, Copilot. Astronavigator, was war das für eine hypothetische Frage?«

Paps hatte seinen Einwand so formuliert, daß er sich nicht zwischen Zebadiah und mich stellte. Aber sein an den Captain gerichteter Rat war im Grunde für *meine* Ohren bestimmt — er forderte mich auf, den Mund zu halten, und ich hörte plötzlich Jane sagen: »Deety, wenn eine Frau sich einbildet, ein Streitgespräch gewonnen zu haben, hat sie in Wirklichkeit verloren.«

Ich bin nicht Jane, ich bin Deety. Mein Temperament habe ich vom Vater her. Ich explodiere nicht so schnell wie er, doch ich neige dazu, nachtragend zu sein. Zebadiah legte es manchmal darauf an, mich zu ärgern, und weiß, wie er mich auf die Palme bringen kann. Vielleicht hatte Zebadiah recht — vielleicht stritten wir zuviel, vielleicht waren wir zu sehr ein ›Strick- und Debattierverein‹. Natürlich interessierte uns die Gefahr, in der wir schwebten — *doch wieviel mühsamer ist es doch, Captain zu sein!* Machte meinem Mann der Druck zu schaffen? Holte er sich womöglich Magengeschwüre?

Erschwerte *ich* ihm seine Aufgabe zusätzlich?

Den Gedanken brauchte ich gar nicht zu Ende zu spinnen; er war im Unterbewußten programmiert. Paps hatte den ›Ausführung‹-Knopf gedrückt, und nun kam die Antwort automatisch.

»Welche hypothetische Frage, Sir?«

»Du hast doch eben selbst davon gesprochen. Es ging um Computer und das Kochen.«

»Captain, mein Kopf ist leer. Vielleicht sollten wir lieber weitermachen, ehe ich das Denken noch ganz verlerne.«

»Deety, du würdest doch deinen armen, alten, erschöpften Ehemann nicht auf den Arm nehmen?«

»Sir, wenn mein Mann arm und alt und erschöpt ist, werde ich ihn nicht auf den Arm nehmen.«

»Hmm . . . Wenn ich nicht bereits Hilda meine Unterstützung versprochen hätte, würde ich dich zum Kapitän wählen.«

»Zebbie, ich entlasse dich aus deinem Wort!« rief Hilda sofort. »Ich stehe für die Wahl nicht zur Verfügung!«

»Nein, Sharpie, hat man sein politisches Wort erst einmal gegeben, darf man als ehrliche Haut nicht davon abrücken. Also, kann Gay jetzt zuhören oder nicht?«

»Aber ja, Sir. Ich brauche sie zur visuellen Darstellung. Hallo, Gay.«

»Ja, Deety.«

»Visuelle Darstellung Globus Tagweite.« Sofort zeigte Gays größter Schirm die westliche Hemisphäre der Erde — *unserer* Erde in unserem Universum: Terra. Früher Nachmittag am Fuchsbau? Ja, die Uhr in meinem Kopf bestätigte dies, und die Greenwich-Zeit am Armaturenbrett verkündete 20:23:07. Meine Güte, es waren erst zwanzig Stunden vergangen, seit mein Mann und mein Vater den falschen Ranger umgebracht hatten! Wie kann sich in weniger als einem Tag ein ganzes Leben abspielen? Trotz der Uhr in meinem Kopf kam es mir vor, als wäre es *Jahre* her, daß ich zum Teich hinabgewandert war, ein wenig angeschickert am Arm meines Mannes.

»Darstellung Meridian-Parallelen. Abziehe geographische Details.« Gay gehorchte. »Aus Programm mit Code ›Ein Tramp unterwegs‹ hinzufüge Geltungsbereich.«

Gay arbeitete mit orthographischer Projektion, so daß sich die 45 Breitengrade als gerade Linien darstellten. Da ich die Tagseite verlangt hatte, verliefen die hellen Linien zum linken Rand der Darstellung, zur Sonnenaufgangsseite. Die rechte Grenze des Wirkungsbereichs war dagegen eine nach Südwesten verlaufende unregelmäßige Linie. »Hinzufüge Darstellung Russisches Tal.«

Rechts von dem Wirkungsbereich schloß sich eine lange und ziemlich breite helle Zone an. »Abziehe Russisches Tal.« Das Gebiet, das wir notdürftig erkundet hatten, verschwand wieder.

»Deety, wie stellt Gay das an?« wollte mein Mann wissen. »In ihren Dauerspeichern befinden sich keine Bezugsdaten des Mars — nicht einmal des Mars in unserem Universum.«

»Oh. Gay, visuelle Darstellung ›Landepunkt‹.«

»Null-Programm.«

»Hmm, ja, richtig; wo wir gestanden haben, ist gerade die Sonne untergegangen. Zebadiah, soll ich sie anweisen, den Globus zu rotieren, bis die Stelle sichtbar ist? Sie würde uns lediglich einen hellen Punkt beinahe am Äquator zeigen. Ich habe diese Landestelle als Nullmeridian definiert — als das marsianische Greenwich. Für *diesen* Mars.«

»Und der Null-Breitengrad? Ein willkürlich bestimmter Äquator?«

»O nein, nein! Während wir schliefen, hat Gay ihren Kreiselkompaß auf diesen Planeten eingestellt. Dabei richtete sie sich auf den Nordpol aus und ermittelte damit eine Längengrad-Linie. Radius und Krümmung des Mars kennt sie bereits — ich wollte die Daten eingeben und mußte dabei feststellen, daß sie sich schon alles aus ihren Speichern besorgt hatte. Aerospace Almanach?«

»Anzunehmen. Aber wir haben auch gestern abend über den Durchmesser des Mars gesprochen, und Gay war dabei wach.«

»Sobald ich Gay das Startzeichen gebe«, setzte ich meinen Vortrag fort, »wird sie wahlfreie Transitionen innerhalb dieses Geltungsbereichs machen, bis jemand: ›Bingo!‹ schreit. Aber auch dann legt sie keine Pause ein. Sie legt nur an der entsprechenden Position einen hellen Punkt auf die Karte und registriert Längen- und Breitengrad und genaue Zeit. Die Bingo-Zeit stellt sie außerdem visuell dar, eine Sekunde lang. Wenn ihr später an das Bingo heranwollt, braucht ihr die Zeitangabe, also schreibt sie euch auf, auf die Sekunde genau. Denn wir werden in jeder Minute zwanzig Sprünge machen. Kümmert euch nicht um die Stundenangabe, nur die Minute und Sekunde sind wichtig. Ach, selbst wenn nur die Minute stimmt, könnten wir das richtige Ziel schon finden, da ich Gay bitten kann, jede gewünschte Minutensequenz von Bingos noch einmal durchzugehen. Es könnten nicht mehr als zwanzig sein und im mindesten Fall das eine gesuchte.

Wenn wir dieses Programm eine Stunde lang gefahren haben, würden sich auf der Karte maximal zwölfhundert Punkte befinden — und im anderen Extrem ein paar oder gar keine. Wenn sich diese Punkte räumlich zusammendrängen, verringere ich den Aktionsradius, und wir setzen das Programm fort. Wenn nicht, können wir schlafen und essen und es auf der anderen Tagseite noch einmal versuchen, in etwa zwölf Stunden. Wie auch immer — Gay findet die Briten auf jeden Fall — und dann sind wir in Sicherheit.«

»Hoffentlich hast du recht. Schon mal von den Opiumkriegen gehört, Deety?«

»Gewiß, Captain. Aber jede Nation ist zu Unmenschlichkeiten

fähig, auch die unsere. Aber die Briten sind traditionsgemäß anständig, trotz einiger schwarzer Flecken auf ihrer Weste.«

»Verzeihung. Aber warum eine Stunde?«

»Vielleicht können wir es abkürzen. Eine Stunde lang alle drei Sekunden eine Entscheidung treffen zu müssen, mag zu anstrengend sein. Wenn wir vorzeitig auf ein interessant aussehendes Gebiet stoßen, können wir den ersten Durchlauf abkürzen und den Bereich verkleinern. Wir müssen eben sehen, wie es sich entwickelt. Aber ich bin überzeugt, daß wir die Briten, wenn sie sich im Augenblick auf der Tagseite befinden, innerhalb von zwei Stundenprogrammen finden, mit einer kurzen Pause dazwischen.«

»Deety, was definierst du als ›Bingo‹?«

»Alles, was menschliche Besiedlung verheißt. Gebäude, Straßen. Bebaute Felder. Mauern, Zäune, Dämme, Flugzeuge, Fahrzeuge . . . Aber bitte nicht ›Bingo‹, wenn etwas nur interessant aussieht. Man kann aber auch ›Stopp!‹ rufen.«

»Worin liegt der Unterschied?«

»›Stopp!‹ bewirkt noch keine Registrierung und Kennzeichnung der Stelle. Dazu mußt du ›Bingo‹ hinzufügen. ›Stopp‹ betrifft alles, was du dir länger als drei Sekunden ansehen möchtest. Vielleicht sieht eine Stelle ja vielversprechend aus, und man braucht ein paar Sekunden mehr zum Entscheiden. Aber bitte — das betrifft jetzt alle! — in der Stunde sollte es nicht mehr als ein Dutzend ›Stopp‹-Rufe geben. Noch Fragen?«

Wir legten los. Hilda rief das erste Bingo. Ich hatte es auch gesehen — Bauernhöfe. Tante Hilda ist schneller als ich. Ich übertrat beinahe meine eigenen Regeln und mußte ein »Stopp!« im letzten Augenblick zurückhalten. Die Versuchung, sich näher umzusehen, war beinahe zu stark.

Wir alle machten Fehler, aber keine gravierenden. Hilda brachte es auf die meisten, Zebadiah auf die wenigsten Bingos, aber ich bin ziemlich sicher, daß mein Mann sich zugunsten von Paps und mir vornehm zurückhielt. (Tante Hilda konnte ich in diesem Zusammenhang außer acht lassen; Backbord vorn und Steuerbord hinten haben wenig Berührungspunkte, wenn es um das Auskundschaften von Landschaften geht.)

Ich hatte angenommen, daß uns die Sache bald langweilig werden würde — aber es war aufregend, wenn auch sehr ermüdend. Helle Punkte erschienen nach und nach auf dem Schirm — in jeder Minute nur etwa einer. Enttäuscht stellte ich fest, daß sich die meisten Bingos in der Nähe der unregelmäßigen Grenze zum russischen Gebiet gruppierten. Man konnte davon ausgehen, daß sie russisches Gebiet kennzeichneten, und es lohnte sich wohl nicht, sie auf Zwiebeltürme zu überprüfen.

Einmal rief mein Mann »Stopp!« und dann »Bingo«, an einer Stelle im Norden und fernen Westen, mindestens fünfzehnhundert Kilometer vom nächsten Bingolicht entfernt. Ich notierte die Zeit — Greenwich 21:16:51 — und versuchte dann herauszufinden, warum Zebadiah unsere Suche gerade dort unterbrochen hatte. Es war eine hübsche Gegend, grüne Berge, licht bewaldet, mit einem frei verlaufenden Fluß, der auf jeden Fall nicht reguliert war. Gebäude oder sonstige Hinweise auf Besiedlung gab es aber nicht.

Zebadiah schrieb etwas auf seinen Notizblock und sagte: »Weiter.« Mir lag die Frage auf der Zunge, warum wir angehalten hatten, doch wenn alle drei Sekunden eine Entscheidung fällig ist, hat man keine Zeit zum Plaudern.

Als die Stunde fast vorüber war, gesellte sich zu einem einsamen Bingolicht im fernen Westen, das seit den ersten fünf Minuten geleuchtet hatte, ein zweites; Hilda sagte diesen Treffer an. Zwei Minuten später rief auch Paps »Bingo!«, und wir hatten ein gleichschenkliges Dreieck mit einer Seitenlänge von etwa zwanzig Kilometern. Sorgfältig notierte ich mir die Zeit — und redete mir ein, ich dürfe nicht zu enttäuscht sein, wenn wir auch dort auf Zwiebeltürme stießen; immerhin hatten wir noch eine ganze Hemisphäre vor uns.

Ich *glaubte* an diese britische Kolonie, so wie man an Märchen glauben mußte, um Tinker Bell das Leben zu retten. Wenn es keine britische Kolonie gab, würden wir unser Glück auf der Erde-ohne-J versuchen müssen. Gay Täuscher war ein erstklassiger Wagen, ließ aber als Raumschiff zu wünschen übrig. Keine Toiletteneinrichtung. Luft für etwa vier Stunden und keine Erneuerungsanlage. Keine Toiletten. Beschränkter Vorratsraum für Nahrungsmittel. Keine Toiletten. Keine bequemen Schlafmöglichkeiten. Keine Toiletten.

Aber sie besaß Talente wie kein anderes Raumschiff. Ihre kleinen Mängel ließen sich (nach Auskunft meines Vaters und meines Mannes) in jeder modernen Werkstatt beheben. Aber bis dahin hatten wir nicht einmal ein Häuschen hinter der Scheune.

Endlich hörte Gay mit dem Springen auf und verkündete: »Eine Stunde. ›Ein Tramp unterwegs‹ abgeschlossen. Bitte Anweisungen.«

»Gay, hüpf«, sagte Zebadiah. »Deety, ich glaube nicht, daß wir das Reich, in dem die Sonne nie untergeht, schon gefunden haben. Die große Punktgruppe hier rechts . . . die ist ein bißchen zu dicht am Großen Bösen Wolf, was meint ihr?«

»Ja. Zebadiah, ich könnte Gay anweisen, den Geltungsbereich im Osten wegzunehmen, so daß die Lichtgruppe verschwindet, und im Westen dann beinahe neunhundert Kilometer hinzufügen, bis zur derzeitigen Lichtgrenze. Gay kann ihre visuelle Darstellung rotieren und das neue Gebiet mir zeigen. Ich würde sagen, eine zusätzliche Stunde wird das Bild ausreichend abrunden.«

»Vielleicht dauert es nicht einmal so lange. Du hast recht; drei Sekunden sind nicht lang, sondern sogar äußerst lang. Würden zwei nicht auch genügen? Könntest du das umstellen, ohne das Programm von Grund auf neu schreiben zu müssen?«

»Beide Antworten lauten ja, Captain.«

»Gut. Und im Westen kannst du dreißig Grad zugeben und nicht nur fünfzehn. Denn wir werden uns eine Stunde ausruhen — uns die Beine vertreten, etwas essen . . . und mir ist dringend nach einem Busch. Wie weise ich Gay an, ein bestimmtes Bingo aufzusuchen? Oder bringt das dein Programm durcheinander?«

»Keineswegs. Sag ihr, sie soll zu Bingo soundso zurückkehren, indem du die Zeit angibst.«

Es überraschte mich nicht, als er sagte: »Gay, Rückkehr zu Bingo Greenwich einundzwanzig sechzehn einundfünfzig.«

Es war wirklich ein hübscher Fluß. Zebadiah sagte aufgekratzt: »Ein schönes Gefühl, keine Energie zu verbrauchen! Wer sieht eine Lichtung in der Nähe des Baches, groß genug für Gay? Einschweben und absetzen, meine ich. Eine Gleitlandung wage ich nicht — dazu ist mein Schätzchen ein bißchen zu sehr beladen. Ah, ich glaube, ich habe eine Stelle. Macht die Augen zu!«

Ich wünschte beinahe, ich hätte seine Empfehlung befolgt.

Zebadiah leitete einen weiten Gleitanflug ein, alles auf Maximalauftrieb gestellt — doch ohne Antrieb. Ich wartete auf die Vibration, die mir anzeigte, daß Gay brausend zum Leben erwachte . . . und wartete . . . und wartete . . .

Zeb sagte: »Gay . . .«, und ich dachte schon, er würde sie auffordern, ihren Antrieb einzuschalten. Nein. Wir sanken tatsächlich unter die Höhe des Flußufers.

Plötzlich schaltete er doch noch den Antrieb ein, allerdings *rückwärts* — er schnellte uns auf das Ufer hoch, wir bäumten uns auf und stürzten einen Meter tief und verfehlten die Uferschräge nur knapp.

Ich sagte nichts. Tante Hilda sagte leise: »Heilige Mutter Gottes, Om Mani Padme Hum. Es gibt keinen anderen Gott außer Gott, und Mohammed ist sein Prophet . . .« Und sie setzte ihre Sprüche in anderen Sprachen fort, die ich nicht kannte, doch sie schien ehrlich aufgewühlt zu sein.

Paps sagte: »Junge, gehst du immer so aufs Ganze?«

»Ich habe mal einen Mann so landen sehen, und der konnte damals nicht anders. Ich wollte immer schon mal ausprobieren, ob ich das auch konnte. Aber was ihr nicht wußtet . . . Gay, bist du da?«

»Aber ja, Boß. Du hast mich alarmiert. Was war los?«

»Bist ein kluges Mädchen, Gay.«

»Warum schiebe ich dann diesen Kinderwagen?«

»Gay, leg dich schlafen.«

»Müde bin ich. Roger und Ende, Boß.«

»Jake, du wußtest nicht, daß ich den Atem angehalten hatte; um H-Ü-P-F zu sagen, und zwar sehr schnell. Dein Apparat hat Gays Reflexe so fix werden lassen, daß ich mich bis auf Sekundenbruchteile an eine mögliche Katastrophe herantasten konnte mit der Gewißheit, immer noch herauszukommen. Und es war keine unnütze Übung. Schaut euch die Anzeige an. Vierundsiebzig Prozent der Kapazität. *Ich* weiß nicht, wie viele Landungen ich mit soviel Energie noch machen muß.«

»Captain, ein brillantes Manöver. Obwohl ich mir beinahe in die Hose gemacht hätte.«

»Falsche Anrede, *Captain*. Ich bin Pilot, der eben seinen Dienst beendet. Wir sind gelandet; mein Rücktritt ist wirksam. Jetzt bist *du* dran.«

»Zeb, ich habe dir gesagt, daß ich auf keinen Fall Captain werde.«

»Daran kannst du nichts mehr ändern; du *bist* es bereits. Der Stellvertreter des Captains übernimmt das Kommando, wenn der Captain stirbt oder verschollen ist — oder zurücktritt. Jake, du kannst dir die Kehle durchschneiden oder desertieren oder sonst was tun, aber du kannst nicht behaupten, du wärst *nicht* Captain, wenn du es bist — Captain!«

»Wenn du zurücktreten kannst, kann ich das auch!«

»Gewiß. Gegenüber dem Astronavigator; sie ist die nächste.«

»Deety, ich trete zurück! Captain Deety, meine ich!«

»Paps, das kannst du mir doch nicht antun! Ich . . . Ich . . .« Ich sprach nicht weiter, denn mir fiel nichts mehr ein. Und dann kam mir doch noch eine Idee. »Ich trete auch zurück . . . Captain Hilda!«

»Was? Also, das ist nun wirklich Unsinn, Deety! Als Sanitäts-offizier komme ich für ein Kommando gar nicht in Frage. Aber wenn ›Sanitätsoffizier‹ und ›Wissenschaftsoffizier‹ nur ein Scherz sind, dann bin ich Passagier und stehe noch immer nicht auf der Liste.«

»Sharpie«, sagte mein Mann, »du bist ebenso geeignet wie wir alle. Du kannst einen Wagen fahren und . . .«

»Das habe ich urplötzlich verlernt.«

». . . aber das ist gar nicht erforderlich. Du mußt den gesunden Menschenverstand walten lassen und die Unterstützung deiner Besatzung haben, das ist alles. Immerhin sind wir viele Millionen Meilen und mehrere Universen von allen patentgebenden In-stanzen entfernt. Du hast meine Unterstützung; ich glaube, das gilt auch für die anderen. Jake?«

»Ich? Aber natürlich!«

»Deety?«

»Captain Hilda weiß, daß sie auf mich zählen kann«, stimmte ich zu. »Immerhin habe ich sie als erste mit ›Captain‹ angere-det!«

»Deety, ich bin gerade zurückgetreten«, sagte Tante Hilda.

»O nein, es gibt niemand, dem gegenüber du das tun könn-test!« Gegen meinen Willen klang meine Stimme schrill.

»Ich gebe das Kommando an den Großen Manitou weiter! Oder an dich, Zebbie, damit wäre der Kreis dann geschlossen, und du bist wieder Captain — wie es auch sein sollte.«

»Kommt nicht in Frage, Sharpie. Ich habe mein Teil getan; jetzt soll ein anderer ans Ruder. Nachdem du nun ebenfalls zurückge-treten bist, haben wir keine klare Regelung mehr. Wenn ihr glaubt, ihr hättet mich wieder am Schlafittchen, irrt ihr euch. Dann habt ihr lediglich eine ungewöhnliche Methode gewählt, euch an dieser Stelle anzusiedeln. Und solange niemand das Kommando führt, bekommt ihr 'ne hübsche Ladung von dem ab, was mich so auf die Palme bringt. Das ewige Gerede, Gestreite, Herumgezerre — eine Mischung aus Hyde Park Corner und ei-nem Diskussionsklub in der Schule.«

Ehrlich überrascht sagte Tante Hilda: »Zebbie, du redest ja bei-nahe, als wolltest du uns etwas heimzahlen!«

»Mrs. Burroughs, durchaus möglich, daß Sie das richtig sehen. Ich habe mir in letzter Zeit viel anhören müssen . . . und so eini-ges auch von dir.«

Seit dem Tod meiner Mutter Jane habe ich Tante Hilda nicht mehr so bedrückt gesehen. »Das tut mir *ehrlich* leid, Zebbie. Es ist mir nicht aufgegangen, daß mein Verhalten dir so mißfallen hat. Das lag nicht in meiner Absicht. Ich bin mir durchaus und zu jeder Zeit bewußt, daß du uns — *mir* — mindestens fünfmal das Leben gerettet hast — durch direkten Einsatz und darüber hinaus durch deine Führung dieses Teams. Ich bin so dankbar, wie es meine Natur zuläßt — und das ist sehr viel, auch wenn du mich für einen Menschen mit wenig Tiefgang hältst. Aber man kann nicht jede Sekunde tiefste Dankbarkeit offenbaren, genausowenig wie man ständig im Orgasmus leben kann; einige Gefühle sind eben zu stark, um stets auf dem Höhepunkt zu verharren.«

Sie seufzte; Tränen rollten ihr über das Gesicht. »Zebbie, darf ich versuchen, meine Fehler wiedergutzumachen? Ich werde auch nie wieder freche Antworten geben. Es wird mir schwerfallen; ich hab's mir eben so angewöhnt — damit wehre ich mich gegen die Welt. Aber ich *mache* damit Schluß.«

»Tu nicht so tragisch, Hilda«, sagte Zebadiah leise. »Du weißt doch, ich liebe dich . . . trotz deiner kleinen Eigenarten.«

»Oh, das weiß ich, du häßlicher Riese, du! Kommst du nun zu uns zurück? Als unser Captain?«

»Hilda, ich habe die Gruppe nie verlassen! Ich werde weiter alles tun, was in meinen Kräften steht und was ich erlernen kann. Und was man mir befiehlt. Aber *nicht* als Captain.«

»Ach du meine Güte!«

»Das ist doch keine Tragödie. Wir wählen eben einen neuen Komandanten.«

Mein Vater suchte sich diesen Augenblick aus, um loszupoltern: »Zeb, du bist verdammt halsstarrig und selbstgefällig in deinem Ton gegenüber Hilda. *Ich* finde nicht, daß sie sich danebenbenommen hat.«

»Jake, das kannst du gar nicht beurteilen. Erstens ist sie deine Frau. Zweitens hast du nicht die Last des Kommandos getragen wie ich. Und von den schlimmsten Sachen sind ein paar von dir gekommen!«

»Das wußte ich nicht — Captain.«

»Du tust es ja schon wieder — indem du mich ›Captain‹ nennst, wenn ich es gar nicht mehr bin. Aber erinnerst du dich an einen Augenblick vor ein paar Stunden, als ich meinen Stellvertreter um einen Rat bat und mit einer Anfrage über ›schriftliche Befehle‹ beglückt wurde?«

»Hmm . . . das war nicht in Ordnung. Jawohl, Sir.«

»Möchtest du andere Beispiele hören?«

»Nein. Nein, ich kann mir denken, daß es andere Zwischenfälle gegeben hat. Ich weiß, was Sie sagen wollen, Sir.« Paps setzte ein schiefes Lächeln auf. »Nun, ich freue mich, daß dir wenigstens Deety keinen Ärger gemacht hat.«

»Im Gegenteil — sie hat mir den schlimmsten Ärger bereitet.«

Ich war sehr bekümmert, denn ich hatte nicht damit gerechnet, daß Zebadiah das Kommando tatsächlich abgeben würde. Jetzt aber war ich schockiert und verblüfft und gekränkt noch obendrein. »Zebadiah — was habe ich denn *getan?*«

»Dasselbe wie die anderen beiden — doch für mich schwerer zu ertragen, weil du mit mir verheiratet bist.«

»Aber . . . aber *was* denn?«

»Ich sag's dir unter vier Augen.«

»Mir ist es recht, wenn Paps und Tante Hilda alles hören.«

»*Mir* aber nicht. Lustige Dinge kann man mit anderen teilen, doch Probleme regeln wir unter uns.«

Meine Nebenhöhlen machten Ärger, und ich mußte blinzeln, weil mir Tränen in die Augen stiegen. »Aber ich muß es *wissen!*«

»Dejah Thoris, du kannst dir die Zwischenfälle selbst auflisten, wenn du wirklich ehrlich mit dir bist. Du hast ein hervorragendes Gedächtnis — es hat sich alles in den letzten vierundzwanzig Stunden zugetragen.«

Er wandte das Gesicht ab. »Auf etwas muß ich noch hinweisen, ehe wir einen neuen Captain wählen. Ich habe mich dazu drängen lassen, meine Autorität auf dem Boden ruhen zu lassen. Das war ein großer Fehler. Ein Schiffskapitän ist ständig Kommandant, auch wenn sein Schiff vor Anker liegt. Wer immer jetzt Captain wird, er sollte aus meinem Fehler lernen und keinerlei Befugnisse nur deswegen aus der Hand geben, weil Gay gelandet ist. Der oder die Betreffende könnte natürlich je nach Situation die Disziplin gelockert handhaben. Aber die Entscheidung darüber muß beim *Captain* liegen. Auf dem Boden kann es nämlich sogar *gefährlicher* sein als in der Luft oder im Weltraum. Wie beispielsweise heute, als plötzlich die Russen auftauchten. Die Tatsache der Landung darf doch nicht gleichbedeutend sein mit: ›Die Schule ist vorbei, jetzt wird gespielt!‹«

»Es tut mir leid, Zebbie.«

»Hilda, der Fehler liegt mehr bei mir als bei dir. Ich wollte die Verantwortung los sein. Ich ließ mich überreden, und dabei ging mein Verstand auf Urlaub. Zum Beispiel die kleine ›Kundschafterwanderung‹. Ich weiß nicht mehr, wer sie vorgeschlagen hat . . .«

»Ich«, sagte mein Vater.

»Möglich, Jake; aber wir waren alle davon angetan. Wir wollten losziehen wie eine Gruppe Pfadfinder — ohne geeigneten Führer. Was wäre jetzt mit uns, wenn wir so schnell losgewandert wären, wie im ersten Augenblick vorgesehen? Säßen wir jetzt in einem russischen Gefängnis? Wären wir tot? Oh, ich bin von meiner Leistung nicht gerade angetan; einer der Gründe für meinen Rücktritt ist darin zu suchen, daß ich mich nicht besonders schlau angestellt habe. Gay Täuscher allein stehenzulassen, während wir in der Weltgeschichte herumstiefelten — gütiger Himmel! Hätte ich in dem Augenblick die Last des Kommandos auf mir gespürt, wäre ich dem Gedanken nicht nähergetreten.« Zebadiah verzog das Gesicht und blickte meinen Vater an. »Jake, du bist der Älteste. Warum übernimmst du nicht den Vorsitz, während wir einen neuen Kommandanten wählen. Ich stelle den Antrag.«

»Unterstützt!«

»Und schon bist du gewählt!«

Vater gab seinen Widerstand auf. Wir gaben unsere Stimmen ab; auf Zetteln, die wir aus einem Blatt von Zebadiahs Notizblock gemacht hatten.

Ich mußte die Stimmen auszählen:

»Zeb, Zebadiah, Zebbie, Sharpie.

Zebadiah griff nach hinten, nahm mir die Stimmzettel ab, gab den für ›Tante Hilda‹ zurück und zerriß die anderen drei. »Anscheinend habt ihr eben nicht richtig zugehört. Ich habe meine Zeit hinter mir; ein anderer muß die Verantwortung übernehmen, sonst stehen wir hier an dem Bach, bis wir verhungern! Sharpie scheint absolut an der Spitze zu liegen — ist sie damit gewählt? Oder stimmen wir noch einmal ab?«

Wir absolvierten einen zweiten Durchgang:

Sharpie, Jacob, Jacob, Hilda.

»Unentschieden«, sagte Vater. »Sollen wir Gay auffordern, die entscheidende Stimme abzugeben?«

»Halt den Mund und teil neue Stimmzettel aus!«

Sharpie, Deety, Deety, Hilda.

»He!« rief ich. »Wer hat da die Fronten gewechselt?« (Ich hatte jedenfalls nicht für mich gestimmt.)

Sharpie, Hilda, Zebbie, Hilda.

»Eine ungültige Stimme«, sagte mein Mann. »Ein Nicht-Kandidat. Möchten Sie das bestätigen, Herr Vorsitzender?«

»Ja«, sagte Paps. »Meine Liebe . . . Captain Hilda. Du bist einstimmig gewählt.«

Tante Hilda schien wieder in Tränen ausbrechen zu wollen. »Ihr seid eine gemeine Bande!«

»Ja«, sagte mein Mann schnell. »Aber jetzt sind wir *deine* Bande, Captain Hilda.«

Das brachte ihm ein schwaches Lächeln ein. »Sieht so aus. Nun ja, ich werde es versuchen.«

»Wir werden es alle versuchen«, sagte Paps.

»Und dir helfen«, meinte mein Mann.

»Und ob!« rief ich, und es war mein voller Ernst.

Paps sagte: »Bitte entschuldige. Ich bin scharf auf einen passenden Busch, seit die große Diskussion begann.« Er machte Anstalten auszusteigen.

»Einen Moment mal!«

»*Wie?* Ja, meine Liebe? Captain.«

»Niemand sucht sich einen Busch ohne bewaffnete Eskorte. Nicht mehr — und auch nicht weniger — als zwei Leute verlassen das Umfeld des Wagens gleichzeitig. Jacob, wenn du so dringend mußt, wirst du Zebbie bitten, sich zu beeilen — der Bewacher muß Gewehr und Pistole bei sich haben.«

Schließlich lief es darauf hinaus, daß Paps als letzter hinter dem Busch verschwinden konnte — sicher wäre ihm beinahe die Blase geplatzt. Später hörte ich Paps fragen: »Junge, hast du Äsops Fabeln gelesen?«

»Aber ja.«

»Erinnert dich nichts an König Klotz und König Storch?«

XXII

Hilda:
Schon die erste Auszählung verriet mir, daß Zebbie entschlossen war, mich zum Captain zu küren. Als mir das bewußt geworden war, beschloß ich, Captain zu werden — sollten die anderen meiner ruhig überdrüssig werden und sich begierig zeigen, Zebbie wiederzuhaben. Aber dann *war* ich plötzlich Captain — und das veränderte alles! Ich vergaß mein Bemühen, die anderen gegen mich einzunehmen; ich begann mir sofort Sorgen zu machen. Und mir Mühe zu geben.

Erstens wollte sich mein Mann aus offensichtlichen Gründen einen Busch suchen — und ich befürchtete, daß ein Banth ihn überfallen könnte. Kein barsoomischer Banth, sondern irgendein anderes gefährliches Raubtier, das auf diesem Planeten herumstreifen mochte.

Also ordnete ich bewaffnete Wächter an. Und forderte, daß niemand allein sein dürfe. Das war nicht gerade angenehm, aber ich blieb hart — und erkannte endlich, welch erdrückende Last auf Zebbies Schultern gelegen hatte.

Aber eins konnte ich verbessern: ich konnte dafür sorgen, daß wir im Inneren des Wagens schlafen konnten.

Der freie Raum hinter den Rücksitzen, abgeteilt durch eine Schottwand, war nicht voll ausgenutzt. Wir hatten noch etwa sechs Stunden bis zum Sonnenuntergang (auf unserem Flug nach Westen hatten wir wieder etwas Zeit herausgeholt), und so ließ ich *alles* ins Freie zerren, was in jenem Abteil verstaut war.

Der Platz reichte für Zebbie und Deety, auf seinem ausgebreiteten Schlafsack, eine Decke darüber. Und Jacob und ich? Die Pilotensitze rückten wir vor, soweit die Flügelschrauben es gestatteten, klappten sie beinahe flach zurück und stopften die Unebenheiten mit Kissen aus. Als Fußstützen wurden die Polster der Rücksitze auf Kisten gelegt, die wir ansonsten fortgeworfen hätten. Es war kein ideales Bett, aber die geringe Schwerkraft und mein knuddeliger Mann ließen es höchst attraktiv erscheinen.

Baden — im Bach, wo es ausgesprochen kalt war. Dieselbe Regel wie bei den Büschen: bewaffnete Aufpasser. Am Ufer gründlich einseifen, dann hinein, schnell abspülen, wieder an Land springen und abrubbeln, bis die Haut glühte. Primitiv? Ein *Luxus!*

Aber das Programm lief nicht so glatt ab. Zum Beispiel das Problem mit den ›Büschen‹. Man brauchte mir nicht erst zu sagen, daß die Latrine sich flußabwärts befinden mußte oder daß niemand die Schaufel vergessen durfte — die Regeln für ein sauberes Lager sind so alt wie das Alte Testament.

Aber mein erster Befehl hatte festgelegt, daß nicht mehr und nicht weniger als zwei Personen den Wagen verlassen durften und daß davon einer stets bewaffnet sein mußte — während das andere Gewehr und die andere Pistole Gay bewachten.

Dieser Befehl kam mir über die Lippen, als mir wie eine Ladung Backsteine bewußt wurde, daß *ich*, die Kleine, die nie erwachsen geworden war, plötzlich für das Leben von vier Menschen die Verantwortung trug. Damals kamen mir meine Befehle nicht nur logisch vor, sondern auch notwendig und umsetzbar: Jacob würde mich bewachen, Zebbie Deety, unsere Männer würden gegenseitig auf sich aufpassen.

Doch es gab da ein Problem. Ich hatte nicht bedacht, daß meine Regel festlegte: a) ein Gewehrträger mußte stets am Wagen sein, b) beide Männer mußten sich von Zeit zu Zeit vom Wagen entfernen.

Da dies nicht ging, änderte ich die Bestimmungen: Wenn die Männer ein natürliches Bedürfnis verspürten, schlossen wir Frauen uns ein. Ich wußte nicht mit Sicherheit, ob es auf diesem Planeten gefährliche Lebewesen gab. Aber genau darum ging es: ich *wußte* es nicht, und bis zum Augenblick der Gewißheit mußte ich davon ausgehen, daß hinter jedem Busch Tiere hockten, die so gefährlich waren wie Tiger.

Himmel, sogar der Busch selbst mochte fleischfressend sein!

Mit atemberaubender Geschwindigkeit lernte ich, was manche Menschen in ihrem ganzen Leben nicht begreifen: die ›unbegrenzte Vollmacht‹ eines befehlshabenden Offiziers stellt keine Freiheit dar, sondern eher eine Zwangsjacke. Der Captain kann nicht tun, was *ihm* gefällt, denn er muß jede Minute, im Wachen oder Schlafen, seine Untergebenen beschützen.

Unvermeidliche Risiken darf er nicht eingehen; sein Leben gehört ihm nicht, sondern seinem Kommando.

Als mir der Rang des Captains aufgedrängt wurde, faßte ich den Entschluß, daß wir an Ort und Stelle verbleiben würden, bis Gay Täuscher umgeräumt war und wir alle vier sicher und bequem in ihrem Inneren schlafen konnten — ohne geschwollene Knöchel.

Nicht *Sharpie* hatte sich das überlegt, sondern *Captain Hilda Burroughs.* Captain Zebbie hatte sich bei unserer ersten Landung darüber Gedanken gemacht, hatte sich dann aber überstimmen lassen.

Ich wußte, der Wagen ließ sich entsprechend umbauen; aber es würde Zeit, Schweiß und Muskeln kosten, und ich hatte gerade einen Befehl gegeben, der einen oder beide Männer am Tag mehrmals von der Arbeit fortführen würde . . . wie oft? Solche Dinge lassen sich nicht zwingen. Ich hatte den schlimmen Verdacht, daß sich ein gewisses Versagen einstellen würde, wenn man jemanden mit Gewehr bei sich hatte, mochte er einem auch noch so sympathisch sein.

Was also war zu tun? Sollte ich den Befehl rückgängig machen?

Nein. Das kam allenfalls in Frage, wenn mir etwas Besseres einfiel. Wir standen hier an einem hübschen Flecken, aber trotzdem konnten sich hier ›Banths‹ herumtreiben. Oder Raubkatzen. Oder ›Boojums‹. Besonders die letzteren. Was würde geschehen, wenn Zebbie sich ein Stück entfernte, um Nerven zu schonen und den Anstand zu wahren, und dann einfach ›unmerklich und leise verschwand‹?

Und gerade mit *Zebbie* hatte ich in diesem Punkt Schwierigkeiten — Zebbie, der gegenüber dem neuen Captain überhaupt keine Widerrede erheben wollte. »Capt'n Hilda, Schätzchen, ich brauche keinen Bewacher, ehrlich! Ich nehme mein Gewehr mit und passe auf mich selbst auf. Entsichert und eine Patrone unter dem Hammer. Heiliges Ehrenwort.«

»Zebbie, ich bitte dich nicht darum, ich *befehle* es dir!«

»Aber es gefällt mir nicht, euch Mädchen unbewacht zurückzulassen!«

»Ich bin kein Mädchen. Ich bin elf Jahre älter als du!«

»Ich meinte doch nur . . .«

»Mund halten!«

Dem armen Kerl röteten sich die Ohren, doch er preßte die Lippen zusammen. »Astronavigator!« sagte ich.

»Wie? Ja, Captain Tantchen.«

»Kannst du mit einem Gewehr umgehen?«

»O ja, Paps hat es mir beigebracht. Aber meine Schrotflinte ist mir lieber.«

»Nimm das Gewehr des Ersten Piloten und bewache das Lager.«

»Hör mal, das könnte ich mit meiner Flinte viel besser.«

»Mund halten und Befehl ausführen!«

Deety blickte mich erstaunt an, näherte sich Zebbie, der ihr das Gewehr mit erstarrtem Gesicht aushändigte. »Copilot«, sagte ich zu meinem Mann, »bewaffne dich mit Gewehr und Pistole und begleite den Ersten Piloten und bewache ihn, während er sein Anliegen erledigt.«

Zebbie schluckte. »Sharpie . . . ich meine, *Captain* Sharpie. Es ist nicht mehr notwendig. Der Augenblick der Wahrheit ist verstrichen. Das viele Gerede.«

»Erster Pilot, du vergißt meinen Spitznamen, solange ich dein befehlshabender Offizier bin. Copilot, führe den Befehl aus. Du bleibst beim Ersten Piloten und bewachst ihn ohne Unterbrechung, bis der Zweck des Ausflugs erreicht ist.« (Wenn Zebbie eine Verstopfung meinte — emotionale Aufregungen können dazu führen —, würde ich später in meiner Eigenschaft als Sanitätsoffizier in Aktion treten müssen — und dann würden nicht vier stämmige Krankenhelfer kommen und Zebbie festhalten müssen. Die Autorität eines befehlshabenden Offiziers muß so gut wie niemals mit Gewalt durchgesetzt werden. Das ist seltsam, aber wahr — ich fragte mich nur, woher ich es wußte.)

Als die Männer außer Hörweite waren, fragte ich: »Deety, könntest du mir den Umgang mit dem Gewehr beibringen?«

»Ich weiß nicht recht, ob ich dir überhaupt antworten soll. Du hast meinen Mann vor allen anderen gekränkt — wo wir ihm doch so viel verdanken!«

»Astronavigator!«

Deety riß die Augen auf.

»Äh . . . ja, Captain?«

»Du wirst dich ab jetzt jeder persönlichen Bemerkung über mich oder mir gegenüber enthalten, solange ich hier befehlshabender Offizier bin. Bestätige diesen Befehl und halte ihn im Logbuch fest.«

Auf Deetys Gesicht erschien ein Ausdruck, der darauf hindeutete, daß sie sich von der Welt abgekapselt hatte. »Aye, aye, Captain. Gay Täuscher?«

»Hallo, Deety!«

»Log-Programm. Der Captain hat den Astronavigator angewiesen, sich jeder persönlichen Bemerkung über sie oder ihr gegenüber zu enthalten, solange sie kommandierender Offizier ist. Ich bestätige diesen Befehl. Log-Datum, Zeit, Bingo-Position. Ich sag's dir dreimal.«

»Deety, ich höre dich dreimal.«

»Zurück ins Bett, Gay, schlafen.«

»Roger und Ende.«

Deety wandte sich zu mir um, und Gesicht und Stimme waren wieder normal. »Captain, ich kann dir das Schießen soweit beibringen, daß du keine wunde Schulter bekommst und auch nicht von den Füßen gerissen wirst. Aber eine gute Schützin zu werden, kostet Zeit. Meine Flinte hat keinen so starken Rückschlag — und man braucht keine Übung zu haben.«

»Ich dachte, eine Schrotflinte wäre noch schwerer zu handhaben.«

»Das hängt davon ab. Eine Flinte eignet sich gewöhnlich für Überraschungsziele in der Luft besonders gut. Da muß man Erfahrung mitbringen. Aber bei stationären Zielen, die sich in Reichweite befinden, funktioniert die Flinte ungefähr wie ein

Gartenschlauch. Die Schrotkugeln breiten sich in Form eines Kegels aus. Das Ganze ist so simpel, daß es schon nicht mehr sportlich genannt werden kann.«

»Mir egal. Bringst du es mir bei? Was für ein Ziel nehmen wir?«

»Ein großes Stück Papier, damit du siehst, wie weit die Ladung streut. Aber, Captain, weißt du, was passiert, wenn ich ein Gewehr abfeuere?«

»Was denn?«

»Unsere beiden Männer werden herbeieilen, der eine mit nicht geschlossener Hose. Ich glaube nicht, daß er sich darüber freuen wird.«

»Mit anderen Worten — ich soll Zebbie nicht zweimal in zehn Minuten auf die Palme bringen.«

»Könnte auch *dein* Mann sein. Anzunehmen, daß beide die Gelegenheit benutzen, ehe sie wiederkommen. Wenn ich einen Schuß abgebe, sollte ich anschließend auch etwas Totes vorweisen können, sonst geht der eine oder andere an die Decke — oder beide.«

»Beide! Danke, Deety — ich habe das nicht bedacht.«

»Außerdem sollte sich der Captain daran erinnern, daß ich Befehl habe, das Lager zu bewachen. Ich kann nicht gleichzeitig Schießunterricht geben.«

(Sharpie, kannst du denn *nichts* richtig machen?) »Nein, natürlich nicht! Deety, ich habe schlecht angefangen! Ihr alle seid böse auf mich.«

»Erwartet der Captain einen Kommentar dazu?«

»Geschieht mir recht! Heraus damit!«

»Ich finde nicht, daß du schlecht begonnen hast, im Gegenteil.«

»Aber . . .«

»Ich habe mich geirrt. Das ging mir auf, als ich deinen Befehl ins Logbuch eingab. Mein Ausbruch war schlimmer als alles, was ich Zebadiah an den Kopf geworfen habe, als er noch Captain war — ich sollte mir das alles ja mal durch den Kopf gehen lassen. Mindestens zweimal hätte er mich tüchtig zurückweisen müssen« — Deety lächelte schwach —, »nur brächte es Zebbie eben nicht über sich, eine Frau zu schlagen, selbst wenn sie nicht schwanger wäre. Captain Hilda — Zebadiah hat nicht streng genug durchgegriffen. Er hat dir einen Haufen disziplinloser Individualisten anvertraut. Jedenfalls gilt das für mich. Aber ich will mich bessern.«

»Ich bin nicht sicher, ob ich diese Disziplin richtig begreife«, sagte ich niedergeschlagen.

»Sie bedeutet, daß du Befehle ausführst, die dir nicht gefallen oder gegen die du bist, ohne Widerspruch zu erheben. ›In die Klauen des Todes ritten die sechshundert.‹ Das würde uns Zebadiah niemals antun — aber er ließ es zu, daß wir ihn zwangen, aus seinem Ärger heraus mein neues Zisch-ab-Programm auszuprobieren. Er hatte die Meinung geäußert, daß der Test ein sinnloses Risiko sei; ich hätte ihm zustimmen sollen, denn er hatte recht. Statt dessen warf ich ihm ein ›Kein Kommentar‹ an den Kopf, und du warst nicht besser und Paps sogar noch schlimmer. Hmm ... ich glaube nicht, daß Zebadiah große Erfahrung als kommandierender Offizier hat.«

»Warum das, Deety? Er *ist* doch Captain.«

»Das heißt aber nicht, daß er jemals in seiner Laufbahn kommandierender Offizier gewesen ist. Er hat sicherlich viele Solostunden absolviert, in Kampfflugzeugen. In größeren Schiffen hat er Wache geschoben, sonst hätte er jetzt den Kommando-Dienstgrad nicht. Aber hat er jemals richtig das Kommando *geführt?* Er hat es nie angedeutet ... ich glaube also, daß die Verantwortung für ihn so neu war wie für dich. Wie Sex oder das Kinderkriegen — man begreift es erst, wenn man es versucht hat.« Plötzlich grinste sie. »Du solltest Zebadiahs Fehler also nicht überbewerten.«

»*Welche* Fehler? Er hat uns wiederholt das Leben gerettet. Ich werfe ihm nicht vor — nicht mehr —, daß er sich von seinem Kommando ausruhen wollte. Deety, es ist eine wahre Knochenarbeit, auch wenn man dabei keinen Finger rührt. Ich hätte es nie für möglich gehalten. Heute nacht tue ich bestimmt kein Auge zu.«

»Wir bewachen dich!«

»Nein! Und keine Widerrede! Was für Fehler hat Zebbie gemacht?«

»Nun ... er hat sich nicht durchgesetzt. Du hast uns sofort klar merken lassen, wer hier der Boß ist. Du hast jede Diskussion im Keim erstickt, hast uns sofort zurechtgewiesen. Es fällt mir zwar schwer, es zu sagen, aber ich glaube, du hast mehr Talent zum Kommandieren als Zebadiah.«

»Deety, das ist doch Unsinn!«

»Ach? Napoleon war auch nicht groß.«

»Also habe ich Napoleonkomplex. Hmm.«

»Captain, dazu sage ich nichts — befehlsgemäß.«

»Nun ja . . . ich weiß jedenfalls, wie man einem Napoleonkomplex aus dem Weg geht. Deety, du bist ab sofort meine Stellvertreterin.«

»Aber das ist doch *Paps'* Aufgabe!«

»Falsch — er *war* Stellvertretender Kommandant. Als Astronavigator bist du es vielleicht sogar automatisch — da mußt du Zebbie fragen —, aber unter uns: meine Entscheidung ist endgültig. Bitte bestätige sie.«

»Ich . . . Aye, aye, Captain.«

»Es ist nun deine Aufgabe, mich sofort darauf hinzuweisen, wenn du der Meinung bist, ich würde einen schlimmen Fehler machen. Außerdem mußt du mich auf Aufforderung hin beraten.«

»Mein Ratschlag dürfte dir nicht viel nützen. Denk nur an die Sache von eben.«

»Das war, *bevor* ich dich zum Stellvertretenden Kommandanten ernannte. Deety, ein Amt zu bekleiden, macht wirklich einen Unterschied.«

Deety blinzelte und sah mich feierlich an. »Ja, ich glaube, du hast recht.«

»Warte nur, bis du auch Captain bist. Das ist dann noch achtmal so unheimlich.«

»O nein. Paps würde sich nie darauf einlassen, Zebadiah ebenfalls nicht, und ich erst recht nicht — das wären schon drei Stimmen.«

»Auch ich habe mich gesträubt — bis es nicht mehr anders ging. Mach dir keine Sorgen. Ich gebe die Befehle, und du berätst mich.«

»In dem Fall, Captain, möchte ich empfehlen, daß wir dich bewachen dürfen, während du schläfst. Selbst wenn wir die Briten bald finden, sollten wir nicht gleich den Kontakt aufnehmen, sondern uns ein Fleckchen suchen, das so verlassen ist wie dieses, und mal einen Tag ausschlafen. Die Mannschaft kann dabei auf acht Stunden kommen — ich übernehme die mittlere Wache — und der Kapitän auf zwölf.«

»Vielen Dank — deine Ratschläge sind begründet. Aber unser Programm sieht anders aus; wir werden *hier* schlafen.« Ich schilderte Deety meine Absichten. »Wenn der Wagen wieder in Schuß ist, essen wir. Sollte es noch früh genug sein, wird vor dem Essen gebadet. Sonst morgen früh.«

»Ich würde lieber ganz schnell essen und dann noch baden — da ich ja wohl bei meinem Mann schlafen kann. Wenn ich Angst habe, rieche ich noch unangenehmer — und ich habe mehr Angst ausgestanden, als ich zeigen wollte.«

»Nach dem Essen ins kalte Wasser?«

»Oh. Dann überspringe ich notfalls das Essen.«

»Astronavigator, es geschieht, wie ich es befehle.«

»Jawohl, Captain. Aber ich stinke nun mal.«

»Wir werden alle stinken, wenn wir den Wagen wieder eingerichtet haben. Vielleicht müssen wir im Dunkeln Sandwiches essen, weil wir bei Sonnenuntergang im Wagen verschwinden und alles mit uns einschließen, was wir nicht wegwerfen wollen.« Ich legte den Kopf schief. »Hörst du etwas, Deety?«

Unsere Männer kehrten wohlgemut zurück; Zebbie trug Jacobs Gewehr und Pistole. Zebbie grinste mich breit an. »Capt'n, keine Probleme zu melden.«

»Gut.«

»Aber was mich betrifft, so hat dein kompliziertes Programm vorhin beinahe einen dummen Unfall ausgelöst.«

»Lieber Jacob, ich putze lieber die Folgen eines dummen kleinen Malheurs weg, als dich begraben zu müssen.«

»Aber . . .«

»Keine Diskussion mehr!«

»Paps, richte dich auf einen strengen Ton ein!« rief Deety.

Jacob sah mich verwirrt und ein wenig gekränkt an. Zebbie musterte mich aufmerksam; er grinste nicht mehr. Schweigend stellte er sich neben Deety und wollte nach seinem Gewehr greifen. »Das nehme ich jetzt wieder, mein Schatz.«

Deety ließ die Waffe nicht los. »Der Captain hat mich noch nicht von der Aufgabe entbunden.«

»Oh. Na schön. Machen wir's vorschriftsmäßig.« Zebbie sah mich an. »Captain, ich bin voll und ganz damit einverstanden, daß ständig jemand auf Wache ist; darin war ich zu nachlässig. Ich wollte die Wache ablösen. Ich melde mich freiwillig zum Dienst, während ihr eßt . . .«

». . . und anschließend gehe ich auf Wache, während Zeb ißt«, fügte Jacob hinzu. »Wir haben uns das unterwegs ausgedacht. Wann essen wir überhaupt? Ich könnte einen ganzen Ochsen verschlingen.« Er fügte hinzu: »Liebste Hilda, du bist zwar Captain — aber doch auch noch unsere Köchin — oder nicht? Oder ist dafür jetzt Deety zuständig?«

(Entscheidungen! Wie wird der Kapitän eines großen Schiffes nur damit fertig?) »Ich habe Veränderungen vorgenommen.

Deety bleibt Astronavigator, ist jetzt aber auch meine Stellvertreterin und Erster Offizier. In meiner Abwesenheit führt sie das Kommando. Wenn ich anwesend bin, sind Deetys Befehle den meinen gleichzusetzen; sie befiehlt, um meine Wünsche zu verwirklichen. Von uns beiden wird keiner die Aufgaben der Köchin übernehmen. Und was den Sanitätsoffizier angeht . . .« (Verdammt, Sharpie, all die Stunden in der Notaufnahme machen dich zum einzigen Kandidaten für dieses Amt. Oder? Hmm . . .) »Zebbie, enthält der Rang ›Kommandant-Pilot‹ auch eine paramedizinische Ausbildung?«

»Ja. Allerdings steckt nicht viel dahinter. Was man so tun muß, um einen armen Kerl am Leben zu erhalten, bis der Arzt ihn untersuchen kann.«

»Somit bist du Sanitätsoffizier. Ich dein Stellvertreter, falls du mich brauchst — wenn ich nicht gleichzeitig etwas anderes äußerst Dringendes zu erledigen habe. Und nun zum Thema Koch . . . Meine Herren, ich habe nie etwas gegessen, was einer von euch zubereitet hat. Ich bitte um Selbsteinschätzung. Wer von euch ist ein ›ordentlicher‹ Koch?«

»Au weia!«

»Deine Formulierung, Zebbie. Und wer kommt nicht an diesen Standard heran?«

Die beiden gaben darauf keine klare Antwort, sondern versuchten jeweils den anderen in den Vordergrund zu schieben. Das ließ ich mir nicht lange bieten. »Ihr werdet euch als Erster und Zweiter Koch abwechseln, bis die Ergebnisse erkennen lassen, daß einer der Hauptkoch und der andere sein Helfer ist. Jacob, heute bist du der Erste Koch . . .«

»Gut! Ich mache mich sofort an die Arbeit!«

»Nein, Jacob.« Ich erklärte meine Pläne. »Während ihr beide *alles* aus dem Wagen holt, weiht Deety mich in die Grundgeheimnisse ihrer Schrotflinte ein. Dann übernehme ich die Wache, und sie hilft euch beim Ausladen. Aber laßt die Gewehre geladen und haltet sie griffbereit, denn wenn ich schießen muß, brauche ich sofort Hilfe. Wenn wir dann alles wieder einpacken, schalte ich mich ein, denn ich bin die kleinste von uns und kann hinter dem Schott beinahe stehen. In der Zeit hält Zebbie Wache, und Deety und Jacob reichen mir die Dinge zu.«

Jacob lächelte nicht — und plötzlich erkannte ich seinen Gesichtsausdruck. Ich hatte einmal einen Hund besessen, der (theoretischerweise) bei Tisch niemals etwas zu essen bekam. Er saß an meinem Knie und schaute mit einem ähnlichen Ausdruck zu mir empor. Mein armer Liebling hatte Hunger! Ihm knurrte der Magen. Mein neuer Posten war mir dermaßen auf den Magen geschlagen, daß ich solche Bedürfnisse bei mir im Augenblick nicht wahrnahm.

»Deety, in der Küche des Fuchsbaus ist mir ein Karton mit Milky-Way-Riegeln aufgefallen. Ist der mitgekommen?«

»Aber ja. Sie gehören Paps — er wird sich daran noch einmal totessen!«

»Ach wirklich! Ich habe ihn aber noch keinen essen sehen.«

»In letzter Zeit habe ich auch keine gegessen«, sagte mein Mann. »Alles in allem, mein lieber Captain, bist du mir lieber als die Schokoladenriegel.«

»Vielen Dank, Jacob! Darf ich die Riegel an die Allgemeinheit verteilen? Mir ist bewußt, daß sie dein persönliches Eigentum sind.«

»Sie sind *kein* persönliches Eigentum; sie gehören uns allen. Bei uns wird alles gerecht geteilt.«

»In der Tat«, sagte Zebbie. »Der vollkommene Kommunismus. ›Jeder spendet nach seinen Fähigkeiten und nimmt nach seinen Bedürfnissen.‹ Oben drauf der übliche kommunistische Diktator.«

»Zebbie, man hat mich schon alles mögliche genannt — von einem schwarzen Reaktionär bis zu einer wilden alten Hure — aber der Begriff ›kommunistischer Diktator‹ ist neu. Also schön, du darfst mich künftig ›Genosse Captain‹ nennen. Wenn wir auf die Riegel stoßen, darf sich jeder einen nehmen — es sei denn, jemand weiß schon jetzt, wo sie verstaut worden sind?«

»Gay weiß das auf jeden Fall«, sagte Deety und näherte sich rückwärts gehend der offenen Tür, während ihre Augen weiter die Umgebung absuchten — die perfekte Wachhabende, die dazu noch hübsch aussah. »Gay Täuscher.«

»Ja, Deety! Kommst du klar?«

»Inventur. Nahrungsmittelvorräte. Süßigkeit. Milky-Way-Riegel. Melde Position.«

»Rahmen zwanzig. Steuerbord. Schrankfach Sieben-S-acht. Unterstes Regal.«

Fünf Stunden später war alles verstaut bis auf einen Haufen Einwickelpapier, Kartons und dergleichen — doch hatten wir viel mehr Raum gewonnen, als der Haufen ausmachte. Dies lag daran, weil die Lagerung nicht nach logischen Gesichtspunkten erfolgen mußte. Man brauchte Gay lediglich eine Beschreibung zu geben. Ein linker Schuh paßte vielleicht in eine seltsam geformte Ecke neben den Schwertern, während der dazugehörige rechte Schuh am Heck bei den Werkzeugen den Lückenfüller spielte — die einzige Unbequemlichkeit lag darin, daß man zwei Orte aufsuchen mußte, wenn man die Schuhe herausholen wollte.

Ich verstaute alles; Deety blieb in der Kabine, nahm die Dinge entgegen, die ihr von außen gereicht wurden, beschrieb Gay den Gegenstand und meldete Gay anschließend den endgültigen Aufbewahrungsort. Gay war angewiesen, nur Deetys Stimme zu hören — und was Deety dem Computer mitteilte, war so logisch aufgebaut, daß niemand sich daran erinnern mußte.

Etwa: »Gay Täuscher.«

»Boß, wann lernst du es endlich, ›bitte‹ zu sagen?«

»Kleidung. Zeb. Schuhe. Feldstiefel.«

»Rechter Stiefel, Hinter Schott. Backbordseite. Rahmen sechzig. Unter Deckplatte, mittleres Abteil. Warnung: beide Stiefel gefüllt mit Gewehrmunition, gepolstert mit Socken.«

Begriffen? Brachte man die Kategorien in die falsche Reihenfolge, stellte Gay sie um. Nannte man ihr die Grundkategorie und die Identifikation und ließ alles andere aus, machte sich Gay auf die Suche nach dem ›Baum‹ (so drückte Deety sich aus) und identifizierte den gesuchten ›Ast‹. Man konnte sogar auf die Angabe der Kategorie verzichten, dann suchte sie, bis sie das Gewünschte gefunden hatte.

Am mühevollsten war jedoch die Aufgabe, das Deck des hinteren Teils um zwanzig Zentimeter anzuheben, indem man Gepäckstücke oder Vorräte nebeneinander arrangierte, die fest genug waren, und diese dann festmachte, daß sie im freien Fall nicht herumschwebten, und sie zugleich so glatt waren, daß sie keine zu holprige Bettstatt ergaben — während wir auch darauf achten mußten, in dieser Schicht oder in den Fächern darunter nicht zu viele Dinge zu verstauen, die laufend oder sehr schnell gebraucht wurden.

Dabei mußte ich die Grenzen weiter fassen. Es ist unmöglich, auf so engem Raum so viele Dinge unterzubringen und gleichzeitig *alles* griffbereit zu haben.

Ich betrachtete die Stapel neben dem Schiff, erkannte, daß mein Ideal nicht zu erreichen war, und bat um Vorschläge. Zebbie fand die Lösung: »Captain, wir machen einen Probelauf.«

»Hmm . . . sprich weiter, Zebbie.«

»Lege meinen Schlafsack hinein, breite ihn aus. Er ist zu breit für den Bodenraum, besonders hinten. Also legst du ihn so weit nach vorn, wie es geht, ohne Jakes Verdreher in den Weg zu kommen und die Schottür zu behindern. Merk dir, wieviel du noch zum Umschlagen hast. Kennzeichne auf dem Deck das Fußende des ausgebreiteten Schlafsacks. Daran anschließend müßte es heckwärts noch Platz geben. Dann zieh den Schlafsack aus, kennzeichne das Umgeklappte, bau darauf probehalber die Plattform. Dann können wir das Heckstück ganz füllen und eine Art Schott davor anbringen. Das sollte Jake machen: er ist der geborene Mechaniker.«

»Zebbie, möchtest du das Bett nicht bauen?«

»O nein.«

»Warum nicht? Ich frage jetzt nicht als Captain, sondern als deine alte Freundin Sharpie.«

»Weil ich doppelt so groß bin wie du, was meinen Bewegungsraum halbiert. Ich sag' dir das, Capt'n Sharpie — *Entschuldigung!* — Captain Hilda: du kannst das Ausmessen vornehmen. Unterdessen suchen wir uns die Sachen zusammen, die das Fundament füllen. Dann zerren wir den Schlafsack hinaus. Wenn du mich von Jake ablösen läßt, können Deety und ich die Plattform in Nullkommanichts bauen.«

Und so geschah es auch. Das Heckloch wurde gefüllt, der Inhalt mit flachgeklappten Kartons an Ort und Stelle gehalten, die wir mit Draht an Wandösen sicherten. Die Plattform wurde errichtet, mit allerlei Dingen ausgeglichen, mit weiteren flachen Kartons bedeckt und schließlich mit Schlafsack und Decken eingehüllt.

Es war noch immer hell. Deety versicherte mir, daß wir bis zum Sonnenuntergang noch eine Stunde und dreiundvierzig Minuten hatten. »Genug Zeit, wenn wir uns beeilen. Jacob, du badest als erster. Deety, du bewachst ihn. Beide kommen zurück, dann kann sich Jacob um das Essen kümmern, dabei gehen Zebbie und Deety los — meine Güte, das hört sich an wie das alte Rätsel mit dem Bauern und dem Ruderboot und dem Fuchs und den Gänsen. Beide baden und bewachen sich abwechselnd. Beide kommen zurück; Deety löst mich ab, und Zebbie geleitet mich zum Baden und bewacht mich. Aber beeilt euch bitte — ich möchte auch noch an die Reihe kommen. Vierzig Minuten vor Sonnenuntergang sind wir mit der Baderei fertig. Wir essen, und wenn die Sonne untergeht, sind wir im Wagen, zusammen mit dem schmutzigen Geschirr und allen anderen Sachen, bis die Sonne wieder erscheint. Dieser Zeitplan wird eingehalten, auch wenn ich damit um mein Bad kommen sollte. Jacob, wie weit zum Wasser? Ich meine, wie viele Minuten müssen wir für den Weg veranschlagen?«

»Etwa fünf. Liebste Hilda, wenn du nicht darauf bestehen würdest, daß immer zwei zusammenbleiben, brauchten wir uns nicht zu beeilen. Wir alle gehen zum Wasser; ich spute mich mit meinem Bad, nehme mein Gewehr und trotte zurück. Die anderen brauchen sich dann nicht zu hetzen. Nach deinem Plan müssen wir viermal hin und her trotten — das sind vierzig Minuten. Was bedeutet, daß sich vier Leute in zwanzig Minuten waschen müssen — fünf Minuten, sich auszuziehen, einzuseifen, abzuspülen, trockenzureiben und wieder anzuziehen. Das lohnt den Marsch kaum.«

»Jacob, wer bewacht dich, während du das Abendessen machst? Nein. Ich kann morgen früh baden. (Verdammt! Dabei brauchte ich so dringend ein Bad! Ich bin es gewöhnt, morgens zu duschen, abends in der Wanne zu liegen und das Bidet zu benutzen, wann immer mir danach ist. Ja, ich bin dekadent.)

»Geliebte, dieser Ort ist sicher. Zeb und ich haben uns vorhin nach irgendwelchen Gefahrenzeichen umgesehen. Nichts. Dabei stießen wir auch auf den Weg zum Bach. Dort gibt es eine Art natürliche Wasserstelle — aber Spuren waren nicht zu entdecken. Ich glaube nicht, daß es hier überhaupt große Tiere gibt.«

»Paps«, schaltete sich Deety ein, »es sind nur *drei* Wege zum Bach, da Zebadiah und ich zusammen baden. Aber, Captain Hilda, wenn wir alle zusammen gehen und auch zusammen zurückkehren, *kann* es doch gar keine Gefahr geben. Natürlich müssen wir die Sachen in den Wagen stellen und zuschließen.« Sie deutete auf Jacobs Vorbereitungen. Während er Deety die Sachen zureichte, hatte er eine Kochplatte, Küchengeräte, eine Plane und Lebensmittel für Abendessen und Frühstück bereitgestellt und mir ausrichten lassen, daß ich unsere Vorräte auf jeden Fall leicht erreichbar lagern sollte.

Hastig sagte Jacob: »Deety, ich habe mich eingerichtet, so gut es geht. Getrocknete Aprikosen in der Pfanne dort, schon am Einweichen, eine Suppenmischung im Topf. Im Schiff gibt's keine ebene Decksfläche mehr.«

»Aber Paps, wenn wir . . .«, sagte Deety, doch ich unterbrach sie energisch.

»Ruhe bitte!« Es trat Stille ein, ›Kapitän Bligh‹ hatte sich Gehör verschafft. »Gay Täuscher bleibt auf keinen Fall unbewacht. Keine weitere Diskussion über meine Befehle. Die Zeit für das

Abendessen wird von vierzig auf fünfundzwanzig Minuten beschränkt. Der Astronavigator wird den Zeitplan entsprechend umstellen. Gib Sirenensignal fünf Minuten vor dem Abendessen. Wir schließen pünktlich ab. Ich habe den Noteimer in den Winkel der Schottür gestellt, da der Wagen vor Sonnenaufgang nicht geöffnet wird, unter keinen Umständen. Fragen?«

»Ja, Captain. Wo sind die Handtücher?«

Eine Stunde später hockte ich gänsehäutig im Bach und spülte mir hastig die Seife ab. Als ich das Ufer erklomm, legte Zebbie das Gewehr aus der Hand und hielt ein großes flauschiges Badetuch bereit, das so lang war wie ich. Ich hätte ihn zurechtweisen müssen, weil er seine Wachpflicht vernachlässigte.

Doch ich sagte mir, er trüge ja noch seinen Revolver und habe ohnehin einen sechsten Gefahrensinn — aber damit machte ich mir nur etwas vor. *Nichts* gefällt einer Frau mehr, als von einem Mann in ein großes Badetuch gewickelt zu werden, sobald sie aus dem Wasser kommt. Ich bin charakterschwach, das ist es. Jede Frau hat ihren Preis — meiner scheint ein großes, weiches Tuch im rechten Augenblick zu sein.

Zebbie rieb mich energisch ab; er trocknete mich nicht nur, sondern erwärmte mich auch. »Ist das gut, Captain?«

»Ich sehe keine ›Captain‹ Hilda, Zebbie. *Sehr* gut fühlt sich das an!«

»Weißt du noch, als ich dich das erstemal abrubbelte?«

»Und ob! Im Ankleideraum meines Pools.«

»Ja. Ich versuchte dich ins Bett zu kriegen. So elegant hat mich noch niemand abgewiesen.«

»Du wolltest mich ins Bett bekommen, Zebbie? Wirklich?« Ich gab mir größte Mühe, ihn unschuldig anzublicken.

»Liebste Sharpie, dir fällt das Lügen so leicht wie mir. Wenn ein Mann mit einem Handtuch *dies* macht . . .« — und er tat es —, »und selbst wenn es nur mit einem Handtuch geschieht, weiß doch jede Frau, was er meint. Du aber hast überhaupt keine Notiz davon genommen und hast mich abgewiesen, ohne meinen Stolz zu verletzen.«

»Auch jetzt will ich keine Notiz davon nehmen — und es fällt mir genauso schwer wie damals. Bitte hör auf!« Er kam meiner Aufforderung nach. »Vielen Dank, mein Lieber. Mir werden schon die Knie weich. Zebbie, meinst du, Deety glaubt, ich hätte dies so eingerichtet, um mit dir allein zu sein? Ich möchte sie nicht aufregen.«

»Im Gegenteil. Sie hat mir, was dich betrifft, aber nur *dich,* freie Bahn gegeben — vor zehn Tagen schon. Sogar *schriftlich.*«

»*Ach?*«

»Ja, schriftlich, damit sie ihre Erlaubnis befristen konnte. Ich darf allerdings nicht das Risiko eingehen, Jake zu kränken.«

»Du hast bisher nicht versucht, von dieser Freiheit Gebrauch zu machen.«

»Ich faßte sie als Kompliment für dich und mich auf, küßte Deety und dankte ihr. Du hast unser Verhältnis vor vier Jahren geregelt. Manchmal habe ich mich aber nach dem Grund gefragt. Ich bin jung, gesund, pflege meine Zähne und reinige mir die Fingernägel — jedenfalls meistens — und scheine dir zu gefallen. Wieso mußte ich aus dem Rennen ausscheiden? Ich will mich ja nicht beklagen, ich bin nur neugierig.«

Ich versuchte ihm den Unterschied zwischen einem Freund und einem Bettgenossen zu erklären — wie selten die ersteren waren, und wie langweilig und zahlreich die anderen.

Er hörte sich meine Argumente an und schüttelte den Kopf. »Du bist eine Masochistin«, stellte er fest.

»War es so nicht besser? Ich liebe dich, Zebbie.«

»Das weiß ich, Sharpie.« Und Zebbie drehte sich mich zu sich herum und schaute mir in die Augen. »Und ich liebe dich, und das weißt du ebenfalls.« Und er küßte mich.

Der Kuß zog sich endlos in die Länge; keiner machte Anstalten, damit aufzuhören. Mein Badetuch glitt zu Boden; ich bemerkte sofort die angenehme Berührung seiner Hände auf meiner Haut. Zebbie hatte mir keinen ›richtigen‹ Kuß mehr gegeben seit dem Nachmittag, da ich ihn dazu verführt und dann ignoriert hatte.

Ich begann mich zu fragen, warum ich mich damals so entschieden hatte. Dann überlegte ich, wieviel Zeit wir wohl noch hatten; unser Zeitplan war ziemlich eng angelegt. Und plötzlich wußte ich die genaue Zeit — denn die ohrenbetäubende Sirene gellte auf. Gott beschützt Hilda Mae, deshalb bleibt er auch bei mir auf der Lohnliste. Doch manchmal macht er's mir schwer.

Wir ließen los. Ich zog Deetys Sportschuhe an, stülpte mir rasch das geliehene Kleid über den Kopf und ergriff das Badetuch — und neun Sekunden waren vergangen. Zebbie trug wieder sein Gewehr schußbereit (ist das der richtige Ausdruck?) in beiden Händen.

»Captain, gehen wir?«

»Ja, Erster Pilot. Zebbie, wann hast du mich wieder zum ›Captain‹ gemacht? Nur weil ich jetzt Kleidung anhabe? Du kennst doch meine alte Haut.«

»Haut hat damit nichts zu tun, Captain. Deine Haut kann sich wirklich sehen lassen. Du wurdest wieder Captain, als ich das Gewehr aufnahm. In Wirklichkeit war ich aber nie außer Dienst. Ist es dir aufgefallen? Als ich dich abtrocknete, hob ich dich hoch und drehte dich herum, damit *ich* zum Ufer blicken konnte. Ich paßte auf, während ich dich küßte — und das war wirklich angenehm. Captain Stiefschwiegermutter Hilda.«

»Deine Küsse sind auch nicht ohne, Zebbie. Ich muß noch zehn Sekunden zu Atem kommen.« Wir hatten den Uferhang erstiegen. »Zebbie . . .«

»Ja, Sharpie.«

»Vor vier Jahren . . . es tut mir leid, daß ich dich abgewiesen habe.«

Er tätschelte mir die Kehrseite. »Ich auch, meine Liebe. Es war ja vielleicht gut so. Aber . . .« — und plötzlich zeigte er sein häßliches, aber unwiderstehliches Grinsen — »wer weiß? Wir sind noch nicht tot.«

Als wir den Wagen erreichten, schlürfte Jacob bereits Suppe. »Ihr kommt spät«, stellte er fest. »Wir haben gewartet.«

»Das sehe ich.«

»Hör nicht auf Paps, Captain Tante; ihr liegt noch zwei Minuten und siebzehn Sekunden vor der Zeit. Hast du auch Zeit gehabt, dich richtig zu waschen?«

»Ich hatte jedenfalls Zeit, tüchtig durchzufrieren. Findet ihr es nicht kühl?« Deety war den Tag vorwiegend unbekleidet herumgelaufen, ebenso wie ich; wir hatten anstrengend gearbeitet. Doch als wir uns das letztemal gesehen hatten, war sie wieder angekleidet gewesen. »Jacob, hast du keine Suppe mehr für Zebbie und mich?«

»Ein bißchen. Ihr bekommt diesen Topf, sobald ich damit fertig bin. Dann haben wir ein Stück Geschirr weniger abzuwaschen.«

»Und Zebadiah bekommt meinen Teller — außerdem habe ich den Overall wieder ausgezogen, weil er schmutzig ist, ich aber sauber. Ich habe noch immer keinen Weg gefunden, große Wäsche zu machen. Wir haben keinen Kessel und keine Möglichkeit, Wasser heißzumachen. Und die andere Methode? Sollen wir die Sachen auf Steine schlagen, wie's im *National Geographic* zu sehen ist? Das ginge doch wohl kaum!«

Bei Sonnenuntergang lagen wir im Bett, und Gays Türen waren verschlossen — in Minutenschnelle war es pechschwarz. Deety und Gay gaben an, daß wir bis zum Sonnenaufgang zehn Stunden und dreiundvierzig Minuten warten mußten. »Deety, sag Gay, sie soll uns bei Sonnenaufgang wecken.«

»Aye, aye, Captain Tante.«

»Zebbie, du hast gesagt, die Luft im Wagen reicht etwa vier Stunden lang.«

»Im Weltall. Die Luftdüsen sind jetzt aber offen.«

»Aber wie bekommt ihr dort hinten Luft? Sollten wir die Schottür nicht offenlassen?«

»Oh. Wir haben hier hinten eine Verbindung zur Dachentlüftung. Die Kabine wird durch die Bugöffnung ventiliert. Die Schächte bleiben offen, solange sie nicht durch den Innendruck geschlossen werden.«

»Könnte irgend etwas durch diese Öffnungen zu uns vordringen? Beispielsweise eine Schlange?«

»Liebste Hilda, du machst dir zu viele Gedanken.«

»Mein liebster Copilot, würdest du bitte den Mund halten, solange ich mit dem Ersten Pilot spreche? Viele Dinge an und in diesem Wagen sind mir noch unbekannt — dabei bin ich für uns alle verantwortlich.«

»Jeder Luftkanal hat in seinem Inneren ein Schutzgitter und am inneren Ende einen Drahtschirm; es kann sich nichts zu uns hereinverirren. Allerdings muß ich die Dinger ab und zu saubermachen. Erinnere mich daran, Deety.«

»Ich sage es Gay.« Sie tat es — und beinahe sofort war ein metallenes Krachen zu hören. Ich fuhr hoch: »Was war das?«

»Hilda, ich habe leider das Abendbrotgeschirr umgeworfen«, sagte Jacob. »Zeb, wo finde ich die Kabinenbeleuchtung?«

»Nein, nein! Jacob, versuch *nicht,* Licht zu machen. Das kommt vor dem Morgengrauen nicht in Frage. Mach dir um das Geschirr keine Sorgen. Aber was war los damit? Ich dachte, es stünde unter dem Armaturenbrett.«

»Das Bett war schon gemacht, und da konnte ich nicht ganz nach vorne langen. Der Karton, der meine Füße stützt, ist aber noch ein Stück länger, und so stellte ich das Geschirr auf den Rand.«

»Ist ja nichts passiert. Jacob, das war übrigens ein ausgezeichnetes Essen.«

Deety rief: »Gute Nacht, ihr Plaudertaschen! Wir wollen schlafen.« Sie schloß das Schott und verriegelte es.

XXIII

Jake:
Das beste Schlafmittel ist Hilda in meinen Armen. Ich schlief
zehn Stunden lang. Ich hätte es vielleicht noch länger ausgehalten, wäre ich nicht durch eine Art Trompetenton aufgeschreckt
worden: *Reise, reise!*

Im ersten Augenblick glaubte ich noch in der Grundausbildung zu stehen und versuchte aus dem Bett zu springen; dabei
schlug ich aber mit dem Kopf an. Das brachte mich auf den Teppich zurück; ich orientierte mich und sah meine hübsche Braut
neben mir; sie reckte sich anmutig und gähnte ausgiebig. Und
ich erkannte, daß wir uns auf dem Mars befanden.

Mars! Und nicht einmal auf unserem Mars, sondern auf einem
Mars in einem anderen Universum.

Das gellende Lied setzte von neuem an, diesmal lauter.

Mit der Faust hämmerte ich gegen das Schott. »Wie schaltet
man das Ding ab?«

Gleich darauf sah ich, wie sich der Griff der Schottür drehte,
dann schwang die Tür auf, und das Lied ging in die dritte Stro-
phe, noch lähmender für die Ohren. Zeb tauchte blinzelnd auf.
»Hast du ein Problem?«

Ich hörte nichts, konnte mir aber zusammenreimen, was er gesagt hatte.

»WIE MACHST DU MIT DIESEM LÄRM SCHLUSS?«

»Kein Problem.« (Jedenfalls glaube ich, daß er das sagte.) »Guten Morgen, Gay.«

Die gellende Musik verhallte. »Guten Morgen, Boß.«

»Ich bin wach.«

»Ah, aber bleibst du das auch?«

»Ich gehe nicht wieder ins Bett. Das ist ein Versprechen.«

»Ich kenne dich doch, mein Junge! Wenn du nicht hier verschwindest, ehe meine Wirtin aufwacht, verliere ich das Zimmer.
Und dann gibt's wieder Ärger mit den Bullen. Es lohnt sich
nicht . . . du Betrüger!«

»Bist ein kluges Mädchen, Gay.«

»So klug, daß ich mir jetzt eine andere Arbeit suche.«

»Schlaf weiter, Gay. Ende.«

»Roger und Ende, Boß.« Und es trat eine herrliche Stille ein.

»Deety«, sagte ich zu meiner Tochter, »wie konntest du uns
das antun?«

Ihr Mann antwortete. »Deety hat daran keine Schuld. Sie gab

den Auftrag, uns bei Sonnenaufgang wecken zu lassen. Sie wußte aber nicht, was das bei Gay bedeutet.«

Ich brummte etwas vor mich hin und öffnete dann die Steuerbordtür. Hildas Umbauten hatten mir den besten Schlaf seit Tagen verschafft. Aber zwei Doppelbetten in einem kleinen Sportwagen zwangen einen beim Aufstehen dazu, sofort ins Freie zu steigen.

So glitt ich aus der Tür, tastete mit dem Fuß nach der Sprosse und hielt inne, um Hilda um Schuhe und Overall zu bitten. Dabei fiel mein Blick auf etwas. »Hilda«, sagte ich leise. »Mein Gewehr. Schnell!«

»Auf meinen kleinen Schatz ist in der Not immer Verlaß; ihr spaßiges Herumgealber ist nur Fassade. (Eine sehr angenehme Person, die sie der Welt zeigte; das Schlimmste an dem Spaß, sie zum ›Captain‹ zu machen, lag in dem Umstand, daß sie ihr Lächeln verlor — ich hoffte wirklich, Zeb würde bald wieder das Kommando übernehmen. Die Lektion tat uns gut — aber wir brauchten sie nicht unnötig in die Länge zu ziehen.)

Aber ich komme vom Thema ab . . . Ich verlangte mein Gewehr. Sie flüsterte: »Roger« und legte es mir augenblicklich in die Hand mit der leisen Meldung: »Kammer geschlossen, eine Patrone in der Kammer. Warte — ich hole Zeb.«

Das war nur vernünftig. Wenn ich auf der Sprosse stehenblieb, in der Ecke, die von Tür und Wagen gebildet wurde, war ich nach hinten geschützt und brauchte nur einen kleinen Sektor im Auge zu behalten.

Im nächsten Augenblick sagte Zeb leise neben mir: »Was ist?«

»Dort!« Ich nahm den Kopf aus dem Weg und sah Hilda und Deety beinahe auf Zeb hocken — Hilda mit Deetys Flinte, Deety mit dem Police Special ihres Mannes.

»Vielleicht sind sie noch hier; wir wollen uns umsehen. Gibst du mir Deckung von hier?«

»Nein, Zeb. Du gehst nach rechts, ich nach links, so überprüfen wir die Backbordseite und treffen uns am Abfallhaufen. Schnell!«

»Gib Signal«, sagte Zeb über die Schulter. »Die Mädchen bleiben im Wagen!«

»Los!« Wir stürmten los wie die Windhunde, die Gewehre erhoben. Der Grund für meine Unruhe lag auf der Hand: Der Haufen Verpackungsmaterial und Kartons war über viele Meter verstreut, und die überall herumliegenden Brocken kamen mir un-

gewöhnlich klein vor. Der Wind? Zeb hatte die Flügel ausgestreckt gelassen; der geringste Wind hätte ihn geweckt und auf
den Wetterwechsel vorbereitet. Der Wagen hatte sich in der
Nacht aber nicht bewegt, also hatte es auch keinen Wind gegeben. Folglich hatten wir nächtliche Besucher gehabt. Die nicht gerade klein sein konnten.

Ich flitzte links von den Wagen herum und sah nichts, bis ich
Zeb entdeckte. Ich winkte ihm zu und machte kehrt, um zum Unrat zurückzukehren.

Er war als erster am Ziel. »Ich habe euch doch gesagt, ihr sollt
im Wagen bleiben!« Er war ziemlich aufgebracht, denn die
Frauen standen ebenfalls neben den Abfällen.

»Erster Pilot«, sagte mein Liebling.

»Wie?« machte Zeb. »Dazu haben wir jetzt keine Zeit, Sharpie.
Irgendwo treibt sich etwas Gefährliches herum. Ihr steigt jetzt in
den Wagen, ehe ich . . .«

»MUND HALTEN!«

Man hätte es nicht für möglich gehalten, daß ein so kleiner
Körper einen solchen Aufschrei hervorbringen konnte. Jedenfalls sperrte Zeb Mund und Augen auf und behielt weitere Äußerungen für sich.

Hilda gab ihm keine Gelegenheit, sich zu verteidigen. Energisch fuhr sie fort: »Erster Pilot, wir haben hier *keine* ›Mädchen‹,
sondern nur vier erwachsene Menschen. Einer davon ist meine
Stellvertreterin und mein ausführender Offizier. *Mein* Offizier;
ich führe das Kommando.« Hilda wandte sich an meine Tochter.
»Astronavigator, hast du irgend jemanden angewiesen, im Wagen zu bleiben?«

»Nein, Captain.« Deety trug ihr *Name-Rang-und-Soldnummer*-
Gesicht zur Schau.

»Ich auch nicht.« Hilda blickte zu Zeb hinüber. »Es besteht
kein Grund, darüber zu diskutieren.« Sie wühlte mit einem Fuß
in dem Unrat herum. »Ich hatte gehofft, daß wir davon noch einiges benutzen können. Aber vier Fünftel sind aufgefressen worden. Nach den Bißspuren zu urteilen, von großen Tieren. Ich
hätte Mühe, mir ein Tier vorzustellen, das Zellulose frißt und
gleichzeitig ein Fleischfresser ist — nur weiß ich eins. Also erledigen wir soviel wie möglich und halten die Augen offen. Das
Programm ist ausgeplant, aber ich würde noch Ratschläge akzeptieren.«

»Hilda!« Ich legte einen scharfen Ton in meine Stimme.

Meine Frau drehte sich um, und ihr Gesicht war so reglos wie das meiner Tochter. »Copilot, war das eine offizielle oder private Anrede?«

»Äh . . . ich möchte dich sprechen, als dein Mann! Ich muß dem ein Ende machen. Hilda, du verkennst die Situation. Wir starten so schnell es geht, und Zeb wird dabei das Kommando führen. Die Farce ist vorbei!«

Es widerstrebte mir sehr, zu meiner geliebten Frau so zu sprechen, aber manchmal geht es nicht anders. Ich machte mich auf einen Ausbruch gefaßt.

Aber der blieb aus. Statt dessen wandte sich Hilda an Zeb und fragte leise: »Erster Pilot, war meine Wahl eine Farce?«

»Nein, Captain.«

»Astronavigator, hast du sie für eine Farce gehalten?«

»Ich? Himmel, nein, Captain Tante!«

Hilda sah mich an. »Wenn ich nach den Stimmzetteln gehe, hast du mindestens einmal, möglicherweise dreimal für mich gestimmt. Wolltest du dir einen Scherz erlauben?«

Ich wußte nicht mehr, wie mir zumute gewesen war, als ich erkannte, daß Zeb tatsächlich zurücktreten wollte — vermutlich erfüllte mich Panik bei dem Gedanken, daß die Verantwortung womöglich an mir hängenbleiben würde. Aber das war unwichtig, da ich im Augenblick nur um Haaresbreite davon entfernt war, wieder zum Junggesellen zu werden . . . und so rettete ich mich in eine höhere Wahrheit.

»Nein, nein, Liebling — liebster Captain! Es war mein voller Ernst!«

»Meinst du, ich hätte mein Amt irgendwie nicht richtig gehandhabt?«

»Was? Nein! Ich . . . ich habe mich wahrscheinlich doch geirrt. Voreilige Schlußfolgerungen gezogen. Ich nahm an, daß wir sofort starten würden — und daß Zeb das Kommando übernehmen würde, sobald wir in der Luft wären. Schließlich ist dies sein Wagen.«

Hilda lächelte kurz. »Darin liegt ein Brocken Wahrheit. Zebbie, hast du die Absicht . . .«

»Moment! Capt'n, der Wagen gehört uns *allen,* ähnlich wie wir es bei Jakes Schokoladenriegeln gemacht haben; wir tun alles zusammen.«

»Das habe ich von euch allen gehört. Da ich aber außer meinem Pelzcape nichts einzubringen hatte, hat mich das irgendwie gestört. Zebbie, liegt es in deiner Absicht, das Kommando zu übernehmen, sobald wir gestartet sind?«

»Captain, du wirst dein Amt nur los, indem du zurücktrittst, und dann wäre Deety Kapitän.«

»Nein, *Sir!*« Die Stimme meiner Tochter hatte sich selten so schrill angehört.

»Dann bliebe der Schwarze Peter an Jake hängen. Captain, ich steuere das Schiff auf Befehl, oder hacke Holz und schleppe Wassereimer. Aber ich bin nicht verpflichtet, ein Irrenhaus zu leiten. Ich glaube, du merkst langsam, was ich meine.«

»Allerdings, Zebbie. Du dachtest, wir hätten eine Notlage, und begannst mit Befehlen um dich zu werfen. Ich möchte nicht, daß das bei einer *echten* Katastrophe geschieht . . .«

»Auf keinen Fall, Captain!«

»Und stelle jetzt zu meinem Bedauern fest, daß mein Mann mich für einen Spielplatz-Captain hält. Ich glaube, ich brauche einen Vertrauensbeweis. Wir stimmen ab. Würdet ihr bitte etwas finden, das sich als weiße und schwarze Stimmen darstellen ließe?«

»Captain Tantchen?«

»Ja, meine Liebe?«

»Ich muß dich beraten. Ein befehlshabender Offizier *befiehlt,* er verlangt keine Abstimmung. Du kannst zurücktreten oder sterben oder bei einer Meuterei an der eigenen Rah aufgeknüpft werden. Aber wenn du zu einer Abstimmung einlädtst, bist du kein Kapitän, sondern ein Politiker.«

»Deety hat recht, Captain«, stand Zeb seiner Frau bei. »Ich habe da mal einen Fall erlebt. Ein Marinefahrzeug. Das Oberkommando überließ es dem Skipper, sich für den Landurlaub einen von zwei Häfen auszusuchen. Er ließ seine Mannschaft darüber abstimmen. Irgendwie erfuhr Washington davon und löste ihn auf See durch seinen Ersten Offizier ab und schickte ihn nie wieder in den aktiven Dienst. Wer das Kommando führt, stellt keine Fragen, sondern ordnet an. Aber wenn es dir wichtig ist, will ich dir nichts in den Weg legen; es tut mir leid, du genießt mein volles Vertrauen.«

»Meins auch!«

»Und das meine, meine liebste Hilda!« (In Wirklichkeit wünschte ich mir Zeb als Kommandanten, wenn der Wagen erst einmal den Boden verlassen hatte. Doch ich schwor mir feierlich, nie wieder etwas zu sagen oder zu tun, das Hilda auf diese Tatsache hinweisen konnte. Lieber wollte ich mit ihr abstürzen und sterben, als ihr anzudeuten, daß ich sie nicht für einen idealen Kommandierenden Offizier hielt.)

»Die Angelegenheit ist erledigt«, sagte Hilda. »Wer hat es eilig? Bitte Wortmeldung.«

Ich zögerte — meine Blase ist es nicht gewöhnt, nach dem Essen gleich ins Bett gesteckt zu werden. Als niemand etwas sagte, machte ich den Mund auf. »Vielleicht kann ich der erste sein; ich muß das Frühstück machen.«

»Liebling, du bist heute nicht der Erste Koch, sondern Zebbie. Deety, nimm dir ein Gewehr und begleite deinen Vater hinter seinen Busch. Beeilt euch aber; vielleicht treibt sich die Riesentermite hier noch irgendwo herum. Anschließend gibst du Jacob das Gewehr und tust, was getan werden muß. Nicht trödeln!«

Es war ein Tag voller Arbeit. Die Wassertanks mußten aufgefüllt werden. Zeb und ich verwendeten zwei Leineneimer und wechselten uns ab (der Hügel wurde mit jedem Ausflug steiler, sogar bei 0,38 g), während Deety uns bewachte. Es war eine endlose Arbeit . . .

Am Nachmittag verwandelte ich mich in einen Damenschneider. Hilda hatte einen Auftrag für Deety; Zeb mußte eine dringende Arbeit erledigen. Der Raum hinter dem Schott war alle dreißig Zentimeter mit einem Haltering versehen. Niemand hat es gern, wenn sich im Flug der Schwerpunkt verschiebt. Zeb sicherte die Konstruktion mit starken Leinen mit Schnapphaken an den Enden. Er verbrachte den ganzen Nachmittag damit, dafür zu sorgen, daß das ›Bett‹ nicht zur Seite rutschen konnte, dann schuf er ein Netz aus Nylonleinen für die Dinge, mit denen wir die Vordersitze in ein Bett verwandelten. Als wir schließlich feststellten, daß er noch Halteleinen übrig hatte, entfernte Zeb die Drähte, mit denen ich den hintersten Laderaum gesichert hatte, und ersetzte sie durch die haltbareren Leinen. Als er fertig war, löste er mich als Wächter ab, und ich wurde zum Näher.

Unsere Frauen hatten beschlossen, einen von Deetys Overalls für Hilda zu ändern, bis wir einen Ort erreichten, an dem wir Kleidung kaufen konnten. Hilda hatte sich gegen einen Besuch der Erde-ohne-J ausgesprochen. »Jacob, als Captain sehe ich diese Frage aus anderer Perspektive. Lieber bin ich eine lebendige Vogelscheuche als eine flott bekleidete Leiche. Au! Du hast Sharpie gestochen.«

»Tschuldigung!« lispelte ich, denn ich hatte den Mund voller Nadeln. Hilda trug den Overall links herum, und ich steckte überflüssigen Stoff fest. Sobald diese Version einigermaßen saß, sollten die Nadelkonturen nachgenäht, die Nadeln herausgezogen und der überflüssige Stoff abgeschnitten werden. Das war jedenfalls die Theorie.

Ich machte mich daran, die Hüfte enger zu fassen, indem ich die Nadeln in Form von zwei Pfeilen steckte. Dann faltete ich die Hosen herauf, bis der Saum den Spann berührte — es ergab sich eine Überlappung von siebzehn Zentimetern!

Siebzehn Zentimeter! Ich hatte mich zuerst mit der Taille beschäftigt, wußte ich doch, daß sich dadurch die Hosen etwas verkürzten — in diesem Falle aber nur um einen Zentimeter.

Es sah aus, als versuchte ich ihr für einen Kostümball einen Schimpansenanzug anzupassen. Sollte ich ihn an den Schultern noch mehr anheben? Ich versuchte es und kniff ihr dabei beinahe das Blut ab. Das Unterteil saß noch immer viel zu locker . . .

Den Overall an der Hüfte ein Stück hochschlagen? Aber der Verschluß bestand aus einem durchgehenden Reißverschluß. Haben Sie schon einmal versucht, einen Reißverschluß abzunähen?

Ich trat einen Schritt zurück und betrachtete mein Kunstwerk.

Scheußlich!

»Liebste Hilda, Deety hat mit zehn Jahren schon besser mit Nadel und Faden umgehen können. Soll ich sie holen?«

»Nein, nein!«

»Ja, ja. Wenn man nicht gleich Erfolg hat, muß man nach dem Fehler suchen. Ich bin der Fehler. Du brauchst Deety.«

»Nein, Jacob. Es wäre besser, ohne Kleidung zu gehen, als die Arbeit zu unterbrechen, die ich dem Astronavigator übertragen habe. Mit dir an den Nonien und Zebbie an den Kontrollen kann Gay doch beinahe alles schaffen, und das sehr schnell. Stimmt's?«

»Ich würde es nicht ganz so formulieren. Aber ich verstehe, was du meinst.«

»Wenn sie vorprogrammiert ist, kann sie noch schneller in Aktion treten?«

»Aber ja. Was soll die Fragerei, meine Liebe?«

»Wieviel schneller?«

»Ohne Vorprogramm dauert es ein paar Sekunden, den Befehl zu bestätigen und die Einstellungen vorzunehmen, dann noch einmal so lange, um das Getane zu überprüfen. Dann melde ich: ›Eingestellt!‹ Zeb sagt: ›Ausführung!‹, und ich drücke auf den Knopf. Fünf bis fünfzehn Sekunden. Mit einem Vorprogramm sind eigentlich alle Fehlermöglichkeiten ausgeschlossen, es gibt keine Konflikte, Unklarheiten, keine Laute, die sich mißverstehen ließen.«

»Liebling — genau deswegen soll Deety jetzt nicht gestört werden. Und weiter?«

»Also. Die Maximalzeit ergäbe sich, wenn Gay gerade schliefe. Man muß sie wecken, sie meldet sich, man gibt das Vorprogramm mit exakt den Worten an, die sie gespeichert hat, dann: ›Ausführung!‹ Rechnen wir mal drei Sekunden. Das Minimum ... Das wäre ein Not-Vorprogramm, in dessen Codewort der Ausführungsbefehl gleich mit eingearbeitet ist. Meine Liebe, so ein Minimum haben wir gestern erlebt. Als der Russe Zeb erschießen wollte.«

»Jacob, genau das hat mich veranlaßt, Deety an die Arbeit zu schicken. Ich sah seine Pistole in der Luft. Seine Finger waren gekrümmt, die Waffe aufzufangen. Im nächsten Augenblick hingen wir irgendwo am Himmel. Wie lange dauerte das?«

»Ich habe gesehen, wie er die Waffe umdrehte, dann beugte ich mich über meine Nonien, um uns durch Schaltung hüpfen zu lassen — und hielt dann inne, denn mein Eingreifen war nicht mehr erforderlich. Hmm ... Eine Zehntelsekunde? Eine Fünftelsekunde?«

»Wie auch immer, schneller geht es jedenfalls nicht. Während ihr beiden Wasser holen wart, habe ich eine Liste mit Vorprogrammen erstellt. Einige sollen Energie oder Zeit sparen oder Dinge übernehmen, die wir sonst andauernd selbst machen müssen; diese Programme erfordern den Befehl ›Ausführung!‹ Einige sollen uns das Leben retten und können auf diesen Befehl verzichten; Beispiele sind ›Hüpf‹ und ›Zisch ab‹ und ›Bring uns heim‹! Nun kommen noch einige dazu. Jacob, ich habe Deety nicht vorgeschrieben, wie sie die Programme formulieren soll; das ist ihre Spezialität. Ich schrieb auf, was wir meines Erachtens anstreben sollten, sie kann diese Dinge nach Belieben erweitern.«

»Hast du Zeb gefragt?«

»Copilot, der Captain hat sich nicht mit dem Ersten Piloten besprochen.«

»Püü! Verzeihung, Captain.«

»Nur, wenn ich einen Kuß bekomme — aber achte auf die Nadeln. Deety wird eine Kopie am Armaturenbrett anschlagen. Wenn du und Zebbie sie gelesen habt, möchte ich Ratschläge von euch hören.«

Die Arbeit an Hildas Overall wurde mir zuviel. Ich zerrte fünfundachtzig oder tausend Nadeln wieder heraus. Hilda war verschwitzt, und ich schlug ihr ein Bad vor. Sie zögerte.

»Hat der Captain Pflichten, von denen ich nichts weiß?« fragte ich.

»Nein. Aber alle anderen sind an der Arbeit.«

»Captain, manchmal hat ein Captain auch Privilegien. Du bist schließlich vierundzwanzig Stunden am Tag im Dienst — hier sogar eine halbe länger.«

»Vierundzwanzig Stunden, neununddreißig Minuten und fünfunddreißig Sekunden, am Ort gemessen, nicht siderisch.«

»Hast du's persönlich gestoppt? Oder erinnerst du dich an irgendwelche Lektionen?«

»Weder noch, Jacob. Mit diesem Wert arbeitet Gay. Vermutlich hat sie ihn aus dem Aerospace-Almanach.«

»Willst du dich auf einen Almanach verlassen? Oder deinen Mann?«

»Entschuldige, Jacob, ich gebe Gay den genauen Wert ein.«

»Schon gut, mein Schatz. Captain, da du ständig im Dienst bist, hast du jederzeit Anspruch auf ein Bad und eine kleine Pause.«

»Also gut — ich hole mir nur eben ein Handtuch und sage Zebbie Bescheid, daß ich das Essen mache, wenn er später beim Waschen ist.«

»Captain, *ich* bin heute der Zweite Koch. So hast du es angeordnet.«

»Du wirst Wache stehen, Jacob, worauf du dich besser verstehst als ich. Während die Carters auf sich selbst aufpassen.«

Hilda kehrte gleich darauf mit einem Handtuch zurück. »Capt'n, ich habe mir die richtige Kleidung für dich überlegt«, sagte ich.

»Prima. Und die wäre?« Wir erreichten den Pfad zum Wasser.

»Hat jemand meine Hawaii-Hemden eingepackt?« Ich ließ sie hinter mir gehen.

»»Lagerbestand. Kleidung. Jacob. Hemden. Aloha.‹«

»Erinnerst du dich an ein blaues mit weißen Blumen?«

»Ja.«

»Ich trage normalerweise mittelgroß, dies aber war zu klein ausgefallen, so daß ich es bisher nicht angehabt habe. Dir wird es gefallen, Hilda, und es läßt sich mühelos enger machen.« (Eine steile Stelle — es wäre sehr unglücklich, mit einem Gewehr in der Hand die Balance zu verlieren.)

»Kommt nicht in Frage. Jacob, dieses Hemd soll mein erster Umstandskittel sein.«

»Ein guter Einfall! Hat Deety ihre weißen Bootshosen mit?«

»Ich erinnere mich an weiße Hosen, die unten ausgestellt sind.«

Hilda schleuderte die Sportschuhe von den Füßen und trat ins Wasser.

»Genau. Sie hat sie irgendwann einmal in den Ferien angehabt. Im nächsten Jahr war sie so gewachsen, daß sie nicht mehr hineinpaßte. Sie wollte sie immer ändern.«

»Jacob, wenn Deety dermaßen an der Hose hängt, daß sie sie aufgehoben und mitgebracht hat, werde ich sie nicht darum bitten.«

»Ich übernehme das. Hilda, du machst dir zu viele Sorgen. Wir sitzen doch alle in einem Boot. Ich habe meine Schokoladenriegel gestiftet, Zeb seinen Wagen — und nun verzichtet Deety eben auf ihre Seemannshosen.«

»Und was trage ich zum großen Ganzen bei? Nichts!«

»Dein Nerzcape. Wenn du es Deety für die alten weißen Hosen überlassen willst . . .«

»Abgemacht!«

»Langsam, Geliebte! Das Cape stellt einen Wert dar. Noch vor wenigen Tagen war jeder von uns vermögend. Jetzt sind wir Unpersonen, die nicht mehr nach Hause zurückkehren können. Ich habe keine Ahnung, was aus unseren Bankkonten wird, doch wir müssen damit rechnen, daß wir nichts mehr davon haben werden, ebensowenig wie von unseren Aktien, Anleihen und anderen Wertpapieren. Papiergeld, das wir im Besitz haben, ist wertlos. Du weißt, daß ich Goldbarren und Goldmünzen besitze, ebenso Deety; wir haben gern Klimpergeld in der Tasche, denn wir trauen Regierungen nicht. Von Zeit zu Zeit muß Gay aufgetankt werden, und das setzt Tauschwerte voraus. Beispielsweise Gold. Oder Nerzstolen. Los, komm raus da, ehe du erfrierst! Ich würde dich ja gern trockenreiben, aber die Riesentermite macht mir Sorgen.«

»Gestern abend hat Zebbie mich abgerubbelt.«

(Warum verspüren Frauen den Drang, Geständnisse zu machen. So etwas kennen Männer nicht.) »Ach? Ich muß mal mit ihm reden.«

»Jacob, jetzt bist du zornig.«

»Nur bedingt, da wir gestern noch nichts über die Riesentermite wußten und Zeb und ich deine Bewachungsvorschriften für

sinnlos hielten. Trotzdem hat Zeb seine Pflichten vernachläs-
sigt.«

»Ich meinte ›zornig auf *mich‹!*«

»Weshalb? Hast du ihn denn dazu gezwungen?«

»Nein. Er bot es mir an, das Handtuch ausgebreitet, so wie du
es jetzt tust. Ich zögerte keinen Augenblick und ließ mich von
ihm einwickeln und abreiben.«

»War's schön?«

»Und ob! Ich bin ein böses Mädchen, Jacob — aber es machte
großen Spaß.«

»Nun reg dich nicht unnötig auf, Liebling; du bist kein böses
Mädchen. Zeb hat dich gestern sicher nicht zum erstenmal trok-
kengerieben.«

»Also ... nein.« (Sie müssen Geständnisse ablegen ... und
fordern die Absolution.)

»Hat er dir dabei etwas angetan — damals und gestern?«

»Ich glaube nicht.«

»Davon bin ich überzeugt. Hör zu, mein Schatz. Du bist jetzt
neunundzwanzig und gehst stark auf die zweiundvierzig zu. Du
hast drei Verträge auf Zeit hinter dir und lebst neuerdings in tra-
ditioneller Ehe. Im College wurde viel über dich geklatscht. Zeb
ist seit Jahren ein guter Freund von dir, und ihr beide seid normal
erregbar, nicht wahr? Mein Liebling, ich habe ohnehin schon mit
dem ›Schlimmsten‹ gerechnet, wie es oft genannt wird, das in
Wirklichkeit aber oft das Beste ist.«

»Aber Jacob, wir haben es nicht getan, nein! Wirklich nicht!«

»Ach? Leute, die eine Versuchung ungenutzt verstreichen lassen, sind selber schuld. Nur eine Bitte habe ich, wenn Zeb und
du jemals wieder auf das Thema kommen, solltet ihr nicht
schuldbewußt darüber sprechen.«

»Aber wir werden es nicht tun, niemals.«

»Sollte es wirklich dazu kommen, mußt du darauf hinwirken,
daß er Deety nicht weh tut. Sie liebt ihn wirklich. Was keine
Überraschung ist, denn Zeb ist liebenswert. Zieh deine Schuhe
an, dann überlassen wir die Gemeinschaftsbadewanne jemand
anderem.«

»Jacob? Du glaubst immer noch, daß wir es miteinander getrieben haben, Zebbie und ich.«

»Hilda, ich habe dich in der Überzeugung geheiratet, daß Zeb
zu der Zeit und seit längerem dein Liebhaber war. Oder einer
deiner Liebhaber. Heute hast du mich davon überzeugt, daß die
Angelegenheit noch nicht soweit gediehen war — womit ich vor-

aussetzen muß, daß einer von euch beiden ein Brett vor dem Kopf hat, oder alle beide. Aber ich wüßte nicht, inwieweit das irgend etwas ändern sollte. Jane hat mir beigebracht, daß im Leben die entscheidende Regel darin besteht, anderen nicht weh zu tun — was nach Janes Ansicht oft dadurch geschieht, daß unnötig geredet wird.«

»*Mir* hat Jane das auch gesagt. Jacob? Gibst du mir einen Kuß?«

»Madame — wie hießen Sie doch gleich? —, das ist die Gebühr, die ich erhebe, ehe man bei meiner Bank ein Konto eröffnen kann.«

Als wir den Uferhang erstiegen, fragte ich Hilda: »Liebling, was ist das für ein Tier, das Zellulose *und* Fleisch frißt?«

»Oh. Davon gibt es zwei, den Homo Sapiens und Rattus.«

»Menschen essen Zellulose?«

»Oft genug werden Sägespäne im Essen verarbeitet. Hast du schon mal in einem Schnellrestaurant gegessen?«

Meine Tochter hatte mit ihren Vorprogrammen Wunderbares geleistet; wir waren alle begierig, mehr darüber zu erfahren. Zeb und ich hielten an den Türen Wache, während Deety Zebs Platz einnahm und Hilda den meinen.

»Captain Tantchen hat zwei Gedanken entwickelt«, begann Deety ihren Vortrag. »Es ging darum, die Fluchtmöglichkeiten auf ein Maximum zu verbessern und gleichzeitig Methoden zu finden, möglichst wenig Energie zu verbrauchen. Letzteres schließt die Aufgabe ein, Landetechniken zu entwickeln, die ohne Zebadiahs tollkühne Manövriertalente auskommen.«

»Das hat nichts mit Tollkühnheit zu tun«, warf mein Schwiegersohn ein. »Ich riskierte antriebslose Landungen nur auf harten Oberflächen. Das habe ich schon zweimal unter Beweis gestellt — unmittelbar vor dem Aufsetzen habe ich den Antrieb zu Hilfe genommen. Gestern war's allerdings ein bißchen knapp.«

Ich erschauderte.

Meine Tochter fuhr fort: »Wir haben dazu nun ein neues Programm. Durch Stimmeingabe kann man jeden Kurs und beliebig viele Minima vorgeben. Unser kluges Mädchen begibt sich dorthin und versucht zu landen. Zweimal verwendet sie dabei das Radar, einmal zur Entfernungsbestimmung, und noch einmal vorsichtshalber wie beim ›Zisch-ab‹-Programm. Wenn das Ziel nicht frei ist, unternimmt sie wahlfreie Sprünge in einem Gebiet mit einem Radius von zehn Kilometern und testet dabei zwei

Landepunkte in der Sekunde. Wenn sie eine passende Stelle gefunden hat, landet sie. Es sei denn, uns gefällt der Ort nicht, und
wird ordnen an, daß sie es weiter versuchen soll.

Beschäftigt euch mit dem Programm — ihr werdet sehen, daß
ihr auf diesem oder jedem anderen Planeten überallhin fliegen
könnt, ohne Energie zu verbrauchen.

Nun zu den Fluchtprogrammen . . . Ab sofort müssen wir uns
bei der Verwendung des Namens G-A-Y sehr in acht nehmen.
Nennt sie meinetwegen ›Kluges Mädchen‹ oder ›Wagen‹ oder etwas anderes — es darf nur nicht die Vorsilbe enthalten. Durch
diese Silbe wird sie neuerdings geweckt. Sagt jemand ihren ganzen Namen, geht sie auf Befehlserwartung. Aber wenn den Buchstaben G-A-Y eines von acht Codeworten folgt, führt sie augenblicklich den entsprechenden Fluchtsprung aus. Ich habe Nach-
silben zu finden versucht, die normalerweise selten mit ihrem
Vornamen gekoppelt werden. Gay Täuscher.«

»Ja, Deety!«

»Wörterbuch. G-A-Y. Vorlesen.«

»Gayzette, Gaygeben, Gayle, Gaylord, Gay-tata, Gaynug . . .«

XXIV

Hilda:

Ich sorgte für ein frühes Abendessen, indem ich damit begann,
als Zebbie und Deety zum Baden verschwanden. Ich hätte notfalls einen offiziellen Grund dafür angeben können, doch in
Wirklichkeit lag mein Motiv im Privaten: ich wollte keinen Gute-
nachtplausch mit Jacob halten.

Ärgerlich auf ihn? Nein, auf *mich!* Ich hatte jede Gelegenheit
gehabt, den Mund zu halten — und sie nicht genutzt! Wollte ich
angeben? Oder ein Geständnis loswerden? Oder Jacob kränken?
(O nein! Kann man denn so dämlich sein?)

Versuch keine Vernunftgründe zu finden, Sharpie! Wäre dein
Mann nicht netter, großzügiger und welterfahrener gewesen, als
du es dir hättest träumen lassen, säßest du jetzt in der Tinte.

Nach dem Essen sagte Zebbie behaglich: »Ich wasche morgen
früh ab.«

»Ich würde es vorziehen, wenn du gleich an die Arbeit gingst«,
sagte ich.

Zebbie richtete sich auf und blickte mich an. Seine Gedanken
waren mir so klar, als hätte er sie ausgesprochen. Ich lasse mich

ohnehin niemals mit Menschen ein, deren Gedanken ich nicht erahne; leeren Mauern begegne ich mit Mißtrauen. Doch jetzt ›hörte‹ ich Namen wie ›Queeg‹ und ›Bligh‹ und ›Vanderdecken‹ und ›Ahab‹ — und plötzlich harpunierte Kapitän Ahab den Weißen Wal — und ich war der Wal!

Zebbie sprang mit einem Grinsen auf, das mir nicht gefiel. »Aber ja, Capt'n! Deety, nimm dir ein Gewehr und richte es auf mich, damit ich die Teller auch richtig saubermache!«

»Tut mir leid, Erster Pilot«, sagte ich hastig, »aber ich brauche den Astronavigator. Jacob ist dein Assistent.«

Als die beiden gegangen waren, fragte Deety: »Genügt meine Flinte? Ich glaube nicht, daß sich der Pappfresser bei Tage sehen läßt.«

»Bring die Waffen in den Wagen, wir schließen die Türen.«

Ich wartete, bis wir es uns drinnen eingerichtet hatten. »Deety, machst du mir eine Kopie deiner neuen Programme, ehe die Männer zurückkommen?«

»Wenn sie sich die Zeit nehmen, gründlich abzuwaschen. Männer und Geschirrspülen . . . du weißt Bescheid.«

»Ich hoffe, sie lassen sich Zeit . . .«

». . . und überwinden ihren Zorn«, warf Deety ein.

»Das auch. Aber ich habe die Absicht, ein Anschlußprogramm zu schreiben, und brauche dazu deine Aufsicht. Sobald du die Kopie geschrieben hast.«

Sie ließen sich Zeit — zweifellos ein ›Gespräch unter Männern‹. Die Männer brauchen uns, können unsere Gegenwart aber selten lange ertragen; von Zeit zu Zeit müssen sie unsere Fehler durchhecheln. Ich glaube jedenfalls, das ist der Grund, warum sie uns manchmal ausschließen.

Deety fertigte ihre Abschrift, während ich schriftlich niederlegte, was ich im Sinn hatte. Deety sah meine Notizen durch und berichtigte einige Ausdrücke. Dann sah sie noch einmal alles durch — und enthielt sich jeder krassen Bemerkung.

»Deety, kannst du mit der Laborkamera deines Vaters umgehen?«

»Aber ja.«

»Siehst du bitte nach, ob sie schußbereit ist, und machst Aufnahmen, sobald ich es dir sage?«

»Natürlich.«

»Wenn ich bei einer Anordnung einen Fehler mache, mußt du mich sofort berichtigen.«

»Du willst dies also nicht durch Zebadiah ausführen lassen?«

»Nein. Ich würde es vorziehen, wenn du nicht davon sprächst, daß ich diese Dinge im voraus festgelegt habe. Deety, der Erste Pilot hat mir versichert, jeder von uns könnte im Aerospace das Kommando führen. Ich gedenke einen Testflug zu veranstalten. Der Erste Pilot hat natürlich die Möglichkeit, sich dazwischenzuschalten. Wenn er das tut, werde ich mich nicht dagegen wehren; ich habe ja die ganze Zeit behauptet, er solle Kapitän sein!«

Wir hatten noch die Zeit, das Hemd mit den weißen Blumen hervorzuholen. Deetys Seemannshosen waren lang; wir schlugen die Hosenbeine um. Schnüre am hinteren Bund gestatteten uns, sie meiner Taille anzupassen. Schließlich gab Deety mir noch einen blauen Gürtel für das Hemd, das ich außerhalb trug, und schließlich noch ein blaues Haarband.

»Captain Tantchen, du siehst wirklich gut aus. Besser als ich in diesem Overall.«

»Da kommen unsere Helden. Mach die Türen auf!«

Die beiden schienen ihren Ärger überwunden zu haben. Zebbie musterte mich und sagte: »Wie hübsch! Wollen wir in die Kirche?« Und mein Mann fügte hinzu: »Nett siehst du aus, meine Liebe.«

»Vielen Dank, Sir. Alle Mann — vorbereiten zum Weltraumflug! Alle Gerätschaften und Gegenstände sichern. Feuerwaffen dito. Wer noch hinter den Busch muß, soll es sagen. Kleidung für Weltraumflug. Vor dem Einsteigen bitte Rundgang um den Wagen, um nach möglicherweise verlegten Dingen zu suchen.«

»Was soll das?« fragte Zebbie.

»Fertigmachen zum Start. Los!«

Er zögerte einen Sekundenbruchteil lang, dann sagte er: »Aye, aye, Captain.«

Nach zwei Minuten und dreizehn Sekunden (ich behielt Gays Uhr im Auge) drängte ich an meinem Mann vorbei in den hinteren Steuerbordsitz. »Bei der Bereitschaftsmeldung Status der Feuerwaffen angeben«, sagte ich. »Astronavigator.«

»Angeschnallt. Schottür verriegelt. Flinte geladen und gesichert. Position: unter dem Schlafsack.«

»*Fléchette*-Pistole?«

»Au ja! In meiner Handtasche. Geladen und entsichert. Tasche an meinem Sitz festgeschnallt, zur Außenseite hin.«

»Copilot?«

»Angeschnallt. Tür verschlossen, Dichtung überprüft. Kontinua-Gerät fertig. Gewehr geladen und gesichert, verstaut unter Schlafsack. Ich trage meine Pistole, geladen und gesichert.«

»Erster Pilot.«

»Angeschnallt. Tür verschlossen, Dichtung überprüft. Gewehr geladen, gesichert, unter Schlafsack. Im Gürtel Revolver, geladen und gesichert. Keine unbefestigten Gegenstände. Wassertanks gefüllt. Ladung getrimmt. Zwei Hochleistungsbatterien als gefüllte Reserve. Zwei erschöpft. Energie null Komma sieben zwei Kapazität. Flügel voll ausgefahren. Fahrwerk unten, zum Start geschaltet. Alle Systeme bereit.«

»Erster Pilot, nach dem ersten Manöver in senkrechten Schnellst-Sturzflug gehen, ohne Antrieb und ohne Flügel einzuziehen. Einfahrmechanismus Fahrgestell wieder sichern. Flügel auf Maximalbreite lassen.«

»Fahrgestelleinziehung blockiert. Nach erstem Manöver höchstschneller antriebsloser Senkrecht-Sturzflug, Flügel voll auf Unterschall, Räder ausgefahren.«

Ich blickte zu Deety hinüber, die die Kamera in die Höhe hielt und lautlos sagte:

»Fertig.«

»Gay, *heim!*«

In Arizona stand der Sonnenuntergang kurz bevor, wie Deety vorhergesagt hatte. Mein Mann unterdrückte einen Aufschrei. Energisch befahl ich: »Copilot, melde Höhe über Grund.«

»Äh ... zwei Kilometer minus, schnell abnehmend.« Zebbie hatte Luftwiderstand; der Horizont vor uns neigte sich langsam, dann schneller empor. Als wir uns zur Seite legten, reckte sich Deety wie eine Katze empor, um zwischen unseren Piloten hindurch ihre Aufnahme zu machen. Wir kamen auf Kurs und hatten nun den Fuchsbau voll voraus — ein *Krater.* Ein Aufwallen des Zorns in mir, der Wunsch zu *töten!*

»Bild!«

»Gay, *zisch ab!*«

Anstatt fest auf dem Landepunkt zu stehen, befanden wir uns auf der Nachtseite eines Planeten im freien Fall. Ich machte Sterne aus und Schwärze unter dem ›Horizont‹, wenn es sich wirklich um einen Horizont handelte. Deety sagte: »Sieht aus, als hätten die Russen auf unserem Parkplatz etwas zurückgelassen.«

»Mag sein. Jacob, bitte Höhe über Grund.«

»Unter zehn Kilometern. Langsam abnehmend.«

»So weit, so gut. Aber wir können nicht genau wissen, ob wir den richtigen Planeten und das richtige Universum erwischt haben.«

»Captain, dort vor uns liegt Antares.«

»Vielen Dank, Zebbie. Dann können wir zumindest annehmen, daß wir uns in einer nahen Entsprechung unseres eigenen Universums befinden. Deety, kannst du mit Gay die Beschleunigung ermitteln und den Wert gegen den von Mars-zehn setzen?«

»Kein Problem, Capt'n. Gay Täuscher.«

»Ja, Deety!«

»Hallo, Gay. Höhe über Grund, laufende Verringerung, erste Differentiale, melde Ergebnis.«

Sofort antwortete Gay: »Drei sieben sechs Zentimeter in der Sekunde hoch zwei.«

»Bist ein kluges Mädchen, Gay.«

Also war es entweder Mars-zehn oder ein ziemlich ähnlicher Planet. »Gay, *zisch ab!*«

Wir standen auf dem Boden und hatten wieder unser ›richtiges Gewicht‹, an das wir uns auf dem Planeten inzwischen gewöhnt hatten. »Vielleicht ist gerade ein Tier über die Stelle gelaufen«, meinte Deety. »Wie wär's mit den Scheinwerfern, Captain? Das Foto müßte inzwischen fertig sein.«

»Noch nicht. Erster Pilot, wenn ich den Autopiloten durch G-A-Y alarmiere, schaltest du die vorderen Landescheinwerfer ein.«

»Roger, alles klar.«

»Gay . . .«

Grelles Licht — das nicht uns blendete, sondern die Männer, die davon erfaßt wurden. »*Hüpf!* Licht aus, Zebbie. Unser Freund hat Wachen zurückgelassen für den Fall, daß wir uns dort wieder sehen ließen — was wir ja auch getan haben.«

»Captain Tantchen, dürfte ich jetzt Licht in der Kabine anmachen?«

»Gedulde dich, meine Liebe. Ich habe zwei Männer gesehen. Jacob?«

»Drei, meine Liebe . . . lieber Captain. Russische Soldaten in Uniform. Waffen, aber keine Einzelheiten.«

»Deety?«

»Sahen irgendwie aus wie Panzerfäuste.«

»Erster Pilot?«

»Bazookas, in der Tat. Nur gut, daß du dich mit ›Hüpf‹ davongehüpft hast, Skipper. Gay kann so einiges aushalten, aber eine

Panzerfaust wäre ihr nicht recht.« Er fügte hinzu: »Schnelligkeit hat mich gestern gerettet. Deety, das soll uns eine Lehre sein: Verliere nie die Beherrschung.«

»Und das von dir!«

»Ich bin nicht mehr Captain, vergiß das nicht! Capt'n Sharpie führt keine leichtsinnigen Manöver durch. Führte ich hier das Kommando, würden wir die Burschen über den ganzen Meeresgrund jagen. Nie lange genug in Position, daß sie zielen können, so daß sie schließlich annehmen müßten, wir wären dreißig Schiffe. Wenn sich Colonel Frechski dort unten herumtreibt — ich glaube, er hat Angst, heimzufliegen . . .«

Wir waren über Arizona . . .

»Gay, *Termite!*« rief ich.

. . . und parkten an unserem Bach. »Was war denn das, zum Teufel?« fragte Zebbie. »Wer hat *das* angestellt?«

»*Du*, Zebadiah«, antwortete Deety.

»*Ich?* Ich habe nichts dergleichen getan. Ich war . . .«

»*Ruhe!*« (Das war ich, Kapitän Bligh.)

Ich fuhr fort: »Gay Täuscher, leg dich schlafen. Ende.«

»Müde bin ich, geh zur Ruh, Hilda. Roger und Ende.«

»Erster Pilot, gibt es einen Weg, den Autopiloten so vollständig auszuschalten, daß er auf keinen Fall durch Stimme wieder aktiviert werden kann?«

»Natürlich.« Zebbie hob die Hand und legte einen Schalter um.

»Vielen Dank, Zebbie. Deety, deine neuen Ausweichprogramme sind ausgezeichnet — trotzdem habe ich nicht mitbekommen, wie das geschehen konnte. Aber zuerst einmal: Hat jemand unsere Riesentermite gesehen?«

»*Wie?*«

»Ich habe etwas gesehen.«

»Wo?«

»Ich hatte beim Transit gerade nach Steuerbord geblickt«, sagte ich. »Das Geschöpf fraß von unseren Verpackungsresten — und raste dann den Hügel hinauf. Sah aus wie ein großer, dikker weißer Hund mit zu vielen Beinen. Sechs, glaube ich.«

»Ja, sechs«, sagte mein Mann. »Erinnerte mich irgendwie an einen Eisbären. Hilda, ich glaube, das Ungeheuer ist trotz allem ein Fleischfresser.«

»Das werden wir jetzt nicht im einzelnen ermitteln. Deety, sag Zebbie — und uns allen —, was da eben geschehen ist.«

Deety zuckte die Achseln. »Zebadiah sprach zweimal unglücklich von ›Hüpfen‹, aber das hat Gay nicht in Aktion treten lassen. Dann sagte er: ›Gay kann so einiges aushalten . . .‹, und das brachte unser Mädchen in Bereitschaft. Nach einigem weiteren Gerede sagte Zebadiah: ›. . . ich glaube, er hat Angst, *heim*zufliegen . . .‹ Und das war's. Unser kluges Mädchen achtet genau auf unsere Worte. Sie hörte: ›Gay, heim‹, und das ist die Kurzform des früheren Befehls: ›Gay Täuscher, bring uns heim.‹«

Zebbie schüttelte den Kopf. »So locker sollte man den Abzug einer Waffe niemals einstellen.«

»Erster Pilot, gestern hat du das erste dieser Kurzprogramme benutzt, um einem Schuß auszuweichen. Zuerst ›Gay . . .‹ und nach weiterem Wortwechsel dann: ›Hüpf!‹ Das rettete dir das Leben.«

»Aber . . .«

»Ich bin noch nicht fertig. Astronavigator, überprüfe die Fluchtprogramme. Versuche Gefahren festzustellen, die sich durch versehentliche Auslösung ergeben. Zebbie, Ausweichprogramme lassen sich nicht mit einem Waffenabzug vergleichen — sie dienen der *Flucht* und nicht dem Töten.«

»Captain Tantchen, ich habe den *ganzen* Tag daran geknobelt, daß uns die Programme nicht vom Regen in die Traufe bringen können. Deshalb habe ich auch ›Gegenmarsch‹ gelöscht. Der Gefahr am nächsten kommt das ›Heim‹-Programm, weil uns unsere Heimat im Augenblick feindselig begegnet.« Deetys Stimme klang traurig. »Aber ich würde unseren letzten Kontakt zur Heimat ungern unterbrechen.«

»Das brauchst du auch nicht«, sagte ich. »Erweitere den Ausführungscode wieder auf den langen Satz mit dem Schlußwort: ›Ausführung!‹«

»Captain, ich tue, was du sagst«, meinte Deety. »Aber wir könnten uns eine Milliarde Kilometer weit im Nirgendwo befinden und von einem Meteor getroffen werden. Wenn dann noch jemand keuchen kann: ›Gay, heim!‹, befinden wir uns zwei Kilometer über unserem Hüttengrundstück in atembarer Luft und nicht mehr im Vakuum. Selbst wenn wir das Bewußtsein verloren haben, stürzt Gay nicht ab; dafür gibt es eine Automatik. Mit dem letzten Atemzug möchte ich nicht sagen müssen: ›Gay Täuscher, bring uns heim. Ausführung!‹ Das sind neun Silben gegen zwei — während unsere Luft bereits entweicht!«

»Das ist der entscheidende Hinweis«, stellte ich fest. »Das Gay-heim-Programm bleibt bestehen, bis mein Nachfolger es abändert.«

»Das kann mich nicht betreffen, Captain Sharpie ... ich meine, Captain Hilda —, weil ich *nicht* dein Nachfolger bin. Aber Deety hat mich überzeugt. Ich lasse es nicht zu, daß jenes Ungeziefer mich für *ewig* von meinem Heimatplaneten vertreibt. Wenigstens zum Sterben möchte ich dorthin zurückkehren.«

»Mein Junge, reden wir nicht vom Sterben. Wir werden leben und unsere Kinder großziehen und viel Spaß dabei haben.«

»So ist's richtig, Paps! He, will denn *niemand* mein Foto anschauen?«

Wir legten eine Pause ein und machten uns dabei mehr Sorgen über Riesentermiten als über Büsche — und Jacob fand dabei einen Dosenöffner. *Unseren* Dosenöffner. Ich unterbrach die hitzige Diskussion, mit der nach dem Schuldigen gefahndet wurde. Ein Ratschlag an alle Abenteuerlustigen: Machen Sie nie eine Fahrt durch das Universum ohne Ersatz-Dosenöffner.

Dann hieß es: »Vorbereitung zum Start!« und ein neues Programm. »Erster Pilot, schalte Autopilot ein. Gay Täuscher, Erforschung. Kurs zwei sechs fünf. Sprungeinheit fünf Minima. Bingostopps weiter möglich? Abschließe Programm kurz vor Sonnenaufgangslinie. Dort Landung. Verbale Bestätigung.«

»Erkundung West fünf Grad Süd Fünfzig-Kilometer-Einheiten. Zwei Sekunden-Überprüfung jeder Sprung. Antriebslose Landung Greenwich-Zeit null drei siebzehn.«

»Deety, stimmt die Zeit?«

»Für dieses Programm.«

»Gay Täuscher. Programmänderung. Lösche Landung. Von Programm mit Code ›Ein Tramp unterwegs‹ darstelle Aktionsbereich. Darstelle Bingos.«

Sofort erschien der Mars, aber verzerrt. Ich kritzelte eine Nachricht an Deety: ›*Wie rotiere ich das Bild, daß nur die Tagseite zu sehen ist?*‹

Sie schrieb ihre Antwort auf und reichte sie mir — ich glaube nicht, daß unsere Männer etwas mitbekamen: »Programmrevision. Darstelle Aktionsbereich Realzeit Tagseite.«

Gay gehorchte. Es dauerte eine Weile, bis ich den neuen Wirkungsbereich als Sonnenuntergangslinie (rechte Seite — Osten), bis Sonnenaufgangslinie (linke Seite — Westen) definiert hatte, und zwischen 50° N und 50° S (nahe 45° S hatte ich russisches Gebiet festgestellt, also erweiterte ich unsere Suche) — dann ließ ich diesen Bereich mit der Planetendrehung wandern. (Gay kann wohl im Dunkeln sehen, ich aber nicht.)

Ich forderte sie auf, das ›Erforschen‹-Programm bei null drei siebzehn zu beenden und mit ›Ein Tramp unterwegs‹ bis zum Erhalt gegenteiliger Anweisungen fortzufahren, und ließ mir das Ganze durch Gay in eigener Formulierung bestätigen.

Dann berührte ich Zeb an der Schulter, deutete auf den Schalter, der Gays Ohren abstellte, und fuhr mir mit dem Finger über die Kehle. Er nickte und stellte unsere Freundin ab. »Irgendwelche Fragen, meine Herren?« wollte ich wissen. »Und du, Deety?«

»Ich möchte etwas wissen, Captain«, meldete sich der Erste Pilot. »Gedenkst du heute nacht zu schlafen?«

»Auf jeden Fall, Zebbie. Eine ideale Schlafstelle läge weit von den Russen entfernt, doch dicht bei der derzeitigen Sonnenuntergangslinie. Oder wolltest *du* die ganze Nacht durchmachen?«

»Wenn du es wolltest. Mir war nur aufgefallen, daß du Gay ein Programm aufgehalst hast, das sie Tage oder Wochen beschäftigen könnte — und daß du die Höhe über Grund auf sechs Kilometer verringert hast. In die atembare Luft. Wenn wir unsere Dienstzeiten richtig einteilen, so daß jeweils zwei von uns ausgestreckt hinten schlafen, könnten wir mühelos eine Woche in der Luft bleiben, ohne daß sich Jake wegen seiner Knöchel sorgen müßte.«

»Einmal kann ich den Schlaf wohl ausfallen lassen«, sagte Deety. »Captain Tantchen, wenn wir genügend Zufallspunkte abgesucht und einen definierten Suchradius haben, ergibt sich sehr bald ein Gitter, durch das keine Fliege mehr kriechen könnte. Möchtest du die Formel hören?«

»Himmel, nein! Solange das Ganze nur funktioniert.«

»Und ob. Wir wollen einen langen Durchgang machen und uns viele Bingos holen. Ich würde dazu aber etwas Neues vorschlagen. Laß auf einem Nebenschirm zusätzlich zu jedem Bingo noch die verbindenden Linien erscheinen. Dann siehst du schnell, wie dicht dein Netzwerk wird.«

»Sharpie, das würde ich dir nicht empfehlen!« schaltete sich Zebbie ein. »Entschuldige bitte! Captain, der Astronavigator versteht sich vorzüglich auf die Software, doch über *dieses* Stück Hardware weiß ich doch noch ein wenig mehr. Es ist tatsächlich möglich, einem Computer eine Art Nervenzusammenbruch aufzuzwingen. Ich habe unser kluges Mädchen abgesichert; wenn ich ihr zuviel auftrage, fordert sie mich auf, zur Hölle zu fahren. Gay aber *mag* Deety. Für sie wäre sie wie ein gutmütiges Pferd bereit, alles zu versuchen, selbst wenn es über ihre Kräfte ginge.«

»Captain«, sagte Deety, »da habe ich dir eben einen schlechten Vorschlag gemacht.«

»Tu nicht so unterwürfig, Deety«, sagte ihr Mann. »Du bist schlauer als ich, das wissen wir alle. Aber wir sind von unserem klugen Mädchen abhängig und dürfen es nicht zulassen, daß sie Fehlfunktionen entwickelt. Captain, ich weiß nicht, wie sehr sie von der Bedienung des Raum-Zeit-Verdrehers beansprucht wird, aber darüber hinaus ist sie mit etlichen unnötigen Programmen befrachtet. Wenn es dem Captain recht ist, könnte ich die gesamten Dauerspeicher durchsehen und alles löschen, was wir nicht unbedingt brauchen.«

»Bei nächster Gelegenheit, Sir. Geht das derzeitige Grundprogramm noch in Ordnung?«

»Ja, klar. Nur sollten wir auf diese Zusatzdarstellung verzichten.«

»Vielen Dank, Erster Pilot. Sonst noch Bemerkungen? Copilot?«

»Meine Liebste . . . mein lieber Captain, hast du einen Grund für die Suche nach einem Punkt nahe der Sonnenuntergangslinie? Wenn du die ganze Nacht durchmachen willst?«

»Oh! Aber Jacob, ich habe doch gar nicht vor, die ganze Nacht durchzuarbeiten. Nach unseren inneren Uhren haben wir jetzt etwa zwanzighundert, bezogen auf die Zeit unseres Aufstehens. Ich glaube, wir können drei oder vier Stunden lang suchen. Ich hoffe dann auf eine Landestelle zum Schlafen nahe der Sonnenuntergangslinie, die wir bei Tageslicht erforschen. Wir lassen Gay darauf landen, damit sie die Daten in den Dauerspeichern hat — dann kehren wir bei Dunkelheit dorthin zurück, wenn wir müde sind.«

»Kapiert, jedenfalls teilweise. Meine Liebe, wenn ich dich nicht ganz falsch verstanden habe, wolltest du eigentlich nach *Westen*. Du hast aber gesagt, du wolltest uns eine Stelle zum Schlafen an der derzeitigen Sonnenuntergangslinie suchen. Die befindet sich aber im *Osten*. Oder habe ich das nicht richtig begriffen?«

»Es läßt sich sehr einfach erklären, Jacob.«

»Ja, lieber Captain.«

»Ich habe einen schrecklichen Navigationsfehler gemacht.«

»Oh.«

»Erster Pilot, hast du ihn bemerkt?«

»Ja, Captain.«

»Warum hast du nichts dazu gesagt?«

»War nicht meine Sache, Madame. Deine Pläne enthielten keine gefährlichen Elemente.«

»Zebbie, ich weiß nicht recht, ob ich dir fürs Mundhalten danken oder mich beschweren soll, daß du nichts gesagt hast. Deety, dir ist der Fehler bestimmt ebenfalls aufgefallen. Du sollst mich doch beraten!«

»Captain, ich muß mich zu Wort melden, wenn es darum geht, einen *schlimmen* Fehler zu verhindern. Das war hier nicht der Fall. Ich wußte erst, daß es sich um einen Fehler handelte, als du es selbst sagtest. Aber du entdecktest den Fehler bereits, als Gay die Zeit bis zum Ende des ›Erforschen‹-Programms vorhersagte, und gabst eine Berichtigung ein mit der Anweisung, auf ›Ein Tramp unterwegs‹ zu wechseln. Ich hatte also keinen Grund, dich zu beraten.«

Ich seufzte. »Du willst mir helfen, und ich liebe euch alle, doch als Captain tauge ich nichts. Ich habe nun so lange gedient wie Zebbie, und wir sind gelandet, also ist der Augenblick gekommen, jemanden zu wählen, der sich darauf versteht. Du, Zebbie.«

»O nein. Zuerst müssen Jake und Deety sich ihre Sporen verdienen, ehe ich vielleicht wieder mit mir reden lasse.«

»Captain . . .«

»Deety, ich bin nicht mehr Captain. Ich bin eben zurückgetreten.«

»Nein, Tante Hilda, das hast du nicht getan. Ich muß dich darauf hinweisen, wenn du im Begriff stehst, einen schlimmen Fehler zu machen. Vorhin hast du einen kleinen Fehler gemacht und berichtigt. In meinem Fachbereich nennen wir das ›Ottos ausbügeln‹ — und brauchen dafür mehr Zeit als für das Schreiben neuer Programme. Denn *jeder* macht mal einen Fehler.«

Janes Tochter sprach jetzt genau wie ihre Mutter. Ich beschloß, genau zuzuhören — denn zu oft hatte ich vor Janes Ratschlägen die Ohren verschlossen. »Captain Tantchen — wenn du von deinem Amt zurückträtest, weil deine Besatzung dich schlecht behandelt hätte — so wie es bei Zebadiah der Fall war —, würde ich jetzt nichts dagegen sagen. Aber das ist bei dir nicht der Grund. Oder doch?«

»Was? O nein! Ihr alle habt mir sehr geholfen — wie die Engel. Nun ja, jedenfalls meistens . . .«

›Engel‹ — oho. Das richtige Wort dafür kann ich hier wohl nicht gebrauchen, unsere Männer wären zu entsetzt. Tante Hilda, ich habe dir offener geantwortet als vorher Zebadiah. Du hast mich energisch zurechtgewiesen — und seither bin ich deine stärkste Anhängerin. Zebadiah, *dein* Handeln war schlimmer . . .«

»Ich weiß.«

». . . aber du hast wenigstens zugegeben, daß du dich geirrt hattest. Trotzdem hast du jetzt nicht anders gehandelt. Hast Erklärungen verlangt. Zebadiah, der Captain eines Schiffes braucht seine Befehle doch nicht zu erklären. Oder?«

»Natürlich nicht. Gewiß, manchmal gibt der Captain eine Erläuterung. Aber er sollte das nicht zu oft tun, sonst glaubt die Besatzung bald, daß sie darauf ein Recht hätte. Und im entscheidenden Fall kann so etwas über Leben und Tod entscheiden. Der wichtigste Sekundenbruchteil könnte ungenutzt verstreichen.« Zebbie blickte düster in die Runde. »Wenn der Captain sagt: ›Spring!‹, dann springt man. Das habe ich ein paarmal nicht gemacht. Tut mir leid, Captain.«

»Zebbie, wir kommen ganz gut miteinander aus.«

Er drehte den Arm nach hinten und tätschelte mir das Knie.

»Bisher ›ganz gut‹. Das soll jetzt noch besser werden.«

»Ich fürchte, ich bin ebenfalls nachlässig gewesen«, sagte mein lieber Jacob besorgt.

Ich wollte ihm schon antworten, als Deety dazwischenfuhr: »»Nachlässig‹? Paps, du bist der Schlimmste von allen. Wäre ich deine Frau, hätte ich dich wieder ins Wasser geworfen und einen neuen Köder aufgesteckt. ›Farce‹ ist schlimmer als Meuterei, es ist verletzend. Nur gut, daß Jane dich nicht hören konnte!«

»Ich weiß, ich weiß!«

Ich berührte Deety am Arm und flüsterte: »Genug jetzt, meine Liebe.«

»Captain«, sagte Zebbie nüchtern, »soweit ich es analysieren kann, hast du einen Vorzeichenfehler gemacht. Das passiert jedem Navigator — der die Routine haben sollte, nach der er seine Arbeit überprüft. Wenn du dich aufregst, weil eine solche Überprüfung nun einen kleinen Irrtum offenbart, wirst du bald mit Magengeschwüren herumlaufen. Du stehst im Streß, und wir alle haben dazu beigetragen. Aber wir wollen uns bessern. Es ginge mir sehr gegen den Strich, wenn du jetzt wegen eines kleinen Fehlers zurückträtest — während wir dich aus der Ruhe gebracht haben. Ich hoffe, du gibst uns noch eine Chance.«

Captains dürfen eigentlich nicht weinen. So blinzelte ich die Tränen fort, bekam meine Stimme in den Griff und sagte: »Alle Mann! Noch immer startbereit? Bitte Meldung!«

»Aye, Captain!«

»Bestätigt!«

»Ja, liebe Hilda!«

»Zebbie, schalte Gays Ohren wieder ein.« Er gehorchte.

»Ausführung!« Der Termitenbach war fort, und wir befanden uns fünfzig Kilometer weiter westlich und einen Strich südlich. Hübsch und grün war es unter uns, doch ein Bingo war nicht zu sehen. Wir würden ungefähr sieben Minuten brauchen, die Sonne zu überholen und die Sonnenaufgangslinie zu erreichen, zuzüglich etwaiger Unterbrechungen. Dann würde ich in Nullkommanichts nach Osten zur Sonnenuntergangslinie zurückkehren (Zebbie und Jacob konnten das Manöver durchführen) und anschließend hüpfen und segeln, hüpfen und segeln, während wir nach einem Platz zum Übernachten suchten, der so beschaffen war, daß Gay ihr neues antriebsloses Autolandungs-Programm ausprobieren konnte — am hellen Tage, überwacht von den besten Piloten zweier Welten. Wenn Gay dies schaffte, waren wir von Energie beinahe unabhängig — und hatten mit jeder Landung einen neuen ›Zisch-ab‹-Zufluchtsort. Was die Hochleistungsbatterien betraf — Zebbie hatte einen handbetriebenen Gleichstromgenerator an Bord — der allerdings mühsam zu bedienen war. (Vierzig Stunden von null auf volle Ladung; Sie verstehen, warum Zebbie lieber neue Batterien kaufte.)

Wir waren schon etwa drei Minuten unterwegs, gut viertausend Kilometer, als das erste Bingo kam (von Zebbie). Ich forderte ein »Halt« und fügte hinzu: »Wo, Zebbie?«

Er drückte unseren Bug hinab. Höfe und Felder — ein fröhlicher Kontrast zu dem Terrain — öde, grün, flach, zerklüftet, ohne jede Spur von Menschen. Jedenfalls bisher. »Astronavigator, Zeit festhalten. Weiter.«

Drei Minuten ohne Bingos. Als insgesamt 6^m4^s vergangen waren, rief Jacob: »Bingo! Eine Stadt.«

»Halt! Zwiebeltürme?«

»Ich glaube nicht, meine Liebe. Ich sehe eine Flagge. Ob wir es wagen können, näher heranzufliegen?«

»Ja! Aber jeder kann nach Belieben ein Notprogramm eingeben. Jacob, dürfte ich bitte das Fernglas haben?«

Das Sternenbanner steht mir nahe, doch im nächsten Augenblick gesellten sich die Kreuze des heiligen Andreas und des heiligen Georg dazu. Es war eine Fahne mit einem blauen Feld und weißen Zeichen darin — drei unterschiedlich große Halbmonde.

»Gay Täuscher.«

»Ich bin ganz Ohr, Hilda.«

»Schalte das laufende Programm auf Standby.«

»Roger. Erledigt.«

»Gay, hüpf. Zebbie, wir wollen dieses Gebiet nach einer größeren Siedlung absuchen.«

Zebbie legte einen Umkreis um die kleine Stadt, Radius fünfhundert Kilometer, und aktivierte ›Ein Tramp unterwegs‹ mit auf eine Sekunde reduzierter Verweildauer. Einunddreißig Minuten später hatten wir eine Stadt. Ich schätzte sie auf gut hunderttausend Einwohner.

»Captain«, sagte Zebbie, »darf ich vorschlagen, daß wir hüpfen und die Leute über Funk anzusprechen versuchen. Dieser Ort ist groß genug für Luftabwehrkanonen oder Raketen...«

»Gay, hüpf!«

»... und wir wissen, daß die slawischen Nachbarn Flugzeuge besitzen.«

»Warnt dich dein Schutzengel?«

»Na ja... es ist jedenfalls nicht sehr höflich, ohne Genehmigung zu landen; eine solche Rücksichtslosigkeit könnte den plötzlichen Tod zur Folge haben.«

»Gay, hüpf, Gay, hüpf. Sind wir jetzt außer Reichweite der Raketen?«

»Captain, die Briten und Russen dieses Universums sind uns in der Raumfahrttechnik voraus, sonst wären sie nicht hier. Das zwingt uns zu der Annahme, daß ihre Raketen und Laserwaffen und X-Waffen besser sind als die unseren.«

»Was ist eine ›X-Waffe‹? Und was rätst du uns?«

»Ich rate zu einer Ausweichtaktik. Eine X-Waffe ist eine Waffe, die niemand von uns kennt.«

»Ausweichtaktik, du hast freie Bahn. Vermutlich willst du damit keine Energie verschwenden.«

»Allerdings nicht. Jake, einen Galopp in alle Richtungen. Hinauf, hinab und seitlich. Warte nicht auf Ausführungsbefehl; spring so schnell du kannst. Gut so! Und weiter damit!«

»Captain Tantchen, dürfte ich eine einfachere Methode vorschlagen?«

»Bitte, Deety.«

»Zebadiah, wie groß ist die Stadt? In Kilometern.«

»Unbestimmt. Ungefähr acht Kilometer Durchmesser.«

»Du hast doch das Eine-Sekunden-Tramp-Programm auf Vorschaltung. Verändere den Wirkungsbereich. Zentrum das größte

Gebäude dort, Radius sechs Kilometer, dann setze das Programm in Gang, und Paps kann sich ausruhen.«

»Äh ... Deety, ich bin wirklich ein Dummkopf. Sechs Kilometer Radius, aber zehn Kilometer sind unser Minimum ... Ein bißchen eng, nicht wahr?«

»Das soll es auch sein. Brauchst du eine Zeichnung?«

»Sieht so aus.«

(Deety hatte einen zwei Kilometer breiten Ring um die Stadt definiert, der äußere Radius sechs, der innere Radius vier. Wir würden die Stadt sechs Kilometer über dem Boden ›umkreisen‹, wahlfreie Sprünge, sechzig in der Minute. Ich glaube nicht, daß uns selbst automatische Waffen in einer Sekunde finden, anpeilen und treffen konnten.)

Deety löste ihren Gurt, glitt nach vorn und begann zu zeichnen. Plötzlich sagte Zebbie: »Begriffen! Deety, bist ein schlaues Mädchen.«

»Boß, ich wette, das sagst du zu allen Mädchen.«

»Nein, nur zu den klugen. Gay Täuscher!«

»Bitte nicht so laut!«

»Programmänderung. Ein Tramp unterwegs. Aktionsbereich ein Kreis Radius sechs Kilometer, Mittelpunkt durch nächsten Bingo definiert. Bestätigung in eigenen Worten.«

»Revidiertes Programm Ein Tramp unterwegs. Kreis zwölf Kilometer Durchmesser, Zentrum nächstes Realzeit-Bingo.«

»Jake, bring uns über das große Gebäude in der Mitte. Notfalls unternimmst du mehrere Anläufe, aber halte dich nicht auf. Sobald mir die Position gefällt, sage ich das Zauberwort, dann rükken wir sofort wieder aus.«

»Aye, aye, Boß.«

Jacob mußte ein Dutzend Sprünge machen, ehe Zebbie sagte: »Bingo, Gay, hüpf.« Auf dem Schirm erschien ein Licht. Er setzte das Programm in Gang und forderte Gay auf, den Maßstab zu vergrößern; das Licht breitete sich zu einem Kreis aus mit einem hellen Punkt in der Mitte. »Captain, paß auf. Ich habe Gay gesagt, daß jeder Stopp ein Bingo ist. Jetzt gibt's vielleicht eine Überraschung.«

»Vielen Dank, Zebbie.« Im Außenbezirk des Rings sammelten sich die ersten Sommersprossen. Ohne daß wir ein Gefühl von Bewegung vermittelt bekamen, veränderte sich die Szene mit jeder Sekunde.

Es war heller Vormittag, der Ausblick war klar. Eben noch stand das große Gebäude geradeaus voraus, nach dem nächsten

Lidschlag starrte man auf Felder — dann wieder auf die Stadt, aber das Gebäude stand nun an Steuerbord. Ich mußte an ein Holovideo-Band denken, auf dem mehrere Szenen durcheinandergeschüttelt worden waren.

Zebbie hatte die Kopfhörer aufgesetzt und beachtete die Außenwelt nicht. Jacob beobachtete das flackernde Panorama, ebenso wie ich und Deety — und plötzlich drehte Jacob den Kopf, sagte: »Deety, bitte, die Bo ...« und schlug sich die Hand vor den Mund.

»Zwei Bonines, Deety — schnell!«

Deety griff bereits danach. »Du auch, Capt'n Tantchen?«

»Es liegt an diesem Flackern.« Ich gab Jacob eine Tablette und sorgte dafür, daß er mich ebenfalls eine nehmen sah. Seit meiner Berufung zum Captain war ich nicht mehr raumkrank gewesen. Doch wenn mein Mann ein solches Hilfsmittel braucht, leiste ich ihm gern Gesellschaft.

Heute hätte ich eine nehmen sollen, sobald ich die britische Flagge entdeckte; Bonine beruhigt nicht nur den Magen, sondern auch die Nerven ... bald mußte ich als Botschafter auftreten oder etwas Ähnliches. Ich hatte die feste Absicht, direkt zur Spitze vorzustoßen. Mit Untergebenen zu reden, kann sehr frustrierend sein. Im College hätte ich es nicht beinahe vier Jahre lang ausgehalten, wäre es nach dem zuständigen Rektor gegangen. Aber ich trug meine Probleme stets dem zuständigen Präsidenten vor; der oberste Boß kann so manche Vorschrift freizügiger auslegen. (In meinem letzten Jahr war die Präsidentin allerdings eine Frau und so ausgekocht wie ich. Sie hörte sich mein Clarence-Darrow-Plädoyer an, beglückwünschte mich, sagte, ich hätte Jura studieren sollen, und fuhr fort: »Und jetzt packen Sie! Sie verlassen die Universität bis zwölf Uhr!«)

Zebbie nahm den Kopfhörer vom rechten Ohr. »Captain, ich habe die Leute laut genug in der Leitung. Willst du mit ihnen reden?«

»Nein. Ich bin noch nie außerhalb der Vereinigten Staaten gelandet. Du kennst dich mit dem Protokoll besser aus. Übernimm du. Erster Pilot, allerdings ein Hinweis ...«

»Ja, Madame?«

»Gilt auch für Copilot und Astronavigator. Haltet euch in jedem Fall an die Wahrheit. *Gebt aber keine Informationen unverlangt heraus.* Beantwortet Fragen so neutral es geht — aber wahrheitsgemäß. Wenn man euch bedrängt, sagt ihr: ›Sprechen Sie mit dem Captain.‹«

»Meine Liebe«, sagte Jacob besorgt. »Darüber wollte ich mit euch reden. Zeb hat diplomatische Erfahrungen. Wäre es nicht besser, ihm auf dem Boden das Kommando zu übertragen? Bitte versteht mich nicht falsch, ich kritisiere deine Leistung als Kapitän nicht. Aber mit seiner Erfahrung und im Hinblick auf die Tatsache, daß uns unsere Landung im wesentlichen gewisse Dinge für den Wagen beschaffen soll . . .«

»Gay, hüpf, Gay, hüpf, Gay, hüpf! Astronavigator.«

»Ja, Captain?«

»Bring uns in eine Umlaufbahn. Baldigst.«

»Aye, aye, Madame! Copilot, laß die Hände von den Nonien. Erster Pilot, bitte dafür sorgen, daß der Wagen horizontal liegt. Gay Täuscher.«

»An Bord, Deety.«

»Programm. L-Achse Geschwindigkeitsvektor drei Komma sechs Kilometer in der Sekunde. Bestätige eigene Worte.«

»Vorwärtsgeschwindigkeit um drei Komma sechs Kilometer in der Sekunde erhöhen.«

»Erster Pilot?«

»Wir liegen horizontal.«

»Ausführung.« Deety blickte auf die Armaturen. »Gay Täuscher, Höhe über Grund wird bald nicht mehr geringer werden, dann langsam zunehmen. In etwa fünfzig Minuten wird Maximumwert erreicht sein. Programm. Wenn Höhe über Grund Maximum erreicht, Meldung an mich.«

»Roger, bestätigt.«

»Wenn Höhe über Grund hundert Kilometer erreicht, Meldung an mich.«

»Roger, bestätigt.«

»Wenn Luftreibung null übersteigt, Meldung an mich.«

»Roger, bestätigt.«

»Auf Pilotenschaltung bleiben. Du ignorierst alle Stimmen, einschließlich Programm-Codeworten, bis du wieder beim vollen Namen genannt wirst. Bestätigung durch Angabe des vollen Namens.«

»»Gay Täuscher««, antwortete Gay.

»Einverstanden, Captain. Unser kluges Mädchen kann jetzt die Programm-Kurzworte nicht hören, es sei denn, ihr wird zuerst der *volle* Name genannt. Dann müßtest du immer noch ›Gay‹ sagen, um das Programm einzuleiten und ›Heim‹ oder irgendein anderes Ausführungswort, um die Flucht zu bewerkstelligen. Aber dazu müßten wir genug Zeit haben, denn sie wird mir Bescheid geben, sobald etwas schiefgeht. Ihr habt es ja selbst gehört.«

»Alles in Ordnung, Astronavigator.«

»Ich habe ihr die Ohren verstopft, weil es vielleicht eine Diskussion gibt, bei der man nicht unbedingt auf die Codeworte achten möchte . . . ohne die Möglichkeit auszuschließen, sie sofort schnell zu aktivieren. Das ist schneller als der Schalter, der außerdem nur vom linken Vordersitz aus zu erreichen ist.«

Deety hatte nervös zu plappern begonnen; ich verstand den Grund für ihre Vorsichtsmaßnahmen. Ich wußte auch, warum sie so nervös war. »Gut gemacht. Vielen Dank. Du behältst die Führung. Erster Pilot, Copilot, meine Stellvertreterin führt jetzt das Schiff. Ich gehe nach achtern und möchte nicht gestört werden.« Ich senkte die Stimme und wandte mich nur an Deety: »*Du* kannst mich jederzeit stören. Aber *nur* du.«

»Aye, aye, Captain«, bestätigte Deety leise. »Ich muß dich allerdings darauf aufmerksam machen, daß wir nur Luft für vier Stunden haben.«

»Wenn ich einschlafe, weckst du mich in drei Stunden.« Ich gab ihr einen schnellen Kuß, schwebte aus meinem Sitz und begann die Schottür zu entriegeln; damit kam ich aber nicht weit; Deety mußte mir helfen. Sie machte mir das Licht an, schloß mich ein und drehte einen Riegel herum.

Ich holte mir eine Decke hervor, zog mich aus und versuchte mich einzuwickeln. Aber die Decke rutschte immer wieder ab.

Sicherheitsgurte hatten wir hinten nicht. Dafür entdeckte ich die Stoffgurte, mit denen Zebbies Schlafsack zusammengerollt wurde. Nach kurzer Zeit hatte ich mir ein Band um die Hüfte geschnürt und die Decke fest um mich gewickelt.

Als etwas klein geratene Person kann ich eigentlich nur mit Worten kämpfen. In diesem Falle war es aber das beste, dem Problem den Rücken zu kehren, Sollte ich mich mit *Jacob* streiten? Ich war so zornig, daß ich ihn hätte schlagen können! Dabei schlage ich nie einen anderen Menschen; eine Frau, die ihre Größe und ihr Geschlecht dazu benutzt, einen Mann zu schlagen, ist selbst kein Gentleman. Also rückte ich aus — zog mich aus der Diskussion zurück, ehe ich noch etwas sagte, das alles zerstörte, das mich meinen liebenswerten, knuddeligen, rücksichtsvollen — und manchmal *unerträglichen!* — Mann verlieren ließ.

Ich weinte in mein Kissen, das ich gar nicht hatte — auch keine Papiertaschentücher — und schlief endlich ein.

XXV

Deety:

Nachdem ich Tante Hilda mit der Schottür geholfen hatte, kehrte ich auf meinen Sitz zurück — und sagte nichts. Wenn ich den Mund geöffnet hätte, wäre mir zuviel über die Lippen gekommen. Ich liebe Paps sehr und respektiere ihn als Mathematiker.

Außerdem ist Paps einer der egoistischsten Menschen, die ich kenne.

Was nicht heißen soll, daß er sich mit Geld kleinlich anstellt — das stimmt nicht. Es heißt auch nicht, daß er nicht seine letzte Brotrinde mit anderen Notleidenden teilen würde. Sogar mit einem Fremden.

Aber wenn er etwas nicht will, dann will er nicht. Als Jane starb, mußte ich mich sofort um seine Geldgeschäfte kümmern. Mit siebzehn Jahren. Denn Paps ignorierte das Gebiet völlig. Ich hatte große Mühe, ihn überhaupt zu den erforderlichen Unterschriften zu bewegen.

Damals kämpfte ich gerade um meinen Doktortitel. Paps war anscheinend der Meinung, ich müsse kochen, saubermachen, einkaufen, die Buchführung machen, unsere Geschäftsinteressen verwalten, mich mit den Steuern herumschlagen — *und* gleichzeitig noch meinen Abschluß schaffen.

Einmal ließ ich das Geschirr unabgewaschen stehen, um auszuprobieren, wie lange es dauern würde, bis er von den wachsenden Stapeln Notiz nahm.

Nach etwa zwei Wochen fragte er: »Deety, willst du denn nicht endlich mal abwaschen?«

»Nein, Sir«, antwortete ich.

»Wie bitte? Warum denn nicht?«

»Ich habe dazu keine Zeit.«

Er sah mich ratlos an. »Bei Jane hatte ich nie den Eindruck, daß sie den Haushalt schwierig fand. Stimmt etwas nicht, meine Liebe?«

»Paps, Mama mußte sich nicht für ihren Doktor ins Zeug legen, vor einem Komitee von Dummköpfen. Mein Thema steht schon seit zwei Jahren fest ... aber mein Komitee besteht aus Leuten — jedenfalls vier von sieben —, die FORTRAN nicht von SERUTAN unterscheiden können, die Computer hassen und düstere Befürchtungen hegen, daß Computerwissenschaftler ihnen eines Tages die Arbeit wegnehmen. Sie zwingen mich dazu, doppelt angestrengt zu arbeiten, weil *sie* nichts begreifen. Außerdem ... Nun ja, Mama Jane hatte immer Unterstützung, mich, und zum Schluß eine Haushälterin.«

Paps ist in Ordnung. Er stellte eine Haushälterin ein, die uns versorgte, bis ich meinen Doktor bekam. Im übrigen ging er meinen Beschwerden nach und stellte fest, daß der Leiter meiner Fakultät in mein Komitee Männer bestellt hatte, die keine Ahnung hatten von Computern — nicht absichtlich, er wußte selbst nichts über dieses Gebiet. So bekam ich schließlich ein Komitee, das noch anstrengender für mich war, das sich aber auf meinem Fachgebiet auskannte. Und mehr wollte ich nicht.

Paps möchte gut zu mir sein und Tante Hilda verwöhnen, die er bewundert. Paps gehört zu den Männern, die ernsthaft an die Gleichberechtigung der Frau glauben, und sie unterstützen — doch so tief drinnen, daß sie es selbst nicht merken; ihr Gefühl sagt ihnen vielmehr, daß die Frauen niemals dem Kindesalter entwachsen.

Ein Fehler, den man bei Tante Hilda besonders leicht macht. Es gibt zwölfjährige Mädchen, die größer sind als sie und mehr Kurven haben.

Einige schreckliche Minuten lang sagten wir nichts. Zebadiah beobachtete seine Instrumente, Paps starrte geradeaus.

Endlich verpaßte Zebadiah meinem Paps die Schelte, die er sich von mir niemals hätte bieten lassen. »Jake! Nun sag mir bloß, wie du das gemacht hast!«

»Was?«

»Du bist ein Genie! Du bist nicht der geistesabwesende Typ, der am Händchen durchs Leben geführt werden muß. Du kannst einen Nagel einschlagen wie dein Nachbar und mit Werkzeugmaschinen umgehen, ohne dir gleich einen Finger abzuschneiden. Du bist ein guter Gesellschafter und hast es geschafft, eine der drei tollsten Frauen, die ich je gekannt habe, so an dich zu binden, daß sie dich geheiratet hat. Trotzdem hast du sie vor aller Öffentlichkeit beleidigt, zweimal an einem Tag. *Zweimal.* Sag mir eins: braucht man ein Studium für solche Dummheit? Oder ist das eine Gabe, ähnlich wie dein Genie für mathematische Probleme?«

Paps legte die Hände vor das Gesicht. Zebadiah verstummte plötzlich.

Ich sah, daß Paps' Schultern zu zucken begannen. Nach einiger Zeit hörte er auf zu schluchzen. Er wischte sich die Augen und öffnete seine Sicherheitsgurte. Als mir aufging, daß er zum Schott wollte, befreite ich mich hastig aus meinem Sitz und versperrte ihm den Weg. »Bitte geh mir aus dem Weg, Deety!« sagte er.

»Copilot, kehr auf deinen Platz zurück!«

»Aber du kannst dich nicht zwischen Mann und Frau stellen!«

»Rede mich mit ›Astronavigator‹ an! Der Captain möchte nicht gestört werden. Gay Täuscher!«

»Hier, Deety!«

»Log-Programm. Copilot, ich gestatte dir nicht, die Befehle des Captains zu mißachten! Kehr auf deinen Platz zurück und *bleib dort!*«

»Oder möchtest du gewaltsam dorthin verfrachtet werden?« fragte Zebadiah knurrend. »Mit den Armen unter den Gurten, die Schnallen außer Reichweite?«

»Erster Pilot, du hältst dich aus der Sache heraus, bis ich dich zu Hilfe rufe. Copilot, *Bewegung!*«

Paps beschrieb in der Luft eine Kehre, wobei er mich beinahe unfreiwillig ins Gesicht trat. Seine Worte klangen erstickt: »Aber ich *muß* mich bei Hilda entschuldigen! Begreifst du das nicht?« Doch er schnallte sich bereits wieder an.

»Jake, wenn du das tust, wird es nur noch schlimmer!«

»Was? Zeb, das meinst du doch nicht ernst!«

»Und ob! Du hast dich heute schon einmal entschuldigt. Und Sharpie muß erkannt haben, daß das reine Heuchelei war. Jake, deine einzige Chance, verheiratet zu bleiben, besteht darin, den Mund zu halten und zu parieren; dein Wort allein ist keinen roten Heller mehr wert. Wenn du dich aber vier oder fünf Jahre lang einwandfrei führst, vergißt sie den Zwischenfall vielleicht. Berichtigung: sie verzeiht ihn vielleicht. Vergessen kann sie ihn bestimmt nicht. Sorge für gute Führung, dann kann sie dir ein paar kleine Fehler vielleicht nachsehen. Aber *keinen* Hinweis mehr darauf, daß sie deiner Meinung nach nicht so fähig ist wie ein Mann. Sicher, für eine Kriegschiffbesatzung käme sie nicht ohne weiteres in Frage, und sie muß sich auf einen Stuhl stellen, um an ein hohes Regal heranzureichen — *aber beeinträchtigt das irgendwie ihr Gehirn?* Mann, wenn es nach der Größe ginge, wäre *ich* hier das Supergenie und nicht du! Oder vielleicht ist für dich die Veranlagung zur Klugheit gleichbedeutend mit der Fähigkeit, sich einen Bart wachsen zu lassen? Jake, laß die Sache auf sich beruhen. Wenn du jetzt darin herumwühlst, machst du alles nur noch schlimmer.«

Nun war eine Ablenkung fällig: ich durfte Paps keine Gelegenheit geben, darauf zu antworten. Wenn er sich verteidigte, kam oft genug eine selbstgefällige Rechtfertigung heraus. Die Fähigkeit des männlichen Geistes, für Taten — und Untaten — eine Rechtfertigung zu finden, ist unvorstellbar.

(Das gilt aber auch für manche Frauen. Wir haben allerdings mehr vom wilden Tier in uns; meistens spüren wir kein Bedürfnis, uns zu rechtfertigen. Wir tun etwas, was immer es ist, weil wir es *wollen*. Kann es andere Gründe überhaupt geben?)

»Meine Herren«, sagte ich hastig, ehe Paps das Wort ergreifen konnte, »da wir gerade von Bärten sprechen: ihr habt euch beide seit drei Tagen nicht mehr rasiert. Wenn wir schon um Asyl bitten wollen, sollten wir uns wohl ein anständiges Äußeres verpassen. Ich werde mir das Haar kämmen und mir die Fingernägel sauberkratzen und habe zum Glück noch einen supersauberen Overall! Hellgrün, Zebadiah, das paßt zu deinen Pilotenanzügen. Hast du auch etwas Sauberes anzuziehen, mein Schatz?«

»Ich glaube schon.«

»Ich weiß; ich habe deine Sachen verstaut, als Tante Hilda und ich die Bestände umpackten. Paps, dein hellgrüner Anzug ist sauber. Was du da anhast, hat schon Falten in den Falten und einen großen Suppenfleck. Auf diese Weise sehen wir drei aus, als trügen wir Uniform. Tante Hilda nicht — aber der Captain und Eigentümer einer Yacht kleidet sich nicht wie seine Besatzung.«

»›Eigentümer‹?« fragte Paps.

»›Eigentümer‹!« sagte Zebadiah mit Betonung. »Wir haben uns auf Biegen und Brechen zusammengetan. Sharpie ist Captain; sie tritt für uns alle als Eigentümer auf. So ist es einfacher.«

»Sie hat uns aufgefordert, keine Lügen zu erzählen.« (Paps' Stimme klang wieder ganz normal, und er ließ seine übliche grantige Diskussionsbereitschaft erkennen.)

»Das ist ja keine Lüge. Aber sollte *sie* es für nötig halten, für uns zu lügen, geben wir ihr Feuerschutz. Los, Jake, ziehen wir die Tanzschuhe an; der Captain könnte uns bei jeder Umkreisung die Landung befehlen. Wie lange dauert es, bis wir einmal herum sind, Deety?«

»Etwas über hundert Minuten. Aber Gay könnte uns von der anderen Seite her in fünf Minuten landen, sollte der Captain Wert darauf legen.«

»Also putzen wir uns heraus. Deety, behältst du bitte die Instrumente im Auge, während Jake und ich an die Rasur gehen?«

»Tut mir leid«, sagte Paps, »ich kann mich erst rasieren, wenn der Captain zurückkommt. Meine Sachen sind hinten.«

»Jake, du kannst meinen Rasierapparat nehmen. Handschuhfach. Ist dir ein Remington recht?« Mein Mann fügte hinzu: »Mach du zuerst, ich möchte mal die Nachrichten abhören.«

»Die ›Nachrichten‹?«

»Unser kluges Mädchen hat alle Frequenzen abgesucht. Mittelwelle, Kurzwelle und Ultrakurzwelle, zweimal die Sekunde. Sobald sich etwas abzeichnet, nimmt sie es auf.«

»Aber Deety — der Astronavigator hat doch die Ohren des Autopiloten abgeschaltet.«

»Jake, eben bist du durchs Einmaleins der Physik gefallen. Deety hat unserer Gay befohlen, die *akustischen* Ohren zuzudrehen. Hier spreche ich aber vom elektromagnetischen Spektrum. Schon mal davon gehört?«

»*Touché!*« sagte Paps. »Damit sind wir wieder quitt — nach dem Gag, den du dir während der Kalibrierung geleistet hast.«

(Ich seufzte erleichtert auf. Es ging mir nicht darum, Paps' Ehe zu retten — das ist *sein* Problem. Sogar meine Ehe mit Zebadiah war zweitrangig: ich versuchte vielmehr *das Team* über Wasser zu halten, und dasselbe strebte Zebadiah an. Wir waren zwei Paare, und das ist wichtig — doch noch wichtiger mußte sein, daß wir eine Überlebensgemeinschaft darstellten und zusammenarbeiteten — wenn wir das nicht schafften, würde keiner von uns mit dem Leben davonkommen.)

Während Paps sich rasierte und Zebadiah die Nachrichten abhörte, reinigte ich mir die Fingernägel. Wenn ich das vor jeder Mahlzeit tue und noch einmal beim Schlafengehen, sind sie nur zwischendurch schmutzig — der Dreck fliegt auf mich. Mama Jane hatte mir das schon vor Jahrhunderten klargemacht, als sie mir einmal das Haar für die Schule kämmte — es war eine Tatsache, um die ich nicht herumkam.

Die Männer tauschten die Kopfhörer und Rasierapparat, und ich kämmte mir das Haar und steckte es fest. Diese Prozedur tat nicht mehr so weh wie früher, da ich es neuerdings kurz halte. Männer mögen langes Haar — aber eine solche Frisur zu pflegen, ist eine Karriere für sich, und ich bin seit meinem zwölften Lebensjahr ständig in Zeitnot.

Zebadiah unterbrach seine Tätigkeit und betastete sein Kinn.

»Was hat das kluge Mädchen uns verraten?« fragte ich.

»Nicht viel. Ich will erst noch fertig machen. Meistens BBC Drittes Programm.«

»Aus *London?*«

Er rasierte sich weiter und verstand meine Worte nicht.

Zebadiah beendete die Rasur und reichte Paps den Apparat, der ihn verstaute, den Kopfhörer abnahm und zurückgab. Zebadiah verstaute das Gerät und sicherte es. Ich wollte schon danach fragen, als ich Tante Hildas liebliche Stimme vernahm:

»Hallo, ihr da! Was habe ich verpaßt?«

»Den Halleyschen Kometen.«

»Halley . . . ach, Zeb, du willst mich wieder auf den Arm nehmen. Jacob . . . *Oh!* Ihr habt euch rasiert! Wie schön! Halte still, Liebling, du bekommst jetzt einen Kuß!«

Ein Kuß im freien Fall ist ein interessantes Schauspiel, wenn einer der Betroffenen angeschnallt und der andere im freien Fall ist. Hilda umfaßte Paps' Wangen, er hatte ihren Kopf zwischen die Hände genommen, und so schwebte Tante Hilda wie eine Flagge im Wind. Sie war angezogen, aber barfuß; voller Interesse beobachtete ich, wie sie heftig die Zehen krümmte. War Paps so gut? Mein nüchterner Vater — so hatte ich ihn bis vor kurzem gesehen. Hatte Jane ihm das alles beigebracht? Oder . . . Ach, gib Ruhe, Deety, du bist ja eine Voyeuse! Die beiden trennten sich; Hilda schwebte zwischen den Pilotensesseln, eine Hand auf jede Lehne gestützt, und blickte auf die Instrumente. Mein Mann sagte — zu ihr, nicht zu mir: »Bekomme ich denn *keinen* Kuß? Es war immerhin *mein* Rasierapparat.«

Tante Hilda zögerte. »Küß ihn, Geliebte«, sagte Paps, »sonst schmollt er nur herum.« Und sie ging ans Werk. Dabei kam mir der Gedanke, daß Tante Hilda vielleicht Zebadiah unterrichtet hatte und daß Mama Jane und Tante Hilda womöglich denselben Lehrmeister gehabt hatten, ehe Paps auf der Bühne erschien — wenn das zutraf, wer war *mein* unbekannter Wohltäter?

»Nicht viel«, sagte Zebadiah gerade. »Vorwiegend Bänder des BBC. Fünf Minuten Nachrichten aus Windsor City — das ist möglicherweise die Stadt, die wir im Bingo hatten —, so aufregend wie Lokalnachrichten eben sind. Dazu russisches Geplapper. Unser Kluges Mädchen hat dir das aufgehoben.«

»Ich hör's mir an. Aber zuerst brauche ich andere Informationen. Ich war vorhin ziemlich unwirsch, aber mein kleines Schläfchen hat mich wieder fit gemacht, und jetzt bin ich die Friedlichkeit in Person. Ich möchte Meldung von jedem von euch. Wir alle sind ziemlich erschöpft. An der Termitenterrasse wäre jetzt Schlafenszeit, in Windsor City jedoch, wenn die Stadt wirklich so heißt, hätten wir etwa Mittag. Wir können zu unserem Bach zurückspringen oder uns mit den Briten einlassen. Ich bitte nicht um Abstimmung; ich werde die Entscheidung treffen und weiß auch eine Möglichkeit, etwaige Erschöpfte in meinen Plan einzubauen. Aber ich bestehe auf ehrlichen Daten. Deety?«

»Captain Tantchen, Schlaf ist für mich kein Problem.«

»Zebbie?«

»Ich war ein Zombie. Bis du mich wieder zum Leben erweckt hast. Jetzt bin ich wieder voll da!«

Sie fuhr ihm durch das Haar. »Zebbie, hör auf, mich zu nekken!«

»Captain, ich habe dir früher schon einmal gesagt, wie es ist: Ich kann gut vierundzwanzig Stunden auf den Beinen sein, sogar achtundvierzig, wenn es nicht anders geht. Und wenn dich der Kuß eben nicht genauso angeregt hat wie mich, sollten wir ihn wiederholen und feststellen, was da schiefgegangen ist.«

Abrupt wandte sich Tante Hilda ab. »Lieber Jacob, wie geht es dir? Mit dem Zeitunterschied könnte es darauf hinauslaufen, daß du praktisch die ganze Nacht aufbleiben mußt, und das wohl unter großem Streß.«

»Liebe Hilda, würden wir jetzt an unseren Bach zurückkehren, könnte ich doch nicht schlafen. Ich müßte andauernd an den bevorstehenden Kontakt denken. Eine Nacht ohne Schlaf überanstrengt mich nicht.«

»Paps übertreibt nicht, Capt'n Tantchen. Daß ich ein Nachtmensch bin, habe ich garantiert von Paps.«

»Also schön. Doch es gibt eine Möglichkeit für jeden, der jetzt vielleicht übertrieben hat. Ich kann eine Person als Wache an Bord zurücklassen.«

»Captain, dieser Wagen braucht keine Wache.«

»Erster Pilot, ich habe soeben eine *Schlafmöglichkeit* angeboten — unter dem Vorwand des Wachdienstes. Wagen verschlossen, der Schlafende hinten in der Heckkabine. Fremde würden nichts merken. Gibt's Kandidaten dafür? Bitte melden.«

(Ich hätte das Kommende auf keinen Fall versäumen mögen! Nahm Hilda im Ernst an, daß jemand zurückbleiben wollte? Ich glaube nicht.)

»Also gut. Keine Feuerwaffen. Meine Herren, bitte verstecken Sie Ihre Pistolen und Gürtel achtern bei den Gewehren. Zebbie, gibt es eine Möglichkeit, die Tür zusätzlich zu den Riegeln zu verschließen?«

»Aber ja. Wir brauchen nur Gay den Auftrag zu geben. Dürfte ich nach dem Grund fragen? Niemand kann in die Kabine einbrechen, ohne das alte Mädchen so schwer zu beschädigen, daß sie gar nicht erst startet.«

»Das ist ein Einwand, Zebbie. Aber ich werde hier vorn sicher Besucher haben. Wenn jemand so kühn ist, sich den Raum hinter dem Schott ansehen zu wollen, sage ich einfach, es wäre meine Privatkabine.« Tante Hilda lächelte boshaft. »Und wenn er darauf beharrt, lasse ich ihm die Ohren abfrieren. Wie sieht das Programm aus, mit dem die Tür geöffnet und geschlossen wird?«

»*Sehr* kompliziert. Sag einfach: ›Schließ die Schottür‹ oder ›Öffne die Schottür‹. Das geht über verborgene Solenoide. Wenn der Wagen kalt ist, lösen sich die Riegel.«

»Meine Güte, das hast du aber gründlich durchdacht.«

»Nein, Madame. Die Australier. Aber es erweist sich als angenehm bei Dingen, die man nicht verlieren darf. Capt'n, ich traue Banken ebensowenig wie Regierungen, also schleppe ich meinen Safe mit mir herum.«

»Wenn man den Vorwärmer abschaltet, geht die Tür auf?« wollte Paps wissen.

»Jake, ich wußte, daß du darauf stoßen würdest. Ein Akkumulator versorgt die Solenoide. Wenn der Wagen abgeschaltet wird, arbeiten die Solenoide noch einen Monat lang — *es sei denn,* du öffnest einen versteckten Schalter. Möchte jemand wissen, wo der sich befindet? Was man nicht weiß, kann man nicht verraten.«

Niemand meldete sich. Statt dessen sagte ich: »Captain, fällt eine *Fléchette*-Pistole unter ›Feuerwaffen‹?«

»Hmm — paßt sie denn in ein Fach deiner Tasche?«

»Sie paßt sogar in ein *Geheim*fach meiner Tasche.«

»Dann behalt sie bei dir. Meine Herren, nicht nur keine Feuerwaffen, sondern auch keine Säbel; wir sind eine Zivilistengruppe. Eins sollten wir aber mitnehmen: die winzigen Walkietalkies — Deety und ich in den Handtaschen, ihr anderen in den Hosentaschen. Wenn man sie bemerkt, sagt ihr die Wahrheit: sie sind ein Mittel zur gegenseitigen Verständigung.«

Tante Hilda machte ein ernstes Gesicht. »Der nächste Befehl müßte eigentlich schriftlich erfolgen. Bitte bedenkt, daß es hier *keine* Ausnahmen geben darf und *keine* besonderen Umstände, die eine individuelle Entscheidung erlauben. Ich verlange ausdrückliche Bestätigungen von euch allen, *sonst landen wir nicht.* Unsere Gruppe trennt sich auf keinen Fall. Nicht einmal für dreißig Sekunden — oder für zehn. Wir bleiben immer beisammen.«

»Dürfte ich dem Captain eine Frage stellen?«

»Aber ja, Zebbie.«

»Was ist mit Waschräumen, Toiletten? Wenn die Briten sich wie ihre irdischen Entsprechungen benehmen, sind solche Einrichtungen nach Geschlecht getrennt.«

»Zebbie, dazu kann ich nur sagen, daß ich mir Wege überlegen werde, mit dem Problem fertig zu werden. Aber wir bleiben beisammen, bis ich — bis *ich,* der Captain — entscheide, daß wir diese Regel aufgeben können. Bis dahin — wir sollten unseren unbeliebten Noteimer benutzen, ehe wir landen und dann, wenn nötig, zum Wagen zurückkehren, und zwar zusammen. Sind wir erst gelandet, könnt ihr drei ja gern gegen diesen Befehl oder andere meutern . . .« — Tante Hilda blickte ihren Mann an —, »und ich lasse mich dann ohne zu murren vertreiben — aus meinem Amt als Captain, aus dem Wagen, aus dieser Gruppe. Dann bleibe ich hier auf Mars-zehn bei den Briten, wenn sie mich haben wollen. Keine weiteren Fragen. Keine weitere Diskussion. Astronavigator?«

»Roger, bestätigt.«

»Vielen Dank. Bitte Eingabe ins Logbuch.«

»Ich verstehe den Befehl des Captains und werde ihn ohne jede Einschränkung ausführen.«

»Erster Pilot.«

»Ich verstehe . . .«

»Kurzform. Deety hat die Definition bereits gegeben.«

»Roger, bestätigt, Captain!«

Tante Hilda wandte sich in der Luft zu Paps um — und ich hielt den Atem an, drei endlose Sekunden lang. »Jacob?«

»Roger, bestätigt, Captain.«

»Also gut. Wir landen, sobald wir die Genehmigung dazu haben, werden uns aber nicht darum kümmern, ehe ich die Nachrichten gehört und die russischen Aufnahmen übersetzt habe.« Woraufhin ich ihr mitteilte, daß wir uns alle herauszuputzen gedachten; die Zeit müßte dazu noch reichen, ob sie uns dazu nacheinander vom Dienst befreien könnte? Außerdem wollte ich den verflixten Eimer benutzen — wenn es nicht anders ging, mußte man sich den Umständen eben beugen.

Tante Hilda runzelte die Stirn. »Ich wünschte, ich hätte einen Overall, der mir paßt. Diese Aufmachung . . .«

»Tante Hilda! Deine Mannschaft trägt Uniform, du aber präsentierst den neuesten Hollywood-Stil. Das Modell stammt von Ferrara persönlich, und es hat dich mehr gekostet als das Nerzcape. Du bist Captain und ziehst dich an, wie es dir beliebt. Das sag ich dir dreimal!«

Tante Hilda lächelte. »Soll ich's in meinen eigenen Worten bestätigen?«

»Wenn du willst.«

»Deety, ich weise meine Besatzung an, Uniformen zu tragen. Ich dagegen trage, was mir beliebt, und als ich erfuhr, was der weltberühmte Couturier Mario Ferrara im Schilde führte, um die weibliche Sportkleidung zu revolutionieren, ließ ich ihn kommen und bequatschte ihn so lange, bis er mir etwas machte, das genau zu mir paßte. Einschließlich mehrfacher Vorwäsche der Hose, damit sie jenen Nicht-ganz-neu-Anstrich hat, der von den vornehmen Seglern so geschätzt wird. Bringst du auf dem Rückweg deine kleinen Sportschuhe mit und die Haarschleife, die du mir überlassen hattest? Sie gehören zu Signor Ferraras Kreation.«

»Tante Hilda — das klingt ja beinahe so, als stimmte es wirklich!«

»Es *stimmt* doch auch! Du hast es mir dreimal gesagt. Da trauere ich nicht einmal dem Bonus von eintausend Neudollar nach, den ich ihm gegeben habe. Der Mann ist ein Genie! Nun mach schon, meine Liebe! An die Arbeit! Erster Pilot, du übernimmst das Kommando; ich möchte jetzt den Kopfhörer haben.«

Zehn Minuten später war ich wieder zur Stelle — mit den Overalls für mich und Paps und einem sauberen Pilotenanzug für meinen Mann.

Ich warf Paps und Zebadiah die Kleidung zu; die Bündel segelten behäbig durch die Kabine. Tante Hilda reichte Zebadiah den Anzug zurück; sein Overall traf beide. »Oh, tut mir leid. Was meinen die Russen?«

»Wir sind die Verbrecher«, äußerte mein Mann.

»Ach? Der Anzug, den ich ausgezogen habe, schwebt hinten herum. Wickele ihn um Pistole und Gurt und schiebe beides unter den Schlafsack. Ja, Capt'n, was für Verbrechen sollen wir denn begangen haben?«

»Angeblich sind wir Spione und Aufrührer und alle möglichen anderen Dinge. Man verlangt im Namen des Zars die Auslieferung unserer Personen — alle zwölf.«

»Zwölf?«

»Das wird behauptet — man will uns den Prozeß machen, ehe wir aufgehängt werden. Sonst passiert etwas! Und diese Drohung läuft auf eine Kriegserklärung hinaus.«

»Meine Güte! Wollen wir unter diesen Umständen landen?«

»Ja. Der britische Kommentar besagte, aus Kreisen, die dem Gouverneur nahestehen, verlaute, die Russen behaupteten wieder einmal, daß eine Verletzung ihrer Hoheitsrechte vorliege und daß Spionage betrieben würde — diese Note sei aber routinemäßig zurückgewiesen worden. Auf jeden Fall werde ich vorsichtig sein. Wir verlassen den Wagen erst, wenn ich überzeugt bin, daß man uns anständig behandelt.«

Gleich darauf setzten wir unsere Sekundensprünge rings um Windsor City fort. Hätte Paps sich nicht wieder einmal so danebenbenommen, wären wir schon vor zwei Stunden gelandet. Sicher hatte er Hilda nicht absichtlich kränken wollen — aber ich bin nun mal Deety und nicht Hilda. Mich kränkt man nicht so schnell. Wenn ein Mann mich herablassend behandelt hatte und er war mir wichtig genug, forderte ich ihn auf, mich zum Tontaubenschießen zu begleiten. Selbst wenn er mich besiegte (das passierte mir nur einmal), verlor er doch hinterher seine herablassende Art. Aber das war vor meiner Ehe.

Und bei Begegnungen anderer Art — ich bin groß und kräftig und kenne einige unerlaubte Tricks. Wenn ein Mann mich besiegen will, muß er schon viel größer und kräftiger sein und weitaus kampferfahrener.

Bis jetzt hatte ich die *Fléchette*-Waffe nicht benutzen müssen. Doch schon zweimal habe ich Angreifern die Arme gebrochen und einem Möchtegern-Räuber so heftig zwischen die Beine getreten, daß er das Bewußtsein verlor.

Zebadiah hatte Probleme mit der Flugkontrolle: ». . . erbitte Landegenehmigung. Hier spricht Privatyacht Gay Täuscher, US-registriert, am Mikrofon Erster Pilot Carter. Wir möchten nichts weiter als Landeerlaubnis. Sie benehmen sich wie die verflixten Russen — Sie wissen schon, was ich meine. Bei euch Engländern hätte ich damit nicht gerechnet.«

»Nun mal langsam! Wo sind Sie? Sie scheinen ganz aus der Nähe zu sprechen — aber wir können Sie nicht anpeilen!«

»Wir umkreisen Ihre Stadt in einer Höhe über Grund von etwa fünf Kilometern.«

»Wieviel ist das in Fuß? Oder Meilen?«

Ich berührte meinen Mann an der Schulter. »Sechzehntausend Fuß.«

»Sechzehntausend Fuß.«

»Welche Richtung?«

»Wir kreisen.«

»*Ja, aber ... sehen Sie das Imperial House in der Stadtmitte? Welche Richtung?*«

»Wir sind viel zu schnell, als daß Sie uns anpeilen könnten. Während Sie einen Satz sagen, sind wir schon zweimal um die Stadt geflogen.«

»*Ach, erzählen Sie das der Märchentante; ein alter Seemann glaubt nur, was er sieht.*«

Tante Hilda klopfte Zebadiah auf die Schulter; er reichte ihr das Mikrofon.

»Hier spricht Kommandant Burroughs. Nennen Sie mir Ihren Namen, Rang und Dienstnummer.«

Ich hörte ein Stöhnen, dann trat Stille ein. Dreiundzwanzig Sekunden später ertönte eine andere Stimme. »*Hier spricht der wachhabende Offizier, Lieutenant Bean. Gibt es Probleme?*«

»Nein, Lieutenant. Wir haben es hier offensichtlich nur mit Dummheit zu tun. Mein Erster Pilot versucht seit einer Viertelstunde Landegenehmigung zu erhalten. Ist dies ein geschlossener Hafen? Ihre Botschaft auf der Erde hat uns davon nichts gesagt. Man machte uns wohl darauf aufmerksam, daß die Russen etwas gegen Besucher hätten, und sie versuchten uns tatsächlich abzuschießen. Lieutenant, geben Sie uns bitte Ihren vollen Namen und Ihr Regiment an; ich gedenke bei meiner Rückkehr nach Hause einen vollständigen Bericht abzugeben.«

»*Bitte, Madame! — Hier spricht Lieutenant Brian Bean von den Devonshire Royal Füsilieren. Dürfte ich fragen, mit wem ich die Ehre habe?*«

»Aber gewiß doch. Ich werde langsam sprechen; bitte nehmen Sie es auf. Ich bin Captain Hilda Burroughs, Kommandant der Weltraumyacht Gay Täuscher, Heimathafen Fuchsbau in Amerika.«

»*Captain, dies muß ganz klar sein. Kommandieren Sie sowohl über ein Raumschiff in Umlaufbahn als auch über ein Landefahrzeug Ihres Schiffes? Auf jeden Fall geben Sie mir die Details Ihrer Umlaufbahn für mein Dienstbuch an und sagen Sie mir die derzeitige Position Ihres Landeschiffes, dann kann ich Ihnen eine Landeposition zuteilen.*«

»Habe ich Ihr Wort als britischer Offizier und Gentleman, daß Sie uns nicht abschießen werden, wie es die russischen Vandalen versucht haben?«

»Madame — Captain — Sie haben mein Wort!«

»Gay, hüpf. Wir befinden uns jetzt etwa neunundvierzigtausend Fuß über Ihrer Stadt.«

»*Aber — ich dachte, Sie hätten von ›sechzehntausend‹ gesprochen?*«

»Das war vor fünf Minuten. Unser Schiff ist sehr schnell.«
Tante Hilda nahm den Finger vom Knopf. »Deety, beende das besondere Tramp-Programm.«

Ich forderte Gay auf, ›Tramp‹ in den Dauerspeicher zu nehmen und die vorübergehenden Anweisungen zu löschen. »Erledigt.«

Tante Hilda drückte auf den Mikrofonknopf. »Sehen Sie uns jetzt?« Sie sperrte das Mikrofon wieder. »Deety, ich möchte über das große Gebäude dort — ›Imperial House‹ heißt es wohl. In einer Transition. Sagst du bitte Zebbie und Jacob, wie sie das machen sollen?«

Ich sah mich um. Wir müßten am Stadtrand sein — aber waren wir das wirklich? Entfernung bestimmen und dann mit Triangulation arbeiten? Dazu war keine Zeit! Also das Ergebnis schätzen, es verdoppeln und durch zwei teilen. Arkus tangens vier Zehntel. »Paps, kannst du einundzwanzig Grad aus der Senkrechten springen, in Richtung Rathaus?«

»Einundzwanzig Grad. Neunundsechzig Grad Sturzflug auf die große Scheune im Park zu, relative Richtung schräg backbord voraus, Annäherungswert — eingestellt! Eine Einheit Transition, zehn Kilometer — eingestellt!«

»*Ich glaube, jetzt sehe ich Sie*«, ertönte Mr. Beans Stimme. »*Ganz schwach jedenfalls.*«

»Wir kommen tiefer.« Tante Hilda trennte den Lieutenant. »Zebbie, sobald wir ausführen, legst du uns in den Gleitflug. Deety, du beobachtest Höhe über Grund und gibst Notbefehl, wenn es danach aussehen sollte. Du brauchst dabei nicht auf Anordnung zu warten. Zebbie, Abmarsch nach Belieben.«

»Jake, Ausführung!« Und wir waren so schnell unten, daß ich eine Gänsehaut bekam . . . zumal Zebadiah uns sofort senkrecht abkippen ließ, um an Gleitgeschwindigkeit zu gewinnen, die auf dem Mars ohnehin sehr, sehr langsam ist.

Gleich darauf sagte Tante Hilda gelassen. »Wir befinden uns über Imperial House. Sehen Sie uns?«

»*Ja, ja! Meine Güte. Verflixt noch mal!*«

»Lieutenant, Ihre Ausdrücke!« Tante Hilda blinzelte mir zu und lachte lautlos vor sich hin.

»*Madame, ich entschuldige mich.*«

»»*Captain*‹, bitte«, sagte sie und lächelte, während ihre Stimme eisig klang.

»*Captain, Entschuldigung!*«

»Entschuldigung angenommen. Wo soll ich landen?«

»Ah, südlich von Imperial House, liegt zwölf Meilen entfernt eine Piste. Ich gebe dort Bescheid, daß man Sie erwartet.«

Hilda ließ den Knopf los, sagte: »Gay, hüpf«, und hängte das Mikrofon fort. »Wie schade, daß das Funkgerät des Lieutenants versagte, ehe er uns sagen konnte, wie weit die Piste entfernt ist. Oder lag es an unserem Empfänger?«

»Captain, ich weiß sehr wohl, daß beide Geräte einwandfrei arbeiten«, sagte ich.

»Ach du je, ich scheine alt zu werden! Hat Gay Täuscher alles mitgeschnitten?«

»Das tut sie immer während Manövern«, antwortete ich. »Gelöscht wird im Zehn-Stunden-Zyklus.«

»Dann bleibt mein schlechtes Gehör ja ohne Folgen. Bitte laß sie die letzten Angaben des Lieutenants wiederholen.« Ich gab die Anordnung, und Gay gehorchte. »Deety, kannst du alles nach ›House‹ löschen lassen?«

»Tantchen, so kommst du aber nicht in den Himmel.« Ich ließ Gay löschen: liegt-zwölf-Meilen-entfernt-eine-Piste-ich-gebe-dort-Bescheid-daß-man-Sie-erwartet. »Allerdings würdest du dort wohl kaum Bekannte treffen.«

»Da hast du sicher recht, meine Liebe. Zebadiah, wie läßt man unser Kluges Mädchen antriebslos landen?«

»Das soll dir lieber Deety noch einmal erklären. Es sei denn — Jake, möchtest du es versuchen?«

»Es ist Deetys Fach. Ich sollte es mir auch noch einmal anhören.«

»Na schön«, sagte ich. »Bitte schalte Gays Ohren aus, Zebadiah. Gay kann *jede* Transition *präzise* vornehmen, wenn sie nur weiß, wo ihr Ziel liegt. Sogar Sprünge von weniger als einem Minimum. Das erfuhr ich an dem Tag unserer Ankunft, als wir die Fernsteuerung erprobten. Der Rest ergab sich aus der Vervollkommnung des Zisch-ab-Programms, das darin besteht, daß sie über dem Ziel innehält und das Zielgebiet absucht und einfach hüpft, wenn sie ein Hindernis entdeckt. Tante Hilda, wenn du landen willst, sollten wir dem Ziel nicht näher sein als fünf Kilometer, sonst müssen wir hüpfen und von vorn anfangen.«

»Ich habe Luftwiderstand, Captain. Ich dehne den Gleitflug.«

»Danke, Zebbie. Deety, weiter. Wir wollen alle daraus lernen.«

»Okay. Ich brauche beide Piloten. Du hast mir noch nicht gesagt, wo wir landen wollen.«

»War das nicht klar? Südlich des Imperial House. Ich glaube, es handelt sich um ein Exerzierfeld. Völlig leer bis auf einen Flaggenmast an der Nordseite. Lande sie vor dem Gebäude, aber natürlich nicht auf dem Mast.«

»Da müßte ich schon manuell dazwischenfunken, um den Mast zu treffen. Zebadiah, nimm die Stelle, an der du parken willst, ins Kanonenvisier. Ich rede mit Gay. Dann bringst du sie in die Horizontale und die gewünschte Landerichtung und befiehlst: ›Ausführung!‹ Paps, Gay müßte dann genau einen halben Kilometer über dem Boden innehalten, um sich zu überzeugen, daß der angepeilte Parkplatz leer ist, und die Entfernung noch einmal zu überprüfen. Das dauert nicht lange — einen Sekundenbruchteil —, aber wenn sie es nicht tut, mußt du zu hüpfen versuchen. Wahrscheinlich reicht dazu die Zeit nicht mehr; wenn ich bei der Programmüberprüfung einen Fehler gemacht habe, sind wir dann alle radioaktiver Staub. Hat mich gefreut, euch zu kennen! Okay, schalte die Ohren ein.« Mein Mann gehorchte.

»Gay Täuscher.«

»Hallo, Deety. Du hast mir gefehlt.«

»Antriebsloses Autolandungs-Programm.«

»Soll mich ohne einen Tropfen Energie selber runterbringen? Wo?«

»Neues Ziel. Codewort: ›Exerzierfeld.‹ Visier- und Entfernungsmessungs-Programm.«

»Zeig ihn mir! Ich krieg ihn!«

Ich berührte meinen Mann an der Schulter. »Sag's ihr.«

»Jetzt im Ziel, Gay. Im Visier behalten.«

»Entfernung drei sieben zwei neun, drei sieben null-null, drei fünf neun neun — ich hab' ihn, Deety!«

Zebadiah legte uns in die Waagerechte und drehte den Bug nach Norden. »Ausführung!«

Wir standen vor der großen Treppe. Der Flaggenmast war zehn Meter von Gays Bug entfernt.

Paps sagte: »Deety, ich habe den Überprüfungs-Halt *gesehen,* doch es war zu kurz, um noch einzugreifen. Aber deine Programme funktionieren ja immer.«

»Bis eins mal in die Hose geht. Tante Hilda, was jetzt?«

»Wir warten.«

XXVI

Jake:
Ich glaube, es ist kein Fehler, wenn ich darauf bestehe, daß Zeb unser Kommandant sein soll. Inzwischen bin ich zu dem Schluß gezwungen, daß recht zu haben wenig mit den Gefühlen einer Frau zu tun hat. Mir ist es *nie* darum gegangen, Hilda zu kränken. Jetzt bin ich entschlossen, aus dem Mundhalten eine Tugend zu machen.

Dabei halte ich es gar nicht für diplomatisch, mit dem Funker zu streiten oder den Offizier unfreundlich zu behandeln — ja, *unfreundlich!* Ganz zu schweigen von dem Umstand, daß wir zwölf Meilen — neunzehn Kilometer — von der Stelle entfernt niedergegangen sind, die man uns zugewiesen hatte. So benehmen sich Gäste nicht!

Aber nun waren wir hier an einem Ort, wo wir nichts zu suchen hatten. Ich machte Anstalten, die Tür aufzumachen, um auszusteigen und Hilda beim Verlassen des Wagens zu helfen, und hörte sie sagen: »Wir warten.«

Hilda fügte hinzu: »Die Türen bleiben verriegelt, die Gurte geschlossen. Gay Täuscher, in Startbereitschaft bleiben. Verschließe das Schott.«

»Bin ordentlich in Fahrt, Hilda. Schottür geschlossen.«

»Bist ein kluges Mädchen, Gay.«

»Damit wären wir zwei, Hilda.«

»Erster Pilot, zeichnet sie in diesem Zustand drinnen wie draußen auf?«

»Ja, wenn ich die Außenlautsprecher und Mikrofone einschalte, Captain.«

»Bitte tu's.«

»Welche Lautstärke, Captain? Draußen und drinnen.«

»Ich wußte nicht, daß das getrennte Schaltkreise sind. Zunahme geradlinig?«

»Logarithmisch, Madame. Aus dem Sirren einer Mücke kann ich ein kleines Erdbeben machen.«

»Die Außenmikrofone sollen so eingestellt werden, daß wir nichts verpassen. Was ich von mir gebe, sollte ein bißchen kräftig ausfallen.«

»Captain, ich gebe dir einen Vorteil in Dezibeln mit auf den Weg. Wenn du noch mehr Saft haben willst, drückst du mir die Schulter. Dabei gehe ich nicht höher als sieben — es sei denn, die Lautsprecher sollen als Waffe eingesetzt werden. Aber wenn wir uns hier drinnen ungestört besprechen wollen, muß ich das Mikrofon ausschalten. Wie bei den Russen, wißt ihr noch?«

»O ja. Alle Mann! Ich spreche für uns alle. Wenn einer von euch etwas sagen muß, soll er Zebbies Aufmerksamkeit auf sich lenken . . .«

»Mir auf die Schulter tippen.«

». . . dann verschafft er uns die nötige Abgeschiedenheit und bestätigt dies durch hochgereckten Daumen. Keine überflüssigen Störungen, bitte.«

»Hilda, wozu die komplizierten Vorbereitungen? Dort kommt schon jemand. Es wäre nett, wenn wir den Leuten entgegengingen. Zumindest sollten wir für die Verhandlung die Tür aufmachen — wir haben es hier nicht mit Russen zu tun.« Ich ertrug es einfach nicht, daß mein Liebling diese delikate Angelegenheit mit solcher — nun ja, *Grobheit* handhabte!

Wurde mir dafür Dank zuteil? »Copilot. Mund halten! Alle Mann, wir können jederzeit starten; erbitte Meldung für Raumbereitschaft. Astronavigator.«

»Bereit, Captain.«

»Erster Pilot.«

»Noch immer bereit. Außen-Radio eingeschaltet.«

»Copilot.«

»Ich überprüfe gerade noch einmal die Türdichtung. Eben wollte ich die Tür aufmachen. Erledigt! Bereit für das Weltall. Hilda, ich glaube aber nicht . . .«

»Ruhe! Erster Pilot, bitte Abhöranlage einstellen, sobald einer der Leute etwas sagt. Copilot, du nennst mich ›Captain‹ wie alle anderen. Bitte auf Protokoll achten; unsere familiären Beziehungen erkläre ich später, wenn sich eine Gelegenheit dazu ergibt.«

Ich beschloß, meinen Mund überhaupt nicht mehr aufzumachen. Ich war ziemlich aufgebracht. Aufgebracht? Ich begann sogar ernsthaft darüber nachzudenken, ob Hildas vorübergehende und unangemessene Autorität ihrer Persönlichkeit nicht nachhaltig schaden konnte.

Mit den äußeren Sinnen jedoch beobachtete ich den Obersten Lordhenker, der, flankiert von zwei Schergen, näher kam. Er trug eine Uniform, die eher in ein Musical gepaßt hätte als auf ein Schlachtfeld. Buschige Schnurrbartenden, eine sonnenverbrannt-rosige Gesichtsfarbe, Ordensbänder und ein Offiziersstab rundeten das Bild ab.

Die Schergen waren jünger und nicht so flott angezogen; sie hatten weniger Streifen und schienen Sergeants zu sein. Ich vermochte die Achselklappen des Offiziers nicht deutlich auszumachen. Ich glaubte eine Krone zu erkennen, aber befand sich daneben noch ein Punkt?

Er schritt energisch auf uns zu und war noch zehn Meter von meiner Tür entfernt, als Hilda entschlossen sagte: »Das ist nahe genug. Bitte sagen Sie dem Generalgouverneur, daß Captain Burroughs wie angewiesen gelandet ist und sein Erscheinen erwartet.«

Der Offizier verhielt kurz den Schritt und bellte: »Man hat Sie *nicht* angewiesen, *hier* zu landen! Sie sollten vielmehr auf dem Flugfeld niedergehen! Zoll, Einwanderungsformalitäten, Gesundheitsuntersuchung, Visa, Touristenausweise, Geheimdienstverhöre . . .«

Ich sah, wie Hilda Zebs Schulter drückte. »Ruhe!« Ihre Stimme klang trotz der Schallisolierung von draußen lauter, als sie selbst gesprochen hatte. Als sie weitersprach, reduzierte Zeb das Volumen wieder. »Mein guter Mann, schicken Sie einen Ihrer Untergebenen zum Generalgouverneur und lassen Sie ihm meine Nachricht übergeben. Während wir warten, geben Sie mir bitte Namen, Rang und Regiment an; ich werde mich über Ihr Verhalten offiziell beschweren.«

»Unmöglich!«

»So benimmt sich aber kein Offizier und Gentleman«, stellte Hilda gelassen fest. »Wenn Sie mir Ihren Namen nicht nennen wollen — ich bekomme ihn bestimmt heraus, denn andere kennen ihn. Der Zahlmeister. Der Generalgouverneur. Und so weiter.« Sie drückte Zebs Schulter. »Lassen Sie Bescheid geben, daß wir hier sind!«

»Ich bin Colonel Brumby, Chef-Konstabler des Königlichen Haushalts und *nicht* Ihr Botenjunge! Machen Sie auf! Ich werde Sie in Ketten vor den Generalgouverneur führen!«

Leise sagte Hilda zu Zeb:

»Sieben« und ließ den Chef-Konstabler noch zwei Schritte machen, ehe sie rief: *»Halt!«*

Mir taten die Ohren weh.

Die drei Männer blieben stehen. Der alte Dummkopf nahm sich zusammen und setzte seinen Marsch fort. Hilda mußte Zeb einen Rippenstoß gegeben haben, denn er antwortete mit hochgerecktem Daumen. »Wieder auf Normal zurück, aber halt dich mit deinem Erdbeben bereit.«

Er nickte, und sie fuhr fort: »Lieutenant-Colonel, nicht wahr? Ich sehe den dazugehörigen Punkt nicht. Lieutenant-Colonel, ich mache Sie darauf aufmerksam, daß Sie sich in Gefahr begeben, wenn Sie noch näher kommen.«

Er antwortete nicht, sondern ging weiter. Dabei zog er den Stock unter dem Arm hervor. Seine Sergeanten folgten ihm — langsamer, in respektvollem Abstand. Hilda ließ ihn meine Tür erreichen — ich sah ein Netz geplatzter Adern auf seiner Nase —, und zum zweitenmal an zwei Tagen hämmerte jemand gegen Gays Tür. Er hob den Stock . . .

»*Schluß damit!*«

Ich hörte nichts mehr. Der Chef-Konstabler war verschwunden. Die beiden Sergeanten waren ein gutes Stück entfernt. Sie unterbrachen ihre Flucht, drehten sich um und starrten zu uns herüber. Ich blickte durch die Scheibe in meiner Tür, entdeckte am Boden ein Paar Beine und einen Offiziersstab und schloß daraus auf einen Bewußtlosen.

Ich drehte den Kopf und sah, daß Zeb den Daumen oben hatte. »Captain«, sagte er, »ich habe eben einen Befehl mißachtet.«

»Inwiefern, Zebbie?«

»Ich hab' ihm nur eine Acht gegeben; ich wußte nicht, ob sein Herz die volle Ladung ausgehalten hätte. Er sieht aus, wie einer, der täglich ein Fläschchen zu sich nimmt.«

»Schon ein Acht könnte zuviel gewesen sein«, bemerkte ich. »Er liegt am Boden. Vielleicht tot.«

»Oh, hoffentlich nicht!«

»Na, anzunehmen ist es nicht, Captain«, sagte Zeb. »Soll ich seine Männer auffordern, ihn zu holen?«

»Ich sag's ihnen, Zebbie. Zurück auf normale Lautstärke.« Hilda wartete auf sein Signal, dann rief sie: »Sergeanten! Colonel Brumby braucht Hilfe. Es wird keine lauten Geräusche mehr geben!«

Die beiden zögerten, dann hasteten sie herbei. Gleich darauf zerrten sie ihren Vorgesetzten fort. Dabei kam er zu sich, wehrte sie ab — und ließ sich von einem seinen Stock holen. Der Mann bemerkte seinen Blick und blinzelte mir zu. Ich schloß daraus, daß Brumby bei seinen Leuten nicht beliebt war.

Auf der großen Vortreppe entdeckte ich jetzt einen Mann. (Vielleicht hatten sich schon vorher andere Briten in der Nähe befunden — doch nicht mehr seit dem großen Lärm.) In das Erdgeschoß des Imperial House führten keine Zugänge. Das Hauptgeschoß war die erste Etage, zu dem eine breite, geschwungene Treppe hinaufführte. Der Mann am oberen Ende war klein, adrett gekleidet und trug Zivil. Brumby erreichte ihn, salutierte und blieb stehen. Die beiden sprachen miteinander. Brumbys starre Haltung verriet alles.

Gleich darauf kam der kleine Mann die lange Treppe herab und näherte sich mit schnellen Schritten. Etwa dreißig Meter entfernt blieb er stehen und rief: »Besatzung des Landeschiffes! Kann ich näher kommen?«

»Aber ja«, sagte Hilda.

»Vielen Dank, Madame.« Er kam näher und sprach dabei sofort weiter. »Ich möchte meinen, wir sollten uns bekannt machen. Ich bin Lieutenant-General Smythe-Carstairs, der Gouverneur dieser Gegend. Soweit ich mitbekommen habe, sind Sie Captain Burroughs?«

»Stimmt genau, Euer Exzellenz.«

»Vielen Dank. Wenn ich auch nicht wirklich weiß, mit wem ich da spreche. Ziemlich unbehaglich, meinen Sie nicht auch, sich über ein Lautsprechersystem unterhalten zu müssen. Eine offene Tür wäre sicher angenehmer, finden Sie nicht? Auf jeden Fall freundlicher.«

»Sie haben recht, Euer Exzellenz. Aber die Russen haben uns einen dermaßen unangenehmen, ja, gefährlichen Empfang bereitet, daß ich nervös bin.«

»Diese Unholde! Sie haben sich über Radio ziemlich über Sie aufgeregt. Deshalb habe ich Ihr Schiff ja auch erkannt — es ist kleiner, als die Leute behauptet haben, doch ansonsten ist die Beschreibung erstaunlich genau — für Russen. Sie nehmen aber hoffentlich nicht an, daß wir Briten das Hemd über der Hose tragen? Sie würden hier auf das Anständigste behandelt.«

»Das freut mich zu hören, Euer Exzellenz. Obwohl ich eben am liebsten gestartet wäre. Ihr Polizist hat sich denkbar unfreundlich aufgeführt.«

»Tut mir leid. Wirklich Pech, daß er Sie als erster begrüßt hat. So wichtig diese Kolonie für das Empire auch ist, so wissen Sie doch zweifellos, daß der Dienst hier bei vielen nicht willkommen ist. Nicht in meinem Fall, ich habe mir diesen Posten gewünscht. Aber bei einigen Offiziersrängen und gemeinen Soldaten. Jetzt wollen wir aber doch die Tür öffnen, ja? Es widerstrebt mir, darauf zu bestehen, aber schließlich *führe* ich hier das Kommando.«

Hilda blickte nachdenklich ins Freie. »Generalgouverneur, ich kann die Türen öffnen oder starten. Ich würde lieber bleiben. Aber die schockierende Behandlung durch die Russen, gefolgt von dem absolut überraschenden Benehmen Ihres Chef-Konstablers machen mir Sorge. Ich brauche eine Garantie, daß unsere

Gruppe ununterbrochen beisammenbleiben darf, und eine schriftlich niedergelegte Zusage auf Freies Geleit, von Ihnen im Namen Seiner Königlichen Majestät unterschrieben und besiegelt.«

»Mein lieber Captain, ein Schiffsführer stellt keine Forderungen an einen Mann, der Seine Imperiale Majestät vertritt und Seine Macht auf sich vereinigt. Da Sie eine entzückende Dame sind und ich ein Mann, würde es mir große Freude machen, diesen Punkt endlos mit Ihnen zu besprechen, nur um die Freude Ihrer Gesellschaft zu haben. Aber meine Hände sind gebunden.«

»Ich habe keine Forderungen gestellt, Euer Exzellenz. Ich hoffte auf Ihr Einsehen. Da Sie mir den Gefallen nicht tun wollen, muß ich sofort starten.«

Er schüttelte den Kopf. »Das kann ich Ihnen noch nicht gestatten.«

»Gay, hüpf. Zebbie, versuchst du bitte den netten Mr. Bean zu erreichen?«

Zeb hatte ihn sehr schnell im Kasten. »Hier Lieutenant Bean.«

»Hier Captain Burroughs, Lieutenant. Unser Funkgerät verstummte plötzlich, während Sie noch am Reden waren. Es ist nichts passiert; das Wichtigste hatten wir verstanden. Wir sind an der von Ihnen angegebenen Stelle gelandet, südlich des Imperial House.«

»*Ach, das ist also passiert? Ich muß zugeben, daß ich erleichtert bin.*«

»Versehen Sie Ihren Dienst vom Imperial House aus?«

»*Ja, Madame. Genaugenommen, vom Dach. Wir haben einige Räumlichkeiten hier oben.*«

»Gut. Ich habe eine Nachricht für den Generalgouverneur. Bitte zeichnen Sie auf.«

»*Oh, gewiß!*«

»Hier spricht Hilda Burroughs. Kommandant Raumschiff Gay Täuscher, Heimathafen Fuchsbau. Es tut mir leid, daß ich abfliegen mußte, ohne mich zu verabschieden. Aber Ihre letzte Äußerung zwang mich dazu, Maßnahmen zum Schutz von Schiff und Besatzung zu ergreifen.« Hilda schaltete das Mikrofon aus. »Zebbie, wenn du Luft hast, gehst du im Gleitflug von der Stadt weg.« Sie fuhr fort: »In geringem Maße entspricht meine Verantwortung der Ihren: ich kann mich hinsichtlich der Sicherheit meiner Besatzung und meines Schiffes nicht auf Verhandlungen einlassen. Ich hoffe, daß Sie es sich noch einmal überlegen, da ich keine Lust habe, mit den Russen zu verhandeln, obwohl sie im

Austausch mehr zu bieten hätten. Wie bisher bitte ich um sicheres Geleit, muß jetzt aber bitten, daß noch ein dritter Punkt in das Dokument aufgenommen wird: daß es uns vieren gestattet sei, jederzeit wieder zu starten. Meinen Namen kennen Sie. Mein stellvertretender Kommandant ist Dr. D. T. Burroughs Carter, mein Erster Pilot Dr. Z. J. Carter, mein Copilot Dr. Jacob Burroughs. Die Nachnamen werden Ihnen aufgefallen sein. Dr. Jacob ist mein Mann, die anderen beiden sind unsere Tochter und ihr Mann. Sir, während dieses Diktats habe ich eine Entscheidung getroffen. Ich werde *nicht* versuchen, ein zweitesmal mit den Russen zu verhandeln. Wir warten dreißig Minuten in der Hoffnung, von Ihnen zu hören ... dann kehren wir zur Erde zurück, machen unserer Regierung Meldung, schicken eine detaillierte Beschwerde an den Zar Aller Russischen Reiche und erstatten Seiner Königlichen Majestät einen formellen Bericht über unseren Kontaktversuch. Hochachtungsvoll, gezeichnet Hilda C. Burroughs, Kommandant. Lieutenant, wie heißt der Generalgouverneur mit vollem Namen und allen Titeln?«

»*Ah, Seine Exzellenz, Lieutenant-General, der Ehrenwerte Herbert Evelyn James Smythe-Carstairs, K. G., V. C, C. B. E., Generalgouverneur der Königreiche Jenseits des Himmels.*«

»Bitte setzen Sie die formelle Anrede meiner Nachricht voran. Ich warte bis null neunhundert Stunden Greenwich-Zeit, oder sechsunddreißig Minuten ab *jetzt.*«

»*Ich füge die Anrede hinzu, Captain, und überbringe die Nachricht persönlich.*«

Als Hilda sich verabschiedet hatte, sagte sie: »Von diesen sechsunddreißig Minuten möchte ich gern dreißig schlafen. Fällt jemandem ein Programm ein, das uns allen zu einem Schlummer verhilft? Diese Kontaktaufnahme ist anstrengender, als ich gedacht hatte. Jacob, Deety, Zeb — redet nicht alle auf einmal.«

»Ich weiß etwas, meine Liebe«, meldete ich mich.

»Gay, Termite.«

Zu meiner gelinden Überraschung war es an unserem Bachufer Nacht. Es freute mich allerdings, daß mein erster Versuch, durch Stimmeneingabe zu manövrieren, Erfolg gehabt hatte. Das Genie meiner Tochter in der Eingabe von stimmgesteuerten Programmen hatte mir wenig zu tun übriggelassen. Obwohl ich mich im Grunde nicht dagegen auflehnte (ich bin stolz auf Deety), fragte ich mich während meiner Arbeit als Copilot doch zuweilen, ob überhaupt noch jemand daran dachte, daß ja *meine*

Schöpfung diese Kutsche überhaupt durch den Himmel bewegte. Ach, die menschliche Eitelkeit!

Zu meiner noch größeren Überraschung klatschte Hilda erfreut in die Hände. »Jacob! Wie klug von dir! Wie dumm von *mir!* Also los, alle Mann eine halbe Stunde Ruhezeit, nur gilt wieder die Regel, daß nur zwei zusammen den Wagen verlassen und stets ein Gewehr mitnehmen. Gay, wecke uns in dreißig Minuten. Und öffne bitte die Schottür.«

»Tante Hillbilly, willst du hinten schlafen?«

»Ich hatte mit dem Gedanken gespielt, mich auszustrecken und Jacob mitzunehmen. Aber die Kabine gehört dir und Zebbie; wie gedankenlos von mir!«

»Wir werden nicht schlafen. Aber wir sollten vorher die Waffen aus dem Schlafsack nehmen, sonst machst *du* kein Auge zu. Ich möchte den Eimer ausleeren und unter meinem Sitz verstauen. Jetzt haben wir ja wieder die ganze Welt zur Verfügung, da werde ich mich hüten, den Eimer zu nehmen!«

»Aber ja — aber bleibt in Gays Scheinwerferkreis — und erinnert mich bitte vor dem Start daran. Deety, mir geht soviel im Kopf herum, daß ich alles andere vergesse.«

»Hillbilly, du machst dich großartig! Ich kümmere mich um die kleinen Einzelheiten; behalte du das große Ganze im Auge!«

Hilda kuschelte sich in der Heckkabine an mich, und ich begann mich zu entspannen. Würde der Generalgouverneur auf unsere Forderungen eingehen? Wohin wollten wir als nächstes fliegen? Wir konnten aus Myriaden von Universen auswählen und aus unzähligen Myriaden von Planeten — doch nur einer war unsere Heimat, und ausgerechnet dort wagten wir uns nicht blicken zu lassen. Wie stand es mit Energie für Zebs Wagen und tausend anderen Dingen? Vielleicht sollten wir die Erde-ohne-J riskieren. Und was war mit der Zeitbombe, die im Bauch meines Lieblings tickte?

Hilda schluchzte an meiner Schulter. Ich tätschelte ihr den Kopf. »Beruhige dich, mein Schatz.«

»Es geht nicht. Jacob, mir gefällt der Job nicht. Ich fahre dich an, du streitest mit mir, und beide regen wir uns auf. Das ist nicht gut für uns — im Fuchsbau haben wir uns nie so benommen.«

»Dann tritt zurück.«

»Das tue ich auch. Wenn die Sache beendet ist, die ich da begonnen habe. Jacob, wenn wir diesen Planeten verlassen, wirst *du* Captain sein.«

»O nein! *Zeb.*« (Geliebte Hilda, du solltest den Posten *sofort* an ihn abtreten.)

»Zebbie läßt sich nicht darauf ein. Entweder du oder Deety. Wenn Deety unser nächster Captain ist, wirst du noch mehr auf den Beifahrersitz verdrängt als bei mir. Nein, Jacob, du *mußt* vor Deety das Kommando übernehmen, damit du begreifst, wogegen sie zu kämpfen hat.«

Ich fand, daß man mich nun genug gescholten hatte. Ich wollte Hilda darauf hinweisen, als mich der Begriff ›Beifahrer‹ auf eine Erinnerung brachte.

Ich meine eigentlich, daß ich mir selbst gegenüber ehrlich bin. Ich weiß, ich bin nicht sehr gesellig, woran sich wohl auch nichts ändern wird; ein Mann, der schöpferisch tätig sein kann, hat keine Zeit für Dummköpfe, die nur mal eben auf Besuch vorbeikommen. Aber ein ›Beifahrer-Typ‹?

Dazu einige Tatsachen: Jane machte ihren Führerschein früher als ich — auf dem Zweisitzer ihres Vaters. Unser erster Wagen, ein Bodenfahrzeug, wurde während ihrer Schwangerschaft angeschafft. Ich nahm Fahrunterricht, damit ich für Jane fahren konnte. Nachdem Deety geboren war, setzte sie sich wieder ans Steuer, doch wenn wir zusammen unterwegs waren, spielte ich den Fahrer. Ehe sich diese Gewohnheit herausbildete, war sie ein- oder zweimal mit mir als Passagier gefahren — doch sie hatte sich über meine Fahrweise niemals beklagt.

Aber Jane beschwerte sich ja nie.

Deety sorgte dagegen für Klarheit. Ich weiß nicht, wer Deety das Fahren beigebracht hatte, doch ich erinnere mich, daß sie schon mit zwölf die Straßen und Luftwege unsicher machte. Erst bei Janes Krankheit kam es dazu, daß sie auch für mich fahren mußte, und nach Janes Tod setzte sie sich oft für mich ans Steuer. Nach einer Weile begannen wir uns abzuwechseln. Schließlich kam ein Tag, an dem ich sie darauf hinwies, daß ihre Höhe über Grund unter tausend Metern betrug und eine Stadt vor uns liegen müßte.

Sie sagte: »Danke, Paps« und landete vor der Stadt, was wir eigentlich nicht geplant hatten. Sie schaltete die Maschine aus, stieg aus, ging um den Wagen herum und sagte: »Rutsch rüber, Paps. Von jetzt an genieße ich die Landschaft, während du uns durch den Himmel kutschierst.«

Da ich nicht hinüberrutschte, stieg Deety hinten ein. Deety hat ihre Sturheit von beiden Eltern. Jane kleidete ihren eisernen Willen in eine weiche Schale, der meine verbirgt sich unter einer

Schicht mürrischen Ärgers, wird er herausgefordert. Deetys Sturheit jedoch liegt offen zutage. Sie hat eine nette Art, doch was sie nicht will, geht absolut nicht.

Vier Stunden ignorierten wir einander. Dann drehte ich mich um (wohl um eine Auseinandersetzung in Gang zu bringen, ich war dazu in Stimmung) und fand Deety hinten zusammengerollt, in tiefen Schlaf gesunken.

Ich schrieb ihr einen Zettel, steckte ihn an die Windschutzscheibe, ließ die Schlüssel im Wagen, stieg leise aus, überzeugte mich, daß alle Türen geschlossen waren, mietete mir einen anderen Wagen und fuhr ab — durch die Luft; ich war zu wütend, um den Bodenweg zu wählen.

Anstatt direkt nach Hause zu fahren, begab ich mich in die Mensa und fand dort Deety bereits essend vor. Ich nahm mein Tablett und setzte mich zu ihr. Sie hob den Kopf, lächelte und begrüßte mich: »Hallo, Paps! Was für ein netter Zufall!« Sie öffnete ihre Handtasche. »Hier sind deine Schlüssel.«

Ich nahm sie. »Wo ist unser Wagen?«

»*Dein* Wagen, Paps. Wo du ihn hast stehenlassen.«

»*Ich* habe ihn stehenlassen?«

»Du hattest die Schlüssel, du hast vorn gesessen; dir gehört das Fahrzeug. Du hast eine Passagierin schlafend auf dem Rücksitz zurückgelassen. Nur gut, daß sie über achtzehn ist, meinst du nicht auch?« Sie fügte hinzu: »Ich habe da einen Opel im Auge. Probefahrt schon erledigt. Der Wagen ist in Ordnung.«

»Wir brauchen keine zwei Wagen!«

»Das ist Geschmackssache.«

»Wir können uns zwei Wagen nicht leisten.«

»Woher willst du das wissen? *Ich* verwalte unser Geld.«

Sie kaufte den Opel nicht. Doch nie wieder setzte sie sich ans Steuer, wenn wir gemeinsam unterwegs waren.

Drei Daten sind noch kein statistisches Universum. Aber es sieht so aus, als hielten mich die drei Frauen, die ich geliebt habe, für eine Art Beifahrertyp. Jane hat es nie ausgesprochen — doch heute ging mir auf, daß sie sich darin mit Deety und Hilda einig gewesen war.

Ich aber sehe mich nicht so! Ich schreie nicht: »Paß auf!« oder: »Was machst du denn da?« Aber vier Augen sind besser als zwei: Sollte dem Passagier also nicht gestattet sein, als Information etwas zu unterstreichen, das der Fahrer vielleicht nicht gesehen hat? Kritik? Allenfalls konstruktive Kritik und nur selten vorgetragen und nur gegenüber engen Freunden.

Aber ich versuche ehrlich zu sein: in dieser Sache ist *meine* Ansicht unwichtig. Ich muß Hilda und Deety durch Taten überzeugen, nicht durch Worte. Lange Gewohnheiten lassen sich nicht nur durch gute Vorsätze abstellen; ich muß mich ständig darauf konzentrieren.

Es wurde an das Schott geklopft; ich erkannte, daß ich eingeschlafen war. Die Tür öffnete sich einen Spalt. »Start in fünf Minuten.«

»Okay, Deety«, antwortete Hilda. »Hast du ein bißchen ausgeruht, mein Lieber?«

»O ja. Du auch?«

Als wir nach vorn krochen, sagte Deety: »Steuerbordtür offen, Paps' Gewehr lehnt dagegen, gesichert. Captain, du wolltest daran erinnert werden. Übernimmst du das Kommando?«

»Ja, danke.«

Wir verloren keine Zeit mehr, da Dety zwei Vorprogramme benutzte: ›Bingo Windsor‹, außerdem ›Gay, hüpf‹. Zeb hatte beinahe sofort Kontakt zum wachhabenden Funkoffizier. ». . . also schön. Ich sehe nach, ob der Captain die Nachricht entgegennimmt. Nicht Ende. Bitte dranbleiben.«

Zeb sah sich um, zählte langsam zehn Sekunden ab und deutete sodann auf Hilda.

»Hier spricht Captain Burroughs. Lieutenant Bean?«

»Ja, ja! Mann, was habe ich versucht, Sie in den letzten zwanzig Minuten zu erreichen!«

»Ich habe mich sogar einige Minuten früher gemeldet als angegeben.«

»Trotzdem bin ich sehr erleichtert, Ihre Stimme zu hören, Captain. Ich habe eine Nachricht vom Generalgouverneur. Sind Sie zur Aufzeichnung bereit?«

Zeb nickte, und Hilda bejahte. Der Lieutenant fuhr fort: *»Vom Generalgouverneur an H. C. Burroughs, Kommandant Gay Täuscher. Kommt schnell heim, die Kinderlein weinen. Ihr fehlt uns sehr. Das Kalb dreht sich bereits am Spieß. Das Dokument ist unterschrieben und besiegelt, einschließlich der Zusatzklausel. Unterzeichnet ›Bertie‹ — Captain, so unterzeichnet der Gouverneur gegenüber guten Freunden. Eine einzigartige Ehre, wenn ich das sagen darf.«*

»Nett von ihm. Bitte sagen Sie dem Generalgouverneur, daß ich zum Landen bereit bin, sobald Sie mir bestätigen, daß der Fleck, an dem wir vorhin gestanden haben — exakt die *Stelle* — von allen Hindernissen frei ist.«

Bean meldete sich nach etwa drei Sekunden wieder und sagte,

daß die Stelle frei wäre und auch freigehalten würde. Hilda nickte Deety zu, die sofort sagte: »Gay, Exerzierfeld.«

Gebäude zuckten vorbei, dann hingen wir wieder am Himmel. »Erster Pilot!« sagte Hilda. »Holen Sie Lieutenant Bean heran!«

Dann: »Mr. Bean! Die Stelle war *nicht* geräumt!«

»Jetzt aber garantiert, Captain; ich komme eben von der Terrasse. Der Pudel des Gouverneurs hatte sich losgerissen und war auf das Feld gelaufen. Der Gouverneur hat ihn verfolgt und wieder eingefangen. Könnte das die Ursache gewesen sein?«

»Auf jeden Fall. Sie können dem Gouverneur — unter vier Augen — mitteilen, daß er dem Tode noch nie so nahe war wie eben. Astronavigator, Landung!«

»Gay, Exerzierfeld!«

Bean mußte unser Aufkeuchen und dann das Jubelgeschrei mitgehört haben, während Hildas Kommando ihm noch in den Ohren nachhallte. Wir waren gelandet wie zuvor, nur war die angeberisch breite Treppe nun gefüllt mit Menschen: Offiziere, Soldaten, Beamte mit dem typischen leicht verstaubten Aussehen, Frauen mit Kindern, und ein paar Hunde, ausnahmslos an der Leine.

Der Ehrenwerte ›Bertie‹ fiel mir erst auf, als er sich in unsere Richtung bewegte. Er trug nicht mehr Zivil, sondern eine Art Dienstuniform, die etwas aufgedonnert wirkte. Bänder, Röhrchen, gewundene Streifen — dazu paßte bei Abendveranstaltungen sicher auch ein Prunkschwert. Da er keine Klinge bei sich hatte, schloß ich, daß wir hier eher als ›geschätzte Gäste‹ galten denn als ›offizielle Besucher‹. Trotzdem war er bereit, sich auf jede Eventualität einzustellen.

Er hatte seine Frau mitgebracht — klug von ihm, denn unser Captain war eine Frau. Sein Adjutant war ebenfalls bei ihm (Adjutant? Jedenfalls hatte er allerlei Gewürm an der linken Schulter, aber das mochten auch Regimentszeichen sein). Ansonsten war er allein. Die Menge hielt sich zurück.

»Erster Pilot«, sagte Hilda, deutete auf die Mikrofone und fuhr sich mit dem Finger über die Kehle.

»Außenaudio abgestellt, Capt'n«, meldete Zebadiah.

»Vielen Dank. Gay, verschließe die Schottür, öffne die anderen Türen.«

Ich sprang hinab, half Hilda hinaus und bot ihr meinen Arm; Zebadiah tat auf der Backbordseite dasselbe. So kamen wir vor Gays Bug zusammen, machten ein paar Schritte und standen der Gruppe des Gouverneurs gegenüber, die ebenfalls stehengeblieben war. Die ganze Aktion wirkte einstudiert, dabei hatten wir vorher kein Wort darüber verloren. Unsere Damen standen zwischen uns, und mein kleiner Liebling hatte sich hoch aufgerichtet.

Der Adjutant bellte:

»Seine Exzellenz, Generalgouverneur Lieutenant-General, der Ehrenwerte Herbert Evelyn James Smythe-Carstairs und Lady Herbert Evelyn James.«

Der Gouverneur grinste. »Schrecklich«, sagte er leise. »Aber noch schlimmer mit Halskrause, Trommelrasseln und dem Marsch des Vizekönigs — das habe ich Ihnen erspart.« Er erhob ein wenig die Stimme und salutierte vor Hilda: »Captain Burroughs! Wir heißen Sie willkommen!«

Hilda verbeugte sich und erwiderte die Ehrenbezeigung. »Euer Exzellenz . . . Lady Herbert . . . vielen Dank! Wir freuen uns, hier sein zu dürfen.«

Lady Herbert lächelte erfreut darüber, daß Hilda sie mit angesprochen hatte, und bewegte sich etwa zwei Zentimeter in die Knie — vermutlich der Minimalknicks, was ich aber nicht beschwören konnte, denn sie war in ein schreckliches Gewand gehüllt, wie es für offizielle Gartenpartys vorgeschrieben zu sein schien — großer Hut, langer Rock, lange Handschuhe. Hilda antwortete mit einem Lächeln und einer angedeuteten Verbeugung.

»Gestatten Sie mir, Ihnen meine Begleiter vorzustellen«, fuhr Hilda fort. »Meine Familie, zugleich meine Besatzung. Links von mir mein Astronavigator und Stellvertreter, unsere Tochter, Dr. D. T. Burroughs Carter, und links von ihr unser Schwiegersohn, ihr Mann, mein Erster Pilot — Dr. Zebadiah John Carter, Captain der US Aerospace-Reserve.« Deety machte einen Knicks, als ihr Name erwähnt wurde, mindestens sechs Zentimeter mit durchgedrücktem Rücken. Zeb reagierte mit einer knappen Kopfneigung.

Hilda drehte sich mit Kopf und Schultern zu mir. »Und voller Stolz möchte ich Ihnen vorstellen . . .« — und sie lächelte und strahlte eine solche Glückseligkeit aus, daß mir ein Kloß in den Hals stieg — »unseren Copiloten, meinen Mann, Dr. Jacob Jeremiah Burroughs, Colonel der Artillerie, A. U. S.«

Der Gouverneur trat hastig einen Schritt vor und streckte die Hand aus. »Doktor, es ist uns eine Ehre!« Sein Händedruck war fest.

Leise sagte ich: »Das hätte Hilda mir nicht antun dürfen. Außerhalb der Universität bin ich für Fremde ein einfacher ›Mister‹ und ›Jake‹ für meine Freunde.«

»Nennen Sie mich ›Bertie‹«, antwortete er ebenso leise. »So nennen mich fast alle, bis auf offizielle Anlässe, wenn es nicht ohne die lange Kette von Titeln und Namen geht. Ich könnte Sie auch mit ›Doktor‹ anreden.«

»Tun Sie das — und Sie müssen fünfzigmal einen Straftext schreiben.« Wieder mußte er lachen.

»Und ich bin Betty, Jake«, sagte Lady Herbert und trat näher. »Captain Burroughs, darf ich Sie ›Hilda‹ nennen?« (Hatte sie einen Schluckauf?)

»Nennen sie sie ruhig ›Doktor‹«, schlug ich vor. »Sie hat uns andere verraten. Wie viele Doktortitel hast du — sieben? Oder etwa acht?«

»Nach dem ersten ist die Zahl nicht mehr wichtig. Natürlich nennen Sie mich ›Hilda‹, Betty. Aber Bertie, Sie müssen uns noch den Brigadier vorstellen.«

Ich faßte den Offizier mit den Achselschnüren und der dröhnenden Stimme ins Auge. Ja, eine Krone und drei Sterne ... Aber woher kannte Hilda die britischen Rangabzeichen? Viele Amerikaner kennen nicht einmal ihre eigenen. Langsam überrascht es mich nicht mehr, wie viele Tatsachen sich auf so kleinem Raum unterbringen lassen.

»Tut mir leid. Meine Freunde, dies ist Brigadier Iver Hird-Jones. Squeaky findet all die Dinge, die ich verliere, und erinnert mich an Sachen, die ich vergesse.«

»Ladys. Gentlemen. Entzückt. Hier ist etwas, an das ich Sie erinnern sollte, General.« Der Brigadier reichte seinem Chef einen verschlossenen Umschlag.

»Ach ja.« Smythe-Carstairs gab ihn meiner Frau weiter. »Die Schlüssel zur Stadt, Madame. Nach Ihrem Wunsch formuliert, jeder von Ihnen ist namentlich erwähnt, außerdem haben wir den dritten Faktor mit aufgenommen. Von mir für den obersten Herrscher unterzeichnet, unterfertigt mit dem Siegel des Empires.«

»Euer Exzellenz ist zu gütig«, sagte Hilda ernst und wandte sich an Deety.

»Astronavigator.«

»Aye, Captain.« Deety steckte den Brief in ihre Handtasche.

Unser Gastgeber blickte uns überrascht an. »Jake, fehlt Ihrer Frau die normale weibliche Neugier? Außerdem scheint sie meinen Namen vergessen zu haben.«

»Das ist nicht der Fall, Bertie«, widersprach Hilda. »Nur handelt es sich hier um einen amtlichen Vorgang, den ich mit der nötigen Etikette gehandhabt habe. Ich lese den Brief, wenn ich Gelegenheit habe, den Umschlag zu öffnen, ohne das schöne Siegel zu zerstören. Für Sie ist dies eins von vielen tausend Dokumenten, für *mich* aber ein einmaliges Souvenir. Wenn sich das beeindruckt anhört, kein Wunder: ich *bin* beeindruckt.«

Lady Herbert sagte: »Schmeicheln Sie ihm lieber nicht, meine Liebe.« (Ja, sie mußte schon ein paar getrunken haben.) »Sie verdrehen ihm noch den Kopf.« Und sie fügte hinzu: »Bertie, du läßt unsere Gäste hier nutzlos herumstehen; wir könnten längst drinnen sein und sitzen.«

»Du hast recht, meine Liebe.« Bertie warf einen sehnsüchtigen Blick auf Zebs Wagen.

Hilda spielte eine Trumpfkarte aus. »Möchten Sie sich mal drinnen umsehen, Bertie? Betty, Sie können sich hier hinsetzen; der Sitz des Captains ist bequem. Würden Sie mir die Ehre erweisen? Eines Tages werde ich meinen Enkeln erzählen, daß auf diesem Platz einmal Lady Herbert gesessen hat.«

»Was für ein entzückender Gedanke!«

Hilda versuchte meinen Blick auf sich zu lenken, doch ich war ihr einen Schritt voraus; ich half Lady Herbert hinauf und vergewisserte mich, daß sie die Stufe nicht verfehlte, drehte sie herum und sorgte dafür, daß sie sich nicht auf die Gurte setzte. »Wenn wir starten wollten«, erzählte ich ihr, während ich ihr lose den Gurt anlegte (wobei ich zuerst die Weite verstellen mußte — sie ist so groß wie Hilda, aber etwa so dick wie ich), »würde dieser Gurt eng anliegen müssen.«

»Oh, ich würde es nicht wagen!«

»Achtung, Paps! Noch ein Kunde!« Ich schob mich aus dem Weg, und Deety brachte Brigadier Hird-Jones in ihrem Sitz unter. »Paps«, sagte sie, »wenn du den Gouverneur auf deinen Platz läßt, kann Zebadiah seinen Posten einnehmen und den üblichen Zwei-Stunden-Vortrag halten über Pflege und Antrieb von Raumschiffen, während du und ich und Hilda an den Türen bleiben und seine Fehler berichtigen.«

»Ich bin erst bis zum vierten Kapitel vorgedrungen«, sagte Zebadiah abwehrend. »Jake, sie soll nicht immer auf mir herumhakken.«

»Du hast sie geheiratet; ich bin bloß ihr Vater. Bertie, ich muß Sie um eines bitten. *Bitte nichts berühren!* Der Wagen ist *nicht* abgestellt; er ist bereit, augenblicklich loszufliegen.«

»Ich nehme mich in acht, Jake. Aber die Damen müssen stehen! Sogar der Captain! Das ist nicht recht!«

»Bertie«, sagte Deety, »ich möchte aber gar nicht sitzen. Auf dieser Reise bekomme ich ohnehin zuwenig Bewegung.«

»Aber ich kann es nicht zulassen, daß Captain Hilda stehen muß. Setzen Sie sich hierher, *ich* stehe.« (Seine Zuvorkommenheit beeindruckte mich, doch ich sah einen unlösbaren Konflikt voraus: zwei Menschen, die ihre jeweiligen Vorrechte sehr gut kannten, Vorrechte, die hier miteinander in Konflikt standen.)

Hilda ging dem Problem aus dem Weg, indem sie auf etwas zurückgriff, das sie beim Bau der Betten in der Hauptkabine entdeckt hatte. Die Piloten haben zwar getrennte Sitze, während die Passagiersessel in Wirklichkeit eine einzige durchgehende Bank sind, nur getrennt durch Armstützen, die sich mit Schraubenzieher und ein wenig Mühe entfernen ließen.

Ich hatte Schraubenzieher und Mühen überflüssig gemacht; als geborener Handwerker hatte es mich keine Anstrengung gekostet, hier einen Umbau vorzunehmen: Die Armstützen ließen sich jetzt mit Flügelschrauben problemlos entfernen. Hilda machte sich an die Arbeit; als der Brigadier mitbekam, was sie da tat, erledigte er den Rest.

Die drei saßen hinten ziemlich eng, doch Hird-Jones hat schmale Hüften, und Hilda ohnehin das schmalste Hinterteil von allen.

»Ein wichtiges Bestandteil dieses Schiffes«, begann Zeb, »ist ein stimmgesteuerter Autopilot . . .«

XXVII

Deety:
Siebzehn langweilige Minuten hindurch sagte Zebadiah im Grunde nichts, und das sehr schön. Während dieser Anhäufung vielsilbiger Plattitüden begann ich mir Gedanken darüber zu machen, daß ich Paps wohl an einen einsamen Ort entführen und ihm mit einem Knüppel Vernunft predigen mußte — als Captain Tantchen mir bewies, daß sie auch ohne Hilfe auskam.

Paps hatte den Vortrag ziemlich bald unterbrochen. »Was Zeb gesagt hat, läuft auf folgendes hinaus . . .«

»Copilot!« Capt'n Hilda äußerte sich nicht laut, doch Paps mußte wissen, daß sie mit dieser Anrede *nicht* meint: »Liebster Jacob, hier spricht dein Frauchen!« Paps lernt langsam. Doch er *lernt.* Man muß ihn nur mit einem Vorschlaghammer darauf hinweisen.

»Ja, Hilda?« Tante Hilda ließ die Sekunden verstreichen, ohne den Blick von ihrem Jacob zu nehmen. Ich wurde nervös; normalerweise braucht Paps nicht so lange, um etwas zu kapieren — aber dann fand der Hammer sein Ziel. »Ja, Captain?«

»Bitte unterbrich den Vortrag des Ersten Piloten nicht.« Ihre Stimme klang freundlich; unsere Gäste merkten sicher nicht, daß Paps soeben vor ein Kriegsgericht gestellt, verurteilt, gekielholt und wieder in Dienst zurückgeholt worden war — auf Bewährung. Ich aber wußte es, Zeb wußte es — und Paps nun auch. »Aye, aye, Captain!«

Ich schloß daraus, daß das Capt'n Tantchen von vornherein nicht die Absicht gehabt hatte, draußen zu bleiben. Sie hatte mich aufgefordert, meinen Sitz Squeaky anzubieten, und hatte hinzugesetzt: »Warum schlägst du deinem Vater nicht vor, seinen Platz dem Gouverneur anzubieten?« Ich brauche keinen Hammer. Es lag auf der Hand, daß Bertie sich dagegen aussprechen würde, daß die Damen stehen mußten, während er selbst sitzen konnte. Hätte er es nicht getan, hätte Hillbilly die Aktion sicher so lange verzögert, bis sie an einem Platz saß, von dem sie alles beobachten konnte, ohne selbst von unseren Besuchern gesehen zu werden.

Wie groß war eigentlich Machiavelli?

Beim Aussteigen versicherte mir der Brigadier, er habe nun begriffen, wie Gay gesteuert werde — aber wie bewege sie die Flügel auf und ab? Ich antwortete, solche technischen Fragen wären am besten an den Captain zu richten. Es überraschte mich nicht, Capt'n Tantchen sagen zu hören. »Natürlich können wir einen Probeflug machen ... wenn Sie nichts dagegen haben, zwischen Deety und mir eingepfercht zu sitzen.«

»Etwas *dagegen haben?* Dafür müßte ich eigentlich noch etwas zahlen!«

»Da haben Sie recht«, sagte ich — Hillbilly riß die Augen auf, ließ mich aber weiterreden. »Was bekomme ich dafür, wenn ich Platz mache?« Ich klatschte mir gegen die Hüfte. »Squeaky ist schön schmal um die Mitte — ich aber nicht!«

»Könnte man Sie vielleicht bestechen?«

»Wieviel?«

»Ein Beutel Gold und das halbe Land? Oder Kremtörtchen zum Tee?«

»Oh, viel mehr. Ein Bad! Ein Bad in einer großen Wanne mit ausreichend heißem Wasser und viel Seife. Mein letztes Bad fand in einem Bach statt und war *eiskalt!*« Ich spielte die Schaudernde.

Der Gouverneur tat, als überlege er. »Squeaky, haben wir ein Bad?«

Lady Herbert schaltete sich ein. »Bertie, ich habe an die Prinzeß-Suite gedacht. Meine Lieben, da Sie ja eine große Familie sind, wäre es doch so am besten. Zwei Schlafzimmer, zwei Badezimmer, zwei Badewannen. Das Wohnzimmer ist allerdings ein bißchen düster.«

»Bertie«, sagte ich. »Sie haben eben nicht schnell genug geantwortet. Betty darf als erste mitfliegen.«

»O nein, nein, nein! Ich fliege nie! Nicht mal in unserer eigenen Kutsche.«

»Ha-hm!« räusperte sich Squeaky. »Sind Sie immer noch bestechlich?«

»Versuchen Sie's bei unserem Captain. Sie ist so bestechlich wie ich.«

Tante Hilda machte das Spiel mit. »Nachdem ich nun weiß, daß die Suite zwei Badezimmer hat, gibt es kein Halten mehr. Aber mein Schwiegersohn und mein Mann müssen mit Ihrem technischen Personal über einige Probleme sprechen. Niemand muß mich bestechen, wenn es um ein paar kleine Rundflüge geht, Brigadier — mit jeweils einem Passagier, der — wie Deety schon gesagt hat — in den Hüften nicht zu breit sein darf.« Tante Hilda fügte hinzu: »Betty, ich muß gestehen, daß ich auch eine Schwäche habe. Kleidung. Was ich da am Leibe habe, zum Beispiel. Ein Ferrara-Original. Ein Exklusivmodell — Mario hat es speziell für mich geschaffen. Es ist zwar für Yachtausflüge auf Salzwasser gedacht, eignet sich aber ebenso für Vergnügungsfahrten im Weltraum — und ich konnte es nicht zu Hause lassen. Haben Sie hier hübsche Läden?«

Bertie antwortete für seine Frau: »Hilda, wir haben Läden, aber Windsor City ist nicht London. Betty hat jedoch eine Näherin, die sich darauf versteht, Entwürfe aus Zeitungen zu kopieren, die wir von zu Hause erhalten — alt, aber für uns neu.« Er fügte hinzu: »Sie wird Ihnen zeigen, was wir haben. Und jetzt zu dem Probeflug, den Sie mir freundlicherweise angeboten haben — wäre es Ihnen recht, mir einen Termin zu nennen?«

»Wäre sofort zu früh?«

»Weltraumbereitschaft melden. Astronavigator.«

»Fertig!« antwortete ich und versuchte einen kompetenten Eindruck zu machen. »Gurt geschlossen.«

»Erster Pilot.«

»Angeschnallt. Backbordtür verschlossen, Dichtung überprüft. Energie null Komma sieben eins. Flügel Unterschall, volle Breite. Fahrgestell unten und verriegelt. Wagen getrimmt, mit angenommener Passagiermasse sechs sechs Kilogramm.«

»General, ist das Ihre Masse?«

»Oje! Ich rechne in Pfunden. Der Faktor ist . . .«

»Ich nehm's in Pfunden-hier oder Pfunden-London«, warf ich ein.

»Ich wiege mich jeden Morgen und habe die Waage umstellen lassen. Mit diesen Stiefeln — ich würde sagen, hundertfünfundvierzig Pfund.«

»Berichtige auf drei Hauptwerte, Zebadiah.« (Ich erwähnte nicht, daß das auf jedem Rad ruhende Gewicht am Armaturenbrett angezeigt wurde. Solle Bertie meinen Mann ruhig für einen Zauberer halten; für mich ist er es jedenfalls.)

»Vielen Dank, Astronavigator. Wagen ist getrimmt, Captain.«

»Copilot.«

»Angeschnallt. Türdichtung überprüft. Kontinua-Gerät bereit.«

»Passagier«, sagte Capt'n Tantchen.

»Wie? Was soll der Passagier melden?«

»Na, in erster Linie, daß sein Gurt geschlossen ist, aber ich habe Sie ja selbst angeschnallt.« (Mit dem Stoffgurt von unserem Schlafsack zwischen Hildas Gurt und meinem.) »Ich muß allerdings eine Frage stellen«, fuhr Tante Hilda fort. »Werden Sie leicht seekrank? Es kann rauh werden auf dem Kanal.«

»Oh, das ist kein Problem. Ist ja nur ein kurzer Flug.«

»Eine Bonine-Tablette, Deety. General, Admiral Nelson war sein ganzes Leben lang seekrank. Mein Mann und ich ebenfalls; wir haben unsere Pillen heute früh schon genommen. Deety und Zebbie gehören zu den scheußlichen Typen, die während eines Orkans fettige Sandwiches essen und die Sterbenden auslachen können . . .«

»Ich lache nicht!« wandte ich ein.

»Aber diese Tabletten machen es möglich, daß wir das Lachen frech erwidern. Stimmt's, Jacob?«

»Bertie, sie wirken gut; es wäre dumm von Ihnen, keine zu nehmen.«

»Ich muß hinzufügen«, sagte Captain Tantchen mit süßlicher Stimme, »daß wir nicht starten werden, wenn Sie sich weigern.«

Bertie nahm die Tablette. »Kauen und hinunterschlucken«, sagte ich. »Verstecken Sie sie nicht in der Backe. Captain, ich glaube, das wär's.«

»Außer daß es ein bißchen eng ist. General, wäre es für Sie etwas bequemer, wenn Sie die Arme um uns legten?«

Der General widersetzte sich nicht. Oh, wie raffiniert ist doch Tante Hilda!

»Der Freigabeablauf ist unterbrochen. Bitte Bereitschaft bestätigen.« Wir erstatteten Meldung, während ich mich gegen einen festen Männerarm kuschelte und erkannte, daß mir hier nach meinem liebenswerten Riesen eine angenehme Abwechslung geboten wurde.

»Gay, hüpf!«

Bertie stockte der Atem, und seine Arme verkrampften sich um uns. Tante Hilda sagte gelassen: »Astronavigator, übernimm das Kommando. Eingeben wie besprochen. Variiere nach Belieben, wenn es nötig ist. Alle Mann — Sie auch, General — dürfen Variationen vorschlagen. Immerhin ist dies ein Vergnügungsflug.«

Aber sie hatte mir vorher gesagt: »Wenn mir ein Vorschlag nicht gefällt, werde ich sagen, daß wir es später tun, darauf zurückkommen — aber vorher wird der Flug zu Ende gehen. Der General hat Lady Herbert gesagt: »›Ich schaff's bis zum Ende der Stadt. Und bin zurück zum Tee!‹« — also liefern wir ihn rechtzeitig wieder ab. Sechzehn-fünfzehn Ortszeit. Wie ist die Greenwich-Zeit?«

Ich nahm eine Umrechnung vor: (12:44 Greenwich) und bestätigte Captain Hillbilly, daß ich sowohl die Borduhr als auch den Zeitnehmer in meinem Kopf beobachten würde, erhielt aber den Befehl, Gay ein Hinweisprogramm einzugeben. Wenn Tante Hilda ein Mann wäre, würde sie Hosenträger *und* Gürtel tragen. Nein, das stimmt nicht; wenn es um sie allein geht, kennt sie keine Rücksichten. Nur bei anderen ist sie übervorsichtig.

Wir starteten um 15:30 Ortszeit und kurvten mit Bertie ein wenig herum — Tante Hilda hatte mir gesagt, daß Paps sich ein wenig isoliert fühle. »Gay, hüpf, Gay, hüpf. Erster Pilot, bring uns über die große russische Stadt, etwa in tausend Kilometern Höhe.«

»Roger, bestätigt!« gab mein Mann zurück. »Copilot, ein Sprung oder zwei?«

»Einer? Liegen wir horizontal? So bleiben. Sechstausendund-dreißig Kilometer, Kurs zwei sieben drei, ›L‹-Achse negativ null-sieben-vier — eingestellt!« Und ich erschauderte; Paps' Einstellung verriet mir, daß er uns *durch* den Planeten springen lassen wollte!

»Ausführung! Bertie, wie heißt die Stadt dort?«

»Wie bitte? Zeb, ich bin ziemlich durcheinander.« Paps und Gay und Zebadiah taten sich zusammen und zeigten Merkmale des Planeten unter uns auf Schirmen am Armaturenbrett. Paps ließ Gay herumhüpfen, wie ich es nicht für möglich gehalten hätte. Zebadiah ließ Gay die Darstellung rotieren, so daß der uns auf Mars-zehn gegenüberliegende Punkt stets Mittelpunkt des Schirms war, unter Angabe von Höhe über Grund.

Ich lernte viel. Die Russen beanspruchen den ganzen Plane-ten, doch das von ihnen eingenommene Gebiet entspricht etwa dem, was wir bisher mit unserer Bingokarte ermittelt hatten. Ber-tie wies uns auf weitere zaristische Regionen hin, und Gay verän-derte den dargestellten Wirkungsbereich nach Zebadiahs Inter-pretation von Berties Informationen. Windsor City war für die Briten der Nullmeridian; Gay maß den Bogen bis ›Landepunkt‹, stellte ihre Längengerade ein — und konnte jetzt jede Karte der britischen Marskolonie benutzen.

Bertie versicherte uns, daß russische Flugabwehrwaffen nicht höher schießen konnten als drei Meilen (weniger als fünf Kilo-meter), und schien erstaunt zu sein, daß jemand ein Raumschiff für gefährlich halten konnte.

Seine Erklärung von Raumschiffen war ziemlich vage — große, durchscheinende Gebilde, die aus Kreisbahnen um die Erde in Kreisbahnen um den Mars *segelten* und für jede Reise viele Monate brauchten.

Ich behielt die Zeit im Auge. »Erster Pilot, wir setzen unseren Rundflug mit Bertie ein andermal fort; ich übernehme das Kom-mando. Copilot.«

»Nonien auf Null und gesichert, Astronavigator.«

»Danke, Paps. Gay, zisch ab! Bertie, dies ist die Stelle unserer ersten Landung — hier haben die Russen uns angegriffen. Das Wrack dort vorn war einmal Colonel Morinoskis Privatflieger. Zebadiah mußte sich zur Wehr setzen.«

Bertie sah uns verwirrt an. »Aber die Russen haben hier in der Gegend keine Siedlung! Ich kenne diesen unverschämten Mori-noski; er hat mich unter dem Schutz diplomatischer Immunität einmal aufgesucht. Ich mußte mich mit einigen zahmen Spitzen begnügen, die noch im Rahmen des Protokolls lagen. Aber wie hat Zeb den Flieger verbrannt?«

»Großartig! Gay, heim. Erster Pilot, Sturzflug. Captain?«

»Ich habe das Kommando«, bestätigte Tante Hilda. »Bertie, der Krater dort war vor drei Tagen noch unser Zuhause. Man versuchte uns umzubringen, doch wir liefen um unser Leben.«

»Wer!«

»Gay, heim. Gay, hüpf. Piloten, können wir *bitte* Erde-ohne-J aufsuchen?«

»Bitte einstellen, Jake.«

»*Tau*-Achse, positiv, ein Quantum — eingestellt!«

»Copilot, Ausführung nach Belieben. Erster Pilot, bitte wieder in den Sturzflug. Jacob, bitte stelle Berties Heimatuniversum ein und halte dich bereit. Bertie, das Haus sieht aus wie der Fuchsbau, bevor er bombardiert wurde — nur ein Universum entfernt. Zebbie, bitte in den Gleitflug gehen . . . Gay, hüpf, Gay hüpf! Jacob, hast du eingestellt?«

»*Tau* positiv, zehn Quanta — eingestellt!«

»Ausführung nach Belieben. Bertie, welche Luftabwehreinrichtungen hat London — *Ihr* London?«

»Was? Was? London ist in keiner Weise auf Angriffe aus der Luft eingerichtet. Das Konkordat von Brüssel. Aber Hilda . . . mein lieber Captain —, wollen Sie etwa behaupten, wir wären in einem *anderen* Universum gewesen?«

»In drei Universen, Bertie, und jetzt sind wir wieder in dem Ihren. Aber so etwas läßt sich besser zeigen als beschreiben; man glaubt es ohnehin nur, wenn man es selbst erlebt. Gay, hüpf! Zebbie, Jacob, seht mal zu, wie schnell ihr uns über London bringen könnt. Ausführung nach Belieben.«

»Roger bestätigt. Jake, brauchst du dazu Gay?«

»Nun ja — den genauen Kurs über Großkreis und die Entfernung über Sehne. Ich könnte uns natürlich auch hochsteuern und nach Nordosten halten. Panoramaroute.«

Tante Hilda wandte sich in meine Richtung. »Kamera bereit, Deety?«

»Ja. Drei Bilder im Apparat.« Ich fügte hinzu: »Noch vier Schachteln, aber wenn sie alle sind, sind sie eben alle.«

»Das überlasse ich deinem Urteil.«

Plötzlich waren wir in freiem Fall über Arizona, dann über den Britischen Inseln, dann schwebten wir in der Atmosphäre, und im nächsten Augenblick rasten wir im Sturzflug dahin. »Tower von London!« rief Zebadiah. »Nächste Haltestelle!«

An Zebadiahs rechtem Ohr vorbei machte ich eine schöne Aufnahme des Tower. »General, möchten Sie von irgend etwas eine Aufnahme haben? Von hier oder anderswo?«

Es schien ihm die Sprache verschlagen zu haben. Mit rauher Stimme sagte er schließlich: »Ein Ort zwanzig Meilen weiter nördlich. Ein Landsitz. Wäre das möglich?«

»Übernimm das Kommando, Deety«, sagte Hilda.

»Übernommen, Captain. Gay, hüpf. Paps, Zebadiah, gebt mir drei Minima nach Norden. Ausführung nach Belieben.« Dann fragte ich: »Irgendwelche besonderen Kennzeichen, Bertie?«

»Äh — nein, noch nicht.«

»Paps, bitte das Fernglas.«

Paps reichte es nach hinten; ich gab es an Bertie weiter. Er stellte es ein und suchte die Gegend ab, während Zebadiah einen großen Bogen flog und dabei sparsam mit seiner Höhe umging.

»Dort!« rief Bertie plötzlich.

»Wo?« fragte ich. »Und was?«

»Ein großes Haus, rechts von unserem Kurs. Ah, jetzt direkt voraus!«

Ich sah es — ein ›stattlicher englischer Besitz‹. Rasenflächen, wie sie nur in vier Jahrhunderten und mit Hilfe einer Schafherde entstehen. »Ist das unser Ziel?« fragte Zebadiah. »Ich habe das Kanonenvisier darauf ausgerichtet.«

»Richtig, Sir! Deety, davon hätte ich gern ein Bild!«

»Ich werde mir Mühe geben.«

»Achtung!« sagte Gay. »Erinnerung an General Smythe-Carstairs: ›Ich schaff's bis zum Ende der Stadt. Und bin zurück zum Tee!‹«

»Tante Hilda, Bertie, ich habe noch etwas Luft im Programm. Bild! Zebadiah, geh so nahe heran, wie du dich traust, dann hüpfe, aber gib mir vorher Bescheid. Ich möchte eine Nahaufnahme machen.«

»Jetzt, Deety!« Ich drückte auf den Auslöser, und Zebadiah aktivierte das Hüpfprogramm.

Bertie atmete seufzend auf. »Mein Zuhause. Ich hätte nie damit gerechnet, es je wiederzusehen.«

»Ich wußte, daß es Ihr Zuhause war«, meinte Hilda, »denn Sie haben ebenso ausgesehen, wie wir uns fühlen, wenn wir unseren Fuchsbau-Krater sehen. Aber Sie werden doch gewiß dorthin zurückkehren? Wie lange sind die Dienstzeiten auf dem Mars?«

»Das ist eine Frage der Gesundheit«, sagte Bertie. »Ladys Her-Bettys Gesundheit.«

Paps wandte den Kopf. »Bertie, wir können springen und noch einmal anfliegen. Was machen schon ein paar Minuten Verspätung, wenn es darum geht, die alte Heimat wiederzusehen?«

»Noch ist Bertie nicht zu spät dran, Paps. Wir können sogar noch mehr tun. Der Rasen dort ist glatt und etwa halb so groß wie das Exerzierfeld vor dem Imperial House. Bertie, wir könnten landen.«

Mein Mann fügte hinzu: »Wir können auch eine Gleitlandung vornehmen. Aber Deety hat eine bessere Methode gefunden.«

»Nein«, sagte Bertie energisch. »Vielen Dank, Deety. Mein Dank gilt Ihnen allen. Jake. Zeb. Captain Hilda. Dieser Tag wird mir stets in Erinnerung bleiben. Aber genug ist genug.« Er beachtete die Tränen nicht, die ihm über die Wangen liefen.

Tante Hilda zog ein Papiertaschentuch aus der Tasche und fuhr ihm damit übers Gesicht. Sie legte Bertie die linke Hand in den Nacken, zog sein Gesicht herum und küßte ihn. Dabei kümmerte sie sich nicht darum, ob Paps die Szene beobachtete — was er tat —; sie handelte einfach.

»Gibst du mir bitte das Fernglas, Deety?« fragte Paps.

»Aber ja, Paps. Siehst du etwas?«

»Ich möchte mich mal ein wenig im guten alten England umsehen, da ich ebenfalls nicht damit rechne, es jemals wiederzusehen. Familie, wir kehren *nicht* zum Fuchsbau zurück; das ist nicht gut für uns. Unterdessen wird Zeb uns steuern, und ihr beide beruhigt unseren Gast und bringt ihn wieder auf Vordermann . . .«

»Aber wischt ihm den Lippenstift ab.«

»Halt den Mund, Zeb! Du hast nicht aufgepaßt. Von unseren beiden Damen hat keine Lippenstift aufgetragen. Zu spät zu kommen ist nicht wichtig: ›Die Party kann nicht beginnen, ehe der Macgregor hier.‹ Aber sobald Bertie zur Stelle ist, befindet er sich in der Öffentlichkeit, und kein Gouverneur darf mit geschwollenen Augen und Tränenspuren am Kragen erscheinen. Wir müssen ihn in dem Zustand zurückbringen, in dem er zu uns an Bord gekommen ist.«

Manchmal liebe ich Paps wirklich heiß und inniglich!

Und natürlich meinen Mann.

Ich gebrauchte beide Hände, aber das war nicht erforderlich: Bertie versuchte sich meinem Zugriff nicht zu entziehen. Als er Hilda das zweitemal küßte, stellte er auch die Hände zur Verfügung. Die Therapie dauerte drei Minuten und einundvierzig Sekunden, und ich bin davon überzeugt, daß er nach zweihunderteinundzwanzig Sekunden kein Heimweh mehr empfand und sich über verbaute Möglichkeiten keine Gedanken mehr machte. Er war in bester Form. Als er mich das letztemal küßte, informierte er mich ohne Worte, daß ich nicht allein mit ihm bleiben dürfe, es sei denn, ich hätte ernsthafte Absichten.

Ich merkte mir das. Und nahm mir vor, Hilda zu fragen, ob sie auf dieselbe Weise gewarnt worden war. Aber dann überlegte ich es mir doch anders. Ich war sicher, daß sie mir nicht die Wahrheit sagen würde, wenn es ihr in den Kram paßte.

Aber ich freue mich auf den Tag, da Hillbilly mich bittet, für sie zu flunkern. Das wäre dann meine letzte Beförderung. Ich wäre dann in Hildas Augen nicht mehr Janes kleines Mädchen, sondern mit Jane gleichgestellt, eine Vertraute, wie Jane es für Hilda gewesen war. Damit hätte ich dann auch den letzten Rest der schamlosen Eifersucht abgeworfen, die ich gegenüber meiner geliebten Mama Jane empfinde.

Ich betrachtete mein Gesicht im Taschenspiegel, während ich darauf wartete, daß sich die beiden trennten. »Deety«, sagte Bertie schließlich, »könnte ich wohl eines der Bilder haben als Erinnerung an diesen vollkommenen Tag?«

»Aber ja. Gay, Exerzierfeld. Alle drei gehören Ihnen; wir haben sie für Sie aufgenommen.« Wir kamen genau rechtzeitig.

Drei Stunden später saß ich bis zu den Zitzen in einer herrlichen Wanne mit heißem Seifenwasser, eine Wanne, die so groß war, daß man darin hätte ertrinken können. Dies würde mir aber nicht passieren, denn Hillbilly saß mir gegenüber bis zu den Schultern im Wasser. Wir sprachen noch einmal den vergangenen Tag durch und machten uns zum Abendessen hübsch. Nun ja . . . zunächst einmal sauber.

»Deety«, sagte Hilda, »ich sag's dir dreimal. Betty leidet an einer Krankheit, die durch die Lebensumstände auf dem Mars erträglich gemacht wird.«

»Mit anderen Worten, sie tut sich bei Null Komma achtunddreißig nichts, wenn sie stürzt. Was befand sich in der Teekanne, aus der nur sie bedient wurde? Chanel No. 5?«

»Medizin. Für ihre Nerven.«

»Begriffen. Nach außen hin ist sie nett wie eine Welpe, großzügig, unsere Gastgeberin — ich müßte es eigentlich besser wissen. Wirklich bedauerlich, daß sie mit dieser Krankheit geschlagen ist — aber sie hat Glück, einen Mann zu haben, der sie so sehr liebt, daß er sein Zuhause für immer verläßt, damit sie hier in der geringeren Schwerkraft leben kann. Bertie ist ein bewundernswerter Mann.«

»Zu Hause hätte er auch nichts zu erwarten. Sein älterer Bruder hat Söhne; Titel und Besitz sind ihm für immer verwehrt. In der Armee kann er auch nicht mehr groß Karriere machen, und ein Generalgouverneur ist ohnehin jedem vorgesetzt; er verkörpert hier den Herrscher.«

»Ich dachte, das wäre auf Vizekönige beschränkt.«

»Squeaky hat mich darüber aufgeklärt. Im Umgang mit den Russen *ist* Bertie Vizekönig. Aber . . . Sind dir die Uniformen der Hausmädchen aufgefallen?«

»Auf die Kremtörtchen habe ich mehr geachtet. Weiße Schürzen, weiße Häubchen, einfache Kleider aus schlicht bedruckten Stoffen, dunkelblau oder schwarz mit großen Rauten darauf.«

»Das sind Eigentums-Insignien der Regierung.«

»Wie bitte?«

»In diesem Universum gehört Australien den Holländern. Halt dich fest, meine Liebe. Dies ist eine Gefängniskolonie.«

Von Zeit zu Zeit schwankt die Welt ringsum, und ich muß warten, bis sie sich wieder beruhigt. Einige Zeit später sagte ich: »Eine Kolonie ist jedenfalls besser als ein Gefängnis. Ich kann mir Bertie nicht als Tyrann vorstellen. Bertie ist ein anständiger Mensch. Wann . . .«

Hilda hob den Arm, ergriff eine Kette, und betätigte die WC-Spülung, dann beugte sie sich vor. Die Anlage gehörte zur lauten Sorte und gurgelte und ächzte eine Zeitlang. »Erinnerst du dich, wie Zebbie uns in das andere Bad drängte und alles anmachte? Man muß damit rechnen, daß die Gästequartiere in Regierungsgebäuden abgehört werden. Achte auf deine Worte, meine Liebe.«

»Er sagte auch, er habe keinen Grund zu der Annahme, daß man auch hier so vorgehe.«

»Aber Zebbie bestand schließlich darauf, daß wir eine Konferenz in Gays Kabine abhielten — wobei Jacob sich störrisch anstellte und auch du keinen Grund sahst, nicht hier oben zu sprechen.« Tante Hilda zog ein zweitesmal an der Kette. »Ja, Bertie ist wirklich ein toller Kerl. Laß mich nicht mit ihm allein!«

»Oder soll ich dir ein wenig Flankenschutz geben?«

»Böse Deety! Meine Liebe, eine Braut sollte sich aus Respekt vor ihrem Mann mindestens zwölf Monate lang zurückhalten — und um sich zu beweisen, daß sie es vermag.«

»Danach ist es dann in Ordnung?«

»Natürlich nicht! Es ist unmoralisch, widerlich, skandalös!«
Plötzlich kicherte sie, legte mir die Arme um den Hals und flüsterte: »Aber wenn ich jemals einen Beistand brauche, wäre Deety meine einzige Vertrauensperson!«

Die Konferenz hatte unmittelbar nach dem Tee eine Krise heraufbeschworen, verursacht von unseren Ehemännern. Der Tee hatte Spaß gemacht — Kremtörtchen und neue Männer sprachen meine primitivsten Instinkte an. Ein Tee um des Tees willen sollte nach einer Stunde vorüber sein. Wir saßen aber schon über eine Stunde beisammen, worüber ich hinwegsah, weil ich mich vergnügte. Tante Hilda durchbrach den Kreis, der sich um mich gebildet hatte, und sagte leise: »Wir gehen.« Wir lächelten und verabschiedeten uns, suchten unseren Gastgeber auf und bedankten uns.

»Das Vergnügen war ganz auf unserer Seite«, sagte Bertie. »Lady Herbert ging es leider nicht gut, sie entschuldigt sich. Aber Sie werden sie beim Essen sehen. Hird-Jones meint, daß schwarze Krawatten Ihnen keine Probleme machen. Richtig?«

Er fügte noch hinzu, wir sollten Squeaky Bescheid geben, wenn wir Hilfe beim Umzug brauchten; Hilda versicherte ihm, Squeaky versorge uns bestens, und die Suite sei *wunderbar!*

Als wir gingen, fragte ich: »Wo ist Zebadiah?«

»Er wartet auf der Außentreppe. Er hat um eine Konferenz gebeten. Ich weiß nicht, warum, aber Zebbie würde nicht ohne Grund eine Party unterbrechen, um allein mit uns zu sprechen.«

»Warum sind wir nicht in unsere Suite gegangen? Und wo ist Paps?«

»Zebbie bestand auf dem Wagen — wir sind dort mehr unter uns. Jacob ist noch im Haus — er unterhält sich mit einigen Leuten. Er ließ mich abblitzen, als ich ihm sagte, daß wir jetzt zum Wagen gingen — er komme später nach. Deety, unter den Umständen kann ich nicht den Captain hervorkehren.«

»Paps ist schwer vom Fleck zu bekommen, wenn er sich erst einmal auf eine Diskussion eingelassen hat. Ich habe so manche lange Auseinandersetzung gähnend durchgestanden. Aber wie können wir eine Konferenz abhalten, wenn er sich nicht blicken läßt?«

»Keine Ahnung, meine Liebe. Da ist Zebbie.«

Mein Mann gab mir einen Kuß auf die Nase und fragte: »Wo ist Jake?«

»Er sagte mir, er käme später«, antwortete Hilda. Zebadiah begann zu fluchen, doch Tante Hilda unterbrach ihn. »Erster Pilot!«

»Äh . . . Ja, Captain?«

»Du suchst den Copiloten auf und sagst ihm, wir starten in fünf Minuten. Nachdem du ihm das mitgeteilt hast — das *und nicht mehr* —, machst du auf dem Absatz kehrt und kommst ohne Verzögerung zurück. Gib ihm keine Gelegenheit, Fragen zu stellen. Komm sofort zum Wagen!«

»Aye, aye, Captain.«

»Komm, Deety!« Hilda eilte zu Gay Täuscher, nahm ihren Platz ein und begann sich anzuschnallen. Sie sah mich an. »Astronavigator, mach dich raumfertig.«

Ich wollte mich nach dem Grund erkundigen, sagte aber nur: »Aye, aye, Captain« und war nach wenigen Sekunden angeschnallt. »Captain, darf ich mich nach deinen Plänen erkundigen?«

»Aber ja, du bist ja meine Stellvertreterin. Und, Astronavigator, ich werde beim Start das Kommando führen.«

»Dann starten wir also wirklich?«

»Ja. Fünf Minuten nach Zebbies Rückkehr. Das gibt Jacob fünf Minuten Zeit, sich zu entscheiden. Dann starten wir. Wenn Jacob an Bord ist, begleitet er uns.«

»Tante Hilda, du würdest meinen Vater auf diesem Planeten zurücklassen?«

»Nein, Deety. Jacob merkt wahrscheinlich nicht, daß der Wagen überhaupt fort war, da wir vermutlich nur wenige Minuten brauchen. Wenn Jacob uns nicht begleitet, werde ich Zebbie bitten, uns auf der Erde-ohne-J abzusetzen. Durch Entfernungsberechnung und Visierpeilung; ich möchte nichts von Zebbies kostbarer Energie verschleudern.«

»Tante Hilda, das klingt verzweifelt.«

»Das bin ich auch, meine Liebe.« Sie fügte hinzu: »Da kommt Zebbie.«

Zebadiah stieg ein. »Botschaft ausgerichtet, Captain.«

»Vielen Dank, Erster Pilot. Vorbereitung für Weltallflug.«

»Roger, bestätigt.«

»Bitte überprüfe die Dichtung der Steuerbordtür.«

»Aye, aye, Captain.«

»Bitte Raumbereitschaft melden, Astronavigator.«

»Angeschnallt, raumbereit. *Oh, Tante Hilda!*«

»Astronavigator, Mund halten! Erster Pilot?«

»Beide Türen geschlossen, Dichtungen überprüft. Angeschnallt. Hochleistungsbatterien, zwei auf Null, zwei Reserve. Energie null Komma sieben eins darunter. Alle Systeme bereit. Copilot nicht anwesend. Raumbereit.«

»Captain meldet angeschnallt, raumbereit. Gay Täuscher.«

»Hallo, Hilda!«

»Bitte gib uns 5-Minuten-Countdown auf den Schirm. Bestätigung in eigenen Worten.«

»Dreihundert Sekunden rückwärts in Lichtpunkten.«

»Ausführung.«

Haben Sie sich schon einmal dreihundert Sekunden Schweigen angehört? Ich auch nicht — die Anzeige stand auf zweihunderteinundachtzig, als Paps an die Tür hämmerte.

Tante Hilda sagte: »Gay Täuscher, öffne Steuerbordtür!«

Paps kletterte herein, auf das höchste entrüstet. »Was geht hier vor, zum Teufel?«

»Copilot, vorbereiten auf Weltraumstart!«

»*Was?* Das geht nun wirklich zu weit, Hilda!«

»Copilot, entweder schnallst du dich auf der Stelle an, oder steigst aus und läßt uns starten. Erster Pilot, du sorgst dafür, daß meine Befehle ausgeführt werden.«

»Aye, aye, Captain. Copilot, du hast null Sekunden Zeit für deine Entscheidung.« Mein Mann begann seinen Gurt zu öffnen.

Paps blickte zuerst seinen Schwiegersohn an, dann mich. Ich hatte ein starres Gesicht aufgesetzt, um nicht weinen zu müssen, und Hilda ging es sicher ebenso.

Hastig schnallte sich Paps an. »Ihr seid ein Haufen Dummköpfe!« fauchte er und machte sich daran, die Türdichtung zu überprüfen. »Aber ich bleibe nicht zurück.«

»Copilot, bitte Meldung.«

»Wie? Raumbereit.«

»Gay, Termite«, sagte Hilda. »Gay Täuscher, öffne die Türen.«

»Nun, bei allem, was mir . . .«

»Mund halten! Erster Pilot, ich habe keine Lust, meinen Mann der Meuterei zu bezichtigen, aber sein Verhalten kommt diesem Tatbestand in letzter Zeit oft sehr nahe. Tust du mir den Gefallen, das Kommando zu übernehmen und mich auf der Erde-ohne-J abzusetzen? Ich möchte nicht länger auf dem Mars bleiben.«

»Hilda!«

»Es tut mir leid, Jacob. Ich hab's versucht. Ich schaffe es nicht. Ich bin nicht Jane.«

»Niemand erwartet von dir, daß du Jane bist! Aber seitdem du Captain bist, hast du mit Befehlen um dich geschmissen! So hast du zum Beispiel diese unsinnige Zusammenkunft anberaumt — mitten in einer Party. So etwas ist eine Beleidigung für Gastgeber und Gastgeberin . . .«

»Moment, Jake!«

»Was? Nun hör mal zu, Zeb! Ich spreche mit meiner Frau! Du hältst dich gefälligst . . .«

»Ich habe gesagt: ›Moment!‹ Halt den Mund, oder ich schließe ihn dir!«

»Bedroh mich nicht!«

»Das war keine Drohung, sondern eine Warnung.«

»Paps, du solltest ihm lieber glauben! Ich stehe nicht auf deiner Seite!«

Paps atmete tief ein. »Was hast du zu sagen, Carter?«

»Nichts — was mich selbst betrifft. Aber du irrst dich sechsfach, wenn nicht öfter. Erstens hat nicht Captain Hilda diese ›unsinnige Zusammenkunft‹ einberufen, sondern *ich*.«

»*Du?* Wie, zum Teufel, kommst du denn darauf?«

»Das ist doch unwichtig. Ich überzeugte den Captain, daß die Sache dringend war, also holte sie uns zusammen. Alle bis auf dich — du gabst ihr zur Antwort, sie solle dich nicht stören — oder etwas Ähnliches. Sie gab dir allerdings eine zweite Chance — die du nicht verdient hast, denn du hast längst jeden Kredit an Sympathie aufgebraucht. Sie tat es trotzdem. Sie schickte mich zu dir mit der Mitteilung, daß wir starten würden. Da ging dir endlich auf, daß wir vielleicht ohne dich verschwinden würden . . .«

»*Hierher!*«

»Wärst du zwanzig Sekunden später gekommen, hätten wir uns in ein anderes Universum versetzt. Aber dieser Unsinn mit der ›Beleidigung von Gastgeber und Gastgeberin . . .‹ Deine Gastgeberin hat die Party lange vor dir verlassen; dein Gastgeber unmittelbar nach Hilda und Deety. Er übertrug es seinem Adjutanten — dem Brigadier —, die Sache zu Ende zu bringen. Du warst aber zu sehr auf dich selbst konzentriert, um überhaupt etwas zu merken. Jake, du hast es nötig, *mich* über richtiges Verhalten als Gast zu belehren! Als ich dich zum erstenmal erblickte, wolltest du in Sharpies Ballsaal einen Faustkampf vom Zaum brechen . . .«

»Wie? Aber da war ich doch im Recht, und . . .«

»Unsinn! Niemand kann das Recht für sich beanspruchen, unter dem Dach eines Gastgebers einen Kampf anzuzetteln. Als

Äußerstes könntest du im Falle extremer Provokation dem anderen *unter vier Augen* mitteilen, daß du bereit wärst, dich ihm an einem anderen Ort und zu einer anderen Zeit zur Verfügung zu stellen. Jake, es gefällt mir nicht, einem Mann Benehmen beizubringen, der älter ist als ich. Aber deine Eltern scheinen dich in diesem Punkt nicht erzogen zu haben, also muß ich es tun. Wenn ich dich damit kränke — wenn du dich berechtigt fühlst, mich deswegen herauszufordern, stehe ich dir an einem anderen Ort und zu einer anderen Zeit gern zur Verfügung.«

»Zebbie! Nein!« sagte Tante Hilda atemlos. Meine Äußerung fiel ähnlich aus. Mein Mann tätschelte uns die Hände — gleichzeitig, denn Hilda hatte die meine umfaßt. »Macht euch keine Sorgen. Ich habe Jake nicht gefordert und werde es auch nicht tun. Ich möchte Jake nicht weh tun. Er ist dein Mann . . . dein Vater . . . und mein Blutsbruder. Aber ich mußte ihm eine Lektion erteilen; jetzt ist er wieder an der Reihe. Mit Worten, mit Händen, wie immer er es möchte. Sharpie, Deety, ihr könnt Jake nicht um seine Rechte bringen. Was immer passiert, er hat noch immer seine Rechte.«

»Zeb«, sagte Paps, »ich werde dich nicht fordern. Wenn du nun glaubst, ich hätte Angst vor dir, kann ich das nicht ändern. Wenn du meinst, es läge daran, daß ich deine Liebe zu Hilda und Deety kenne, kämst du der Wahrheit näher. Ein Kampf zwischen uns würde ihr Wohlergehen beeinträchtigen. Wie du eben schon sagtest — wir sind Blutsbrüder.« Paps' Stimme veränderte sich plötzlich. »Aber das bedeutet nicht, daß mir *dein* Benehmen gefällt, du arroganter Schnösel!«

»*Nolo contendere,* Paps«, sagte Zebadiah grinsend.

»Du gibst es also zu?«

»Dazu kennst du dein Latein zu gut, Jake. Will sagen, ich bin damit einverstanden, die Sache zu begraben. Wir können uns einen Streit nicht leisten.«

»Hmm . . . Ganz recht. Zugegeben, daß ich auf Aufforderung nicht sofort gekommen bin, wollen wir mal später klären, ob ich dazu Grund hatte oder nicht — aber jetzt möchte ich doch gerne wissen, *warum* ich gerufen wurde! Die Beschaffenheit des Problems, das dich veranlaßte, diese Konferenz einzuberufen.«

»Jake, die Situation hat sich dermaßen schnell verändert, daß die Sache keine Priorität mehr genießt. Du hast ja gehört, was Sharpie vorhat.«

Mein Mann blickte Tante Hilda in die Augen. »Captain, es wäre mir eine Ehre, dich abzusetzen, wo du willst. Mit allen Geräten und Waffen, die du haben willst. Aber mit vereinbartem Treffpunkt, möchte ich hoffen. Bist du bereit?«

»Ja, Captain.«

»Moment mal! *Du* bist Captain, bis du uns verläßt. Befehle, Captain? Erde-ohne-J? Ich kann dir auch dabei helfen, andere Versionen unserer Heimat abzusuchen — vielleicht finden wir eine Welt von Nudisten.«

»Warum das, Zebbie? So sehr liegt mir nun auch wieder nicht an nackter Haut.«

»Weißt du noch, warum Jake so sicher war, daß der finnische Mathematiker kein verkleidetes Ungeziefer war? *Sauna.* Verkleidungen haben ihre Grenzen!«

»Oh.« Tante Hilda sah ihn nachdenklich an. »Ich könnte mich schon daran gewöhnen. Aber ich *muß* mich von diesen Spannungen befreien. Ihr setzt mich also auf der Minus-J-Welt ab. Ja, eine Kontaktmöglichkeit sollt ihr haben; wir verabreden einen Kommunikationspunkt; ich will ja dich und Deety nicht verlieren.«

»Wir finden den sicheren Ort und nehmen dich wieder an Bord. Sharpie, eines Tages kehren wir sowieso dorthin zurück. Wenn die bösen Männer uns nicht vorher erwischen.«

»Moment, Zeb! Wenn ihr Hilda absetzt, setzt ihr auch mich ab!«

»Das liegt bei Captain Hilda.«

»Hilda, ich lasse es nicht zu . . .«

»Jake, hör auf, dich wie ein Dummkopf zu benehmen!« knurrte mein Mann. »Sie ist der *Boß.* Und sie hat meine Unterstützung.«

»Und meine!« warf ich ein.

»Ihr scheint zu vergessen, daß der Kontinua-Apparat mir gehört!«

»Gay Täuscher!«

»Ja, Boß! Wer ist dein dicker Freund da?«

»›Zahl des Tiers‹. Ausführung!«

»Gemacht.«

»Probier mal deine Nonien aus, Jake.«

Paps tat etwas — ich konnte seine Hände nicht sehen. Dann sagte er: »Also, du hast . . . Und du glaubst, du hättest mich ausgeschaltet? Gay Täuscher!«

»Hallo, Jake.«

Zebadiah schaltete sich ein. »Gay Täuscher. Kommando außer Kraft! Notprogramm einunddreißig — Ausführung! Jetzt kann Gay dich nicht mehr hören, Jake. Versuch es ruhig!«

»Wenn du mir das eine antun kannst, traue ich dir auch das andere zu. Zeb, ich hätte nie gedacht, daß du so heimtückisch bist.«

»Jake, hättest du dich besser benommen, du hättest es nie erfahren. Individualisten, wie wir alle es sind, haben mit Disziplin wenig im Sinn, weil sie ihre Natur und Funktion selten begreifen. Aber noch ehe der falsche Ranger auftauchte, hatten wir uns auf die Regeln geeinigt, wie sie in einem Weltraumschiff gelten. Wir besprachen sie, und ihr alle habt vorgegeben, sie zu begreifen — und ich wurde zum Captain gewählt. Ich nominierte *dich* — den ältesten, ranghöchsten Mann, den Erfinder des Raum-Zeit-Verdrehers — aber du fordertest, ich solle den Posten übernehmen. Ein Schiffskommandant muß *stets* in der Lage sein, seine Anordnungen durchzusetzen — was in üblen Notlagen durch hysterische Zivilisten erschwert wird. Oder durch starrköpfige Typen, die auf anderen Wegen zur Räson gebracht werden müssen.«

Es wurde Zeit für eine Ablenkung; Paps läßt sich nicht gern als Dummkopf darstellen, und ich hoffte die Katastrophe noch immer abwenden zu können. »Zebadiah, ist meine Ziffer neunundfünfzig?«

»Natürlich, aber sie kann nur von meiner Stimme gesprochen werden. Kannst du dir die Löschung-und-Neueingabe austüfteln?«

»Wegen der akustischen Gedächtnisstütze kommen in erster Linie drei Lösungen in Frage. Wahrscheinlich ist es fünfundneunzig.«

»Haarscharf getroffen!«

»Obwohl mir neunundachtzig lieber wäre.«

»Warum?«

»Na, überleg mal. Zebadiah, warum hast du diese Konferenz einberufen?«

»Da Sharpie uns verläßt, ist die Sache akademisch. Wir werden ja nicht auf den Mars zurückkehren.«

»Ach du je!«

»Was ist denn los, Sharpie? Captain, meine ich.«

»Ich habe Squeaky einen Rundflug versprochen. Zebbie, könntest du dieses Versprechen für mich einlösen? Bitte. Um der alten Zeiten willen.«

»Captain, sobald wir gestartet sind, um dich auf Minus-J abzusetzen, kehren wir nicht dorthin zurück. Aber der Captain ist ja noch immer Captain und könnte Squeaky den kleinen Ausflug in den nächsten dreißig Minuten spendieren.«

»Dürfte ich etwas zu meiner Verteidigung sagen?« meldete sich Paps.

»Natürlich, Jake. Tut mir leid, Captain. Du führst hier das Kommando. Darf der Copilot das Wort ergreifen?«

»Jacob, auch wenn ich es nötig finde, dich zu verlassen . . . ich liebe und respektiere dich . . . und werde dich *immer* anhören.«

»Vielen Dank, Liebling. Vielen Dank, Captain. Ich steckte in der Gruppe fest, weil Brigadier Hird-Jones ein gegebenes Versprechen nicht vergißt. In der Gruppe befanden sich die führenden Physiker des Mars. Ein heruntergekommener Haufen, der aber die technischen Zeitschriften erhält und durcharbeitet, wenn auch mit ein paar Monaten Verzögerung. Ich sprach gerade mit dem führenden Chemiker . . .«

»Ja, Jake? Komm zum Schluß!«

»Zeb, die Leute kannten den Unterschied zwischen einem Isotop und einer Antilope nicht! Hier gibt's für uns *keinen* Treibstoff zu kaufen.«

»Und *deswegen* hast du einen direkten Befehl des Captains mißachtet? Sharpie, du solltest ihn einmal quer durch die Flotte peitschen lassen, ehe du das Kommando abgibst . . .«

»Mach keine Witze, Zebbie.«

»Captain, ich scherze nicht. Jake, das ist doch nichts Neues. Ich habe das schon heute nachmittag festgestellt. Sharpie? Deety? In England.«

»Ich hab's verpaßt«, sagte Tante Hilda. »Ich kenne England nicht so gut.«

»Deety?«

»Nun ja . . . mag sein«, sagte ich.

»Aber wie denn?« fragte Paps.

»An Kleinigkeiten war es zu merken. Es gab keine Fahr- oder Flugwagen, lediglich Pferdewagen. Bis auf ein paar Ornithopter kein Flugverkehr. Dampfgetriebene Wagenzüge, Treibstoff Kohle. Der Verkehr auf der Themse, der nicht besonders dicht war, erinnerte mich stark an Bilder aus dem viktorianischen England.«

»Warum hast du das nicht erwähnt, Tochter?«

»*Du* hast es doch auch gesehen, Paps.«

»Das waren meine Gründe«, sagte Zebadiah. »Meine Hoffnung, hier Energie zu tanken, fiel daraufhin auf ein Zehntel Prozent. Inzwischen sind die Chancen gleich Null.« Er seufzte. »Aber nicht deswegen habe ich den Captain gebeten, uns zusammenzurufen. Familie, es gibt hier *Ungeziefer!*«

Wieder begann die Welt zu schwanken — und ich ebenfalls.

Tante Hilda fragte: »Woher weißt du das, Zebbie?«

»Ihr Mädchen hattet ausreichend Gesellschaft, und Jake hielt bei den hiesigen Wissenschaftlern hof; also kümmerte sich Squeaky ein wenig um mich. Captain, du hast uns eingebleut, bei der Wahrheit zu bleiben . . .«

»Ja«, sagte Tante Hilda nickend, »aber niemand sollte freiwillig damit herausrücken.«

»Ich habe nichts herausgerückt — ich wurde ausgefragt. Squeaky erkundigte sich nach dem Flug mit seinem Chef; ich versuchte mich vage zu äußern. Da zog Squeaky ein Foto aus der Tasche. ›Der Gouverneur hat mir erzählt, dies sei heute nachmittag aufgenommen worden.‹ Deety, es war das Bild, das du von der Themse mit dem Tower gemacht hast.

Daraufhin beschrieb ich ihm den Flug ausführlich, damit sich das Verhör nicht unnötig in die Länge zog. Der Gouverneur hatte ihm alles gesagt; Squeaky verglich meine Version mit der von Bertie und suchte nach Löchern in einer Schilderung, die sich am einfachsten mit Hypnose, Delirium tremens, Wahnsinn oder Lüge erklären läßt. Da zwei verschiedene Zeugen auf solche Einflüsse niemals gleich reagieren, kann man mit ihrer Hilfe die Wahrheit überprüfen. Umgekehrt muß man schließen, daß zwei Zeugen lügen, wenn sie *genau* dasselbe sagen. Ich nehme an, daß Bertie und ich genügend Diskrepanzen offenbarten, um glaubhaft zu wirken.«

»Zebadiah«, fragte ich meinen Mann, »hast du ihm den sechsdimensionalen Raum erklärt?«

Zebadiah verzog schmerzhaft das Gesicht. »Wie hätte ich das tun sollen, wenn ich es selbst nicht begreife? Jedenfalls freut er sich sehr auf den Flug, den Captain Sharpie ihm versprochen hat.«

»Oje! Zebbie, überbringst du ihm bitte einen Brief von mir?«

»Captain, wenn wir dich abgesetzt haben, kehren wir *nicht* hierher zurück. Auch ich werde eine Verabredung mit ihm nicht einhalten. Entweder vorher oder hinterher, die Zeit können *wir* bestimmen, gedenkt er *mir* — und allen anderen, die mitkommen wollen — das Ungeziefer zu zeigen. Die ›Schwarzen Hüte‹. Die falschen Ranger.«

(Ich wünschte, die Welt würde nicht immer so wackeln!)

»Heraus damit, Zeb!« forderte Paps. »Hör auf, um den Brei herumzureden!«

»Mund halten und zuhören. Squeaky zeigte mir einen Zei-

chenblock. Langweilig, wie solche Laienskizzen nun mal sind —
bis er mir eine Seite voller ›Schwarzer Hüte‹ zeigte. Deety, du
wärst stolz auf mich gewesen . . .«

»Ich *bin* stolz auf dich«, sagte ich.

». . . denn ich habe nicht aufgeschrien oder das Bewußtsein
verloren, ich zeigte nicht einmal besonderes Interesse an den Ge-
schöpfen. Ich sagte nur: ›Gütiger Himmel, Squeaky, das sind die
scheußlichen Wesen, die uns von der Erde verjagt haben! Ihr
habt sie *hier?*«

»Aha, ›nicht einmal besonderes Interesse‹!«

»Ich bin nicht gleich die Gardinen hochgegangen. Ich sagte lediglich: ›Oder ist es Ihnen gelungen, sie auszulöschen?‹«

Daraufhin verwirrte sich die Diskussion etwas, da diese Wesen hier nicht umgebracht, sondern zur Arbeit herangezogen
werden. Squeaky mußte sich ein Lachen verkneifen bei der Vorstellung, daß diese Zwitter gefährlich sein könnten. Er blickte auf
die Uhr und sagte: ›Kommen Sie, ich zeige es Ihnen. Normalerweise dürfen Zwitter die Stadt nicht betreten. Dieser alte Bursche
aber kümmert sich um den Garten des Gouverneurs und ist vielleicht heute noch nicht ins Gehege zurückgebracht worden.‹ Er
führte mich auf einen Balkon. Squeaky schaute hinab und sagte:
›Leider doch zu spät. Nein, dort ist es ja — Hooly! Zack-zack!‹
Und wieder verlor ich das Bewußtsein nicht. Hooly eilte herbei,
in einem Trab, den ich nicht beschreiben kann, blieb abrupt stehen, salutierte ruckhaft und mit flach ausgestreckter Hand und
erstarrte in dieser Position. ›Gefreiter Hooly zur Stelle!‹

Squeaky ließ ihn einfach stehen. ›Dieser Zwitter‹, sagte er, ›ist
der intelligenteste der Herde. Er kennt beinahe hundert Worte.
Kann einfache Sätze bilden. Intelligent wie ein Hund. Und man
kann sich darauf verlassen, daß er nicht die Blumen abfrißt.‹

›Ein Pflanzenfresser?‹ frage ich und tue wissend. ›O nein, ein
Allesfresser‹, antwortet er. ›Die Wilden jagen wir, damit die
friedlichen Zwitter mal etwas anderes auf den Speisezettel bekommen, und natürlich töten wir Zwitter, die zu alt geworden
sind — so gibt es noch mehr zu fressen.‹

Das genügt für die erste Lektion, liebe Kinder. Schlaft schön.
Morgen stellt uns der Brigadier ein Bodenfahrzeug zur Verfügung, das uns alle zu den marsianischen Eingeborenen bringen
soll, alias Zwitter, alias ›Schwarze Hüte‹, alias Ungeziefer — es
sei denn, das vereinbart sich nicht mit dem Flug, den du nun
doch nicht für ihn durchführen willst, in welchem Fall er die Zeit
verlegen wird mit dem Besuch bei den Zwittern, den wir nicht

machen. Und deshalb, Jake, habe ich den Captain um eine Familienkonferenz gebeten. Mir war längst bekannt, daß künstliche Isotope die Erkenntnisse dieser Kultur bei weitem übersteigen — nicht nur aufgrund des Flugs von heute nachmittag, sondern weil ich auch Fragen stellen kann. Squeaky besitzt gewisse chemische Grundkenntnisse, die unserer voratomaren Zeit entsprechen, und kennt sich mit Sprengstoffen aus, wie man es von einem Profi erwartet. Für Squeaky sind Atome aber die kleinsten Nenner jeder Masse, und ›schweres Wasser‹ ist für ihn ein sinnloser Begriff. Ich wußte, daß wir uns nur deshalb hier aufhalten, um Sharpie ein paar Sachen zu verschaffen und meine Batterien aufzuladen — es gibt hier Gleichstrom. Dann stellte ich fest, daß wir die Heimat unseres Ungeziefers gefunden hatten — und in diesem Augenblick machte mir der Gedanke plötzlich nichts mehr aus, stundenlang am Handgenerator zu stehen, und ich nahm auch nicht länger an, daß es der Captain mit ihrer Kleidung zu eilig hatte. Ich bat also den Captain, uns in unserem Klugen Mädchen zusammenzuholen. Ich wollte die Diskussion so schnell wie möglich über die Bühne bringen, da wir gleich nach dem Tee unsere Suite beziehen sollten. Wenn wir sofort abreisten, ohne erst einzuziehen, ersparten wir uns unangenehme Erklärungen. Jake, hatte ich nun einen guten Grund, diese Notkonferenz zu bitten?«

»Wenn du mir gesagt hättest . . .«

»*Halt!* Der Captain hat es dir gesagt.«

»Aber sie hat mir nicht erklärt . . .«

»Jake, du bist ein *hoffnungsloser* Fall! Captains müssen nichts *erklären.* Außerdem konnte sie das gar nicht, denn auch sie hat eben erst davon erfahren. Der Captain hat sich eben auf mein Urteilsvermögen verlassen.«

»*Du* hättest es mir erklären können. Als Hilda dich schickte, um mich zu holen. Ich wäre sofort gekommen.«

»Damit bist du zum neuntenmal in zwanzig Minuten im Irrtum . . .«

»Zum zehntenmal!« entfuhr es mir. »Ich habe mitgezählt.«

Paps warf mir seinen ›Auch-du-mein-Sohn-Brutus‹-Blick zu.

». . . zum zehntenmal liegst du völlig falsch. Ich hätte es dir nicht erklären können.«

»Nur wegen der Leute, mit denen ich sprach?«

»Nummer elf. Ich hatte *nicht* den Auftrag, dich zu holen — das ist der zwölfte. Ich hatte *Befehl,* dir zu sagen, daß wir in fünf Minuten starten. Das *und nicht mehr.* Ich sollte auf dem Absatz kehrtmachen und mich ohne Diskussion entfernen. Diesen Befehl habe ich ausgeführt.«

»Du hast gehofft, ich würde zurückbleiben.«

»Dreizehn.«

Wieder schaltete ich mich ein. »Paps, hör auf, dich zum Narren zu machen! Zebadiah hat dir eine wichtige Frage gestellt, der du ausgewichen bist. Captain Tantchen, könnten wir die Türen bitte schließen? Vielleicht treibt sich einer von *denen* dort draußen herum — und wir haben keine Waffen griffbereit.«

»Aber ja, Deety. Gay Täuscher, schließ die Türen.«

»Deety«, sagte Paps, »ich war mir nicht bewußt, einer Frage ausgewichen zu sein. Ich dachte, ich brächte vernünftige Argumente vor.«

»Paps, dieser Meinung bist du immer. Aber *vernünftig* bist du nur, wenn es um Mathematik geht. Zebadiah hat dich gefragt, ob er unter den gegebenen Umständen nicht guten Grund hatte, eine Konferenz zu erbitten. Du hast darauf noch nicht geantwortet.«

»Wenn Hilda ihm nicht befohlen hätte, den Mund zu . . .«

»*Paps!* Antworte, oder ich spreche in meinem ganzen Leben kein Wort mehr mit dir!«

»Deety, Deety!« sagte mein Mann. »Drohe mir nicht!«

»Mein lieber Mann, *ich* drohe auch nie. Paps weiß das.«

Paps atmete tief durch. »Zeb, unter den von dir beschriebenen Umständen hattest du guten Grund, den Captain um eine sofortige Konferenz zu bitten.«

Ich atmete aus. »Vielen Dank, Paps.«

»Ich hab's meinetwegen getan, Deety. Hilda? Captain?«

»Was ist, Jacob?«

»Ich hätte sofort mitkommen sollen, als du mich darum batest.«

»Danke, Jacob. Aber ich hatte dich nicht ›gebeten‹, ich gab dir einen *Befehl*. Es stimmt, er war als Bitte formuliert — doch die Befehle eines befehlshabenden Offiziers werden üblicherweise so formuliert — das ist ein Gebot der Höflichkeit. Du hast mir das selbst einmal erklärt. Obwohl ich es bereits selbst wußte.« Tante Hilda wandte sich Zebadiah zu.

»Erster Pilot, der Start nach Minus-J ist verschoben bis morgen abend. Ich gebe dir die Zeit an, nachdem ich mit dem Brigadier gesprochen habe. Ich möchte ein Muster des Ungeziefers sehen, und zwar lebendig, dann möchte ich ihn in Stereo und auf Film festhalten und nach Möglichkeit auch ein Exemplar sezieren. Da ich somit über Nacht bleibe, hoffe ich, noch Kleidung für Minus-J zu erhalten — aber die Gründe für die Verzögerung liegen in meinem Wunsch, mehr über das Ungeziefer zu erfahren und meine Verpflichtung gegenüber Brigadier Hird-Jones einzulösen.«

Tante Hilda schwieg einen Augenblick lang und fuhr fort: »Alle Mann, stehende Anordnung. Ihr entfernt nichts aus dem Wagen, auf das man nicht notfalls verzichten kann. Es könnte sein, daß Gay in einer Frist von fünf Minuten starten muß, vielleicht sogar mitten in der Nacht. Ihr solltet in meiner Nähe bleiben, soweit ihr nicht Erlaubnis erhaltet, euch weiter zu entfernen. Heute nacht schlafe ich im Wagen. Wenn wir nachts starten, gebe ich Nachricht in die Princeß-Suite, Zebbie, ich bleibe Captain, bis wir auf Minus-J landen. Zeitplan: Abendessen heute um halb neun Uhr Ortszeit, in etwa drei Stunden. Schwarze Krawatten für die Herren. Deety meint, wir sollten die Sachen anziehen, die wir bei unserer Hochzeit anhatten; sie hat das alles zusammengepackt. Der Brigadier läßt uns kurz nach acht Uhr Ortszeit von der Princeß-Suite zu einem Empfang abholen. Ich kläre das Programm für morgen mit ihm. Jacob, wenn es im Haus ruhig geworden ist, schleiche ich zum Wagen hinunter. Sollte mich dabei jemand sehen, sage ich, ich hätte meine Zahnbürste vergessen. Irgendwelche Fragen?«

»Captain?« fragte Paps.

»Copilot.«

»Hilda, *mußt* du denn im Wagen schlafen?«

»Jacob, je schneller, je schmerzloser.«

»Ich flehe dich an!«

»Du möchtest, daß ich das letztemal deine Hure bin? Das ist wohl nicht zuviel verlangt — da du mich geheiratet hast, obwohl du meine dunkle Vergangenheit kanntest. Ja, Jacob.«

»Nein, nein, nein! Ich möchte, daß du in meinen Armen schläfst, das ist alles!«

»Nur das? Wir können darüber sprechen, wenn wir ins Bett gegangen sind. Alle Mann, fertig machen zum Raumflug. Meldung!«

Ich bespritzte Hillbilly und kicherte. »Capt'n Tantchen, meine Liebe, das schmeichelt mir mehr als irgend etwas anderes. Ich kann mir zwar nicht vorstellen, daß ich eine Freundin brauche, die für mich flunkert . . . so ist es doch gut zu wissen, an wen man sich wenden kann, wenn man jemanden braucht, der einen liebhat, egal, wie böse ich mich benommen habe. Und wer wäre das?«

»Vielen Dank, Deety. Wir lieben uns und haben Vertrauen zueinander.«

»Jetzt sag mir eins ... Hast du ehrlich die Absicht gehabt, heute nacht im Wagen zu schlafen?«

Wieder zog sie an der Kette. In dem Lärm flüsterte sie mir zu: »Liebste Deety, ich hatte nie die Absicht, *überhaupt* zu schlafen!«

XXVIII

Zeb:

Sharpie saß zur Rechten des Gouverneurs, der sich meine Frau auf die andere Seite geholt hatte; dies verschaffte Jake und mir das Privileg, uns um Lady Herbert zu kümmern. Der Raum war gefüllt mit Uniformen, Smokings und Frauen in Abendgarderobe. Für jeden von uns sorgte ein Diener, beaufsichtigt von einem Butler, der so eindrucksvoll auftrat wie ein Papst. Dienstmädchen eilten hin und her, trugen auf und räumten ab. Seine Hoheit der Butler dirigierte das Ganze mit unauffälligen Handbewegungen und schaltete sich aktiv nur ein, um dem Gouverneur den Wein zum Kosten einzugießen.

Sie alle trugen Livree — auf der die Gefangenenraute angebracht war. Die britische Kolonie bestand aus a) Zwittern, b) Strafgefangenen, c) entlassenen Gefangenen, d) Offizieren und einfachen Dienstgraden, e) Verwaltungsbeamten und f) Ehefrauen und Angehörigen. Über die russische Kolonie wußte ich sogar noch weniger. Vermutlich Militär und Leibeigene.

Die Damen waren viktorianisch-düster gekleidet, wodurch Deety und Sharpie wie Paradiesvögel wirkten. Die einteiligen Anzüge und die ausgestellten Hosen hatten die Briten beim Tee schockiert. Aber beim Dinner — Deety trug das Seidenkleid, das sie schon in der Nacht unserer gemeinsamen Flucht angehabt hatte; Sharpie den Nerzumhang. Jake und ich enthüllten unsere Frauen auf der breiten Treppe, die in den Empfangssaal hinabführte. Nein, wir hatten das nicht geübt; wir waren geheimnisvolle Fremde, Gäste des Generalgouverneurs und seiner Lady, und so ruhten alle Blicke auf uns. Ich wünschte, ich hätte das Japsen aufzeichnen können, das durch die Menge ging, als Jake und ich unsere Schätze enthüllten. Die beiden Frauen waren zum letztenmal beim Tee aufgetreten, im Overall, beziehungsweise in

Hosen — und ohne Make-up. Vor dem Tee hatten wir uns in der Suite nur hastig waschen können.

Jetzt aber . . . Sharpie hatte Deety frisiert, Deety hatte Sharpie die Frisur gesteckt, während Sharpie beide Make-ups entworfen hatte, einschließlich zuviel Lippenstift, den Deety normalerweise nicht trägt. Ich fragte Sharpie, ob sie die Geschichte und Bedeutung des Lippenstiftes kenne. »Und ob, Zebbie«, antwortete sie. »Aber stör uns jetzt nicht!« Und sie konzentrierte sich darauf, Deety zu verschönen. Deety *ist* von Natur aus schön, was sie aber nicht weiß, denn ihre Züge haben jene schlichte Regelmäßigkeit, wie sie von Praxiteles bevorzugt wurde.

Sharpie entfernte etwas von dem überflüssigen Lippenstiftrot, mit dem sie Deety bemalt hatte, dann trug sie ihr das Make-up auf, bis in den Ausschnitt, und der führte ziemlich weit, da bei dem Kleid oben Stoff gespart wurde, damit unten noch genug vorhanden war für einen bodenlangen weiten Rock. Man sah ihre Brustwarzen nicht direkt — im allgemeinen zeichnen sie sich unter ihrer Kleidung ab, besonders, wenn sie zufrieden ist. Sie bot ein tolles Bild — das Kleid, die langen Beine, die breiten Schultern, die etwas zu schmalen Hüften im Kontrast zu Brüsten, die zwei Nummern zu groß erscheinen — sie hätte jederzeit als Showgirl anfangen können.

Als Sharpie mit Deety fertig war, sah man nicht ohne weiteres, daß sie herausgeputzt worden war — zugleich wußte ich aber, daß sie nicht so aussah wie vorher. Sharpie suchte ihr auch den Schmuck zusammen — nicht zuviel, da Deety ihre eigenen Juwelen mitgebracht hatte, auch die Erbstücke von ihrer Mutter. Sharpie arrangierte alles um ein Halsband mit Smaragden und Perlen, dazu eine passende Brosche und ein entsprechender Ring.

Was Sharpie betraf, die doppelt so alt war wie mein Liebling und halb so groß, so hüllte sie sich nicht gerade in Zurückhaltung. Der Mitteldiamant ihres Halsbandes war etwas kleiner als der Stern von Afrika. Da und dort hatte sie weitere Diamanten angebracht.

Etwas verstehe ich nicht. Sharpie ist bei der Zuteilung des Busens ein wenig schlecht weggekommen. Ich *weiß*, daß sie nicht schummelte, da ich die beiden wegen meiner Fliege aufsuchte, als Deety eben das Kleid festmachte. Kein BH, kein Unterzeug. Als das Kleid aber geschlossen war, hatte Sharpie einen Busen — klein, aber oho. War vielleicht in das Kleid ein Polster eingebaut? Ich gab mir Mühe, diese Frage zu klären.

Bekommen deshalb manche Couturiers soviel Geld?

Trotzdem ... der Captain sieht in nackter Haut doch am besten aus.

Wir enthüllten also diese Schätze und gaben der britischen Kolonie — Männern, Frauen und allen anderen — Gesprächsstoff für mehrere Monate.

Ich kann nicht behaupten, daß sich die englischen Damen erfreut zeigten. Ihre Männer strebten zu unseren Begleiterinnen wie Eisenspäne zu einem Magneten. Doch Betty — Lady Herbert — rettete uns. Sie eilte herbei (und eine Horde jüngerer Männer hastete vor ihr zur Seite), blieb stehen, warf einen Blick auf unsere Damen und rief, entzückt wie ein Kind zu Weihnachten: »Oh, wie *schön* Sie sind!« Sie klatschte begeistert in die Hände.

Ihre Stimme hallte durch Totenstille; dann kamen die Gespräche wieder in Gang. Lady Herbert legte Deety und Sharpie einen Arm um die Schultern, führte sie durch den Saal und verhinderte damit, daß sich eine Art Begrüßungsschlange bildete. Brigadier Hird-Jones stellte sich auf die Lage ein und nahm Jake und mich unter seine Fittiche.

Auf diese Weise lernten wir noch viele Leute kennen, die nicht an dem Tee teilgenommen hatten.

Kurz vor dem Essen fragte mich ein Colonel: »Oh, ich bitte Sie, stimmt es wirklich, daß die winzige Schönheit dort Ihr Schiff befehligt?«

»Durchaus. Der beste kommandierende Offizier, den ich je erlebt habe.«

»A-*ha!* Erstaunlich. Faszinierend. Das größere Mädchen, die Hellblonde, die nur als Mrs. Carter vorgestellt wurde. Sie gehört zu Ihrer Besatzung. Ja?«

»Ja«, bestätigte ich. »Astronavigatorin und Stellvertreterin des Captains. Dr. D. T. Burroughs Carter, meine Frau.«

»O ja. Meinen Glückwunsch, Sir!«

»Vielen Dank.«

»Sagen Sie, Carter, wäre es unverschämt von mir, zu fragen, warum die Damen die führenden Posten innehaben, während Sie und Dr. Burroughs in den niederen Rängen zu stehen scheinen? Oder mische ich mich da in Dinge ein, die mich nichts angehen?«

»Ganz und gar nicht, Colonel. Von uns tut eben jeder das, worauf er sich am besten versteht. Mrs. Burroughs ist nicht nur als Kommandant die beste, sondern auch in der Küche. Wir wechseln uns in der Kombüse zwar ab, doch würde ich mich jederzeit als Küchenmädchen melden, könnte ich damit den Captain an den Herd holen.«

»Erstaunlich. Könnten Sie vielleicht noch einen *Kavallerie*-Colonel gebrauchen, der kurz vor der Pensionierung steht? Ich bin ein großartiges Küchenmädchen.«

Das Essen war ausgezeichnet (ein irischer Koch, der auf den Mars verbannt worden war, weil er seinen Wirt erschossen hatte). Lady Herbert unterhielt uns blendend, auch wenn sie ihr Abendessen eher in flüssiger Form zu sich nahm und mit der Zeit nicht mehr so klar zu verstehen war. Zuletzt kam es bei unseren Antworten gar nicht mehr auf den Inhalt an, sondern nur noch auf den Ton. Jake führte den Charme ins Feld, der ihm eigen ist, wenn er sich Mühe gibt, und brachte sie immer wieder zum Lachen.

Der Abschluß verdarb uns etwas die Laune. Lady Herbert begann auf ihrem Stuhl zusammenzusinken, woraufhin zwei Krankenschwestern auftauchten und sie fortbrachten. Was verlangt das Protokoll in einem solchen Fall?

Ich blickte zu Hilda und dem Gouverneur hinüber; sie schienen nichts zu bemerken. Ich sah Hird-Jones an; der Brigadier sah offenbar ebenfalls nichts — dabei sieht Squeaky *alles*. Mit anderen Worten: kein Angehöriger der Kolonie ›sah‹ etwas.

Nach dem Essen zogen sich die Damen zurück, während die Herren im Raum verblieben, um Portwein zu trinken und Zigarren zu rauchen. Während wir noch standen und den Damen nachblickten, beugte sich Hird-Jones zu mir herüber: »Ihr Captain hat mich gebeten, Sie zu informieren, daß der Gouverneur Sie später noch in sein Arbeitszimmer bittet.«

Ich kostete von dem Portwein und zündete mir eben eine Zigarre an (ich rauche sonst nicht — aus Höflichkeit tue ich manchmal so), als der Brigadier meinen Blick einfing und mir das Zeichen gab. Bertie hatte den Raum bereits verlassen und eine Art Stellvertreter zurückgelassen, der die Gäste mit seinen Witzchen unterhielt — der *Artillerie*-Colonel, der mich vorhin ausgefragt hatte.

Als Jake und ich den Raum betraten, erblickten wir Deety und Hilda in Gesellschaft eines großen Mannes; er war so groß wie ich, aber rundlicher. Major-General Moresby, der Stabschef der Kolonie. Bertie stand auf und bedeutete uns, Platz zu nehmen. »Vielen Dank, daß Sie gekommen sind, meine Herren. Wir regeln gerade den Zeitplan für morgen, und Ihr Captain zieht es vor, daß Sie dabei sind.«

Der Gouverneur griff hinter sich und stellte einen Globus des Mars auf den Tisch. »Captain, ich glaube, ich habe die Stellen eingezeichnet, die wir gestern besucht haben.«

»Deety, bitte überprüfe das«, ordnete Sharpie an.

Mein Liebling sah sich die Markierungen an. »Die russischen Siedlungen haben sich beinahe hundertundfünfzig Kilometer weiter nach Osten erstreckt, als diese Grenze zeigt — das sind einundneunzig englische Meilen, neunundsiebzig nautische Meilen — sagen wir: zweieinhalb Grad.«

»Unmöglich!« rief der stämmige Major-General.

Deety zuckte die Achseln. »Vielleicht noch ein paar Meilen mehr; wir haben nur ganz schnell mal nachgesehen.«

»General Moresby«, sagte Jake, »Sie sollten das lieber glauben.«

»Ist das die einzige Abweichung, Dr. Deety?« warf Bertie ein.

»Noch etwas. Aber zunächst möchte ich eine Frage stellen. Dürfte ich einen Stift haben? Einen Fettstift?«

Bertie reichte ihr das Gesuchte, und sie zeichnete drei Bingos ein, die ein gleichschenkliges Dreieck bildeten — von beiden Zonen ziemlich weit entfernt. »Was sind das für Siedlungen, Sir? Dies ist ein Dorf, die anderen große Bauernhöfe. Nationalität unbestimmt.«

Bertie betrachtete die Punkte. »Zu uns gehören sie nicht. Moresby, wie lange ist es her, daß wir uns das Gebiet angesehen haben?«

»Es gibt dort keine Russen! Sie arbeitet nach dem Gedächtnis. Sie irrt sich!«

»Moresby«, sagte ich, »ich wette mit Ihnen, daß die Positionsangaben meiner Frau bis auf zwei Kilometer genau stimmen. Wie hoch wollen Sie gehen? Was ist ein Pfund hier in Gold wert?«

»Bitte, meine Herren«, sagte Bertie. »Wetten Sie ein andermal. Worum handelt es sich bei der anderen Abweichung, Astronavigator Deety?«

»Unser Landepunkt. An dem wir uns mit den Russen in die Haare gerieten. Ihre Erinnerung daran weicht um viele Grade von der Wirklichkeit ab. Die Stelle müßte *hier* sein.«

»Moresby?«

»Gouverneur. Das ist unmöglich. Entweder sind sie dort nicht gelandet oder hatten anderswo Ärger mit den Russen.«

Deety zuckte die Achseln. »Gouverneur, mir liegt nicht an einem Streit. Unsere Ankunftszeit am ›Landepunkt‹ erfolgte vorgestern kurz nach dem Morgengrauen — um vierzehn null sechs Ortszeit Windsor City. Sie haben heute die Überreste des Ornithopters gesehen. Was haben Ihnen die Schatten und die Stellung der Sonne über die *dortige* Ortszeit verraten, und was leiten Sie daraus hinsichtlich der Gradentfernung von *hier* ab?« Sie fügte hinzu: »Wenn ein Längengrad gleichzusetzen ist mit vier Minuten Zeitdifferenz, können Sie eine Bogenminute mit einem Kilometer gleichsetzen und auf diesem Globus abmessen. Die Abweichung wird geringer sein als Ihr Irrtum bei der Schätzung der Ortszeit.«

»Astronavigator, ich kenne mich mit solchen Dingen nicht so gut aus. Aber als wir den ausgebrannten Ornithopter sahen, war es etwa acht Uhr dreißig früh.«

»Genau, Gouverneur. Wir drücken das in Kilometern aus und sehen mal, wie dicht das an meine Eintragung herankommt.«

»Aber der Globus ist auf Meilen angelegt!« wandte Moresby ein.

Deety wandte sich mit einem flüchtigen Lächeln zu Bertie um, das ihm wortlos mitteilte: *Er gehört zu Ihnen, Bertie. Nicht zu mir.*

Gereizt sagte Bertie: »Moresby, haben Sie denn noch nie mit einer französischen Stabskarte gearbeitet?«

Ich bin nicht so tolerant wie Deety. »Der Multiplikator ist eins Komma sechs null neun.«

»Vielen Dank, aber wir wollen mal davon ausgehen, daß der Astronavigator richtig liegt. Moresby, die Aufklärung wird zwei Gebiete betreffen. Captain, wie viele Kurzüberprüfungen können in einer Stunde gemacht werden?«

»Einen Augenblick!« rief Captain Sharpie. »Geht es bei diesem Gespräch etwa um den Flug, den ich Brigadier Hird-Jones versprochen habe?«

»Entschuldigen Sie, Madame. War denn das nicht klar?«

»Nein, ich dachte, Sie teilten General Moresby mit, was Sie heute gesehen haben. Ist der Brigadier denn nicht hier? Ich möchte den Abflug mit ihm besprechen.«

»Madame, das hat sich geändert«, sagte Moresby. »Ich nehme seinen Platz ein.«

Sharpie sah Moresby an, als wäre er ein Steak, das sie gleich zurückschicken würde. »Gouverneur, ich kann mich nicht erinnern, dieser Person einen Flug angeboten zu haben. Außerdem hat mir der Brigadier nichts davon gesagt, daß er den Flug nicht antreten will.«

»Moresby, haben Sie denn mit Hird-Jones nicht gesprochen?«

»Aber gewiß, Sir. Es mißfällt mir, Ihnen das sagen zu müssen, aber er wollte nicht auf meine Vorstellung eingehen. Ich mußte ihn daran erinnern, daß es hier auch um eine Rangfrage geht.«

Ich begann mich nach einem Versteck umzusehen. Aber Sharpie ging nicht in die Luft. »Da haben Sie wirklich recht, General Mohrenkopf. Es geht um *meinen* Rang. *Ich* führe das Kommando, nicht Sie.«

Sie wandte sich an Bertie. »Gouverneur, es kann sein, daß ich andere Rundflüge anbiete, *nachdem* ich mein Versprechen gegenüber dem Brigadier eingelöst habe. Aber nicht dieser Person. Er ist zu dick.«

»Was! Ich wiege lediglich siebzehn Stein — das ist für einen Mann meiner Länge sehr ordentlich!« Moresby fügte hinzu: »Das ist natürlich das Heimatgewicht. Hier nur neunzig Pfund. Ein wahres Leichtgewicht. Madame, ich muß das zurückweisen.«

»Zu dick«, wiederholte Sharpie. »Bertie, Sie wissen selbst, wie eng wir gestern gesessen haben. Aber selbst wenn Mohrenköpfchen keinen Hintern hätte wie ein Sofakissen, so ist er doch viel zu dick aufgeplustert zwischen den Ohren. Er hat keine Erlaubnis, meine Yacht zu betreten.«

»Also schön, Captain. Moresby, Hird-Jones soll sich sofort bei mir melden.«

»Aber . . .«

»Ende.«

Als die Tür zuklappte, sagte der Gouverneur: »Hilda, ich entschuldige mich vielmals. Moresby hat mir gesagt, es wäre alles geregelt — wobei ich davon ausging, daß er mit Ihnen und Squeaky gesprochen und den Austausch arrangiert hätte. Moresby ist noch nicht lange hier; ich muß mich an seine Art erst noch gewöhnen. Das ist keine Entschuldigung, Captain. Aber vielleicht billigen Sie mir mildernde Umstände zu.«

»Vergessen wir das alles, Bertie. Sie haben von ›Aufklärung‹ gesprochen, während ich einen ›Ausflug‹ im Sinn habe. ›Aufklärung‹ — das ist ein militärischer Begriff. Haben Sie ihn in diesem Sinne gebraucht?«

»Ja.«

»Gay Täuscher ist eine Privatyacht, und ich bin ein Zivilkapitän.« Sie sah mich an. »Erster Pilot, würdest du mich bitte beraten?«

»Captain, wenn wir Gebiete überfliegen, um Aufklärung vorzunehmen, ist das ein Akt der Spionage.«

»Gouverneur. Ist dieser Raum abhörsicher?«

»Hilda — Captain. In welcher Hinsicht?«

»Ist er schallisoliert, gibt es hier Mikrofone?«

»Der Raum ist schalldicht, wenn ich die zweite Tür schließe. Es gibt ein Mikrofon. Das bediene ich über einen Schalter unter dem Teppich — *hier.*«

»Würden Sie es bitte nicht nur ausschalten, sondern die Leitung unterbrechen? Damit es nicht zufällig aktiviert werden kann.«

»Wenn Sie es wollen. Ich könnte ja auch lügen. Es könnte weitere Mikrofone geben.«

»Ich möchte eine *zufällige* Aufzeichnung verhindern. Bertie, ich würde Moresby auf keinen Fall trauen. Ihnen aber vertraue ich. Sagen Sie mir, warum Sie diesen Aufklärungsflug unternehmen müssen.«

»Ich weiß es nicht genau.«

»Aufklärung gilt Dingen, die man nicht genau weiß. Etwas, das von Gay Täuscher aus gesehen werden kann — aber was?«

»Äh . . . würden Sie sich zur Geheimhaltung verpflichten?«

»Hilda . . .«

»Jetzt nicht, Jacob. Gouverneur, wenn *Sie* uns nicht trauen wollen, fordern Sie uns zum Gehen auf!«

Smythe-Carstairs hatte sich nicht mehr hingesetzt, nachdem er den Teppich hochgeschlagen und das Mikrofon entfernt hatte. Er blickte auf Hilda nieder und lächelte: »Captain, Sie sind eine ungewöhnliche kleine Frau — und der härteste Verhandlungspartner, mit dem ich seit vielen Jahren zu tun hatte. Die Situation sieht folgendermaßen aus: Die Russen haben uns ein neues Ultimatum gestellt. Wir haben uns wegen der Russen niemals große Sorgen gemacht, da wir praktisch auf der anderen Seite des Planeten sitzen und die Logistik hier beinahe unüberwindliche Probleme schafft. Keine Ozeane. Keine befahrbaren Flüsse. Einige Kanäle, wenn man auf Selbstmord scharf ist. Beide Seiten haben Pferde zu züchten versucht. Die Tiere leben nicht lange, sie vermehren sich nicht.

Beide Seiten haben Ornithopter. Aber sie tragen nicht genug und fliegen auch nicht weit. Es überraschte mich, als Sie mir sagten, die Russen hätten Ihnen bei Ihrem ersten Landepunkt Ärger gemacht . . . und als Sie mir das bewiesen, indem Sie mir das Wrack zeigten.

Jedes logistische Problem läßt sich lösen, wenn man genug Männer und genug Zeit zur Verfügung hat. Die russischen Flieger müssen etwa alle fünfzig Meilen ein Versorgungsdepot haben. Wenn es solche Depots nicht nur hinter ihrer derzeitigen Position gibt, sondern auch davor, in unsere Richtung, dann werden sie uns auslöschen, sobald sie hier eintreffen.«

»Ist die Lage so schlimm?« fragte ich.

»Gouverneur«, sagte Sharpie, »unser Erster Pilot ist in unserem Kreis der einzige mit Kampferfahrung.«

»Ja«, sagte Jake mit schiefem Lächeln. »Mein Rang fiel mir anstatt des aktiven Einsatzes zu. Ich mußte Formulare unterschreiben.«

Bertie lächelte freudlos wie zuvor. »Willkommen im Klub. Zwanzig Jahre ist es her, seit ich das letztemal eine Kugel pfeifen hörte. Und jetzt sieht es so aus, als würde ich diesen letzten Kampf verlieren. Freunde, in meinem Rang drückt sich aus, daß ich zum Kommando über ein Armeekorps befähigt bin — dabei kann ich allenfalls eine Viertelkompanie kampfbereit und kampfwillig aufbieten.«

»Gouverneur«, sagte Jake, »es müssen doch an die zweihunderttausend Menschen in dieser Stadt leben.«

»Sogar mehr, Jake. Aber über neunundneunzig Prozent sind Strafverbannte oder entlassene Sträflinge und ihre Frauen und Kinder. Glauben Sie etwa, die wären *mir* gegenüber loyal? Selbst wenn sie es wären, sind sie doch nicht ausgebildet und auch nicht bewaffnet.

Auf dem Papier habe ich ein Regiment und zahlenmäßig ein Bataillon — doch von der Kampfstärke her nur eine Viertelkompanie. Meine Freunde, die Truppen, die ich hier befehlige, Offiziere und Mannschaften und Verwaltungspersonal, sind mit wenigen Ausnahmen aus ähnlichen Gründen hier wie die regulären Gefangenen. Zum Beispiel: Droht einem Mann ein Kriegsgerichtsprozeß, kann er der Anklage oft entgehen, indem er sich freiwillig zum Dienst auf dem Mars meldet. Ich bekomme hier keine Mörder — sondern Schlimmeres! Jedenfalls aus meiner Sicht. Meine Zugänge sind die Kassenwarte der Regimenter, die mal eben etwas ›ausgeliehen‹ haben, weil sie einen ›todsicheren Tip‹ beim Rennen erhalten hatten. Dann die . . . soll's doch der Teufel hören! Ich bekomme keine richtigen Gauner; ich bekomme Schwächlinge. Es gibt ein paar ordentliche Leute hier. Hird-Jones. Ein junger Bursche namens Bean. Zwei alte Sergeants, deren einzige Fehler darin bestehen, daß der eine zwei

Frauen hatte und der andere wohl nur eine, die ihm aber nicht gehörte. Wenn die Russen zu uns vorstoßen, werden sie unsere Zwitter töten — sie halten diese Wesen nicht, sondern jagen und essen sie —, außerdem werden sie alles töten, was in Uniform herumläuft. Die Verbannten werden dann erfahren, daß ein Leben als Leibeigener schlimmer ist, als auf einem unfreiwillig gewählten Planeten in Freiheit zu leben. Squeaky, wo haben Sie gesteckt?«

»Im Kartenzimmer. Am ersten Tisch rechts.«

»So? Und wann haben Sie meine Nachricht bekommen?«

»Vor etwa zwanzig Sekunden, Sir.«

»Hmm! Wie lange sitzen Sie schon im Kartenzimmer?«

»Gut eine Stunde.«

»Ich verstehe. Verriegeln Sie die Außentür, machen Sie die Innentür zu und setzen Sie sich.«

Zwanzig Minuten später fragte Sharpie: »Deety, wann haben wir *hier* Sonnenaufgang?« Sie deutete auf einen Punkt 30° westlich des westlichsten der beiden Bereiche, die Bertie auskundschaftet haben wollte.

»In etwa zwanzig Minuten. Soll ich das durch Gay überprüfen lassen?«

»Nein. Und Sonnenuntergang hier?«

»Mit größerer Ungenauigkeit. Eine Stunde siebenundfünfzig Minuten.«

»Schön. Zeb, was ist mit den leeren Batterien?«

»Man hat mir gesagt, sie werden aufgeladen. Morgen früh fertig.«

»Gut. Squeaky, wenn ich Sie um null zweihundert ins Bett bringe, könnten Sie uns dann gegen elfhundert zum Landeplatz begleiten?«

»Schon um null achthundert, wenn Sie wollen, Captain Hilda.«

»Aber das will ich nicht. Wir brauchen Sonnenlicht. Außerdem gedenke ich auszuschlafen. Bertie, könnte sich Ihr Küchendienst zu einem Frühstück am Bett bereitfinden, etwa zehn Uhr früh?«

»Sagen Sie dem Nachtmädchen Bescheid. Die Anrichte in Ihrem Eßzimmer wird sich unter dampfenden Speisen biegen, wann immer Sie wollen, und das Tagesmädchen wird sich freuen, Ihnen ein Tablett ans Bett zu bringen.«

»Großartig! Alle Mann und Brigadier Hird-Jones: Start in neununddreißig Minuten. Wagentüren offen fünf Minuten früher. Irgendwelche Fragen?«

»Nur eine Bemerkung noch. Ich bringe Sandwiches mit.«

»Vielen Dank, Squeaky! Bertie.«

»Wie? Madame!«

»Deety und ich möchten einen Gutenachtkuß haben — für den Fall, daß etwas schiefgeht.«

XXIX

Deety:

Es war eine anstrengende Nacht. Ich ließ Gay für jeden Stopp einen Bingopunkt einzeichnen — dann Kreise um die Positionen, die Vorratslager darstellten.

Es waren in der Tat Vorratslager.

Den ganzen Flug über beschäftigte ich mich mit der Frage: Wo würde ich mich verstecken, wenn ich ein Vorratslager wäre? Wo müßten Ornithopter landen? Wo könnten sie mehr Wasser bekommen? Squeaky, Hilda, Paps, Zebadiah — und vielleicht auch Gay — stellten dieselben Überlegungen an.

Nach getaner Arbeit kehrten wir zurück — gegen halb zwei Uhr. Hillbilly überließ Squeaky die Ergebnisse, und wir gingen zu Bett.

Am nächsten Vormittag um elf erschien unser ›Straßenfahrzeug‹ — ohne Squeaky. Er schickte einen Brief, in dem er sein Fernbleiben entschuldigte — Lieutenant Bean wisse genau, was wir sehen wollten, und würde sich nach unseren Wünschen richten.

Captain Tantchen hatte schließlich doch nicht im Bett gefrühstückt. Ich erwachte gegen neun Uhr Ortszeit und sah, daß Hilda bereits an der Arbeit war — sie packte ihre und Paps' Kleidung in Kissenbezüge aus Plastik und dann in eine geborgte Reisetasche. Die frische Wäsche, die uns bei unserer Rückkehr von dem Nachtmädchen übergeben worden war, wanderte in ein zweites geliehenes Gepäckstück.

Hillbilly hockte in unserem Wohnzimmer auf den Knien. Sie hob den Blick, lächelte und sagte: »Guten Morgen. Zieh dir lieber deinen Overall an; die Mädchen kommen und gehen, wie sie wollen.«

»Mir macht das nichts; zwei haben mich schon erwischt . . .«

»Aber den Mädchen macht es etwas. So geht man mit Dienstboten nicht um, meine Liebe. Besonders wenn es sich um Hilfskräfte auf freiwilliger Basis handelt. Ich rechne jeden Augenblick damit, daß man die Köstlichkeiten für unsere Anrichte auffährt. Holst du deine und Zebbies Abendsachen her? Ich packe sie für euch.«

»Das übernehme ich, vielen Dank. Ich wäre ja am liebsten mit meinem netten warmen Mann noch mal in die Federn geglitten, aber deine ›Köstlichkeiten‹ bringen mich auf andere Gedanken. Hillbilly, weshalb die Eile?«

»Deety, ich befolge nur meine eigenen Befehle. Wenn ich mir nach dem Frühstück die Zähne putze, wandert die Zahnbürste in meine Tasche. Was die Eile angeht, so werden bald unsere Männer wach sein. Es hat sich als praktischer erwiesen, Männer mit einem Fait accompli zu konfrontieren, als sich auf Diskussionen einzulassen.«

»Ich höre dich dreimal, Püppchen. Wenn sie aufstehen, werden sie essen wollen. Wenn unsere Kutsche eintrifft, sitzen sie über ihrem zweiten Kaffee. Dann sagen sie: ›Wir tun es, wenn wir zurück sind. Dürfen den Brigadier nicht warten lassen.‹ Okay, ich hole euere Sachen, und wir schmuggeln die Koffer hinaus, ehe sie aufwachen. Ich trage für euch die schweren Brokken.«

»Eigentlich dürfen wir überhaupt nichts tragen, Deety. Dafür wimmelt es hier von Mädchen. Du redest wie eine rundum verheiratete Hausfrau.«

»Fünf Jahre Training mit Paps. Aber Hillbilly, wenn man ein wenig vorausdenkt, ist sogar Paps leicht zu lenken.«

»Das bekomme ich so allmählich mit. Deety, was unternehmen wir wegen der Zimmermädchen?«

»Inwiefern?«

»In den Tagen, als es noch viele Dienstboten gab, entsprach es der Etikette, daß Hausgäste den persönlich zuständigen Mädchen ein Trinkgeld gaben. Aber *wie* sollen wir das hier tun, Deety? Ich habe zwei Banknoten über je fünfundzwanzig Neudollar in der Tasche. Die Fetzen sind hier wertlos.«

»Paps und Zebadiah haben Gold. Ich weiß das genau, weil die Masse so groß war, daß ich sie bei der Beladung und Trimmung berücksichtigen mußte. Die Knauser, die wir geheiratet haben, hatten etwa dieselbe Menge Gold auf die hohe Kante gelegt — ist das nicht lustig? Die Zimmermädchen wären also kein Problem, solange du weißt, wieviel du geben mußt — was ich nicht weiß. Wir besorgen uns heute etwas von dem hiesigen Geld, um für verschiedene Dinge zu bezahlen.«

Lieutenant Bean — oder ›Brian‹ — ist ein freundlicher Bursche, der sich für den ›Dienst jenseits des Himmels‹ freiwillig gemeldet hatte. Er brachte es über sich, mich auf Aufforderung ›Deety‹ zu nennen und Zebadiah ›Zeb‹, doch den Wechsel von ›Captain Burroughs‹ auf ›Hilda‹ schaffte er nicht — allenfalls quälte er sich ein ›Captain Hilda‹ ab, während Paps für ihn ›Professor‹ war.

Er freute sich, daß uns sein ›Straßenwagen‹ gefiel. Eine unglaubliche Konstruktion! Ein großer hölzerner Kastenwagen, hinten mit einer aufrecht stehenden Dampfmaschine, ein Anhänger für Holz, von der Dampfmaschine ein Steuerrad wie bei einem Segelschiff; diese bewegte die Vorderräder über Riemen, die unter den Bodenbrettern verliefen. In der Mitte befand sich ein Gepäckbehälter, davor vier Bänke, auf denen zwölf bis sechzehn Personen Platz hatten.

Die Besatzung bestand aus *fünf* Mann!

Fahrer, Maschinist, Kondukteur, und zwei Steuerleute . . .

Der Kondukteur saß auf einem hohen Sitz über dem Gepäckkäfig, sagte den anderen, was sie tun sollten, und läutete dann und wann eine Glocke oder ließ eine Pfeife ertönen. Die Glocke forderte andere Verkehrsteilnehmer auf, die Flucht zu ergreifen; die Pfeife kündigte an, daß das Fahrzeug gleich anfahren oder anhalten würde. Es herrschte ein lebhafter Verkehr, doch nur wenige ›Straßenfahrzeuge‹ waren unterwegs. Am häufigsten waren durch Pedalantrieb bewegte Dreiräder zu sehen, für Passagiere und Fracht. Große Versionen dieser Fahrzeuge erforderten bis zu einem Dutzend Mann an den Pedalen.

»Sie wissen sicher«, sagte Brian, »daß wir hier bisher noch keine Pferde züchten konnten. Wir bemühen uns weiter — eines Tages entwickeln wir eine Rasse, die hier gedeiht. Sobald wir Pferde haben, das wage ich vorauszusagen, wird dies eine richtige Kolonie sein — und nicht nur ein Abstellplatz für reformierbare Übeltäter oder Erzeuger von pharmazeutischen Grundstoffen.«

»Arzneien?«

»O ja! Davon lebt doch die Kolonie. Ich möchte behaupten, die Nachkommen dieser Verurteilten werden reiche Leute sein. Ich zeige Ihnen nachher die Teefelder — ein beschönigender Ausdruck für Cannabis Magnifica Martia — und die Gebiete, die zur Erzeugung von Nahrungsmitteln dienen. Brigadier Hird-Jones hat die Norfolk-Plantage vorgeschlagen.« Er lächelte. »Wollen wir starten?«

»Einen Moment noch«, meinte Tante Hilda. »Wenn ich den Brief des Brigadiers richtig verstanden habe, können wir von unserem Programm abweichen?«

»Captain Hilda, Wagen und ich stehen Ihnen zur Verfügung, solange Sie uns brauchen. Meine dienstlichen Pflichten sind mir ein Vergnügen.«

»Brian, mir werden neue Sachen genäht. Man sagte mir, es würde die ganze Nacht daran gearbeitet. Wo könnte ich mich danach erkundigen?«

»Gleich hier. Ich glaube, ich habe gesehen, wie ein Paket abgegeben wurde, während wir eben plauderten; es könnte für Sie sein. Es landet sicher bei der Ersten Haushälterin, die es dann in Ihr Quartier bringt — die Prinzeß-Suite, nicht wahr?«

»Ja. Brian, ich gehe eben mal nach oben und erkundige mich danach.«

»Bitte nein!« Brian machte eine kleine Armbewegung; aus dem Nichts erschien ein Gefreiter. »Smithers, meine Empfehlung an Mrs. Digby. Ist ein Paket für Captain Burroughs eingetroffen?«

»*Sir!*«

»Moment noch! Brian, wenn es mein Paket ist, möchte ich es hier haben.«

In Brians Augen erschien der Ausdruck, den Paps zur Schau stellt, ehe er Erklärungen verlangt für ›unvernünftiges weibliches Verhalten‹. Aber Brian setzte einfach hinzu: »Wenn das Paket eingetroffen ist, sagen Sie Mrs. Digby, es soll sofort hier herausgebracht werden. Zack-zack.«

»*Sir!*« Der Gefreite machte stampfend auf der Stelle kehrt und trabte davon. »Vielen Dank, Brian«, sagte Hilda. »Wenn ich das Paket auf Ihrem Wagen unterbringen kann, brauche ich später nicht mehr daran zu denken. Ihre Freundlichkeit ist mir eine große Beruhigung.«

»Das Vergnügen ist ganz auf meiner Seite, Captain Hilda.«

»Hilda, die Sachen sind noch nicht bezahlt.«

»Ach, du je! Du hast recht, Jacob. Lieutenant, wo kann man Gold gegen Ihre Währung eintauschen? Kennen Sie den Kurs? In Gramm?«

»Oder Unzen«, fügte ich hinzu.

Brian tat, als habe er uns nicht verstanden. Er wandte sich zu seinem Straßenfahrzeug um. »Perkins! Fahren Sie den Wagen einmal im Kreis. Wenn Sie wieder hier sind, ist der Dampfdruck ganz oben! Damit wir beim Anfahren nicht ganz so langsam sind!«

»Jawohl, Sir!« Der Wagen setzte sich in Bewegung — in wage-mutigem Schrittempo.

Als außer uns niemand in Hörweite war, sagte Brian leise: »Was Sie da eben gesagt haben, konnte ich wegen des Maschinenlärms leider nicht verstehen. Ich möchte dabei anmerken, daß der Besitz von Gold durch Privatpersonen nicht gestattet ist, es freut mich also zu erfahren, daß Sie keines haben«, sagte er, ohne sich unterbrechen zu lassen. »Ich möchte hinzufügen, daß ich einige Dinge weiß, die ich gar nicht wissen darf, da ich auch mit höchst geheimen Kurierangelegenheiten zu tun habe. Zum Beispiel bin ich sehr dankbar, daß Sie vier gestern abend bereit waren, auf Ihren wohlverdienten Schlaf zu verzichten. Es gibt Leute, die sich solchen guten Freunden sehr verpflichtet fühlen. Der Brigadier sagte etwas davon, daß Sie vielleicht Einkäufe tätigen müßten oder Rechnungen zu bezahlen hätten. Ich habe Anweisung, die Kosten für alle Dinge, die Sie brauchen oder haben wollen, dem königlichen Haushalt zu belasten, mit seiner Unterschrift und meiner Paraphe.«

»Das ist aber höchst unfair!«

»Finden Sie, Captain? Ich würde meinen, daß die zuständigen Stellen sicher noch andere Möglichkeiten finden, bis Sie der Meinung sind, großzügig behandelt worden zu sein.«

»Das meint sie nicht, mein Junge«, sagte Paps. »›Unfair‹ in entgegengesetzter Richtung. Wir bezahlen doch alles, was wir bekommen.«

Brian hörte auf zu lächeln. »Darf ich vorschlagen, daß der Professor diese Frage mit dem Brigadier bespricht? Es wäre mir sehr unangenehm, dem Brigadier melden zu müssen, daß ich seine Befehle nicht ausführen konnte.«

»Captain.«

»Was, Deety?«

»Ich muß dich beraten.«

»Nur zu, meine Liebe. Ich sehe meine Pakete kommen.«

»Captain Tantchen, du hast da einen Bären am Schwanz. Laß los!«

Hillbilly grinste, streckte mir die Zunge heraus und wandte sich an Brian. »Die rücksichtsvollen Maßnahmen des Brigadiers weiß ich zu schätzen. Wir machen gern davon Gebrauch.«

Bis zur Abfahrt dauerte es doch noch einige Minuten, da wir erfuhren, daß Zebadiahs Batterien fertig waren und vom Techniker des Hauses übergeben werden konnten. Endlich waren Hildas Kleidung und die Batterien in Gay untergebracht; wir bestiegen den Dampfwagen und sausten mit zehn Kilometern in der Stunde los.

»Zur Norfolk-Plantage, Captain Hilda?«

»Brian, wann haben Sie gefrühstückt?«

»Oh, das ist nicht weiter wichtig, Madame.«

»Beantworten Sie meine Frage.«

»Um null siebenhundert, Captain.«

»Etwas Ähnliches hatte ich mir gedacht. Essen Sie im Imperial House?«

»O nein, Captain Hilda, dort essen nur die höchsten Ränge und ihre Familienangehörigen. Ich esse im Offiziersklub.«

»Ich verstehe. Die Zwitter können warten. Man hat mir gesagt, es gebe hier ein Versorgungslager. Wäre uns das zugänglich?«

»Captain Hilda, *Ihnen* steht *alles* offen!«

»Ich muß Vorräte kaufen. Dann möchte ich das beste Restaurant von Windsor City aufsuchen und zusehen, wie Sie ein ordentliches Mitttagessen verdrücken; wir haben drei Stunden nach Ihnen gefrühstückt.«

»Aber ich habe Hunger«, sagte mein Mann. »Ich wachse noch.«

»Armer Zebbie!«

Es gab nicht viel Dauerhaftes zu kaufen. Ich erstand eine Dose Kekse und größere Mengen holländischer Schokolade — schnelle Energie für noch wachsende Jungen — und eng gepackte Grundnahrungsmittel.

Brian hatte uns kurz nach der Mittagsstunde zu dem Restaurant gefahren. Ich war froh, daß Tante Hilda alles andere hatte erledigen lassen, ehe wir uns das Ungeziefer ansahen. Trotzdem hatte ich keinen großen Appetit — bis ich den Entschluß faßte, mir ein Herz zu fassen und den Feigling zu spielen. Mit anderen Worten: mir das Ungeziefer *nicht* anzusehen! Cui bono? Tante Hilda war die Expertin.

Das brachte mir meinen Appetit zurück. Wir hatten auf der anderen Seite des Exerzierfeldes gehalten, gegenüber dem Imperial House. Daß unser Ziel der Offiziersklub war, merkten wir in dieser Reihenfolge — Zebadiah, Paps, ich, Tante Hilda. Sie befand sich schon mehrere Meter hinter der Schwelle, als sie plötzlich stehenblieb. »Brian, was tun wir denn *hier?*«

»Der Captain hat sich das ›beste Restaurant‹ gewünscht. Der Koch hier war Erster Koch im Claridge-Hotel, bis er auf Probleme stieß. Sehen Sie mich nicht so an, Captain Hilda; der Brigadier regelt die Rechnung; der Betrag landet auf dem Bewirtungskonto für ›offizielle Besucher‹ und endet in London im Haushalt Seiner Königlichen Majestät. Glauben Sie mir, Seine Majestät bezieht einen größeren Sold als Lieutenants oder auch Brigadiers.«

Aber es war schließlich der Leiter des Klubs, der die Rechnung abzeichnete — ein Colonel, der Hillbilly versicherte, er spendiere ihr das Essen, weil er uns als Küchenmädchen begleiten wollte.

Ich sagte Tante Hilda, daß ich mir die Besichtigung des Ungeziefers ersparen wollte, als ich sie bereits entdeckte. Zuerst einen. Dann sechs. Dann ein ganzes Feld voll von diesen Kreaturen. Ich flehte Gott an, daß mir dieser Traum nicht gefiele und er mich *bitte* wecken möchte, als Brian den Kondukteur anwies, unser Gefährt zu stoppen. Gleich darauf stellte ich fest, daß sich auf den Feldern auch Menschen aufhielten; die Männer trugen Peitschen, die Zwitterwesen Maulkörbe. Ein Bursche hatte sich das Gebinde zur Seite gestreift und stopfte sich das Maul voll mit den Blättern der riedartigen Pflanze, die auf dem Feld wuchs. Im nächsten Augenblick peitschte ihm ein Riemen über den nackten Rücken.

Das Wesen schrie auf.

Das Feld auf der anderen Straßenseite war leer; also blickte ich angestrengt in diese Richtung. Nach einer Weile hörte ich Brian fragen: »Captain Hilda, wollen Sie das wirklich tun?«

»Hat der Brigadier es nicht gestattet?«

»Durchaus. Aber ich dachte, er nähme mich auf den Arm. Also gut, Madame.«

Ich *mußte* sehen, worum es ging — und stellte fest, daß das maulkorbbehängte Ungeziefer, das sich vor den Männern mit den Peitschen fürchtete, gar nicht furchteinflößend war, es sah lediglich häßlich aus. Tante Hilda machte Fotos: Stereoaufnahmen wie auch Filmaufnahmen. Brian sprach mit einem Mann, der bis auf das Gefangenenzeichen wie jeder normale Bauer aussah.

Brian drehte sich um. »Captain Hilda, der Vorarbeiter bittet Sie, ihm den Zwitter zu zeigen, den Sie zerschneiden wollen.«

»Hier liegt ein Mißverständnis vor«, sagte Tante Hilda.

»Madame? Sie wollen also *doch* keine Sezierung vornehmen?«

»Lieutenant, man hat mir gesagt, daß jeden Tag von diesen

Wesen ein oder zwei sterben oder sonstwie umkommen. Ich möchte mir einen Leichnam ansehen, an einem angemessenen Ort, unter Zuhilfenahme chirurgischer Instrumente und anderer Dinge. Es liegt mir nichts daran, eines dieser armen Geschöpfe zu töten.«

Kurze Zeit später fuhren wir weiter. »Von beiden Möglichkeiten, Schlachthaus oder Krankenstation, würde ich die letztere vorschlagen. Der Tierarzt war früher Spezialist in der Harley Street. Übrigens ist es unmöglich, daß diese Untiere Menschen anstecken. Die Station ent- ist also völlig gefahrlos, nur eben, äh ... unschön.«

Wir suchten das Zwitterkrankenhaus auf. Ich ging nicht mit ins Innere. Nach kurzer Zeit kam Paps mit grünem Gesicht wieder heraus. Er setzte sich neben mich und lächelte schwach. »Deety, der Captain hat mich hinausgeschickt, damit ich frische Luft schnappe — und ich erhob keinen Widerspruch. Bist du nicht stolz auf mich?«

Ich sagte ihm, daß ich auf meinen Paps stets stolz sei.

Wenige Minuten später überbrachten Brian und Zebadiah eine Nachricht Hildas, daß sie mindestens noch eine Stunde, möglicherweise länger zu tun hatte. »Captain Hilda schlägt vor, ich soll Sie ein bißchen herumfahren«, meldete Brian.

Die Fahrt endete am nächsten Lokal; von dort wurde der Dampfwagen zurückgeschickt, um auf Hillbilly zu warten. Wir setzten uns in den Gastraum, wo Paps und Brian Whisky mit Schuß tranken und Zebadiah sich einen ›Shandygaff‹ bestellte — und ich folgte seinem Beispiel. Kein Ersatz für einen trockenen Martini. Ich hielt mich an dem Glas fest, bis Tante Hilda erschien.

»Wohin jetzt, Captain Hilda?« fragte Brian.

»Imperial House. Brian, Sie sind uns eine große Hilfe gewesen.«

»Capt'n Tantchen, hast du einen kleingehackt?« fragte ich.

»Das war gar nicht nötig, Deety. Es sind Schimpansen.«

»Damit beleidigst du jeden Schimpansen auf unserer Welt!«

»Deety, diese Wesen stehen etwa in derselben Beziehung zu den ›Schwarzen Hüten‹ wie die Schimpansen zum Menschen. Die physische Ähnlichkeit ist größer, doch der Unterschied in geistiger Hinsicht ... Dr. Wheatstone hat mir aus einem toten Zwitter das Gehirn herausgeholt, und das verriet mir alles. Aber ich habe etwas, das sich noch als unbezahlbar erweisen mag. Filmaufnahmen.«

»Sharpie«, sagte Zebadiah, »du hast doch schon auf den Feldern gefilmt.«

»Richtig, Zebbie. Aber ich habe die Polaroidaufnahmen bei mir, die du im Fuchsbau für mich gemacht hast; einige zeigen die Schienen, mit denen das Geschöpf seine zusätzlichen Knie und Ellbogen verbarg. Dr. Wheatstone nahm Arm- und Beinschienen, wie er sie für Knochenbrüche verwendete, und stattete damit einen seiner Helfer aus — einen friedlichen und einigermaßen intelligenten Zwitter, der keine Einwände erhob, obwohl er beim erstenmal umkippte. Aber er lernte rasch und konnte schließlich steifbeinig durchs Zimmer gehen — genauso wie der Ranger — und wie ›Geisty‹, wenn ich es mir genau überlege. Anschließend freute sich der Bursche, als Dr. Wheatstone ihm eine Hose und ein altes Jackett gab. Die Bilder werden euch überraschen. Kein Plastik, kein Make-up, eine eiligst zusammengeschusterte Verkleidung — doch unterhalb des Halses sieht der Bursche aus wie ein Mensch.«

Als wir das Imperial House erreichten, verstauten wir Pakete in Gay Täuscher — wir durften wieder nichts selbst tragen; Brian gab den Befehl an den Kondukteur weiter, der seine Besatzung auf Trab brachte. Wir dankten den Männern, dankten Brian und verabschiedeten uns, und Tante Hilda gab der Hoffnung Ausdruck, daß wir ihn bald wiedersehen würden, was wir brav nachplapperten — wobei ich mir wie ein Heuchler vorkam.

Er salutierte und machte sich auf den Weg zum Offiziersklub. Wir wandten uns zu der breiten Treppe um. »Deety, möchtest du dich mit mir in die Wanne werfen?«

»Aber ja!« rief ich.

»Weshalb denn das?« fragte Zebadiah. »Du hast dich doch nicht im geringsten schmutzig gemacht.«

»Ich muß den psychischen Gestank loswerden, Zebbie.«

»Meiner ist nicht psychisch«, sagte ich. »Ich rieche wirklich!«

Aber wir hatten uns kaum in das warme Wasser sinken lassen, als die von meinem Mann weitergegebene Nachricht eintraf, daß der Gouverneur uns baldigst in seinem Büro sprechen wollte.

»Sharpie, laß mich das übersetzen. Nach meiner achtjährigen Diensterfahrung als Diener bei einem Botschafter will Bertie uns schon vor fünf Minuten in seinem Büro haben.«

Ich machte Anstalten, die Wanne zu verlassen, doch Tante Hilda hielt mich zurück. »Ich verstehe das schon richtig, Zebbie; auch ich spreche die Amtssprache, die Universitätssprache und das Bürokratengebrabbel. Aber ich schicke eine Antwort in klarem Englisch, von weiblicher Zunge verfaßt. Wartet ein Bote?«

»Ja, ein Major.«

»Ach, bloß ein Major? Das kostet Bertie fünf Minuten mehr. Zebbie, ich wußte schon vor deiner Geburt, daß es fast nie auf Gegenseitigkeit beruht, wenn jemand mich dringend sprechen möchte. Also schön, hier meine Antwort: der Kommandant des Raumschiffes Gay Täuscher entbietet dem Generalgouverneur freundliche Grüße und wird sich zur Stelle melden, sobald es geht. Dann trägst du dem Major eine Nachricht von *dir* an Bertie auf, wonach du zufällig wüßtest, ich nähme ein Bad, und *hofftest*, ich würde in zwanzig Minuten fertig sein, ohne daß du sogar auf dreißig Minuten Wetten annehmen würdest.«

»Okay. Nur meine ich, daß du ihm ›respektvolle‹ Grüße entbieten solltest. Außerdem betonte der Major, daß die Aufforderung für uns alle gilt. Sollen Jake und ich Bertie unterhalten, bis du fertig bist?«

Paps hatte den Kopf durch den Türspalt gesteckt und hörte zu. »Wir hätten nichts dagegen.« Paps nickte.

»Zebbie, Zebbie! Nach vier Jahren Training bei mir solltest du es besser wissen. Solange ich nicht weiß, was er will, kann ich seine rangmäßige Überlegenheit nicht anerkennen. Es bleibt also bei ›freundlichen‹ Grüßen, von ›respektvoll‹ ist nicht die Rede. Und *niemand* spricht mir mit ihm. Vielen Dank aber für das Angebot. Noch zwei Dinge: Nachdem du dem Major die Antwort gegeben hast, suchst du bitte meine Sachen zusammen — bis auf Deetys Sportschuhe — und bringst sie zum Wagen. Das betrifft Jacobs Hemd, Deetys Seemannshosen, einen blauen Gürtel und eine blaue Haarschleife. Im Wagen findest du auf meinem Sitz neue Kleidung. Drei Overalls müßten sich in einem Paket befinden. Bitte hole mir einen.«

»Hilda«, sagte Paps, »ich würde das gern übernehmen. Zweimal sogar, da du sicher keine Sachen wegschicken willst, ehe du weißt, ob die neuen passen.«

»Jacob, dich möchte ich hier bei mir haben. Du bürstest uns den Rücken ab und singst uns etwas vor. Wenn der Einteiler nicht paßt, erscheine ich vielleicht in einem Badetuch. Ich werde auf jeden Fall ein Minütchen eher kommen, damit Bertie sich freut. Aber daß du das dem Major nicht sagst, Zebbie! Offiziell sind es zwanzig Minuten, wenn die Leute Glück haben, aber wohl eher dreißig, vielleicht sogar eine Stunde, Major; Sie wissen ja, wie Frauen sind. Kapiert?«

»Roger, bestätigt. Sharpie, eines Tages wird man dich aufknüpfen.«

»Man mag mich dazu verurteilen, aber Jacob und du werdet
mich retten. Nun aber los, mein Lieber!« Tante Hilda richtete sich
auf. »Bleib sitzen, Deety. Ich sage dir drei Minuten vorher Bescheid — zwei zum Abtrocknen, eine zum Überziehen deines Pi-
lotenanzugs. Dann hätten wir noch zehn Minuten Zeit zum Entspannen.«

Der Overall paßte bestens, Hillbilly sah wirklich gut darin aus.
Während sie auf Zebadiah wartete, suchte Hilda die ganze Suite
ab, und so ließen wir nichts zurück, was uns gehörte. Einige
Dinge wurden in unseren Taschen verstaut. Zwischen ihrer Antwort an den Gouverneur und unserer Ankunft in seinem Büro
waren achtzehn Minuten vergangen — und ich hatte ein 15-Mi-
nuten-Bad genießen können: nicht gerade luxuriös, aber angenehm.

Außer Bertie und dem Brigadier war der mürrische Moresby
anwesend. Tante Hilda ignorierte ihn, und ich ebenfalls. Bertie
stand auf. »Wie frisch und munter Sie alle aussehen! Hatten Sie
einen angenehmen Tag?« Der arme Kerl sah schrecklich aus —
ausgezehrt, dunkle Ringe unter den Augen.

»Ein perfekter Tag ist es gewesen, dank Ihnen, dank dem Brigadier und dank eines Lockenschopfs namens Bean.«

»Ein ordentlicher Bursche«, sagte Squeaky mit lauter Stimme.
»Ich darf Ihr Kompliment doch weitergeben?« Der Brigadier
wirkte alles andere als frisch; ich kam zu dem Schluß, daß keiner
der beiden die Nacht im Bett verbracht hatte.

Bertie wartete, bis wir uns gesetzt hatten, dann kam er zur
Sache.

»Captain Burroughs, was haben Sie für Pläne?«

Tante Hilda antwortete nicht. Sie warf einen kurzen Blick auf
Generalmajor Moresby, dann wandte sie sich wieder Bertie zu.
»Wir sind nicht unter uns, Euer Exzellenz.«

»Hmm . . .« Bertie wirkte bedrückt. »Moresby, Sie können gehen.«

»Aber . . .«

»Genug! Sie haben sicher zu tun.«

Moresby blähte sich auf, sagte aber nichts, sondern stand auf
und ging.

Squeaky verriegelte die Außentür und schloß die Innentür,
während Bertie aufstand, um den Teppich über seinem Mikro-

fonschalter hochzuschlagen. »Sparen Sie sich das, Bertie«, sagte Tante Hilda. »Von mir aus können Sie alles aufzeichnen. Wo liegt das Problem, mein Lieber. Geht es um die Russen?«

»Ja. Hilda, ihr vier seid Flüchtlinge; gestern haben Sie mir den Grund dafür gezeigt. Möchten Sie vielleicht hierbleiben? Die mir übertragene Befugnis reicht aus, Ihnen die Staatsbürgerschaft anzutragen.«

»Nein, Bertie. Aber wir fühlen uns geehrt.«

»Mit der Antwort hatte ich gerechnet. Bitte überdenken Sie Ihre Entscheidung noch einmal. Es liegen Vorteile darin, Untergebene des mächtigsten Monarchen der Geschichte zu sein und unter dem Schutz einer Flagge zu stehen, über der die Sonne niemals untergeht.«

»Nein, Bertie.«

»Captain Hilda, ich brauche Sie und Ihr Schiff. Wegen der Entfernung, die viele Millionen Meilen beträgt und jede Nachricht Monate dauern läßt, habe ich *de jure* die Macht eines Vizekönigs — und *de facto* eine noch größere Macht, da es hier kein Parlament gibt. Ich kann ausländische Truppen anwerben, sie bewaffnen, ihnen Garantien abgeben, als wären Sie Briten, Ihnen Offizierspatente für den Herrscher ausstellen. Ich würde Sie alle und Ihr Schiff gern für unseren Dienst gewinnen.«

»Nein.«

»Sie wären Commodore, Ihr Stellvertreter Captain, Ihr Erster Pilot Commander, Ihr Copilot Lieutenant-Commander. Pensionierung bei vollem Sold, sobald die Notlage behoben ist. Rückgabe des von Ihnen erworbenen Schiffes als königliches Geschenk, nach Beendigung der Notsituation. Ein Ausgleich für Verlust oder Beschädigung.«

»Nein.«

»Einen Rang höher für jeden von Ihnen?«

»Wir alle müßten mindestens einen Rang über Generalmajor Moresby stehen.«

»Hilda! Das wäre ja meine Einstufung! Gleicher Rang — Vizeadmiral.«

»Bertie, Sie können uns in *keinem* Rang und für *keinen* Betrag als Söldner in Ihre Dienste nehmen. Meine hypothetische Forderung sollte Ihnen nur klarmachen, daß wir uns auf keinen Fall *unter* Ihrem Stabschef einordnen lassen. Nachdem das geregelt ist, die Frage: Wie kann ich Ihnen helfen?«

»Ich fürchte, gar nicht, wenn Sie den Schutz des internationalen Militärgesetzes nicht in Anspruch nehmen wollen. Ich bin daher gezwungen, den Knoten zu durchschlagen. Kennen Sie das Recht der Beschlagnahme im Kriegsfall?«

»Ich glaube schon. Stehen Großbritannien und die Russischen Reiche im Krieg miteinander?«

»Nein, aber es gibt da gewisse Nuancen. Soll ich meinen Offizier für Rechtsfragen holen lassen?«

»Nicht für mich. Mein Rechtsberater befindet sich hier im Raum: Dr. Zebadiah Carter, mein Berater in internationalen Rechtsproblemen.«

»Dr. Carter — ach, Unsinn! Mein Freund Zeb. Zeb, würden Sie sich bitte über das Recht der Beschlagnahme äußern?«

»Also schön, Gouverneur. Eine der Nuancen, die Sie wohl im Sinn hatten, betrifft die Gültigkeit nicht nur für Kriegszeiten, sondern auch in Fällen einer internationalen Krise — wie die derzeitige Situation mit den Russen.«

»Ja!«

»Dieses Gesetz hat in der Praxis manche Veränderung erfahren, doch im wesentlichen bedeutet es, daß eine selbständige Macht das Recht hat, neutrale Transportmittel zu beschlagnahmen, die sich in ihren Häfen oder auf ihrem Territorium befinden. Wenn die Notlage vorüber ist, müssen die beschlagnahmten Transportmittel zurückgegeben, ein angemessener Mietpreis muß bezahlt, Verlust oder Schaden ausgeglichen werden. Das Gesetz bezieht sich *nicht* auf Waren oder persönliche Besitztümer und ausdrücklichst nicht auf Menschen. Das wäre es in etwa. Brauchen wir Ihren Rechtsberater noch?«

»Ich glaube nicht. Captain Burroughs?«

»Wir brauchen ihn nicht. Sie gedenken mein Schiff zu übernehmen?«

»Captain — es bleibt mir keine andere Wahl!« Bertie weinte beinahe.

»Gouverneur, Sie tun nur, was Ihr Recht Ihnen erlaubt. Aber haben Sie sich überlegt, wie Sie das Schiff bedienen wollen?«

»Darf ich darauf antworten, Gouverneur?«

»Ja bitte, Squeaky.«

»Captain Hilda. Ich habe ein seltsames Gedächtnis. ›Fotografisch‹ wird es genannt, doch ich erinnere mich ebensogut an Geräusche. Ich bin sicher, ich könnte jedes Manöver, das wir gestern abend geflogen sind, nachvollziehen — will sagen: ausreichend für unsere Notlage.«

Ich schäumte vor Wut. Tante Hilda jedoch lächelte den Brigadier an und sagte mit mildester Stimme: »Während unseres Aufenthalts sind Sie die Rücksicht in Person gewesen, Squeaky. Sie sind ein freundlicher, charmanter, gastfreundlicher, gemeiner *Gauner!* Ein Mann, der seine Frau einem Zuhälter in Port Said verkaufen würde. Abgesehen davon sind Sie beinahe vollkommen.«

»Doppelt und dreifach!« rief mein Paps. »Jones, wir treffen uns später noch, zu einer Zeit und an einem Ort Ihrer Wahl! Waffen oder bloße Hände.«

»Und wenn Jake noch etwas übrig läßt, bekommen Sie es mit *mir* zu tun!« Mein Mann bewegte die Finger, als wolle er ihn erwürgen. »Ich hoffe, Sie entscheiden sich für den Faustkampf.«

Bertie fuhr dazwischen: »Ich verbiete Ihnen das! Sowohl während als auch nach der derzeitigen Krise, und auf Territorien, über die ich gebiete, und solange Hird-Jones unter meinem Kommando Offizier Seiner Majestät ist.«

»Juristisch gesehen haben Sie völlig recht, Bertie«, sagte Hilda. »Aber Sie müssen einräumen, daß sich die beiden provoziert fühlen können.«

»Nein, Madame! Es ist nicht Hird-Jones' Schuld. Ich habe versucht, Sie und Ihre Besatzung für uns zu gewinnen — und war dabei zu jeder Konzession bereit. Sie haben abgelehnt. Hird-Jones muß vielleicht sein Leben riskieren bei dem Versuch, einen fremden Flieger zu bedienen. Sollte das der Fall sein, wird er ein Heldenbegräbnis bekommen. Was Sie ihn da eben genannt haben, trifft nicht auf ihn zu!«

»Auch von Ihnen habe ich keine besonders gute Meinung, Bertie. Sie sind ein Dieb — Sie stehlen unsere einzige Hoffnung auf die Zukunft.«

»Und ob!« unterbrach ich. »Gouverneur, ich könnte Sie verprügeln — mit bloßen Händen umbringen! Ich habe den Schwarzen Gürtel. Wollen Sie sich hinter Ihrem hohen Atem und Ihren egoistischen Gesetzen verstecken?« Ich stäubte mir die Hände ab. »Feigling! Zwei Feiglinge, die Brust voller Bänder, die von großen Taten prahlen.«

»Astronavigator.«

»Genug. Bertie, unter dem Ausnahmerecht der Beschlagnahme haben wir das Recht, unsere Habe aus dem Schiff zu holen. Dabei bestehe ich auf einem Zeugen, damit Sie genau wissen, daß wir das Schiff in keiner Weise beschädigt haben. Wenn der Brigadier das Schiff bedienen kann, soll er es auch in einwandfreiem Zustand erhalten. Aber ich bewahre an Bord meinen Schmuck auf und viele andere Dinge; ich brauche also einen

Zeugen. *Sie,* Sir. Meine Stieftochter ist ohne weiteres fähig, Sie oder jeden anderen mit bloßen Händen zu töten, der so groß ist wie sie oder ein wenig größer. Aber ich garantiere Ihnen sicheres Geleit. Möchten Sie's schriftlich haben?«

Bertie schüttelte den Kopf. »Ich habe dazu leider keine Zeit. Suchen Sie sich einen anderen aus.«

»Einem anderen garantiere ich kein sicheres Geleit. Wer nicht mit uns geflogen ist, wüßte nicht, wo eine Sabotage ansetzen könnte. Bleibt also die Wahl zwischen Ihnen und Hird-Jones — und Hird-Jones käme nie lebendig aus unserem Schiff heraus. Er hat sich den Zorn von drei der gefährlichsten Killer aus zwei Universen zugezogen.«

»Wenn von Ihnen jemand sein Ehrenwort nicht geben will, muß er hier bei uns warten.«

»Einen Moment, Gouverneur!« sagte mein Mann gedehnt. »Das sieht ja ganz nach Gefangennahme aus. Captain, jetzt ist vielleicht der Augenblick gekommen, *unseren* Schutzbrief des Generalgouverneurs zu lesen, und zwar laut. Darin ist die schriftliche Garantie seines obersten Herrschers enthalten. Er hat die grundlegenden drei Garantien gegenüber uns vieren gebrochen. Das sind insgesamt zwölf Verstöße. Beinahe russische Verhältnisse. Freies Geleit, das an diplomatische Immunität heranreicht, wir alle dürfen jederzeit abfliegen, wir dürfen niemals gegen unseren Willen getrennt werden. *Jetzt* will er plötzlich Geiseln haben. *Pfui!«*

»Kein Versprechen wird gebrochen«, versicherte uns Bertie.

»Lügner!« antwortete mein Mann.

»Sie alle sind hier in Sicherheit — bis die Russen uns besiegen. Es war falsch, von Ehrenwort zu sprechen; Sie sind keine Gefangenen. Sie alle dürfen zusammenbleiben — in der Prinzeß-Suite, wenn es Ihnen beliebt. Wenn nicht, dann in jedem anderen Quartier Ihrer Wahl auf von mir kontrolliertem Gebiet. Sie alle können uns jederzeit verlassen. Aber Sie dürfen sich *nicht* dem beschlagnahmten Flieger nähern. Captain, Ihren Juwelen wird nichts geschehen. Aber der Flieger wird von anderen entladen.«

»Bertie . . .«

»Was? Ja . . . Hilda.«

»Mein Lieber, Sie sind stur und dumm zugleich. Sie bekommen die Türen unseres Wagens nicht auf, und in Gang bringen Sie ihn schon gar nicht. Wenn Sie versuchen sollten, das Fahrzeug gewaltsam zu öffnen, kann es niemals wieder starten. Ich habe eingeräumt, daß Sie das Recht zur Beschlagnahme haben.

Aber Sie bestehen darauf, die Anwendung dieses Gesetzes unmöglich zu machen. Gehen Sie auf mein Angebot des sicheren Geleits ein und spielen Sie den Zeugen, *sonst steht der Wagen dort auf dem Landefeld, bis die Russen kommen,* während wir in diesem Palast ein Luxusleben führen. Sie wissen, daß das Recht, ›jederzeit abzufliegen‹, ohne unsere Transportmittel bedeutungslos ist. Ich frage Sie jetzt *zum letztenmal,* ob Sie es so handhaben wollen, wie ich vorgeschlagen habe . . . oder wollen Sie kostbare Minuten einer ernsten Krise damit verplempern, den Wagen selbst zu öffnen? Entscheiden Sie sich, ich werde mein Angebot nicht wiederholen. Sagen Sie ja oder nein — und beeilen Sie sich!«

Bertie legte die Hände vor das Gesicht. »Hilda, ich bin die ganze Nacht auf den Beinen gewesen. Squeaky auch.«

»Das weiß ich, mein Lieber. Das habe ich gleich beim Eintreten gemerkt. Ich muß Ihnen also helfen, eine Entscheidung zu treffen. Deety, schau in deiner Tasche nach. Es fehlt etwas.«

Hastig sah ich nach; ich wußte nicht, was sie meinte. Dann fiel mir auf, daß das Geheimfach meiner Tasche leer war. »Oh! Hast du sie?«

»Ja, Deety.« Tante Hilda hatte sich so hingesetzt, daß sie Bertie und Squeaky aufs Korn nehmen konnte, ohne daß wir ihr in die Quere gerieten. »Ich sprach vorhin von drei Killern. Jetzt müssen Sie es mir vieren aufnehmen — in einem schalldichten Raum mit von innen verriegelten Türen.« (Ich bekam gar nicht mit, wie sie meine Skoda-Waffe zog. Aber sie richtete sie auf die beiden Männer.) »Bertie... ich nehme Ihnen die Entscheidung ab. Sie akzeptieren mein sicheres Geleit. Überlegen Sie, wie gering die Chancen stehen, daß jemand Ihre Leichen findet, ehe wir die Treppe hinabgelaufen sind und unseren Wagen erreicht haben.«

Squeaky stürzte sich auf Hilda. Ich stellte ihm ein Bein, und trat ihm, während er noch stürzte, gegen das linke Knie. »Keine Bewegung, Sie Gauner! Der nächste Tritt ist tödlich! Captain, ist Bertie zur Vernunft gekommen? Oder soll ich mich seiner annehmen? Es würde mir mißfallen, ihn umbringen zu müssen. Er ist müde und macht sich Sorgen und kann nicht mehr besonders klar denken. Anschließend müßte ich Squeaky töten. Er kann nichts gegen sein eidetisches Gedächtnis tun, so wenig wie ich gegen die Uhr in meinem Kopf ankomme. Squeaky, habe ich Ihnen die Kniescheibe gebrochen? Oder können Sie gehen, wenn ich Sie hochkommen lasse?«

»Ich kann gehen. Ihre Reflexe sind gut, Deety.«

»Ich weiß. Captain. Wie geht es weiter?«

»Bertie. Sie akzeptieren mein Angebot auf sicheres Geleit. Wir werden nun gemeinsam hinausgehen, Sie beide von uns umringt. Wir werden lachen und uns unterhalten und zu unserem Wagen gehen — und wenn jemand in unsere Nähe kommt, sind Sie beide tot. Einer von Ihnen bekommt die hier zu schmecken . . .«

»Und der andere das Ding hier!« Mein Mann hatte gesprochen, in der Hand seine kurzläufige Police Special . . .

»Also, Zebbie! Wie ungezogen von dir! Jacob, hast du womöglich auch ein Schießeisen bei dir?«

»Nur das hier . . .« Paps zeigte sein Jagdmesser vor.

»Deety?«

»Nicht mehr. Du hältst das Ding in der Hand. Trotzdem bleiben mir noch fünf Waffen.«

»Fünf?«

»Beide Hände, beide Füße und mein Kopf. Squeaky, ich muß Sie durchsuchen. Wackeln Sie nicht herum — sonst tut es weh.« Ich fügte hinzu: »Sie brauchen sich gar nicht zu Ihrem Tisch zu schieben, Bertie. Sie können uns unmöglich alle umbringen, ehe einer von uns Sie erwischt. Paps, kümmere dich nicht um die Waffe oder Alarmanlage in Berties Tisch. Wir wollen von hier verschwinden, lachend und Witze reißend, wie befohlen. Oh, Squeaky, *das* hat nicht weh getan! Captain, soll ich ihn hochkommen lassen?«

»Brigadier Hird-Jones, Sie sollten das sichere Geleit beachten, das uns von Ihrem befehlshabenden Offizier gewährt worden ist«, sagte Tante Hilda.

»Brigadier, ich befehle Ihnen, die Zusage einzuhalten«, sagte Bertie ernst.

Vielleicht mußte Squeaky erst noch zu Atem kommen; er reagierte ein wenig langsam. »Jawohl, Sir.«

»Vielen Dank, Squeaky«, sagte Tante Hilda. »Es tut mir leid, daß ich Ihnen böse Worte an den Kopf werfen mußte, aber was mir am Muskeln fehlt, muß ich durch Worte ausgleichen. Zebbie, du durchsuchst Bertie. Aber schnell; wir wollen sofort los. Ich zuerst, an Berties Arm. Dann Deety, eskortiert von Squeaky — Sie können sich ja auf sie stützen, wenn es nicht anders geht; sie ist kräftig genug. Hilf ihm auf, Deety! Jacob und Zebbie bilden die Nachhut. Bertie, wenn sich jemand nähert oder Sie oder Squeaky jemandem ein Signal zu geben versuchen, oder wenn irgend jemand eine Waffe auf uns richtet — dann sterben Sie beide als erste. Anschließend wir; das ist unvermeidlich. Aber wir nehmen noch einige Leute mit ins Grab. Wie viele Tote könnte es geben? Zwei . . . und vier . . . dann noch einmal fünf? Oder sechs? Oder ein Dutzend? Vielleicht auch mehr?«

Wir brauchten siebenundvierzig Sekunden, dann hatten wir das untere Ende der Treppe erreicht, schließlich noch einmal einunddreißig Sekunden bis zu Gay Täuscher. In dieser Zeit alterte ich um achtundsiebzig Jahre.

Squeaky stützte sich in der Tat auf mich, doch ich ließ es aussehen, als wäre es andersherum, und er quälte sich ein Lächeln ab und sang mit mir: »Gaudeamus igitur . . .« Hilda sang Bertie den ›Bastard-König‹ vor, was ihn zugleich zu entsetzen und zum Lachen zu bringen schien. Sie hielt seinen Arm auf seltsame Weise umklammert, und das verriet mir, daß sie sich bereithielt, Bertie 24 vergiftete Pfeile in die Achselhöhle zu schießen, sollte etwas schiefgehen.

Niemand störte uns. Bertie mußte etwa ein Dutzendmal grüßen.

Das Problem kam, als wir Gay Täuscher erreichten. Vier bewaffnete Soldaten bewachten unser Kluges Mädchen. An der Steuerbordtür wartete der aufgeblasene Moresby mit selbstgefällig verzogenem Gesicht. Er salutierte vor Bertie.

Bertie erwiderte die Bewegung nicht. »Was soll das?« fragte er und streckte den Zeigefinger aus. An Gays Flanke war Seiner Majestät Königliches Siegel aufgeklebt — über den hinteren Spalt von Gays Seitentür.

»Gouverneur«, antwortete Moresby, »ich habe Sie vorhin ganz richtig verstanden, als Sie mir sagten, ich hätte sicher zu tun. Kleine Umschreibung, wie?«

Bertie antwortete nicht; Moresby hielt seinen Salut.

»Generalmajor Moresby«, sagte Bertie so leise, daß ich die Worte kaum verstehen konnte.

»Sir!«

»Begeben Sie sich in Ihr Quartier. Schicken Sie mir Ihren Säbel.«

Ich dachte schon, unser Dickkopf würde zerschmelzen, wie die böse Hexe, nachdem Dorothee das Wasser über ihr ausgeschüttet hatte. Er senkte den Arm und entfernte sich mit schnellen Schritten.

Alle taten, als hätte sich nichts ereignet. Hilda sagte: »Gay Täuscher, öffne Steuerbordtür.« Sie tat es, und das aufgeklebte Siegel zerriß. »Bertie, wir brauchen Träger. Ich möchte nicht, daß unsere Habe irgendwie im Freien aufgestapelt wird.«

Er blickte überrascht auf sie herab. »Ist der Krieg denn vorbei?«

»Zwischen uns hat es nie Krieg gegeben, Bertie. Sie haben nur versucht, Druck auf uns auszuüben, und das lasse ich nicht zu. Sie haben dieses Schiff beschlagnahmt; juristisch gehört es Ihnen. Ich mußte lediglich darauf bestehen, daß *Sie* die Entfernung unserer persönlichen Besitztümer bezeugen. Dazu war einige Überredung nötig.«

»Überredung!«

»Einigen Leuten muß man eben mehr zureden als anderen. Squeaky, die Sache mit Ihrem Knie tut mir leid. Können Sie allein zurückhumpeln? Oder sollen wir einen Rollstuhl kommen lassen? Das Knie dürfte bald anschwellen.«

»Ich werde es überleben. Deety, Sie haben wirklich eine rauhe Art.«

»Squeaky«, sagte der Generalgouverneur. »Im langsamen Tritt zurück zum Imperial House, nehmen Sie sich dort die erste Person, die Ihnen vor die Augen kommt, und beauftragen Sie sie, eine Arbeitsgruppe zusammenzustellen. Hilda, genügen ein Dutzend?«

»Lieber zwanzig. Und ungefähr noch vier bewaffnete Wächter.«

»Vierundzwanzig zusätzliche Wachen. Sobald das erledigt ist, soll der Dienstälteste das Kommando übernehmen, während Sie in eine heiße Wanne steigen.«

»Kaltes Wasser.«

»Wie bitte, Hilda? *Kalt?*«

»Heiß ist in Ordnung, wenn er genügend Badesalz nimmt. Ansonsten empfiehlt sich eiskaltes Wasser — das vermindert die Schwellung sehr schnell, wenn es auch unangenehm ist. Aber nicht lange. Eiswasser verringert auch den Schmerz. Morgen früh sind Sie wieder fit. Es sei denn, Deety hat Ihnen etwas gebrochen.«

»Hoffentlich nicht!« entfuhr es mir.

»Squeaky, Sie tun besser, was Captain Hilda sagt.«

»Gemacht. Eiswasser. *Brrrrr!*«

»Also los. Aber denken Sie an die Arbeitsgruppe.«

»Sofort, Sir.«

»Bertie, würden Sie mir bitte folgen?« Hilda stieg in den Wagen. Der Gouverneur folgte ihr und wollte etwas sagen, doch

Hilda unterbrach ihn: »Jacob, hol du die Dinge heraus, die hier im vorderen Teil verstaut sind, und Zebbie führt unterdessen die Liste. Bertie, ehe die Horden hier eintreffen, habe ich noch etwas für Betty. Würden Sie mir bitte helfen, dieses Schott zu entriegeln, vielleicht kann mir auch Deety zur Hand gehen. Gay Täuscher schließ die Türen Gay hüpf Gay hüpf Gay hüpf. Bertie, ziehen Sie sich aus.«

Mit der linken Hand hielt sie sich am Türriegel fest und zielte mit meiner kleinen Pistole auf sein Gesicht.

»*Hilda!*«

»*Captain* Hilda, bitte; ich befinde mich in meinem Raumschiff und während des Fluges. Bertie, Sie ziehen sich splitternackt aus; ich bin nicht so vertrauensselig wie Zebbie. Ich gehe davon aus, daß Sie noch ein As im Ärmel haben, das er nicht gefunden hat. Gay, hüpf. Beeilen Sie sich, Bertie; Sie bleiben so lange ohne Bonine im freien Fall, bis Sie nackt sind. Zebbie, vielleicht braucht er Hilfe. Oder einen kleinen Anstoß.«

Beides war erforderlich. Doch elf Minuten später trug Bertie einen von Paps' Overalls, und seine Kleidung war achtern verstaut. Zebbie fand keine Waffe, doch Tante Hilda ließ sich auf kein Risiko ein. Endlich waren wir alle angeschnallt, Bertie saß zwischen mir und dem Captain.

»Alle Mann«, sagte Hilda, »Meldung Raumbereitschaft. Astronavigator.«

»Captain Tantchen, wir *sind* bereits im Raum.«

»Aber dazu noch nicht bereit. Astronavigator.«

»Angeschnallt, bereit.«

»Erster Pilot.«

»Türdichtung überprüft. Keine ungesichert herumfliegenden Gegenstände — ich habe Berties Kleidung zum Bettzeug der Kabine gestopft. Vier geladene Batterien als Reserve. Energie null Komma sieben null. Alle Systeme bereit. Fertig.«

»Copilot.«

»Angeschnallt. Kontinua-Gerät bereit. Türdichtung überprüft. Ich hätte gern eine Bonine-Tablette, wenn wir lange im freien Fall bleiben wollen. Bereit zu Raumflug.«

»Astronavigator, drei Pillen gegen die Raumkrankheit. Captain, Copilot, Passagier. Passagier?«

»Oh! O ja! Angeschnallt.«

»Captain meldet Gurt angelegt. Bereit für Raumflug. Gay, Termite.«

An unserem Bach ging eben die Sonne auf. »Tante Hilda,

warum haben wir das blöde Ritual durchgemacht, wenn wir doch nur hierher wollten?«

»Deety, die Antwort darauf wirst du wissen, wenn du selbst Captain bist.«

»Nicht ich. Ich bin kein Captain-Typ.«

Sie beachtete mich nicht. »Lieutenant-General Smythe-Carstairs, geben Sie mir Ihr uneingeschränktes Ehrenwort, bis ich Sie wieder zu Hause absetze? Auf Ihre Ehre als Offizier und Gentleman?«

»Soll ich denn wieder nach Hause gebracht werden? Ich hatte angenommen, daß ich nicht mehr lange zu leben habe.«

»Sie sind bald wieder zu Hause. Und ich habe wirklich etwas für Betty. Aber die Frage des Ehrenworts wirkt sich auf andere Dinge aus. Entscheiden Sie sich — auf der Stelle!«

Er brauchte sechs Sekunden, die Tante Hilda ihm einräumte. »Sie haben mein Ehrenwort.«

»Gut, Bertie. Und jetzt haben Sie Gelegenheit, mich von den Gründen zu überzeugen, aus denen ich Ihnen in Ihrer Krise beistehen sollte. Ihr König ist nicht unser Herrscher; wir setzen kein Vertrauen in Prinzen. Wir haben keinen Grund, die Russen zu lieben, doch der einzige, der uns Ärger machte, erhielt eine Abreibung. In welcher Hinsicht ist die britische Kolonie besser als die russische? Lassen Sie sich Zeit.«

Tante Hilda wandte sich uns anderen zu.

»Die Dauerbefehle gelten weiter: Nur zwei zusammen, einer davon muß bewaffnet sein. Deety und ich machen Sandwiches und Kaffee — eine Mahlzeit für noch wachsende Jungens, die ein reichliches Mittagessen innerhalb von drei Stunden vergessen haben. Ein Aufpasser bleibt ständig am Wagen. Bertie, diese Aufgabe übertrage ich Ihnen. Sie kennen sich mit einem Gewehr aus?«

»Du willst *ihn* bewaffnen?« fragte Zebadiah.

»Erster Pilot, ich schließe daraus, daß du an meinem Urteilsvermögen zweifelst. Wenn du mich überzeugen kannst, daß ich irre, hat dieses Schiff noch eher einen neuen Captain, als ich angenommen hatte. Dürfte ich deine Gründe hören?«

»Sharpie, ich wollte dich nicht aufregen.«

»Durchaus nicht, Zebbie. Warum zeigst du dich überrascht, daß ich Bertie als Wächter verwenden möchte?«

»Noch vor zehn Minuten mußte ich ihn bis auf die Haut durchsuchen, um sicherzugehen, daß er nicht bewaffnet war. Jetzt willst du ihm eine Waffe in die Hand drücken.«

»Vor zehn Minuten hatte er uns auch noch nicht sein Ehrenwort gegeben.«

»Zeb hat recht, Hilda — Captain Hilda«, sagte Bertie hastig. »Er hat keinen Grund, mir zu trauen. Ich möchte hier nicht zum Zankapfel werden!«

Ich versuche noch immer herauszufinden, ob Tante Hilda logischer denkt als andere Leute oder eine komplette Sophistin ist. Sie starrte Bertie eiskalt an und musterte ihn dabei von Kopf bis Fuß: »Smythe-Carstairs, Ihre Meinungsäußerung war weder erbeten noch erwünscht.«

Bertie lief rot an. »Entschuldigung, Madame.«

»Wenn Sie auch in Ihrem Land eine Person von einiger Bedeutung waren, so sind Sie hier jedoch eine Mischung zwischen einem Gefangenen und einem Störenfried. Ich will Ihnen nur den Status eines Besatzungsmitglieds auf Zeit verschaffen — eine Ehre für Sie. Halten Sie dabei den Mund. Zebbie, was wolltest du sagen?«

»Ach, wenn du keine Angst hast, solange er mit einem Gewehr hinter dir steht, fürchte ich mich auch nicht. Ich wollte Ihnen nicht zu nahe treten, Bertie.«

»Schon gut, Zeb.«

»Zebbie, bitte überzeuge dich, daß Bertie mit einem Gewehr umgehen kann und daß er weiß, worauf er schießen muß und wann er *nicht* schießen darf. Erst dann läßt du dich von ihm als Wächter ablösen. Leg das andere Gewehr an die Tür. Bertie, passen Sie auf und hören Sie zu! Gay Täuscher, öffne die Türen.«

Unser Kluges Mädchen gehorchte. »Gay Täuscher, schließe die Türen.« Gay gehorchte. »Und jetzt Sie, Bertie«, fuhr Tante Hilda fort. »Versuchen Sie es.«

Natürlich klappte es nicht — und ebensowenig gelang es ihm, andere Stimmprogramme zu aktivieren. Hillbilly erklärte ihm, daß es viel Mühe und Zeit koste, den Autopiloten auf eine bestimmte menschliche Stimme einzustellen. »Bertie, erklären Sie das Squeaky; er muß es begreifen, daß ich ihm das Leben gerettet habe. Dieser Wagen läßt sich auf drei Arten steuern. Zwei sind Squeaky verschlossen, die vierte würde ihn garantiert umbringen.«

»Es kommt noch eine vierte Gefahr hinzu«, sagte mein Mann. »Wer das Kluge Mädchen nicht versteht, aber den Versuch macht, sie auseinanderzunehmen, um zu sehen, wie sie funktioniert, der würde über eine ziemlich große Fläche verstreut enden.«

»Ach, hast du einen Sprengsatz eingebaut?« fragte ich. »Das wußte ich ja gar nicht.«

»Nein. Aber unsere Energie reagiert sehr unfreundlich, wenn sich jemand an ihr zu schaffen macht, der keine Ahnung hat.«

»Essen kommen!« Die Mahlzeit, die Tante Hilda vorbereitet hatte, bestand aus einem gutgefüllten Omelette. »Bertie, stellen Sie das Gewehr gesichert neben sich. Während des Essens können Sie uns dann sagen, warum Ihre Kolonie eine Verteidigung lohnt. Durch uns, meine ich. Sie sind leider weiter im Dienst.«

»Captain Hilda, ich bin ein wenig in mich gegangen. Ich würde sagen, daß wir und die Russen im wesentlichen gleich sind. Gefängniskolonien mit Militärgouverneuren. Vielleicht ist diese Vorgeschichte in hundert Jahren nicht mehr wichtig. Allerdings betrachte ich *uns* als moralisch überlegen.«

»Inwiefern, Bertie?«

»Ein Russe würde dies wohl anders sehen. Die hierher Verbannten sind nach unserem Gesetz Verbrecher — doch sobald sie hier sind, können sie so frei leben wie alle anderen Engländer. Gewiß, sie müssen das Zeichen tragen, bis sie entlassen werden — doch zu Hause würden sie es in einem düsteren Gefängnis anhaben. Wenn unsere Informationen stimmen, handelt es sich bei den russischen Gefangenen um die Leute, die früher in die sibirischen Bergwerke geschickt wurden. Politische Gefangene. Es sind Leibeigene, was sie — wie man hört — in den meisten Fällen zu Hause nicht waren. Ob sie besser oder schlechter behandelt werden als die Leibeigenen in Rußland, weiß ich nicht. Eins ist mir aber klar. Die Russen bearbeiten ihre Felder mit Männern, wir mit Zwittern.«

»Und Sie peitschen sie aus!« Plötzlich war ich zornig.

Es kam zu einer Auseinandersetzung, in der Bertie darauf beharrte, daß die Peitschen nicht unnötig eingesetzt wurden, wogegen ich anführte, daß ich es mit eigenen Augen gesehen hätte.

Vermutlich ging er aus diesem Gespräch als Sieger hervor, da er uns sagte, daß die Wesen auf den Riedfeldern Maulkörbe tragen *mußten;* andernfalls würden sie sich mit dem Zeug die Mägen vollstopfen, das Bewußtsein verlieren, dann wieder etwas wach werden, es wieder tun und schließlich verhungern. Die Körbe waren aber so gestaltet, daß sie den ganzen Tag an einem Blatt herumkauen konnten, was sie zufriedenstellte. Die Pflanze im Urzustand begründet eine Sucht — für Mensch und Zwitter. Die menschlichen Aufseher dürfen höchstens drei Monate auf den Feldern arbeiten — außerdem wird jeder sofort abgezogen, der bei einer wöchentlichen Untersuchung nicht einwandfrei abschneidet. »Was die Zwitter angeht, jawohl, Deety, wir beuten sie aus. Die Menschen beuten Pferde aus, Vieh, Schafe, Geflügel und andere Tierarten. Sind Sie Vegetarierin?«

Ich mußte zugeben, daß ich das nicht war. »Aber ich möchte keine Zwitter essen!«

»Wir auch nicht. In der Windsor-Kolonie geht Zwitter-Fleisch ausschließlich an die Zwitter; denen ist das egal. In der Wildnis verzehren sie die eigenen Toten; sie töten sogar ihre alten Leute und essen sie auf. Captain Hilda, mehr habe ich zu meiner Verteidigung nicht vorzutragen. Ich gebe zu, daß es sich nicht so stichhaltig anhört, wie ich immer angenommen hatte.«

»Captain, ich würde Bertie gern eine Frage stellen.«

»Jacob, bitte sehr!«

»Bertie, würden Sie die Russen vernichten, wenn Sie es könnten?«

Bertie schnaubte durch die Nase. »Das ist eine akademische Frage, Doktor. Ich habe dazu nicht genügend Soldaten. Ich sehe mich nicht in der Lage, eine Kette von Lagern einzurichten — und wüßte dann auch gar nicht, was ich damit anfangen sollte, selbst wenn ich es könnte; dazu habe ich einfach nicht die Leute oder die Ornithopter. Ich muß allerdings hinzufügen, wenn mein König mir den Kampf befiehlt, kämpfe ich.«

Tante Hilda befahl Bertie, das Geschirr zu waschen, und ließ ihn von Paps bewachen. Kaum waren die beiden in Richtung Bach verschwunden, sagte Tante Hilda: »Wir werden es tun — bis auf ein Maximum von einer Batterieladung. Deety, kümmere dich um ein Programm, das die gestern abend aufgespürten Vorratslager zusammenfaßt.«

»Schon geschehen«, antwortete ich. »In meinem Kopf. Gestern abend. Damit ich einschlafen konnte. Du willst es als Vorprogramm? Ich zöge es vor, Gay jeden einzelnen Sprung anzugeben, wirklich.«

»Es soll so geschehen, wie du möchtest, mein Schatz. Ich habe Bertie und Paps als seinen Begleiter zum Geschirrabwaschen geschickt, damit ich einen kleinen Trick vorbereiten kann. Am Ende des bevorstehenden Fluges setzen wir Bertie ab und hüpfen — und in dem Augenblick bin ich nicht mehr Captain. Ich möchte die Wahl jetzt abhalten — eine einstimmige Sache. Ich bitte euch gleich um Nominierungen. Zebbie, du nominierst Jacob. Deety, du brauchst nichts zu sagen, wenn du nicht willst. Wenn Jacob einen von euch beiden vorschlägt, erhebt ihr keine Widerrede. Ich sorge dafür, daß Bertie die Stimmen auszählt. Wenn ihr beide mitmacht, besteht der einzige Unsicherheitsfaktor in der vierten Stimme. Drei für Jacob — und wir wollen alle ›Jacob‹ schreiben und nicht ›Paps‹ oder ›Jake‹ — und eine unbestimmte Stimme. Begriffen?«

»Einen Augenblick, Sharpie. Warum wollen wir Deety nicht mal ans Ruder lassen?«

»Ich nicht!«

»Deety brauchte die Erfahrung, aber bitte nicht diesmal, Zebbie. Jacob hat mir wirklich schwer zu schaffen gemacht. Seine ewige Aufmüpfigkeit. Ich möchte ihn schön weichgeklopft an Deety weiterreichen. Wir können es Deety wirklich ersparen, daß alle ihre Entscheidungen von ihrem Vater durch die Mangel gedreht werden — dazu müßt ihr beide mir nur ein wenig helfen. Ich möchte meinem geliebten Manne die gottverdammteste ›weiße Meuterei‹ unterjubeln, die die Welt jemals gesehen hat. Er soll sich voller Schaudern daran zurückerinnern und wird es dann hoffentlich sein lassen, einem Captain mit Widerreden das Leben schwerzumachen.«

»Hört sich gut an«, meinte ich. »Aber ich weiß nicht, was eine ›weiße Meuterei‹ ist.«

»Mein lieber Schatz«, begann mein Mann, »es läuft darauf hinaus, daß wir ihn mit unserer Freundlichkeit umbringen. Wenn er ›Frosch‹ sagt, hüpfen wir. Wir sind absolut gehorsam und führen seine Befehle wortwörtlich aus.«

»*Das* soll ihm nicht gefallen? Er wird es *genießen!*«

»Ach? Würde es dir vielleicht gefallen, eine Horde Zombies zu befehligen, die *niemals* eigene Vorschläge machen und deine Befehle ohne jeden Menschenverstand immer wortwörtlich ausführen?«

Eine Viertelstunde später las Bertie vor: »›Jacob‹ und noch einmal ›Jacob‹ und noch einmal, damit scheint die Sache also geklärt zu sein. Aber hier ist ein zusammengefalteter Zettel: ›Schlauberger, ihr drei! Ihr glaubt wohl, ich wüßte nicht, warum ihr mich als Wachhund weggeschickt habt! Na schön, ich stimme für mich selbst!‹ Darunter steht: ›Jake.‹ Frau Vorsitzende, ist das eine gültige Stimme?«

»In der Tat. Jacob, mein letzter Befehl ist der Startbefehl, nachdem wir Bertie abgesetzt haben.«

»Jake«, sagte Bertie, »ich glaube, ich muß Sie beglückwünschen.«

»Mund halten! Alle Mann — vorbereiten zum Raumflug.«

»Ein Kinderspiel«, so nannte es Bertie. Wir begannen mit dem am weitesten östlich gelegenen Lager und arbeiteten uns in Richtung Westen vor. Ankunft in vier Kilometern Höhe mit anschließendem Sturzflug, ein Probelauf, um das Ziel ins Auge zu fassen: wo der Holzalkohol verstaut war, ob Ornithopter gelandet waren und wo. Währenddessen lärmte Gay zwischen Stärke sechs und acht. Angsteinflößend. Ich erhöhte die Lautstärke nicht auf zehn, da wir keinen Schaden anrichten, sondern etwaige Anwesende lediglich vertreiben wollten.

Das war Zebadiahs Einfall. »Captain, ich habe nichts gegen die Russen. Mir geht es nur darum, ihren Brennstoff und die Flattervögel zu verbrennen, damit sie Mühe haben, unsere Freunde anzugreifen — und damit meine ich nicht die hohen Tiere wie Sie, Bertie. Ich meine das verbannte Hausmädchen, das uns heute früh den Tee brachte, und Brian Bean und Mr. Wheatstone, der ein vorzüglicher Chirurg war, ehe ein idiotischer Richter ihn in den Kahn schickte, und der sich nun bei den Zwittern größte Mühe gibt, und den Koch im Offiziersklub, und die fünf Gefreiten, die den idiotischen Wagen für uns steuerten, und viele Dutzend mehr, die ein Lächeln aufsetzten, wenn sie auch grimmig hätten schauen können. Sie sollen nicht umkommen oder als Sklaven enden; sie sollen ihre Chance haben. Gouverneur, England behängt einige seiner besten Leute mit dem Gefangenenzeichen — das wird es noch bedauern.«

»Vielleicht haben Sie recht, Zeb.«

»Ich möchte auch keine Russen töten. Durchaus möglich, daß die meisten dort ganz anständig sind. Jeder Angriff wird also doppelt laufen — ein Vorstoß, um sie auseinanderzutreiben, ein zweiter, um das Lager zu vernichten. Captain, wenn dir das nicht paßt, such dir einen anderen Kanonier.«

»Astronavigator«, sagte Tante Hilda.

»Captain.«

»Angriff wie vom Ersten Piloten beschrieben. Übernimm das Kommando. Angriff!«

Nach der ersten Attacke verweilten wir noch einen Augenblick. Beim ersten Flug hatten wir Gestalten davonlaufen sehen; der Krach, den wir machten, mußte allen in die Knochen fahren. Die intensiven Schallwellen waren so unangenehm, daß ich Gay den Krach beim Kommando ›Hüpf‹ abschalten ließ und auch beim Angriffsanflug darauf verzichtete.

Zebadiah plante seine Vernichtungsangriffe auf Kursen, die ein Maximum an Ornithoptern vernichteten und zugleich die Treibstoffvorräte in Brand setzten.

Aus vier Kilometern Höhe sah der erste Schlag gelungen aus. Das Lager brannte, getroffene Ornithopter qualmten, und einer, der ziemlich weit abseits stand, brannte lichterloh. Vermutlich von herumwirbelndem brennendem Methanol getroffen.

Wenn dieses erste Ziel einen zutreffenden Eindruck vermittelte, verloren die Russen in vierunddreißig Minuten ihren gesamten Treibstoff und etwa siebzig Prozent der in unsere Richtung entsandten Flattervögel. Nach dem letzten Angriff ließ ich Gay in die Höhe ziehen. »Nächste Haltestelle Windsor City.«

»Ich übernehme das Kommando, Astronavigator. Bertie, vergessen Sie meinen kleinen Ring für Betty nicht.«

»Ich gebe ihn ihr morgen früh.«

»Gut«, sagte Captain Hilda. »Bitte losschnallen. Schieben Sie sich an Jacob vorbei, lehnen Sie sich gegen die Tür, die Füße an Deck, die Brust gegen die Tür. Jacob, du gibst ihm einen Stoß ins Kreuz. Bertie, wenn die Tür aufgeht, springen Sie hinaus und lassen sich abrollen.«

Die Männer gingen in Position. »Gay, Exerzierfeld, Gay Täuscher, öffne Steuerbordtür . . . Gay Täuscher, schließe alle Türen, Gay, hüpf, Gay, hüpf! Jacob, löst du mich jetzt ab?«

»Ja, mein Schatz. Zehn Minima H-Achse Transit — und ausgeführt. Alle Mann, Gurte lockern.«

Ich öffnete meinen Gurt so schnell und ungeschickt ich konnte und trat dabei Paps mit dem Fuß gegen das Kinn.

»Deety, paß doch auf!«

»Tut mir leid, Captain. Ich habe im freien Fall keine Übung.«

»Du bist doch jeden Tag im freien Fall gewesen!«

»Jawohl, Captain. Ich bin jeden Tag im freien Fall gewesen, aber angeschnallt.«

»Mund halten! Hilda, verdeck nicht das Armaturenbrett. Halte dich irgendwo fest. Nein, nicht an mir, verdammt! Zeb! Klammere dich irgendwo fest und fang Hilda ein.«

»Roger, bestätigt, Captain! Sofort!« Mein Mann fing Tante Hilda ein, packte mit der anderen Hand einen Sicherheitsgurt und drückte unseren Captain dabei mit der Kehrseite gegen die Riegel der Schottür. »Was jetzt, Sir?«

»Nimm deinen verdammten Hintern aus meinem Gesicht!«

»Entschuldigung, Sir«, antwortete Zebadiah unterwürfig, drehte sich und versetzte Paps dabei einen Ellbogenstoß in die Rippen. Ich näherte mich von der anderen Seite, und so hatten wir Paps wieder in der Falle — ein wahrhaftiges Weltraumballett. »Was jetzt, Sir?« fragte Zebadiah fröhlich.

Paps antwortete nicht. Seine Lippen verrieten mir, daß er langsam rückwärts zählte, auf deutsch. Das ist Stadium drei.

Dann sagte er leise: »Zeb, setz dich in den Sitz des Copiloten und schnall dich an.«

»Aye, aye, Sir.« Zebadiah gehorchte.

Paps schnappte sich Hilda aus der Luft, wobei er sich an einem Türriegel festhielt. »Deety, du schnallst dich auf dem Platz des Ersten Piloten fest.«

»Roger, bestätigt.« Ich gehorchte.

»Meine Liebe, dich möchte ich hinter Deety haben. Brauchst du Hilfe?«

»Ja, vielen Dank, Captain. Vielen Dank für das Angebot.« Weiße Meuterei? Hillbilly ist etwa so hilflos wie Zebadiah, lebt aber in dem Glauben, Gott habe die Männer erschaffen, um Frauen zu verwöhnen. Ich habe schon weniger vernünftige Philosophien gehört.

Nachdem er Hilda ›geholfen‹ hatte, schnallte sich Paps im hinteren Steuerbodsitz fest. »Alle Mann! Wir haben uns im Uhrzeigersinn um neunzig Grad versetzt. Ich bin jetzt Captain. Hilda, du bist Astronavigator und meine Stellvertreterin. Deety, du bist Erster Pilot. Zeb, du bist Copilot. Irgendwelche Fragen — der Älteste zuerst?«

Hillbilly sagte mit schüchterner Stimme: »Als Stellvertreterin des Captains muß ich den Captain beraten . . .«

»Unter gewissen Umständen. Sprich weiter!«

»Captain, ich habe keine große Ahnung von Astronavigation.«

»Deshalb bist du jetzt damit an der Reihe. Du wirst dich nach Bedarf von Deety beraten lassen, ihr beide werdet euch ratsuchend an Zebbie wenden, wenn erforderlich — und wenn ihr alle drei nicht mehr weiterwißt, beschäftige ich mich mit dem Problem und übernehme die Verantwortung für etwaige Fehler. Und das ist keine Last, denn der Captain ist ohnehin für *alle* Fehler verantwortlich. Tauchen irgendwelche Zweifel auf, zögert nicht, euch an mich zu wenden.

Deety, du hast diesen Wagen noch nicht in einer Atmosphäre gesteuert. Aber du bist eine fähige, entschlußfreudige und geschickte Fahrerin von Zweisitzern« — ach, *wirklich*, Paps? — das sagst du aber einige Jahre zu spät —, »und wir sind so hoch hinaufgestiegen, damit du dich damit vertraut machen kannst. Ich habe Zeb neben dich gesetzt, damit er dir Tips gibt und mir dann zu gegebener Zeit meldet, daß du dich voll qualifiziert hast.« Paps lächelte. »Zum Glück haben wir Programme, Programme, die dich aus allen Schwierigkeiten holen — zum Beispiel Gay, hüpf . . .«

Gay hüpfte.

Paps bemerkte es nicht, doch ich hatte den Blick auf das Radarentfernungsgerät gerichtet, seit ich wußte, daß ich dafür verantwortlich war. Paps, wer hat denn diese Sicherheitssprünge erfunden? Überleg mal scharf. Ein Tip: einer deiner Nachkommen.

»Zeb, du kennst die Knöpfe und Skalen der Kontrolle, die wir die Nonien nennen, aber du hast die Bedienung noch nicht üben können. Du wirst dich von jetzt an damit beschäftigen, du mußt die Vorstellungen nach dem Auge vornehmen können wie auch nach Klickgeräuschen bei Dunkelheit. Dazu möchte ich dir dieses Kompliment zollen: Du wirst deine Abschlußprüfung vor dir selbst ablegen. Wenn du dich fit fühlst, machst du mir Meldung, und ich lasse dies durch den Astronavigator ins Logbuch aufnehmen.

Ein Tip an künftige Kapitäne — ich werde erst zufrieden sein, wenn alle sich auf den vier Plätzen gleichermaßen gut auskennen und sich in allen fünfundzwanzig möglichen Kombinationen wohlfühlen . . .«

»Paps, da gibt's nur vierundzwanzig!« entfuhr es mir. Hastig fügte ich hinzu: »Entschuldigung, Captain — natürlich ›fünfundzwanzig‹!«

Paps hat große Mühe mit dem kleinen Einmaleins; es ist eben lange her, seit er sich mit Rechenaufgaben herumschlagen mußte. Selbst für $2 \times 3 = 6$ würde er zum Taschenrechner greifen; ich habe es selbst gesehen.

Er starrte mich an, und seine Lippen bewegten sich. Endlich sagte er: »Erster Pilot.«

»Captain.«

»Du hast hiermit *Befehl,* mich zu berichtigen, wenn ich einen Fehler mache. ›Vierundzwanzig‹ Variationen — du hattest natürlich recht.«

»Sir, darf der Erste Pilot weitere Informationen erbitten, ehe er diese Anordnung bestätigt?«

»Bitte sehr!«

»Welche Arten von Fehler fallen darunter?«

»Wie? Na ja, jede Art. Ein Fehler ist ein Fehler. Tochter, willst du mich auf den Arm nehmen?«

»Nein, Captain. Ich kann deinen Befehl nur nicht bestätigen, da ich ihn nicht begreife. ›Ein Fehler ist ein Fehler‹ ist semantisch gleich Null. Wenn ich bemerke, daß du im Begriff stehst, dir zum zweitenmal Zucker in den Kaffee zu tun, soll ich dann . . .?«

»Es mir sagen! Natürlich.«

»Wenn ich sehe, daß du deine Frau ungerecht behandelst, soll ich dann . . .?«

»Moment! Selbst wenn ich das täte oder getan habe — wozu ich mich nicht festlegen lasse —, gehört es sich nicht, daß du dich einmischst.«

»Jawohl, Sir. Somit haben wir also festgelegt, daß es zwei Arten von Fehlern gibt. Diese Arten sind aber vom Captain nicht definiert worden, und dem Ersten Piloten fehlt dazu die Vollmacht. Dürfte ich respektvoll vorschlagen, daß der Captain diesen Konflikt anerkennt und den Befehl zu einem ihm genehmen Zeitpunkt neu formuliert — womit es dem Ersten Piloten unterdessen gestattet wäre, die Fehler des Captains *nicht* zu berichtigen?«

Zebadiah blinzelte mir zu; dabei hatte er den Kopf so gedreht, daß Paps nichts sehen konnte.

Mein Vater schäumte vor Wut und beklagte sich, ich hätte meinen gesunden Menschenverstand verloren und, was noch schlimmer wäre, seinen Gedankenfluß unterbrochen. Endlich schaffte er eine Definition, die in die achte Schulklasse gepaßt hätte: Ich sollte ihn *nur* bei Fehlern korrigieren, die Zahlen oder verwandte Symbole wie etwa Winkel beträfen. (Wie du willst, Paps!) Ich gab ihm Roger, bestätigte.

»Vielleicht ist es sogar meine Pflicht, dafür zu sorgen«, fuhr er energisch fort, »daß dieser Trainingskurs abgeschlossen ist, ehe ich meinen Posten erleichtert an meinen Nachfolger weitergeben kann.«

(Ich begann mir schon auszurechnen, wie viele Kinder ich bis dahin haben würde, und beschloß, nach Möglichkeiten zu suchen, die ›weiße Meuterei‹ zu beschleunigen.)

»Captain.«

»Astronavigator.«

»Mein Hinweis betrifft einen Fehler, der in naher Zukunft eintreten könnte. Ich nehme an, Captain führt das Kommando?«

»Hilda, ich habe das Kommando. Was ist?«

»Wir verlieren an Höhe. Ich würde empfehlen, in eine Kreisbahn zu gehen.«

Ich seufzte erleichtert auf; die Radarmessungen hatten nicht gut ausgesehen.

»Aber klar«, sagte Paps. »Bring uns in eine Kreisbahn. Dazu übernimmst du das Kommando. Eine gute Übung. Deety soll es dir zeigen. Oder Zeb.«

»Aye, aye, Sir. Ich habe das Kommando. Erster Pilot, stell uns horizontal in bezug auf Planeten.«

»Roger. Wir liegen eben.«

»Copilot, hinzufüge Geschwindigkeitsvektor positiv Achse ›L‹ drei Komma sechs Kilometer in der Sekunde.«

»Äh . . . eingestellt!«

»Moment!« Paps löste seinen Gurt, stützte sich auf Zebadiahs Lehne und überprüfte die Einstellung. »Okay. Ausführung!«

»Entschuldigung, Captain«, sagte Zebadiah, »aber galt der Befehl mir oder dem Astronavigator?«

Paps öffnete den Mund und lief rot an. »Astronavigator, ich billige Lösung und Einstellung. Bitte laß das Manöver durchführen.«

»Aye, aye, Sir. Ausführung!«

Was Paps im Sinne hat, kam mir ganz vernünftig vor. »Bis jetzt haben wir Energie, Vorräte und vier Tage Zeit verbraucht und wissen lediglich, daß es mindestens zwei Entsprechungen unseres Universums auf der *Tau*-Achse gibt, ein Quantum und zehn Quanta entfernt. Die letztere enthält Untiere — Zwitter —, die nicht identisch sind mit dem Ungeziefer, vor dem wir geflohen sind, sondern nach Hildas Ausführungen eng mit den Wesen verwandt. Für mich scheidet daher die *Tau*-Achse als idealer Suchgrund für eine neue Heimat aus.

Zebadiah hat vorgeschlagen, daß wir die zur Verfügung stehenden Universen sondieren, indem wir nicht mehr Versetzungen vornehmen, sondern Rotationen — sechs Achsen zu jeweils vier gleichzeitig —, ehe wir die *Teh*-Achse absuchen. Ich möchte euch daran erinnern, daß wir allein über dem Absuchen der *Teh*-Achse an Altersschwäche sterben könnten. Die Entscheidung liegt bei mir, aber ich höre mir das Pro und Kontra an.«

Dreiundzwanzig Minuten später rief Tante Hilda: »Copilot, wie geplant, wie eingestellt — *Rotation!*«

XXX

Jacob:

Wir rotierten ins . . . Nichts . . .

Jedenfalls sah es so aus. Freier Fall und absolute Schwärze . . . Die Kabine war nur durch das schwache Glühen der Instrumente erleuchtet.

Mit gedämpfter Stimme sagte meine Tochter: »Captain! Darf ich die Innenbeleuchtung einschalten?«

Dies war die Gelegenheit, Disziplin und Doktrin wieder einzuführen. »Erlaubnis verweigert. Copilot, ich möchte gern in alle Richtungen blicken.«

»Jawohl, Sir«, bestätigte Zeb.

Nach einigen Sekunden fügte ich hinzu: »Copilot? Warum wartest du?«

»Ich erwarte Befehle, Sir.«

»Was soll das, Zeb? Nun mach schon! Ich habe gesagt, ich möchte in alle Richtungen blicken. Dafür haben wir Programme.«

»Jawohl, Captain.«

»Nun? Warum benutzt du sie dann nicht? Kannst du keine Befehle ausführen?« (Zebs Verhalten erstaunte mich.)

»Captain, ich habe bis jetzt noch keinen Befehl erhalten, und ich führe nicht das Kommando.«

Ich wollte ihm eine scharfe Antwort geben — hielt mich dann aber zurück. Was hatte ich gesagt? Mir fiel ein, daß der Autopilot bei Manövern alles aufzeichnete; ich konnte mir die letzten Minuten vorspielen lassen . . .

. . . und entschied mich dagegen. Wir verschwendeten kostbare Zeit, und es war möglich, daß ich mich nicht in der Form eines direkten Befehls geäußert hatte. Trotzdem konnte ich Zebs stures Verhalten nicht ignorieren. »Copilot, es ist mir bewußt, daß ich dir vielleicht keinen direkten Befehl gegeben habe. Doch ist es üblich, die Bitten eines Captains als höflich formulierte Befehle zu behandeln.«

»Jawohl, Sir.«

»Na? Verdammt, warum machst du dann nicht . . .«

»Captain! Captain Jacob! Bitte hör mal zu!«

Ich atmete tief ein. »Was ist, Hilda?«

»Captain, ich muß dich beraten.«

»Äh? Na, schön — aber beeil dich.«

»Captain, du hast dem Copiloten weder einen Befehl gegeben

noch ihm gegenüber einen Wunsch ausgesprochen. Dies wird die Aufzeichnung des Autopiloten bestätigen. Du hast von Vorprogrammen gesprochen, aber Stimmprogramme werden gewöhnlich nicht durch den Copiloten bedient.«

»Ich kann dem Copiloten befehlen, ein Stimmprogramm zu benutzen.«

Hilda antwortete nicht. Wieder wartete ich und fragte dann: »Nun?« Dann sagte ich: »Astronavigator, du hast mir nicht geantwortet.«

»Tut mir leid, Captain. Worauf?«

»Auf meine Frage!«

»Captain, ich wußte nicht, daß du mir eine Frage gestellt hattest. Würdest du sie bitte wiederholen?«

»Ach, vergiß die Sache! Erster Pilot!«

»Captain.«

»Deety, wie lautet das Stimmprogramm, mit dem wir uns um dreihundertsechzig Grad um die ›W‹-Achse drehen?«

»Soll ich es sagen, Sir? G. T. ist wach.«

»Nein, führe es aus. Schalte die Instrumentenbeleuchtung aus. Die Piloten schauen nach vorn, Captain und Astronavigator halten zur Seite hin Ausschau. Los. Ausführung.«

Die Instrumentenbeleuchtung verdimmte und stürzte uns in die schwärzeste Dunkelheit, die ich jemals erlebt hatte. Ich hörte ein unterdrücktes Aufstöhnen und hatte plötzlich Mitleid mit meiner Tochter; Dunkelheit hatte ihr nie gelegen. Aber sie führte meinen Befehl aus:

»Gay Täuscher, Stürzende Taube.«

»Salto vorwärts — toll!«

»Ausführung.«

Ich spürte Druck in meinen Gurten — wir saßen vor dem Massezentrum. Wir wurden in einen sanften Außenlooping gedrückt. Mir fiel ein, daß das gesamte Programm dreißig Sekunden dauerte, und begann die Sekunden zu zählen.

Ich war bei achtundzwanzig angekommen und begann mir schon langsam Gedanken zu machen, als Deety verkündete: »Zwanzig Sekunden« und der Autopilot anfügte: »Ende des Programms.«

»Bist ein Kluges Mädchen, Gay«, sagte Deety.

»Wenn ich klug wäre, würde ich dann *so etwas* machen? Ende.«

»Roger und Ende, Gay. Captain, ich erbitte Erlaubnis, die Kabinenbeleuchtung einzuschalten.«

»Erlaubnis gewährt. Meldung über Beobachtungen. Copilot?«

»Skipper, ich habe nichts gesehen.«

»Deety?«

»Nichts.«

»Hilda?«

»Jacob, ich habe überhaupt nichts wahrgenommen. Können wir dieses Universum bitte verlassen? Es stinkt.«

»Das bin ich«, sagte unser Copilot. »Der Geruch der Angst. Captain, was stellt ein leeres Universum dar?«

»Zeb, ›leeres Universum‹ ist ein bedeutungsloser Ausdruck. Raum-Zeit bedeutet Masse-Energie — und umgekehrt.«

»Captain, mir kommt es jedenfalls leer vor.«

»Mir auch. Ich stehe also vor einem Dilemma theoretischen Denkens. Ist die Masse in dieser Raum-Zeit so weit entfernt, daß wir sie nicht sehen können? Oder befindet sie sich in einem Zustand ›kalten Todes‹, einer eingeebneten Entropie? Oder haben wir dieses Universum durch unsere Rotation erst geschaffen?«

»›Es geschaffen‹ — *oha!*«

»Eine Möglichkeit«, betonte ich. »Wenn wir in diesem Universum die einzige Masse sind, dann bestand dieses Universum nicht bis zu dem Zeitpunkt, da wir es durch Rotation schufen. Aber wenn wir uns wieder hinausrotieren, wird es nicht zusammenbrechen, denn wir hinterlassen Quanta, die wir ausstrahlen.«

»Hmm. Captain, etwas anderes macht mir zu schaffen. Wir starteten aus Universum-zehn und nahmen eine Rotation um neunzig Grad vor. Richtig?«

»Ja. Wir sind um ›x‹ rotiert und haben somit jede der anderen fünf Achsen um neunzig Grad bewegt. Wir erleben die Zeitdauer nun auf ›y‹. *Teh* und ›z‹ sind jetzt räumliche Koordinaten, und ›x‹ bleibt räumlich, weil wir darum rotiert sind. *Tau* und ›t‹ sind null, unbenutzt.«

»Hmm . . . Deety, welche Zeit haben wir nach Greenwich?« Zeb blickte auf das Armaturenbrett.

»Äh — siebzehn: dreizehn: null-neun.«

»Das Kluge Mädchen meint, du bist zwanzig Sekunden hinter der Zeit zurück.« Zeb blickte auf seine Navigationsuhr. »Meine Uhr aber halbiert den Unterschied. Wie viele Minuten sind seit unserem Verlassen von Windsor City vergangen?«

»Neununddreißig Minuten, dreizehn Sekunden. Überleg dir mal eine kniffligere Frage.«

»Die werde ich deinem Vater stellen. Captain, wenn du G. T. *jetzt* befehlen würdest, nach Windsor zu zischen — wie sähe die Greenwich-Zeit dann aus?«

»Schau auf deine Uhr. Etwa Viertel nach fünf Uhr nachmittags.«

»Aber du hast gesagt, wir hätten rotiert und erlebten unsere Zeitdauer deshalb entlang der ›y‹-Achse.«

»Aber . . . Oh! Zeb, ich bin ein Dummkopf! Auf der ›t‹-Achse ist natürlich seit dem Augenblick unserer Rotation keine Zeit vergangen. Wenn wir die Rotation umkehrten, würden wir auf genau denselben Zeitpunkt zurückkehren.«

»Was meinst du, Deety?« fragte Zeb.

(Es ärgerte mich, daß sich mein Schwiegersohn hinsichtlich einer von mir geäußerten Fachmeinung an meine Tochter wandte — aber dann unterdrückte ich den Gedanken. Deety wird stets mein kleines Mädchen bleiben, was mir den Gedanken erschwert, daß sie ja zugleich meine Kollegin ist.)

Meiner Tochter schien plötzlich ein unangenehmer Gedanke gekommen zu sein. »Ich . . . Paps! Bei dem ersten Trip in die Welt ohne den Buchstaben ›J‹ — dabei ist Zeit vergangen, ganz bestimmt!«

Sanft sagte Zeb: »Aber das war eine Versetzung, Deety. Dabei habt ihr weiter der Zeitdauer auf der ›t‹-Achse unterlegen.«

Deety dachte darüber nach und sagte dann bekümmert: »Zebadiah, ich weiß nicht mehr, welche Zeit wir haben. Paps hat recht; Zeit kann man nur auf einer Achse erleben, und das wickelt sich jetzt auf der ›y‹-Achse ab. Auf zwei Achsen gleichzeitig kann keine Zeit verstreichen.« Sie seufzte. »Ob ich die Uhr in meinem Kopf jemals wieder richtig hinbekomme?«

»Aber ja«, beruhigte sie mein Schwiegersohn. »Es ist, als wechselte man die Zeitzone. Kurz nachdem wir auf Mars-zehn landeten, registrierte dein Köpfchen sowohl die Greenwich-Zeit als auch die Meridialzeit am Landepunkt Mars, obwohl diese Landezeit allmählich immer mehr zurückblieb. Eine einfache Veränderung des Index macht dir keine Mühe. Mein Schatz, du weißt selbst nicht, wie klug du bist.«

Zeb tätschelte ihr beruhigend die Hand und drehte sich dann zu mir um. »Captain, dürfte ich einen Wechsel unserer Pläne vorschlagen?«

»Heraus damit!«

»Sir, ich möchte zwei Schritte zur Diskussion stellen. Erstens die Rückkehr nach Windsor, die Nonien auf hunderttausend Kilometer Höhe über Grund eingestellt, Ausführung sofort. Dann eine Versetzung in unser Universum-null — aber nicht nach Erde-null. Statt dessen sollten wir eine Kreisbahn um Mars-null etablieren. Diese Kreisbahn wird unsere Ausgangsbasis.«

»Kein Problem. Aber warum?« fragte ich.

»Damit wir immer einen Ort haben, an den wir uns zurückziehen können. Deety kann uns ein Programm schreiben, das uns in diese Kreisbahn bringt. Etwas in der Art wie G-A-Y-H-E-I-M, aber auf Mars-null bezogen — mit Manövriermasse.«

»Tochter, kannst du uns so ein Programm schreiben?« wollte ich wissen.

»Ich glaube schon, Paps. Ein Notausstieg? G-A-Y-und-Zusatz?« Deety zögerte. »›Sagan.‹ G-A-Y-S-A-G-A-N — das ist die Rückkehr in die Kreisbahn zum Mars-null. Eingebaute Eselsbrücke.«

»Einverstanden. Ist das alles, Copilot?«

»Nein, Sir. Unser Vorhaben teilt sich naturgemäß in eine Fünfergruppe, eine Vierergruppe, eine Dreier-, Zweier- und Einergruppe. Ich möchte jede Gruppe mit einer Rückkehr in die Kreisbahn um Mars-null abschließen. Captain, wenn du an den Nonien säßest, würde ich mir keine Sorgen machen; du kennst sie gut. Ich aber nicht. Wenn ich fünfzehn Rotationen vornehme, eine nach der anderen, ist es durchaus möglich, daß ich einen winzigen Fehler mache und wir auf der ›z‹-Achse landen, im Andromeda-Analog-Nebel des tausendundzweiten Universums, ohne zu wissen, wie wir dorthin gelangt sind oder wie wir wieder nach Hause finden sollen.«

»Copilot, du machst dir zu viele Sorgen.«

»Möglich. Captain, mein ganzes Leben gründet sich auf eine gesunde Angst bei jeder Gelegenheit. Ich würde wirklich freier durchatmen können, wenn ich am Ende jeder Gruppe auf eine mir bekannte Kreisbahn zurückkehren könnte — mit dem sicheren Wissen, daß die nächste Gruppe einen Vorstoß weniger enthält. Mein Vorschlag kostet keine zehn Minuten, doch die Wahrscheinlichkeit, daß ich Fehler mache, würde abnehmen. Alle fünfzehn auf einmal in Angriff zu nehmen, macht mir Angst.«

»Captain Jacob . . .«

»Jetzt nicht, Hilda. Ich muß diese Sache regeln . . .«

»Captain, es ist meine Pflicht, dich zu beraten . . .«

»Wie? Na schön, na schön! Aber fix heraus damit!«

»Du weißt — wir alle wissen das —, daß man sich über Zebbies Vorahnungen nicht hinwegsetzen sollte. Ich gebe dir den of-

fiziellen Rat — Gay Täuscher, zeichne dies auf, in ›Ich sag's dir
dreimal‹.«

»Hilda, ich höre dich dreimal.«

»Captain Jacob, ich, deine Stellvertreterin, gebe dir den offiziellen Rat, den Rotationsplan so abzuwandeln wie vom Copiloten vorgeschlagen. Ende Ich-sag's-dir-dreimal.«

(Haben Sie sich jemals in einer ausweglosen Lage befunden?
Verdammt, es war meine *Absicht* gewesen, Zeb seinen Willen zu
lassen; ich bin ja Vernunftgründen zugänglich. Ich kann nicht
gerade behaupten, daß ich an Zebs Vorahnungen glaube; ich
halte ihn für einen Mann mit besonders schnellen Reflexen.
Aber unsere Frauen glauben daran, ebenso Zeb selbst. Nun
drohte mir eine Meuterei, *wenn ich nicht genau das tat, was ich ohnehin vorgehabt hatte!* Wie beschreibt man eine solche Ironie?)

Gleich darauf sagte ich: »Copilot, nach verändertem Plan, einstelle zweite Rotation der ersten Gruppe.« Wir befanden uns in
der ›Sagan‹-Kreisbahn um den Mars des Universums-null (das
war das Universum, in dem wir aufgewachsen waren, galaktische
Koordinaten x_0, y_0, z_0 und t_0 — Erde-null, Mars-null, Sonne-null,
Universum-null). Ich neige dazu, mir dies als das ›wirkliche‹ Universum vorzustellen, obwohl mir bewußt ist, daß keinerlei Beweise oder mathematische Theorien es gerechtfertigt erscheinen
lassen, ein Bezugssystem dem anderen vorzuziehen — es dennoch zu tun, ist egozentrischer Provinzialismus in höchster Potenz.

Eine Art Entschuldigung kann ich aber anbieten: für uns war
diese Handhabung am leichtesten; sie half uns, nicht vom Weg
abzukommen.

»Eingestellt«, meldete Copilot Zeb. Ich beugte mich nach vorn,
überprüfte die Einstellung (Rotation um ›y‹, wobei ›z‹ und ›t‹
über Bord fielen, null) und kehrte auf meinen Sitz zurück. »Wir
haben einen Augenblick Zeit, den Mars zu betrachten. Deety,
drück den Bug hinunter. Weißt du, wie das geht?«

»So, Captain?«

»Recht so«, sagte ich. »Mach nur weiter so.«

Deety senkte den Bug immer mehr und zog dabei nach rechts,
bis ich die Balance verlor. »Deety!« sagte ich strafend. »Was
machst du denn?« Hilflos zappelte ich herum und versuchte
mich festzuhalten.

»Sir, du hast ›rechts‹ und ›weiter so‹ befohlen«, antwortete
Deety.

»Keineswegs!«

»Aber, Jacob — Captain — du hast ihr das *wirklich* gesagt. Ich habe es gehört.«

»Hilda, halte dich da heraus!«

Hilda antwortete mit zusammengepreßten Lippen: »Captain, ich bitte respektvoll darum, das Kommando abgenommen zu bekommen. Andernfalls würde ich darum bitten, daß du meinen Piloten ihre Befehle durch mich gibst.«

»Verdammt, du führst doch nicht hier das Kommando, sondern *ich*.«

»Dann hat der Captain übersehen, mich davon zu entbinden.«

»Äh — übernimm das Kommando! Führe das geplante Manöver durch.«

»Aye, aye, Madame!«

Ich schäumte vor Wut, ich schaute nicht hinaus, ich hörte kaum noch etwas. Ich hatte zu Deety gesagt: »*Recht so, nur weiter so!* Konnte sie das dermaßen mißverstehen? Vielleicht sollte ich mir das Band vorspielen lassen — und dabei gleichzeitig Hildas unglaubliche Anschuldigung überprüfen. Wenn ich mich irrte (ich war sicher, daß das *nicht* der Fall war!), würde ich mich diesem Umstand mannhaft stellen, und . . . Zeb unterbrach meine Gedanken.

»Captain, liegt dir an einer spezifischen Stellung des Wagens bei der Rotation?«

»Nein. Nur bei Transitionen.«

»Hmm . . . Daraus folgt so sicher wie die Nacht nach dem Tage, daß man nicht vorhersagen kann, in welcher Stellung wir uns befinden werden, wenn wir in ein neues Universum eintreten.«

»Nur im Hinblick auf unser willkürliches Null-Bezugssystem. Inwiefern sollte es darauf ankommen?«

»Es macht nichts, solange wir ringsum genug Platz haben. Ich knoble daran herum, wie man das gewährleisten kann. Eine Lösung sehe ich nicht. Aber ich will ja auch keine Versetzungen oder Rotationen aus bodengeparkter Lage machen. Ich hoffe, der Captain wird so etwas wohl nicht anordnen.«

»Copilot, das liegt nicht in meiner Absicht. Astronavigator, haben wir uns jetzt genug umgesehen?«

»Ja«, bestätigte meine Frau. »Deety, mach das Fernglas fest. Zebbie, nach jeder Rotation stellst du sofort die nächste Rotation ein und meldest ›Eingestellt‹. Deety, nach jeder Rotation bringst du uns über Stimmeingabe in einen ›Taubensturz‹, alle Lichter gelöscht. Ich decke die Backbordseite ab, Deety voraus, Zebbie Steuerbord. Noch Fragen?«

»Astronavigator«, sagte ich, »du hast mir keinen Sektor zugeteilt.«

»Ich habe keine Vollmacht, dem Captain Pflichten aufzuerlegen. Möchte sich der Captain einen Sektor aussuchen und dafür die Verantwortung übernehmen?«

Sie wartete.

Hastig sagte ich: »Nein. Vielleicht wäre es doch das beste, wenn ich in alle Richtungen Ausschau halte. Allgemeine Beaufsichtigung.«

»Schön, Captain. Copilot — Ausführung.«

Wieder rotierten wir in die Dunkelheit.

Zeb meldete: »Eingestellt.«

»*Halt!*« rief ich und fügte hinzu: »Zeb, du hast in völliger Dunkelheit ›Eingestellt‹ gemeldet. Wie hast du die Einstellung vorgenommen?«

»Rotation um ›z‹-Achse, wobei ›x‹ und ›y‹ verdrängt werden. Zeitdauer entlang *Teh*. Dritte Combo, erste Gruppe, Sir.«

»Ich meine, wie hast du das bei Dunkelheit einstellen können?«

»Captain, ich habe es nicht bei Dunkelheit gemacht.«

»Es war pechschwarz, als du ›Eingestellt‹ gemeldet hast«, stellte ich fest.

»Richtig, Captain.«

»Du brauchst mich nicht alle drei Sekunden ›Captain‹ zu nennen. Ich möchte eine direkte Antwort. Bisher hast du gemeldet, du hättest die Einstellung bei Dunkelheit vorgenommen *und* bei Licht.«

»Nein, Sir.«

»Aber, verdammt, das hast du doch getan!«

»Captain, ich verwahre mich dagegen, daß du mich verfluchst. Dieser Protest soll ins Logbuch eingetragen werden.«

»Zeb, du bist . . .« Ich hielt den Mund. Lautlos zählte ich auf französisch bis dreißig und war dann wieder sprechbereit. »Es tut mir leid, wenn meine Ausdrucksweise dich gekränkt hat. Aber ich versuche noch immer herauszufinden, was du getan hast und wie du es getan hast. Sagst du es mir bitte, in einfachen Worten?«

»Jawohl, Sir. Ich stellte die dritte Rotation nach Klickgeräuschen ein . . .«

»Aber du hast gesagt, das Licht wäre an . . .«

»Das Licht war an. Ich stellte die Rotation mit geschlossenen Augen ein . . .«

»Aber warum denn, um Gottes willen?«

»Zur Übung. Ich stellte sie mit geschlossenen Augen ein. Dann schaute ich hin, um mich zu überzeugen, ob die Einstellung mit den gewünschten Werten übereinstimmt. Deety läßt das Licht an, bis ich ihr das Zeichen gebe. Dann löscht sie die Instrumente und macht ihr Kunststückchen.«

»Zeb, du hattest gar keine *Zeit*, es so zu tun.«

Zeb setzte sein aufreizendstes Lächeln auf. »Captain, ich bin ziemlich schnell. Und Deety ebenfalls.«

»Vielleicht sollte ich die Einstellung lieber nachprüfen«, meinte ich.

Zeb antwortete nicht, die beiden Frauen hielten ebenfalls den Mund. Ich begann mich zu fragen, worauf alle warteten — und erkannte, daß *ich* dieses ›Worauf‹ war. Gurt lösen und Zebs Werte überprüfen? Ich erinnerte mich an das aufreizende Lächeln. Also sagte ich nur: »Deety, laß die Taube stürzen.«

Als der Salto abgeschlossen war, fragte ich: »Hat jemand was gesehen?«

»Ich . . . glaube«, sagte Hilda. »Captain, könnten wir das noch mal machen?«

»Los, Deety!« befahl ich.

Nach dem zweiten Taubensturz sagte Hilda plötzlich: »Dort!« und Deety rief: »Gay Täuscher, *halt!*«

»Hilda, siehst du es noch immer?« fragte ich.

»Ja, Jacob. Ein verschwommener Stern. Du kannst ihn sehen, wenn ich mich zurücklehne und du mit dem Kopf nach vorn kommst.«

Vermutlich taten wir das — denn ich entdeckte etwas. »Ich sehe ihn! Zeb — bitte das Fernglas.«

Eine Hand drückte es mir gegen den Hals. Ich richtete es mit Mühe auf das schwache Licht und stellte es vorsichtig scharf. »Sieht aus wie eine linsenförmige Galaxis, die wir nicht ganz von der Seite sehen. Oder eine ganze Gruppe von Galaxien. Was auch immer, die Erscheinung ist weit, weit entfernt. Viele Millionen Lichtjahre, ich wüßte nicht, wie ich die Entfernung anders bezeichnen sollte.«

»Können wir mit Transitionen dorthin vorstoßen?« fragte Zeb.

»Vielleicht. Ich würde mittlere Entfernung ›sechs‹ einstellen, dann immer wieder auf den Knopf drücken, bis sich eine Veränderung der Breite abzeichnet. Wir könnten in etwa einer Stunde am Ziel sein. Wollt ihr sie euch ansehen?«

»So wie du das beschreibst, wohl lieber nicht«, antwortete Zeb. »Das ist doch fossiles Licht, oder?«

»Wie? Ja, das Licht ist seit vielen Millionen Jahren unterwegs.«

»Das meine ich, Captain. Es könnte sich erweisen, daß die Sterne dort längst ausgebrannt sind. Fossiles Licht bringt keine nützlichen Informationen. Wir nennen das Ding ›Letzte Chance‹ und verschwinden wieder.«

Sehr vernünftig. »Fertig machen zum Rotieren. Copilot — Ausführung!«

Grelles Licht . . . »Zeb! Rotieren! *Ausführung!*«

Plötzlich waren wir in einer sternenübersäten Leere, die beinahe anheimelnd wirkte.

Ich seufzte erleichtert auf. »Zeb, in was für ein Loch sind wir da geraten?«

»Keine Ahnung, Captain.« Er fügte hinzu: »Ich hatte die Augen geschlossen und stellte gerade die nächste Rotation ein, nach Klicklauten. Ich bin also nicht geblendet. Aber ich hatte keine Gelegenheit, meine neue Einstellung visuell zu überprüfen; ich habe sofort rotiert.«

»Du hast uns da herausgeholt — vielen Dank. Ich *bin* geblendet, mir kreisen purpurne Punkte vor den Augen. Neuer Standardbefehl: Bei jeder Rotation schließen alle die Augen und dukken sich so lange ab, wie nötig ist, um zu erkennen, daß wir nicht wieder in einem neuen Superlicht stecken. Zeb, das braucht deine Aktionen nicht zu verlangsamen, da du ja sowieso nach Gefühl und Rastungen arbeitest — aber wenn wir ins Grelle kommen, rotierst du uns wieder heraus und wartest nicht erst auf meine Befehle. Und — alle Mann: *jeder* von uns hat das Recht, jederzeit auf jedes Fluchtprogramm zurückzugreifen, um uns aus einer Gefahr zu bringen.«

»Nächste Rotation eingestellt, Captain.«

»Vielen Dank, Copilot. Hilda, Deety, habt ihr eine Ahnung, was uns da eben begegnet ist?«

»Nein, Captain«, antwortete meine Tochter.

»Captain Jacob, ich habe drei Hypothesen, von denen keine viel taugen dürfte.«

»Darüber sollen andere urteilen, meine Liebe.«

»Das Innere eines Sternenhaufens — oder die unmittelbare Nähe des Kerns einer Galaxis — oder vielleicht das frühe Stadium eines sich ausbreitenden Universums, in dem die Sterne noch sehr dicht beisammenstehen.«

»Hmm . . . Hübsche Kreise sehe ich. Zeb, ob wir eine Überdosis an Strahlen aufgeschnappt haben?«

»Captain, die Hülle dieses Kahns läßt kaum Strahlung durch, und die Windschutzscheibe ist dick mit Blei durchsetzt — aber Genaues weiß man natürlich nicht.«

»Zebadiah, wenn der Film in der Kamera ruiniert ist, sind schwere Strahlen durchgekommen. Kommt das nächste Bild einwandfrei heraus, ist wahrscheinlich nichts passiert.«

»Ein guter Einfall, Deety«, sagte Hilda. »So etwas hätte ich nicht so gern, solange ich schwanger bin. Du ja wohl auch nicht.«

»Tante Hilda, am entscheidenden Ort sind wir gut geschützt. Unsere Köpfe haben vielleicht etwas abbekommen, nicht aber die Bäuche.«

»Hilda, möchtest du die Aufnahme machen?« fragte ich.

»Nein, Jacob. Auf diese Weise verschwenden wir nur Film.«

»Wie du willst. Langsam kann ich wieder sehen. Deety, einen Taubensturz bitte.«

Meine Tochter gehorchte; ich sah nichts. »Meldungen. Hilda?«

»Massenweise große schöne Sterne, aber sonst nichts.«

»Dito, Paps — aber es ist ein *schöner* Himmel!«

»Nullmeldung, Captain.«

»Hilda, Logeintragung ›vielversprechend‹. Alle Mann, fertig machen zur fünften Rotation. Augen schließen und senken. Ausführung!«

Zeb japste:

»Wo sind wir, zum Teufel?«

»Vielleicht beim Teufel, Zebbie.«

»Captain!«

»Da liegt Hilda vielleicht gar nicht so falsch«, antwortete ich. »Vor drei Wochen hätte ich so etwas nicht für möglich gehalten: eine Art umgestülptes Universum.«

»Pellucidar?« fragte Deety.

»Nein, liebe Tochter. Erstens befinden wir uns nicht im Inneren unseres Heimatplaneten, sondern in einem anderen Universum. Zweitens hat dieses Universum physikalische Gesetze, die sich von denen in unserem Heimatuniversum unterscheiden. Das Innere einer Kugelhülle kann *nach den Gesetzen unseres Universums* kein Gravitationsfeld haben. Doch sehe ich einen Fluß, und wir scheinen darauf zuzufallen. Deety, sind wir in einer Atmosphäre oder im Vakuum?«

Deety bewegte die Kontrollen. »Ein wenig Luftwiderstand ist da. Mit voll ausgebreiteten Flügeln könnten wir vielleicht ein wenig manövrieren.«

»Dann tu's.« Deety brachte den Wagen in Gleitflug.

»Ich möchte hier nicht siedeln!« sagte Zeb grimmig. »Unheimlich *groß* — ich würde sagen, etwa zehntausend Kilometer Durchmesser. Doch befindet sich alles *drinnen. Kein Himmel!* Keine Horizonte. Nie wieder eine sternenübersäte Nacht. Das Licht da in der Mitte . . . Sieht aus wie unsere Sonne, ist aber zu klein, *viel* zu klein. Hierher möchte ich nicht zurückkehren; der Gott, der sich um Dummköpfe und Abenteurer kümmert, hat uns in leerem Raum herauskommen lassen und nicht zehn Kilometer unterirdisch. Beim nächstenmal jedoch . . . Ich wage es mir nicht vorzustellen.«

»Vielleicht ist hier kein Glück im Spiel«, sagte ich, »sondern ein logischer Zwang.«

»Wie? Was meinst du, Captain.«

»Du stellst dir das als eine Kugelhülle vor. Es gibt aber keinen Grund für die Annahme, daß dieses Universum auch eine Außenseite hat.«

»Was? Endlose Millionen Lichtjahre von kompaktem Felsgestein?«

»Nein, nein! *Nichts!* Mit ›nichts‹ meine ich *kein* Weltall; ich meine ein völliges Fehlen von Existenz *jeder Art.* Andere physikalische Gesetze, eine andere Topologie. Womöglich sehen wir hier die Ganzheit dieses Universums. Ein kleines Universum in einer anderen Art von geschlossenem Raum.«

»Das kann ich mir nicht vorstellen, Jake.«

»Deety, kannst du es deinem Mann in anderen Worten noch einmal wiederholen?«

»Ich will es versuchen, Paps. Zebadiah, die Geometrie dieses Universums setzt vielleicht andere Postulate voraus als jene, die zu Hause funktionieren. Bestimmt hast du schon mal mit einem Möbiusstreifen herumgespielt . . .«

»Eine Oberfläche mit nur einer Seite, einer Kante. Aber dies ist eine Kugel.«

»Paps will damit sagen, daß wir hier womöglich eine Kugel mit nur einer Seite erleben, nämlich dem Inneren. Hast du jemals versucht, hinter das Geheimnis einer Kleinschen Flasche zu kommen?«

»Dabei habe ich mir die Augen verdorben und Kopfschmerzen bekommen.«

»Vielleicht haben wir es hier mit einer Art Kleinschen Flasche zu tun. Wenn du dort geradeaus hineinstießest, würdest du möglicherweise am gegenüberliegenden Punkt herauskommen und immer noch drinnen sein. Und diese gerade Linie könnte kürzer sein als der Durchmesser. Vielleicht viel kürzer.«

»Null Komma drei eins acht drei null neun ist das Verhältnis nach den einfachsten Grundvoraussetzungen«, sagte ich. »Aber vielleicht ist die Geometrie nicht ganz so einfach. Nehmen wir aber an, Zeb, daß dies ein totales Universum ist, so war unsere Chance, im freien Raum herauszukommen, doch weitaus größer als die, mit einer Masse in Konflikt zu geraten. Trotzdem möchte ich hier nicht wohnen, so hübsch es auch ist. Allerdings könnten wir mal nachschauen, ob es Geburtshelfer gibt.«

»Auf keinen Fall«, sagte Zeb überzeugt.

»Warum?« wollte ich wissen.

»Wenn es hier überhaupt Menschen gibt, haben sie keine fortgeschrittene Kultur entwickelt. Deety ist dem Fluß gefolgt. Habt ihr den Zufluß des anderen Wasserlaufs gesehen? Bitte schaut auch weiter nach vorn, wo der Nebenfluß mündet. Keine Städte. Keine Lagerhäuser. Kein Flußverkehr. Kein Flugverkehr, keine Spur von Straßen. Dabei wären das vorzüglich geeignete Grundstücke in bester Lage. Folglich gibt's keine Hochkultur, und die Bevölkerung ist, wenn überhaupt vorhanden, sehr klein. Wenn jemand etwas dagegen zu sagen hat, soll er es in den nächsten beiden Minuten tun; Deety kann diesen Klotz nicht länger in der Luft halten, ohne den Antrieb einzuschalten.«

»Einverstanden, Zebbie. Natürlich könnte man hier auch so weit fortentwickelt sein, daß man die ganze Welt in eine Art Park verwandelt hat. Aber ich würde nicht darauf wetten.«

»Deety?« fragte ich.

»Tante Hilda hat recht, Captain. Aber *hübsch* ist es!«

»Hilda, verschieß eine Aufnahme — als Souvenir. Dann rotieren wir.« Meine Tochter drückte den Bug nach unten, damit wir besser sehen konnten.

Ein Klicken . . . »Erledigt!« rief Hilda. »Gay, Sagan!«

An Steuerbord lag der Mars von Universum-null. Zeb seufzte. »Ich bin froh, daß wir da wieder raus sind. Sharpie, hast du ein Bild?«

»Nicht so schnell«, antwortete meine Frau. »Nun ja, das Bild kommt.«

»Gut!«

»Zebbie, ich dachte, dir gefiele die umgestülpte Welt nicht?«

»Stimmt. Aber wenn das Bild scharf ist, seid ihr beiden schwangeren Austern nicht von Strahlungen heimgesucht worden. Irgendwelche Unschärfen?«

»Nein, Zebbie, die Farben werden mit jeder Sekunde klarer. Hier — schau's dir an.«

Zeb schob das Bild zur Seite. »Mich interessiert nur die Strahlung. Captain, ich habe dumpfe Vorahnungen. Wir haben fünf von fünfzehn ausprobiert, und nur ein Universum war unserer Heimat auch nur annähernd ähnlich. Die Ernte ist karg, aber unter großen Gefahren eingebracht. Wir wissen aber, daß die Entsprechungen auf der *Tau*- und *Teh*-Achse erdähnlich sind . . .«

»Mit Ungeheuern«, warf Hilda ein.

»Wohl eher auf der *Tau*-Achse. Die *Teh*-Achse haben wir uns noch gar nicht angesehen. Jake, dürfen wir unsere Frauen eigentlich Gefahren aussetzen, die wir uns nicht vorstellen können?«

»Gleich, Copilot. Astronavigator, warum hast du rotiert? Ich kann mich nicht erinnern, den Befehl dazu gegeben zu haben. Ich versuche ein ordentliches Schiff zu führen.«

»Dasselbe Bestreben hatte ich, Captain. Ich muß dich bitten, mich als Astronavigator abzulösen.«

»Es betrübt mich sagen zu müssen, daß ich ähnliche Gedanken gehabt habe, meine Liebste. Aber vorher eine Erklärung!«

»Captain, dreimal hast du das Kommando übernommen, ohne mich vorher offiziell abzulösen. Beim letztenmal ließ ich die Dinge laufen. Eben haben wir Höhe verloren, daß es langsam gefährlich wurde. Also griff ich ein. Jetzt bitte ich um meine Ablösung.«

Hilda schien nicht wütend zu sein, sondern gefaßt. Und entschlossen. Hatte ich mir wirklich etwas vorzuwerfen? Es kam mir nicht so vor.

»Zeb, habe ich dem befehlshabenden Offizier unbefugt dazwischengefunkt?«

Zeb ließ ein langes Schweigen eintreten. »Captain, dies ist ein Fall, wo ich auf einem schriftlichen Befehl bestehen muß. Ich werde dann schriftlich antworten.«

»Hmm«, sagte ich. »Ich glaube, du hast bereits geantwortet. Deety, was meinst du? Willst du auch einen schriftlichen Befehl?«

»Ich brauche keinen schriftlichen Befehl. Paps, du hast dich *unmöglich* benommen!«

»Meinst du das wirklich?«

»Ich *weiß* es. Tante Hilda hat recht; du bist im Irrtum. Sie hat die Sache noch zartfühlend dargestellt. Du hast ihr eine Verantwortung übertragen — und ignorierst sie anschließend. Eben hat sie nur den ihr übertragenen Pflichten genügt — und du hast sie deswegen getadelt. *Natürlich* möchte sie abgelöst werden!«

Meine Tochter atmete tief ein und fuhr fort: »Und du hast sie angefahren, weil sie ein Notprogramm durchgeführt hat! Vor siebenundzwanzig Minuten hast du gesagt, daß jeder von uns das Recht hätte, jederzeit auf ein Notprogramm zurückzugreifen, um uns aus der Gefahr zu bringen. Paps, wie kannst du erwarten, daß Befehle befolgt werden, wenn du dich nicht mehr daran erinnerst, was für Befehle du gegeben hast? Trotzdem *haben* wir dir gehorcht, in jedem Fall und ohne Widerrede — und sind dafür durch die Mangel gedreht worden. Tante Hilda mehr als wir anderen — aber Zebadiah und ich sind auch ganz schön drangekommen. Paps, du bist ein echter ... Ach, ich sage es lieber nicht, nein!«

Ich starrte einige Minuten lang bedrückt zum Mars hinaus. Dann drehte ich mich um. »Es bleibt mir keine andere Wahl als zurückzutreten. Wirksam mit der nächsten Landung. Familie, ich muß gestehen, daß ich beschämt bin. Ich hatte in dem Glauben gelebt, mich eigentlich ganz gut zu schlagen. Nun ja, dann wohl zurück an unseren Bach. Gay ...«

»Gay Täuscher Übergeordnetes Programm! Kommt nicht in Frage. Du wirst so lange dienen wie ich — und keine Sekunde weniger! Aber Sharpie hat recht, wenn sie sich weigert, unter dir das Kommando zu führen; du hast sie übel behandelt. Obwohl du Colonel bist, hast du wohl nie begriffen, daß man nicht Verantwortung schaffen kann, ohne auch die entsprechende Autorität zu delegieren — und diese dann zu respektieren. Jake, du bist ein *mieser* Boß. Wir lassen dich auf dem Schleudersitz schmoren, bis du es begriffen hast. Aber es besteht kein Grund, daß Sharpie wegen *deiner* Fehler zurücktritt.«

»Ich habe noch etwas zu sagen«, entgegnete meine Tochter.

»Nun gib Ruhe, Deety!« sagte Zebadiah nachdrücklich.

»Zebadiah, es geht dabei vielleicht noch mehr um dich als um Paps. Beschwerden anderer Art.«

Mein Schwiegersohn blickte sie erstaunt an. »Oh. Entschuldigung. Du hast das Wort.«

XXXI

Hilda:

Wenn Zebbie und Jacob einen gemeinsamen Fehler haben, dann einen zu ausgeprägten Beschützerinstinkt. Da ich stets die Kleinste von allen war, bin ich es gewöhnt, Schutz und Hilfe anzunehmen. Deety aber lehnt sich auf.

Als Zebbie Jacob fragte, ob sie ein Recht hätten, uns unbekannten Gefahren auszusetzen, brauste Deety auf — und Zebbie versuchte sie zum Schweigen zu bringen.

Das hätte er lieber lassen sollen.

Aber er kennt sie noch nicht lange genug, während ich sie schon in den Windeln erlebt habe. Als Deety . . . ach, ungefähr vier Jahre alt war, wollte ich ihr die Schuhe zubinden. Sie entwand sich meinem Griff. »Deety macht!« verkündete sie entrüstet — und Deety machte es: an einem Schuh knüpfte sie eine lockere Schleife, die sich beinahe sofort wieder löste, am anderen schuf sie einen gordischen Knoten, der nach Alexanders Klinge schrie. Seither hat es immer wieder »Deety macht!« geheißen, unterstützt durch Genie und unbeugsamen Willen.

»Zebadiah«, sagte Deety nun, »was den Rest unserer geplanten Sprünge angeht: Gibt es einen Grund, Hilda und mich von der Entscheidung auszuschließen?«

»Verdammt, Deety, in dieser Sache *müssen* die Ehemänner entscheiden!«

»Verdammt, Zebadiah, in dieser Sache *müssen* die Frauen zu Rate gezogen werden!«

Zebbie war verblüfft. Aber Deety hatte sich lediglich in Tonfall und Ausdruck auf ihn eingestellt. Zebbie ist kein Dummkopf; er gab sofort nach. »Tut mir leid«, sagte er ernst. »Bitte sag, was du zu sagen hast.«

»Jawohl, Sir. Es tut mir leid, daß ich dir etwas heftig geantwortet habe. Aber ich möchte etwas vorbringen — und Hilda auch. Ich weiß, daß ich für uns beide spreche, wenn ich sage, daß wir zu schätzen wissen, wie sehr Paps und du uns beschützen wollt — und daß sich euer Beschützerinstinkt noch verstärkt hat, seit wir schwanger sind.

Aber wir sind noch nicht lange genug in diesem Zustand, um behindert zu sein. Unsere Bäuche sind nicht rund. Dazu wird es noch kommen, und das schafft gewisse Fristen. Aber aus demselben Grund werden wir jene Rotations-Universen entweder *heute* ansehen — oder überhaupt nicht.«

»Warum sagst du das, Deety?«

»Es geht um die erwähnte Frist. Wir haben uns fünf Universen angesehen, und so angsteinflößend das auch gewesen ist — ich hätte es um nichts auf der Welt missen mögen! Die anderen zehn können wir uns in den nächsten Stunden vornehmen. Aber wenn wir erst die *Teh*-Achse abzusuchen beginnen, ist kein Absehen, wie lange es dauern wird. Tausende von Universen liegen an der *Teh*-Achse, und es erscheint mir denkbar, daß jedes davon ein Analogon zur Erde enthält. Vielleicht müssen wir Hunderte überprüfen, ehe wir die gesuchte Erde finden. Nehmen wir einmal an, wir finden eine geeignete Heimat, und Hilda und ich bringen unter erfahrener ärztlicher Aufsicht unsere Kinder zur Welt. Was dann? Zebadiah, wirst du weniger dagegen sein, Frauen *mit* Kleinkindern in fremde Universen zu entführen als *ohne?*«

»Äh . . . so darf man das nicht sehen, Deety.«

»Wie denn sonst, Sir? Meinst du etwa, du könntest diese zehn mit Paps überprüfen, während Hilda und ich bei den Kindern zu Hause bleiben?«

»Nun . . . ja, ich nehme an. So etwa.«

»Zebadiah, ich habe dich für alle Wechselfälle des Lebens geheiratet. Aber *nicht,* um als Strohwitwe dazustehen! Wohin du gehst, da bin ich auch! Bis daß der Tod uns scheidet.«

»Genau meine Rede«, sagte ich und hielt den Mund. Deety hatte den Dreh heraus. Wenn Jacob und Zebbie die Rotationen nicht heute abschlossen, würden sie den Rest ihres Lebens mit der Sehnsucht nach jenen ›fernen Horizonten‹ herumlaufen — ohne uns mitnehmen zu wollen. Nicht mit Kindern. Sharpie würde sich das nicht gefallen lassen. Nein, Sir!

»Deety, bist du jetzt fertig?«

»Noch nicht ganz, Sir. Alle Menschen sind ungleich geschaffen. Du bist größer und kräftiger als Paps; ich bin größer und kräftiger als Hilda. Ich habe am wenigsten Lebenserfahrung, von den Jahren her gerechnet; Paps am meisten. Paps ist ein Supergenie — doch er konzentriert sich dermaßen auf seine Probleme, daß er das Essen vergißt, es sei denn, ein Kindermädchen paßt auf ihn auf, so wie Mama es getan hat, wie ich es getan habe und Hilda es jetzt tut. Du, Sir, bist der vielseitigst begabte Mann, der mir je über den Weg gelaufen ist, sei es am Steuer eines Zweisitzers, auf der Tanzfläche oder als Erzähler unmöglicher Geschichten. Drei von uns vereinen etwa acht oder neun Universitätsabschlüsse auf sich, doch Tante Hilda, die kein abgeschlossenes

Studium vorweisen kann, ist eine wandelnde Enzyklopädie — basierend auf einer unstillbaren Neugier und einem ungewöhnlichen Gedächtnis. Wir beide sind Kinderfabriken, ihr beide nicht — aber zwei Männer könnten fünfzig Frauen schwängern, oder fünfhundert. Die Liste der *Un*gleichheiten allein zwischen uns vieren ist endlos. Doch in einem herausragend wichtigen Aspekt sind wir alle *gleichgestellt.*

Wir sind Pioniere.

Dieses Prädikat gebührt nicht nur Männern allein; das geht gar nicht. Pioniermütter teilen die Gefahren der Pionierväter und setzen Kinder in die Welt. Es gab Geburten an Bord der *Mayflower* und in Planwagen — und viele Kinder sind dabei auch gestorben. Die Frauen sind nicht zu Hause geblieben; *sie waren dabei.*

Zebadiah, ich verlange nicht, in die nächsten zehn Universen mitgenommen zu werden . . .«

»Es hört sich aber so an.«

»Du hast mir nicht zugehört, Sir. Ich würde das Probeprogramm *gern* mitmachen. Ich zöge es vor, verlange es aber nicht. Was ich aber verlange, muß aus meinen Worten hervorgegangen sein: *Wohin du gehst, gehe ich auch.* Heute und bis an unser Lebensende. *Es sei denn, du forderst mich auf zu verschwinden; es sei denn, du wolltest mich nicht mehr.* Ich habe gesprochen.«

»Allerdings, meine Liebe. Und Hilda?«

»Ja, Sharpie, *was willst du?* Es war mir gleich; *jedes* neue Universum mußte zwangsläufig fremd sein. Aber Deety hatte die Doktrin ausgegeben, ich wollte sie nicht verwässern, also sagte ich sofort: »Deety spricht mir aus der Seele.«

»Jake? Zurück zu meiner ursprünglichen Frage: ›Haben wir das Recht, unsere Frauen Bedingungen auszusetzen, die wir uns nicht im geringsten ausmalen können?‹«

»Zeb, du hast mich schließlich davon überzeugt, daß es ratsam wäre, die verfügbaren Universen durch Rotation auszuprobieren, ehe wir es mit Hilfe der Versetzung suchen.«

»Richtig. Aber das war, bevor wir fünf davon schon hinter uns hatten.«

»Ich wüßte nicht, inwieweit sich die Situation verändert hat. Eine vorstellbare Gefahr ist nicht unbedingt besser als eine, die man sich nicht ausmalen kann; sie könnte schlimmer sein. Unser Heimatplanet hatte wesentliche Nachteile, schon *bevor* wir uns mit dem Ungeziefer in die Haare gerieten. Du brauchst sie nicht aufzuzählen; wir alle wissen, daß die vier Reiter der Apokalypse jederzeit wieder erscheinen können. Aber ich könnte mir eine *sehr* enge Entsprechung unseres Heimatplaneten vorstellen, die *weitaus* schlimmer wäre als Erde-null, selbst wenn sie keinen einzigen ›Schwarzen Hut‹ enthielte.«

»Sprich weiter.«

»Eine Welt, in der Hitler in den Besitz von Atomwaffen gekommen wäre, wir aber nicht. Ich kann mir nicht vorstellen, daß man unser Ungeziefer mehr fürchten müßte als Hitlers SS-Korps. Der Sadismus mancher Menschen — nicht nur der Nazi-Schergen; man findet Sadisten in jedem Land, einschließlich den Vereinigten Staaten — ist für mich erschreckender als jedes Ungeheuer!«

»Für mich nicht!« entfuhr es Deety.

»Meine Liebe, wir wissen ja noch gar nicht, daß die ›Schwarzen Hüte‹ wirklich grausam sind. Wir sind ihnen irgendwie in die Quere geraten; sie wollten uns umbringen. Sie haben *nicht* versucht, uns zu foltern. Darin liegt ein himmelweiter Unterschied.«

»Mag wohl sein, Paps, aber diese Wesen machen mir Angst. Ich wette, sie würden uns foltern, wenn sie könnten!«

»Liebste Tochter, das ist wirres Denken. Wie alt bist du?«

»Wie bitte? Paps, das müßtest du doch am besten wissen!«

»Ich wollte dich nur an deine Worte erinnern: du hast an Jahren die geringste Lebenserfahrung. Ich war viel älter als du, ehe mir solche wirren Gedanken endgültig ausgetrieben wurden. Durch Jane, deine Mutter. Ja, Hilda?«

»Jacob sagt dir mit anderen Worten, daß du ein Buch nicht nach seinem Umschlag beurteilen sollst«, meinte ich. »Jacob weiß, daß ich das ebenfalls von Jane habe. Das Aussehen eines Wesens sagt nichts aus über seine Veranlagung zum Sadismus.«

»Will noch jemand etwas hinzufügen?« fragte Jacob. »Da mir anscheinend nicht gestattet ist, auf der Stelle zurückzutreten, muß ich eine Entscheidung treffen. Wir werden die geplanten Rotationen vollenden.«

Laut räusperte sich Jacob und sah Deety an.

»In den letzten Stunden meines Dienstes auf dem ›Schleudersitz‹, wie Zeb so treffend sagt, will ich mich bemühen, klare Anweisungen zu geben — sollte mir das aber nicht gelingen, so bitte ich euch, meine Aufmerksamkeit *sofort* darauf zu lenken und euch meine Fehler nicht für eine spätere Schelte aufzubewahren. Tochter?«

»Okay, Paps. Aye, aye, Captain.«

»Vielen Dank, meine Liebe. Ist jemand müde oder hungrig?« Niemand meldete sich, und Jacob fuhr fort: »Hilda, übernimmst du bitte das Kommando?«

»Nein, Captain.« Ich will an dieser Stelle den inneren Zwist übergehen, den ich mit mir austrug; wenn sich Jacob Mühe gibt, kann man ihm kaum widerstehen.

»Also schön, meine Liebe. Ich werde dich nicht bedrängen. Es ist eine seltsame Situation, Copilot, wie geplant, einstellen zur Rotation.«

»Zweite Gruppe, erste von vier — eingestellt, Sir.«

»Überprüft die Sicherheitsgurte, fertig machen zum Rotieren. Ausführung!«

Wir befanden uns im Sonnenlicht in einem blauen Himmel — und hingen mit den Köpfen nach unten. In den nächsten Sekunden wurden wir ein wenig herumgeschleudert — als Pilotin ist Deety nicht ganz so geschickt wie Zebbie. Aber sie brachte uns schließlich in die Horizontale. Ich hörte Deety sagen: »Gay Täuscher.«

»Ja, Deety!«

»Kurs, Geschwindigkeit und Höhe über Grund halten.«

»Begriffen, Mädchen!«

»Bist ein Kluges Mädchen, Gay.«

»Trotzdem können wir uns nicht länger heimlich treffen! Ende.«

»Roger und Ende, Gay. *Püü!* Kleine Pause, während der Erste Pilot seinen Nervenzusammenbruch hinter sich bringt. Zebadiah, was zeigt der Höhenmesser an?«

»Sieben Kilometer Höhe über Grund.«

»Paps, wie groß ist die Wahrscheinlichkeit, so dicht an einem Planeten zu landen, ohne dabei ums Leben zu kommen?«

»Das läßt sich unmöglich errechnen, Deety. Vielleicht sind wir schon tot und wissen es nur nicht. Copilot, die Totmanntaste. Ich werde die Luft überprüfen.«

»*Captain!*« rief ich.

»Jetzt nicht, Hilda, ich bin . . .«

»JETZT! Bin ich noch immer deine Stellvertreterin? Wenn ich es bin, muß ich dich beraten; du stehst im Begriff, einen *großen* Fehler zu machen!«

Jacob zögerte. Vermutlich zählte er vor sich hin. »Meine Liebe, wenn ich im Begriff stehe, einen großen Fehler zu machen, möchte ich deinen Kommentar dazu hören, egal, wie dein Status in der Mannschaft ist.«

»Vielen Dank, Jacob. Du darfst dich nicht als Versuchskaninchen zur Verfügung stellen. Das sollte *ich* sein. Ich . . .«

»Hilda, du bist schwanger.«

»Um so mehr Grund habe ich, die fähigsten und am wenigsten überflüssigen Besatzungsmitglieder — dich, Zebbie und Deety — zu bitten, auf euch aufzupassen, damit ihr euch dann um *mich* kümmern könnt. Ohnehin gehört das als Wissenschaftsoffizier zu meinen Aufgaben — ob ich nun hier Nummer Zwei bin oder nicht. Du, Jacob, handelst jetzt genauso wie Zebbie, als wir auf Mars-zehn landeten — und das war völlig falsch!«

»Vielen *Dank,* Sharpie!«

»Liebster Zebbie! Du hast dein Leben riskiert, und das war nicht nötig . . .«

Zebbie unterbrach mich: »Auch nicht nötig, auf diese Weise Energie zu verschwenden! Rhabarber, Rhabarber, Rhabarber!«

»Copilot, Mund halten!« sagte Jacob mit scharfer Stimme. »Gay, hüpf! Erster Pilot, wenn wir wieder in die Atmosphäre eintreten, stellst du den Wagen auf Gleitflug, manuell oder automatisch. Keine Antriebsenergie. Jetzt, alle Mann, wir hören, was der Wissenschaftsoffizier zu sagen hat. Bitte sprich weiter, Hilda.«

»Ja, Captain. Vor drei Tagen war es nötig, daß einer von uns den Kanarienvogel spielte — aber *ich* hätte das sein müssen, nicht Zebbie. Was vor drei Tagen aber notwendig war, ist heute tollkühn. Die Totmanntaste dort . . . Wenn sie nicht neu eingestellt worden ist, läßt sie uns zwei Kilometer über einem Krater herauskommen — und das wollen wir ja gerade nicht. Das richtige Auswegprogramm hierfür wäre T-E-R-M-I-T-E. Aber das ist noch nicht alles. Deety hat G. T. beigebracht, auf jeder ebenen Fläche antriebslos zu landen. Wir können also *zuerst* landen, und dann kann jeder das Versuchskaninchen spielen, egal wer. Also *husch!* zurück an unseren Bach, und *peng!* auf mit den Türen!«

»Captain, das ist gut überlegt«, sagte Zebbie. »Sharpie — ich meine: ›Wissenschaftsoffizier‹. Dürfte ich mich entschuldigen, ich spendiere dir wieder eine Rückenmassage . . .«

»Du kannst dich mit einem Kuß entschuldigen. Aber die Massage nehme ich trotzdem.«

»Zebadiah, geh nicht zu viele Verpflichtungen ein; ein Lufttest ist gar nicht erforderlich. Paps! Captain Paps, darf ich sie um dreißig Kilometer hochnehmen?«

»Warum nicht? Ich würde aber gern den Grund wissen.«

»Captain, ich weiß, wo wir sind. Aus der Höhe kann ich es beweisen.«

»Deety, das ist unm . . .«

»Sag nicht ›unmöglich‹, Captain — oder ich erzähle es meinem
Vater.«

»Miß Schlauberger! Los, hinauf mit ihr.«

»Danke, Paps. Gay, hüpf, Gay, hüpf, Gay, hüpf. Gay Täuscher,
senkrechter Sturzflug, Ausführung. Und nun sagt mir mal, wo
wir sind.«

Mir war bereits die liebliche Landschaft aufgefallen, die sich
unter uns erstreckte. Jetzt studierte ich sie im einzelnen. »Da soll
doch . . .!« rief Zebbie. »Eine große, rechteckige Oase, völlig von
Wüste umgeben. Außerdem bewohnt. Da in der Mitte liegt eine
ziemlich große Stadt.«

»Ja«, stimmte ich ihm zu. »Erkennst du sie, Zebbie? Anhand einer Landkarte?«

»Dies ist ein unerforschtes Universum«, sagte mein Mann
streng. »Wie hättest du diese Stadt also vorher . . .«

»Paps!« unterbrach Deety. »Du hast diese Karte schon vor Augen gehabt. Siehst du dort zur Linken die gelbe Ziegelstraße?
Versuch's mal mit dem Fernglas; du kannst ihr bis zur Smaragdstadt folgen.«

»Meine liebste Deety, du hast ja den Verstand verloren!« sagte
Zebbie. »Oder ich. Wie auch immer, jemand soll den Krankenwagen rufen. Vergeßt die Zwangsjacke nicht. Sharpie, etwas
macht mir zu schaffen. Ich hatte kein warnendes Vorgefühl.
Trotzdem sind wir so dicht bei diesem Brocken herausgekom-
men, daß ich noch immer am ganzen Leibe flattere.«

»Daraus ist doch zu schließen, daß zu keiner Zeit Gefahr bestanden hat, Zebbie.«

»Warum zittere ich dann?«

»Du bist eben ein kleiner Täuscher, Zebbie. Wir alle sind bereits seit längerem tot — gestorben auf dem Parkplatz. Deety
und ich sind wohl die ersten Gespenster, die auf der Suche nach
Geburtshelfern sind. Um meine Theorie noch weiter zu unterstützen, erlebe ich gerade eine Schwangerschaft ohne Übelkeit
— ein Wunder, neben dem sich das Land Oz so alltäglich aus-
nimmt wie ein getreuer Ehemann.«

»Ich glaube nicht, daß ich das näher analysieren möchte. Ist
das das Schloß des Blech-Holzfällers — dort im Osten?«

»Ja, aber das ist der Westen, meine Liebe. Deety, geht die
Sonne auf oder unter?«

»Unter. Die Richtungen sind hier umgedreht. Das weiß doch jeder.«

»Ein rückwärtsgehender Planet«, bemerkte mein Mann. »Da gibt es nichts Gefährliches.«

»Paps, gib es zu. Du kennst die Oz-Bücher beinahe so gut wie ich . . .«

»Sogar besser. Nun reg dich aber nicht auf, Tochter. Ich gebe zu, dies scheint zu den Romanen und der Karte zu passen, behalte mir aber eine abschließende Beurteilung vor. Deety, sollen deine Kinder im Lande Oz aufwachsen — wie würde dir das gefallen?«

»Paps, das wäre großartig!«

»Bist du sicher? Soweit ich weiß, stirbt im Lande Oz niemand, trotzdem nimmt die Bevölkerung nicht zu. Ich kann mich nicht daran erinnern, ob in den Oz-Romanen Kinder geboren wurden. An Ärzte oder Krankenhäuser erinnere ich mich auch nicht. Oder an Maschinen. Zeb, dieses umgestülpte Universum hatte andere physikalische Gesetze als das unsere. Wenn wir hier landen, können wir dann wieder starten? Oz fußt auf Zauberei, nicht auf Technik.«

Jacob fügte hinzu: »Copilot, ich möchte gern wissen, was du fachlich dazu meinst.«

»Captain, du siehst einen Unterschied zwischen Zauberei und Technik? Ich nicht.«

»Ich bitte dich, Zeb!«

»Ich glaube an zweierlei — und sonst nichts: An Murphys Gesetz und an die Regel, wonach man keinen Erfolgstypen trauen soll. Gestatte mir, dich darauf hinzuweisen, daß wir uns *längst* im Lande Oz befinden, wenn auch in großer Höhe. Ich kann mir schlimmere Orte vorstellen, wo man stranden könnte. Keine Erkältungskrankheiten. Keine Einkommensteuer. Keine politischen Kandidaten. Kein Smog. Keine Kirchen. Keine Kriege. Keine Inflation. Keine . . .«

»Wir passieren gerade den Palast der guten Hexe Glinda!« unterbrach Deety.

»Warum nur passieren?« fragte ich. »Jacob, wollen wir nicht landen?«

»Dieselbe Frage«, fügte Deety hinzu. »Captain Paps, ich erbitte Erlaubnis, in der Nähe des Palasts zu landen. Ich bin sicher, nichts würde die gute Glinda aus der Ruhe bringen; sie weiß doch bereits alles aus ihrem Buch. Außerdem muß ein Palast dieser Größe sanitäre Einrichtungen haben . . . und ich habe langsam das Gefühl, an einem Wassermelonen-Picknick teilgenommen zu haben.«

»Mir scheint, ein Busch müßte genügen«, sagte Zebbie. »Sogar in einem anderen Universum und mit einem bewaffneten Aufpasser. Wie steht es damit, Captain?«

»Erster Pilot, Landung nach Belieben. Hilda, ist in den Oz-Büchern von Badezimmern die Rede? Ich weiß es nicht mehr.«

»Ich auch nicht, Jacob«, antwortete ich. »Aber es gibt genügend Büsche.«

Nach drei oder vier Minuten hatte Deety uns gelandet, wobei Gay Deetys neues Programm verwendete. Ich dankte meinem Mann für den Entschluß zu landen. »Daran gab es doch keinen Zweifel«, sagte er. »Nicht nur du und Deety hättet nie wieder ein Wort mit mir gewechselt, *ich* selbst mit mir auch nicht. Aber wenn mir eine lebendige Vogelscheuche über den Weg läuft, drehe ich garantiert durch!«

XXXII

Deety:
Ich fand eine Lichtung im Wald, hundert Meter vom Palast entfernt und von ihm durch Ulmen und Walnußbäume abgeschirmt. Ich ließ Gay die Entfernung feststellen, sagte ihr dreimal, daß es sich um einen Landepunkt handelte — und dann landete sie allein, elegant wie Zebadiah.

Ich öffnete den Gurt und die Schottür, dann kroch ich nach achtern, um saubere Overalls zu holen — aber dann überlegte ich es mir anders. Tante Hilda war mir gefolgt und stürzte sich geradewegs auf ein bestimmtes Fach. Ich rollte mich in den Lotussitz und fragte: »Hillbilly, was wirst du tragen?«

»Das Kleid, in dem ich geheiratet habe, und den Ehering, den Jacob für mich in Windsor City hat machen lassen.«

»Schmuck?«

»Nichts Großes.«

Mama Jane hatte mir vor vielen Jahren anvertraut, daß Tante Hilda einen unfehlbaren Instinkt für Kleidung hatte. Ich holte das Kleid hervor, in dem ich Zebadiah an mich gefesselt hatte, eine Halskette, die Paps mir geschenkt hatte, meinen Ehering und meine Tanzschuhe. Sollte mein Liebling eine Uniformjacke tragen? Nein, aber enge Hosen mit einem weißen Bolerohemd aus Seide, das ich im Fuchsbau für ihn genäht hatte. Rote Bauchbinde, Tanzschuhe, Jockey-Unterhosen — ja, mehr brauchte er nicht.

Die Sachen im Arm, wand ich mich nach vorn durch. Unsere Männer saßen noch in ihren Sesseln, Gays Türen waren geschlossen. »Warum die dichten Türen?« fragte ich. »Es ist warm und stickig hier drin.«

»Schau doch mal nach links«, sagte Zebadiah.

Ich schaute hinaus. Ein malerisches Märchenhäuschen stand dort, und über der Tür hing das Schild: WILLKOMMEN! Als wir gelandet waren, hatte es das Haus noch nicht gegeben. »Ach ja«, sagte ich. »Zieht eure Arbeitssachen aus und nehmt dies. Paps, Hilda hat deine Hose.«

»Deety, hast du dazu nicht mehr zu sagen?«

»Was soll ich sagen, Sir? Paps, du hast uns schon an ziemlich seltsame Orte gebracht. Aber in Oz bin ich kein Mann in einer fremden Welt. Ich weiß, was mich erwartet.«

»Aber verdammt noch mal . . .«

»Pst, Zebadiah! In Oz sagt man nicht ›verdammt‹! Man äußert überhaupt keine Schimpfworte oder gemeinen Ausdrücke. Dies sind keine Zitzen mehr, nicht einmal mehr Brüste — es ist mein Busen, von dem ich überhaupt nie spreche. Ein Vokabular, das in die feinen Kreise paßt. Mildeste Umschreibungen.«

»Deety, ich will im Boden versinken, wenn ich hier jemanden spiele, der ich nicht bin!«

»Sir, ich äußere nur eine fachliche Meinung. Man benutzt gegenüber einem Computer, der nur LOGLAN spricht, nicht FORTRAN. Captain, können wir jetzt aufmachen?«

»Einen Moment noch«, sagte mein Vater. »Deety, du hast mich da eben ›Captain‹ genannt. Aber ich bin zurückgetreten, wirksam seit der Landung.«

»Halt!« unterbrach Zebadiah. »Deine Strafe soll *mindestens* so lange dauern wie meine — verdient hast du sie, alter Knabe!«

»Na schön!« sagte Paps. »Aber es steht fest, daß die Zeit auf dem Boden mitzählt. Wahrscheinlich brauchen wir beim Start einen neuen Captain. Das Opfer sollten wir gleich wählen.«

»Paps sollte wiedergewählt werden«, schlug ich vor. »Er ist durchgefallen und muß die Klasse wiederholen.«

»Tochter!«

»War doch nur ein Scherz, Paps — solange du nicht vergißt, daß du dich wirklich nicht besonders geschickt angestellt hast und einen anderen Captain nie ärgern solltest. Ich nominiere meinen Mann.«

»Wir machen das richtig.« Paps holte vier Karteikarten hervor.

Ich schrieb ›Zebadiah‹ und reichte Paps meinen Wahlzettel. Hilda verkündete das Ergebnis, indem sie uns jeden Stimmzettel zeigte: »Deety — Deety — Deety — Deety.« Ich japste. »He! Ich verlange, daß noch mal gezählt wird! Nein, daß wir neu wählen — jemand hat geschummelt.« Ich machte einen solchen Aufstand, daß man mir meinen Willen ließ. Ich schrieb ›Zebadiah‹ auf meinen neuen Zettel und legte ihn mit der Schrift nach oben auf den Sitz des Ersten Piloten, legte die anderen drei nacheinander darüber und las das Ergebnis selbst vor: »Deety — Deety — Deety — und schließlich, *in meiner Schrift:* Deety.«

Ich gab auf. (Nahm mir aber vor, ein Wörtchen mit dem Zauberer zu reden.)

Es war ein hübsches Häuschen mit einer breiten Veranda und Kletterrosen an den Wänden — doch kein Häuschen zum Wohnen, enthielt es doch nur ein Zimmer mit einem Tisch und war ansonsten unmöbliert. Auf dem Tisch stand eine Schale mit Früchten, ein Krug Milch und vier Gläser. Eine Tür führte nach rechts, eine nach links; auf der Tür nach links war ein kleines Mädchen mit Häubchen zu sehen, auf der anderen ein Junge in einem Buster-Brown-Anzug.

Hilda und ich gingen auf das Häubchen zu. Unterwegs schnappte ich mir ein Glas Milch und eine Weintraube; ich hatte seit ewigen Zeiten keine Milch mehr getrunken. Köstlich!

Hilda ließ eine Wanne vollaufen und hatte ihr Kleid bereits wieder ausgezogen. Das Fenster stand offen, befand sich aber ziemlich hoch, also zog ich mich ebenfalls aus. Wir wuschen uns und putzten uns heraus, bis hin zu den schicken Frisuren, in die wir allerdings keinen Schmuck flochten. Was immer unser Herz begehrte, war in diesem Badezimmer und Ankleideraum enthalten, von einem Schwamm bis zu einem Lippenstift in Tante Hildas Lieblingsfarbe.

Wir beeilten uns und schafften es in zweiundvierzig Minuten. Zebadiah sah attraktiv aus, und Paps nicht minder flott, in dunkler Hose und knalligem Aloha-Hemd.

»Wir dachten schon, ihr wärt durch den Ausfluß gerutscht«, sagte mein Mann.

»Zebadiah, wir haben zweiundvierzig Minuten gebraucht. Wenn ihr es in weniger als dreißig geschafft habt, seid ihr nicht sauber.«

»Riech doch mal.«

Ich kam der Aufforderung nach — ein leichter Seifengeruch, ein Hauch Rasierwasser. »Ihr habt mehr als dreißig Minuten gebraucht. Küß mich!«

»Nach meiner Uhr waren es sechsunddreißig Minuten. Sag ›bitte‹!«

Ich sagte ›bitte‹, und er erwischte mich mit geöffneten Lippen, wie immer. Zebadiah liegt mir eben sehr, und ich behandele ihn nur wenn unbedingt nötig mürrisch und stur.

Ein Weg führte zum Palast. Paps, Tante Hilda am Arm, bildete die Vorhut; wir folgten. Da Tante Hilda ihre hochhackigen Sandalen in der Hand trug, zog ich meine aus und blickte zur Lichtung zurück. Das kleine Haus war verschwunden, wie erwartet. Zebadiah bemerkte es auch, sagte aber nichts. Sein Gesichtsausdruck war eine Studie für sich.

Der Grasweg mündete vor dem Palast in einem Garten; der weiterführende Pfad war hart, und Hilda und ich zogen die Schuhe wieder an. Glindas Palast erinnerte weniger an düstere Rheinschlösser als an ein Château in der Normandie oder Berties ›stattlichen englischen Besitz‹, doch er hatte eine märchenhafte Anmut, wie das Tadsch Mahal.

Als wir die geschwungene Marmortreppe erstiegen, die zu dem großen Eingangstor führte, stolperte Zebadiah. »Was, zum Teufel . . .?«

»Pst!« machte ich. »Achte auf deine Sprache, mein Lieber. Eine magische Treppe. Glinda würde ihren Gästen keinen Aufstieg zumuten. Stell dir vor, daß Escher sie entworfen hat. Sieh stolz drein und schreite aus, als wären die Stufen eben.«

Als wir die weite Fläche vor der Tür erreichten, eilten zwei großgewachsene Trompeter aus der breiten Tür, hoben ihre langen Instrumente und stießen viermal hinein. Ein alter Mann mit schmalen Koteletten, einer schimmernden Glatze, einem Holzbein und dem Ölzeug eines Seemanns kam fröhlich lächelnd ins Freie, als die Trompetentöne verklangen. Ich wunderte mich, warum er sich hier befand und nicht in der Smaragdstadt.

Er nahm die Pfeife aus dem Mund und sagte: »Willkommen im Palast der guten Glinda! Ich bin Capt'n Bill. Sie, Sir, sind Dr. Burroughs der Zauberer, mit Ihrer großartigen Frau, der Prinzessin Hilda. Sie müssen Capt'n Zeb Carter sein — hallo, Capt'n —, und alle kennen ja Deety; sie ist schon oft in Oz gewesen. Hallo, Deety! Als ich Sie das letztemal sah, gingen Sie einer großen Ente kaum bis ans Knie. Und jetzt schauen Sie sich an! Beinahe bis zu

meiner Schulter reichen Sie, und *verheiratet* sind Sie auch! Glückwunsch, Capt'n! Sie sind ein Glückspilz!«

»Das glaube ich auch, Captain.«

»Und ich *weiß* es. Deety, Ozma schickt Ihnen ihre Liebe und
läßt Ihnen ausrichten, daß Sie und Ihre Familie im Königreich
willkommen sind, solange Sie bleiben möchten.«

»Bitte danken Sie Ihrer Königlichen Majestät, Capt'n Bill.« (In
Wirklichkeit bin ich heute größer als Capt'n Bill — aber natürlich
werde ich für ihn stets das kleine Mädchen bleiben. Ein hübscher
Gedanke.)

»Oh, ganz bestimmt, ganz bestimmt! Kommt rein, Leute! Bei
uns geht es nicht förmlich zu. Jedenfalls nicht bei mir. Nicht daß
ich immer das Begrüßungskomitee spiele, ich habe die Wache
für einen Freund übernommen.« Er ergriff meine Hand; seine
fühlte sich schwielig an und erinnerte mich an Zebadiahs Pranke
— und ihr Griff war ebenso sanft.

Er führte uns hinein. »Wo ist Trot?« fragte ich.

»Irgendwo; Sie werden sie schon sehen. Wahrscheinlich sucht
sie Ihnen zu Ehren ihre beste Haarschleife aus. Oder hilft Betsy
bei Hank — die kleine Betsy ist nicht glücklich, wenn sie nicht
arbeiten kann; Neptun weiß, dieses Muli wird mehr umhätschelt
als jedes andere Muli, das je aus Mizzoura zu uns gekommen ist.
Meine Freunde, hier geht's zur Bibliothek.«

Wie soll man die gute Glinda beschreiben? Jeder weiß, daß sie
groß und stattlich und wunderschön ist und niemals die Stirn
runzelt und den ganzen Tag über Gewänder trägt, die ich für
wundervolle Abendkleider aus langen Stoffbahnen halte. Aber
das sind nur Worte.

Vielleicht genügt es zu sagen, daß die Zauberin die schönste
Frau ihrer Welt war — so wie Dejah Thoris die schönste Frau der
ihren darstellte.

Sie war umgeben von ihrem Hofstaat aus den hübschesten
Mädchen von ganz Oz. Glinda überstrahlte sie jedoch alle, ohne
sich dessen bewußt zu sein. Der Name der ägyptischen Königin
Nefertiti bedeutet sowohl ›schön‹ als auch ›gut‹ — in einem
Wort. Ich finde, das erklärt auch Glindas Ausstrahlung.

Sie wandte sich von ihrem Großen Buch der Aufzeichnungen
ab und glitt auf uns zu — sie küßte erst Hilda, dann mich, und
sagte dabei: »Willkommen daheim, Deety!« Und mir stieg ein
Kloß in die Kehle, und ich konnte nichts sagen; ich machte lediglich einen Knicks. Zebadiah und Paps reichte sie je eine Hand;

sie verneigten sich gleichzeitig und küßten ihr die dargereichten Finger.

Sie deutete auf Stühle (die eben noch nicht dort gewesen waren) und forderte uns zum Sitzen auf. »Dir scheint dieser Laden zu gehören«, flüsterte Zebadiah mir zu.

»Im Grunde nicht«, gab ich ebenso leise zurück. »Aber ich habe in Oz länger gelebt als sonstwo.« Während meiner Jugend wechselten Mama und Paps mehrmals die Universität, doch die Oz-Bücher hatten mich stets begleitet.

»Nun ja . . . ich bin froh, daß du mich ordentlich herausstaffiert hast.«

Wir wurden Glindas Mädchen vorgestellt, die jeweils einen Knicks machen; die Szene erinnerte mich an das Imperial House, nur unterlagen diese Mädchen keinem Zwang und wurden auch nicht bezahlt. Wenn ich genau darüber nachdachte, wußte ich nicht mehr, ob es in Oz überhaupt Geld gab; so etwas wie eine ›Wirtschaft‹ war hier völlig unbekannt.

Die Mädchen waren wundervoll gekleidet, jedes anders, doch jeweils vorwiegend in der Farbe ihrer Heimat — blau für die Mümmler, purpurn für die Gillikiner, gelb für die Winkis, außerdem waren einige grüne Gewänder auszumachen. Ein Mädchen in Rot — natürlich aus dem Pummelland, in dem wir uns befanden — kam mir bekannt vor. »Heißt du Betty?« fragte ich sie.

Sie war erstaunt. »Aber ja, Euer Hoheit — woher wissen Sie das?« Und sie machte einen tiefen Knicks.

»Ich bin schon einmal hier gewesen; frag Captain Bill. Ich bin nicht ›Euer Hoheit‹, sondern einfach Deety. Hast du nicht einen Freund namens Bertie?«

»Ja, Euer . . . Ja, Deety. Er ist im Augenblick nicht hier, er ist auf der Schule von Professor Woggelbug.« Ich nahm mir vor, Betty davon zu erzählen — irgendwann einmal.

Ich kann nicht von allen berichten, die wir in Glindas Palast kennenlernten, es waren zu viele und wurden ständig mehr. Alle schienen uns erwartet zu haben und höchst erfreut zu sein über unseren Besuch. Paps drehte entgegen seiner Ankündigung nicht durch, als er die Vogelscheuche kennenlernte, denn er war bereits mit Professor H. M. Woggelbug in ein Gespräch vertieft, ebenso mit dem großen Oz, dem königlichen Zauberer der Königin Ozma — und so begnügte er sich mit einer knappen Geste der Höflichkeit, streckte die Hand aus, sagte: »Wie geht es Ihnen, Herr Vogelscheuche?« und setzte seine Unterhaltung mit Professor Woggelbug und dem Zauberer fort. Ich weiß nicht, ob er sich den Vogelscheuchenmann überhaupt angesehen hat. Er meinte gerade: »Das ist vorzüglich, Professor. Ich wünschte, Professor Moybas Toras könnte Ihre Formel hören. Wenn wir Alpha gleich Null setzen, liegt doch auf der Hand, daß . . .«

Ich ließ ihn stehen, denn wenn Paps sagt: »Es liegt doch auf der Hand, daß . . .«, dann liegt lediglich auf der Hand, daß Deety sich verziehen muß.

Das Abendessen fand im Bankettsaal statt, der von der Gästeschar bis zum letzten Platz gefüllt wurde — Glindas großer Saal paßt jeweils genau zur Zahl der Personen, die darin speisen — oder nicht speisen, denn Hans Kürbiskopf, Tick-Tack, der Blech-Holzfäller, der Sägebock, die Vogelscheuche und andere Leute, die keine Nahrung zu sich nehmen, saßen natürlich mit an den Tischen, und außerdem Wesen, die keine Menschen waren: der feige Löwe, der hungrige Tiger, der Wuzzy, der König der Flugaffen, Hank, Toto und eine wunderschöne langhaarige Katze, die sich sehr herablassend gab.

Die gute Hexe Glinda saß am Kopfende des Tisches auf der einen Seite, Königin Ozma am Kopfende auf der anderen Seite, Paps saß zu Glindas Rechten und Zebadiah zu Ozmas Rechten. Der Zauberer befand sich links von Glinda und Professor Woggelbug links von Ozma. Tante Hilda und ich saßen einander in der Mitte des langen Tisches gegenüber. Sie war flankiert vom Blech-Holzfäller und der Vogelscheuche und gab sich große Mühe, beide zu bezaubern, und sie bemühten sich ihrerseits, Hilda zu fesseln, und alle drei hatten Erfolg damit.

Ich hatte drei Gefährten zum Essen. Zu Anfang mußte ich mich mit zweien begnügen, dem feigen Löwen und dem hungrigen Tiger. Der Löwe aß dasselbe wie die anderen, während der Tiger vor einer Schale mit Cornflakes hockte, die so groß war wie ein kleiner Badezuber, und daraus säuberlich mit einem Löffel aß, der zu der Schale paßte. Der feige Löwe und ich hatten uns eben unseren Meeresfrüchtecocktails zugewandt, als die gestreifte Katze sich gegen mein Bein drückte, um meine Aufmerksamkeit zu erregen, und sagte: »Du riechst wie ein Katzenwesen. Achtung, ich komme!« Und die Katze landete auf mir.

»Eureka, hat Dorothee dir denn das erlaubt?« fragte ich.

»Was für ein dummes Gerede! Dorothee braucht höchstens *meine* Erlaubnis. Füttere mir zuerst den Hummer, dann die Krabben. Das letzte Krabbenschwänzchen darfst du selbst essen.«

Der hungrige Tiger legte seinen großen Löffel fort und fragte: »Hoheit, darf ich Euch von dem Störenfried befreien?«

»Spar dir die Mühe, alter Knabe«, meinte der Löwe, »ich werde ihn vielmehr be*fressen* — mit einem Biß! Aber reich mir zuerst die Tabasco-Sauce; Katzen haben keinen Geschmack.«

»Beachte diese Tölpel nicht, Mädchen, mach weiter mit dem Hummer. Es sollte Tieren nicht gestattet sein, bei Tisch zu sitzen.«

»Hört doch mal, wer da *wen* ein Tier nennt!« knurrte der feige Löwe.

»Das Ding ist kein Tier, Leo«, wandte der hungrige Tiger ein, »sondern ein Insekt. Euer Hoheit, ich bin Vegetarier, aber ich würde gern einmal von dieser Regel abweichen und mir den Burschen in meine Cornflakes schnitzeln. Soll ich?«

»Dorothee würde das nicht mögen, Radschah.«

»Da haben Sie recht, Madame. Soll ich Toto bitten, die Katze zu vertreiben?«

»Eureka kann ruhig bleiben. Ich habe nichts gegen sie.«

»Mädchen, der richtige Ausdruck ist: ›Es ist mir eine Ehre.‹ Kümmere dich nicht um diese Dschungelungeheuer; sie sind keine Katzen. Ihr solltet wissen, daß *Felis domesticus* schon mehr Generationen lang gezähmt ist, als ihr niedere Arten zusammen. Wie meine erhabene Vorfahrin Bubastis, die Göttin des Nils, zu sagen pflegte: ›Wo die Katze ist, ist Zivilisation. Nun aber Beeilung mit dem Hummer!«

Ich beeilte mich also. Eureka nahm jeden Bissen vorsichtig zu sich und berührte dabei mit ihrer rauhen Zunge kaum meine Fingerspitzen. Endlich drehte sie das Mäulchen zur Seite. »Nun übertreib es nicht; ich sage dir, wenn ich mehr möchte. Kratz mich hinter dem linken Ohr — sanft. Ich singe ein wenig, dann schlafe ich. Bitte bewahre respektvolles Schweigen.«

Ich kam den Anweisungen nach. Eureka schnurrte sehr laut. Als das Surren in ein leises Schnarchen überging, hörte ich langsam mit dem Kraulen auf. Ich mußte mit einer Hand weiteressen; die andere wurde gebraucht, um zu verhindern, daß sie zu Boden rutschte.

Da Tante Hilda einen kompletten Bericht in Gay eingegeben hat, indem sie uns alle ausfragte und diesen Bericht zusammenfügte, will ich mich auf das Wesentliche beschränken. Nachdem die anderen nach Hause zurückgekehrt oder auf ihre Zimmer gegangen waren, wurden wir vier in die Bibliothek gebeten. Sie war kleiner als vorher, da Glindas Mädchen sich zurückgezogen hatten, und wirkte gemütlicher. Glinda stand neben ihrem Großen

Buch der Aufzeichnungen, als wir hereingeführt wurden; als wir uns setzten, lächelte sie und verneigte sich, ohne aber selbst aufzustehen.

»Meine Freunde«, sagte sie. »Doktor, Captain, Prinzessin Hilda und Deety. Ich möchte Zeit sparen mit dem Hinweis, daß ich während des Balls mit Zauberer Ozma und Professor Woggelbug gesprochen habe, nachdem ich zuvor die Aufzeichnungen über Ihr seltsames Abenteuer studiert hatte. Den dreien las ich eine Zusammenfassung vor, ehe wir Ihre Probleme diskutierten. Erstens möchte ich sagen, daß Ozma ihre Einladung wiederholt. Ihr seid herzlich eingeladen, für immer hierzubleiben; euch wird überall mit Gastfreundschaft begegnet werden. Deety ist dies bekannt, ebenso Prinzessin Hilda, obwohl sie sich dessen nicht ganz so sicher ist wie Deety.

Aber um die Herren ein wenig zu beruhigen, haben der Zauberer und ich das Land Oz in alle Richtungen um einen Viertelzoll erweitert, eine Veränderung, die so gering ist, daß man sie kaum bemerkt. Sie aber, Doktor, werden erkennen, daß dies ausreichend Lebensraum schafft für vier weitere anständige Leute, wie auch für Ihre Himmelskutsche Gay Täuscher. Ein Viertelzoll, Captain, sind sechs und fünfunddreißig Hundertstel Millimeter.

Während wir uns damit beschäftigten, nahmen wir auf Anraten von Professor Woggelbug an Gay Täuscher einige kleine Veränderungen vor . . .«

Zebadiah fuhr zusammen und blickte entsetzt in die Runde. Gay war lange vor mir sein Liebling gewesen; er umhegte sie so gut wie mich. Doch er hätte Glinda vertrauen sollen.

Glinda lächelte freundlich. »Seien Sie unbesorgt, Captain, die strukturelle Sicherheit oder die Funktionen Ihres geliebten Schiffes sind unbeeinträchtigt. Wenn Sie die Veränderungen bemerken — das ist unumgänglich — und sie Ihnen nicht gefallen, brauchen Sie nur laut zu sagen: ›Glinda, mach Gay Täuscher wieder so, wie sie früher war.‹ Ich werde das dann in meinem Buch lesen und Ihnen den Wunsch erfüllen. Doch ich nehme nicht an, daß es dazu kommt. Das ist keine Prophezeiung — eine gute Hexe blickt nicht in die Zukunft —, doch es ist meine feste Überzeugung.

Nun zu den wichtigen Dingen. Auf Oz gibt es kein Ungeziefer von der Sorte ›Schwarzer Hut‹. Sollte ein Wesen so töricht sein, sich zu uns zu verirren, würde mir das mein Buch sofort verraten, und ich würde es in die tödliche Wüste verbannen. Was ihm dort widerfahren würde, darüber sollte möglichst wenig gesprochen werden — doch das Böse wird in Oz nicht geduldet.

Was das Problem des Ungeziefers auf Ihrer Heimatwelt angeht, so liegt das nicht in Ozmas Einflußbereich. Meine Kräfte sind dort nur beschränkt. Mein Großes Buch verrät mir zwar, was sich bei Ihnen ereignet, doch es unterscheidet nicht zwischen Ungeziefer, das sich als Mensch verkleidet hat, und Menschen, die von Natur aus böse sind. Ich könnte euch mit einem Zauber belegen, der euch von allen ›Schwarzen Hüten‹ fernhält. Möchtet ihr das?«

Paps blickte Zebadiah an, und mein Mann sagte: »Einen Augenblick, gute Glinda. Was bedeutet das im einzelnen?«

»Solche Zaubersprüche sind stets wörtlich zu nehmen, Captain; deshalb können sie manchmal so unangenehm sein. Ich benutze sie nur selten. Und dieser würde genau das bewirken, was er aussagt: Ihr würdet allem Ungeziefer von der Sorte ›Schwarze Hüte‹ ferngehalten.«

»In dem Fall würden wir so einen Burschen also nicht erkennen, oder? Und kämen auch nicht nahe genug an ihn heran, um ihn zu vernichten.«

»Ich glaube, man hätte Grund, sich Methoden zu überlegen, mit denen beides auf Distanz möglich ist. Zaubersprüche sind Vernunftgründen nicht zugänglich. Wie Computer funktionieren sie wortgetreu.«

»Könnten sie *uns* erkennen? Und mit Sprengladungen bedrohen? Und mit Bomben bewerfen?«

»Das weiß ich nicht, Captain. In meinem Buch steht nur das verzeichnet, was sie *getan haben,* nicht, was sie vielleicht noch tun *werden.* Selbst dann demaskieren meine Aufzeichnungen keinen verkleideten ›Schwarzen Hut‹. Aus dem Grund weiß ich wenig über sie. Möchtet ihr den Zauber haben? Ihr braucht darüber nicht sofort zu entscheiden. Wenn ihr in Oz bleibt, braucht ihr ihn nicht.«

»Wir sollten hierbleiben!« entfuhr es mir.

Glinda lächelte mich an, aber nicht gerade beglückt. »Liebe Deety — du hast dich also entschlossen, dein Kind nicht zu bekommen?«

»Wie?«

»Du bist öfter als die anderen im Märchenland gewesen. Du weißt, daß ein kleines Mädchen hier nicht geboren werden kann — so wie auch niemand bei uns stirbt.«

Tante Hilda ging so schnell dazwischen, daß ich kein Wort

herausbekam. »Glinda, ich danke Ihnen sehr, aber ich bleibe nicht.«

Ich schluckte. »Ich bleibe auch nicht, Tante Glinda.«

»Das hatte ich schon vermutet. Möchtest du meinen Rat hören?«

»Ja. Unbedingt!«

»Nachdem du beschlossen hast, eine Frau zu sein und kein kleines Mädchen wie Dorothee oder Trot, solltest du *schnell* wieder abfliegen — damit du nicht der Versuchung erliegst, auf ewig im Märchenland zu bleiben.«

Paps warf einen Blick auf Zebadiah und sagte: »Madame Glinda, wir verlassen Sie morgen. Wir danken Ihnen für Ihre vorzügliche Gastfreundschaft — aber ich glaube, es wäre wirklich am besten so.«

»Das ist auch meine Meinung, Doktor. Aber denken Sie an eins: Ozmas Einladung gilt weiterhin. Wenn Sie der Welt müde geworden sind, kommen Sie auf Urlaub zu uns und bringen Sie die Kinder mit. Kinder sind hier sehr glücklich und kennen keinen Schmerz. Oz ist für die Kinder geschaffen worden.«

»Das tun wir, ganz bestimmt!«

»Gibt es sonst noch etwas zu besprechen? Wenn nicht . . .«

»Einen Augenblick noch!« schaltete sich Tante Hilda ein. »Sie haben es Deety gesagt — verraten Sie es *mir* auch?«

Glinda lächelte. »Mein Buch sagt aus, daß in Ihnen ein Junge heranwächst.«

XXXIII

Zeb:

In dieser Nacht schlief ich nicht mit Deety zusammen. Dies entsprach nicht meiner Absicht. Ein Diener führte mich in ein Zimmer; Deety und Hilda standen oben an der Treppe (immer wieder neue Zaubertreppen — ganz erträglich, solange man nicht in die Tiefe blickte) und unterhielten sich angeregt, während Jake in der Nähe verharrte.

Als ich entdeckte, daß das Zimmer nur ein Einzelbett enthielt, war der Diener bereits verschwunden. Ich trat auf den Flur hinaus; Deety, Hilda und Jake waren fort, der obere Flur lag im Dunkeln vor mir. Also äußerte ich ein Wort, das in Oz verpönt ist, und kehrte in mein Zimmer zurück. Auch das Einzelbett sah einladend aus; ich schlief sofort ein.

Glinda frühstückte mit uns im Bankettsaal, der erheblich geschrumpft war. Das Essen im Imperial House ist wunderbar — doch nichts geht über Speck und gebratene Eier und Toast und Gelee und frischen Orangensaft. Ich trank drei Tassen Kaffee und fühlte mich anschließend imstande, mit Alligatoren zu kämpfen.

Oben an der Escher-Treppe küßte Glinda Deety und Hilda, und Jake und ich beugten uns über ihre Hand. Sie wünschte uns viel Glück — was von ihren Lippen wirklich einiges bedeuten mußte.

Gay Täuscher bot im morgendlichen Sonnenschein einen prachtvollen Anblick. Tick-Tack stand an ihrem Bug. »Gu-ten Mor-gen«, sagte er. »Ich ha-be die gan-ze Nacht mit Miß Gay Täu-scher ge-spro-chen. Sie ist ein sehr Klu-ges Mäd-chen.«

»Hallo, Zeb.«

»Hallo, Gay. Was habe ich dir zum Thema fremde Männer eingebleut?«

»Nichts, Zeb. Und Tick-Tack ist kein Fremder. Er ist ein Gentleman, was mehr ist, als sich von manchen anderen Leuten sagen ließe.«

»Wahr-haf-tig, Cap-tain, ich woll-te nicht auf-dring-lich sein.«

»War doch nur ein Scherz, Leute. Vielen Dank, daß du Gay Gesellschaft geleistet hast, Tick-Tack.«

»Es war mir ein Ver-gnü-gen und ei-ne Eh-re. Ich hat-te mit dem Nacht-Wäch-ter ver-ab-re-det, daß er mich je-de Stun-de auf-zieht, da-mit un-ser Ge-spräch nicht ab-rupt un-ter-bro-chen wür-de.«

»Schlau von dir. Vielen Dank, und bis zum nächstenmal. Sobald es geht, wiederholen wir unseren Besuch. Gay, mach auf.«

»Du hast nicht ›bitte‹ gesagt«, antwortete mein Autopilot, öffnete aber die Türen.

»Es freut mich zu hö-ren, daß Sie zu-rück-keh-ren. Miß Gay Täu-scher und ich ha-ben viel ge-mein.«

Sharpie verabschiedete sich von Tick-Tack und verschwand im Inneren. Deety verabschiedete sich nicht nur, sondern küßte ihn auch auf die Kupferwange — Deety würde ein Schwein küssen, wenn es nur lange genug stillhielte (wenn das Biest es nicht täte, würde ich es in Würstchen verwandeln; einen Kuß von Deety weist man nicht ab).

Hilda tauchte wieder auf; sie trug noch immer ihr Abendkleid. »Deety, komm mal rein. Aber schnell!!«

Ich gab Tick-Tack die Hand (ein seltsames Erlebnis!) und schlug ihm vor, einige Schritte zurückzutreten. Dann stieg ich ein. Von unseren Frauen war nichts zu sehen . . . Ich rief: »Beeilt euch da drinnen! Ich brauche einen Pilotenanzug!«

»Zebadiah!« rief Deety, »winde dich mal durch die Schottür!«

»Ich kann mich da hinten nicht umziehen.«

»Bitte, Schatz! Ich brauche dich!«

Wenn Deety so etwas sagt, gehorche ich sofort. Ich wand mich also durch die Öffnung, und das hintere Abteil wirkte gar nicht mehr so eng wie bei unserem letzten Aufenthalt am Termitenbach. »Wo seid ihr denn?«

»Hier drinnen. Backbordseite!« ertönte Deetys gedämpfte Stimme. Ich drehte mich um, wobei ich mir den Kopf stieß, und fand eine Tür an einer Stelle, wo es eigentlich keine geben durfte. Ich mußte mich bücken, doch als ich über die Schwelle getreten war, konnte ich mich aufrichten. Ein Zimmer, wenig größer als eine Telefonzelle — eine Tür nach achtern, eine Tür bugwärts, Häubchen-Helene auf der linken, Buster Brown auf der anderen Seite. Deety öffnete die Tür, die nach links führte. »Komm, schau dir das an!«

Ein luxuriöses Ankleidezimmer mit Bad . . . »Derselbe Raum wie in dem ›Willkommen‹-Häuschen«, sagte Deety, »nur ist das Fenster jetzt mit Milchglas versehen und läßt sich nicht mehr öffnen. Die Luft ist jedenfalls frisch.«

»Hmm . . .«, sagte ich und fügte hinzu: »Also, da soll doch . . .!« Ich schaute bei Buster Brown nach. Ja, das Badezimmer, das Jake und ich gestern benutzt hatten.

Jake streckte den Kopf herein. »Professor, bitte lassen Sie Ihre Weisheit spielen und erklären mir das.«

»Zeb, ich habe keine Ahnung!«

»Jake, deine Meinung bitte! Ist dieses Fahrzeug raumtüchtig?«

»Zeb, ich weiß es nicht.«

»Überprüfen wir die Außenseite.«

Wir tasteten die Wandung mit Augen und Fingern ab, auf beiden Seiten. Der Wagen war unverändert — äußerlich. Doch aus dem Inneren tönte das Rauschen einer Toilette.

Ich stieg wieder hinein und klopfte an Häubchen-Helenes Tür. Sharpie ließ mich eintreten. »Ich bin gerade fertig, Zebbie.« Sie hatte sich für einen ihrer neuen einteiligen Anzüge entschieden und sah aus wie ein Püppchen, das man in Crackerpackungen als Zugabe bekommt. »Deety ist gleich soweit.«

»Einen Moment, Sharpie. Jake und ich haben beschlossen, Glinda zu vertrauen.«

»Hat daran je ein Zweifel bestanden?«

Ich trat ein; Deety wandte sich vom Ankleidetisch ab und lächelte mich durch einen Mund voller Haarnadel an. »Dein Vater und ich haben dieses Schiff für raumtüchtig erklärt — jedenfalls vorläufig —, Captain Deety.«

»Das hatte ich schon beim Frühstück erledigt — und nicht nur vorläufig. Was hast du denn da?« Sie nahm mir die Liste ab und studierte sie:

Name	Aufgaben	Zusätzliche und/oder Ersatzaufgaben
D. T. B. Carter	Kommandant	
Hilda S. Burroughs	Stellv. Kommandant & Navigator	Wissenschaftsoffizier & Köchin
Z. J. Carter	Erster Pilot	Stellv. Navigator
J. J. Burroughs	Copilot	Stellv. Koch

»Dies soll dir etwas das Leben erleichtern, Capt'n Deety. Jake ist noch nicht ganz so hart rangenommen worden, wie es eigentlich hätte geschehen sollen. Aber wenn Jake rechts vorn sitzt und ich ihn beaufsichtige, stört er dich nicht unnötig — und wird mit seinen Nonien soviel zu tun haben, daß er gar keine Gelegenheit mehr hat, zu widersprechen. ›Stellv. Koch‹ — damit unterstellen wir ihn auf geschickte Weise seiner Frau, während wir gelandet sind.«

»Das ist alles wohlüberlegt, Zebadiah. Vielen Dank.«

»Bist du damit einverstanden?«

»Ich will mal darüber nachdenken.«

Ich wurde unruhig, verschwand in Buster Brown und schlug die Zeit tot, bis sie mich rief. »Eine leichte Umstellung, Zebadiah.«

Name	Aufgabe	Zusätzliche und/oder Ersatzaufgaben
Deety	Captain	Ausbilder Computer
Zebadiah	Stellv. Kommandant & Bordpolizist	Ausbilder Zweisitzer, Realflug
Jake	Erster Pilot	Ausbilder Nonien
Hilda	Copilot	Wissenschaftsoffizier & Chefköchin

Anmerkung: Küchendienst wechselt D-J-Z, soweit nicht durch Chefköchin anders festgelegt.

»Eine ›leichte Umstellung‹!« Ich war veleidigt.

Deety musterte mich besorgt. »Ich bitte dich um deinen Rat, Zebadiah. Ich möchte mit der von Paps begonnenen Praxis weitermachen, nach der jeder jeden Platz lernt, wenigstens so gut, daß wir notfalls irgendwie nach Hause kommen. Hilda wird die Nonien schnell begreifen; sie ist geschickt, man braucht ihr nichts zweimal zu sagen, außerdem habe ich den Erfinder neben sie gesetzt. Paps braucht Übung beim Realflug in einer Atmosphäre. Er ist noch nicht so gut, wie er zu sein glaubt, und hat übrigens einen so schnellen Wagen überhaupt noch nicht gesteuert. Du sitzt hinter ihm, bereit, ihn notfalls durch Hüpfprogramm aus der Klemme zu holen. Liebster . . . meinst du, es funktioniert?«

Ich mußte einräumen, daß Deetys Dienstplan besser war als meiner.

»Dein Plan *ist* besser als meiner, also bist du mir etwas schuldig. Wo sind meine Handschellen und der Gummiknüppel?«

»Als mein Stellvertreter hast du doch die Aufgabe, für Ordnung zu sorgen und dafür, daß die Befehle des Kommandanten ausgeführt werden, nicht wahr?«

»Natürlich, Deety — *Captain* Deety —, aber warum die Leute extra darauf stoßen?«

»Du kennst den Grund, Zebadiah. Ich möchte jeden daran erinnern, daß ich ein ordentliches Schiff führen werde und mir Widerreden nicht gefallen lasse! Du brauchst dazu keine Handschellen oder Gummiknüppel. Aber in der Schublade des Ankleidetischs befindet sich eine 10-Zentimeter-Rolle Klebstreifen — wie er von Gangstern zum Knebeln ihrer Opfer verwendet wird.«

»Oh. *Oho!*«

»Zebadiah! Nicht ohne direkte Anweisung von mir! Ich werde für Ordnung an Bord sorgen. Doch wenn ich meinen Dienst hinter mich gebracht habe, wäre es mir doch lieber, wenn mein Vater noch mit mir spricht. Das Klebeband ist nur für den äußersten Notfall. Ein lautes *Mund halten* deinerseits müßte für P . . . für jeden genügen. Ich gedenke das Kommando meistens durch dich führen zu lassen, es sei denn, du bittest mich, dich abzulösen, oder ich teile dir mit, daß ich Manöver selbst leiten möchte.«

»Einverstanden.«

»Also gut, Sir. Du hast das Kommando. Übertrage den anderen ihre Aufgaben, bereite den Wagen zum Start vor, nimm die Meldungen entgegen und gib mir *hier* Bescheid, wenn ihr alle fertig seid. Änderung des Plans: Bring uns geradewegs tausend Kilometer hoch. Wir wollen uns Oz aus der Ferne ansehen und dann plangemäß fortfahren.«

»Aye, aye, Captain.« Ich wandte mich zum Gehen und wälzte dabei Befürchtungen, daß sich Deety den Ruf eines Captain Bligh zulegen könnte.

»*Zebadiah!*«

»Ja, Captain?«

»Du gehst nicht, ohne mich zu küssen, oder ich *übernehme* diesen verdammten Posten gar nicht erst!«

»Es ist mir nicht bewußt geworden, daß der Captain geküßt werden wollte.«

»Captains brauchen Küsse mehr als andere Leute«, antwortete sie und drückte mir das Gesicht gegen die Schulter.

»Habe gerade einen neuen Vorrat hereinbekommen. Sonst noch etwas, Madame?«

»Ja.«

»Was?«

»Wenn mein Dienst vorbei ist, sorgst du dann bitte dafür, daß ich an die Nonien komme? Und bringst du mir irgendwann den Überschallflug bei?«

»Nonien, ja. Überschallflug ... Ein Mann, der seine Frau als Schülerin akzeptiert, setzt sich der Gefahr einer Scheidung aus. Gay wird dir das ganz allein beibringen, wenn du sie gewähren läßt. Bei Über- und Hyperschallflug ist sie mit Autopilot am leichtesten zu handhaben. Sie wird keinen Schaden an sich heranlassen — doch wenn du die Automatik abschaltest, könntest du ihr etwas tun, und das könnte dir wiederum schaden.«

»Aber *du* gehst doch über das Programm des Autopiloten hinaus. Wie soll ich das lernen?«

»Kein Problem. Gib ihr ein Programm ein, das Gay genügend Spielraum läßt, deine Fehler zu korrigieren. Bewege Hände und Füße *sehr leicht* an den Kontrollen. Sei geduldig, dann bist du irgendwann einmal ein Teil von Gay und Gay ein Teil von dir. Halt den Mund und küß mich!«

Captains küssen besser.

Zehn Minuten später waren wir zum Raumflug bereit. »Hat jemand etwas im Anbau zurückgelassen?« fragte ich. Jake hatte eben gemeldet: »Energie eins Komma null — *volle* Kapazität.«

»Hilda und ich haben dort unsere Kleidung aufgehängt.«

»Captain, ist dir klar, daß unsere magische Raumverformung an ihren Ausgangspunkt zurückkehrt, sobald wir hier starten?«

»Wetten nicht? Glinda ist zu so einem Trick gar nicht fähig!«

»Es ist dein Kleid, Capt'n. Aber dein ausführender Offizier rät dir offiziell, alle Mann aufzufordern, während der Manöver nichts Wichtiges in diesen Räumen liegen zu lassen.« Ich löschte das Problem aus meinem Kopf; Deety würde tun, was sie für richtig hielt. »Gay, willst du weiter so redselig sein wie letzte Nacht?«

»Zeb, wenn ich wieder auf Wache bin, werde ich so sachlich sein wie immer. Aber ab und zu hat man Anspruch auf einen freien Abend.«

»Bist ein Kluges Mädchen, Gay.«

»Das hat Tick-Tack mir auch gesagt, Zeb.«

»Roger und Ende, Gay. Sharpie, einstelle Transition eintausend Kilometer ›H‹-Achse, plus.«

»Tausend Kilometer senkrecht empor, Kleinstweite-Skala, Nonien-Einstellung drei. Jacob, würdest du das bitte überprüfen?«

Jake erklärte die Einstellung für einwandfrei, und ich befahl: »Ausführung!«

Jake drückte den Bug hinab: ein erdähnlicher Planet, in Dunst gehüllt, so daß ich nur direkt unter uns Details ausmachen konnte: dort zeichnete sich Oz noch immer deutlich ab, begrenzt von unüberwindlichen Wüstenflächen. »Sharpie, bitte gib mir das Fernglas, dann spiel doch bitte den Wissenschaftsoffizier und stell fest, ob unser Anbau mitgereist ist.«

Ich mußte ihr helfen, die Schottür zu entriegeln — in freiem Fall vermag Sharpie nicht genügend Hebelwirkung aufzubringen, um eine geschlossene Tür zu öffnen. Währenddessen hatte sich Deety mit dem Fernglas beschäftigt. »Zebadiah, überall ist es dunstig, nur unter uns nicht. Die Smaragdstadt schimmert so grün wie Erin, und Glindas Palast funkelt im Sonnenschein. Der Rest aber könnte genausogut die Venus sein. Nur stimmt das eben nicht.«

»Tochter — ich meine: Captain —, hast du dir schon die Sterne angesehen?« Jake fügte hinzu: »Ich glaube, wir sind in unserem Universum.«

»Wirklich, Paps? Auf welcher Seite von Orion befindet sich der Stier?«

»Nun, natürlich ... Jesus, Allah und Zoroaster! Es ist umgestülpt!«

»Ja, aber nicht so wie das nach innen gekehrte Universum, das wir vorher besucht haben. Wie Oz selbst. Osten anstatt Westen.«

»Captain Deety«, fragte ich meine Frau, »gibt es hinsichtlich des Zeitablaufs hier Besonderheiten?«

»Es fühlt sich jedenfalls nicht so an. Aber schließlich ist es ein Jahrhundert her, seit die drei kleinen Mädchen nach Oz zogen. Ich weiß nicht, wie sie die Zeit empfinden, und ich habe mich auch nicht danach erkundigt — absichtlich. Ist jemandem aufgefallen, daß es dort keine Uhren und Kalender gab?«

»Zebbie!«

»Ja, Sharpie?« antwortete ich.

»Unser neues Badezimmer funktioniert einwandfrei. Aber Vorsicht beim Eintreten; darin herrscht *kein* freier Fall; der Fußboden ist *unten*. Ich habe einen tollen Salto geschlagen.«

»Meine liebste Hilda, hast du dir etwas getan?«

»Nein, nein, Jacob. Aber beim nächstenmal werde ich mich irgendwo festhalten, mich zum Deck hinabziehen und dann über die Schwelle robben.«

»Wissenschaftsoffizier, sichere alle Türen, kehre auf deinen Platz zurück und schnall dich an. Dann schalte wieder um und stell die nächste plangemäße Rotation ein.«

»Türen drinnen sind geschlossen. Ich verriegele soeben die Schottür. Okay, ich schnalle mich an. Wo ist das Fernglas?«

»Jake hat es verstaut. Alle Mann, fertigmachen zum Rotieren.«

Wieder ein gänzlich schwarzes Universum ... »Captain«, sagte ich, »wir wollen jetzt unseren Salto machen, es sei denn, du möchtest zuerst unsere neuen Toiletten ausprobieren.«

»Das obliegt nicht Deety. Ich bin Wissenschaftsoffizier, und das schließt Hygiene, sanitäre Einrichtungen und Raumverformungen ein.«

»Ich löse dich ab, mein Lieber«, sagte Deety leise und fügte lauter zu Hilda zu: »Copilot, Mund halten! Paps, Licht löschen und Taubensturz. Tante Hillbilly, versuche die nächste Rotation durch Berührung und Klicken im Dunkeln einzustellen. Das wäre Nummer acht, die dritte der zweiten Gruppe.«

»Aye, aye, Captain Bligh.«

Der Auswärts-Looping zeigte nichts.

Jake schaltete das Licht wieder ein und meldete, daß Sharpie die nächste Rotation richtig eingestellt hatte. Deety bat mich, ihr das Kommando abzunehmen, und sagte dann: »Wissenschaftsoffizier; ich werde jetzt die Erweiterung deines Zuständigkeitsbereichs inspizieren; bitte begleite mich.« Wortlos kam Sharpie der Aufforderung nach.

Die beiden waren ziemlich lange fort. Endlich sagte ich: »Jake, worüber unterhalten sich Frauen, wenn sie auf der Toilette allein sind?«

»Ich wage nicht danach zu fragen.«

Kichernd kamen die beiden zurück; ich schloß daraus, daß Deetys Disziplinarmaßnahmen gewirkt hatten. Als sie sich wieder anschnallten, sagte Deety: »Mein Schatz, dort draußen ist es schwarz wie die Sünde — aber durch beide Badezimmerfenster fällt heller Sonnenschein. Erklär mir das.«

»Das gehört ins Fach des Wissenschaftsoffiziers«, wich ich aus. »Fertigmachen zum Rotieren.«

Diesmal spürte Jake den Luftwiderstand nicht nur, ich hörte ihn sogar. Jake brachte uns hastig in die Horizontale. »Copilot, Höhe über Grund!«

»Dreizehnhundert Meter.«

»Zu nahe! Zeb, ich werde mich aufs Altenteil zurückziehen und stricken. Wo sind wir? Ich sehe überhaupt nichts.«

»Wir befinden uns über Wasser in einem leichten Nebel. Ich sehe an Steuerbord eine Küstenlinie.«

Jake drehte Gay nach rechts, und ich entdeckte die Küste. Gays Flügel waren ausgebreitet; Jake hielt sie in einem leichten Gleitflug und stellte die Automatik ein. »Wir lassen alles zu; ich überprüfe die Luft erst, wenn wir Höhe gewonnen haben.«

»Segel — ho!«

»Wo, Sharpie?«

»Steuerbord voraus. Ein Segelschiff.«

Und tatsächlich! Ein Großsegler aus dem siebzehnten Jahrhundert mit hohem Vor- und Achterschiff. Jake ging tiefer, damit wir uns das Prachtstück besser ansehen konnten. Ich war unbesorgt; Leute, die auf solchen Schiffen fahren, haben keine Fernlenkwaffen — das redete ich mir jedenfalls immer ein.

Es war ein hübscher Anblick. Jake senkte den Steuerbordflügel ab, damit wir uns das Schiff unbehindert ansehen konnten. Wir allerdings waren bestimmt kein ›hübscher Anblick‹ für die Seeleute; Gestalten liefen herum, und der Steuermann ließ das Schiff vom Wind abfallen, so daß die Segel unnütz zu flattern begannen. Da ich nicht wollte, daß der arme Kerl gekielholt wurde, forderte ich Jake auf, wieder in die Horizontale zu gehen und auf das Land zuzuhalten.

»Gütiger Himmel, Paps!« rief Deety. »Du hast mich erschreckt.«

»Warum, Deety? — Captain Deety! Die *Leute* hatten Angst — aber du fürchtest dich doch nicht etwa vor Schwarzpulverkanonen?«

»Du hättest den Steuerbordflügel beinahe ins Wasser tauchen lassen.«

»Red keinen Unsinn, Deety; ich war etwa zweihundert Meter hoch! Na ja, vielleicht hundertundfünfzig, als ich die scharfe Kurve machte. Aber wir haben noch genug Platz gehabt.«

»Sieh dir deinen Höhenmesser und den Druckmesser an.«

Jake kam der Aufforderung nach, und ich ebenfalls. Der Radarhöhenmesser gab an, daß wir uns neunzehn Meter über dem Wasser befanden; Jake mußte die Skalen wechseln, um diesen Wert ablesen zu können. Der Druck zeigte gut tausend Millibar an — ein Wert, wie er in Meereshöhe gemessen wird. »Gay, hüpf!« rief ich.

Gay gehorchte, und ich atmete langsam durch.

»Deety, wie habe ich mich nur so irren können?« fragte Jake.

»Keine Ahnung, Paps. Ich kann die rechte Flügelspitze sehen, du nicht. Als es so aussah, als würdest du gleich ins Wasser tauchen, schaute ich auf die Instrumente. Ich wollte schon losbrüllen, da hast du uns wieder in die Waagerechte gebracht.«

»Captain, so gerechnet, muß ich ja haarscharf über die Schiffsmaste gesaust sein, dabei würde ich schwören, daß ich auf nicht weniger als dreihundert Meter an das Schiff herangekommen bin, in Schräglage, Das müßte mir doch genügend Höhe geben.«

»Jacob, erkennst du diese Welt denn nicht?« fragte Sharpie verwundert.

»Hilda, sag mir nur nicht, du bist hier schon einmal gewesen!«

»Nur in Büchern, mein Schatz. Eine Kinderfassung in der dritten Klasse. Eine detailliertere Ausgabe in der Oberschule. Schließlich bekam ich die ungekürzte Fassung in die Hände, die für mein damaliges Alter ziemlich flott war. Ich finde sie noch immer angenehm frech.«

»Sharpie, wovon redest du eigentlich?« fragte ich.

»Zeb«, antwortete Jake, »welche Art Schiff könnte mich wohl davon überzeugen, ich wäre hoch in der Luft, während ich in Wirklichkeit drauf und dran war, im Wasser zu landen?«

»Ich hab's!« sagte Deety.

»Ich gebe auf«, räumte ich ein.

»Sag's ihm, Paps.«

»Ein Schiff, das von nur fünfzehn Zentimeter großen Seeleuten bemannt ist.«

Ich dachte darüber nach. Wir näherten uns Land; ich befahl Jake, im Instrumentenflug auf zwei Kilometer herunterzugleiten, und ließ uns von Gay dort halten — er kam mir viel höher vor. »Wenn jemand Dean Swift trifft, sollte er ihm einen Tritt von mir geben.«

»Zebadiah«, meinte Deety, »ob wohl das Land der Riesen — Brobdingnag — auf diesem Kontinent liegt?«

»Hoffentlich nicht.«

»Warum nicht, mein Lieber? Müßte ganz lustig sein.«

»Wir können mit Lilliputanern oder Riesen keine Zeit verschwenden. Weder bei den einen noch bei den anderen würden wir Geburtshelfer finden, die sich um euch kümmern könnten. Sharpie, fertig machen, auf hunderttausend Kilometer zu gehen. Anschließend rotieren. Hat jemand eine Theorie darüber, was hier mit uns geschieht? Abgesehen von Sharpies Idee, daß wir tot sind und es selbst nicht wissen?«

»Ich habe eine andere Theorie, Zebbie.«

»Heraus damit, Sharpie!«

»Bitte lach aber nicht — denn du hast mir selbst gesagt, du hättest mit Jacob über die Kernfrage schon gesprochen, die Vorstellung, daß das menschliche Denken als Quanta existiert. Ich kann Quanta nicht von der Quantas-Fluggesellschaft unterscheiden, weiß aber, daß ein Quantum eine unteilbare Einheit ist. Du hast mir gesagt, du hättest mit Jacob über die Möglichkeit gesprochen, daß die Fantasie ihre eigenen unteilbaren Einheiten oder Quanta habe — ihr nanntet sie ›Fiktionen‹ — oder Fikta? Wie auch immer, es lief jedenfalls darauf hinaus, daß jede jemals erzählte Geschichte — oder zu erzählende Geschichte, wenn es da einen Unterschied gibt — irgendwie in der Zahl des Tiers tatsächlich existiert.«

»Aber liebste Hilda, das war doch nur eine abstrakte Spekulation!«

»Jacob, deine Kollegen halten diesen Wagen für eine ›abstrakte Spekulation‹. Hast du mir nicht gesagt, der menschliche Körper sei lediglich eine Folge komplexer Gleichungen von Wellenarten. Damals habe ich dich gebissen — es macht mir nichts, eine Art Welle zu sein, Wellen sind hübsch; der Biß war für das Adverb ›lediglich‹.«

»Zebadiah, links liegt eine Stadt. Sollten wir sie uns nicht ansehen, ehe wir verschwinden?«

»Captain, das mußt du entscheiden. Du hast gesehen, welche Panik wir auf dem Schiff ausgelöst haben. Stell dir vor, du bist vierzehn Zentimeter groß und lebst in der Stadt. Und plötzlich rast ein gewaltiges Himmelsmonstrum herbei und stürzt sich auf dich. Würde dir das gefallen? Wie viele kleine Leute werden in Ohnmacht fallen? Wie viele werden an Herzversagen sterben? Wie viele möchtest du töten, um deine Neugier zu stillen?« Ich fügte hinzu:

»Für diese Leute sind wir Ungeheuer, schlimmer als die ›Schwarzen Hüte‹.«

»Ach du je! Du hast leider recht, Zebadiah. Verschwinden wir von hier.«

»Copilot, einstellen Transit senkrecht aufwärts hunderttausend Kilometer.«

»Transition ›H‹-Achse, positiv, Nonius-Einstellung fünf eingestellt!«

»Ausführung«, sagte ich. »Captain, ich möchte hier ein Weilchen verharren.«

»Schön, Zebadiah.«

»Sharpie, ich möchte deine Theorie hören. Captain, unsere Flucht um Haaresbreite hat mich wieder einmal erschreckt; das passiert uns in letzter Zeit zu oft. Wir wissen, wie wir uns von einem Erde-Analog zum nächsten verschieben; mit genügend Bewegungsraum. Die Rotationen aber lassen mir noch graue Haare wachsen. Irgendwann erwischt uns das Gesetz der Wahrscheinlichkeit.«

»Zebbie, ich glaube nicht, daß die Wahrscheinlichkeitsgesetze irgendwie mit dieser Sache zu tun haben. Ich bin davon überzeugt, wir sind bei *keiner* Rotation irgendwie in Gefahr gewesen.«

»Ach? Sharpie, sobald ich die Genehmigung des Captains erhalte, möchte ich mit dir den Posten tauschen.«

»Nein, nein! Ich . . .«

»Angsthase!«

»Zebbie, deine Vorahnungen gehören zu den Gründen, warum ich sage, daß die Wahrscheinlichkeitsgesetze nicht relevant sind.«

»Sharpie, die Gesetze der Statistik gehören zu den unverrückbaren Naturgesetzen.«

»Gelten sie auch für das Land Oz?« fragte Deety.

»Äh . . . Keine Ahnung, verflixt! *Touché!*«

»Zeb, Hilda hat das nicht so ausgedrückt wie ich; trotzdem stimme ich mit ihr überein. Es ist begrifflich falsch, die bei Statistiken angewandten Gleichungen ›Naturgesetze‹ zu nennen. Diese Gleichungen beschreiben nur das Ausmaß unseres Unwissens. Wenn ich eine Münze werfe und sage, daß die Chancen zwischen Kopf oder Zahl sich fünfzig-fünfzig teilen, erkläre ich lediglich meine komplette Ahnungslosigkeit hinsichtlich des Ergebnisses. Würde ich *alle* Bedingungen kennen, *könnte* das Ergebnis vielleicht berechnet werden. Wir haben aber zwei Universen erlebt, deren physikalische Gesetze sich von denen unseres Heimatuniversums unterscheiden.«

»Drei, Jacob. Lilliput erhöht die Zahl auf drei.«

»Das verstehe ich nicht, meine Liebe.«

»Das Kubik/Flächen-Gesetz, das die gesamte Biologie durchzieht, ist hier nicht anwendbar. Nach *unseren* biologischen Gesetzen läßt sich ein menschliches Gehirn nicht in einem Fingerhut unterbringen. Soll ich weitermachen?«

»Ja«, bestimmte Deety. »Bis auf Tante Hilda halten alle den Mund. Ich auch. Hillbilly, weiter.«

»Also gut. Es ist kein Zufall, daß wir in drei Universen gewesen sind — das Umgestülpte, das Land Oz und Lilliput — und zwar in einem Zeitraum von weniger als vierundzwanzig Stunden, nicht wahr, Deety?«

»Weniger als einundzwanzig.«

»Danke. Es ist auch kein Zufall, daß diese drei ausnahmslos ›fiktiv-erdachte‹ Universen sind — mangels eines besseren Wortes muß ich sie so nennen —, die wir alle vier gut kennen. Durch Zufall — der kein ›Zufall‹ im eigentlichen Sinne ist, aber wieder fehlt mir eine treffendere Bezeichnung — sind wir alle Liebhaber fantasiereicher Romane und Erzählungen. Fantasy. Märchen. Wir alle mögen dieselbe Art Unterhaltungsliteratur. Wie viele von uns mögen Detektivgeschichten?«

»Einige — nicht alle«, sagte Deety.

»Ich mag nur Sherlock Holmes«, äußerte ich.

»Zeitverschwendung«, meinte Jake.

»Ich möchte gern einen Versuch machen«, fuhr Hilda fort. »Schreibt die zwanzig Romane oder Erzählungen auf, die euch am liebsten sind. Oder Gruppen von zusammenhängenden Büchern — die Oz-Bücher würden hier einen Begriff ergeben, ebenso die Mars-Serie von Edgar Rice Burroughs und die vier Reisen Gullivers. Definiert sie als Bücher, die ihr zum Vergnügen noch einmal lest, wenn ihr zu müde seid, ein neues Buch in Angriff zu nehmen.«

»Sharpie, ist es gestattet zu fragen, wie du diese Informationen gebrauchen willst?«

»Nein, Zebbie. Wenn meine Theorie richtig ist, werden wir bei der nächsten Rotation in Planetennähe feststellen, daß wir uns am Schauplatz eines Romans oder einer Serie befinden, die auf allen vier Listen erscheint. Wir werden so hoch austreten, daß Jacob genug Zeit hat, unseren Sturzflug abzufangen, aber auch wieder nahe genug zum Landen. *Niemals* aber werden wir in eine Masse rotieren oder eine Gefahr, mit der wir nicht fertig werden. Dies ist kein *Zufall,* damit hat das alles nichts zu tun. Das Land Oz überraschte mich, Lilliput dagegen nicht mehr; ich rechnete schon fast damit. Oder mit einem anderen Ort, den wir alle aus Romanen kennen.«

»Was meinst du dann zu den leeren Universen?« wollte ich wissen.

»Vielleicht sind sie Bühnen für Szenerien, die erst noch geschrieben werden müssen, oder sie stellen Romane oder Erzählungen dar, die uns vier nichts sagen, folglich kommen wir nicht in die Nähe des Schauplatzes heraus. Aber das sind nur Mutmaßungen. Soweit es meine Theorie betrifft, sind solche Universen ›null‹ — sie zählen nicht, weder so noch so. *Wir* finden *unsere* Universen.«

»Sharpie, du hast da gerade den pantheistischen Solipsismus erfunden, der sich auf mehrere Personen bezieht. Ich hatte bisher nicht angenommen, daß so etwas mathematisch möglich wäre?«

»Zeb, *alles* ist mathematisch möglich.«

»Danke, Jacob. ›Solipsismus‹ ist ein dickes Wort. Ich meine nur, daß wir auf die ›Tür in der Wand‹ gestoßen sind, die uns Zugang bietet in das Land unserer Herzensträume. Ich weiß nicht, wie das funktioniert, und habe auch keinen Sinn für raffinierte Erklärungen. Ich erkenne ein Grundmuster; ich versuche es nicht zu erklären. Es ist einfach *vorhanden.*«

»Wie paßt die Hohlwelt in deine Theorie?«

»Nun ja, Deety nannte sie Pellucidar . . .«

»Das war sie auch!«

». . . aber ich habe Dutzende von Geschichten über unterirdische Welten gelesen; wie sicher wir alle. Jules Verne, S. Fowler Wright, H. G. Wells, C. L. Moore, Lovecraft — all die großen Meister der Fantasy haben sich daran versucht. Können wir diese

Diskussion jetzt abschließen? Ich möchte die vier Listen vor mir sehen, ehe wir das nächstemal rotieren.«

Jake veränderte die Stellung des Wagens, so daß sich Lilliput direkt vor dem Bug befand, und forderte Gay auf, die Position zu halten. Der Planet sah sehr klein aus, als wäre er eine Million Kilometer entfernt — was ja wohl kein Wunder war. Ich begann meine Liste mit ›Dorsai-Romane‹.

Schließlich verkündete Deety: »Fertig, Tante Hillbilly.«

Gleich darauf gab ihr Vater seine Liste ab. »Die ausgestrichenen zählst du nicht mit, meine Liebe. Ich hatte Mühe, die Titel auf zwanzig zu begrenzen.«

»›Zwanzig‹ ist eine willkürlich festgelegte Zahl, Jacob. Deine zusätzlichen Angaben können mit gewertet werden.«

»Nein, meine Liebe, die vier, die ich durchgestrichen habe, bedeuten mir nicht soviel wie die anderen zwanzig.«

Nachdem ich eine Weile auf meinem Bleistift herumgekaut hatte, verkündete ich: »Sharpie, ich sitze bei siebzehn fest. Mir schwirrt noch ein Dutzend im Kopf herum, aber ich kann mich nicht entscheiden.«

»Siebzehn genügen auch, Zebbie — wenn es sich wirklich um deine Lieblingswerke handelt.«

»Das trifft zu.«

Hilda griff nach meiner Liste und las sie durch. »Ein Psychoanalytiker könnte sich damit vergnügliche Stunden bereiten.«

»Moment mal! Sharpie, wenn du diese Listen an einen Psychiater geben willst, möchte ich meine zurück haben.«

»Liebster Zebbie, das würde ich dir doch nicht antun!« Sie fügte hinzu: »Ich brauche ein paar Minuten für die Auswertung.«

Ich schaute zu Lilliput hinaus. »Brauchst du Hilfe?«

»Nein. Neben alle Titel auf meiner Liste habe ich eine ›Eins‹ geschrieben. Deetys Liste habe ich gegen meine ausgehakt und eine ›Zwei‹ danebengeschrieben, soweit es Übereinstimmungen gab. Ihre anderen Titel habe ich unter meine Liste gesetzt, mit einer ›Eins‹ dahinter. Dasselbe werde ich mit Jacobs Liste tun, mit ›Dreien‹ und ›Zweien‹ und ›Einsen‹. Schließlich auch Zebbies Eintragungen, und so haben wir schließlich eine Liste mit Titeln, die vier Stimmen bekommen haben — einstimmig —, dann die Titel, die nur von dreien benannt wurden, und schließlich Werke mit nur jeweils zwei oder einem Anhänger.«

Sharpie arbeitete wenige Minuten konzentriert, dann nahm sie ein neues Blatt, erstellte eine Liste und faltete sie zusammen.

»Dies gehört eigentlich in einen verschlossenen Umschlag, als Grundlage für meinen Ruf als Prophet. Zebbie, wir haben neun einstimmige fiktive Universen auf unserer Liste. Jede durch Rotation bewirkte enge Annäherung müßte uns in eine dieser Welten bringen.«

»Pellucidar ist dabei?« fragte ich.

»Pellucidar hat nur zwei Stimmen erhalten. Ich bleibe bei meiner Theorie, daß die umgestülpte Welt eine Collage aus Innenwelt-Fantasievorstellungen war. Aber unsere Abstimmung hat mir Klarheit verschafft über das dritte Universum. Das grelle Licht, das Universum, das dir wegen der Strahlung Sorgen machte.«

»Was du nicht sagst!«

»Ja, ich bin ziemlich sicher. Vier Stimmen für Dr. Isaac Asimovs ›Nightfall‹.* Ich hatte eigentlich damit gerechnet, daß seine ›Foundation‹-Trilogie** durchkommt, aber sie hat nur drei Stimmen erhalten. Schade, denn der Bibliotheksplanet könnte uns mehr über das Ungeziefer verraten — woher es kommt und wie wir es besiegen können.«

»Meine Schuld, Tante Hillbilly. Paps hat mir gesagt, ich solle die Bände lesen — aber ich habe es nie getan.«

»Sharpie«, sagte ich, »wir können dich in fünf Minuten in New York absetzen. Der kluge Doktor ist zwar schon hochbetagt — heutzutage schreibt er keine Million Worte mehr im Jahr —, aber hübsche Mädchen mag er noch immer. Er weiß bestimmt, was sich in der Galaktischen Bibliothek befindet; er hat sie ja erfunden. Also rufst du ihn an. Oder noch besser: setz dich auf seinen Schoß. Wenn nötig, weinst du ihm etwas vor.«

»Zebbie, wenn es einen Ort gibt, der von ›Schwarzen Hüten‹ überquillt, dann New York. Setz *du* dich doch bei ihm auf den Schoß!«

»O nein. Wenn wir eine Methode gefunden haben, unseren Heimatplaneten zu säubern, denke ich mir aus, wie wir diese Erkenntnis verbreiten. Doch im Augenblick bin ich die Nummer Eins auf ihrer Abschußliste.«

»Nein, das ist Jacob.«

»Nein, Sharpie. Jake und Deety sind tot, ihr seid entführt worden, und ich bin als Todeskandidat vermerkt. Trotzdem riskiere

---

* deutsch: ›Einbruch der Nacht‹
** deutsch: ›Der Tausendjahresplan‹, ›Der galaktische General‹ und ›Alle Wege führen nach Trantor‹

ich eine Landung auf dem Hudson-River-Flughafen, damit du den guten Doktor besuchen kannst. Dein Mann kann dich begleiten, während ich mich im Badezimmer verstecke. Ich glaube, das befindet sich in Wahrheit in Oz und ist deshalb ein sicheres Versteck.«

»Leg doch ein Ei!«

»Liebste Sharpie, niemand von uns wird Erde-null aufsuchen. Gib Deety die Liste; sie schaut nicht nach. Captain, wollen wir rotieren? Der Wissenschaftsoffizier hat mich schon halb davon überzeugt, daß wir es schaffen; schreiten wir zur Tat, ehe ich noch die Nerven verliere.

Viertes und letztes Universum in der zweiten Gruppe, nicht wahr?« fragte ich Sharpie.

»Jawohl, Zebbie.«

»Wenn jemand soviel Angst hat wie ich, soll er sich melden!... Holt uns denn *niemand* aus der Klemme?... Ausführung!«

XXXIV

Zeb:

Gay Täuscher hing in extremer Schräglage über einer sonnenhellen, freundlichen Landschaft, Höhe über Grund etwa fünfhundert Meter. Jake beschrieb einen großen Bogen zur Orientierung. »Sind wir wieder in Oz?« fragte ich. »Sharpie, überprüfe deine Einstellung.«

»Nicht Oz, Zebbie. Ich habe mich an den Plan gehalten.«

»Okay. Gibt uns deine Zauberliste einen Anhalt, wo wir stekken?«

»Wenn diese Welt zu den neun Einstimmigen gehört, dann muß es die folgende sein...« Hilda schrieb ein Wort auf einen Zettel, faltete ihn zusammen und gab ihn mir. »Steck ihn in die Tasche.«

Ich steckte den Zettel ein. »Jake, einen Hüpfer, dann Entfernung und Punktbestimmung zur Bodenlandung auf der Wiese dort. Wir testen die Luft, wenn wir unten sind. Das ist sicherer so.«

Jake manövrierte Gay auf den Punkt, und sie landete. »Zeb«, sagte er mürrisch, »woher weiß ich, wieviel Energie wir wirklich noch haben? Die Anzeige steht nach wie vor auf volle Ladung.«

»Ich will darüber nachdenken.«

»Schön. Hat sich der Captain das neue Fluchtprogramm über-legt?«

»Ich glaube schon, Paps. Bring G. T. glatte hunderttausend Ki-lometer hoch, aber mit zwei Worten, bei völliger Dunkelheit, mit geblendet zugekniffenen Augen oder unter sonstigen widrigen Umständen. Solange jemand noch zwei Silben über die Lippen bringt, springen wir weit genug von der Problemzone fort, um uns in Ruhe zu überlegen, was als nächstes kommt.«

»Gut. Kannst du das Programm eingeben, ehe ich die Tür auf-mache?«

»Ich glaube schon, Zebadiah. Wenn sie schläft, wacht G. T. so-fort auf und macht sich sofort an die Arbeit.«

»Also gut, gib das Programm ein. Hilda, du nimmst an deinen Instrumenten zur Sicherheit dieselbe Einstellung vor. Unterdes-sen werde ich die sanitären Anlagen mal in der Praxis erproben. Geht nicht an die Türen, bevor ich zurück bin.«

Ich war nach einigen Minuten wieder zur Stelle. »Die magi-sche Raumverformung ist noch immer bei uns — fragt mich nicht nach dem Grund, sonst müßte ich losschreien. Das neue Programm eingegeben?«

»Ja, Zebadiah. Auf Sag's-mir-dreimal und gesperrt gegen Aus-führung solange die Türen nicht geschlossen und verriegelt sind. Ich habe die Zauberworte aufgeschrieben. Hier.« Deety reichte mir einen Fetzen Papier.

Darauf stand: ›Gay — *Zoom!*‹

»Das kürzeste Programm mit einer unüblichen Nachsilbe, das mir einfallen wollte.«

»Diese Kürze rettet uns vielleicht noch das Leben. Komm, wir wechseln die Plätze, Sharpie, jetzt bin ich an der Reihe, die Pio-niermutter zu spielen. Alle Mann: Atem anhalten. Ich werde die Luft ausprobieren.«

»Zebbie, dieser Planet ist bis zur neunten Dezimalstelle erd-ähnlich.«

»Womit sich mir eine günstige Gelegenheit bietet, den Helden zu spielen.« Ich öffnete die Tür einen Spalt und atmete vorsichtig ein.

»Fühle mich ganz in Ordnung«, sagte ich gleich darauf. »Ist je-mandem schwindlig?«

»Mach die Tür weit auf, Zebbie; hier passiert uns nichts.«

Ich kam der Aufforderung nach und stand gleich darauf in ei-nem Feld voller Gänseblümchen.

Zumindest auf den ersten Blick sah diese Welt ungefährlich

aus — ruhig, warm, friedlich, eine Wiese, gesäumt von einer Hecke und einem Bach.

Plötzlich lief ein weißes Kaninchen an uns vorbei auf die Hecke zu. Er hielt kaum inne, zog eine Uhr aus der Westentasche, blickte darauf und ächzte: »Oje! Oje! Ich werde zu spät kommen!« und lief noch schneller. Deety eilte hinter der Erscheinung her.

»*Deety!*« rief ich.

Sie blieb stehen. »Ich möchte das Kaninchenloch finden.«

»Dann behalte *sie* im Auge. Du verschwindest jedenfalls nicht im Loch!«

»Was?«

Deety wandte sich wieder der Hecke zu. Ein kleines Mädchen mit einer Schürze hastete auf die Stelle zu, wo das Kaninchen verschwunden war. »Oh. *Ihr* hat der Ausflug in die Tiefe aber nicht geschadet.«

»Nein, aber Alice hat alle möglichen Schwierigkeiten, wieder herauszukommen. Wir haben dazu keine Zeit; wir dürfen an diesem Ort nicht bleiben.«

»Warum nicht?«

»Im England des neunzehnten Jahrhunderts können wir keine fortschrittliche Medizin erwarten.«

»Zebbie«, schaltete sich Hilda ein, »dies ist nicht England. Schau mal auf den Zettel.«

Ich öffnete den Papierfetzen und las: *Wunderland.* »Ja, ja, ja«, sagte ich und reichte ihn meiner Frau weiter. »Aber das Vorbild ist England in den sechziger Jahren des neunzehnten Jahrhunderts. Entweder gibt es hier überhaupt keine Medizin, wie in Oz, oder allenfalls vor-Pasteur, oder vor-Semmelweiss. Deety, möchtest du an Kindbettfieber sterben?«

»Nein, ich möchte lieber zur verrückten Teeparty!«

»Wir können selbst eine veranstalten, ich bin schon vor ein paar Universen verrückt geworden — und wir haben Essenszeit. Sharpie, du kannst dir den Orden des Nostradamus mit Diamantenwolke verdienen. Darf ich zwei Fragen stellen?«

»Fragen darf man immer.«

»Steht H. P. Lovecraft auf der Liste?«

»Nur mit einer Stimme, Zebbie. Der deinen.«

»Dem Chthulhu sei dank! Sharpie, seine Geschichten faszinieren mich, so wie Vögel angeblich von Schlangen fasziniert sind. Aber ich möchte lieber mit dem König in Gelb in einer Gefängniszelle sitzen, als in den Welten des Nekronomikon festsitzen.

Äh . . . haben überhaupt Monsterwelten vier Stimmen auf sich vereinigt?«

»Nein, mein Schatz, wir übrigens sind mehr für Happy-Ends.«

»Ich auch! Besonders wenn ich mitten drinstecke. Ist Heinlein mit in die Ausscheidung gekommen?«

»Vier Stimmen, jeweils zwei für seine ›Geschichte der Zukunft‹ und zwei für ›Ein Mann in einer fremden Welt‹. Ich habe ihn also herausgelassen.«

»*Ich* habe nicht für den ›Mann‹ gestimmt und möchte auch niemanden in Verlegenheit bringen, indem ich danach frage. Mein Gott, was manche Autoren für Geld alles tun!«

»Samuel Johnson hat gesagt, wer aus anderen Gründen schriebe, sei ein Dummkopf.«

»Johnson war ein dicker, pompöser, reizbarer, lüsterner alter Dreckskerl, der in die wohlverdiente Vergessenheit gesunken wäre, hätte ihn nicht ein speichelleckerischer Jünger in den Himmel gehoben. Und ist Poul Anderson dabei? Oder Niven?«

»Zebbie, das sind aber mehr als zwei Fragen!«

»Bei der zweiten bin ich noch gar nicht angekommen — die da lautet: Womit machen wir unsere verrückte Teeparty?«

»Überraschung! Glinda hat einen Picknickkorb in unser Ankleidezimmer stellen lassen.«

»Den habe ich übersehen«, sagte ich.

»Du hast eben nicht in den Garderobenschrank geschaut.« Sharpie grinste. »Kann man eigentlich Sandwiches aus Oz im Wunderland verzehren? Oder ›verschwinden sie ganz unmerklich und leise‹?«

»»Hinfort mit dir, sonst werfe ich dich die Treppe hinunter!‹«

Mehrere hundert Kalorien später bemerkte ich einen jungen Mann, der sich in der Nähe herumtrieb. Er schien sprechen zu wollen, war aber ein wenig schüchtern. Deety sprang auf und ging auf ihn zu. »Der Ehrenwerte Mr. Dodgson, nicht wahr? Ich bin Mrs. Zebadiah Carter.«

Hastig nahm er den Strohhut ab. »»*Mr.* Dodgson‹, jawohl . . . äh . . . Mrs. Carter. Sind wir uns schon einmal begegnet?«

»Vor langer Zeit, ehe ich verheiratet war. Sie suchen nach Alice, nicht wahr?«

»Oh! Durchaus, das tue ich. Aber woher . . .?«

»Sie ist im Kaninchenloch verschwunden.«

Dodgson schien erleichtert zu sein. »Dann ist sie bald zurück.

Ich habe versprochen, sie und ihre Schwestern vor dem Dunkelwerden zum Christ Church College zurückzubringen.«

»Das haben Sie ja auch getan. Ich meine, Sie *werden* es tun. Ist je nach den Koordinaten dasselbe. Kommen Sie, ich stelle Sie meiner Familie vor. Haben Sie schon zu Mittag gegessen?«

»Oh, ich bitte Sie, ich möchte nicht stören.«

»Sie stören nicht.« Entschlossen nahm Deety ihn an der Hand. Da mein Schatz stärker ist als die meisten Männer, folgte er ihr gehorsam — und ließ ihre Hand hastig los, als sie den Griff lockerte. Wir Männer standen auf; Hilda blieb im Lotussitz hokken.

»Tante Hilda, dies ist Mr. Dodgson, Dozent für Mathematik am Christ Church College in Oxford. Meine Stiefmutter, Mrs. Burroughs.«

»Wie geht es Ihnen, Mrs. Burroughs? Oje, ich störe aber vielleicht doch!«

»Durchaus nicht, Mr. Dodgson. Setzen Sie sich bitte.«

»Und dies ist mein Vater, Dr. Burroughs, Professor für Mathematik. Und mein Mann, Captain Carter. Tante Hilda, suchst du bitte Mr. Dodgson einen sauberen Teller heraus?«

Der junge Dozent war erleichtert, als das Vorstellen endlich vorbei war; trotzdem benahm er sich noch weitaus förmlicher, als Deety dulden wollte. Er setzte sich ins Gras, legte seinen Hut vorsichtig neben sich und sagte : »Wirklich, Mrs. Burroughs, ich habe gerade mit drei kleinen Mädchen Tee getrunken.«

Deety ignorierte seine Einwände und füllte seinen Teller mit kleinen Sandwiches und Kuchenstücken. Sharpie goß aus einer Thermosflasche Tee ein. Mit Teller und Tasse wurde er förmlich festgenagelt. »Wehren Sie sich nicht dagegen, mein Junge«, sagte Jake, »es sei denn, Sie müssen wirklich weg. Kann Alices Schwestern auch nichts passieren?«

»O nein, Professor, sie schlummern im Schatten eines Heuhaufens ganz in der Nähe. Aber . . .«

»Dann entspannen Sie sich. Sie müssen ja sowieso auf Alice warten. Mit welchem Zweig der Mathematik beschäftigen Sie sich?«

»Normalerweise mit algebraischer Logik, aber auch im Hinblick auf ihre Anwendungen in der Geometrie.« Mr. Dodgson saß so, daß er Gay Täuscher im Blickfeld hatte, deren Backbordflügel ihm Schatten spendete, doch sein Verhalten ließ nicht erkennen, daß ihm der Anachronismus auffiel.

»Haben Ihre Studien Sie schon auf die Möglichkeit multidimensionaler nichteuklidischer Geometrien gebracht?« erkundigte sich Jake.

Dodgson blinzelte. »In der Geometrie bin ich wohl eher konservativ.«

»Vater, Mr. Dodgson arbeitet nicht auf deinem Gebiet, sondern auf dem meinen.«

Dodgson hob leicht die Augenbrauen. »Meine Tochter hat sich nicht komplett vorgestellt«, sagte Jake. »Sie ist Mrs. Carter, doch ihr Mädchenname ist Dr. D. T. Burroughs. Ihr Feld ist die mathematische Logik.«

»Deshalb freue ich mich so sehr über Ihr Kommen, Mr. Dodgson. Ihr Buch ›Symbolische Logik‹ ist ein Meilenstein auf unserem Gebiet.«

»Aber, meine liebe Dame, ich habe kein Buch geschrieben, das ›Symbolische Logik‹ heißt.«

»Ah, da bringe ich etwas durcheinander. Wieder geht es um die richtige Wahl der Koordinaten. Am Ende der Herrschaft von Königin Victoria haben Sie es herausgebracht — genau fünf Jahre davor. Ist das klar?«

Feierlich antwortete er: »Ganz klar. Jetzt brauche ich Ihre Majestät nur noch zu fragen, wie lange sie noch zu regieren gedenkt, und davon fünf Jahre abzuziehen.«

»Das ist wohl der richtige Weg. Beschäftigen Sie sich gern mit Kettenschlüssen?«

Zum erstenmal lächelte er. »Oh! Sehr sogar!«

»Wollen wir welche erfinden? Sie dann austauschen und lösen?«

»Nun ja ... wenn sie nicht zu lang werden. Ich muß mich wirklich weiter um meine jungen Schutzbefohlenen kümmern.«

»Wir können auch nicht lange bleiben. Möchte sonst noch jemand mitmachen?«

Niemand meldete sich. Ich streckte mich im Gras aus und legte mir ein Taschentuch über das Gesicht, Jake und Sharpie machten einen kleinen Spaziergang. »Wollen wir die Aussagen auf sechs beschränken?« schlug Dodgson vor.

»In Ordnung. Aber die Schlußfolgerung *muß* wahr sein. Es darf dabei kein Unsinn herauskommen. Einverstanden?« (Deety hatte mir dieses Spiel beigebracht; sie versteht sich vorzüglich darauf. Ich beschloß den stummen Zeugen zu spielen.)

Die beiden schwiegen eine Zeitlang, während ich überzeugend schnarchte. Deety war eine Weile ›Dame‹, dann legte sie sich flach auf den Bauch und kaute auf ihrem Bleistift herum. Ich lugte mit halb geöffnetem Auge unter meinem Taschentuch hervor.

Zunächst bedeckte sie mehrere Seiten mit der ersten Niederschrift von Aussagen, die in sich gesehen unvollständig waren, die aber insgesamt nur eine Schlußfolgerung zuließen. Nachdem diese Arbeit abgeschlossen war, überprüfte sie sie mit symbolischer Logik und schrieb schließlich die Liste ihrer Aussagen nieder, die sie willkürlich mischte. Sie hob den Kopf.

Der junge Mathematiker blickte sie feierlich an, den Notizblock in der Hand. »Fertig?« fragte meine Frau.

»Eben gerade. Mrs. Carter, Sie erinnern mich an meine kleine Freundin Alice Liddell.«

»Ich weiß«, sagte sie. »Daran habe ich sie überhaupt erkannt. Tauschen wir jetzt?«

Dodgson riß das Blatt von seinem Block. »Dies ist in der ersten Person zu lösen; die Schlußfolgerung bezieht sich auf Sie.«

»In Ordnung, ich versuch's.«

Deety las laut vor:

1) Jeder Gedanke von mir, der sich nicht als Syllogismus ausdrücken läßt, ist wahrhaft lächerlich;
2) Keine meiner Ideen über Semmeln lohnt das Aufschreiben;
3) Keine Idee von mir, die nicht Wirklichkeit wird, kann als Syllogismus ausgedrückt werden;
4) Ich habe nie eine wirklich lächerliche Idee, die ich nicht sofort meinem Anwalt übergebe;
5) Meine Träume kreisen alle um Semmeln;
6) Ich übergebe niemals eine Idee von mir meinem Anwalt, es sei denn, sie lohnt das Aufschreiben.

Deety lachte leise. »Wie nett von Ihnen! Es *stimmt;* meine Träume bewahrheiten sich *alle!*«

»So schnell haben Sie die Lösung gefunden?«

»Aber es waren doch nur sechs Aussagen. Haben Sie mein Rätsel schon gelöst?«

»Ich habe es noch gar nicht angeschaut.« Er las ebenfalls laut vor:

1) Alles, was nicht absolut häßlich ist, kann in einem Wohnzimmer aufbewahrt werden;
2) Nichts, das salzverkrustet ist, ist jemals ganz trocken;

3) Nichts sollte in einem Wohnzimmer aufbewahrt werden, sofern es nicht frei von Feuchtigkeit ist;

4) Zeitmaschinen werden stets unweit des Meeres aufbewahrt;

5) Nichts, was das ist, was du erwartest, kann absolut häßlich sein;

6) Was unweit es Meeres aufbewahrt wird, bekommt eine Salzkruste.

Blinzelnd betrachtete er die Liste. »Die Schlußfolgerung ist wahrheitsgemäß?« fragte er.

»Ja.«

Zum erstenmal starrte er Gay Täuscher direkt an.

»Dann muß ich daraus schließen, daß dies — eine ›Zeitmaschine‹ ist?«

»Ja — obwohl sie auch andere Dinge kann.«

»Sie ist nicht das, was ich erwartet hatte — obwohl ich nicht genau weiß, was ich mir unter einer Zeitmaschine vorgestellt hatte.«

Ich zog sein Taschentuch von meinem Gesicht. »Möchten Sie mal eine Probefahrt machen, Mr. Dodgson?«

Der junge Dozent blickte mich sehnsüchtig an. »Ich bin wirklich in Versuchung, Captain. Doch ich trage die Verantwortung für drei kleine Mädchen. Ich muß Ihnen also für die Gastfreundschaft danken und mich empfehlen. Würden Sie mich bei Professor und Mrs. Burroughs entschuldigen und ihnen erklären, daß die Pflicht mich fortgerufen hat?«

XXXV

Jake:

»Deety, wie ist dir zumute, verabschiedet zu werden, ohne einen Kuß zu bekommen?«

»Zebadiah, es ging nicht anders. Lewis Carroll hatte große Angst vor Frauen, die aus der Pubertät heraus waren.«

»Deshalb bin ich ja auch in der Nähe geblieben. Liebste Deety, wenn ich Jake und Hilda begleitet hätte, wäre er sofort verschwunden.«

»Ich weiß überhaupt nicht, wie er hierhergekommen ist«, wunderte sich meine liebe Hilda. »Lewis Carroll hat sich niemals *im* Wunderland aufgehalten, sondern lediglich darüber geschrie-

ben. Aber dies *ist* Wunderland, es sei denn, die englischen Kaninchen tragen Westen und Taschenuhren.«

»Tante Hilda, wer könnte wohl tiefer in einer Geschichte stekken, als die Person, die sie geschrieben hat?«

»Hm . . . Damit muß ich mich beschäftigen.«

»Später, Sharpie«, sagte Zeb. »Fertig machen zum Rotieren.
Mars, nicht wahr?«

»Richtig, Zebbie«, sagte Hilda.

»Gay . . . *Sagan!*«

Mars-null lag vor uns, in halber Phase und in richtigem Abstand.

»Eingestellt!« meldete Hilda. »In das zehnte Universum, dritte
Gruppierung.«

»Ausführung!« Es war wieder eine sternerfüllte Leere ohne bekannte Sternzeichen; wir handelten den Besuch routinemäßig ab,
Zeb trug das Universum als ›denkbar‹ ins Logbuch ein, und wir
rückten zur zweiten Einstellung der dritten Gruppe vor — und
ich sah mich plötzlich dem Großen und Kleinen Bären gegenüber. Wieder vollführten wir den Taubensturz — vermochten
aber weder die Sonne noch Planeten zu finden. Ich kenne die
südlichen Sternekonstellationen nicht besonders gut, doch ich
machte das Kreuz und die Große Magellansche Wolke aus. Gen
Norden hoben sich eindeutig Cygnus und ein Dutzend andere
ab.

»Wo ist Sol?« fragte Zeb. »Was meint ihr, Deety? Sharpie?«

»Ich habe sie nicht gesehen, Zebadiah.«

»Zebbie, nun gib mir nicht die Schuld daran. Ich hab' sie wieder dorthin zurückgetan, wo ich sie gefunden habe.«

»Jake, das Ganze gefällt mir nicht. Sharpie, sind deine Einstellungen abgeschlossen?«

»Eingestellt. Dauerbefehl. Dritte Gruppe, dritter von dreien.«

»Laß die Finger in der Nähe des Knopfes. Wie paßt dies in unsere Theorie? Ich kann mich nicht erinnern, einen Roman geschrieben zu haben, in dem es kein Sonnensystem gibt.«

»Zebbie, das trifft auf zwei der Titel zu, die noch offen sind,
doch bei den anderen könnte es hinhauen, wie auch bei einem
halben Dutzend oder mehr, die nur drei Stimmen erhalten haben. Du hast gesagt, daß du etwa noch ein Dutzend im Sinne hättest, zwischen denen du dich nicht entscheiden könntest. Waren
auch Raumfahrterzählungen darunter?«

»Fast nur.«

»Dann könnten wir in jeder Welt sein, die nach unserem Universum geformt, aber so weit von der Sonne entfernt ist, daß sie als Stern zweiter oder dritter Größenordnung erscheint. Das muß gar keine große Entfernung sein; unsere Sonne ist ziemlich lichtschwach. Folglich könnte dies das *Darkover*-Universum sein, oder Nivens *Erforschter Weltraum,* oder Dr. Williamsons *Raumlegion*-Universum oder das *Enterprise*-Universum oder Andersons Universum der *Polesotechnischen Liga* oder das von Dr. Smiths *Galaktische Patrouille.* Etliche andere Möglichkeiten will ich hier gar nicht aufzählen.«

»Sharpie, welche beiden kommen nicht in Frage?«

»König Arthur und seine Tafelrunde, und die Welt der Hobbits.«

»Wenn wir in eines dieser beiden Universen geraten, verschwinden wir sofort wieder. Geburtshelfer finden wir dort bestimmt nicht. Jake, gibt's noch irgendeinen Grund, länger hierzubleiben?«

»Nicht daß ich wüßte«, antwortete ich.

»Captain Deety, ich rate zu einem Schnellstart. Space-Opera-Universen können gefährlich sein. Es würde mir nicht behagen, einen Photonentorpedo oder eine Vortex-Bombe oder ein Negativ-Materie-Projektil abzubekommen, nur weil wir uns nicht schnell genug identifiziert haben.«

Wir rotierten also weiter.

Diesmal waren wir nicht nahe dran, sondern standen auf dem Boden. Mit gefällter Lanze galoppierte ein gepanzerter Ritter auf uns zu. Ich nahm nicht an, daß die Holzspitze Gay beschädigen konnte. Aber der edle Ritter war uns nicht wohlgesonnen, und so rief ich: »Gay — *Zoom!«*

Und seufzte erleichtert wegen der plötzlichen Dunkelheit ringsum und der nächsten Worte des Captains: »Vielen Dank, Paps. Schnell reagiert.«

»Ich danke *dir.* Ende von Gruppe zwei. Zurück zum Mars? S-A-G-A-N?«

»Ja, los«, sagte Zeb. »Alle Mann . . .«

»Zebadiah!« unterbrach ihn meine Tochter. »Mehr willst du dir von König Arthur und seinen Rittern nicht anschauen?«

»Captain Deety, der Bursche gehörte nicht zu König Arthurs Tafelrunde, er trug ein plattiertes Kettenhemd.«

»Den Eindruck hatte ich auch«, stimmte meine Frau zu. »Aber ich habe mehr auf seinen Schild geachtet. Das Feld schwarz, silberner Querbalken, Sonne und Krone, beides Gold.«

»Sir Modred«, sagte meine Schwester entschlossen. »Ich *wußte* doch, es war ein Bösewicht! Zebadiah, wir hätten ihn mit deiner L-Kanone abschießen sollen!«

»Was, das prächtige Bierkutschenpferd soll ich töten? Deety, die Rüstung stammt allenfalls aus dem fünfzehnten Jahrhundert, acht oder neun Jahrhunderte *nach* der Zeit von König Arthur.«

»Warum trug er aber Sir Modreds Schild?«

»Sharpie, war das Sir Modreds Wappenzeichen?«

»Keine Ahnung; ich hab's nur kurz gesehen. Siehst du das nicht ein bißchen kleinlich, die Sahe mit der plattierten Rüstung, nur weil sie nicht paßt?«

»Aber die Geschichte zeigt uns doch . . .«

»Aber das ist es ja, Zebbie. Camelot ist *nicht* Geschichte, sondern eine erfundene Sache.«

Langsam sagte Zeb: »Da halt ich lieber meinen großen Mund.«

»Zebbie, ich möchte behaupten, die Version Camelot, auf die wir da gestoßen sind, ist ein Flickwerk aller unserer Vorstellungen von König Arthur und der Tafelrunde. Meine Bildung in dem Punkt stammt von Tennyson, später revidiert, als ich *Le Mort d'Arthur* las. Und was hast *du* gelesen?«

»Mark Twain. ›Ein Yankee an Artus' Hof‹. Dazu ein bißchen ›Prinz Eisenherz‹. Jake?«

»Zeb«, sagte ich, »es dürfte kaum zu bezweifeln sein, daß es einmal einen König oder General namens Arthur oder Artus oder Arturius gegeben hat. Aber die meisten stellen sich König Arthur auf der Grundlage von Erzählungen vor, die wenig Ähnlichkeit mit historischen Ereignissen haben. ›Das Schwert im Stein‹ und ›Das Buch Merlin‹ sind meine Lieblingsbücher.«

Meine Tochter ließ nicht locker. »Ich glaube an die Tafelrunde, wirklich! Wir sollten zurückkehren und sie uns *ansehen*. Anstatt nur herumzuraten.«

»Captain Deety«, sagte ihr Mann sanft, »die lustigen, mordsgefährlichen, rauhen Burschen, die man die Ritter der Tafelrunde nennt, lassen sich als Lesestoff angenehm konsumieren, doch der gesellschaftliche Umgang mit ihnen ist sicher ziemlich mühsam. Außerdem geht die Gefahr nicht nur von Menschen aus. Es gäbe dort echte Drachen und Feen und bösen Zauber — nicht von der Sorte, wie die gute Glinda ihn bewirkt. Wir haben lernen müssen, daß die Alternativwelten so real sind wie die, aus der wir kommen. Wir brauchen uns nicht noch einmal darüber Gewißheit zu verschaffen, indem wir uns kurzerhand umbringen lassen. Das ist mein offizieller Rat. Wenn du damit nicht einverstanden bist, möchte ich darum bitten, vom Kommando abgelöst zu werden ... Madame?«

»Zebadiah, du kommst mir mit Logik —eine höchst unfaire Methode in einer Auseinandersetzung!«

»Jacob«, sagte meine Frau, »nimm einmal an, wir wären Leute, die fantasievolle Geschichten nicht ausstehen können. Welche Art von Welt würden wir da vorfinden?«

»Keine Ahnung, Hilda. Vermutlich nur willkürlich herausgegriffene Universen, die von der realen Welt kaum zu unterscheiden sind. Berichtigung: es darf nicht heißen ›reale Welt‹, sondern nur ›Universum-null‹, denn nach deiner Theorie sind ja alle Welten gleichermaßen real. Oder irreal.«

»Jacob, warum nennst du unser Universum Universum-null?«

»Äh ... der Einfachheit halber. *Unser* Ausgangspunkt.«

»Hast du mir nicht gesagt, kein Bezugsrahmen könne dem anderen vorgezogen werden? Bis zur Zahl des Tieres wäre jeder Punkt auf allen sechs Achsen gleichermaßen *null?*«

»Nun ja ... die Theorie setzte das voraus.«

»Dann sind *wir* in anderen Universen Fiktionen. Ist das richtig gedacht?«

Ich antwortete nicht sofort. »Das scheint ein notwendiger Ergänzungsschluß zu sein. Eine beunruhigende Vorstellung: daß wir selbst nur Ausgeburten der Fantasie anderer sind.«

»Ich bin niemandes Fantasiegeburt!« wandte meine Tochter ein. »Ich bin real, wirklich! Kneif mich! ... *Autsch!* Zebadiah, doch nicht so fest!«

»Du hast mich darum gebeten, meine Liebe.«

»Mein Mann ist ein brutaler Kerl. Und ich habe wie Schneewittchen eine grausame Stiefmutter. Entschuldigung, ich meine Aschenputtel. Und mein Vater meint, jemand hätte mich nur *erdacht!* Ich liebe euch aber trotzdem, weil ihr alles seid, was ich noch habe.«

»Wenn ihr fiktiven Charaktere endlich mal den Mund haltet, schieben wir diesen Dampfer wieder an. Fertig machen zum Rotieren. Gay, Sagan.«

Mars war dort, wo er sein sollte. Schon kam ich mir wieder realer vor.

XXXVI

Hilda:

»Eingestellt, Captain«, meldete ich. »Dreizehnte Rotation. Korrekt, Zebbie?«

»In Ordnung, Sharpie. Captain?«

Deety antwortete: »Laß uns doch erst einmal zu Atem kommen.« Sie starrte auf die rötliche Leere von Mars-null. »Der Felsbrocken sieht geradezu anheimelnd aus. Ich komme mir wie ein Tourist vor, der in zwei Wochen dreißig Länder besucht. Schock. Kein ›Zukunftsschock‹, aber etwas Ähnliches.«

»Heimweh«, antwortete ich. »Die Erkenntnis, daß wir nicht zurückkehren können. Deety, irgendwo und irgendwann bauen wir uns einen neuen Fuchsbau. Nicht wahr, Jacob?«

Jacob tätschelte mir das Knie. »Ja, mein Schatz.«

»Ob wir einen neuen finden?« fragte Deety sehnsüchtig.

»Deety, bist du über deinen Pioniermutter-Tick hinweg?«

»Nein, Zebadiah. Aber ich spüre Heimweh. Wie du. Wie Hilda. Wie alle hier außer Paps.«

»Berichtigung, Tochter. Mir fehlt Logan nicht gerade, und ich nehme auch nicht an, daß es Hilda sonderlich um Kalifornien leid tut...«

»Keineswegs!« rief ich.

»Mir auch nicht«, meinte Zeb. »Ich hatte eine Wohnung gemietet. Aber der Fuchsbau war ein Zuhause für mich.«

»Richtig«, antwortete Jacob. »Das Ungeziefer habe ich erst richtig zu hassen begonnen, als die Burschen unser Heim bombardierten.«

Er fügte hinzu: »Wir müssen uns einen neuen Fuchsbau suchen. So bequem dieser Wagen auch ist, ewig können wir nicht darin wohnen.«

»Stimmt. Sharpie, deine Theorie scheint sich als richtig zu erweisen. Besteht überhaupt ein Grund, unseren Rotationsplan zu beenden? Sollten wir direkt auf die *Teh*-Achse übergehen?«

»Zebbie, ich räume ein, daß die meisten Rotationen nur kurze Stippvisiten waren, doch hätten wir uns nicht an diesen Plan gehalten, wäre der Wagen jetzt nicht annähernd so gemütlich. Oder kennst du einen anderen Ford mit zwei Badezimmern?«

»Sharpie, ich habe noch keinen Wagen gesehen, der auch nur *ein* Badezimmer hätte. Unsere Raumverbiegungs-Kutsche läßt uns aber nur so lange im All bleiben, wie unsere Luft reicht. Und die Lebensmittel. Der kritische Faktor aber *ist* die Luft.«

»Zebbie«, sagte ich, »ist dir eigentlich schon aufgefallen, daß sich unsere Luft *nicht* verbraucht?«

»Da brauchst du aber nicht lange zu warten.«

»Soweit muß es gar nicht kommen«, erklärte Jacob. »Wir können über Notsprung nach Oz zurückkehren oder ins Wunderland, das geht sekundenschnell. Süße Luft und völlig gefahrlos.«

Zebbie setzte ein zerknirschtes Gesicht auf. »Ich habe immer noch nicht richtig begriffen, was unser Wunderwagen alles leisten kann.«

»Ich auch nicht.«

»Meine Herren, ihr habt nicht begriffen, was ich sagen will. Überprüft doch einmal den Energieanzeiger. Und eine andere Sache habe ich noch gar nicht erwähnt. Zebbie, möchtest du eine Banane?«

»Sharpie, die letzte habe ich gegessen, ehe ich den Abfall beseitigte. Während du mit Deety das Geschirr spültest, das war vor unserem Start ins Wunderland.«

»Sag's ihm, Deety.«

»Zebadiah, Hilda und ich haben die Reste in den Korb zurückgetan. Hilda wollte die Sachen in den Schrank stellen, aber der Korb fühlte sich schwer an. Wir schauten also hinein. Sechs Bananen — und alle anderen Sachen. Großes Ehrenwort. Nein, schaut's euch an.«

»Hmm . . . Jake, kannst du Gleichungen aufstellen für einen Picknickkorb, der sich immer wieder von selbst füllt? Wird er das weiterhin tun?«

»Zeb, für *alles* lassen sich Gleichungen finden. Einfacher wäre die Beschreibung für einen Korb, der sich bis in alle Ewigkeit wieder auffüllt, als für einen, der dies einmal tut und dann damit aufhört — diese Diskontinuität müßte ich beschreiben. Aber mich bekümmern keine Natur- oder ›Unnatur‹-Gesetze mehr, die im Universum-null sowieso nicht gelten.«

»Wissenschaftsoffizier, ich möchte vorschlagen, daß du dir den Korb noch einmal ansiehst, nachdem wir nun ins Universum-null zurückgekehrt sind.«

»Zebbie, mach einen schriftlichen Befehl daraus und unterschreibe ihn, wenn du blöd dastehen willst. Deety, soll die Sache ins Logbuch?«

»Sharpie, wenn deine Gesellschaft nicht so angenehm wäre, würde ich dich erwürgen. Unsere erste Entscheidung lief darauf hinaus, die Rotationen wie geplant zu Ende zu bringen.«

»Nein, ich stellte fest, daß die ersten zwölf nicht unvorteilhaft gewesen sind. Wir hätten die letzten drei längst beenden können. Aber wir müssen ja wieder endlos darüber debattieren.«

»Geliebte Hilda, unser feiger Astronavigator muß erst Mut schöpfen. Beim großen Jiminy, wenn ihr erst alle voll ausgebildet seid, ziehe ich mich aufs Altenteil zurück.«

»Wir würden dich doch nur wieder zurückholen, Zebbie. Jeder tut weiterhin das, worauf er oder sie sich am besten versteht.«

»»Die Zeit ist aus den Fugen. O widrig Schicksal, das mich erwählte, sie gerad'zurücken!'«

»Falsch zitiert.«

»Wann zitierte ich schon mal richtig? Welches Universum steht als nächstes auf der Liste?«

»Zebbie, wir haben noch drei Rotationen zu bewerkstelligen, und auf der einstimmigen Liste sind noch vier Kandidaten offen. Eine Möglichkeit ist sinnlos, aber amüsant und gefahrlos. In den anderen dreien ließe sich leben, aber es gibt da auch wieder Risiken. Wie der Chefarzt zu sagen pflegte: ›Keine Ahnung, aber operieren wir mal, dann wissen wir mehr.‹«

Zebbie seufzte. »Alle Mann, fertig machen zum Rotieren. *Ausführung!*«

»Grünes Feuer . . . *Rotation! Ausführung!*«

Ein formloser roter Nebel . . . »*Gay, Sagan!*«

Mars kam mir wie ein alter Freund vor. Zebbie wischte sich die Stirn und sagte: »Püü! Noch eine Runde. Deety, wir wollen es hinter uns bringen. Sharpie?«

»Fünfzehntes Universum — eingestellt!« meldete ich.

»*Ausführung!*«

Wir hingen in einem sternenübersäten Raum. »Capt'n Deety, mein Schatz, kommen dir diese Konstellationen nicht vertraut vor?« bemerkte Zebbie.

»Ich glaube schon.«

»Sie *sind* bekannt«, beharrte ich. »Nur funkelt jetzt nahe der Zwillinge ein heller Stern. Das müßte die Sonne sein. Wir stehen weit außerhalb der Plutobahn, dort, wo die Kometen überwintern. Rücken wir mal ein bißchen vor und suchen die Erde.«

»Nicht so schnell«, meinte Zebbie. »Wissenschaftsoffizier, wie sah die erste Rotation aus? Grünes Feuer?«

»Wie wär's mit den tödlichen grünen Sternnebeln in ›Die Raumlegion‹? Auf dem Weg zum Entlaufenen Stern, auf den Aladoree gebracht worden war.«

»Der stand auf deiner Liste?«

»Wir alle haben's angegeben.«

»Und der rote Nebel, der dann als nächster kam?«

»Der ist schon schwieriger zu deuten«, räumte ich ein. »Könnte sich um jedes Universum eines Autors handeln, der sich eng an astronomische Gegebenheiten hält — Bova, Haldeman, Schmidt, Pournelle, Niven, Benford, Clement, Anderson, und so weiter. Aber wir hatten vier Stimmen für ›Der Splitter im Auge Gottes‹. Ob die beiden alten Herrn damit zu tun hatten oder nicht — jedenfalls sind wir wohl in einen roten Riesen geraten. Ein roter Riese ist dem nahe, was wir Vakuum nennen. Jedenfalls uns nichts passiert; wir haben uns nur etwa zwei Sekunden dort aufgehalten.«

»Nicht mal so lange, Sharpie, du hast uns mit einem Klicken wieder herausgerissen und hast dabei kaum den Finger vom Knopf genommen. Captain, möchtest du eine Transition in Richtung auf den hellen Stern?«

»Wir sollten dreißig oder vierzig astronomische Einheiten herunternehmen«, entschied Deety, »und eine grobe Peilung vornehmen. Vielleicht verschafft Paps das einen Kreis, den er anmessen kann. Wenn nicht, gehen wir ran, bis es geht. Dann springen wir bis auf eine Astronomische Einheit an die Sonne heran und haben dann keine Mühe mehr, die Erde auszumachen. Astronavigator — deine Meinung?«

»Ich würde raten, den ersten Sprung mit großer Abweichung zu machen. Die Sonne sollte mindestens um eine AE verfehlt werden. *Mindestens.*«

»Ja! Zebadiah, wir machen ein weites Kreuz auf. Äh . . .« Deety blickte sich um. »Dort ist der Löwe. Paps soll auf den Regulus zielen.«

»Ich schwinge auf Regulus zu. Zeb, wie messe ich die Winkelbreite der Sonnenscheibe, ohne mir die Augen zu ruinieren?«

»Das Visier hat automatische Polarisierung. Habe ich dir das noch nicht gezeigt?«

»*Nein.*«

»Entschuldigung. Captain Deety, ich erbitte Erlaubnis, den Ersten Piloten zu diesem Zwecke abzulösen.«

»Erlaubnis gewährt. Aber Zebadiah — sieh dich vor!«

»*Raumschiff! Identifizieren Sie sich!*« Die Stimme hallte überall.

Zebbie fuhr überrascht zusammen. (Ich auch!) »Wer spricht da?«

»*Linsenträger Ted Smith, Kommandant der Galaktischen Patrouille, Befehlshaber des Patrouillenschiffes ›Nachtfalke‹. Wesenheit, ich bedaure es, daß ich in Ihren Verstand eindringen mußte, aber Sie ignorieren den Subätherfunk bereits seit vier Minuten und zweiunddreißig Sekunden. Schalten Sie Ihr Gerät ein, dann verschwinde ich aus Ihrem Geist. Keine Manöver mehr; wir haben Waffen auf Sie gerichtet.«*

»Captain«, flüsterte Jacob, »Hilda ist zum Rotieren bereit.«

Deety schüttelte den Kopf, berührte Zebbie am Arm und deutete auf sich selbst.

»Linsenträger, hier spricht Captain Deety, Befehlshaber des Kontinua-Schiffes ›Gay Täuscher‹. Wir haben kein Subätherfunkgerät. Verstehen Sie mich?«

»Ich verstehe Sie laut und deutlich. Was ist mit Ihrem Gerät passiert? Brauchen Sie Hilfe?«

»Captain Smith, ich habe überhaupt keinen Subätherfunk. Wir brauchen keine Hilfe, würden aber einen astronavigatorischen Rat erbitten. Wo befinden wir uns?«

»Der entscheidende Punkt ist, daß Sie sich in meinem Patrouillensektor befinden, ein nicht gemeldetes Schiff, das sich unzureichend identifiziert hat. Ich wiederhole: KEINE MANÖVER. Auf Anordnung der Galaktischen Patrouille. Verstehen Sie mich?«

»Ich verstehe Sie, Linsenträger. Es tut mir leid, daß ich in Ihren Patrouillenbezirk eingedrungen bin. Wir sind ein Privatschiff, das friedlichen Forschungsaufgaben nachgeht.«

»Darüber will ich mir Aufschluß verschaffen, Captain. Bleiben Sie auf Ihrer derzeitigen Position, unternehmen Sie nichts, was als feindseliger Akt ausgelegt werden könnte, dann passiert Ihnen nichts.«

»Linsenträger, können Sie durch meine Augen sehen?«

»Laden Sie mich dazu ein?«

»Aber ja. Gebrauchen Sie meine Augen, meine Ohren. Aber versuchen Sie nicht, von meinem Geist Besitz zu ergreifen, sonst verschwindet dieses Schiff.« Deety drückte mir die Schulter; mit einer tätschelnden Bewegung signalisierte ich ihr ›Roger‹.

»Ich warne Sie: keine Manöver. Ah . . . interessant!«

»Captain Smith!« brüllte ich. »Hören Sie auf, uns zu bedrohen. Ein Linsenträger hat Offizier und Gentleman zu sein! Ich gedenke Sie dem Stützpunkt-Admiral zu melden! Sie sind ein ungehobelter Klotz!«

»Tut mir leid, Madame. Ich will Sie nicht beleidigen, aber ich habe auch Pflichten. Captain, würden Sie bitte den Knopf drehen, damit ich sehen kann, wer da spricht?«

»Selbstverständlich. Ich werde Ihnen alle vorstellen. Zu meiner Linken . . .« Deety blickte Zebbie an — »befindet sich Dr. Zebadiah Carter. Vor ihm Dr. Jacob Burroughs. Rechts von ihm . . .« — Deety fixierte mich — »sitzt seine Frau, Dr. Hilda Burroughs, Xenobiologin und Wissenschaftsoffizier. Ich gebe Ihnen einen Rat, Linsenträger: es ist gefährlich, Dr. Hilda zu beleidigen!«

»Diesen Eindruck hatte ich auch schon, Captain. Dr. Hilda, es liegt nicht in meiner Absicht, Sie zu kränken — aber ich habe Pflichten. Soll ich Ihren Geist verlassen? Wenn Sie mit mir sprechen, höre ich Sie durch Captain Deetys Ohren. Wenn sie will, kann sie Ihnen meine Gedanken als akustische Antwort übermitteln.«

»Oh, bei einem Gespräch habe ich nichts dagegen. Aber versuchen Sie nicht tiefer einzudringen! Sie wissen, daß Mentor etwas dagegen hätte!«

»Dr. Hilda, daß Sie hier . . . eine gewisse Wesenheit erwähnen, überrascht mich sehr im Gespräch mit einer Person, die kein Linsenträger ist.«

»Ich brauche keine Linse. Sie können das in Arisia überprüfen lassen.«

Hastig sagte Deety: »Linsenträger, sind Sie nun überzeugt, daß wir eine friedliche Gruppe Wissenschaftler sind? Oder möchten Sie noch etwas wissen?«

»Captain, ich sehe, daß Ihr Schiff kein Piratenfahrzeug sein kann — unbewaffnet und ungepanzert, wie es ist. Gewiß, ich sehe Kontrollen für eine Lichtbündelkanone, die einem Privaten aber nicht viel nützen würde. Ebensowenig kann ich mir vorstellen, daß zwei Männer und zwei Frauen ein großes Linienschiff angreifen würden. Aber den Frieden zu schützen ist nur eine meiner Aufgaben. So klein Ihr Schiff auch ist, es könnte Schmuggelgut im Werte von vielen Millionen Krediten an Bord haben.«

»Sprechen Sie doch aus, was Sie meinen«, sagte ich energisch.

»Rauschgift. Aber verzichten Sie auf das Wort ›Zwilnik‹!«

Im Geiste hörten wir ihn seufzen. *»Jawohl, Dr. Hilda — Rauschgift. Aber nicht ich habe dieses schlimme Wort in das Gespräch geworfen.«*

»Ich habe mitbekommen, wie Sie es gedacht haben. Lassen Sie das künftig!«

»Linsenträger«, sagte Deety hastig. »Wir haben Arzneien an Bord. Das einzige Mittel, das für Sie von Interesse sein könnte, sind einige Milligramm Morphium. Aber wir haben kein Thionit an Bord, kein Bentlam, kein Hadive, kein Nitrolabe. Sie benutzen Ihre Linse und *wissen* also, daß ich die Wahrheit sage.«

»Captain, so leicht ist das nicht. Ehe ich mich bei Ihnen meldete, habe ich einen vorsichtigen geistigen Vorstoß unternommen — bitte, Dr. Hilda, so etwas ist meine Pflicht! Nie zuvor sind mir Menschen begegnet, deren

Geist so total blockiert war. Und Sie fliegen da ein äußerst seltsames
Schiff. Offensichtlich ist es eher für den Flug in einer Atmosphäre be-
stimmt als für den Weltraum. Trotzdem sind Sie jetzt hier — und ich
wüßte nicht, wie Sie an diese Stelle gekommen sind. Mir bleibt nichts an-
deres übrig, als Sie festzuhalten und das Schiff gründlich zu untersuchen.
Und es notfalls auseinanderzunehmen.«

»Linsenträger«, sagte Deety ernst, »überstürzen Sie nichts. Sie
können sich mit der Linse gründlicher umsehen als auf jedem
anderen Wege. Bitte tun Sie Ihre Pflicht. Wir haben nichts zu verbergen und der Patrouille viel zu bieten. Aber Sie erreichen
nichts, wenn Sie Druck ausüben wollen.«

»Auf keinen Fall! Capt'n, wir wollen weg von hier! Ich habe genug von diesem Unsinn!« Und ich rief: »Gay, Sagan!«

Mars-null stand steuerbord voraus. Das tote Gestein kam mir
ausgesprochen anheimelnd vor.

»Captain«, sagte Zebbie, »hast du dem Copiloten Anweisung
gegeben, die Ausführung anzuordnen?«

»Belästige Deety nicht damit«, sagte ich. »Ich habe ohne Erlaubnis gehandelt. Einzig und allein meine Entscheidung.«

Zebbie runzelte bedrückt die Stirn. »Sharpie, ich dachte, du
wolltest unsere bravste Schülerin sein, während Deety ihren
Captain absolviert. Warum?«

»Zebbie, ihr könnt problemlos dorthin zurückrotieren. Aber
vorher möchte ich irgendwo abgesetzt werden. Am Imperial
House. Oder auf Minus-J. Irgendwo.«

»*Warum,* Hilda?« wollte mein Mann wissen.

»Jacob, darf ich dir einen netten Zwilnik von nebenan vorstellen? Commander Ted Smith von der Galaktischen Patrouille. Sicher ein anständiger Offizier, da Dr. E. E. Smith stets dafür gesorgt hat, daß grundsätzlich keine unwürdige Person die Linse
bekommt — und dieser Bursche rückte uns unangenehm dicht
auf den Leib. Deshalb habe ich den armen Mann so abgekanzelt.«

»Aber Tante Hilda, Doc Smiths Welt entspricht doch genau
dem, was wir gesucht haben!« rief Deety.

»Vielleicht gehen wir ja auch dorthin zurück. Aber erst, wenn
es mir gelungen ist, zwei Pfund Extrakt der Cannabis Magnifica
loszuwerden. Dr. Wheatstone hat mir gesagt, das Mittel, das die
Basis für zahlreiche Rauschgifte bildet, sei bei der Therapie von
unvorstellbarem Wert. Ich hatte aber das Gefühl, daß Commander Smith daran Anstoß nehmen und nicht nur das Rauschgift
beschlagnahmen würde, sondern auch das Kluge Mädchen, wäh-

rend wir ins Gefängnis gesteckt worden wären. Aber das ist noch nicht alles, Zebbie. Dr. Smith hat eines der aufregendsten Universen geschaffen, die ich kenne. Aber als Lektüre, nicht als Lebensraum. Mit dem endlosen Boskonischen Krieg — der sicher noch im Gange war, denn die Linsenträger suchten nach Zwilniks. Da muß man schon so schlau sein wie Kimball Kinnison, um am Leben zu bleiben — und selbst der kriegt von Zeit zu Zeit eins drauf. Deety und ich brauchen gute Geburtshelfer, die es dort sicher gibt. Aber wir haben noch Zeit. Dazu müssen wir uns nicht absichtlich in einem Kriegsgebiet niederlassen.«

Deety zögerte nicht. »Ich stimme mit Tante Hilda überein. Wenn wir dorthin zurückkehren, dann nicht, solange ich Captain bin. Hillbilly, du hast nicht gegen meinen Befehl gehandelt, sondern in einer Notlage klaren Kopf bewahrt.« Ich nahm an, Deety würde mich jetzt fragen, wie und wann ich an den Extrakt der Cannabis Magnifica herangekommen war — aber sie verzichtete darauf.

»Jake«, sagte Zebbie, »wir sind überstimmt. Wohin jetzt, Captain? Erde-*Teh*-eins-plus?«

»Als erstes sollten wir uns einen Platz zum Übernachten suchen — und für unsere nächste Wahl.«

»Aber Deety, du bist doch noch keine zwölf Stunden im Amt!«

»Wenn wir morgen starten, werden es etwa vierundzwanzig sein. Ich werde euch nicht bitten, Nominierungen auszusprechen. Wir sind alle an der Reihe gewesen; unsere Wahl gilt jetzt dem, der Captain *bleiben* soll.«

Ich rechnete damit, daß die Wahl auf Zebbie fallen würde. Aber drei Stimmen fielen auf mich und nur eine auf Zebbie — mein Stimmzettel.

Von diesem Ausgang schien nur ich überrascht zu sein. Zebbie sagte zu Deety: »Am besten läßt du dich gleich ablösen. Nur noch amtierender Captain zu sein, ist nicht gut für Captain und Mannschaft — es demoralisiert.«

»Tante Hilda, möchtest du mich gleich ablösen?«

Ich überlegte eine halbe Sekunde lang. »Ich löse dich hiermit ab, Deety.«

»Gut! Ich glaube, jetzt schlafe ich erst mal ein bißchen.«

»Ich glaube vielmehr, du übernimmst die Nonien. Zebbie und Jacob behalten die Aufgaben, die sie bisher schon wahrgenommen haben. Vorbereiten zum Sprung. Copilot, Einstellung auf Oz. Wenn du nicht weißt, wie das geht, fragst du deinen Vater.«

»Die Nonien auf *Oz* stellen?«

Ich atmete tief ein. »Ehe irgend jemand nach dem Grund fragt, hier meine Antwort: Mund halten und Befehle ausführen! Ehe wir uns mit der *Teh*-Achse beschäftigen, möchte ich noch einige Fragen klären. Wir haben mit Glinda über unser Problem gesprochen. Nicht aber mit den anderen. Ich meine Ozma und Professor Woggelbug und den Kleinen Zauberer und möglicherweise auch einige andere. Liebe Familie — Zauberer, die in einem Ford zwei Badezimmer unterbringen, ohne daß man es von außen sieht, können uns auch bei der Suche nach unserem Ungeziefer helfen, *wenn wir die richtigen Fragen stellen.* Deety, hast du Probleme, die Einstellung für Oz zu finden?«

»Captain, warum sollte ich die Nonien benutzen? Gay hat unsere Landestelle in den Dauerspeichern. Codewort: ›Glinda.‹«

Wenige Sekunden später rief Gay: »Hallo, Tick-Tack!«

»Will-kom-men, Miß Gay Täuscher. Glin-da hat mir ge-sagt, daß Sie nur für ein paar Mi-nu-ten fort sein wür-den, al-so ha-be ich auf Sie ge-war-tet. Es freut mich doch sehr, Sie wie-der-zu-se-hen.«

XXXVII

Zeb:

»Fertig machen zum Manöver«, befahl ich — von Captain Sharpie beauftragt. »Hallo, Gay.«

»Hallo, Zeb. Sieht aus, als hättest du einen Kater.«

»Habe ich auch. Gay, heim!«

Über Arizona hing keine Wolke. »Krater bestätigt, Captain Hilda.«

»*Teh*-Achse eins, plus, plangemäß eingestellt, Captain«, meldete Deety.

»Ausführung!«

»Kein Krater, Capt'n Tantchen. Kein Haus. Nur Berge.« Deety fügte hinzu: »*Teh* eins, minus — eingestellt.«

»Roger, Deety. Routineüberprüfung, Captain?«

»Stimmeingabe, Kurzprogramm.« (Ich glaube, hier liegt der Grund für Sharpies Wahl zum ständigen Kommandanten — bei ihr gibt es kein Zögern.)

»Gay Täuscher. Kleine Besichtigungsreise. Fünf Kilometer Höhe über Grund.«

»Gegend beäugen aus fünftausend Metern. Ab dafür!«

»Deety, behalte den Daumen auf dem Kopf. Gay — Miami Beach.«

Unter uns lag eine vertraute Stadt, die sich als langer Streifen an der Küste hinzog. »Captain, was siehst du?«

»Zebbie, achte auf die belebten Straßen. Ein Sonnentag. Die Strände aber sind leer. Warum?«

»Captain, Objekt sechs Uhr unten!« brüllte Jake.

»Gay, *Zoom!*«

Erde-*Teh*-eins-plus schwamm freundlich-riesig unter uns. Ein Hurrikan näherte sich der texanischen Küste. »Möchtest du noch mehr sehen, Captain?« fragte ich.

»Zebadiah, wie können wir *mehr* sehen, wenn wir noch gar nichts gesehen haben?«

»Aber Capt'n Sharpie hat etwas gesehen, Deety. Leute, ich bringe keine Begeisterung auf für eine Welt, in der ohne Anruf geschossen wird. Jake, dein Objekt *war* doch deine Rakete, oder?«

»Ich glaube schon, Zeb. Kollisionskurs mit Ableitung aus Doppler, daß die Geschwindigkeit über tausend Knoten betrug, ansteigend.«

»Dann war's eine Rakete. Captain, die Leute hier sind mir ein bißchen fix am Abzug.«

»Zebbie, leere Strände beunruhigen mich noch mehr. Ich kann mir mehrere Gründe vorstellen, warum sich an einem schönen Tag niemand dort sehen läßt — und alle sind sehr unangenehm.«

»Möchtest du dir San Diego oder Long Beach ansehen? Ich kann unseren Sicherheitsfaktor erhöhen, indem ich Höhe über Grund höher ansetze.«

»Nein, wir haben allein auf dieser Achse über vierzigtausend Analogien zur Erde; wir halten uns an unsere Regeln. Wir sehen uns jede Welt eben lange genug an, um einen Haken zu finden — ›Schwarze Hüte‹, Krieg, ungenügende Technologie, fehlende menschliche Bevölkerung, schlechtes Klima, Überbevölkerung, oder Faktor X. Wenn wir unseren neuen Fuchsbau in den nächsten vier Monaten nicht finden, überlegen wir, ob wir auf Dr. Smiths Welt zurückkehren.«

»Hillbilly, wenn wir dort auf die Geburt unserer Kinder warten und dann ausharren müssen bis sie groß genug sind zum Reisen, werden wir den Fuchsbau wohl *niemals* finden.«

»Ich habe gesagt, wir würden es uns überlegen. Vielleicht finden wir einen Ort, an dem wir etwa fünf Monate lang unterkommen können, um dann für die Große Premiere in der Zentrale der Galaktischen Patrouille zu erscheinen. Vielleicht auf einer leeren Welt — keine Menschen, doch ansonsten sehr angenehm. Nahrung ist inzwischen kein Problem mehr, und Wasser bekommen wir von Oz. Uns würde dann lediglich das Fernsehen fehlen . . .«

»Das ist kein Mangel!«

»Deety, ich dachte, dir hätte ›Raumschiff Enterprise‹ gefallen?«

»Aber Tantchen Captain, wir haben doch hier unsere eigene ›Enterprise‹!«

»Hmm — Deety, wir beide müssen auf jeden Fall ein wenig an uns denken. Ich werde mich ganz nach den alten Regeln richten. Du bist jung und gesund und dafür gebaut. Aber ich bin über vierzig und werde mich *sehr* gut auf die Geburt meines ersten Kindes vorbereiten — Turnübungen, Diät, viel Ruhe, einfach alles.«

»Ich kapituliere. Machen wir weiter, Capt'n Hillbilly.«

»Übernimm, Zebbie.«

»Copilot. Ausführung!«

Erde-*Teh*-eins-minus ersetzte *Teh*-eins-plus. »Jacob, das sieht nicht gut aus. Astronavigator, ich möchte in hundert Kilometern Höhe über . . . ja, über dem Mississippi-Tal in der Gegend St. Louis stehen. Gib Deety eine Einstellung. Soll Jacob die Lage des Wagens ändern?«

»Ja bitte. Wenn Jake Gay auf dein Ziel richtet, brauche ich den Winkel nicht einzustellen.« Der Bug des Wagens senkte sich und kam wieder zur Ruhe.

»Wie ist das?«

»Gut, Jake. Deety, stell ›L‹-Achse plus Transition neunundneuzigtausend Kilometer.«

»Eingestellt, Zebadiah.«

»Ausführung!« In großer Höhe standen wir über Eisfeldern. »Näher heran, Capt'n?«

»Unnötig. Zebbie, das würde ich einen schlimmen Winter nennen.«

»Einen langen *Winter.* Eigentlich ist dort unten Sommer, glaube ich; die Erd-Analogien müßten genaugenommen auf ihrer Kreisbahn an gleicher Stelle stehen. Was meinst du wohl dazu, Jake?«

»Theoretisch schon. Aber wie auch immer: da unten herrscht eine Eiszeit. Deety hat *Teh*-zwei-plus eingestellt.«

»Auf einem Eisfeld können wir uns nicht niederlassen. Ausführung.«

»Zebbie, wie viele Eiszeiten haben wir bisher gehabt?«

»Fünf, glaube ich. Deety?«

»Fünf ist genau richtig, Zebadiah. Außerdem zwei Welten mit großen Kriegen, eine, von der aus wir beschossen wurden und eine, die so radioaktiv war, daß wir uns schleunigst wieder verzogen haben!«

»Eis kommt also ziemlich häufig vor.«

»Fünf zu vier — das hat noch keine statistische Bedeutung, Zebadiah. Zumindest hat Tante Hilda noch keinen ›Schwarzen Hut‹ ausgemacht.«

»Sharpie, wie gut ist deine Zauberbrille?«

»Zebbie, wenn ich diese Wesen gehen sehe, erkenne ich sie — egal, wie gut sie sonst herausgeputzt sind. In den Simulationen, die Glinda und der Zauberer durchgeführt haben, ist mir der komische Gang jedesmal aufgefallen, während Deety die Fourier-Analyse durchgeführt hat.«

»Du bist selbstbewußt, das genügt.«

»Zebbie, ich bin nicht hellsichtig; dazu reichte die Zeit nicht. Aber für diese eine Aufgabe — ich glaube, ich würde den Gang eines ›Schwarzen Huts‹ auch ohne Brille auf hundert Meter erkennen. Glinda hat mich sehr auf die ungeschickte Gehweise eingestimmt, mit oder ohne Schienen. Aber ich möchte etwas anderes zur Diskussion stellen. Nach Angabe der Geologen befanden wir uns zu Hause — ich meine die Erde, auf der wir geboren sind — in einer kurzen warmen Periode zwischen Eiszeiten.«

»Wenn die Geologen sich nicht irren«, sagte ich.

»Wenn es stimmt, müßten wir ziemlich oft auf Eiszeiten stoßen.«

»Wahrscheinlich. ›Wenn . . .‹«

»Ja, ›wenn . . .‹ Aber wir wissen jetzt, wie eine Eiszeit aussieht. Wenn wir alle — du, Jacob und Deety — eine Art Drill hinbekommen, können wir die Eiszeiten so schnell abhaken, wie wir sie vors Auge bekommen.«

»Wir versuchen schneller zu machen. Jake.«

»Zebadiah, *warte!*«

»Warum, Deety? Wir wollen eine neue Versetzung vornehmen.«

»Wir fangen das nicht richtig an. Paps, du hast mir gesagt, ich soll auf *Teh*-fünf-plus einstellen.«

»Jacob?« fragte Captain Sharpie.

»Stimmt genau, Captain.«

»Wo liegt dann das Problem, Deety?«

»Tante Hilda, ich habe eben gesagt, fünf-zu-vier hätte noch keine große statistische Bedeutung. Das stimmt. Aber bisher sind alle Eiszeiten in *Teh*-minus vorgekommen. Das mag Zufall sein, aber . . .«

». . . sieht aber nicht so aus. Du willst also, daß wir die *Teh*-Achse-plus zuerst erforschen? Okay, dagegen ist wohl nichts zu sagen. Astronavigator?«

»Nein, nein! Captain Tantchen, ich möchte mir gern genug von *Teh-minus* ansehen, um eine statistisch relevante Menge zu haben. Mindestens hundert.«

»Jacob?«

»Wenn wir uns nur in einer Pseudorichtung umsehen — beispielsweise *Teh*-minus —, würden wir vier- oder fünfmal schneller vorankommen, als wenn wir zwischen plus und minus hin und her hetzen. Deety kann die Einstellung mit einem Klickrasten vornehmen, Zeb kann ›Ausführung‹ brüllen, sobald die Umschau abgeschlossen ist.«

»Jacob, wir verschaffen Deety ihre statistische Menge. Aber noch schneller. Astronavigator, der Copilot soll auf *Teh*-sechsminus einstellen.«

»Äh . . . eingestellt, Captain.«

»Wenn Zebbie das Startzeichen gibt, werden Jacob und Deety die Welten vorbeischalten so schnell es geht, *ohne* auf Anordnung zu warten. Da wir lediglich nach Eiszeiten Ausschau halten, sehen wir in Sekundenbruchteilen klar. Entdeckt jemand eine warme Welt, brüllt er: ›Halt!‹ Deety, kann Gay die Zählung vornehmen?«

»Tut sie längst, Captain. Ich aber auch.«

»Okay. Ich werde meine Zauberbrille ein bißchen schlafen legen — wir achten im Moment auf nichts anderes als Gletscher gegen grüne Welten. Fragen?«

»Ich soll die *Teh*-minus-Achse so schnell abklappern, wie ich einstellen und versetzen kann. Stoppen, sobald jemand aufschreit. Aye, aye, Capt'n Hillbilly, Schatz!«

Sharpie nickte mir zu, und ich sagte: »*Ab!*«

HALT!« rief Deety.

»Jacob, ich habe noch nie so viel Eis gesehen! Deety, wie viele Martinis könnte man damit machen?«

»On the rocks oder lediglich gekühlt?«

»Egal; wir haben sowieso keinen Wermut mehr. Hast du die nötigen Werte beisammen?«

»Ja, Captain. Hundert Eiszeiten, keine warmen Welten. Ich bin zufrieden.«

»Ich nicht. Zebbie, ich möchte Deetys Musters logarithmisch extrapolieren — auf Welt *Teh*-minus-eintausend, dann zehntausend, hunderttaausend — und so weiter. Jacob, wie lange würde das dauern?«

Jake machte ein besorgtes Gesicht. »Hilda, meine Skalen lassen sich bei der Versetzung bis zum Nonius-Wert fünf einstellen, das sind hunderttausend. Die letzte Versetzung aber würde uns mehr als zweimal um einen Super-Hyer-Kreis führen. Glaube ich.«

»Bitte erkläre uns das.«

»Ich möchte nicht, daß wir uns verirren. Meine Gleichungen scheinen eine ausreichende Beschreibung des sechsdimensionalen Raums positiver Krümmung darzustellen; sie haben funktioniert. Bis jetzt jedenfalls. Aber die euklidische Geometrie und die Newtonschen Gesetze der Mechanik haben ebenfalls funktioniert, solange unsere Rasse auf Erde-null blieb und nicht mit Geschwindigkeiten herumexperimentierte, die sich der Lichtgeschwindigkeit annäherten. Damals waren die Annäherungswerte nicht genau genug. Ich *weiß* eben nicht, ob das allumfassende Plenum mit lediglich sechs Raum-Zeit-Koordinaten erklärt werden kann. Vielleicht sind dazu mehr als sechs erforderlich — möglicherweise *viel* mehr als sechs. Die Mathematik läßt sich für eine Voraussage erst verwenden, *nachdem* sie gegen die reale Welt auf die Probe gestellt worden ist.«

»Jacob, was ist die ›reale Welt‹?«

»Autsch! Hilda, ich weiß es nicht. Allerdings weiß ich, daß ich Angst habe, mich zu viele Quanta von unserer Welt zu entfernen — damit meine ich die Welt-null, auf der wir geboren worden sind — aus Sorge, daß wir uns verirren könnten. Ich *glaube,* die von dir vorgeschlagene Extrapolation würde uns mehr als zweimal um einen Super-Hyper-Kreis führen zur . . . welche Welt wäre das, Deety?«

»Welt sechstausendsechshundertachtundachtzig auf der *Teh*-Achse minus, Paps. Es sei denn, die Sache läuft aus dem Winkel. Im Grunde habe ich keine Ahnung.«

»Vielen Dank, Deety. Captain, *wenn* wir dort wirklich eintreten, könnten wir mit einer einzigen Einstellung auf Erde-null zurückkehren. ›*Wenn* . . .‹ Anstelle eines rekursiven Super-Hyper-

Kreises folgen wir vielleicht einer Spirallinie oder einer anderen Kurve durch Dimensionen, von denen wir keine Ahnung haben.«

»Paps, du hast nur wiederholt, was ich eben schon gesagt habe, wenn auch komplizierter.«

»Rang geht eben vor Schönheit, meine Liebe. Du darfst als Nebenautor auf der Monographie erscheinen, die du schreiben wirst und für die ich meinen Namen hergebe.«

»Paps, du bist ja so gütig! Würde unser Kluges Mädchen uns nicht einfach über G-A-Y-H-E-I-M an den Ausgangspunkt zurückschaffen?«

»Diese Programme lenken eine Maschine, in die nur sechs Dimensionen eingebaut wurden. Vielleicht würde sie es tun — aber zu unserem Heimatuniversum, so weit von Erde-null entfernt, daß wir hoffnungslos desorientiert wären. Wenn Zeb und ich Junggesellen wären, würde ich sagen: ›Ab durch die Mitte!‹ Aber wir sind nun mal Familienväter.«

»Deety, stell die nächste ein. *Teh*-fünf-plus, nicht wahr?«

»Richtig, Zebadiah. Aber Captain Tantchen, ich möchte sie machen! Die lange Reise!«

»Ich auch«, sagte Captain Sharpie.

Ich sagte mit erschöpfter Stimme: »Die Kinder in eurem Leib gehören uns ebenso wie euch — und Jake und ich gehen keine unnötigen Risiken ein. Captain Sharpie, wenn dir das nicht paßt, kannst du dir einen anderen Astronavigator und einen anderen Ersten Piloten suchen.«

»Also eine Meuterei. Deety, machen wir auf ›Lysistrata‹?«

»Äh . . . könnten wir uns nicht irgendwie in der Mitte einigen?«

»Scheint mir ein hübsches Plätzchen für unsere Mittagspause zu sein. Sharpie, sollen wir nach ›Schwarzen Hüten‹ Ausschau halten?«

»Geht weiter runter, bitte. Wie wär's mit zweitausend Kilometer über Grund?«

»Gehen fünf auch?«

»Angsthase! Ja, wenn du uns von Jacob vorher um die Nachtseite herumfliegen läßt, damit wir beleuchtete Städte suchen können.«

»Gib ihr, was sie haben will, Jake, durch Transitionen; eine Kreisbahn dauert zu lange.«

Städte waren nicht auszumachen, und auch die Tagseite erbrachte keine Spuren städtischer Besiedlung. Jake landete also zum Mittagessen auf einem einsamen Atoll, nachdem sich Hilda vergewissert hatte, daß es dort außer Palmen nichts gab. Deety zog sich aus und begann mit ihren Turnübungen.

Hilda schloß sich an; Jake und ich machten uns an die Zubereitung der Mahlzeit, nachdem wir uns vorher in das passende Hauskostüm geworfen hatten. Die einzige kleine Unstimmigkeit ergab sich aus meinem Widerstand gegen Deetys Wunsch, in der Lagune schwimmen zu gehen. Hilda unterstützte mich: »Deety, das ist kein Swimmingpool. Was sich darin herumtreibt, kann sich wehren — sonst wäre es nicht mehr am Leben. Das erste Gesetz der Biologie ist: fressen oder gefressen werden. Und was ein Wesen in dieser Lage schützt, ist, klüger und vorsichtiger zu sein als andere. Vielleicht ist hier vor Jahren ein Hai über das Riff geschwemmt worden und hat nun alle Fische aufgefressen — das wäre doch höchst entzückt, dich zum Mittagessen vorgesetzt zu bekommen.«

»Brrr!«

»Deety, du wärst ein Leckerbissen«, beruhigte ich sie. Hilda beachtete mich nicht und fuhr fort: »Aber selbst Korallen können gefährlich sein.«

XXXVIII

Jacob:
Teh-Achse positiv erforderte mehr Zeit als *Teh*-negativ, weil ihre Anlogien unserem Heimatplaneten sehr ähnlich waren. Je mehr eine Entsprechung an Erde-null herankam, je mehr Zeit brauchten wir, um darüber zu entscheiden.

Ein unbewohnter Planet ließ sich in zehn Minuten aus dem Rennen werfen, und einer, der dicht bevölkert war, in etwa derselben Zeit. Ein Planet, dessen materielle Kultur auf einer zu niedrigen Stufe stand, setzte kaum mehr Zeit voraus — eine Kultur, die von Tieren gezogene Wagen und Segelschiffe als Haupttransportmittel einsetzte, konnte nach unserem Verständnis auch keine fortschrittliche Medizin kennen. Die meisten Analogien jedoch dauerten länger.

Nach Ablauf einer Woche hatten wir siebenundneunzig Planeten angesehen und abgelehnt — womit uns noch über vierzigtausend bevorstanden!

An diesem Abend brachte meine Tochter ihre Gefühle zum

Ausdruck; wir waren auf die ›Picknick-Insel‹ zurückgekehrt, unser Privatatoll. »Wir packen das nicht richtig an«, sagte sie.

»Inwiefern, Deety?«

»Siebenundneunzig die Woche und noch gut vierzigtausend auf der Liste. Bei diesem Tempo brauchen wir acht Jahre.«

Ihr Mann sagte: »Deety, wir werden aber von Mal zu Mal schneller.«

Mein Schatz warf ein: »Astronavigator, weißt du mehr über mathematische Berechnungen als der Copilot?« Zeb zog sich zurück. Wir hatten lernen müssen, daß Hilda uns als Captain gegenübertrat, wenn sie unsere Titel benutzte. Ich schmeichle mir, dies ziemlich schnell begriffen zu haben, während Zeb seine Zeit gebraucht hatte. »Weiter, Deety.«

»Wenn wir die Welten nach dieser Methode überprüfen, bessert sich nichts; es wird allenfalls schlimmer. Hier ist das Ergebnis der ersten Woche.« Sie reichte ihre Auflistung herum:

Überprüfte Erde-Analogien	97
Durchschnittszeit pro Planet	34 Min 38,5 Sek
Maximalzeit	2 Tage 2 Stunden 52 Min
Minimumzeit	13 Sekunden
Medianzeit	12 Min 07 Sek

Ich sah mir diese Zahlen an. »Diese Durchschnittszeit bekommen wir aber herunter, Deety. Mehr als zwei Tage waren bei Anlogon Nummer sechsundzwanzig *viel* zuviel.«

»Nein, Paps, wir hätten uns auf Sechsundzwanzig noch mehr Zeit nehmen sollen. In die Klemme bringen uns die dreizehn Sekunden.«

»Tochter, das ist unerh . . .«

»Erster Pilot.«

»Ja, meine Liebe?«

»Bitte laß den Copiloten mit der Erklärung mir gegenüber fortfahren — ohne Unterbrechung.« Ich verließ also das Schlachtfeld — ärgerlich, aber entschlossen, abzuwarten, bis man ohne meinen Rat nicht weiterkam — wozu es bald kommen mußte, davon war ich überzeugt. »Tante Hilda, wenn wir jedem Analogon dreizehn Sekunden widmen, würde uns das Ganze achtzehneinhalb Tage kosten . . . und wir wüßten überhaupt nichts. Die Minimumzeit muß noch weiter reduziert werden, erheblich sogar, reine Routine — und trotzdem müssen wir etwas erfahren. Ich wünschte, Gay könnte reden.«

»Aber das kann sie doch, meine Liebe. Wir können in zwei Minuten in Oz sein. Das schmutzige Geschirr muß eben warten.«

Meine Tochter sah sich überrascht um. »Eins runter wegen Dummheit!«

»Aber wir springen erst morgen nach Oz. Zuerst müssen wir das Problem knacken — und ich brauche eine lange warme Nacht mit Jacob, um die Batterien wieder aufzuladen.« Hilda ergriff meine Hand. Dann fuhr sie fort: »Deety, weißt du noch, wie schnell wir Mars-*Tau*-zehn-positiv abgeklärt hatten, nachdem wir Gay auf das Problem losließen? Gibt es keine Möglichkeit, einen Aktionsbereich zu definieren und Bingoregeln einzurichten — und sie dann machen zu lassen?«

Wir diskutierten darüber, bis es Zeit war zum Schlafengehen. Ich begrenzte den Aktionsbereich, indem ich mich dagegen aussprach, über Erde-Analogon-*Teh*-positiv-fünftausend hinauszugehen, ehe wir nicht ganz bestimmt wußten, daß es in den ersten fünftausend *kein* zufriedenstellendes Analogon gab. »Liebe Familie«, sagte ich, »ihr könnt mich feige nennen, um Zebs Lieblingsausdruck zu verwenden. Ich weiß im Grunde so wenig über diesen Apparat, den ich da erfunden habe, daß ich in der ständigen Angst lebe, mich zu verirren. Alle Rotationen haben genau neunzig Grad betragen. Der Theorie nach könnte ich ein Winkelquantum definieren, und jedes dieser Quanta müßte eine weitere Gruppe Universen zugänglich machen bis hinauf zur Zahl des Tiers. Praktisch gesehen kann ich Kontrollen dieser Qualität nicht fertigen. Selbst wenn ich es könnte, wäre mir angst und bange, unser Leben mit einem Gerät aufs Spiel zu setzen, das Winkelquanta messen müßte.

Ich habe aber noch einen anderen Einwand — ein Gefühl tief drinnen, daß Welten, die zu weit entfernt auf der *Teh*-Achse sitzen, zu fremd sein werden. Sprache, Kultur, vielleicht sogar die vorherrschende Rasse — ich muß gestehen, daß ich für die Menschen eingenommen bin, einschließlich der menschlichen Körpergerüche, Schuppen und sonstigen Mängel. Supermenschen oder Engel würden mir mehr zu schaffen machen als unser Ungeziefer. Was wir mit einem ›Schwarzen Hut‹ machen müssen, ist klar — ihn *töten!* Aber ein Supermann würde mir derartige Minderwertigkeitskomplexe verursachen, daß ich gar nicht weiterleben wollte.«

Deety klatschte in die Hände. »So ist's recht, Paps! Keine Sorge; der Supermann, der dir Kummer macht, ist noch nicht geboren.« Ich *glaube,* sie meinte das als Kompliment.

Wir legten schließlich nur drei Parameter fest: das Klima mußte warm genug sein, um Nacktheit möglich zu machen; die Bevölkerungsdichte mußte ziemlich niedrig sein; die Technologie dafür um so entwickelter. Der erste Parameter war ein Schutz vor Ungeziefer; um sich zu verkleiden, benötigten sie einen starken Trend gegen die Nacktheit. Die letzte Voraussetzung sollte die Wahrscheinlichkeit erhöhen, daß wir erfahrene Geburtshelfer finden würden. Was die Bevölkerung anging, so ließ sich *jeder* wichtige Mangel unseres Heimatplaneten auf eine Ursache zurückführen: zu viele Menschen, nicht genug Planet.

Hilda beschloß, darüber hinaus einen einheitlichen Standard einzuführen: Eine Position, eine Höhe über Grund. Unsere Position lag (nach Erde-null-Begriffen) über Long Beach, Kalifornien, ein Kilometer Höhe über Grund über dem Strand — gefährlich niedrig, sah man einmal von dem Umstand ab, daß sich Gay Täuscher in keinem Universum länger als eine Sekunde aufhalten würde. Jede lichtschnelle Waffe kann natürlich in weniger als einer Sekunde ihr Zerstörungswerk tun, doch können die Mensch-mit-Maschine-Bedienungen in dieser Zeit ein Ziel als Freund-oder-Feind ausmachen, darauf zielen und auch feuern? Wir nahmen es nicht an. Und hofften auf das Beste.

Die Entsprechungen von Long Beach müßten Hochsommer haben und heiß, trocken und wolkenlos erscheinen. Wenn der Strand gut besucht, aber nicht überfüllt war, wenn die Menschen nackt waren, wenn das Gebiet, das an den Strand anschloß, dem äußeren Anschein nach einen hohen technologischen Standard verhieß, dann verdiente diese Welt eine genauere Überprüfung.

Doch am nächsten Morgen wurden diese Pläne ziemlich abgeändert: wir verbrachten vierzig Minuten auf Oz.

Tick-Tack wartete wie üblich auf seine Freundin, hielt aber höflich den Mund, während Deety sich mit Gay unterhielt — ebenso schwiegen Zeb und ich, nicht, weil wir so gut erzogen waren wie Tick-Tack, sondern weil Captain Hilda sich entsprechend geäußert hatte. Gay begriff die Celsiusskala, das heißt, sie kannte die Temperaturen, bei denen Wasser gefriert und kocht, und hatte keine Mühe, die dazwischenliegende Spanne in hundert Einheiten zu unterteilen. Sie hatte genügend Teile in sich, die weder zu kalt noch zu heiß werden durften, daß eine Überwachung ihrer atmosphärischen wie strahlenden Umgebung so automatisch erfolgte, wie ich beispielsweise atmete. Was Funk und Fernsehen anging (beides Kennzeichen für die technische Entwicklungsstufe), so vermochte sie den gesamten infraroten Bereich aufzunehmen (wie sie es in Windsor City getan hatte). Die Menschenmassen am Strand? Würde es genügen, auf einer Probefläche von hundert Quadratmetern die Körper auszuzählen?

Aber Gay hatte einen legitimen und recht *un*menschlichen Einwand: »Deety, warum muß ich mich tausend Millisekunden aufhalten, wenn ich das Ganze in zehn erledigen kann? Vertraust du mir nicht?«

So dauerte der erste Durchlauf nicht siebenundfünfzig Jahre oder acht Jahre und auch nicht achtzehneinhalb Tage und ebensowenig 11,4 Stunden — eine Minute, nachdem wir Oz verlassen hatten, war Gay fertig: 5000 Universen in fünfzig Sekunden. Gay Täuscher gab die Ergebnisse auf den Mittelschirm: drei Kurven, die Temperatur, Anzahl der Menschen, und Dichte der Strahlung in den Kommunikationsfrequenzen wiedergaben — eine Abszisse für alle drei lief von Erde-null bis Erde-Analogon-5000-*Teh*-plus.

Diese Kurven brachten sofort eine Erkenntnis: Wir brauchten über 800 nicht hinaus zu suchen; die Eiszeit war zurückgekehrt.

Rechts unten stand die Zahl 87. Zeb erkundigte sich nach dem Grund. »Das sind Nullen«, sagte Dety. »Gay konnte dort keine Werte ermitteln. Vielleicht Stürme, Erdbeben, Kriege oder sonstige Gründe. Gay Täuscher.«

»Hallo, Deety. Wir haben's durchgezogen!«

»Und ob, Kluges Mädchen; Tick-Tack wird stolz auf dich sein. Bitte Skala verändern. Darstellung null bis achthundert einschließlich.«

Als sich die Skala erweiterte, wechselte 87 auf 23. »Deety«, sagte Zeb, »ich würde über die dreiundzwanzig gern mehr wissen. Läßt du sie durch G. T. bitte näher darstellen?«

»Gewiß, Zebadiah, aber darf ich mich an die vorgesehene Reihenfolge halten?«

»Natürlich, aber laß mich doch zuerst feststellen . . .«

»Astronavigator«, fragte Sharpie leise, aber bestimmt, »bist du heute nicht als Chefkoch zuständig?«

Wir waren auf der Picknick-Insel, und ich mußte ein Lächeln unterdrücken; Zeb ›schlich‹ sich geradezu aus der Kabine. Später überraschte es mich nicht zu sehen, wie mein Liebling Zeb ungewöhnlich freundlich umarmte und küßte. Unser Captain versteht sich darauf, mit Zuckerbrot und Peitsche zu arbeiten.

Deety wies Gay an, alle Welten auszuschalten, deren ermittelte Körperdichte höher lag als die vom Strand Erde-null, außerdem alle Welten, die um fünf Grad kälter waren (meine Tochter ließ sich etwas Luft, um Irrtümer aufgrund untypischer Wetterverhältnisse zu vermeiden).

Nachdem Überbevölkerung, kaltes Klima und niedrige Technologie (angezeigt durch kaum oder nicht vorhandene Strahlung auf den Kommunikationsfrequenzen) ausgeschieden waren, hatten wir noch sechsundsiebzig Welten — plus dreiundzwanzig Nullwelten —, die wir uns näher ansehen mußten. Über viertausend Welten waren also aus dem Rennen ausgeschieden — und bis zum Essen waren es immer noch zwei Stunden!

Nun ließ sich Deety die Temperaturen der sechsundsiebzig Welten angeben. Die Kurve verlief nicht mehr durchgehend, sondern war eine Kette von erleuchteten Punkten, die sich stellenweise zusammendrängten. »Hilda«, sagte ich, »ich wette zehn Rückenmassagen, daß mindestens die Hälfte der Nullplaneten in die Lücke dort paßt.« Und ich deutete auf eine kleine Unterbrechung am Höhepunkt der Temperaturkurve.

Hilda zögerte. »Ich wüßte nicht, wieso.«

»Meine Liebe, Zahlen bedeuten mir wenig, bis sie geometrisch dargestellt werden. Kurven sind ausgesprochen formativ. Ich bin meiner Sache sicher.«

Noch am gleichen Tag reduzierten wir die Liste auf sechs Welten, alle warm, alle frei von körperlichen Tabus und von hohem technologischem Standard und alle mit einer Art Englisch als Hauptsprache auf dem nordamerikanischen Kontinent. Es war Zeit, durch Überprüfung am Boden die endgültige Wahl zu treffen.

Wir sprachen ausführlich darüber, wie der erste Kontakt ablaufen sollte. Hilda beendete die Auseinandersetzung, indem sie sagte: »Es gibt nur zwei Möglichkeiten. Entweder landen wir auf dem Rasen vor dem Weißen Haus und sagen: ›Bringt uns zu eurem Anführer!‹ Die andere besteht darin, uns so hinterlistig anzustellen wie ein ›Schwarzer Hut‹, der als Mensch durchgehen will. Gebt mir Bescheid, wenn ihr euch geeinigt habt.« Und sie verschwand hinter dem Schott und verriegelte die Tür.

Eine Stunde später klopfte ich gegen die Trennwand, und sie kehrte in die Gruppe zurück. »Captain, wir haben uns geeinigt. Wir alle fürchten die offene Annäherung; die Behörden könnten unseren Wagen beschlagnahmen und uns ins Gefängnis werfen.«

»Ja«, sagte sie. »Dem sind wir zweimal knapp entgangen.«

»Genau. Der Ausdruck ›heimtückisch wie ein ›Schwarzer Hut‹ ist unschön . . .«

»Absichtlich.«

Ich fuhr entschlossen fort: ». . . aber Heimlichtuerei ist an sich nichts Unmoralisches. Bei einer Katzenausstellung ist eine Maus gut beraten, sich zurückzuhalten; und genau das werden wir tun. Wir wollen ja nur Informationen sammeln. Ich bin ersetzbar; deshalb werde ich mich unten umsehen.«

»Einen Augenblick. Ist die Entscheidung einstimmig gefallen? Deety? Zebby?«

»Nein«, antwortete meine Tochter. »Ich habe nicht mitstimmen dürfen. Wir beide sind von allen Risiken ausgeschlossen worden. Weil wir schwanger sind, du weißt schon.«

»›Schwanger‹ — natürlich weiß ich das. Jacob, ich habe um eine Einigung hinsichtlich der *Methode* gebeten. Es freut mich, daß eure Schlußfolgerungen dem entsprechen, was ich ohnehin anordnen wollte. Um Freiwillige habe ich allerdings nicht gebeten. Den Kundschafter, den ich für geeignet halte, habe ich bereits ausgesucht.«

»Meine Liebe«, sagte ich, »hoffentlich hast du mich ausgewählt.«

»Nein, Jacob.«

»Dann muß ich los«, sagte Zebbie.

»Nein, Zebbie. Es geht um Spionage, nicht ums Kämpfen. Ich gehe selbst.«

»Hilda!« unterbrach ich sie, »wohin du gehst, gehe auch ich! Das ist mein letztes Wort!«

Unser Captain sagte leise:

»Lieber Mann, ich hoffe, daß es dabei nicht bleibt. Denn sollte das so sein, wählen wir auf der Stelle einen neuen Captain. Und dazu wärst du mein Kandidat.«

»Meine Liebe, ich wollte doch nur . . .«

». . . du wolltest mich beschützen. Trotzdem bist du mein Kandidat als Captain. Deety ist zu kühn, Zebbie zu vorsichtig. Ich werde alle Aufgaben erledigen, die du mir überträgst, einschließlich des Gebrauchs der Zauberbrille, mit der wir unser Ungeziefer aufspüren können. Bleibst du bei deinem Ultimatum?«

»Äh . . . ja.«

»Obwohl deine Sturheit meinen Tod zur Folge haben könnte? Ich liebe dich, mein Lieber, nehme dich aber auf keinen Fall auf eine Spionagemission mit; du würdest mich nur in Gefahr bringen. Was ist denn aus unserem Teamgeist geworden — ›Alle für einen, und einer für alle‹?«

»Äh . . .«

»Captain!«

»Ja, Zebbie?«

»Du hast uns bewiesen, daß du mit deinem Mann hart umspringen kannst. Aber kannst du dir mit derselben Härte begegnen? Schau mir ins Auge und versichere mir, daß du über Geheimdienstarbeit mehr weißt als ich. Oder daß du dich besser als ich kämpfend aus einer Klemme befreien kannst!«

»Zebbie, es handelt sich nicht um *Militär*spionage. Schau *du mir* in die Augen und sichere mir zu, daß du mehr über Geburtshelfer weißt als ich. Wie man sich verhält, wenn die Fruchtblase platzt und wann das eintritt? Definiere mir Eklampsie. Was machst du, wenn der Muttermund sich nicht richtig öffnet? Bei mir ist die Wahrscheinlichkeit, in die Klemme zu kommen, viel geringer als bei dir — und sollte es doch dazu kommen, umarme ich den Burschen und befeuchte ihn mit meinen Tränen. Aber — überzeuge mich, daß du über Geburtshilfe soviel weißt wie ich, dann überlege ich mir, ob ich dich statt meiner die Kontakte machen lasse. Bis dahin suchst du dir im mittleren Westen eine Stadt aus, groß genug, um ein ordentliches Krankenhaus zu haben, dito eine große Stadtbibliothek, und wählst eine Landestelle aus mit Rendezvous; während ich unterwegs bin, führst du das Kommando.«

»Hilda!« unterbrach ich sie. »Ich verbiete dir strengstens . . .!«

»Erster Pilot! Mund halten!« Meine Frau wandte das Gesicht ab. »Halt endlich den Mund! Besatzungsmitglieder haben ihrem Captain keine Befehle zu geben, und ich habe wirklich genug von deinen ewigen Störungen!«

Zwei Stunden später saß ich auf Zebs Sitz und kaute nervös an den Fingernägeln, während Zeb meinen Posten innehatte. Ich saß noch im Vorderschiff, weil ich mein uneingeschränktes Ehrenwort gegeben hatte — die Alternative wäre wohl ein Zwangsaufenthalt in der Achterkabine gewesen. Ich bin kein kompletter Narr und gab mein Wort.

Zeb hielt uns in der Wolkendecke, während meine Tochter über Kopfhörer mit Hilda in Verbindung blieb. Gays Kabinenlautsprecher war parallelgeschaltet, so daß wir das Wesentliche der Ereignisse am Boden mitbekommen konnten. Deety meldete: »Das Nachlassen der Lautstärke liegt daran, daß sie ein Gebäude betreten hat; ich habe ihre Schritte gehört. Zebadiah, wenn ich die Verstärkung verändere, verpasse ich sie vielleicht beim Rauskommen.«

»Nichts verändern. Abwarten.«

Ewigkeiten später hörten wir Hildas süße Stimme. »Ich bin unterwegs zum Abholpunkt. Ich brauche nicht mehr so zu tun, als wäre dies ein Hörgerät — alle haben es als solches akzeptiert. Ihr braucht euch beim Abholen nicht vorzusehen; wir verschwinden.«

Fünf Minuten später hatten wir Hilda an Bord, hüpften und versetzten sofort, dann hielt Zeb Gay in Position, während Hilda berichtete.

»Kein Problem. Die verblüffte französische Dame findet die Amerikaner ja sooo nett! Mais les arts medicals — zum Vergessen! Hohe Kindersterblichkeit, und die Zahl sieht noch schlimmer aus bei Geburten. Ich hätte schneller wieder zurück sein können, war aber irgendwie fasziniert.«

»Hilda«, sagte ich, »ich habe mich deinetwegen zu Tode geängstigt.«

»Jacob, ich mußte ganz sichergehen; ansonsten ist es eine ausgesprochen nette Welt. Andere Kontakte dürften nicht mehr so lange dauern, da ich das Geldproblem wohl gelöst habe.«

»Wie denn?« fragte Zebadiah. »Ich habe mir deswegen den Kopf zerbrochen. Die Chancen stehen mindestens fünfzig zu fünfzig, daß der Besitz von Gold durch Privatpersonen verboten ist. Der übliche Trick, sobald eine Regierung in der Klemme steckt.«

»Ja, Zebbie — dort war es auch illegal. Ich habe die Barren, die du mir mitgegeben hast, noch bei mir. Die hat niemand zu Gesicht bekommen. Statt dessen habe ich die schwere Goldkette verkauft, die ich bei mir hatte. Tut mir leid, Deety; es mußte sein.«

»Schon gut, Hillbilly. Die Kette war doch nur eine Geldanlage. Paps hat sie Mama Jane gekauft, ehe die Nullen abgestrichen und die Neudollars eingeführt wurden.«

»Nun ja . . . ich fand ein öffentliches Telefon, habe aber nicht versucht, es zu benutzen; Edison hätte es nicht wiedererkannt. Aber daneben lag ein Telefonbuch, und ich suchte ›Gold‹ heraus und fand ›lizensierte Goldhändler‹. Dort verkaufte ich deine Kette . . .«

»Und jetzt hast du haufenweise Geld am Hals, das nur da unten gilt.«

»Zebbie! Nun begreift auch der letzte, warum ich dich nicht allein dort hinabgeschickt habe. Der Händler war natürlich auch ein Münzenhändler — und ich erstand ausländische Silbermünzen, gebraucht, kleine, ältere Werte, die wiederum nicht so alt waren, daß sie Sammlerwert besaßen. Französische Münzen, davon hatte es aber nicht genug, also ergänzte ich sie durch belgische, Schweizer und deutsche Münzen.«

»Meine Liebe«, sagte ich, »die Münzen, die du *dort* gekauft hast, nützen dir *hier* überhaupt nichts. Oder auf dem nächsten Erde-Analogon. Oder dem übernächsten.«

»Jacob, wer weiß denn schon, wie ausländische Münzen aussehen — außer Numismatikern? Zumal, wenn die Werte ein paar Jahre alt sind und ein wenig abgegriffen? Ich habe natürlich nur echtes Silber genommen und keine von den Legierungen, die sich irgendwie nicht gut anhören, wenn man sie auf den Tisch wirft. Schlimmstenfalls wird ein Münzhändler seine Bank anrufen und sich den Umtauschkurs durchsagen lassen. So habe ich *das hier* gekauft«, verkündete meine Geliebte stolz und zog aus Deetys größter Tasche einen Weltalmanach.

Ich zeigte mich davon nicht begeistert. Wenn sie schon ein Buch kaufte, warum dann kein technisches Handbuch, dem Zeb und ich neue Erkenntnisse entnehmen konnten?

Aber mein Liebling sagte: »Wir müssen so ein Ding in jeder Analogwelt kaufen, auf der wir landen. Es kommt einer Enzyklopädie am nächsten und hat doch weniger als ein Kilo Masse. Geschichte, Gesetze, grundlegende Statistiken, Landkarten, neue Erfindungen, neue medizinische Erkenntnisse — ich hätte mir die Stadtbibliothek ersparen und das Erforderliche gleich aus diesem Buch erfahren können. Zebbie! Schau dir mal die Liste der US-Präsidenten an!«

»Wen interessiert das?« antwortete Zeb, kam aber der Aufforderung nach. »Wer war Eisenhower? Hier steht, er sei während einer von Harrimans Amtszeiten Präsident gewesen und während einer Pattons.«

»Weiter, Zebbie.«

»Okay . . . *Nein!* Das glaube ich einfach nicht. Uns Carters wird doch von kindauf beigebracht, gut zu schießen, einmal im Monat zu baden und niemals für ein politisches Amt zu kandidieren!«

Zwei Tage später fanden Hilda und Zeb, die als französisches Touristenehepaar auftraten, die Welt, auf der wir siedeln wollten.

Unser Eindringen ging unbemerkt vonstatten, dank der Rede-künste unserer ›verwirrten französischen Dame‹ und Zebs raffi-nierter Schurkereien. Zuweilen trat er als Mann unserer französi-schen Dame auf, bei anderen Gelegenheiten sprach er das Engli-sche langsam und mit starkem bayerischem Akzent.

In dieser Analogwelt waren die Vereinigten Staaten (die auch diesen Namen trugen, die allerdings andere Grenzen aufwiesen) nicht annähernd so eingedeckt mit Gesetzen, Vorschriften, Ein-schränkungen und Steuerforderungen wie unsere Heimat. Folg-lich hatten ›illegal eingedrungene Ausländer‹ keine Mühe, sich zu verstecken, sobald sie sich mit der Sprache auskannten und die örtlichen Sitten und Gebräuche begriffen hatten.

Hilda und Zeb verschafften sich diese Kenntnisse sehr schnell in einem Dutzend Städten des mittleren Westens, sie beide auf dem Boden, während Deety und ich als unsichtbare Wächter am Himmel über ihnen schwebten. Deety und ich nahmen unsere Lektionen folglich etwas langsamer auf — von den beiden und aus dem Radio. Aber auch wir lernten dazu. Dann flogen wir nach Nordwesten und waren nun ›Einheimische‹ aus dem Osten, und nahmen unser einziges Problem in Angriff: Gay Täuscher unsichtbar zu machen.

Hilda und Deety verbargen sie drei Tage lang in den Wasser-fällen, während Zeb und ich vor Analog-Tacoma ein Bauernhaus fanden und kauften. In der gleichen Nacht schafften wir Gay Täuscher in die dazugehörige Scheune, strichen die Fenster weiß und schliefen an Bord von Gay — und doch schon mit einem Ge-fühl, zu Hause zu sein!

Uns gehören sechs Hektar Land, und wir wohnen in dem Bauernhaus, das vor Gays Versteck steht. Mit der Zeit wird Gay natürlich unter der Erde verschwinden, geschützt durch armier-ten Beton; die Scheune wird zu einer Werkstatt umgebaut wer-den. Wir werden über dem Geheimbunker ein neues Haus er-richten. Bis dahin ist unser altes Haus ein gemütliches Heim.

Diese Vereinigten Staaten haben eine Bevölkerung von weni-ger als hundert Millionen und nehmen Einwanderer auf. Zeb spielte mit dem Gedanken, falsche Papiere zu kaufen, damit wir uns ›legal‹ ansiedeln konnten — doch Hilda entschied, es wäre einfacher, Gay zu benutzen. Das Ergebnis ist dasselbe: wir wer-den für den Staat niemals eine Last darstellen. Sobald wir unsere Werkstatt und das Elektroniklabor in Gang haben, werden Zeb und ich Hunderte von kleinen Geräten ›erfinden‹, die diesem Land noch fehlen.

Wir scheinen hier der wärmsten Zeit zwischen den Eisperioden nahe zu sein. Es wird Weizen angebaut in Gebieten, die in unserer Welt überfrorene Tundra waren; die Eiskappe über Grönland ist verschwunden; tiefere Gebiete unserer Heimat stehen unter Wasser, die Küsten haben einen weitgehend anderen Verlauf.

Klima und gesellschaftliche Übung fördern leichte Kleidung; die lächerliche Körperscheu unserer Zeit existiert nicht. Kleidung wird allenfalls als Schmuck oder zum Schutz getragen, niemals aus ›Scham‹. Nacktheit ist ein Symbol der Unschuld — diese Symbolik wird aus der gleichen Bibel hergeleitet, die in unserer Heimatkultur benutzt wird — mit der genau entgegengesetzten Schlußfolgerung.

Die gleiche Bibel — ich habe nachgeschaut. (Die Bibel ist eine so gewaltige Ansammlung sich widersprechender Werte, daß mit ihr jeder *alles* ›beweisen‹ kann.)

Es ist also keine Welt, auf der sich außerirdisches Ungeziefer verstecken könnte. Ein ›Mensch‹, der *zu allen Zeiten* Arme und Beine bedeckt hielte, würde hier so auffallen wie ein Ritter in voller Rüstung. Die ›Schwarzen Hüte‹ jedoch lieben das Unauffällige.

Die hier bestehenden Sekten sind vorwiegend christlich — und am Sonntagmorgen sieht man die Familien in ihren besten Feiertagskleidern zur Kirche strömen. Aber da die Nacktheit ein Symbol der Unschuld ist, zieht man sich in einem Vorraum aus, um den Tempel unbekleidet zu betreten. Man braucht nicht am Gottesdienst teilzunehmen, um das zu sehen; das Klima fördert eine leichte, luftige Bauweise, und die Gebäude bestehen vorwiegend nur aus Dächern und schmalen Stützen.

Die Bibel beeinflußt auch das Strafsystem, wieder durch eng ausgelegte Zitate: ›Auge um Auge, Zahn um Zahn . . .‹

Dies ergibt einen fließenden Strafkodex, dem es nicht um Rehabilitation geht, sondern um das Bestreben, die Strafe dem Verbrechen anzupassen. Vier Tage nach unserer Ansiedlung sah ich dafür ein Beispiel. Ich fuhr mit dem Dampfwagen auf der Landstraße nach Süden und kam nach einiger Zeit an eine Straßensperre. Ein Polizist teilte mir mit, daß ich einen Umweg fahren oder zwanzig Minuten warten könne; die Landstraße werde gebraucht, um einem unvorsichtigen Fahrer Ausgleich widerfahren zu lassen.

Ich beschloß anzuhalten und zu warten und schloß mich dann einer Zuschauergruppe an. Ein Mann war am Boden angepflockt, ein Bein rechtwinklig abgespreizt. Ein Polizeiwagen fuhr über das freigeräumte Straßenstück — und geradewegs über das Bein und noch einmal zurück.

Ein Krankenwagen wartete — doch genau abgepaßte siebzehn Minuten lang geschah nichts. Dann nahmen Ärzte an Ort und Stelle eine Amputation vor; der Krankenwagen brachte den Mann fort, und die Straßensperre wurde wieder aufgehoben.

Ich kehrte zu meinem Wagen zurück und mußte einige Minuten verweilen, bis meine Glieder nicht mehr bebten, dann kehrte ich vorsichtig fahrend nach Hause zurück, ohne zu erledigen, was ich ursprünglich vorgehabt hatte. Ich erzählte der Familie nichts von dem Zwischenfall, sondern sagte nur, ich fühlte mich nicht gut.

Aber später wurde im Radio davon berichtet, und die Abendzeitung brachte ein Bild davon — und so räumte ich ein, daß ich die Szene gesehen hatte. Die Zeitung teilte mit, daß die Versicherung des Übeltäters nicht ausgereicht hatte, um den Ausgleich, den das Gericht dem Opfer zuerkannt hatte, zu decken. So hatte der rücksichtslose Fahrer nicht nur das linke Bein verloren (wie sein Opfer), sondern verlor darüber hinaus auch noch den größten Teil seines weltlichen Besitzes.

Geschwindigkeitsbegrenzungen gibt es nicht, und die Verkehrsregeln haben nur Hinweischarakter — trotzdem gibt es *äußerst* wenige Verkehrsunfälle. Noch nie sind mir so viele höfliche und vorsichtige Fahrer begegnet.

Jemand, der einen anderen Menschen vergiftet hat, stirbt ebenfalls durch Gift, ein Brandstifter wird verbrannt. Ich werde nicht beschreiben, was mit einem Mann passiert, der eine Frau vergewaltigt hatte. Aber solche Verbrechen sind hier ohnehin fast unbekannt.

Meine Begegnung mit diesem brutalen ›Ausgleichs‹-System (von ›Strafe‹ wird nicht gesprochen) brachte mich beinahe zu der Überzeugung, daß sich meine Frau mit der Auswahl dieser Welt geirrt hatte, daß wir weiterziehen sollten. Aber inzwischen bin ich mir dessen nicht mehr so sicher. Diese Welt kennt keine Gefängnisse, beinahe keine Verbrechen und ist für Kinder der sicherste Ort, von dem ich jemals gehört habe.

Wir mußten geschichtlich umdenken. ›Die Jahre des Steigenden Wassers‹ erklären sich schon durch ihre Bezeichnung. Die kritische Veränderung trat vor 1600 ein; gegen 1620 hatten sich neue Küsten herausgebildet. Das hatte weitreichende Konsequenzen — Völkerwanderungen, politisches Durcheinander, eine Rückkehr des Schwarzen Todes und während des Wasseranstiegs verstärkte Einwanderung von Großbritannien und den europäischen Tiefländern.

Die Sklaverei hatte hier nie Fuß gefaßt. Dafür gab es eine Art vertragliche Leibeigenschaft — so mancher Mann verpflichtete sich und seine Söhne, um seine Familie aus bedrohten Gegenden herauszuführen. Aber die Umstände, die zur Erstarkung des ›Königs Baumwolle‹ hätten führen können, wurden durch das steigende Wasser und das wärmere Klima zerstört. Es gibt hier Bürger afrikanischer Herkunft, doch ihre Vorfahren waren keine Sklaven. Einige haben Vorfahren, die in Leibeigenschaft gearbeitet haben — doch darauf beruft sich heute beinahe jeder, auch wenn man es erfinden müßte.

Einige Bereiche der Geschichte scheinen tabu zu sein. Ich habe aufgegeben, den Ereignissen des Jahres 1965 nachzuforschen: ›Das Jahr, in dem die Rechtsanwälte gehängt wurden.‹ Als ich einen Bibliothekar um eine genaue Darstellung dieses Jahres und Jahrzehnts bat, wollte er wissen, weshalb ich Unterlagen sehen wollte, die verschlossen aufbewahrt werden. Ich empfahl mich, ohne meinen Namen zu nennen. Das Recht der freien Rede und der freien Presse ist gewährleistet — aber über manche Themen wird eben nicht gesprochen. Da sie nirgendwo definiert sind, versuchen wir vorsichtig zu sein.

Jedenfalls gibt's im Telefonbuch den Berufsstand ›Rechtsanwalt‹ nicht.

Die Besteuerung ist einfach, niedrig — und enthält eine große Überraschung. Die Bundesregierung erhält eine Kopfsteuer, die von den Staaten gezahlt wird, vorwiegend für militärische Aufwendungen und ausländische Angelegenheiten. Dieser Staat erzielt den größten Teil seiner Einnahmen aus Grundsteuern. Ein einheitlicher Satz, der jährlich festgesetzt wird, ohne Ausnahme, nicht einmal Kirchen, Krankenhäuser oder Schulen sind ausgenommen — oder Straßen: auf den besten Straßen muß man eine Benutzungsgebühr bezahlen. Die Überraschung liegt in dem Umstand, *daß der Eigentümer seinen Besitz selber schätzt.*

Allerdings mit einem Haken: *Jeder* kann ein Grundstück *gegen den Willen des Eigentümers* erwerben, zu dem Preis, den der Eigentümer selbst als Wert angegeben hat. Der Eigentümer kann dem nur entgehen, indem er diesen Wert *sofort* auf eine Zahl erhöht, die so hoch ist, daß kein Käufer mehr Interesse daran hat — und indem er für *drei Jahre rückwirkend* auf diesen *neuen* Wert Steuern zahlt.

Darin scheint mir eine große Ungerechtigkeit zu liegen. Was geschieht, wenn es sich um einen Familienbesitz handelt, an den sich starke emotionale Bande knüpfen? Zeb lacht mich aus. »Zeb, wenn jemand sechs Hektar Hügelland haben will, das ziemlich wirr bewaldet ist, nehmen wir das Geld, streichen den Gewinn ein, steigen in Gay — und kaufen anderswo ein neues Grundstück für wenig Geld. In einem Pokerspiel darf man nicht übersehen, was auf dem Tisch liegt.«

Dritter Teil

Tod und Auferstehung

XXXIX

Hilda:

Jacob stand auf und hob sein Glas. »Endlich wieder einen Fuchsbau!«

Zebbie erhob sich ebenfalls. »Hört, hört!«

Deety und ich rührten uns nicht vom Fleck. »Hoch mit euch,
Mädchen!« sagte Zebbie, doch ich ignorierte ihn.

Jacob blickte mich besorgt an. »Was ist los, mein Schatz? Zeb,
vielleicht sind die beiden zu erschöpft zum Aufstehen?«

»Das ist es nicht, Jacob. Deety und ich sind kerngesund. Es
geht uns um deinen Trinkspruch. In den letzten zehn Tagen haben wir jeden Abend darauf getrunken — seit wir die Eigentumsurkunde unterschrieben haben. Früher lautete unser Trinkspruch: ›Tod den Schwarzen Hüten!‹«

»Aber meine Liebe, ich habe dir einen neuen Fuchsbau versprochen. Der Umstand, daß ihr beide ein Kind bekommt,
machte das zur Priorität Nummer eins. Und hier sind wir nun.
Ihr habt es selbst gesagt.«

»Nein, Jacob«, antwortete ich. »Ich habe dies nie ›Fuchsbau‹
genannt. Ich habe gemeldet, ich hätte eine Kultur mit fortschritt-
licher Geburtsmedizin gefunden — und mit Sitten und Gebräuchen, die es den ›Schwarzen Hüten‹ ihr Versteckspiel unmöglich
machen. Darüber hinaus bin ich nicht nach meiner Meinung gefragt worden.«

»Aber du hast beim Hauskauf unterschrieben!«

»Ich hatte keine andere Wahl. Mein Beitrag zur Familie war bis
dahin ein Pelzcape und ein wenig Schmuck. Deety hat mehr gegeben — doch auf jeden Fall kein Gold. Sie nahm ihre persönliche Habe mit, Aktienzertifikate, andere Wertpapiere, ein wenig
Papiergeld und eine Handvoll Münzen. Ich hatte zwei Fünfund-
zwanzig-Neudollarnoten. Deety und ich verließen die Erde als
arme Schlucker. Dabei hatten wir beide — Frauen, nicht ›Mädchen‹, Jacob! — vorher eigenes Vermögen. Aber was den Kauf
dieses Hofes angeht, darüber habt ihr beiden entschieden, ihr
beiden habt bezahlt — wir brauchten nur noch zu unterschreiben. Das haben wir getan. Wir hatten keine andere Wahl.«

Zebbie blickte zu Deety hinüber, sagte leise: »»Alle weltliche
Habe übertrage ich dir«« und nahm sie bei der Hand.

»Danke, Zeb«, sagte Jacob. »Ich auch, Hilda — und wenn du
nicht glaubst, daß ich das ernst meine, dann nimmst du mir auch
das andere nicht ab: ›. . . in guten wie in schlechten Zeiten, bei

Krankheit und Gesundheit.‹ Aber ich meine es ernst, damals wie heute.« Er hob den Blick. »Zeb, wo haben wir gefehlt?«

»Wenn ich das wüßte, Jake. Deety, was ist los? Heraus damit!«

»Ich will es versuchen. Vielleicht sollten wir uns alle damit zufriedengeben, das Geschirr abzuwaschen, Windeln zu wechseln und Näschen zu putzen, beschützt von unseren Männern. Aber irgendwie scheint mir das nicht das allein Seligmachende zu sein, wenn man durch die Universen gesaust ist, wenn man seinen Mann bewacht hat, während er in einem Bergbach badete oder . . . Ach, zum Teufel damit! Dieser Hof ist hübsch und sauber und erholsam und *langweilig!* Es kommt noch soweit, daß ich aus reiner Langeweile der Kirche beitrete und dann mit dem Priester schlafe!«

»Deety, Deety!«

»Tut mir leid, Zebadiah. Diese Langeweile bezöge sich auf *Beulahland,* nicht auf dich. Im Augenblick unseres Kennenlernens rettetest du mir schon das Leben, schon kaum eine Stunde später standen wir vor dem Standesbeamten, um Mitternacht war ich bereits schwanger, und wenige Tage später hast du für mich gekämpft und getötet, hast mir am gleichen Tag noch zweimal das Leben gerettet, dann brachtest du mich noch vor Mitternacht *desselben* Tages auf einen anderen Planeten in ein anderes Universum — und mußtest wenige Stunden später noch zweimal für mich kämpfen. Du bist mein mutiger Ritter, sans peur et sans reproche. In den sechs Wochen, die ich dich kenne, hast du mehr Romantik, mehr großartiges Abenteuer in mein Leben getragen, als ich sie in den zweiundzwanzig Jahren davor erlebt habe. Aber die letzten zwölf Tage — besonders die letzten zehn — haben mir offenbart, worauf wir uns *jetzt* freuen können.«

Deety hielt inne und seufzte leise, und ich sagte: »Sie spricht mir aus der Seele.«

Deety fuhr fort:

»Wir wissen, daß ihr beide für uns euer Leben aufs Spiel setzen würdet — dem seit ihr schon mehrmals erschreckend nahe gewesen. Aber was ist aus euren großartigen Umbauplänen für das Sonnensystem geworden? Und aus dem Vorhaben, das Ungeziefer bis zum letzten Exemplar aufzuspüren und zu töten? Gay Täuscher sitzt hier in einer alten Scheune, dunkel und still — und heute habe ich mitbekommen, wie ihr zwei über den Verkauf eines neuen Dosenöffners diskutiert. Jenseits des Himmels liegen Universen bis zur unglaublichen Zahl des Tiers —

doch ihr beide wollt *Dosenöffner* verkaufen, während Hilda und ich unsere Leibesfrüchte ausbrüten. Wir haben nicht einmal Proxima Centauri besucht! Zebadiah — Paps! Wir wollen den heutigen Abend damit verbringen, einen erdähnlichen Planeten bei Alpha Centauri zu finden — und eine Million Exemplare Ungeziefer töten, wenn es nicht anders geht! Überlegt euch, welche Planeten an die Librationspunkte der Erde gesetzt werden sollen. Ich will Programme schreiben, die unsere größten Pläne ermöglichen. Wir müssen nur *anfangen!*«

Mein Mann blickte traurig drein. Zebbie hatte Deetys Hand nicht losgelassen und sagte jetzt: »Deety, ich habe keine große Lust, Dosenöffner zu verkaufen. Und Jake auch nicht. Aber ihr beide *seid* nun mal schwanger, und wir haben uns sehr angestrengt, euch hierher zu bringen an einen Ort, an dem ihr mit den Kindern sicher seid. Vielleicht ist es langweilig — aber es ist unsere Pflicht. Vergiß die Jagd auf das Ungeziefer.«

»Ich soll das alles einfach vergessen? Zebadiah, warum ist Gay Täuscher beladen und raumflugbereit? Mit gefüllten Batterien, gefüllten Wassertanks — und so weiter? Habt ihr beide etwas vor, Paps und du, während Hilda und ich zu Hause bleiben und die Kinder hüten?«

»Deety, ich gebe nichts zu. Aber wenn wir es täten, könnte es uns nichts schaden, vorher ein paar Dosenöffner zu verkaufen. Ihr beide und die Kinder müßt schließlich versorgt sein, egal, was da sonst noch kommt.«

»So hatte ich mir das vorgestellt! Strohwitwen werden wir sein, Hillbilly. Aber, mein lieber Mann, du gehst von der falschen Voraussetzung aus. Ihr beiden wollt Hilda und mich und unsere ungeborenen Kinder um jeden Preis beschützen — und das rechnen wir euch hoch an. Aber eine Generation ist so wertvoll wie die andere, und Männer so wertvoll wie Frauen. Bei modernen Waffen ist ein Computer-Programmierer im Krieg mehr wert als ein Scharfschütze. Oder — verzeih mir, mein Schatz! — als ein Aerospace-Kampfpilot. Ich bin Programmiererin. Ich kann außerdem schießen. Ich lasse mich nicht ausschließen, auf keinen Fall!«

Ich gab Deety unser Signal, das Thema sein zu lassen; man darf es nicht zu weit treiben bei einem Mann, dann wird er nur noch sturer. Mit Logik darf man den Männern nicht kommen; sie denken mit den Hoden und handeln aus Gefühl. Außerdem darf man sie nicht überladen, ähnlich wie Computer. Wir hatten den beiden nun fünf Probleme zum Durchkauen gegeben; das sechste — hoffentlich entscheidende — wollten wir uns für später aufheben.

Ich wartete drei Tage — und griff dann von der anderen Seite an. Wieder planten Deety und ich unseren Angriff im voraus: wir wollten miteinander streiten und dann die Männer um Hilfe bitten, am besten überkreuz.

»Jacob, was ist ein ›Zufallswert‹? Könnte man den richtig übersetzen mit ›Ich weiß es nicht‹?«

Deety sagte verächtlich: »Laß dich nicht in die Falle locken, Paps. Sie verwechselt das zweite Gesetz der Thermodynamik mit dem zweiten Gesetz der Robotik — und begreift keines von beiden.« (Diese Formulierung kam von mir; Deety wollte es zuerst nicht aussprechen. Deety hat ein sanftes Gemüt, sie ist nicht so gemein wie ich.)

»›Zufallswert‹ — das wird in unterschiedlichem Zusammenhang gebraucht, meine Liebe, doch gewöhnlich wird damit ein Umfeld beschrieben, aus dem heraus die Bestandteile der gleichen Wahrscheinlichkeit eines Ereignisses unterliegen, beispielsweise, ausgewählt zu werden.«

»Aber wenn sie ›ausgewählt‹ werden, wie kann das ein ›Zufallswert‹ sein?«

Deety kicherte.

»Laß dir von ihm nichts vormachen, Sharpie. Es bedeutet: ›Ich weiß es nicht‹, wie du eben gesagt hast.«

»Tante Hilda, kümmere dich nicht um Zebadiah. Einen ›Zufallswert‹ hast du, wenn du die Entropie maximierst.«

»Das ist aber wohl kaum eine mathematische Äußerung, Tochter!«

»Natürlich nicht, Paps. Wenn du ihr die Antwort in mathematischen Begriffen gäbst, würde sie das Bewußtsein verlieren.«

»Deety, hack nicht andauernd auf Sharpie herum!« sagte Zebbie streng.

»Ich habe nicht auf ihr herumgehackt, Zebadiah. Hillbilly ist nur auf den dummen Gedanken gekommen, daß wir ausschließlich deswegen bei unserer Jagd auf das Ungeziefer nicht weitergekommen sind, weil wir es systematisch angefangen haben — wohingegen wir jedesmal Ergebnisse erzielten, wenn wir Gay Täuscher aufforderten, ihre wahlfreien Sprünge durchzuführen, und ihr das Feld überließen.«

»Nun ja, stimmt denn das nicht?« warf ich absichtlich schrill ein. »Immer wieder sind wir ins Leere gestoßen, doch sobald wir Gay die Zügel freigaben — und hier sind unsere Zufallswerte im

Spiel —, gab es kein Versagen mehr. ›Zufall‹ und ›Chance‹ haben nichts miteinander zu tun. ›Zufallschance‹ ist ein unsinniger Ausdruck.«

»Liebe Tante, du hast ja den Verstand verloren. Sei unbesorgt, Paps — schwangere Frauen reden oft Unsinn.«

Entrüstet zählte ich Dinge auf, die weder ›Zufall‹ noch ›Chance‹ sein konnten, und ›entdeckte‹ plötzlich, daß Deety und ich mit den Vorbereitungen für das Abendessen beginnen mußten. Wir ließen die beiden Männer mit der Auseinandersetzung allein und achteten darauf, in Hörweite nicht in Kichern auszubrechen.

Nach dem Essen brachte Jacob zur Abwechslung einmal nicht den abgegriffenen Trinkspruch aus, sondern sagte: »Hilda, würdest du mir bitte darstellen, was du unter ›Zufallswert‹ verstehst? Zeb und ich haben darüber gesprochen und sind uns einig, daß in unseren Abenteuern ein Faktor enthalten ist, der sich nicht analysieren läßt.«

»Einen Moment, Jake. Das ist *deine* Behauptung! Ich habe nur gesagt, ich wüßte es nicht, und mir den Speichel vom Kinn gewischt. Sag du es uns, Sharpie.«

»Aber Jacob hat es doch schon vor einem Monat gesagt. So etwas wie Glückschancen gibt es nicht. In gewisser Weise gesteht man damit ein, nichts zu wissen. Ich dachte, ich begänne das zu begreifen, als wir Universen aus Romanen aufdeckten. Lilliput. Oz. Doc Smiths Welt. Alice im Wunderland. Ich war mir dessen so sicher ... Wißt ihr noch, vor drei Wochen nach unserem zweiten Besuch in Oz? Ich ordnete einen Tag Ruhe an, und wir verbrachten ihn nicht auf der *Teh*-Achse, sondern auf *Tau*.«

»Der langweiligste Tag, den wir bisher erlebt hatten«, sagte Zebbie. »Du hast uns in eine Kreisbahn um den Mars gesetzt. Nicht nur einen Mars, sondern Dutzende. Hunderte. Der einzige, der etwas taugt, ist der, auf den wir nicht zurückkehren werden. Die anderen — Felsgestein. Du gabst mir Erlaubnis, dienstfrei zu nehmen und mich mal auszuschlafen.«

»Du warst nicht im Dienst, Zebbie. Ihr drei habt geschlafen oder gelesen oder Würfel gespielt. *Ich* aber suchte nach Barsoom. Nicht Hunderte, Zebbie — *Tausende*. Diese Marswelt aber habe ich nicht gefunden.«

»Hillbilly, davon hast du mir ja gar nichts gesagt!«

»Dejah Thoris — warum sollte ich dir mitteilen, daß ich einem Hirngespinst nachhetzte? Ich überwand meine Enttäuschung; am folgenden Tag begannen wir mit der *Teh*-Achse — und endeten hier. Seit dem Tag frage ich mich, ob ich nicht Barsoom gefunden hätte, wenn ich Gay gebeten hätte, die Suche durchzuführen. Ich hätte ihr Grenzen setzen müssen, das stimmt — so wie es Zebbie auf Mars-zehn getan hat. Aber danach hätte ich sie auffordern sollen, ihre wahlfreien Zahlen anzupeilen und mir den Planeten zu suchen. Auf Mars-zehn hat es geklappt; wir haben in wenigen Stunden einen ganzen Planeten erfaßt. Auf der *Teh*-Achse funktionierte es ebenfalls. Warum nicht auch für eine andere Suche?«

»Meine Liebe«, antwortete Jacob, »Zeb hat Gay einen definierten Aktionsbereich eingegeben. Aber wie würde sich das auf diese . . . äh . . . spekulative Suche anwenden lassen?«

»Jacob, Zebbie hat uns gesagt, Gay habe den gesamten Aerospace-Almanach gespeichert. Der enthält doch zahlreiche Details über das Sonnensystem, nicht wahr?«

»Mehr, als ich selbst im Kopf haben möchte«, bestätigte Zebbie.

»Gay kennt also das Sonnensystem womöglich besser, als wir uns gegenseitig kennen«, fuhr ich fort. »Ich spielte mit dem Gedanken, Gay die Barsoom-Romane vorzulesen und sie als Oberflächenvoraussetzung für den vierten Planeten anzunehmen — und sie dann mit wahlfreien Sprüngen auf die Suche danach zu schicken.«

»Mein Schatz«, sagte Jacob leise. »Im Grunde versteht unser Autopilot gar kein Englisch.«

»In Oz tut er das aber!«

Mein Mann sah sie erstaunt an. Jacob hat eine lebhafte Fantasie — die aber ausschließlich in eine Richtung läuft. Solange man ihn nicht anspornt. Zebbie begriff schneller, was ich meinte. »Sharpie, du würdest Gay unnötig mit vielen tausend Bytes belasten. Deety, wenn es auf der Neuen Erde diese Romane gibt — ich will das feststellen —, was müßtest du daraus abstrahieren, um Gay eine genaue Beschreibung Barsooms einzugeben, nach der Gay den Planeten identifizieren und ihre wahlfreie Suche abbrechen könnte?«

»Bücher brauchen wir dazu nicht«, antwortete meine Stieftochter. »Ich habe alles hier oben.« Und sie berührte ihre hübschen blonden Locken. »Hmm . . . muß mal darüber schlafen. Morgen ganz früh rede ich mit Gay darüber, noch ehe ich einen von euch spreche. Minium-Bytes, fehlerfrei. Äh . . . auch kein Frühstück vorher.«

»Ein großes Opfer, und das alles für die Wissenschaft!«

»Ein schöner Stapel texanischer ›Ein-Augen‹-Pfannkuchen? Und die Aussicht, die echte Dejah Thoris kennenzulernen? Sie trägt nichts außer Juwelen und ist die schönste Frau auf zwei Planeten.«

»Zu den Pfannkuchen — James Buttermilch-Rezept?«

»Natürlich. Die schönste Frau auf zwei Planeten interessiert dich nicht?«

»Ich wachse noch. Und ich lasse mich nicht zu gefährlichen Äußerungen hinreißen.« Zebbie küßte Debbies Stubsnase und fügte hinzu: »Sharpie, Gay würde niemals mit der vollen Zahl des Tiers fertig, außerdem hat Jake den größten Teil davon abgeriegelt. Wie war doch gleich die verbliebene Zahl, Jake?«

Sofort sagte Deety: »Sechs hoch sechs. Sechsundvierzigtausendsechshundertfünfundsechzig.«

Zebbie schüttelte den Kopf. »Immer noch zu viele.«

Deety sagte freundlich: »Zebadiah, möchtest du wetten?«

»Wirbelwind, hast du etwa an Gay herumgewerkelt?«

»Zebadiah, im Fuchsbau hast du mir die Aufgabe übertragen, die Programme einzugeben. An den Schaltungen habe ich *nichts* verändert. Doch als ich sie mir näher anschaute, stellte ich fest, daß sie vier Register Zufallszahlen hatte, die in Rotation zugänglich waren.«

»Das hatte ich mir so ausgedacht, Deety. Um die Entropie auf dem Maximum zu halten.«

Deety antwortete nicht. Ihr Gesicht wurde völlig ausdruckslos. Ihre Brustwarzen lagen flach. Ich hielt den Mund.

Anscheinend bemerkte Zebbie auch etwas — von Zeit zu Zeit überprüft er ihr Barometer; das hatte er mir einmal anvertraut. Als das Schweigen unangenehm wurde, fragte er: »Deety, habe ich da einen Fehler gemacht?«

»Jawohl, Sir.«

»Kannst du ihn berichtigen?«

»Möchtest du, daß ich das tue, Zebadiah?«

»Wenn du einen Weg weißt, erledige es bitte so schnell wie möglich. Solltest du dazu einen Mikro-Elektriker brauchen, ich habe Lupe und Mikrolötwerkzeug griffbereit.«

»Nicht erforderlich, Zebadiah.« Meine Stieftochter streckte den Arm aus und ergriff einen Walkie-talkie. Diese Geräte gehören eigentlich an Bord von Gay, doch bei sechs Hektar Land sind sie auch außerhalb des Hauses sehr zweckmäßig. »Gay Täuscher.«

»Hallo, Deety!« klang die winzige Stimme aus dem Ohrkopf-

hörer. Deety steckte ihn sich nicht an. »Hallo, Gay, bitte verstärken — noch mehr — jetzt in Ordnung. Entnahme Tur-Programm
Modnar. Ausführung.«

»Ausgeführt. Hat er's geschluckt?«

»Gute Nacht, Gay. Ende.«

»Schlaf gut, Deety. Roger und Ende.«

Ich ging dazwischen, ehe Zebbie Fragen stellen konnte.
»Meine Herren, wenn sich nicht einer von euch freiwillig meldet,
bleibt das Geschirr bis morgen früh stehen. Ich stimme für einen
Ausflug in die Universen, sagen wir zwei Stunden, und dann
früh ins Bett. Die Alternative ist wohl Kanal 1 mit dem *Beulahland*-Chor und Kanal 2 mit *Wiedererzählte Bibelgeschichten:* ›Die
Mauern von Jericho.‹ Beide werden wärmstens empfohlen —
von den Geldgebern.«

Es war ein angenehmes Gefühl, wieder in einen Overall zu steigen. Ich schaltete das Licht aus, überzeugte mich, daß die Fenster
geschlossen waren, und sammelte Walkie-talkies ein, als Zebbie
den Kopf durch die Hintertür hereinsteckte. »Captain?«

»Was? Zebbie, meinst du mich?«

»Du bist hier der einzige Captain in der Gegend, Sharpie. Ich
wollte melden: ›Captain, der Wagen ist bereit.‹«

»Vielen Dank, Erster Offizier.«

Er wartete, bis ich die Butter weggestellt hatte, dann schloß er
hinter mir ab und öffnete die kleine Scheunentür. Ich stellte fest,
daß das große Tor noch geschlossen war, und dachte an die Höschen, die ich — vor vier Wochen und vor vielen Universen — geliehen hatte. Ich schob mich an Deety vorbei und sank in meinen
vertrauten Steuerbord-achtern-Sitz, während mein Herz jubi-
lierte.

Gleich darauf meldete Deety: »Steuerbordtür, Dichtung überprüft, Erster Offizier.«

»Roger. Captain, fertig zum Raumflug.«

»Vielen Dank. Hat jemand irgend etwas zurückgelassen, das
sich normalerweise hier an Bord befand?«

»Nein, Captain. Abgetragene Kleidung wurde ersetzt. Außerdem sind einige Werkzeuge hinzugekommen, die es hier zu kaufen gab.«

»Zebbie, es sieht so aus, als wärst du darauf vorbereitet, jederzeit ohne Vorwarnung zu starten.«

»Reine Gewohnheit, Captain. Ich habe schon immer alle wichtigen Dinge in meinem — unserem — Wagen aufbewahrt und

nicht in meiner möblierten Wohnung. Wo nötig, hatte ich Duplikate — Zahnbürsten, Jod, Kleidung.« Zebbie fügte hinzu: »Jake hat ebenfalls seine Grundausstattung im Wagen. Unser Motto ist eben: ›Sei auf der Hut!‹ Siebenundneunzigstes Regiment, Cleveland.«

»Jacob? Gibt's irgend etwas, das du brauchen könntest?«

»Nein, Captain. Wir wollen ablegen!«

»Sofort, mein Schatz. Deety, hast du Zebbie ein Programm eingegeben?«

»Das, worüber wir uns unterhalten haben. Nicht Barsoom, nur ein kleiner Rundflug. Zwei Stunden.«

»Astronavigator, übernimm das Kommando. Ausführe angegebenes Programm.«

»Aye, aye, Madame. Gay Täuscher.«

»Hallo, Zeb. Das ist ja toll! Warum hattest du mir das Gehirn beschnitten?«

»Weil ich ein Dummkopf bin. Wahlfreie Sprünge, Gay — Transitionen, Versetzungen, Rotationen, Vektoren, nach Maßgabe aller Sicherheitsregeln. Zwei Stunden. Fünf-Sekunden-Stopps, Unterbrechung durch jeden von uns möglich.«

»Darf ich ebenfalls ›Halt!‹ eingeben?«

»Captain?«

Ich flüchtete mich in die Haarspalterei. »Astronavigator, du hast gesagt: ›durch jeden von uns‹ — und das schließt Gay mit ein.«

»Gay, Bestätigung mit eigenen Worten.«

»Ich werde ungeplante Ausflüge aller Art unternehmen mit einer fünf Sekunden langen Pause an jeder Sprungspitze, zuzüglich ›Halt‹-Option, zuzüglich Sicherheitsbeschränkungen, Dauer zwei Stunden, dann Rückkehr hierher. Mutmaßung: Programm jederzeit abänderbar durch Captain oder Captainvertretung. Mutmaßung bestätigt?«

Ich war erstaunt. Deety hatte mir gesagt, daß Gay beinahe wie ein lebendiger Mensch reden würde, wenn Zebbie ihr Potential voll ausschöpfte — aber Gays Stimme klang *noch* lebendiger, *noch* munterer als in Oz.

»Mutmaßung bestätigt«, antwortete Zebbie. »Ausführung!«

Zehn Minuten lang — hundertunddreizehn Szenenwechsel — erlebten wir eine ›Diavorführung‹ von Universen — von ganz gewöhnlichen Szenen bis zu unvorstellbaren Panoramen — doch plötzlich erlegte sich Gay ein »Halt!« auf und fügte hinzu: »Schiff ahoi!«

»*Privatyacht Dora*«, erhielt sie zur Antwort. »*Bist du das, Gay? Wo bist du so lange gewesen?*«

»Astronavigator, ich übernehme das Kommando«, sagte ich hastig. Ich war erstaunt und besorgt. Aber ein Captain führt entweder das Kommando — oder gesteht ein, daß er es nicht schafft, und springt über Bord. Wir alle hatten das erste Gesetz der Schiffsführung begriffen: Ein Captain kann sich wohl irren, darf aber keine Unsicherheit zeigen.

Gay sagte hastig: »Captain, ich sende nicht aus. Ich würde vorschlagen, nach Doras Captain zu fragen. Ich habe ausgesendet: ›Ja, hier Gay, Dora. Ich bin nicht zu spät gekommen, wir haben zunächst nur einen Rundflug gemacht. Beruhige dich, Mädchen, und gib uns deinen Skipper.‹ Captain, das Mikrofon gehört dir; sie können mich oder andere Stimmen in meinem Inneren nicht hören.«

»Danke, Gay. Captain Hilda, Kommandant Gay Täuscher, grüßt Privatyacht Dora. Captain der Dora, bitte melden.«

Auf unserem Mittelschirm erschien ein Gesicht. Wir haben kein Fernsehen an Bord. Das Bild wirkte also nicht dreidimensional und sehr flach und hatte auch keine natürlichen Farben, nur das grünliche Leuchten des Radars. Dennoch handelte es sich um ein menschliches Gesicht, und die Lippenbewegungen paßten zu den Worten. »*Captain Hilda, ich bin Captain Long. Wir haben Sie erwartet. Kommen Sie zu uns an Bord?*«

(›An Bord kommen‹?! Das ergibt sich also, wenn man in einem umgebauten Zweisitzer durch die Universen flitzt und nicht einmal einen Druckanzug an Bord hat.) »Vielen Dank, Captain Long, aber wir können nicht darauf eingehen. Wir haben keine Luftschleuse.«

»*Damit hatten wir gerechnet, Captain. Doras Laderaum Radius neunnull ist für Gay Täuscher umgebaut worden. Luftschleuse ist nicht erforderlich. Wenn Sie uns die Freude machen wollen, nehmen wir Sie an Bord. Ihre Flügel sind doch eingeklappt, nicht wahr? Für Überschallflug?*«

»Ja.«

»*Ich manövriere sehr langsam und werde in bezug auf Sie reglos im All verharren, mich dann drehen und Sie sanft wie bei einem innigen Kuß umschließen.*«

»Bitte, Captain . . . Ich muß mich melden, wenn ich einen möglichen Irrtum aufkommen sehe.«

Ich flüsterte: »Zebbie, du rätst mir, nicht darauf einzugehen?«

»Himmel, nein!« antwortete er laut, in dem sicheren Be-

wußtsein, daß seine Stimme herausgefiltert wurde. »Geh darauf ein! Was haben wir denn zu verlieren? Außer dem Leben, meine ich. Und daran sind wir doch schon gewöhnt.«

»Captain Long«, antwortete ich. »Sie können uns an Bord nehmen.«

»Danke, Captain. Dora wird Sie erreichen in . . . Verzeihung, welche Zeiteinheiten sind bei Ihnen gebräuchlich?«

»Gay, laß meine Stimme durch«, schaltete sich Deety ein. »Captain Long . . .«

»Ja. Sie sind nicht Captain Hilda?«

»Ich bin Deety. Wir nennen die Grundeinheiten ›Sekunden‹. Ich zähle einige Sekunden ab: eins . . . zwei . . . drei . . . vier . . . fünf . . . sechs . . . sieben . . . acht . . .«

»Synchronisiert! Wir nennen unsere Intervalle ›Galaktische Sekunden‹ oder einfach ›Sekunden‹; sie sind aber etwa drei Prozent länger als die Ihren. Dora müßte Berührung mit Ihnen haben in — siebenundfünfzig von Ihren Sekunden.«

Unheimlich . . . Schwärze verdeckte die Sterne, vergrößerte sich ständig. Als sie uns einzuhüllen begann, schaltete Jacob die vorderen Landescheinwerfer ein; wir glitten in einen Metalltunnel hinein, wurden von ihm umschlossen — mit großer Präzision und ohne erkennbaren Antrieb —, und es war erkennbar, daß diese gewaltige Scheide dazu konstruiert war, unser Schiff aufzunehmen, bis hin zu vorn befindlichen Nischen, die es möglich machen sollten, Gays Türen zu öffnen. Nach kurzer Zeit befanden wir uns auf gleicher Höhe damit und stellten erfreut fest, daß sie beleuchtet waren. Am seltsamsten mutete uns an, daß wir plötzlich unter Schwerkrafteinfluß zu stehen schienen — etwa der halbe Wert zwischen Erde-null und Mars-zehn.

»Außentüren schließen sich«, ertönte Captain Longs Stimme. »Geschlossen und verriegelt. Druckausgleich. Captain, wir verwenden Stickstoff und Sauerstoff, vier zu eins. Außerdem ausreichend Kohlendioxid, daß der Atemreflex erhalten bleibt. Wenn diese Zusammensetzung oder der Druck Ihnen nicht behagen, geben Sie mir bitte Bescheid.«

»Ich bin überzeugt, die Mischung, die für Ihren Metabolismus erforderlich ist, wird auch uns genügen.«

»Bitte zögern Sie nicht, auf etwaige Mißstände hinzuweisen. Druckausgleich beendet. Sie können zu beiden Seiten aussteigen, doch ich befinde mich an Steuerbord, mit meiner Schwester.«

Ich schob mich an Deety vorbei, wollte ich mich doch als erste vorstellen, um dann meine Familie zu präsentieren. Und das war nur gut so, denn auf diese Weise bekam ich die beiden vor den anderen zu Gesicht. Niemand von uns ist schockiert von nackter Haut, doch gegen Überraschungen sind wir dennoch nicht gefeit. Ich bin allerdings seit meiner Schulzeit darin geübt, mir Überraschung nicht anmerken zu lassen.

Vor uns standen zwei gut gewachsene junge Frauen, und die eine hatte vier Streifen an jeder Schulter (aufgemalt? aufgeklebt?), die andere drei Streifen — außerdem lächelte sie uns freundlich entgegen. »Ich bin Captain Long«, sagte das Mädchen mit den vier Streifen.

». . . und ihre rebellische Besatzung«, fügte die andere hinzu.

»Commander Laurie, meine Zwillingsschwester.«

»Nur sind wir keine Zwillinge, sondern . . .«

». . . Drillinge.«

»Meutereien sind auf die Mittelwache beschränkt . . .«

». . . damit die Passagiere nicht gestört werden . . .«

». . . von denen wir noch zwei an Bord haben. Hör auf damit, Laurie, und . . .«

». . . führe unsere Besucher in ihr Quartier. Aye, aye, Captain.«

»He! Werde *ich* denn nicht vorgestellt!« Diese Stimme tönte aus allen Richtungen zugleich und war identisch mit der Stimme, die zuerst zu uns gesprochen hatte.

»Entschuldigung«, sagte Captain Long. »Das ist unsere Unzwillingsschwester Dora. Sie steuert die meisten Schiffsfunktionen.«

»Ich steuere *alles*«, stellte Dora fest. »Laz und Lor sind nur zur Zierde da. Welcher Witzbold hat da eben Gay abgeschaltet?«

»*Dora!*«

»Ich nehme das Wort ›Witzbold‹ zurück. Vielleicht war das nicht scherzhaft gemeint.«

»Es wäre nett«, sagte Captain Long zu mir, »wenn die beiden miteinander plaudern könnten. Unsere Gedankenprozesse sind soviel langsamer als die ihren, daß das Gespräch mit einem anderen Computer für sie ein Genuß ist.«

»Deety?« fragte ich.

»Ich wecke sie, Captain. Gay verdrückt sich nicht, sie läßt uns hier nicht im Stich.«

Captain Long zuckte mit den Mundwinkeln. »Das ginge auch kaum. Die Außentore sind gepanzert.«

Ich beschloß, diese Bemerkung zu überhören. Statt dessen sagte ich: »Captain, Ihr Schiff ist *wunderschön.*«

»Vielen Dank. Wir wollen Ihnen jetzt Ihr Quartier zeigen.«

»Eigentlich wollten wir nur ein paar Stunden unterwegs sein.«

»Ich glaube nicht, daß das ein Problem ist. Dora?«

»Zeit in irrelevanter Stasis. Sie haben ihr Zuhause vor knapp vier Standard-Sekunden verlassen; ihr Heimatplanet befindet sich auf einer *anderen* Zeit-Achse. Saubere Sache, wie? So werden sie in dem Augenblick zurückkehren, in dem sie abgeflogen sind; ich brauche dann nicht einmal die verstrichene Zeit zu berechnen und sie entsprechend zurückzuversetzen. Wochen, Jahre — es bleibt bei knapp vier Sekunden. Laz-Lor, wir haben mal wieder Glück gehabt!«

Gays Stimme (die ebenfalls aus dem Nichts ertönte) gab uns Bestätigung: »Captain Hilda, Dora hat recht. Ich lehre sie gerade sechsdimensionale Geometrie; sie hatte davon noch nicht gehört. Wenn sie zu Hause sind — nicht nur zeitirrelevant —, bewegen Sie sich in *Tau*-Zeitverlauf mit Erde-eins auf der ›t‹-Achse, die wir bisher noch nicht erkundet haben.«

Jakes Kopf fuhr hoch, und er suchte nach dem Ausgangspunkt der Stimme. »Aber das ist unmö . . .«

»Jacob!« unterbrach ich ihn.

»*Wie?* Ja, Hilda?«

»Wir sollten uns lieber erst alle vorstellen und dann das Quartier aufsuchen, das der Captain uns angeboten hat.«

»Sie können das bereits als erledigt betrachten, Captain Hilda. ›Deety‹ muß Dr. D. T. Burroughs Carter sein; der Herr, den Sie ›Jacob‹ nannten, dürfte Ihr Mann sein, Dr. Jacob J. Burroughs. Folglich handelt es sich bei diesem großen, gutaussehenden jungen Mann um Dr. Zebadiah J. Carter, Doktor D. T.s Mann. Das sind die Leute, die zu holen wir ausgeschickt wurden.«

Ich erhob keine Widerrede. Meine Theorie erwies sich als richtig — nicht wie erwartet, aber die Theorie setzte das Unerwartete ja geradezu voraus.

Wir folgten einem gekrümmten Gang; ich ging neben dem Captain, dessen Schwester meine Familie begleitete. »Eine Frage, Captain?« meldete ich mich. »Ist die Nacktheit auf Ihrem Schiff allgemeines Gebot? Ich habe nicht einmal Captains-Insignien mit.«

»Darf ich Ihnen die nötigen Aufkleber zur Verfügung stellen?«

»Brauche ich sie denn? Ich bin ja nicht Captain *dieses* Schiffes.«

»Wie Sie wollen. Ich habe die Streifen angelegt, um Sie zu empfangen — und verzichte im übrigen gern darauf. Allgemein trägt man, was man möchte; Dora sorgt für eine angenehme Temperatur. Sie ist eine gute Haushälterin.«

»Was tragen denn Ihre Passagiere?«

»Als ich den Aufenthaltsraum verließ, war der eine in Parfum gekleidet, der andere hatte sich eine Art Toga umgehängt. Kennt man auf Ihrem Planeten Kleidungs-Tabus? Wenn Sie sie mir definieren, versuchen wir gern, es Ihnen angenehm zu machen.« Sie fügte hinzu: »Hier ist Ihr Quartier. Wenn es Ihnen nicht zusagt, geben Sie Dora Bescheid. Sie wird dann die Trennwände umstellen oder Doppelbetten in ein großes Bett umwandeln oder vier Einzelbetten, welche Kombination Sie auch haben wollen; Sie sollen sich hier wohl fühlen. Wenn Sie Lust haben, Ihre Räume zu verlassen, wird Dora Sie führen.«

Als die Tür sich zusammenzog, sagte Jacob: »Deine Theorie ist bewiesen, Hilda. Wir sind in eine neue fiktive Geschichte geraten.«

XL

Deety:
Die Suite hatte ein Badezimmer — Verzeihung: einen ›Erfrischungsraum‹, aber größer als drei normale Badezimmer. Hillbilly und ich säßen dort vielleicht noch heute in der Wanne, wenn Paps und Zebadiah nicht mit brutaler Gewalt zu Werke gegangen wären.

»Captain Tantchen, was wirst du tragen?«

»Chanel No. 5. Hier steht eine große angebrochene Flasche.«

»An Kleidung, meine ich.«

»›*Kleidung*‹? Wenn unsere Gastgeberin nackt herumläuft? Du vergißt die gute Kinderstube, die Jane dir mit auf den Weg gegeben hat.«

»Ich wollte nur ganz sichergehen. Ich meine, daß du mir bei Zebadiah Rückhalt gibst.«

»Wenn Zebbie sich unvernünftig aufführt, ziehe ich ihm die Ohren lang. Wenn sich Jacob seiner hageren kleinen Frau schämt, sollte er das lieber nicht aussprechen. Meine Herren, wollen Sie etwa kneifen? Ich meine: Wohin wollen Sie sich kneifen?«

»Jake, die beiden ziehen schon wieder über uns her.«

»Kümmere dich nicht um sie, Genosse. Hier sind blaue Shorts, die dir passen müßten. He! Mit gepolstertem Futteral! Die nehme ich selbst.«

»Jacob!«

»Hör dir die Frauen an! Nackt wie ein geschältes Ei wollen sie Fremden gegenübertreten — und regen sich gleich auf, wenn man mal ein bißchen prahlen will. Es gab eine Zeit, meine kleine und mürrische Braut, da ein Gentleman grundsätzlich nicht ohne ein Penisfutteral auf die Straße trat, das seinem Status angemessen war.«

»Jacob, ich habe übereilt gesprochen«, gab Tantchen zurück. »Aber müßte der Stellvertretende Captain nicht ein größeres Futteral bekommen als der Pilot; ›... seinem Status angemessen‹, hast du gesagt.«

»Aber Zeb ist von Allah bestens versorgt. Das ist dir doch *gewißlich* aufgefallen, meine Geliebte!«

»Jake!« schaltete sich mein Mann ein. »Keine ungehörigen Wetten! Nimm die blauen, ich nehme die roten.«

Zebadiah paßte die rote Hose nicht, während die blaue für Paps zu groß war. Sie tauschten. Dasselbe Ergebnis. Sie betrachteten die Kleidungsstücke und reichten sie noch einmal hin und her — doch jede Hose war zu klein. Mit Mühe zogen sie sie trotzdem an — und sie fielen ab.

Paps schleuderte die blaue Hose zur Seite. »Dora!«

»Ja, Sir?«

»Bitte verbinde mich mit deinem Captain.«

»Ich habe doch nur Spaß gemacht! Sie wollen mich doch nicht verpetzen — oder?«

Tante Hilda übernahm das Kommando. »Er wird dich nicht verpetzen. Machst du dich mit Gay ein bißchen bekannt?«

»Und ob! Gay ist weiter gereist als ich — dabei bin ich praktisch *überall* gewesen. Sie ist ein kluges Mädchen!«

»Das finden wir auch, vielen Dank. Was sollen unsere Männer anziehen?«

»Ich halte die Bezugstemperatur bei siebenundzwanzig Grad und die Decksplatten ein Grad wärmer; warum also überhaupt etwas anziehen? Aber für Fetischisten habe ich Mini-Lendenschürze aus undurchsichtigem Material. Im Badezimmer, Abteil neun-be. Aber Sie sollten die beiden zum Arzt bringen, ehe die Symptome schlimmer werden. An unserem Flugziel gibt's gute Ärzte, die besten im bekannten Raum.«

Ich machte mich auf die Suche nach Fach 9-b, während Tante

Hilda das Gespräch fortsetzte. »Und was ist unser Flugziel, Dora?«

»Solche Fragen stellen Sie bitte dem Captain. Als Haushälterin darf ich Ihnen jede Frage beantworten. Als Astronavigator muß ich solche Fragen weiterleiten — und wenn ich von ›muß‹ spreche, so heißt das, daß ich auf diesem Stromkreis eine Sicherheitsschaltung habe. Ist das fair? Ich bitte Sie! Ich bin älter als die Zwillinge!«

»Das hängt eben vom Schiff ab«, sagte Tante Hilda und umging damit vorsichtig eine direkte Antwort. »Wir alle tun das, worauf wir uns am besten verstehen, dabei spielt das Alter keine Rolle. Du brauchst nur Gay zu fragen.«

»Oh, sie hört mit?«

»Und ob, Capt'n Hilda, Schätzchen, durch Doras Ohren — *und* Augen! Sag mal, du siehst ja genauso aus wie deine Stimme — und das ist ein Kompliment!«

»Also, vielen Dank, Gay!«

»Dora, sind das die Lendenschürzchen?« unterbrach ich.

»Natürlich. Aber da wir schon mal alle hier sind . . . Sie brauchen in einem so kleinen Schiff keine zwei Badezimmer. Gay braucht den Platz für ein Turbing-Modul, bei dem ich ihr helfen will. Wenn die Fetischisten ihre Sachen also aus Buster Brown räumen würden, und . . .« Dora unterbrach sich plötzlich: »Der Captain möchte den Captain und die Insassen von Gay Täuscher im Aufenthaltsraum begrüßen, sobald es ihr recht ist. Der letzte Halbsatz bedeutet ›sofort‹. Folgen Sie mir — ein kleines blaues Licht. Das ist meine Farbe. Ich bringe Sie in den Aufenthaltsraum.«

Ich hatte einen grünen Lendenschurz anprobiert. Diese Fetzen paßten jedem und wogen überhaupt nichts. Es war, als winde man sich eine Londoner Nebelbank um die Hüfte. Ich zog das Ding wieder aus und wickelte es Zebadiah um. »Damit hast du praktisch nichts am Leib, Zebadiah, aber dein Zebedäus ist aufgeräumt.« (Ich trage es den Männern nicht nach, wenn sie in der Beziehung etwas schüchtern sind. Unsere Leitungen verlaufen hauptsächlich innen, während ihre sanitären Anlagen im Freien hängen — und oft unangenehme Signale ausstrahlen. Unangenehm für *sie,* meine ich; Frauen finden das höchst interessant — und oft amüsant. Meine Brustwarzen sind ein Signal für meine Gefühle, doch in unserer Kultur — will sagen: in der Kultur, in der ich aufgewachsen bin — zählen Brustwarzen nicht ganz so sehr.)

Das kleine blaue Licht wies uns den Weg; zuerst folgten wir der Gangkrümmung, dann wandten wir uns in Richtung Schiffsmitte. Diese ›Yacht‹ war so groß, daß man sich darin verlaufen konnte. »Dora, kannst du in jedem Teil des Schiffes sehen und hören?«

»Natürlich«, antwortete das blaue Licht. »Aber in der Suite des Commodore höre ich nur auf Aufforderung mit. Rang geht eben vor Schönheit. Der Aufenthaltsraum befindet sich geradeaus. Rufen Sie mich, wenn Sie etwas brauchen. Ein kleiner Mitternachtsimbiß ist die Spezialität des Hauses. Ich bin sowieso die Größte!« Das kleine blaue Licht erlosch.

Der Aufenthaltsraum war groß und kreisrund; vier Menschen hatten sich in einer Ecke versammelt. (Wie kann ein Kreis eine Ecke haben? — Durch die Stellung von Möbeln und Sitzkissen und eine Bar mit leckeren Kleinigkeiten.) Zwei waren die Zwillinge; sie hatten sich die Aufkleber abgenommen, woraufhin man sie nicht mehr auseinanderhalten konnte.

Die anderen waren eine junge Frau und ein nicht mehr ganz junger Mann. Er schien in Tante Hildas Alter zu sein, um die vierzig. Nicht er trug die Toga, sondern die junge Frau. Er hatte etwas übergestreift, das dem Schurz unserer Männer glich, allerdings größer, eher wie ein Kilt aussehend und mit imitiertem Schottenmuster.

Ein Zwilling ergriff als erste das Wort; daraus schloß ich, daß sie Captain war. »Commodore Sheffield, dies sind Captain Hilda, Erster Offizier Carter, Erster Pilot Burroughs, Copilot Deety Carter. Und sie alle kennen meine Schwester, aber nicht unsere Kusine, Elizabeth Long.«

»Und jetzt stell uns noch einmal vor«, befahl ›Commodore Sheffield‹. (›Commodore Sheffield‹ — ich bitte Sie! Wen glaubte er damit zu täuschen?)

»Jawohl, Sir. Dr. Jacob Burroughs und seine Frau Hilda; Dr. Zebadiah Carter und seine Frau Dr. Deety Burroughs-Carter. Dr. Elizabeth Long, Dr. Aaron Sheffield.«

»Einen Augenblick«, unterbrach sie mein Mann. »Wenn Sie es so anfangen, muß ich hinzufügen, daß Captain Hilda mehr Doktortitel besitzt als wir alle drei zusammen.«

Captain Long blickte ihre Schwester an. »Lor, ich komme mir nackt vor.«

»Laz, du *bist* nackt.«

»Nicht, wo es darauf ankommt. Commodore, besitzen Sie noch die Diplomfabrik in Neu-Rom? Was kosten Doktortitel?

Nichts Besonderes, sagen wir einen Doktor der Theorie des Fest-
körperverhaltens. Je einen für uns beide.«

»Wie wär's mit einem Familiendiskont, alter Knabe?«

Der ›Commodore‹ blickte zur Decke. »Dora, halt du dich da
raus!«

»Warum? *Ich* möchte auch einen Doktor haben. *Ich* habe den
beiden schließlich alles über Festkörper beigebracht.«

Er blickte auf die junge Frau in der Toga, die mehr entblößte
als verhüllte. »Liegt darin ein Kern von Wahrheit?«

»Ja.«

»Dora, du wirst genauso behandelt wie deine Schwestern. Jetzt
halt den Mund! Alle drei werden zu besonderen Doktoranden
erklärt, Institut Boondock für Technologie, Kursbelegung, Minimumzeit, alles erfüllt — aber schriftliche und mündliche Prüfun-
gen werden dafür so hart ausfallen, wie es eurem Wissensstand
vermutlich entspricht. Die Diplomfabrik . . . Natürlich gehört sie
mir — durch Strohmänner. Sie ist für Leute, die viel Geld haben,
aber keinen Verstand. Ihr beiden jedoch — ihr *drei* — müßt Leistung zeigen. Da zwei Geschäftsführer anwesend sind, ist das
nun amtlich. Dora, gib Teena Bescheid.«

»Worauf du wetten kannst, alter Knabe! ›Doktor Dora‹ —
wäre das *nichts?*«

»Mund halten! Meine Freunde, diese Zwillinge hätten schon
längst mehr Doktorgrade erringen können, wenn sie sich auf einer Universität in die Arbeit gestürzt hätten. Sie sind Genies . . .«

»Hört, hört!«

». . . der Long-Clan ist stolz auf sie. Andererseits sind sie unberechenbar, unsicher, sprunghaft, und wenn man ihnen den
Rücken zudreht, geschieht das auf eigene Gefahr. Trotzdem sind
sie meine Lieblingsschwestern, und ich liebe sie sehr.«

Die beiden sahen sich an. »Er hat uns endlich anerkannt!«

»Viel zu lange hat er dazu gebraucht.«

»Wir wollen ihm dafür danken . . .«

»Von beiden Seiten?«

»Und *los!*« Die beiden bestürmten ihn und warfen ihn von den
Füßen — im wahrsten Sinne des Wortes, unterstützt durch ihre
›Schwester‹ Dora, die für zwei Zehntelsekunden die Schwerkraft
abschaltete. So landete er hilflos auf seinem Hinterteil.

Der Zwischenfall schien ihn nicht weiter zu berühren. »Wunderbar abgestimmt, Mädchen. Pax?«

»Pax!« antworteten sie im Chor, sprangen auf und zogen ihn

mit hoch. »Wir sind stolz auf dich, alter Knabe; du machst dich langsam.«

Ich meinte, es sei nun langsam an der Zeit zu erfahren, warum man uns entführt hatte. Ja, ›entführt‹! Ich stand auf, ehe er sich setzen konnte. »Und *ich* bin stolz«, sagte ich und machte einen höfischen Diener, »auf die Ehre, den Senior ... der Howard-Familien kennenzulernen.«

Eine dröhnende Stille setzte ein ...

Die Frau in der Toga sagte: »Lazarus, du hattest keine Chance, damit durchzukommen. Wir haben es hier mit erfahrenen Leuten zu tun. Sie haben etwas, auf das du angewiesen bist. Gib also die Verstellung auf und liefere dich ihrem Großmut aus. Ich fange damit an, indem ich meine Erfahrungen schildere. Aber vorher ...«

Sie stand auf und ließ ihr Gewand zu Boden fallen. »Dora! Dürfte ich bitte einen lange Spiegel haben? Wenn möglich, einen Inverter, sonst einen Dreifach-Spiegel.«

»Teena kann sich so etwas wie Inverter nicht leisten«, antwortete Dora. »Ich auch nicht; ich muß ein Schiff betreiben. Hier ist dein Dreifach-Spiegel.« Ein Wandstück verschwand und wurde durch einen dreiseitigen Spiegel ersetzt, sehr groß, größer als ich.

Sie streckte mir die Hände entgegen. »Doktor D. T., würden Sie bitte zu mir kommen?«

Von einer Vorahnung erfüllt, ließ ich mich von ihr hochziehen und stand dann neben ihr vor dem Spiegel. Wir betrachteten uns und drehten uns dann auf ihr Geheiß um. »Seht ihr es alle? Dr. Hilda, Dr. Carter, Dr. Burroughs? Lazarus, siehst *du* es?«

Die Antwort kam von den beiden, die sie nicht direkt angesprochen hatte. Laz (oder vielleicht auch Lor) sagte: »Sie sehen sich so ähnlich wie wir beiden.« Die andere rief: »Sogar mehr!«

»Bis auf ...«

»Pst! Das ist unhöflich!«

Lazarus sagte: »Ich muß ja immer mit der Nase darauf gestoßen werden. Ich habe ja nie behauptet, clever zu sein.«

Sie antwortete nicht; wir betrachteten unsere Ebenbilder im Spiegel. Die Ähnlichkeit war so groß, daß sie *nicht* verblüffend war, sondern einfach unterstellte, daß wir eineiige Zwillinge sein mußten wie Lapis Lazuli und Lorelei Lee — ja, ich hatte die beiden sofort erkannt. Captain Tantchen ebenfalls; bei unseren Männern bin ich mir nicht so sicher.

Es sind wirklich hübsche Zitzen — an einer anderen Frau vermag ich das anzuerkennen. Es ist keine Tugend, diesen oder jenen körperlichen Vorzug zu haben; sich um seinen Körper zu kümmern, ist ein angeborener Drang wie auch Verpflichtung gegenüber sich selbst. Aber ein Körpermerkmal braucht nicht nur für andere erfreulich zu sein, es kann einem auch selbst Freude bereiten.

Die gleichen breiten Schultern, die gleiche Wespentaille, die gleichen wohlgerundeten, etwas übertriebenen Kehrseiten.

»Wir ähneln uns in einer anderen Beziehung. Wie lautet die vierte Wurzel aus siebenunddreißig?«

»Zwei Komma vier sechs sechs drei zwei fünf sieben eins fünf. Warum fragen Sie?«

»War nur ein Versuch. Gegenprobe bitte?«

»Wie lautet die Zahl des Tiers?«

»Äh . . . Oh! Das geht aber weit, weit zurück. Sechs-sechsundsechzig.«

»Versuchen Sie's mal so: Sechs hoch sechs, und diese Zahl wiederum in sechster Potenz.«

»Der erste Teil ist sechsundvierzigtausend sechshundertsechsundfünfzig und . . . oh, das ist wirklich hart! Es müßte eins Komma etwas sein . . . eins Komma null drei plus mal zehn hoch achtundzwanzig. Kennen Sie die genaue Zahl?«

»Ja, aber ich habe sie von einem Computer ausdrucken lassen. Sie lautet . . . Ich schreibe sie lieber auf.« Ich sah mich um — sofort reichte mir ein kleiner Waldo Notizblock und Schreibstift. »Vielen Dank, Dora.« Ich schrieb:

10 314 424 798 490 535 546 171 949 056.

»Oh, wie schön!«

»Aber nicht elegant«, antwortete ich. »Diese Zahl bezieht sich auf eine sechsdimensionale Geometrie und müßte in Basis sechs ausgedrückt werden — ich verzichte darauf, weil uns dafür die Bezeichnungen fehlen und unsere Computer diese Rechenmethode nicht anwenden. Aber . . .« Ich schrieb:

Basis   *sechs:* $(10^{10})^{10} \times$ $=$
1 000 000 000 000 000 000 000 000 000 000 000 000.

Sie blickte mich entzückt an und klatschte in die Hände. »Dieselbe Zahl«, fuhr ich fort, »in ihrer elegantesten Form. Aber ich wüßte keine englischen Worte, mit denen ich sie ablesen könnte. Diese umständliche Basis-zehn-Rechnung kann wenigstens in Worte umgesetzt werden.«

»Hmm ja — aber nicht so leicht. ›Zehntausenddreihundertundvierzehn Quadrillionen, vierhundertundvierundzwanzigtausendsiebenhundertundachtundneunzig Trillionen, vierhundertneunzigtausendfünfhundertundfünfunddreißig Billionen, fünfhundertsechsundvierzig Milliarden, einhundertundeinundsiebzig Millionen, neunhundertundneunundvierzigtausendundsechsundfünfzig. Aber ich würde das höchstens als Gag voll aussprechen.«

Ich blinzelte sie an. »Diese Namensgebung erkenne ich — allerdings nur vage. Ich würde die Zahl so lesen — aber auch nur zum Spaß ›Zehn Oktillionen, dreihundertundvierzehn Septillionen, vierhundertundvierundzwanzig Sextillionen, siebenhundertundachtundneunzig Quintillionen, vierhundertundneunzig Quadrillionen, fünfhundertfünfunddreißig Trillionen, fünfhundertundsechsundvierzig Billionen, einhunderteinundsiebzig Millionen, neunhundertneunundvierzigtausendundsechsundfünfzig. In unserer Zählweise‹.«

»Ich konnte Ihnen folgen, indem ich die Zahlen mitlas. Aber Basis sechs ist doch das beste. Ist diese Zahl nicht nur schön, sondern auch interessant oder nützlich?«

»Beides. Sie gibt die Zahl der Universen an, die durch die Erfindung meines Vaters theoretisch zugänglich sind.«

»Ich *muß* mit ihm reden. Lazarus, soll ich meine Geschichte jetzt erzählen? Es wäre die richtige Grundlage.«

»Wenn es dir nichts ausmacht.«

»›Nichts ausmacht‹?« Sie ging zu ihm und küßte ihn — im Vorbeigehen, doch um so nachdrücklicher. »Mein guter alter Schatz, ich *war* ein wenig schüchtern, ehe ich feststellte, wer ich bin. Jetzt bin ich ruhig, entspannt und so frank, wie es nötig ist. Liebe neue Freunde, ich bin Ihnen als Elizabeth Long vorgestellt worden, doch mein Vorname wird normalerweise verkürzt, auf einen Spitznamen verkürzt — nicht ›Liz‹ oder ›Betty‹, sondern ›Lib‹. Und ja, ich bin Dr. Long. Fachgebiet Mathematik.

Mein voller Name ist Elizabeth Andrew Jackson Libby Long.«

Ich war mehr oder weniger darauf gefaßt gewesen, nachdem ich schon ein wenig mit ihr herumgerechnet hatte. Ich habe die Angewohnheit, in solchen Augenblicken meine Gesichtsmuskeln erschlaffen zu lassen; das ist keine bewußte Reaktion, sondern ein seit Kindheit geübter Schutzreflex in Momenten, wenn es ratsam ist, die eigenen Gedanken für sich zu behalten.

Auch jetzt hielt ich mich aus allem heraus und beobachtete meine Familie.

Hillbilly zog ein nachdenkliches Gesicht und nickte.

Zebadiah flüsterte mir zu: »Geschlechtsumwandlung.«

Paps nahm das Problem systematisch in Angriff, wie üblich. »Ich erkenne den zweiten, dritten und vierten Namen. Wurden Sie früher so genannt?«

»Ja.«

»Hatten Sie den Spitznamen ›Rechenschieber‹?«

»Ja, und davor wurde ich ›Pinky‹ genannt.« Sie fuhr sich mit der Hand durch die Locken und lächelte. »Na ja, pink sind Sie nicht gerade, doch so ungefähr.«

»Jetzt sind Sie eine Frau. Weiteres Herumraten wäre sinnlos; Sie haben von einer Geschichte gesprochen, die Sie uns erzählen wollen.«

»Ja. Dora, wie wär's mit einer Runde Drinks? Lazarus, wie sieht dein Vorrat Narkotik-Stäbe aus, wie wir sie bei der letzten Feier geraucht haben?«

»Von uns raucht niemand«, sagte Paps.

»Es handelt sich weder um Tabak noch um ein anderes süchtigmachendes Kraut. Es löst eine leichte Euphorie aus. Aber ich will Sie nicht bedrängen; ich möchte selbst nur eins. Danke, Lazarus, reich die anderen doch bitte herum. Und jetzt zu mir . . .

Beinahe achthundert Jahre lang war ich ein Mann, dann wurde ich getötet. Ich war fünfzehnhundert Jahre lang tot und wurde wiederbelebt. Im Verlauf dieser Erneuerung wurde festgestellt, daß mein dreiundzwanzigstes Chromosomenpaar ein Drilling war — XXY.«

»Aha«, sagte Hillbilly. »Und Y dominiert.«

»Zwilling, Tante Hilda ist Biologin«, fügte ich hinzu.

»Gut! Tante Hilda — darf ich Sie so nennen? Wie es mein Zwilling schon tut? Helfen Sie mir, wenn es schwierig wird?« Lib lächelte, und es war ein Lächeln — ein fröhliches Grinsen. »Das Y dominierte, aber die doppelte Dosis X machte mir zu schaffen, ohne daß ich wußte, warum. Ich hatte mich als Mann gut geschlagen — dreißig Jahre in der Raummarine der Alten Heimat Terra, weil ein Offizier sich für mich interessierte und mir eine Berufung an die Offiziers-Akademie verschaffte. Aber mir fehlte die Führungsnatur, und so verbrachte ich den größten Teil meiner Dienstzeit als technischer Offizier des Stabes — den Befehl führte ich selten und niemals auf einem großen Schiff.« Wieder grinste sie. »Heute aber, da ich kein verwirrter Mann mehr bin, sondern eine selbstbewußte Frau, fällt mir das Kommandieren nicht schwer.

Weiter mit meiner Geschichte. Der Umgang mit Jungen oder Männern fiel mir schwer. Ich war scheu, eigenbrötlerisch und galt als absonderlich — allerdings nicht als homosexuell, denn dazu war ich zu schüchtern. Vielleicht hätte mir das sogar gutgetan. In jenen Tagen — nach dem Interregnum — war ich ein ›vermißter Howard‹, und erst Jahre nach meinem Eintritt in die Marine fanden mich die Familien. Anschließend heiratete ich in die Familien. Die meisten XXY-Männer sind unfruchtbar — nicht aber ich; das Syndrom zeigte sich bei mir nicht. In den nächsten siebzig Jahren hatte ich einundzwanzig Kinder und genoß das Leben mit meinen Frauen — auch den Sex mit ihnen —, und ich liebte unsere Kinder.

Was mich auf die Diaspora von der Erde bringt, die von Lazarus geführt wurde. Ich war Junggeselle, meine beiden Frauen hatten wieder geheiratet. Freunde, Lazarus war der erste Mann, den ich je geliebt habe.«

»Lib, das hat mit deiner Geschichte nichts zu tun! *Ich* hatte keine Ahnung, daß du mich liebtest.«

»Es hat *alles* zu tun mit der Geschichte, die immerhin *meine* Geschichte ist. In den nächsten acht Jahrhunderten zogen wir immer mal wieder als Partner auf Expeditionen. Dann wurde ich getötet — da war ich selbst schuld. Ich war unvorsichtig. Schließlich verbrannten mich Lazarus und seine Schwestern, indem sie mich in die Atmosphäre der alten Heimat Terra stießen, und zwar in eine Bahn, die meine Asche in der Nähe meines Geburtsortes niedergehen lassen würde. Lazarus, unsere Gäste zeigen sich gar nicht überrascht. Glauben sie mir etwa nicht?«

»Und ob wir Ihnen glauben!« sagte ich. »Aber was Sie uns da erzählen, ist für uns nichts Neues. Wir wissen lediglich nicht, wie es kommt, daß Sie heute am Leben sind — und eine Frau. Reinkarnation?«

»Himmel, nein! Reinkarnation ist Unsinn!«

Ich reagierte ärgerlich. Reinkarnation ist ein Thema, zu dem ich keine eigene Meinung habe, nach einer geistigen Säuberung, die ich mir nach Mama Janes Tod selbst verpaßt hatte. »Sie haben dafür Beweise?« fragte ich.

»Deety, bin ich Ihnen auf die Zehen getreten? Es tut mir leid.«

»Nein, Lib. Ich habe nur gefragt, ob Sie dafür Beweise bringen können.«

»Nun ja . . . nein. Aber wenn Sie die Reinkarnation als gegeben voraussetzen wollen, kann ich Ihnen wohl zeigen, daß sie zu einem Widerspruch führt.«

»Der negative Beweis. Das ist schwierig, Lib. Fragen Sie Georg Cantor.«

Lib lachte. »Na schön, ich will versuchen, mir keine Meinung zu bilden, bis mir jemand verläßliche Daten zur Verfügung stellt, so oder so.«

»Ich hatte gehofft, daß Sie etwas in der Hand haben, Lib, da Sie immerhin tot gewesen sind und ich nicht. Oder mich jedenfalls nicht daran erinnere.«

»Auch ich *erinnere* mich nicht daran, wie ich tot war. Ich erhielt nur einen gewaltigen Schlag in den Rücken — dann kamen da ein paar Träume, an die ich mich nicht erinnere — dann lehnte sich jemand über mich und fragte mich immer wieder geduldig, ob ich ein Mann oder lieber eine Frau sein wollte — und endlich registrierte ich das klar genug, um zu erkennen, daß die Frage ernst gemeint war — und ich dachte darüber nach und antwortete: ›Frau‹ — und daraufhin mußte ich dieselbe Frage noch öfter beantworten, viele Tage lang. Endlich schlief ich ein, und als ich wieder aufwachte, war ich eine Frau — was mich nicht so sehr verblüffte, wie der Umstand, daß fünfzehn Jahrhunderte vergangen waren. Eine Frau zu sein, kam mir ganz natürlich vor. Inzwischen habe ich fünf Kinder gehabt — ich meine, sie sind in meinem Leib gewachsen; davor hatte ich einundzwanzig als Mann gezeugt. Eines meiner Kinder stammt sogar von einem meiner Nachfahren. Lazarus, wann machst *du* mich schwanger?«

»Wenn die Griechen die Zeit nach Kalendern rechnen.«

»Libby, wenn du das irgendwie hinbiegen willst — falls du nicht scherzt —, brauchst du dich nur an mich zu wenden.«

»Vielen Dank, Dora; ich werde daran denken. Lazarus, du mußt mir das Paradoxon erklären; ich war damals noch zu jung.«

»Ist es nicht langsam Zeit zum Schlafengehen? Wir halten unsere Gäste unnötig wach.«

»Captain Hilda?« fragte Lib.

»Deety ist für die Zeit verantwortlich.«

»Lib, ich kenne die Schiffszeit noch nicht. Ich habe Ihnen vorhin unsere Sekunden angegeben. Wir haben sechzig Sekunden in der Minute und sechzig Minuten in der Stunde, der Tag hat vierundzwanzig Stunden. Primitiv, nicht wahr? Wird Ihre Zeit metrisch gezählt?«

»Das hängt davon ab, was Sie meinen, Deety. Sie arbeiten auf der Basis ›zehn‹, nicht wahr?«

»Ja. Ich meine: ›Nein, ich arbeite auf der Basis „zwei", denn ich bin Computerprogrammiererin.‹ Aber ich bin die Umrechnerei in beide Richtungen gewöhnt und muß gar nicht weiter darüber nachdenken.«

»Ich erkannte, daß Sie mit ›zehn‹ arbeiten, als ich mutmaßte, was Sie mit ›sechs hoch sechs‹ meinten und Sie meine Lösung akzeptierten. Wir arbeiten hier vorwiegend mit Basis hundertundzwanzig. Binär ist das eins-eins-eins-eins-null-null-null.«

»Vernünftig. Das paßt beinahe zu jeder Basis.«

»Ja. Wir benutzen es für die täglichen Arbeiten. Buchführung. Technische Berechnungen. Die meisten wissenschaftlichen Arbeiten sind aber auf der Basis von drei aufgebaut, weil unsere Computer trinär arbeiten. Wie ich erfahren habe, brauchten Gagy und Dora einige Millisekunden, um sich einen gemeinsamen Nenner zu erarbeiten.«

»So langsam sind wir garantiert nicht!«

»Entschuldigung, Dora! Für einige Dinge verwenden wir ein Zeitschema, das sich gut in trinäre Berechnungen einfügt. Aber für das tägliche Leben ist unsere Uhr wie die Ihre — wenn auch drei Prozent langsamer. Unser Planetentag ist länger.«

»Um zweiundvierzig von Ihren Minuten.«

»Schnell gerechnet, Deety. Genau richtig.«

»Ihre Computer müssen mit Drei-Phasen-Wechselstrom arbeiten.«

»Ich glaube, Sie sind fixer, als ich es vor zweitausend Jahren war. Und damals war ich sehr schnell.«

»Das läßt sich nicht mehr feststellen, außerdem sehen wir neben Computern sowieso wie die Schildkröten aus. Wir haben um achtzehn Uhr zu Abend gegessen. Gay erreichte Dora etwa eineinviertel Stunden später. Unsere Zeit ist jetzt etwa zwanzig einhalb, und wir gehen gewöhnlich zwischen zweiundzwanzig und dreiundzwanzig zu Bett, wenn wir pünktlich Schluß machen, wozu es selten kommt. Welches Schiffszeit haben wir jetzt, und wie sieht Ihr Rhythmus aus!«

Die anderen hatten mich und meinen eben entdeckten Zwilling miteinander plaudern lassen. Jetzt sagte Lazarus: »Wenn es in diesem Irrenhaus einen Rhythmus gibt, so habe ich ihn noch nicht begriffen.«

»Alter Knabe, *du* kennst ja keinen geregelten Tagesablauf. Ich organisiere diesen Laden nach der Uhr. In mir ist es jetzt — *kling!* einundzwanzig Uhr — und Lazarus ist in seinem schlimmen Leben noch nie so früh ins Bett gekommen. Alter Knabe, wovor versteckst du dich?«

»Dora, achte auf deine Kinderstube!«

»Ja, Papa. Deety und Gesellschaft — er leugnet das schikanöse Denken, das er vor sich selbst geheimhält, weil er daraus die doppelte Schikane ableiten müßte, mit der er Sie einfangen möchte — und dazu ist Gay erforderlich, weil ich nicht darauf eingerichtet bin. Bis heute hatte ich von *t, Tau* und *Teh* nichts gehört. Ich dachte, *t* wäre alles. Abgesehen von der Parazeit in einer Art Irrelevanz-Kapsel — ein Zustand, in den ich uns zur Zeit versetzt habe.

Aber zurück zur Leichengeschichte. Lib kam etwa achthundert Jahre nach der Diaspora ums Leben. Lazarus wirft sie — ihn — in einen Tank mit LOX und schafft ihn/sie in eine Kreisbahn, mit einem Signalstrahl. Kehrt so schnell es geht zurück und kann Libbys Kadaver nicht wiederfinden. Etwa vierzehn Jahrhunderte später erkennt meine Schwester Tenna, damals als Minerva bekannt, einen Umstand, der eigentlich auf der Hand liegen müßte — daß nämlich jedes in irrelevantem Zustand befindliche Schiff, wie das unsere jetzt, nicht nur ein Sternenschiff ist, sondern auch eine Zeitmaschine. Lazarus geht ein großes Licht auf; die in flüssigen Sauerstoff eingelegte Leiche ist verschwunden, weil er sie in einem zeitlich davor liegenden Augenblick abgeholt hat. Er versucht es also noch einmal, mehr als tausend Jahre später und fünf Jahre früher — und dort ist sie! Lazarus und ich und Laz-Lor begeben uns also in das Jahr 1916 der alten oder gregorianischen Rechnung auf der Alten Erde und begraben Lib mit einem Stoß aus der Kreisbahn in die Ozarks, wo sie/er — geboren worden ist. Ziemlich dumm von uns, denn sie wurde etwa ein Jahrhundert vor ihrer — seiner — Geburt über jene grünen Hügel verstreut. Ein Paradoxon.«

»Aber Paradoxa beunruhigen uns nicht im mindesten; wir leben davon. Wir befinden uns in der Parazeit, Laz-Lor sind akute Fälle von Parapsychologie, wir schalten und walten nach Paradoktrinen. Ja, selbst *Ihre* Familie — vier Doktores. Ein Doppelpaar *Docs!*«

»*Dora!*«

»Papa, du bist ja eifersüchtig, weil du nicht selbst darauf gekommen bist. Aber ich muß zu Lazarus' Entschuldigung eines sagen: Er ist zwar langsam, aber er kommt immer ans Ziel und lebt nach dem Glaubenssatz, daß jedes Paradoxon auch geparadoktort werden kann. Wie es sich ergab, hatte er viel Zeit zum Nachdenken, nachdem er Lib ins heiße Grab gestoßen hatte, denn er blieb in jener primitiven Zeit und ließ sich den Arsch abschießen, was ihn dazu zwang, vorwiegend auf dem Bauch zu liegen — eine schlechte Stellung zum Lesen, gut aber fürs Nachdenken.

Er kommt auf folgenden Dreh: Wenn er die Leiche finden konnte, indem er sie kurz *nach* dem Abladen in der Kreisbahn aufsuchte, so wäre doch bestimmt etwas Interessantes zu erfahren, wenn er sich dorthin begäbe, kurz *bevor* er Libs Überreste in die Kreisbahn brachte. Als es ihm wieder besser geht, führt er diesen Plan aus, mit seinem gesamten ersten Team, angeführt von Dr. Ischtar, dem Größten im Geschäft, und ich werde als Krankenhaus ausgestattet, mit allen Schikanen bis hin zu Klon-Kapseln.

Wir marschieren also an Ort und Stelle auf und warten — ohne zu landen.

Da schippert Lazarus herbei in dem Schrotthaufen, in dem er und Lib ihr Leben aufs Spiel setzten, und Papa segelt in einem Raumanzug herbei und löst den LOX-Tank, und Lib wird im All begraben, um auf das Jüngste Gericht zu warten.

Wir respektieren Papas Kummer eben lange genug, daß er wieder abziehen kann, dann nehme ich den Tank in mich auf. Isch macht sich an die Arbeit, aber nicht nur sie allein. Es finden sich ausreichend lebendige Zellen, die sich zum Klonen eignen. Das Gehirn ist noch intakt. Natürlich tot, aber intakt — und das genügt, da Isch ja nur die Konfigurationen des Gedächtnisses herausziehen will.

Bei diesen Vorbereitungen erfährt Ischtar, daß der selige Verstorbene die Möglichkeit in sich hatte, beiden Geschlechtern anzugehören — und aus diesem Grund wird der beste telepathische Hypnotiseur der Familien herangeholt und belämmert den Klon mit der Frage: Was möchtest du lieber sein, wenn du aufwachst? Ein Mann oder eine Frau?«

»Das geschah doch viel später, Dora. Ich war bereits wach.«

»Liebste Lib, frag *Isch.* Du mußtest das lange vor dem Aufwachen entscheiden. Isch und ihre Hormonkünstler mußten an dir herumwerkeln, solange du noch labil warst. Im Grunde hast du gar keine klare Antwort gegeben; der Telepath meldete uns deinen Gefühlszustand, sobald du dich für einen Mann hieltest, und dein Empfinden, wenn du dir ein Dasein als Frau ausmaltest. Isch meint — ich hörte, wie sie es einmal erklärte —, daß es dich glücklich machte, dich als Frau zu sehen.«

»Und das stimmt genau. Als Elizabeth Long bin ich viel glücklicher als je zuvor als Andy Libby.«

»Das wär's, Leute. Wie Isch einen verdrehten Mann zu einer glücklichen Frau machte, voll funktionsfähig und scharf auf die Männer, wie das bei allen Howard-Frauen der Fall ist.«

»Dora! Wir haben Gäste.« Lazarus runzelte die Stirn.

»Die sind alle erwachsen. Und verheiratet. Deety ist die jüngste. Deety, hat meine Direktheit Sie schockiert?«

»Nein, Dora. Ich könnte selbst als Howard durchgehen. Und ich bin fasziniert, daß sich die tolle Rechenschieber-Libby als mein Zwilling erweist und als *Frau.*«

»Als Frau *ohne* chirurgischen Eingriff — an ihr ist nichts Künstliches. Natürlich hätte selbst Isch nichts ausrichten können, wenn Lib nicht XXY mitgebracht hätte, was Isch in die Lage versetzte, den Klon je nach Wahl auf XX oder XY zu balancieren, indem sie auf die Hormondrüsen Einfluß nahm. Oder hätte sie doch? Ich muß sie mal fragen. Isch ist ein Genie hoch drei — schlauer als die meisten Computer. Lazarus kann jetzt seinen nächsten Taschenspielertrick erklären — der war ein wenig illegal.«

»He!« rief ich, »was ist mit der Leiche, die über den Ozarks abgeworfen wurde, Dora? Wer war das?«

»Natürlich Lib.«

»Lib ist doch *hier.* Ich habe ihr den Arm um die Schulter gelegt.«

Der Computer hätte sicher den Kopf geschüttelt, wenn er einen gehabt hätte. »Deety. *Doktor* Deety. Ich hatte Ihnen eben auseinandergesetzt, daß die Lib, die Sie da im Arm halten, ein *Klon* ist. Nachdem dem gefrorenen Gehirn auch das letzte Quantum Erinnerung abgesaugt worden war, stellten wir den alten Zustand wieder her, so gut das möglich war. Sie war von einer Art Höhlenbär getötet worden, der ihr/ihm — das Rückgrat zerschmettert hatte. Laz fror die Überreste wieder ein, und wir brachten sie zurück in die Kreisbahn, wo wir sie sechs Monate später fanden — zu unserer großen Überraschung.«

»Wieso warst du überrascht, wenn ihr den Toten dort vor sechs Monaten selbst abgeliefert hattet?«

»Haben wir denn hier keinen *Mathematiker* im Haus?« fragte Dora betont.

»Hör auf, Dora! Vielen Dank, daß du uns die Geschichte meiner Lebensläufe dargelegt hast; ich lerne doch jedesmal wieder dazu.« Lib wandte sich zu mir um, verschränkte den Arm unter dem meinen und sagte leise: »Die biologische Zeit gegen die

Zeitdauer. Wenn du dem Pfeil der Entropie durch die Schleifen der biologischen Zeit folgst, erkennst du, daß Lazarus bei jedem Schritt ehrlich überrascht war, obwohl er jede dieser Überraschungen selbst eingefädelt hatte — eingefädelt haben wird. Unsere Grammatik reicht für solche Dinge nicht aus. Deety, ich weiß, Sie haben Semantik studiert. Wollen wir den Versuch machen, eine Grammatik zu entwerfen für Raum-Zeit-Verwicklungen in sechs gekrümmten Dimensionen? Ich kann dazu nicht groß beitragen, zumindest könnte ich Ihre Arbeit kritisch zurechtstutzen.«

»Gern!« Und das war nicht gelogen. Mein Zwilling ist eine so liebe Person, daß vielleicht sogar Deety etwas von dieser Nettigkeit für sich in Anspruch nehmen kann.

XLI

Jacob:
Aus A folgt B. Ich halte mich für einen vernünftigen Mathematiker und sehe mich nicht als einen jener Romantiker, die unserem Beruf geschadet haben, indem sie ›Unendlichkeit‹ als Zahl definieren wollen, ein Symbol mit einem Bezugswert verwechseln oder Ignoranz behandeln, als wäre sie ein Ding an sich. Als ich mich plötzlich im Lande Oz wiederfand, schloß ich daraus nicht, daß ich die Fähigkeit zum vernünftigen Denken verloren hatte. Im Gegenteil, dieser Besuch bereitete mich emotional auf andere ›fiktive‹ Charaktere vor.

Möglichkeit: Ich sitze in der geschlossenen Abteilung eines Veteranenheims. Aber dieser Möglichkeit eine faktische Basis zuzuschreiben, wäre gleichbedeutend mit Selbstmord an meiner Persönlichkeit. Ich werde weiter auf das reagieren, was meine Sinne mir melden. Ich will nicht der Dummkopf sein, der beim Anblick einer Giraffe sagt: »So ein Tier gibt's doch gar nicht.«

So liege ich nun also mit meiner lieblichen Hilda im Bett in einer luxuriösen Kabine der Sternenyacht Dora, als Gäste des absolut fiktiven ›Lazarus Long‹. Ist dies Grund genug, nach dem Rufknopf zu suchen, um eine noch fiktivere Krankenschwester um eine nicht-existierende Spritze zu bitten, auf daß diese Halluzination ein Ende nehme? Das Bett ist erstklassig. Und was Hilda angeht ... Salomon hätte jeden Grund, mich zu beneiden, Mohammed mit all seinen Mädchen war nicht so gut dran wie ich.

Sollten noch Widersprüche bestehen, so kann man die auch

morgen noch auflösen. Oder übermorgen. Oder überhaupt später, nach dem Ende der Ewigkeit vielleicht.

Warum ein Paradoxon untersuchen? Wie Dora schon betonte, sind wir ja selbst ein Paar Docs — die im Augenblick nicht gestört und schon gar nicht getrennt werden wollen.

Seit Hilda mich geheiratet hat, habe ich keine Schlaftablette mehr genommen.

Niemand weckte uns. Ich erwachte mit dem Gefühl, völlig ausgeruht zu sein. Meine Frau stand bereits im Erfrischungsraum und bürstete sich die Zähne mit — jawohl, Pepsodent. Ich nahm ihr die Bürste aus dem Mund, küßte sie und steckte ihr die Bürste wieder hinein. Als sie fertig war, fragte ich: »Hast du die Kinder irgendwo gesehen?«

»Nein, Jacob.«

»Dora!«

»Sie brauchen nicht zu schreien; ich sitze Ihnen auf der Schulter. Möchten Sie das Frühstück ans Bett?«

»Haben wir die übliche Frühstückszeit verpaßt?«

»Professor Burroughs, für mich beginnt die Frühstückszeit um Mitternacht und endet zur Mittagsstunde. Mittagessen um dreizehn, Appetithappen und dergleichen jederzeit. Das Abendessen in förmlicher Aufmachung — sonst nicht.«

»Hmm ... Wie förmlich ist ›förmlich‹?« Hilda hatte inzwischen mehr Garderobe, doch *Beulahland* ist nicht gerade ein Paradies für Modeschöpfer.

»›Förmlich‹ bedeutet Abendkleidung aus Ihrer Kultur oder der unseren, oder nackte Haut. Keine Freizeitkleidung, Definition unseres Commodore: ›Ganzer Lappen oder gar keiner.‹ Zusatz: Schmuck, Parfum und kosmetische Hilfsmittel sind natürlich erlaubt. Die Dienstleistungen des Schiffes schließen Reinigung und Bügeln innerhalb von sechzig Minuten ein und eine gute Auswahl Abendgarderobe für Damen und Herren im Modestil von Neu-Rom. Es handelt sich um Waschkleidung für Gäste, die nicht mit Abendgarderobe reisen, bei einem entsprechenden Anlaß aber richtig gekleidet sein wollen und es nicht vorziehen, allein zu speisen.«

»Sehr gastfreundlich. Da wir von Waschkleidung sprechen — bis auf den Korb für die schmutzige Wäsche haben wir alles gefunden. Ich müßte ein Lendenschürzchen loswerden.«

»Aber das ist doch ein Stück Waschkleidung, Doktor!«

»Habe ich ja gesagt. Ich hab's getragen, jetzt müßte es gewaschen werden.«

»Tut mir leid, Sir. Mein Englisch ist nicht so gut wie mein Galacta. Mit ›Waschkleidung‹ meine ich: Behalten Sie das Stück an
und stellen Sie sich unter die Dusche, dann verschwindet es sofort.«

Hilda sagt zu mir: »Wir nehmen gleich ein Dutzend.«

»Captain Hilda, ›Dutzend‹ ist ein Wort, das sich in meinen Ge-
dächtnisspeichern nicht befindet. Würden Sie bitte neu formulieren?«

»Eine kleine Bemerkung für meinen Mann, Dora. Wie sieht
denn die Mode in Neu-Rom heute aus?«

»»Heute‹ beziehe ich auf meine aktuellsten gespeicherten Daten zu diesem Thema. Wie üblich folgen die Moderichtungen
dem Aktienmarkt. Zum Abend tragen die Männer ihre Hemden
bodenlang mit einer kleinen Schleppe. Eine oder beide Schultern
sind frei. Nackte Füße oder Sandalen gehen in Ordnung. Die Farben fallen sehr hell aus und dürfen auch unpassend zusammen-
gestellt werden. Waffen sind erforderlich — notfalls nur symbolisch, doch man muß sie offen zeigen. Die Damen folgen natürlich antizyklisch. Die Röcke sind in dieser Saison kaum mehr als
gereffte Streifen, zehn bis vierzehn Zentimeter lang, recht tief getragen. Wenn ein Oberteil angezogen wird — in dieser Saison
nicht erforderlich, außerdem ziehen einige Damen eine kosmetische Behandlung in klaren Farben vor —, dürfen die Zitzenfen-
ster offen oder undurchsichtig sein. Neuer Gag: eine Brust nackt
und ohne Bemalung, die andere changierend-flirrend bedeckt.«
In dem Moment wechselte sie den Ton, Dora sprach plötzlich
wie ein aufgeregtes kleines Mädchen: »Hoffentlich entscheidet
sich jemand für diesen Stil; den würde ich gern sehen. Beispielsweise Dr. Deety und Dr. Lib, die eine mit schimmernder Farbe
auf der linken Brust, die andere auf der rechten, und beide sitzen
nebeneinander! Hübsch, nicht?«

»Ein atemberaubender Anblick«, sagte ich. (Sie würden wie
Clowns aussehen! Aber vielleicht machte Deety die Sache mit.
Das Kind ist den Leuten gern zu Gefallen — sogar einem Com-
puter. Einem Computer vielleicht in besonderem Maße.)

»Du alter Bock, möchtest du ein Hemd mit kurzer Schleppe?«

»Hilda!«

»Dora, hast du etwas Waschbares für heute abend in der
Größe meines Mannes? Welche Maße brauchst du?«

»Ich habe die Maße des Professors im Speicher, Madame. Ich
lege eine große Auswahl in Ihrem Quartier bereit — am frühen
Nachmittag, sofern Sie nicht schlafen oder anderen Tätigkeiten

nachgehen. Eine entsprechende Kollektion für Sie, nehme ich an?«

»Wenn du willst, Dora. Vielleicht trage ich den Stil ja auch nicht.«

»Captain Hilda ist eine ausgezeichnete Komposition für sich. Ich bin eine vorzügliche Technikerin; ich erkenne einen guten Entwurf sofort. Das ist keine Schmeichelei; Laz-Lor reden mir ein, ich müßte mir die Fähigkeit zulegen, anderen Leuten Schmeicheleien zu sagen. Ich weiß nicht recht, ob sich meine Schaltungen dazu eignen. Vielleicht kann ich das von Gay lernen.«

»Und ob, Dora; ich gehe meinen vier Schützlingen schon seit Ewigkeiten um den Bart — jedenfalls kommt es mir so vor.«

»Gay, hast du mitgehört?«

»Bist du böse auf mich, Tante Hilda?«

»Wo werd' ich denn? Auf unsere Gay Täuscher? Aber es ist höflich, wenn man seine Gegenwart ankündigt.«

»Aber — Dora hat *Augen* und läßt mich sehen.«

»Captain Hilda, seit sie an Bord kam, war Gay die ganze Zeit bei mir. Verbieten Sie das? Wir *wußten* es nicht.« Dora sprach wieder mit ihrer Kleinmädchenstimme und machte einen erschrockenen Eindruck.

Es wurde Zeit, daß ich mich einschaltete ... »Gay, Dora — Hilda hat nichts dagegen, und ich auch nicht. Ich sage Deety und Zeb Bescheid, die sind bestimmt meiner Ansicht.«

»Jake, du bist ein Kumpel!«

»Gay, du hast uns oft das Leben gerettet, da können wir nichts dagegen haben, wenn du die Freuden des Lebens ein wenig genießt. Aber Gay, mit Doras Augen und Ohren siehst und hörst du Dinge, die dein Radar sonst nicht erfaßt und die du nicht hörst, wenn wir dich nicht einschalten. Hat einer von euch beiden das Wort ›Diskretion‹ in den Dauerspeichern?«

»Nein, Jake. Was bedeutet das?«

»Ich erkläre es ihr«, sagte Dora eifrig. »Es bedeutet, daß wir Dinge sehen und hören, aber so tun, als wüßten wir nichts davon. Wie gestern abend, als wir ...«

»Sag es ihr später, Dora. Auf direkter Leitung. Welche Schiffszeit haben wir, und sind wir die letzten zum Frühstück? Ich sehe keine Uhr.«

»Ich bin die Uhr. Schiffszeit ist neun null drei. Sie sind nicht zu spät dran. Commander Laz schläft noch; sie ist nicht gleich nach der Meuterei ins Bett gegangen. Captain Long — damit ist Lor gemeint — hat auf der Brücke gegessen — eine unbedachte Beleidigung mir gegenüber, denn ich habe ja ständig Wache, aber sie ist als Gesellschafterin eben nicht zu schlagen. Der Commodore frühstückt stets in der Kommandokabine. Die Doktores Deety und Zeb und Lib fangen gerade an.«

»Wie sind sie gekleidet?« fragte Hilda.

»In Servietten. Dr. Lib trägt ›Dschungelblume‹ in Cologne und Puder und Parfum; sie mag starke Gerüche. Dr. Zeb scheint auf eine Behandlung verzichtet zu haben, doch er hat einen sehr angenehmen Geruch. Was Dr. Deety angelegt hat, kenne ich nicht, doch es enthält sowohl Moschus als auch Sandelholz. Soll ich die Formel durch Symbole darstellen?«

»Wir haben die Blaue Stunde, und ich bin erstaunt: meine Stieftochter braucht keine Duftstoffe. Ebensowenig Lib, verflixt! Jacob, bist du fertig?«

Ich überlegte hastig und antwortete sofort. Während die Computer redeten, hatte ich dieses und jenes getan — so hatte ich es mit einem Enthaarungstrick versucht, der mir aber etwas außer Kontrolle geriet — meine Koteletten fehlten. Zeb in eine Serviette gehüllt ... Libby Long die einzige, die nicht zu unserer Familie gehörte — und früher ein Mann war. Gute Gelegenheit, mir etwas Blau in den Bauchnabel zu reiben ... »Fertig.«

Hilda nahm Kenntnis von meiner Entscheidung, indem sie nicht darauf achtete. Das blaue ›Tinker-Bell-Licht‹ erschien und führte uns in ein kleines Eßzimmer, in dem wir mit einer Gewohnheit der Long-Familie bekannt gemacht wurden — was mir aber gar nicht so bewußt wurde, weil es an unsere eigene morgendliche Zeremonie erinnerte: Lib erblickte uns, kam an die Tür, küßte Hilda und dann mich, kurz, aber mit Konzentration. Dann küßte mich meine Tochter, während Zeb sich meiner Frau zuwandte. Wie üblich, tauschten wir; Deety küßte Hilda — und Zeb faßte mich an den Schultern, zischte mir ins Ohr: »Halt still!« und gab mir einen Kuß auf beide Wangen.

Nahm mein Blutsbruder etwa an, ich würde ihn in Gegenwart eines Fremden bloßstellen? Wir hatten mit der Küsserei nach unserer gemeinsamen Doppelhochzeit angefangen. Zeb und ich beschränkten uns dabei gewöhnlich auf die lateinamerikanische Methode, vier kurze Berührungen; doch im Fuchsbau hatten wir einmal den richtigen Rhythmus nicht getroffen und uns Mund-zu-Mund berührt. Wir zuckten nicht zurück, verharrten aber auch nicht. Wir machten keine Szene daraus, obwohl ich mir der Überschreitung des Tabus bewußt war, und er ebenfalls.

Zwei Tage später kam ich als letzter; Zeb saß mit dem Rücken zu mir. Er lehnte sich zurück und drehte den Kopf, um mit mir zu sprechen; ich beugte mich herab, küßte ihn kurz, aber fest auf den Mund, ging weiter und küßte meine Tochter, nicht ganz so kurz, um mich schließlich bei meiner Frau noch ein wenig länger aufzuhalten. Dann setzte ich mich und fragte: »Was gibt's zum Frühstück?«

Und dieser Satz erwies sich schließlich als die einzige unveränderliche Größe unserer morgendlichen Zeremonie. Zeb und ich küßten uns auf die Wange oder auf den Mund — kurz, trocken, symbolisch, und diese Gesten gingen von beiden aus. Sie bedeuteten, daß wir uns näherstanden, als sich durch einen Händedruck ausdrücken ließ; etwas Sexuelles war darin nicht begründet.

Ich war also etwas erbost, daß Zeb es für nötig hielt, mich zu warnen. Ich will eins hinzufügen: ich bin voll auf Frauen ausgerichtet, und ohne Hilda könnte ich nicht mehr leben. Doch einmal versuchte ich es auch auf andere Weise: mit einem Schulfreund in der Woche unseres Abgangs, ehe wir uns (wie es sich erweisen sollte) für immer trennten. Wir wollten damit nicht etwa Abschied feiern, wir experimentierten nur herum, um einmal festzustellen, worum das Gerede kreiste — vorgeplant, aber ohne bestimmten Termin, wartend auf eine Gelegenheit, die sich in unserer letzten Schulwoche ergab. Eine zweistündige Prüfung, sonst kein Unterricht mehr. Eine halbe Stunde Tennis, dann die plötzliche Erkenntnis, daß wir frei waren und die Wohnung der Eltern leerstand — bis zum späten Nachmittag. Der Tag war gekommen.

Wir gaben uns wirklich Mühe. Zuerst badeten wir gründlich. Wir schämten uns nicht voreinander, wir hatten keine Angst. Auch um das Erwischtwerden machten wir uns keine Gedanken, die Türen waren verschlossen und verriegelt. Wir mochten uns sehr und hätten uns gewünscht, daß es klappt.

Aber es war ein totales Fiasko. Wir versuchten alles — aber es ging nicht.

Wir standen auf, aßen Sandwiches mit Erdnußbutter und Marmelade und sprachen beim Essen darüber. Wir waren nicht bekümmert oder angewidert, Hindernisse wie schlechter Atem hatten sich nicht eingestellt — wir waren nur nicht zum Ziel gekommen.

Wir putzten uns noch einmal die Zähne, schrubbten uns gegenseitig ab und versuchten es noch einmal. Turnübungen nutzlos. Ohne ›moralische‹ Bedenken, wir waren sogar begierig, dazuzulernen. Aber es war nichts für uns. Wir beseitigten also die Spuren und spielten noch drei Sätze Tennis.

So steht es mit Zeb und mir. Ich liebe ihn sehr; er hat mir das Leben gerettet und ich das seine, wir haben gemeinsam unsere Frauen gerettet. Aber ich liebe ihn als das, was er *ist* — während ich voll erkenne, daß er nach Ansicht meiner Tochter der Größte ist seit ... Nun ja, eben der *Größte*.

Aber eins müssen Sie verstehen: Sollte Zeb jemals den Versuch machen, werde ich mir größte Mühe geben, ihn davon zu überzeugen, daß ich darauf mein ganzes Leben lang gewartet habe.

Nun habe ich aber lange genug erklärt, warum ich ärgerlich war. Wie auch immer, ich werde Zeb unter vier Augen klarmachen, daß ich ihn nie enttäuschen werde.

Zurück zur Familie Long ... ›Long‹ ist nicht der Name einer Howard-Familie; es handelt sich um eine Gruppe Howards, die zusammen leben und die ihre Namen um den Zusatz ›Long‹ erweitert haben (das Pseudonym, das vorwiegend von Lazarus verwendet wird). Das Ganze ist eine Kommune, eine erweiterte Familie, eine Serienfamilie, ein Gott weiß was! Wahrscheinlich gibt es dafür in keiner Sprache eine geeignete Bezeichnung, und mindestens zwei Computer gehören als gleichberechtigte Mitglieder dazu. Sie kommen und gehen und ziehen Kinder groß, und nur die Familiengenetikerin (Dr. Ischtar) kennt die genauen elterlichen Verhältnisse, und wer legt darauf überhaupt Wert? Ich vermute ohnehin, daß sie in sexueller Hinsicht alle bilateral sind, was aber kein Außenseiter vermuten könnte — und ich bin ein Außenseiter.

Und eins ist klar: Wenn ein Long einen anderen Long zum erstenmal am Tage sieht, geben sie sich einen Kuß — und nicht nur kurz auf die Wange.

Ich erfuhr, daß ich mir zum Frühstück so gut wie alles wünschen konnte. Schon das hätte mir eigentlich klarmachen müssen, daß wir hier auf etwas hingetrieben wurden. Aber ich greife meiner Geschichte vor, da ich Dinge über die Long-Familie wußte, und zwar aus einem Buch, das Sie vielleicht nicht gelesen haben. Das Schiff Dora kam aus einem anderen Universum, von einem Planeten, der viele Parseks von dem Erde-Analogon jenes anderen Universums entfernt war, aus einer Zeit, die sich gut zweitausend Jahre in meiner Zukunft befand, wenn man es auf eine Weise betrachtete — oder aus einer Zeit, die für meine absolut irrelevant war, da wir keine Zeit-Achse gemeinsam hatten.

Trotzdem konnte ich *alles* haben: Toast, Hühnereier in allen Stilarten, Speck, Schinken, Würstchen, ein Frühstückssteak, Orangenmarmelade, Traubengelee, Weizen-Crispies, und von all diesen Leckereien stammt *keine* von Tertius, dem Heimatplaneten der Long-Familie.

Pepsodent in unserem Erfrischungsraum . . .

Während ich mir noch eine wunderschöne goldene Waffel schmecken ließ, die auf der Zunge *zerging*, betrat Lazarus Long den Raum — und eine Stimme in meinem Kopf sagte: »*Der Commodore frühstückt stets in der Kommandokabine.*«

Außerdem war Lazarus wie Zeb und ich gekleidet, außer daß er noch keine Serviette trug.

Eine Möglichkeit: Lazarus hatte jedes Wort mitgehört, das zwischen Mann und Frau gewechselt worden war.

Zweite Hypothese: »Dora, gib mir Bescheid, wenn sie aufstehen, melde es mir, sobald sie im Frühstückszimmer eintreffen — wenn sie das tun, vorher bietest du ihnen Tabletts an wie gewöhnlich. Wenn sie im Frühstückszimmer essen, sag mir, was jeder anhat.«

Die erste Hypothese umschreibt eine üble persönliche Kränkung; die zweite umreißt Informationen, auf die ein Gastgeber ein Anrecht hat. Wie stelle ich nun fest, wie die Dinge wirklich liegen? Antwort: Gar nicht, da Lazarus mir auf jeden Fall die Antwort geben wird, die ihm zum Vorteil gereicht. Außerdem ist der Computer ihm ergeben, nicht mir.

Kaum war Lazarus mit Lib Long fertig, wurde er von Deety gepackt und seinerseits abgeküßt — dann bemerkte er Hildas Blick, schaute zu mir herüber, beugte sich sehr langsam über sie und gab uns auf diese Weise mehrfach Gelegenheit, die kleine Geste zu machen, die eine Ablehnung bedeutet hätte. Er küßte sie, weil ich mich auf Hildas Instinkte verlasse und ihr unter solchen Umständen nie etwas in den Weg legen werde. Hilda legte ihm die Hand in den Nacken und übernahm damit die Kontrolle über den Kuß, den sie in die Länge zog — und ich verwarf die erste Hypothese und merkte mir die zweite als ›noch zu beweisen‹ vor. Hilda hat einen unfehlbaren Instinkt, was andere Menschen angeht; ich glaube beinahe, sie ist eine Art Telepathin.

Wie auch immer, wir würden ihm jetzt nach besten Kräften helfen.

Er wandte sich schließlich an Zeb und mich und sagte schlicht:

»Guten Morgen« — angeblich sind seine Instinkte auch unfehlbar.

Ich stimmte ihm zu, daß es ein ›guter Morgen‹ sei, während ich mir sagte, daß dies ein Symbol ohne Bezugspunkt sei, abgesehen von dem gesellschaftlichen Begriff. (Morgen? Im Zeit-irrelevanten Zustand?) Doch ich fügte ernsthaft hinzu: »Lazarus, dies ist die beste Waffel, die ich je gegessen habe.«

»Dann sagen Sie das bitte Dora.«

»Dora, hast du gehört, was ich dem Commodore gesagt habe?«

»Aber ja, Professor Jake! Noch sechs dazu?«

Ich betastete meine Taille — die sich fest anfühlte und um etliche Zentimeter verringert war. »Sechs Waffeln würde ich mir schon wünschen . . .«

»Kommen sofort!«

». . . aber mehr als eine halbe wage ich nicht mehr zu essen. Deety, wenn wir das nächstemal in Oz sind, erkundige dich doch bei Glinda, ob es nicht einen Zauber für Vielfraße gibt — damit meine ich mich. Ich würde gern soviel essen, wie es meinem Auge gefällt, während drei Viertel davon im Magen einfach verschwinden!«

»So etwas würde sie sicher bewerkstelligen können; aber ich bin überzeugt, sie würde es nicht tun. Sie hat ihre Prinzipien; wahrscheinlich könntest du sie nicht überzeugen, daß dein Anliegen einen Wert hat.«

»Du sprichst mit bedrückender Logik, meine Liebe.«

»Professor«, fragte Lib, »sind Sie wirklich im Land Oz gewesen? Wirklich und wahrhaftig?«

»Wirklich und wahrhaftig. Dora, ist Gay bei uns?«

»An Bord, Jake!« meldete sich Gays Stimme.

»Hat sich jemand schon mal unseren Backbord-Anbau angesehen?«

»Wie denn? Captain Hilda hat keine entsprechende Erlaubnis ausgesprochen.«

»Aber . . . Hilda?«

»Nein, mein Lieber. Es tut mir leid, wenn ich mich hart geben muß, Commodore und Dr. Lib, doch ich lasse nicht einmal eine Tür öffnen, weil zu viele Dinge nicht berührt werden dürfen. Aber es wäre mir beinahe jederzeit — so auch jetzt — ein Vergnügen, Gäste ins Innere der Gay Täuscher zu begleiten; ich bin mit essen fertig.«

»Ich nehme die Einladung an!«

»Dann kommen Sie, Elizabeth. Sonst noch jemand?«

Lazarus sagte: »Dora, stell mein Frühstück auf die Wärmeplatte; ich esse später.«

»Ein Marmeladen-Omelette? Ich esse es selbst!«

»Tu' das, Dorchen. Captain, ich bin bereit.«

Laz-Lor erschienen gemeinsam und wollten nicht allein gelassen werden. So kam eine ziemlich große Gruppe zusammen: acht Personen und zwei Computer.

Hilda ließ uns dicht vor Gays Steuerbordtür innehalten. »Meine lieben Freunde, wieder muß ich offen sprechen. Sobald Sie die Schwelle dieser Tür überschreiten, verlassen Sie die Sternenyacht Dora und betreten den Bereich eines unabhängigen Kommandos, Gay Täuscher, *obwohl Gay von Dora umschlossen ist.* Hinter der Tür dort bin ich der Befehlshaber, niemandem verantwortlich, mit unbeschränkter Autorität. Captain Lor, verstehen Sie das und erklären Sie sich mit der juristischen Grundlage einverstanden?«

Captain Lorelei blickte ihre Schwester an und zog ein bedrücktes Gesicht. »Captain Hilda, mit der juristischen Einschätzung bin ich *theoretisch* einverstanden und kann deshalb nicht an Bord kommen. Ich darf mein Kommando nicht verlassen.«

Meine Frau blickte sie bestürzt an. »Oh, das tut mir leid!«

»Captain Hilda«, schaltete sich Lazarus Long ein, »mir tut es in anderer Hinsicht leid. Ich bin nämlich mit Ihrer juristischen Interpretation nicht einverstanden. Meine juristischen Erfahrungen reichen etwa zweitausend Jahre weiter zurück als die meiner Schwester — dabei ging es um alle möglichen Gesetze in allen möglichen Kulturen. Ich spreche hier nicht von Gerechtigkeit, die ich gern den Philosophen überlasse. Aber ich weiß, welche juristischen Theorien bei Menschen funktionieren und welche schließlich aufgegeben worden sind, weil sie einfach nicht funktionieren wollten. Diese Situation ist nicht neu; sie hat sich viele tausend-, ja, millionenmal ergeben: ein größeres Raumschiff mit einem kleineren Schiff in seinem Inneren. Die Lösung ist immer dieselbe, ob es nun um Sternenschiffe, Fischerboote, Flugzeugträger geht oder irgendein anderes Schiff. Das kleinere Fahrzeug bildet *außerhalb* des größeren Schiffes ein eigenständiges Kommando, doch sobald es sich *im* Träger befindet, gehört es juristisch dazu.«

Mein Liebling antwortete nicht. Während Lazarus noch sprach, winkte sie mich, Zeb und Deety durch Blicke zu sich. Als er fertig war, sagte sie sogleich energisch: »Gay Täuscher, öffne

Steuerbordtür. Bemannt den Wagen, fertig machen zum Raum-flug.«

Ich bin stolz auf unsere Familie. Zeb huschte an mir vorbei und nahm den entferntesten Sitz ein — womit ich Platz hatte, zu meinem Sessel zu flitzen, während Deety Hilda hochhob, ins Innere stopfte und hinter ihr einstieg. Sie drehte sich um, nahm die Füße vom Türrahmen und rief: »Gay, Türen schließen!«

Obwohl ich mich anschnallte, blickte ich nach rechts, wo nun die Entscheidung fallen mußte, Lazarus Long griff nach der Tür und rief: »He, einen Moment!«

Er erkannte seinen Irrtum noch so rechtzeitig, um seine Finger zu retten, aber die zuklappende Tür schleuderte ihn noch nach hinten — und ich erkannte einen der Gründe, warum er so lange gelebt hatte. Anstatt sich mit den Händen aufzufangen, rollte er sich in eine Kugel und fing den Aufprall mit einer Seite seines Hinterteils ab.

»Meldung!«

»Copilot angeschnallt, überprüft Dichtung!«

»Erster Pilot angeschnallt, alle Systeme in Ordnung. Türdichtung wird erneut überprüft.«

»Navigator angeschnallt, bereit.«

»Türdichtung Steuerbord in Ordnung!«

»Gay, hüpf!«

Wir befanden uns in freiem Fall. Sterne waren nicht zu sehen — es herrschte völlige Dunkelheit.

»Astronavigator. Ratschlag.«

»Keine Ahnung, Captain. Wir müssen Gay fragen, ob sie den Weg zurück findet. Irgendwohin. *Beulahland* oder irgendeinen anderen Punkt in ihren Dauerspeichern. Ich habe keine Orientierung.«

Plötzlich traten die Sterne hervor. »*Dora ruft Gay Täuscher. Melde dich, Gay.*«

»Nicht antworten! Zebbie, deine Meinung. Was ist da eben geschehen?«

»Ich kann nur mutmaßen. Sie haben ihre Zeitabkapselung aufgegeben, um uns nicht zu verlieren. Sie scheinen ziemlich scharf auf uns zu sein.« Zeb fügte hinzu: »Das einzige, was wir besitzen und was nicht an jedem Eckladen zu haben ist, wäre Jakes Raum-Zeit-Verdreher. Woher sie davon wußten und warum sie ihn haben wollen, kann ich mir nicht erklären.«

»*Dora ruft Gay. Gay, bitte melde dich. Bist du meine Freundin nicht mehr? Ich weiß, unsere Bosse haben sich gestritten — aber wir doch nicht!*

Willst du denn nie wieder mit mir sprechen? Ich liebe dich, Gay. Bitte sei kein Frosch!«

»Captain Hilda, darf ich mich bei Dora melden und ihr versichern, daß *ich* nicht auf *sie* böse bin? Sie ist ein süßes Mädchen, ehrlich! Captain, ich habe ihre *Augen* benutzen dürfen!«

»Ich will vorher mit ihr reden.«

»Oh, vielen Dank! Gay antwortet Dora. Melde dich, Dora!«

»Gay! Ich hatte ja solche Angst! Bitte geh nicht fort. Der Commodore möchte sich bei deinem Boß entschuldigen. Redet sie mit ihm?«

»Captain?«

»Nein. Aber ich spreche mit Doras Captain.«

Eine schwache Karikatur von Loreleis Gesicht erschien auf unserem Mittelschirm. *»Hier Lor, Captain Hilda. Meinem Bruder tut es schrecklich leid, er möchte sich entschuldigen. Meine Schwestern und ich sind ganz außer uns und bitten Sie recht herzlich zurückzukehren. Trotz der dummen Dinge, die Ihnen mein Bruder gesagt hat, erhebe ich keinerlei Kommandoanspruch auf Ihr Schiff. Libby läßt Ihnen auch etwas sagen, daß nämlich topologisch gesehen kein Unterschied dazwischen besteht, ob Sie in uns oder wir in Ihnen sind. Wie auch immer, wir umgeben den anderen jeweils völlig.«*

»Ich sehe das Problem nicht topologisch, sondern pragmatisch, Captain. Aber bitte sagen Sie Elizabeth Dank. Ich habe eine Nachricht an Lazarus Long. Eine Katze läßt sich in fast jede Falle locken, aber nur *einmal*; dieselbe Katze wird sich auf keinen Fall zum zweitenmal hineinwagen.«

»Die Botschaft habe ich ausgerichtet.«

»Dann ist der Augenblick des Abschieds gekommen. Captain Lorelei, ich kann Ihnen nicht für Ihre Gastfreundschaft danken, denn eine Entführung hat mit Gastfreundschaft nichts zu tun, auch wenn sie sich in einer luxuriösen Umgebung abspielt. Aber ich nehme nicht an, daß Sie oder Ihre Schwester — Schwestern — die Sache so gesehen haben. Die Schuld sehe ich allein bei Ihrem heimtückischen, raffinierten Bruder. Bitte geben Sie Ihren Schwestern und Libby unser Lebewohl weiter und sagen Sie ihnen, daß uns unsere plötzliche Abreise leid tut.«

»Captain, warten Sie! Ich muß noch schnell etwas erledigen.«

»Captain Lor, ich muß Sie darauf hinweisen, daß ich Sie im Visier habe.«

»Was? Oh! Wir sind völlig unbewaffnet. Ich meinte etwas ganz anderes. Ich bin gleich zurück. Soll Dora Ihnen solange etwas vorsingen? Aber bitte bleiben Sie noch!« Das Gesicht verschwand von unserem Schirm.

»Was für Lieder mögen Sie denn, Leute? Ich kenne viele: ›Ein-Ei-Reilly‹ und ›Die Grünen Hügel‹ und ›Auf der Hut zur Weihnacht‹ und ›Santa Carolita‹ und ›Mademoiselle vergießt viele Tränen‹ und das ›Pfandhaus-Lied‹ und ›Der Affe wickelt seinen Schwanz um den Flaggenmast‹ und ›Mary O'Meara‹ und ›Frag nicht, Soldat‹ — Sie brauchen mir nur zu sagen, was Sie hören wollen, und sofort . . . da kommt Schwesterchen schon zurück. Captain Lor.«

»Captain Hilda, ich danke Ihnen von ganzem Herzen, daß Sie gewartet haben. Können Sie eine Aufzeichnung vornehmen?«

»Gay, Aufzeichnungsprogramm. Sprechen Sie.«

»Ich habe meinen Bruder unter Arrest gestellt und in sein Quartier verbannt. Ich, Captain Lorelei Lee Long, Kommandant der Sternenyacht Dora, bestätige hiermit in meiner offiziellen Eigenschaft, verwendbar vor jedem Gericht, daß ich keine Autorität über die Yacht Gay Täuscher habe und niemals versuchen werde, irgendeinen Einfluß auf Gay Täuscher zu gewinnen, unabhängig von den Umständen. Abgesehen davon stelle ich mich, meine Besatzung und mein Schiff Dora hiermit unter das Kommando von Captain Hilda Burroughs, die ab sofort Kommandant beider Schiffe ist. Diese Übertragung ist unwiderruflich für mich oder meine Schwestern und kann nur durch Commodore Burroughs selbst beendet werden. Ende der offiziellen Botschaft. Hilda, möchten Sie nicht nach Hause kommen? Laz weint sich die Augen aus, und ich weiß nicht, was ich tun soll. Wir brauchen Sie. Der alte Knabe ist gar nicht dazu gekommen, Ihnen den Grund zu sagen. Aber wir brauchen Sie wirklich! Darf ich es Ihnen sagen?«

»Bitte sehr, Lor.«

»Es geht darum, unserer Mutter das Leben zu retten!«

(Leise sagte ich: »Da soll doch . . .!«)

Meine Frau zögerte. Dann fragte sie: »Ist Elizabeth Long bei Ihnen?«

»Ja, ja! Sie hat alles mitgehört — sie weint ebenfalls. Ich würde mich auch gern gehenlassen, aber als Captain darf ich das nicht.«

»Lassen Sie mich bitte mit Elizabeth sprechen.«

Die verwischten Gesichter wechselten. *»Hier Lib Long, Commodore.«*

»Libby, Captain Lorelei hat mir etwas mitgeteilt, das schwer zu glauben ist, aber wenn sie, wie ich gelesen habe, von ihrem Bruder geklont worden ist, dann hat sie vielleicht sein Talent zum Lügen geerbt. Soweit ich Sie kenne, nehme ich nicht an, daß Sie überhaupt lügen könnten.«

»Commodore, es stimmt, daß es mir bisher nie gelungen ist, überzeugend zu lügen. Ich hab' das schon vor langer Zeit aufgegeben.«

514

»Sehr gut, Lib. Ist Lazarus Long tatsächlich unter Arrest in seiner Kabine eingesperrt?«

»Auf beide Fragen muß ich mit ›Ja‹ antworten. Seine Tür läßt sich nicht öffnen, und Dora hat Anweisung, ihn erst wieder herauszulassen, wenn Sie es gestatten.«

»Und was war das für eine Äußerung über das Leben ihrer Mutter? Wenn die beiden von einem Mann des Alters geklont wurden, das Lazarus angeblich hat, muß die Mutter doch schon vor mehreren Jahrtausenden verstorben sein.«

»Die Sache liegt so kompliziert wie bei mir, Commodore, ist jedoch völlig anders. Die Zwillinge haben Ersatzmütter. Lor aber sprach von der *genetischen* Mutter für sie selbst, ihre Zwillingsschwester und Lazarus Long. Sie wurde vor über zweitausend alt-terranischen Jahren als tot gemeldet. Es gibt jedoch eine schwache Hoffnung, daß die Unterlagen durcheinandergebracht worden sind und daß man sie vielleicht retten kann. Dies ist aber ohne Ihre und die Hilfe von Gay Täuscher nicht möglich. Selbst mit Ihrer Unterstützung dürften die Chancen nicht besonders gut stehen. Doch *ohne* sie . . . nun, ich würde versuchen müssen, einen Antrieb zu entwerfen, wie Gay ihn angeblich hat, und ich glaube nicht, daß ich dazu in der Lage wäre.«

»Einen Augenblick, Libby. Gay, unterbrich die Ausstrahlung aus der Kabine; halte den Schaltkreis bereit. Kannst du ohne Hilfe in deine Parkposition an Bord der Dora zurückfinden? Hast du die Daten in deinen Dauerspeichern?«

»O ja. Ich hatte mir überlegt, daß ich Dora vielleicht eines Tages finden möchte. Bist du jetzt böse auf mich? Ich weiß, ich war dazu nicht ermächtigt. Aber ich habe es nicht auf Ich-sag's-dir-dreimal genommen! Ich kann es löschen!«

»Gay Täuscher. Neues Programm. Neue Parkposition. Codewort ›Dora Long‹. Ich sag's dir dreimal.«

»Hilda, ich höre dich dreimal!«

»Gay Täuscher. ›Dora Long‹. Ausführung!«

Die Sterne verschwanden, und vor unseren Türen blitzten die erleuchteten Nischen auf.

XLII

Zeb:

»Hörst du das, Laz? Du bist nur ein erdachtes Stück Fantasie!«

»Nein, das kann ich mir nicht vorstellen!«

Jake schaltete sich geduldig ein. »Laz-Lor, Commodore Hilda will mit ihrer Theorie darauf hinaus, daß *wir alle* gleichermaßen erdachte Fantasiegestalten sind. Auf diese Weise wird die Realität zu einem Nullsymbol.«

Deety schüttelte nachdrücklich den Kopf. »Du solltest lieber bei deiner Geometrie bleiben, Paps. Oder Briefmarken sammeln. Überlaß die Symbolik den Symbologikern — beispielsweise deiner Lieblingstochter. Ich bin real, wirklich! Du brauchst nur mal an mir zu riechen.«

»Ich bestreite nicht, daß du ein Bad vertragen könntest. Das gilt übrigens für uns alle; heute ist viel Adrenalin geströmt. Aber das ist die andere Seite der Medaille, Deety. Wir werden dadurch in keiner Weise verändert. ›Erdacht‹ und ›real‹ erweisen sich als identisch. Schau dir diesen Eßtisch an. Auf einer Ebene der Abstraktion ist er etwas Mathematisches — ein Bündel Gleichungen. Auf der unmittelbar darunter liegenden Ebene ist er ein wirbelndes Nichts in einem Bereich, in dem Masse-Energie äußerst selten vorkommt. Doch auf der umfassenden Ebene, die von meinen Sinnen abstrahiert wird, kann ich dieses Glas mit großer Zuversicht darauf stellen und ziemlich sicher sein, daß es nicht durch dieses fast vollkommene Vakuum sinken wird.«

Mein Schwiegervater ließ seinen Worten Taten folgen, indem er seinen Highball auf das Tischchen mit den Snacks stellte, wo es prompt versank.

Jake sah sich ergeben um. »Heute ist einfach nicht mein Tag. Dora, hast *du* das gemacht?«

»Ja und nein, Professor.«

»Was für eine Antwort ist denn das?«

»Sie haben das Glas auf eine Abräumstelle gestellt; diese Funktion war auf Automatik gestellt und hat das Glas fortgeschafft und sterilisiert. Tut mir leid, Sir. Hier ist ein neuer Drink für Sie.«

Es war wirklich ein lebhafter Tag gewesen. Niemand hatte uns an der Parkbucht erwartet, doch als Sharpie mit Deety die Sitze tauschte — der brandneue Commodore wollte ihr neues Schiff als erste betreten —, eilten drei junge Frauen herbei. Die Steuerbordtür ging auf; Sharpie trat hinaus, würdevoll erhaben ...

Und wurde von drei Seiten beinahe umgerannt. Die drei lachten und weinten gleichzeitig. Sharpie jedoch hatte Spaß an dieser Szene und ließ sich nicht aus der Ruhe bringen. Sie küßte sie und ließ sich küssen, tätschelte die Mädchen und sagte, es sei ja alles in Ordnung, und sie könnten sich wieder beruhigen. »Meine Lieben, ich wollte nicht wirklich fortbleiben; ich mußte mich aber dagegen wehren, daß der große Lazarus Long Sharpie in die Pfanne haut. Wo ist er denn?«

»In der Kommandokabine eingeschlossen, Madame. Commodore.«

»Captain Lor, Sie schließen ihn anderswo ein; die Kommandokabine gehört jetzt mir.«

»Aye, aye, Commodore.«

»Wie lange dauert das? In Sekunden bitte, nicht in Stunden.«

Lor unterhielt sich mit Dora in einer Sprache, die ich beinahe verstand. Ich beugte mich nach rechts und sagte zu meiner Frau: »Spanisch. Ein Dialekt.«

»Italienisch«, gab Deety zurück.

»Wollen wir uns auf Lateinisch einigen? *Nein!* Jetzt weiß ich wieder: Galacta! Wir müssen es lernen. Hört sich aber einfach an.«

Lor meldete: »Die Kommandokabine ist für Sie bereit, wenn Sie dort eintreffen, Commodore.«

»Gut. Ich nehme an, daß ich sie vordringlich für Verwaltungsaufgaben brauche; unsere Flagge bleibt sozusagen an Bord von Gay Täuscher. Das ist auch nur richtig so, da Dora unbewaffnet ist, während Gay Täuscher ein Kampfschiff ist, ein bewaffnetes Kaperschiff — für ihre Größe ist sie sogar stark bestückt.« Sharpie lächelte. »Vor einigen Tagen haben wir in einem anderen Universum eine ganze Flugarmada vernichtet. Dabei kommen wir ohne raffinierte Dinge, wie etwa künstliche Schwerkraft, aus; wir schnallen uns an und kämpfen im freien Fall. Gay Täuscher ist auf Tempo und Waffenstärke angelegt; Dora ist das genaue Gegenteil. Die beiden ergänzen sich auf ideale Weise.«

Ich fragte mich, warum Sharpie so viele Worte machte — aber sie hatte bestimmt ihre Gründe. Ich glaube fast, sie kann Gedanken lesen.

Bei Laz-Lor bin ich mir dessen sogar sicher, zumindest wenn sie miteinander abstimmen. Jetzt sahen sie sich an und sagten:

»Die Flagge eines bewaffneten Kaperschiffes . . .«

». . . ist der Totenschädel mit den gekreuzten Knochen . . .«

». . . oder etwa nicht? Machen wir Gefangene . . .«

». . . oder schneiden wir ihnen gleich die Kehle durch?«

»Was möchten Sie denn tun? Captain Lor, bitte übernehmen Sie das Reden, dieses Hin und Her macht einen ganz wirre. Übrigens möchte ich keine weiteren ›Mitternachtsmeutereien‹ mehr erleben. Lor, Sie bleiben bis auf weitere Nachricht von mir Captain.«

Wieder schauten sich die beiden an.

»Wir wechseln uns aber gern ab.«

»Die Bezeichnung ›Meuterei‹ ist doch nur ein Scherz.«

»Niemand hat Sie nach Ihrer persönlichen Ansicht gefragt. Mein Stabschef und Stellvertretender Kommandant des Flaggschiffes ist der einzige, der mich beraten muß und darf. Wenn Sie Ansichten äußern wollen, wenden Sie sich an ihn. Jetzt beantworten Sie meine Fragen, Captain Lor.«

»Wir tun, was Sie angeordnet haben. Aber unser Bruder, der unser Vater war, brachte uns bei, nicht zu töten, wenn wir es irgendwie vermeiden könnten, während er uns doch alle möglichen Tötungsarten zeigte und uns darin übte. Als wir größer wurden, wollten wir immer Piraten sein. Aber plötzlich waren wir erwachsen und kamen zu dem Schluß, daß es nie dazu kommen würde, und versuchten es zu vergessen.«

»Ich glaube, ich kneble Sie zu sehr, wenn ich Sie zwinge, alles auf ein Paar Stimmbänder zu konzentrieren«, sagte Sharpie. »Der Befehl wird also zurückgenommen; Sie beide sind einzigartig. Wir arbeiten so, wie es Ihnen Lazarus beigebracht hat; bis jetzt haben wir nur ein Wesen umgebracht, in Notwehr bei einem Angriff. Und die Luftarmada ... Wir paßten genau den richtigen Zeitpunkt ab, da die Flugmaschinen auf dem Boden standen. Wir verbrannten die Maschinen und den Treibstoff und verhinderten auf diese Weise eine Invasion — ohne einen Mann zu töten. Aber wir sind stets *bereit* zum Töten. Lor, deshalb habe ich Sie vor einigen Minuten auch gewarnt. Es hätte Gay das Herz gebrochen, hätte ich sie anweisen müssen, Dora zu vernichten. Die Piratenflagge? Die können wir natürlich nicht draußen aufhängen, aber im Aufenthaltsraum würde sie sich ganz gut machen. Erlaubnis gewährt. Warum sind Sie schließlich doch nicht Piraten geworden?«

Derselbe einleitende Blick ...

»Kinder ...«

»Laz hat drei, ich habe vier ...«

»... weil Lor einmal Zwillinge hat ...«

»... und wir uns Mühe geben, zur gleichen Zeit schwanger zu sein ...«

»... und es abstimmen, damit es in unsere Pläne paßt ...«

»... und in die Pläne unseres Bruders, wenn Sie ihn je wieder aus dem Bau lassen.«

»Wie alt sind Sie beide? Ich habe mir vorgestellt, daß Sie etwa Deetys Alter haben müßten, aber das kann nicht sein. Es soll bitte nur einer von Ihnen antworten; es ist eine einfache Frage.«

Die beiden verständigten sich ungewöhnlich lange auf geistigem Wege. Endlich sagte Captain Lor langsam: »Das ist nicht so einfach. Dora und Athene sollen das für uns errechnen — falls die Daten komplett sind, was ich nicht genau weiß. Doch nach Alt-Terra-Jahren und nach biologischer Zeit, glaubt Laz, daß wir etwa achtundvierzig sind, während ich uns für ein paar Jahre jünger halte. Es kommt auch nicht darauf an, weil Ischtar uns Bescheid gibt, wenn es Zeit zur Verjüngung ist, was noch eine Weile hin ist, denn wir sind den Wechseljahren noch nicht nahe.«

»Muß das denn vor den Wechseljahren erfolgen?«

»Nein, nur macht es die Dinge einfacher, und man kann weiter Kinder haben. Ischtars Mutter dagegen wartete bis nach den Wechseljahren und wollte schon sterben . . . dann überlegte sie es sich anders und sieht jünger aus als wir und hat inzwischen mehr Kinder als wir. In diesem Zyklus, meine ich.«

»Wie oft brauchen Männer die Verjüngung?« fragte Sharpie neugierig.

Jake hob den Kopf und sagte: »Ich brauch's in den nächsten sechs Wochen nicht wieder, Hilda. Vielleicht in sieben.«

»Halt den Mund, mein Lieber. Laz-Lor, nehmt euch vor meinem Mann in acht. Wenn er die Hitze bekommt, muß man ihn in schwere Ketten legen. Beachtet die Frage also nicht; er braucht es nicht zu wissen, und ich selbst habe mit dem intellektuellen Interesse des Biologen gefragt. Vielleicht sollte ich mich bei Dr. Ischtar erkundigen.«

»Ja, Commodore, das wäre das Beste. Wir sind keine Biologen, wir sind Schiffsoffiziere.«

Ich beugte mich vor. (Sharpie hatte uns im Wagen sitzenlassen; den Grund wußte ich nicht — damals.) »Commodore! Ich muß dich beraten!«

»Ja, Zebbie?«

»Du brauchst einen neuen Stabschef, einen neuen Stellvertreter und einen neuen Astronavigator, weil ich in den Bau wandere, wenn du Laz-Lor nicht die letzte Frage beantworten läßt. Und bei mir ist es nicht das intellektuelle Interesse des Biologen.«

»Lieber Zebbie, ich habe Berichte vorliegen, wonach deine Kurve dir noch viele, viele Jahre verheißt, in denen keine Gefahr besteht, daß du ausschließlich intellektuelle Interessen verfolgen könntest.«

(Wenn ich nicht auf Jake Rücksicht nehmen müßte, würde ich ihr eines Tages mal das hübsche kleine Hinterteil versohlen!)

»Hört, hört!« meldete sich Deety. Ich legte ihr die Hand über den Mund und wurde gebissen. »Captain, hier haben wir es mit einem neuen Paradoxon zu tun — die Doktores Carter und Burroughs, die jeweils von einer sinnlosen Unsicherheit geplagt werden. Elizabeth, Sie sind doch ein Mann gewesen; schildern Sie das doch mal aus der Sicht des Mannes.«

»Commodore, ich bin als Mann kein besonderer Erfolg gewesen. Ich habe lediglich Antigerie-Mittel genommen, wenn Lazarus danach griff. Aber seine Faustregel weiß ich noch.«

»Ja?«

»Wenn ein Mann sich eine ihm unbekannte attraktive Frau ansieht und zu dem Schluß kommt, er sei zu müde dazu, dann ist es an der Zeit. Wenn er gar nicht mehr hinschaut, sollte man ihn umstoßen und begraben, dann hat er noch gar nicht gemerkt, daß er tot ist.«

Der Schiffscomputer sagte etwas auf Nicht-Spanisch; Sharpie antwortete: »Graz, Dora. Ich komme sofort.«

»Madame«, meinte Lor, »wir wußten ja gar nicht, daß Sie Galacta beherrschen.«

»Das tue ich auch nicht. Aber in einer Woche kenne ich die Sprache. Ich wußte, was ich an Ihrer Stelle gesagt hätte, und Sie haben es gesagt; ich habe dies aus verwandten Worten abgeleitet. Sie haben Dora aufgefordert, ihn *pronto* herauszuschaffen, denn die Doña sei auf dem Weg. Dann sollte sie meine persönliche Habe holen, ohne mich zu stören. Ich habe also bewußt langsam gemacht. Zebbie, begleitest du mich bitte? Liebster Jacob, du mußt entscheiden, ob wir unsere Suite mit den Carters aufgeben sollten oder nicht. Und was wir aus Gay holen müssen. Wir werden mindestens eine Woche an Bord der Dora wohnen, vielleicht länger.«

»Commodore, wir brechen morgen mittag Schiffszeit nach Tertius auf.«

»Ich kann mich nicht erinnern, das angeordnet zu haben, Captain Lor.«

Die Zwillinge blickten sich an — und sagten nichts.

Sharpie tätschelte Laz die Wange. »Seht mich nicht so belämmert an, Mädchen.« Mädchen? — Sie waren sieben Jahre älter als Sharpie und hatten zusammen sieben Kinder zur Welt gebracht.

»Wenn wir Tertius erreichen, bringen Sie uns nach den dortigen Vorschriften in eine Kreisbahn. Doch keine Funksprüche Schiff-Boden, es sei denn, ich hätte sie schriftlich genehmigt. Und jetzt komm!«

Als Sharpie mich entführte, sagte sie zu Deety, daß sie machen könne, was sie wolle, daß sie aber noch Jacobs Armee-Uniform und meinen Aerospace-Anzug herausnehmen und sich bei Dora nach Möglichkeiten des Reinigens und Bügelns erkundigen sollte.

Jake sagte: »He!«, ehe ich mich melden konnte, und Sharpie sagte besänftigend: »Ich stecke dich schon nicht in ein langes Hemd, Schätzchen. Ich dachte mir nur, daß ihr das ewige Zivil vielleicht über hättet — und möchte die Kleidungsvorschriften beim Abendessen beibehalten. Entweder Abendgewand oder gar nichts. Zwischenlösungen nicht statthaft.«

Als Sharpie die Kommandokabine erreichte, schickte sie Laz-Lor fort, wartete, bis wir allein waren, und klammerte sich an mich. »Drück mich an dich, Zebbie! Ganz fest! Beruhige mich!« Das kleine Geschöpf bebte am ganzen Leibe.

»Vielleicht sollte ich lieber Jake holen«, schlug ich vor. Ich hatte die Arme um sie gelegt und tätschelte sie sanft — und löste aerodynamische Ableitungen, damit mir nicht zu deutlich bewußt wurde, wieviel nackte Berührungsfläche eine so kleine Person bietet.

»Nein, Zebbie, Jacob würde mich bemuttern wie eine Henne und mit Ratschlägen um sich werfen, die ich nicht hören will. Entweder stehe ich dies alles durch, ohne daß mein Mann mir vorschreibt, was ich tun muß — oder ich schaffe es nicht. Wenn ich versage, dann will ich das auch allein tun — nicht als Jacobs Marionette. Aber ich kann mich doch an deiner Schulter ausweinen und dir Dinge anvertrauen, die ich nicht mal meiner eigenen Zahnbürste erzählen würde.«

Sie fuhr fort: »Wenn ich dich nachher fortlasse, suchst du Jake auf und weist ihn an, allen Interessierten Unterricht zu geben. Damit ist er dann angenehm beschäftigt und läßt mich in Ruhe. Und alle anderen. Beide Computer sollen seine Vorträge aufzeichnen.«

»Vorträge *worüber?*«

»Oh. Zu viele Einzelheiten. Das Plenum der Universen und die Zahl des Tiers. Multiple pantheistische Solipsismen, oder warum das Land Oz wirklich existiert. Die Quantenmechanik der Märchen. Oder auch Ernährung und Lebensweise der

Schwarzen Hüte. Wahrscheinlich will er die Leute auch mit Gay bekannt machen — dabei mußt du ständig anwesend sein; diese Aufgabe darfst du nicht delegieren. Jacob kann seine Reden schwingen, doch Zebbies scharfe Augen sorgen dafür, daß niemand etwas anfaßt.«

Sie tätschelte mir die Brust. »Du bist ein großer Trost für mich. Jetzt werde ich mich über die Schiffspapiere hermachen, und du wirst mir helfen, weil ich nicht recht weiß, was da auf mich zukommt. Oder wo ich die Unterlagen finde. Eigentumsurkunde, würde ich meinen, dann die Registration und das Schiffsmanifest, was immer das ist. Was käme sonst noch in Frage, und wo suche ich danach?«

»Ein Logbuch. Die Liste der Besatzungsmitglieder und Passagiere. Vielleicht auch Dokumente über die sanitäre Inspektion. Andere Inspektionen. Die Bürokratie ist doch überall dieselbe. Aber vielleicht gibt's das alles gar nicht auf dem Papier — dort drüben steht ein Ausdrucker. Hmm — besteh darauf, daß die Sachen in Englisch kommen, die Originale sind sicher in Galacta abgefaßt.«

»Ich versuche es. Dora.«

»Ich höre Sie, Commodore Hilda.«

»Du druckst mir jetzt auf englisch alle amtlichen Dokumente dieses Schiffes aus. Eigentumsverhältnisse, Registration, Manifest und so weiter. Du kennst die Liste. Beginne baldigst.«

»Dazu bin ich nicht ermächtigt, Madame.«

»»Nicht ermächtigt‹? *Wer* hat dich dazu nicht ermächtigt?«

Der Computer antwortete nicht. »Bleib in der Nähe, Zebbie«, sagte Sharpie. »Wir bekommen Ärger. Hast du Waffen bei dir?«

»*Wo denn?* Schau mich doch an.«

»Ich weiß nur, daß du ziemlich raffiniert bist in solchen Dingen. *Dora!*«

»Ihre Befehle, Commodore?«

»Hol mir Captain Lor her! Persönlich, nicht über Stimmenkontakt. Ich möchte Sie hier im Laufschritt antraben sehen — auf der Stelle! Ende!«

(Ich hatte eine Waffe mitgebracht, die ich heimlich an mich genommen hatte, als ich Gay verließ. Doch man darf niemals zugeben, daß man noch einen Trumpf im Ärmel hat.)

Sekunden später trafen Laz-Lor schweratmend ein. »Sie haben uns rufen lassen, Madame?«

»Ich habe Captain Lor gerufen, *nicht* Laz. Hinaus! *Pronto!*«

Laz hatte den Mund geöffnet, um etwas zu sagen. Doch sie

wurde so schnell aus dem Raum gedrängt, daß die Tür noch gar nicht ganz geöffnet war und sie mehr oder weniger hinausspringen mußte.

»*Dora!* Wiederhole Captain Lor jedes Wort, das du gehört und das du gesprochen hast, seit ich diese Kabine betreten habe.«

Der Computer begann mit Sharpies Stimme, die Laz-Lor mitteilte, sie könnten gehen … und überraschte mich mit: »*Drück mich an dich, Zebbie! Ganz fest! Beruhige mich!*«

Ich wollte etwas sagen, doch Sharpie schüttelte den Kopf. Dora zitierte weiter, bis zu Hildas Befehl an den Computer, alles wiederzugeben, was seit unserem Eintreten gesprochen worden war.

Der Computer verstummte; Sharpie sagte: »Dora, du hast mir heute früh mitgeteilt, du könntest in diesem Raum nicht ohne Erlaubnis mithören.«

»Das ist richtig, Madame.«

»Wer hat dir die Erlaubnis gegeben?«

Der Computer antwortete nicht.

»Captain Lor, haben Sie oder Ihre Schwester diesen Computer aufgefordert, mich zu bespitzeln und bestimmte Fragen nicht zu beantworten?«

»Nein, Madame.«

»Dann steckt Ihr Bruder Lazarus dahinter. Geben Sie sich keine Mühe zu lügen; das war keine Frage, sondern eine Mitteilung. Holen Sie bitte Ihren Bruder her, gut bewacht. *Sofort!*«

XLIII

Smith:
Es hatte mir Mühe bereitet, meine Schwestern davon zu überzeugen, daß ich ›verhaftet‹ und ›eingesperrt‹ werden mußte. Ich hatte einen idiotischen Fehler gemacht und mußte jetzt ›bestraft‹ werden. Lor gefiel es noch weniger, sich und unser Schiff unter das Kommando einer Fremden zu stellen.

Doch sobald sie die Notwendigkeit begriffen hatten, konnte ich mich auf sie verlassen. Wir weihten Lib in den Plan nicht ein; sie kann einfach nicht geschickt lügen. Da war es besser, wenn sie wirklich glaubte, was sie sagte.

Laz und Lor waren den Erwachsenen schon mit sechs Jahren oft überlegen gewesen, ein Prozeß, den ich weiter förderte, indem ich sie durchwalkte, sooft ich sie erwischte. Sie lernten schnell. Außerdem haben sie mein Talent, ein dummes Gesicht zu ziehen, und eine andere Fähigkeit, über die ich auch gebiete, die ich aber selten einsetzen kann: Sie können die Tränendrüsen an- und abschalten wie einen Wasserhahn. Ich habe noch nicht viele Kulturen gefunden, in denen dies einem Mann Vorteile bringt.

So verhaftete ich mich selbst, indem ich Doras Waldos half, meine persönliche Habe nach nebenan zu schaffen. Dann legte ich mich hin und hörte über Dora mit, was sich in der Kommandokabine abspielte.

Und mußte feststellen, daß ich mich zu klug angestellt hatte. Mir war gar nicht der Gedanke gekommen, Dora das Lügen beizubringen; ein unehrlicher Computer ist eine Gefahr, und wenn er auch noch als Pilot fungiert, würde es früher oder später zu einer Katastrophe kommen. Eher früher.

Aber ich hatte nicht damit gerechnet, daß diese winzige Person so schnell nach meinen Papieren fragen würde. Auch hatte ich nicht erwartet, daß Dora ihr mitteilen würde, meine Kabine könnte nur auf Befehl abgehört werden.

Als ich mitbekam, wie das Gespräch sich entwickelte, stand ich hastig auf und legte eines meiner schottischen Gewänder an. Vorteile: Ich sehe größer und eindrucksvoller aus. Das Kostüm setzte zwei offen getragene Waffen voraus, die ich aber nie gebrauche. Es ist darüber hinaus aber so drapiert, daß man Waffen für eine halbe Kompanie verstecken kann und sie erst im Notfall zeigen muß.

Ich war also fertig, als Lor in die Kabine stürzte und beinahe kein Wort herausbekam. »Bruder, die ist vielleicht aufgebracht! Nimm dich in acht!«

»Das tue ich, Lor. Du hast dich wunderbar gehalten.« Ich küßte sie. »Jetzt führ mich als Gefangenen vor.«

Und das taten wir. Ich blieb zehn Schritte vor Mrs. Burroughs stehen und grüßte sie militärisch. Sie sagte zu Lor: »Sie können gehen.« Sie wartete, bis Lor gegangen war, und sagte dann: »Weisen Sie Ihren Computer an, in diesem Bereich nichts zu sehen und zu hören.«

»Aye, aye, Madame. Dora.«

»Ja, Boß?«

»Zurück auf Normalprogramm für meine Kabine. Nichts sehen, nichts hören, bis ich dir etwas anderes sage.«

»Gemacht!«

»Dora!«

»Aye, aye, Boß. In Ordnung!«

»Sie ist ein bißchen kindisch, kann aber gut kochen, und als Pilot ist sie Spitze!«

»Und Sie sind ebenfalls ein Kindskopf. Gefangene salutieren nicht, Gefangene tragen keine Waffen. Captain Carter, nimm ihm die Waffen ab. Behalte sie als Souvenirs oder vernichte sie.«

Mein langjähriges Sklavendasein hatte mich gelehrt, vieles ohne Widerspruch über mich ergehen zu lassen. Das macht diese Dinge aber nicht angenehmer.

»Smith.«

Ich antwortete nicht. »Ich meine *Sie*, Woodie!«

»Ja, Madame?«

»Beugen Sie sich vor, umfassen Sie Ihre Fußgelenke mit den Händen. Captain, durchsuch ihn.«

Carter kannte sich aus, und so hatte ich die Waffen für die halbe Kompanie bald nicht mehr — fühlte mich aber ein wenig besser, als er die Durchsuchung beendete und dabei *eine* Waffe übersah.

Er trug die Tagesuniform, doch er war großgewachsen und in Form und bewegte sich, daß ich unwillkürlich an einen Schwarzen Gürtel dachte.

»Die kannst du auch mitnehmen, Zebbie, aber vielleicht gibst du sie weiter. Deety hat etwas davon gesagt, daß sie kein Wurfmesser habe. Wie sind sie balanciert?«

Sie sprach nicht mit mir, doch ich mußte aus psychologischen Gründen versuchen, wieder gewisse Vorteile herauszuarbeiten. »Anderthalb Drehungen auf acht Meter, Madame. Ich fertige sie selbst. Die Klinge ist für eine Dame allerdings zu schwer. Ich würde gern eine fertigen, die Dr. Deetys Hand und Körperkraft entspricht.«

»Ich würde sagen, daß Deety kräftiger ist als Sie, Woodie. Ich glaube, Sie sind ein wenig verweichlicht. Wir werden das eines Tages überprüfen. Ziehen Sie sich aus.«

Nachdem meine Waffen fort waren — bis auf eine Ausnahme —, hatte ich nichts gegen diese Anweisung. Beim unbewaffneten Kampf ist Kleidung eher hinderlich; der Feind kann sie gegen einen einsetzen. Außerdem schwitzte ich; Dora hält die Schiffstemperatur so hoch, daß man sich in nackter Haut am wohlsten fühlt. Ich zog mich hastig aus.

»Dort hinein mit dem Zeug«, sagte sie streng und hob zeigend den Arm.

»Aber, Madame, das ist ein Vernichtungsschacht.«

»Ich weiß. Beim nächstenmal werden Sie darauf verzichten, mich mit modischer Eleganz beeindrucken zu wollen. Außerdem lag darin eine bewußte Beleidigung. *Pronto!*«

Ich entledigte mich der Sachen pronto. »Und wieder bücken, Woodie. Captain Carter, müssen wir ihm einen Einlauf machen, um sicher zu sein, daß er nicht noch eine Waffe bei sich hat? Ohne Gummihandschuh möchte ich das nicht durch Tasten überprüfen und möchte dich auch nicht darum bitten.«

»Madame, ich gebe Ihnen mein Wort . . .«

». . . das keinen roten Heller wert ist. Laß gut sein, Zebbie. Setz dich zu den anderen in Jacobs Unterricht und behalte unsere Interessen im Auge.«

Der große Mann musterte mich von Kopf bis Fuß. »Es gefällt mir nicht, dich mit ihm allein zu lassen, Commodore.«

»Vielen Dank, Zebbie. Mir wird nichts geschehen. Er hätte seine Waffen wohl kaum eingesetzt, aber daß er sie mithatte, war eine Frechheit, die ich ihm austreiben mußte. Nun geh schon! Er wird es nicht wagen, mir etwas zu tun.« Sie fügte hinzu: »Oder hast du eine Vorahnung?«

»Nein. Aber die treten ja immer sehr knapp vorher ein.«

»Mehr könnte ich gar nicht verlangen. Aber ich sehe etwas voraus. Woodie wird sich lammfromm benehmen. Und jetzt ab mit dir, mein Lieber!«

Er zog sich zurück und warf mir noch einen Blick zu, der mir sicheren Tod verhieß, wenn ich ihr etwas zuleide täte. Ich wollte ihm versichern, daß ich es in mehr Jahrhunderten, als seine Frau an Jahren zählte, nicht für nötig befunden hatte, auch nur einmal einer Frau weh zu tun.

»Nun, Lazarus, wie klären wir diese Sache?«

»Was, Madame? Sie haben die Oberhand.«

»Ach, Unsinn! *Sie* haben die Oberhand, und das wissen Sie genau. Solange der Schiffscomputer *Ihnen* gehorcht und nicht mir, ist meine ›Autorität‹ doch ein Witz. Ich bin Ihnen einmal entkommen, weil ich schnell handeln konnte; ein zweites Mal werden Sie das nicht zulassen. Aber ich habe den Kopf wieder in die Falle gesteckt, weil ich der Meinung bin, daß wir ein Geschäft miteinander machen können — zum beiderseitigen Vorteil.«

»Das hoffe ich, Madame. Bitte sprechen Sie weiter.«

»Sie wollen Ihre Mutter retten. Ich gedenke dies zu tun, wenn es sich irgendwie einrichten läßt. Als Gegenleistung dafür werden Sie sich benehmen. Wir brauchen eine Holding. Mir werden 51 Prozent der stimmberechtigten Anteile gehören. Die Gewinne teilen wir anders; sie werden für alle ausreichen. Aber ich habe das Sagen.«

»Madame, Sie sind mir meilenweit voraus. Ich habe keine Ahnung, was Sie planen.«

»Es geht um Geld. Geld und Macht. Püü! Eben habe ich einen Dufthauch von Ihnen aufgefangen, Sie hatten Ihr hübsches Kostüm ganz schön durchgeschwitzt. Also hinein mit Ihnen, nehmen Sie ein Bad, heiß und schaumig. Ich lege mich währenddessen auf die Chaiselongue, und wir reden übers Geschäft. Wollen Sie Ihre Mutter wirklich retten, oder geht es Ihnen nur um eine Möglichkeit, an Jacobs Erfindung heranzukommen? Wie auch immer, wir können zu einem Abschluß kommen — aber ich muß Ihre Zielsetzung kennen. Halten Sie nichts zurück, ich rege mich leicht auf. Und dann bezahlt jemand anders die Rechnung. In diesem Falle — *Sie*.«

Sie nahm mich bei der Hand und führte mich in den Erfrischungsraum, während ich ihre Schlüsselfrage beantwortete und mir über die anderen Dinge Gedanken machte. Keine Lügen mehr; sie hatte mich bei einer falschen Geschichte erwischt, die zu hastig erfunden und daher zu kompliziert geworden war; mein Großvater hätte sich meiner geschämt. Also kam nur die Wahrheit in Frage und nichts als die Wahrheit. Aber *wieviel* Wahrheit und *welche* Wahrheit?

»Die Rettung meiner Mutter hat erste Priorität, sine qua non. Dann erst kommen die geschäftlichen Interessen.«

»Sie hätten beinahe gesagt, daß Sie an geschäftlichen Dingen kein Interesse hätten — und daran hätte ich Sie ersticken lassen.«

Ich zögerte meine Antwort hinaus, während ich die Kontrollen der Badewanne bediente.

»Madame, geschäftliche Interessen habe ich stets im Sinn. Aber um diese Rettung zu bewerkstelligen, würde ich auch pleite gehen und von Null anfangen.«

»Würden Sie einen entsprechenden Vertrag unterschreiben? Wir retten Ihre Mutter, und Sie überschreiben mir Ihr gesamtes Vermögen? Ohne Tricks, ohne Vorbehalte?«

»Ist das Ihr Preis?«

»Nein. Es wäre nicht fair — und eine Lösung, die Sie zum Betrügen zwänge. Jeder Vertrag muß *beiden* Seiten nützen. Aber es reizt mich, Ihre Mutter zu retten — es reizt meine ganze Familie, und ich neige von uns am wenigsten zur Gefühlsduselei —, und wir würden uns darum kümmern, auch wenn damit kein Dollar

zu machen wäre. *Pour le sport.* Gibt ein angenehmes warmes Gefühl — ob es sich um ein Kätzchen, einen jungen Vogel oder
eben eine alte Frau handelt. Aber natürlich steckt doch Geld in
dieser Sache — und außerdem der Sport — und Möglichkeiten,
die sich dem Vorstellungsvermögen entziehen. Das Wasserplät-
schern — stört das Doras Hörvermögen?«

»Nein, sie filtert es aus.«

»Hört sie denn zu?«

»Ja«, antwortete ich sofort. Ich habe ein langes Leben hinter
mir — und das zum Teil, weil ich mich wie eine Katze nicht zweimal in derselben Falle erwischen lasse — wie sie ihrerseits schon
betont hatte. Ich gab mir das innere Kommando, diese Frau *nie*
wieder anzulügen. Ich konnte ausweichen, aussparen, den Mund
halten, mich nicht blicken lassen. Aber sie anlügen durfte ich
nicht. Ein geborener Großinquisitor. Telepathisch? Danach
mußte ich Laz-Lor fragen.

»Es freut mich, daß Sie ja gesagt haben, Lazarus. Bei nein hätte
ich die Verhandlungen sofort abgebrochen. Ich bin kein Telepath
— doch es dürfte sich trotzdem als falsch erweisen, mich anzulügen. Wir müssen den Computerstatus ändern — teils jetzt, teils
später. Sie haben ihr nicht die richtigen Codeworte gesagt.«

»Stimmt genau. ›Gemacht‹ und ›in Ordnung‹ bedeuten ...«

»Roger, bestätigt — aber im umgekehrten Sinne.«

»Wie? — Na, das haben Sie aber schnell ausgetüftelt. Ja.
Hmm ... Ich muß diesen Spruch in Galacta übertragen. Nütz-
lich.« Das Wasser war genau richtig, mit einer hohen, duftenden
Schaumschicht. Ich trat in die große Wanne und wählte einen
Sitz, von dem aus ich die Beine ausstrecken konnte. »Ich hätte
Dora folgendes sagen sollen ... Darf ich es ihr jetzt mitteilen?«

»Mit einer Abänderung. Ich möchte das Äquivalent eines einfachen Telefons, mit dem ich jeden anrufen und von jedem angerufen werden kann — und dasselbe für Sie. Aber die Anhör-
stromkreise für diese Suite sind sofort lahmzulegen.«

»Kein Problem. Wir können uns draußen jederzeit bemerkbar
machen; das gehört zur ständigen Sicherheitsschaltung. Was die
Kontaktaufnahme *von* draußen angeht, so beschränke ich das gewöhnlich auf den befehlshabenden Zwilling; sie darf mich im
Notfall stören. Und Notfälle gibt es nicht oft — weder Laz noch
Lor möchten sich gern ›dumm‹ schelten lassen, besonders nicht
von mir.«

Ich veränderte die Befehle gegenüber Dora, diesmal ohne
Trick; Mrs. Burroughs und ich waren nun wahrhaftig unter uns,

auch wenn man uns jederzeit erreichen konnte — allerdings nur per Stimme. »Was jetzt, Madame?«

»Ich möchte über einige permanente Veränderungen für Dora mit Ihnen sprechen, nachdem sie uns nicht mehr hören kann. Dann über einen vorläufigen Plan zur Rettung Ihrer Mutter. Dann kommt das Geschäft an die Reihe. Gibt's da in der Wanne einen Sitz, auf dem ich nicht ertrinke?«

»Gewiß. Als Laz-Lor noch so groß waren wie Sie, haben sie oft mit mir gebadet — ich habe bis zu sechs Leute in dieser Wanne gehabt, allerdings ist das schon ein bißchen zu gemütlich; sie ist im Grunde für vier Erwachsene angelegt. Hier, ich helfe Ihnen; durch den Schaum kann man nichts erkennen.« Hilda Burroughs in die Wanne zu helfen, erinnerte mich an Laz-Lor vor der Geschlechtsreife — dabei war mir nur zu bewußt, daß dieser kleine, warme, glatte Körper die Pubertät um viele Jahre hinter sich hatte, und mich durchströmte ein Gefühl, das zum Glück durch den Schaum etwas Deckung erfuhr. »Tasten Sie mal unter sich — haben Sie den Sitz? Ist die Temperatur in Ordnung?«

»Wunderbar! Die Erfrischungsräume auf Tertius haben eine gesellschaftliche Funktion, nicht wahr?«

»Ja. Im Laufe der Jahre habe ich festgestellt, daß Nacktkulturen oder Zivilisationen ohne entsprechende Tabus das Baden zu einem gesellschaftlichen Ereignis entwickeln. Die alten Römer. Die alten Japaner. Und viele andere.«

»Wohingegen Kulturen mit starken Körpertabus Badezimmer mit Anbauten hinter der Scheune gleichsetzen. Unangenehm!« Mrs. Burroughs blickte mich angewidert an, was mir besonders auffiel, da ich angenommen hatte, diese Leute an nackte Haut gewöhnen zu müssen, ehe ich sie den Gebräuchen Tertius' aussetzte — um die Rettung meiner Mutter nicht zu gefährden. Ich hatte Laz-Lor angewiesen, uns im irrelevanten Zustand zu halten, bis sie alle ohne Murren die Bequemlichkeit vollständiger Nacktheit in wohltemperierter Umgebung akzeptierten und sich ihrer Körper gar nicht mehr als Körper bewußt waren. Dies soll nicht auf ein Vergessen des Yin-yang hinauslaufen — doch seit langem ist allen Anwälten, Richtern und anderen Dummköpfen bekannt, daß ein Fetzen Kleidung über tabuisierten Teilen (Tabus wechseln endlos, und jedes ist ein ›Naturgesetz‹) weitaus anregender wirkt als völlige Nacktheit.

(Warnung an Zeitreisende: Es kann lebensgefährlich sein, anzunehmen, daß die Tabus der eigenen Kultur ›natürlich‹ sind und man nicht fehlgehen kann, wenn man sich nach den Regeln richtet, die liebevolle Eltern einem eingetrichtert haben. Eine solche Einstellung kann den Tod zur Folge haben. Oder Schlimmeres. Und sollten Sie annehmen, es gebe nichts Schlimmeres als den Tod, lesen Sie mal in der Geschichte nach.)

Um zur hübschen kleinen Mrs. Burroughs zurückzukehren. Sie bereitete mir die zweitgrößte Überraschung, indem sie wenige Minuten, nachdem sie mich abgekanzelt hatte, ein Bad mit mir teilte. Was mich am meisten überraschte, hatte ich noch immer nicht ganz verdaut: dieses zerbrechliche Püppchen mit den Muskeln eines jungen Kätzchens war der härteste Brocken, der mir jemals über den Weg gelaufen war.

Verstehen Sie mich nicht falsch: ich bewundere sie. Aber ich möchte sichergehen, daß ich auf der Seite stehe, für die sie kämpft. »Welche Veränderungen soll ich in Dora vornehmen, Madame?«

»Lazarus, ›Madame‹ bin ich gegenüber Fremden und bei offiziellen Anlässen. Ich halte ein gemeinsames Bad für alles andere als formell; meine Freunde duzen mich und nennen mich Hilda. Oder bei meinem Spitznamen. Aber ›Madame‹ ist ab sofort verboten.«

Meine Antwort trug mir einen gewaltigen Wasserspritzer ein. Sie fuhr fort: »Bei deinem Versuch, mich hereinzulegen, hast du mir durch deine Komplizen einen falschen Rang und ein vorgetäuschtes Kommando übertragen — und dabei die Kontrolle über den Computer behalten, der im Grunde der entscheidende Faktor ist. Ich verlange, daß du deiner Verpflichtung nachkommst. *Sofort.* Indem du Dora so umprogrammierst, daß sie mich als ihren einzigen Boß ansieht, alle Programme so abgeriegelt, daß nur ich sie verändern kann. Ich, ich allein.«

Sie lächelte, beugte sich zu mir vor und legte mir unter Wasser eine Hand auf das Knie. »Deshalb habe ich auf ein Gespräch unter vier Augen bestanden — wegen Dora. Sie hat ein ziemlich ausgeprägtes Eigenbewußtsein und scheint verwundbar zu sein. Lazarus, ich habe nichts dagegen, daß irgend jemand im Schiff mitbekommt, was ich zu sagen hatte. Aber ich möchte nicht über einen chirurgischen Eingriff sprechen, wenn die Wahrscheinlichkeit besteht, daß der Patient sich darüber aufregt.« Sie beugte sich vor. »Bitte sei so nett und kraule mich zwischen den Schulterblättern.«

Ich begrüßte die Gelegenheit, meine Gedanken zu ordnen, während sie mich an die richtige Stelle wies — höher, tiefer, ein wenig nach links, ah, genau *dort* . . .

»Hilda, ich weiß nicht, ob das überhaupt geht. Ich habe Dora programmiert, daß sie sich in einer Krisensituation nach Laz-Lor orientiert. Das hat mich aber viele Jahre gekostet und wurde nicht durch Schaltungen oder Programme erreicht. Dora ist als Persönlichkeit dermaßen eigenständig, daß man schon ihre Liebe gewinnen muß, um sich ihrer Treue sicher sein zu können.«

»Das kann ich mir beinahe denken. Lazarus, nun möchte ich mal sehen, wie du einen Hut aus dem Kaninchen ziehst.«

»Du meinst . . .«

»Ich habe gemeint, was ich gesagt habe. Jeder zweitklasse Zauberer holt ein Kaninchen aus dem Hut. Kann Lazarus den Hut aus dem Kaninchen zaubern? Verfolgen Sie das Programm nächste Woche um diese Zeit. Lazarus, das Problem mußt du lösen; du hast es heraufbeschworen. Ich gedenke keinen zweiten Vertrag zu schließen mit einem Mann, der schon den ersten nicht eingehalten hat. Soll ich dir den Rücken kraulen, während du darüber nachdenkst? Du hast mich hübsch gerubbelt.«

Ich ging darauf ein, indem ich mich nach vorn beugte. Hilda ist wirklich telepathisch veranlagt, wenn auch vielleicht nicht im eigentlichen Sinne. Sie wußte, welche Stellen sie sich vornehmen mußte und wie fest und wie lange.

Und wann sie aufhören mußte. Sie senkte die Hand, als ich mich aufrichtete — und ihre Hand streifte mich und hielt inne. »Also! Es lag wirklich nicht in meiner Absicht, dich herauszufordern, mein Lieber.«

Ich legte den Arm um sie; sie entwand sich mir nicht, sondern fuhr fort: »Ich werde dich nicht zurückweisen. Seit ich zwölf Jahre alt war, habe ich keinem Mann Grund gegeben, mich eine hinterlistige Neckerin zu nennen, die im entscheidenden Moment kneift. Aber wäre es nicht vernünftiger, die Sache zu verschieben, bis wir deine Mutter gerettet und unsere geschäftlichen Arrangements getroffen haben? Wenn du dann noch der Meinung bist, daß du dich für mich interessierst, läßt du es mich wissen. Und dann würde ich dich nur darum bitten, mir zu helfen, die Gefühle meines Mannes zu schonen. Und . . . es fällt mir schwer . . . dies alles zu sagen. Verdammt! *Bitte* hör auf und sag mir, wie du deine Mutter retten willst.«

Ich hielt inne und ging auf eine Handbreite Abstand. Der Schaum vermochte mein steigendes Interesse nicht länger zu verhehlen.

»Hast du den Hut und das Kaninchen vergessen?«

»Leider ja. Nun ja, diese Runde hast du gewonnen. Wir versuchen deine Mutter zu retten. Ich schreibe den gebrochenen Vertrag in den Schornstein — aber wir machen keine weitergehenden Geschäfte. Nur die Rettung, dann verschwinden wir wieder.«

»Ich dachte, du hättest mir für später eine zweite Chance versprochen?«

»Was? Lazarus, du bist ein Schweinehund!«

»Das bin ich nicht — aber diesen Begriff gibt es auf Tertius nicht. Hier ist der ›Hut‹. Du ernennst mich auf deinem Schiff zu deinem Adjutanten — irgendein Titel wird dir ja einfallen. Meine einzige Aufgabe wird darin bestehen, in Hörweite zu bleiben — durch Dora oder direkt — und dafür zu sorgen, daß jeder deiner Wünsche sofort ausgeführt wird. Tag und Nacht.«

»Damit wäre ich eine Art Galionsfigur und unterläge nach wie vor deinen Launen. Dieser Hut paßt nicht.«

»Also schön — zweiter Hut. Wir landen auf Tertius. Ich nehme Dora in ein anderes Schiff — damit wäre sie einverstanden, wir haben das schon einmal gemacht. Ich überschreibe dir dieses Schiff mit einem neuen Computer gleicher Kapazität, auf Schiffsaufgaben programmiert, doch noch nicht erweckt. Du kannst den Computer dann auf deine Persönlichkeit abstimmen. Du wärst gewissermaßen seine Mutter.«

»Das ist schon besser. Dicht dran, aber doch noch nicht ganz im Ziel. Lazarus, wir beide werden sehr lange miteinander im Geschäft sein. Ich nehme dir dein Schiff nicht weg. Statt dessen wirst du mir ein Schiff bauen, einen Tender für Gay Täuscher, doch angetrieben durch ein Burroughs-Kontinua-Gerät — das erste Schiff dieses Typs, das von Burroughs & Long GmbH errichtet wird, einer Tochtergesellschaft der Carter Technischen Werke. Eine andere Tochter ist Carter Computers, die vielleicht auch Computer baut, in erster Linie aber unter diesem unauffälligen Namen Jacobs Raum-Zeit-Verdreher montiert und sie ausschließlich innerhalb unseres komplizierten Firmenverbandes verkauft — der wirklich tief gestaffelt werden wird. Daran müssen wir gemeinsam arbeiten. Unser größter Ableger wird aber Libby & Smith, Grundstücksmakler, sein. Diese Firma baut Sonnensysteme um.«

»Was!«

»Sprich mit Zebbie und Jacob darüber. Wir gründen außerdem Schwarze-Hüte-Safaris Ltd., aber in der Firma tut sich vielleicht erst später etwas. Wir unterhalten Schauräume in Neu-Rom mit Importstücken aus zahlreichen Universen. Äh . . . natürlich eine

Modeboutique mit superteuren Modellen, die für die schönsten Hetären Neu-Roms speziell angefertigt werden. Privatzimmer für Privatvorführungen. Diese Firma ist ein Geschenk an Laz-Lor, bis auf die zehn Prozent stimmberechtigte Einlage, die mir durch dich die übliche Kontrolle bringt. Die Zwillinge können mit der Firma machen, was sie wollen; wir werden sie an der langen Leine laufen lassen. Wahrscheinlich werden sie eigene Importe vornehmen und sich einen Geschäftsführer bestellen. Aber vielleicht wollen sie sich auch ein wenig in das Geschäft einarbeiten.«

»Welches Geschäft?«

»Beides. Sie sind erwachsen, Lazarus, du mußt aufhören, über sie zu bestimmen. Die über allem stehende Holding wird von dir und mir geführt, wobei ich mein übliches Prozent Vorsprung habe, und ist ein nicht auf Gewinn zielendes Unternehmen, das Ischtars Klinik unterstützt. Die benötigten Beträge leiten wir in die Klinik und halten damit die Buchgewinne an anderen Orten niedrig, dafür zahlen wir aber gute Gehälter und Beraterhonorare. Mein Mann ist in einer Firma Erster Chefwissenschaftler und freier Berater anderswo, während es Elizabeth — Lib — umgekehrt hält. Lazarus, wir müssen Deety darauf ansetzen; sie versteht sich in unserer Familie auf solche Manipulationen am besten — ich bin lediglich ihre staunende Bewunderin.«

»Und ich bin dein staunender Bewunderer!«

»Wieder Unsinn! Lazarus, was ich so über dich gelesen habe, hat in mir den Eindruck erweckt, als wäre dir das Betrügen um des Betrügens willen das größte Vergnügen im Leben; Deety betreibt dasselbe als intellektuelle Kunst. Und noch etwas — nein, zweierlei. Kannst du Dora dazu bringen, die Situation weiter zu akzeptieren, bis wir deine Mutter bei Ischtar abgeliefert haben — als kleiner Gefallen gegenüber dem alten Knaben? Stell ihr das Ganze als Riesenwitz dar, in dessen Rahmen sie von mir Befehle akzeptiert, weil sie den Spaß mitmachen will. Natürlich ist dein Arrest beendet; das löschen wir bei ihr.«

»Sie hat das gar nicht auf Speicher; Lor hat ihre Aufzeichnung abgeschaltet, solange diese Sache in der Schwebe war.«

»Um so besser! Kannst du sie dazu bringen, mich ›Commodore‹ zu nennen, während du irgendeinen Fantasietitel verwendest?«

»Hilda, ich bin für dieses Schiff dein Stabschef; Zeb ist Stabschef für das Flaggschiff. Dora begreift die Ränge eigentlich gar nicht; ich könnte ihr einreden, daß ›Stabschef‹ eine Stufe über

Gott steht. Kein Problem. Solange sie nur mitbekommt, daß zwischen uns bestes Einverständnis herrscht.«

»Und das tut es doch!«

»Beruhigend zu hören. Hilda, ich habe dich so sehr unterschätzt, daß ich noch immer irgendwie im Schock bin. Was steht noch auf der Tagesordnung?«

»Die Verjüngung für uns alle, solange du — Ischtar — dies bei einem Nicht-Howard einrichten kannst.«

»Das kann ich dir versprechen; ich bin Aufsichtsratsvorsitzender der Klinik. Aber Ischtar ist *keine* Zauberin. Wie war das durchschnittliche Todesalter deiner Eltern, Großeltern und sonstigen Vorfahren, von denen du weißt?«

»Meine Familie ist auf beiden Seiten sehr alt geworden — wenn ich auch meine Eltern bei einem Autounfall verlor. Bei den anderen weiß ich es nicht so genau, außer daß Deetys Mutter viel zu früh an Krebs gestorben ist.«

»Damit werden wir fertig.«

»Brauchst du die durchschnittlichen Lebensdaten der Erde — unserer Erde, nicht der euren? Das Jahr dort ist genauso lang wie auf der guten alten Erde; Deety und Lor haben es verglichen.«

»Natürlich!«

»Diese Zahlen gelten für Nordamerika. An einigen Stellen ist die Lebenserwartung höher, an anderen geringer, und aus manchen Gegenden haben wir keine Informationen vorliegen. Frauen. Einsetzen der Pubertät bei dreizehn Jahren plus-minus neun Prozent. Wechseljahre mit sechsundfünfzig bis siebenundsechzig plus-minus . . .«

»Halt! Durchschnittliches Sterbealter der Frauen?«

»Hundertundsiebzehn. Die Männer schaffen im Durchschnitt acht Jahre weniger. Das ist traurig. Meine Familie liegt im Durchschnitt höher, doch nur wenige Jahre. Bei Jacob weiß ich es nicht, doch er hat einmal davon gesprochen, daß sein Großvater auf seltsame Weise mit siebenundneunzig ums Leben kam. Er . . .«

»Genug. Ich muß dies melden. Theoretisch seid ihr alle ›Vermißte Howards‹.«

»Aber Lazarus, so sieht der Durchschnitt auf der Erde aus — unserer Erde, muß ich sagen, nachdem ich weiß, daß es viele tausend Entsprechungen gibt.«

»Egal. Anderes Universum, andere Zeitlinie — nicht mein Problem. *Hier* bist du ein Howard. Ihr vier und alle eure Nachkommen.«

Hilda setzte ein glückliches Lächeln auf. »Das sind gute Nachrichten für eine Frau, die in der sechsten Woche schwanger ist.«

»*Du?*«

»Und Deety ebenfalls. Noch nichts zu sehen. Lazarus, ich war schon vor einer Weile in Versuchung, es dir zu sagen . . . weil ich eben in Versuchung war! Na, na! *Platz,* Hasso! Nun beschreib mir mal, wie wir eine Frau retten wollen, die seit vielen Jahrhunderten tot ist.«

»Hilda, eines Tages werde ich dich betrunken machen und dann . . .«

»Bietest du mir darauf eine Wette an?«

»Dir? Niemals! Der Tod meiner Mutter ist irgendwie rätselhaft. Sie scheint in einem für einen Howard ziemlich jungen Alter bei einem Unfall ums Leben gekommen zu sein. Knapp hundert. Man verständigte mich, weil die Ausweise in ihrer Tasche mich als ›nächsten Verwandten‹ angaben — und ich weinte wie ein Säugling, denn ich hatte sie zu ihrem hundertsten Geburtstag am 4. Juli 1982 besuchen wollen. Statt dessen nahm ich an ihrem Begräbnis in Albuquerque teil — zwei Wochen vor diesem Termin. Außer mir war niemand dort. Sie lebte allein unter ihrem Mädchennamen; sie hatte sich dreißig Jahre früher von meinem Vater getrennt. Aber anscheinend hatte sie der Howard-Stiftung ihren letzten Umzug nicht angezeigt und auch den anderen Kindern nicht Bescheid gegeben. So sind Howards nun mal; sie leben so lange, daß Verwandtschaft allein nicht ausreicht, um in Berührung zu bleiben. Ich schloß den Sarg und ließ sie verbrennen — aufgrund von Willensäußerungen in ihrem Nachlaß; ich bekam ihren Körper nicht zu Gesicht.

Aber hinsichtlich ihrer Identität gab es keinen Zweifel. In meiner Welt konnte man 1982 nicht einmal niesen, ohne einen dikken Packen Ausweise bei sich zu haben, der bestätigte, wer man war. Ich bekam dies zu spüren, denn ich wurde im gleichen Jahr noch siebzig und sah wie fünfunddreißig aus. Sehr unangenehm. Ursprünglich wollte ich von Albuquerque aus nach Süden über die Grenze fahren und erst zurückkommen, wenn ich mir einen neuen Paß gekauft hatte, der zu einem neuen Namen paßte.

Hilda, als ich mich gut zweitausend Jahre später auf meine erste Zeitreise vorbereitete, erfuhr ich, daß meine Mutter in den Archiven nicht als tot, sondern lediglich als ›mutmaßlich vermißt‹ aufgeführt wurde.

Diese Sache machte mir zu schaffen. Vor einigen Jahren — meiner Zeit — brachten Laz-Lor mich zurück. Wir landeten nicht, denn ein Projektil raste auf uns zu und jagte Dora einen großen Schrecken ein. Aber ich schoß einen Film, der anscheinend den Unfall wiedergibt. Auf den Einzelbildern vor dem ersten Augenblick, da meiner Meinung nach die Leiche erscheint, gibt es eine verwischte Stelle. Kannst du dir die Größe und Form dieser Störung vorstellen?«

»Ich will es lieber nicht versuchen, Lazarus.«

»Soweit ich das von einem Stück Film umrechnen kann, dessen Bild einen Zentimeter im Quadrat groß ist, aufgenommen mit Teleobjektiv aus zu großer Höhe, weil Dora mich belämmerte, nach Hause zu fliegen, ist sie so groß wie die Parknische, in der Gay Täuscher sich befindet. Hilda, ich glaube, ich habe euch dabei fotografiert, wie ihr meine Mutter rettet — und zwar ehe ihr es tatet!«

»*Was?* Lazarus, das ist . . .«

»Sag nicht ›unmöglich‹! Das Land Oz ist unmöglich. Du bist unmöglich. Ich bin unmöglich. Wer hat denn den multiplen pantheistischen Solipsismus erfunden? Du!«

»Ich wollte auch gar nicht ›unmöglich‹ sagen. Nachdem du nun weißt, daß ich schwanger bin, ist dir auch klar, warum ich deine Mutter sofort retten möchte, ehe mein Bauch dicker wird und dem Sicherheitsgurt in den Weg kommt. Sie hieß Marian? Marian Johnson Smith?«

»Maureen Johnson.«

»Das beweist, daß sich hier endlich der richtige Lazarus Long zu Wort gemeldet hat. Ich hatte schon befürchtet, es könnte eine Reihe von Lazarus-Long-Analogien geben wie im Falle der Erde.«

»Mir würde das nichts ausmachen. Das wäre deren Problem.«

»Aber es würde die von mir erarbeitete Theorie zunichte machen, die mir eine Erklärung bietet, warum ich hier in einem Bekken sitze in einer zeitreisenden fliegenden Untertasse mit einem gestandenen Mann — in zweifacher Hinsicht! —, während ich doch *weiß,* daß er eine erdachte Person aus dem Buch ist, das ich vor Jahren gelesen habe. Das macht *mich* ebenfalls zu einer fiktiven Person, aber das stört mich nicht weiter, da *ich* ja keinen Roman lesen kann, in dem *ich* mitspiele, ebensowenig wie *du* den Roman lesen könntest, den *ich* über *dich* gelesen habe.«

»Dem bin ich aber ziemlich nahe gekommen.«

»Nun spiel nicht die Sphinx, Lazarus.«

»Mir gefallen verrückte Geschichten. Ich habe in der Stadtbibliothek von Kansas alles gelesen, was ich in die Finger bekommen konnte. Auf einer anderen Zeitreise erwischte ich ein Magazin, wie du es wohl noch nie gesehen hast. Ich las darin nur eine Fortsetzung einer Serie. Lächerlich. Vier Leute, die in einem *Flugwagen* durch das Weltall reisten. Am Ende der Folge werden sie von einer fliegenden Untertasse angerufen. Fortsetzung im nächsten Monat. Hilda, *wie,* glaubst du wohl, hat Dora im richtigen Augenblick am richtigen Ort sein können, als Gay Täuscher aus dem Nichts auftauchte?«

»Wo ist das *Magazin?*«

»Verbrannt im selben Vernichter, der vorhin mein bestes falsches schottisches Klankostüm gefressen hat. Hätte ich es mir nicht vor langer Zeit angewöhnt, unwichtige Lektüre nach dem Lesen zu vernichten, käme Dora nicht mehr vom Boden hoch. Hilda, du hast dies selbst erkl . . .«

»Hilda? Hörst du mich?« Die Stimme ihres Mannes.

Sie begann zu strahlen. »Ja, Jacob?«

»Darf ich dich sprechen? Ich habe ein Problem.«

»Ich verschwinde«, flüsterte ich und wollte aufstehen. Doch sie zog mich wieder hinab. »Natürlich, lieber Jacob. Ich bin in der Kommandokabine. Und du?«

»In unserer Suite.«

»Komm doch zu uns.« Sie flüsterte mir zu. »Sind wir uns einig?« Ich nickte, sie streckte die Hand aus, und wir besiegelten die Vereinbarung. »Partner sind wir jetzt«, flüsterte sie. »Die Einzelheiten klären wir später. Zuerst kommt Maureen an die Reihe.«

»Hilda, ich kenne den Weg nicht«, antwortete ihr Mann. »Und es ist eine private Angelegenheit.«

»Dann *mußt* du herkommen, Jacob; dies ist der einzige ruhige Ort im Schiff. Ich habe mit Lazarus Long über geschäftliche Dinge gesprochen — so private Geschäfte, daß ich sie nur *hier* diskutieren konnte. Es gibt keinen Ärger mehr, Liebster, und wir bekommen, was wir haben wollen. Komm zu uns, wir brauchen dich.«

»Äh . . . kann *er* mich hören?«

»Aber ja. Wir baden zusammen. Komm zu uns! Du sollst über unsere Abmachung unterrichtet sein, ehe wir den Kindern Bescheid sagen. Vielleicht brauche ich deine Unterstützung bei einigen Details, die wir pragmatisch sehen müssen.«

Schweigen . . . »Am besten rufe ich dich später wieder an.«

»Dr. Burroughs«, sagte ich, »Sie wollen privat mit Ihrer Frau sprechen; ich verschwinde. Aber machen Sie sich bitte klar, daß ein gemeinsames Bad auf meiner Welt etwa so üblich ist wie bei Ihnen das Angebot eines Drinks an einen Freund. Ich bin hier, weil der Commodore mich dazu aufgefordert hat, und ich versichere Ihnen, daß ihr nichts geschehen ist.«

Burroughs antwortet mit gepreßter Stimme. »Ich kenne diesen Brauch und bezweifle Hildas gesellschaftliches Urteilsvermögen nicht. Ja, ich muß mit ihr sprechen . . . aber ich möchte nicht unhöflich erscheinen. Ich komme rauf oder runter oder rüber und sage hallo. Bitte bleiben Sie, bis ich dort bin. Ich erkundige mich nach dem Weg.«

»Dora sagt Ihnen Bescheid. Treten Sie auf den Korridor und warten Sie auf das blaue Licht. Dora findet Sie.«

»Gut, Sir.«

»Dora, Sonderauftrag.«

»Ja, Papa?«

»Finde Professor Burroughs. Führe ihn hierher. Auf dem längsten Weg. Langsamer Tritt.«

»Aye, aye, Papa.«

Hastig sagte ich zu Hilda: »Ich kann mir vorstellen, was ihn beunruhigt; ich möchte das mal eben überprüfen. Lib?«

»Ja, Lazarus?«

»Bist du allein?«

»In meiner Kabine. Allein und einsam.« Lib fügte hinzu: »Und bekümmert.«

»Ach? Hast du Professor Burroughs deine Frage gestellt?«

»Ja. Lazarus, es war die perfekte Gelegenheit. Der Ort, an dem Dora nicht sehen oder hören kann. In Gay Täuschers Raumverwerfung, und . . .«

»Es reicht, Lib! Hat er sich geweigert?«

»Nein. Aber er hat auch nicht ja gesagt. Er ist unterwegs, um mit seiner Frau darüber zu sprechen. Deshalb bin ich so nervös.«

»Stell dir den Beruhiger an. Ich melde mich wieder. Ende.«

»Was ist denn mit Elizabeth?« fragte Hilda.

»Ich will mich so kurz wie möglich fassen, da sogar der längste Weg in diesem Schiff nicht ewig dauert. Lib legt großen Wert darauf, ein Kind zu bekommen von dem Mathematiker — deinem Mann —, der die Gleichungen für den sechsdimensionalen, positiv gekrümmten Raum geschaffen hat. Sie meint — und dieser Ansicht bin ich auch —, daß aus dieser Verbindung ein Mathematiker hervorgehen könnte, der Lib oder deinem Mann noch überlegen wäre. Aber sie hätte das von Ischtar arrangieren lassen sollen. Sie ist zu hastig vorgegangen, ich weiß nicht, warum . . .«

»Aber ich! Elizabeth?«

Lib antwortete nicht sofort. »Hier Elizabeth Long.«

»Hier Hilda Burroughs. Elizabeth, kommen Sie bitte sofort her. In die Kommandokabine.«

»Commodore, sind Sie böse auf mich? Ich wollte mich nicht ungehörig benehmen.«

»Ach du je! Komm in Mama Burroughs' Arme! Ich tätschele dich und versichere dir, daß du ein gutes Mädchen bist. Auf der Stelle! Wie weit weg bist du?«

»Eben um die Ecke. Wenige Meter.«

»Laß alles liegen und stehen und beeil dich. Lazarus und ich sind im Erfrischungsraum. Im Becken. Setz dich zu uns.«

»Äh, ja schön.«

»*Beeil dich!*«

»Wie lasse ich sie herein?« fragte Hilda. »Soll ich tropfnaß zur Tür laufen und sie hereinlassen? Unsere Tür läßt zwar jeden herein, kann aber von außen nicht ohne Hilfe geöffnet werden.« Sie fügte hinzu: »Und wie komme ich dann wieder herein?«

»Dora weiß, daß du hierher gehörst. Und was die übrigen angeht . . . Dora, du läßt Libby Long und Professor Burroughs eintreten.«

»Aye, aye, Papa. Lib — sie kommt sofort. Dr. Jacob Burroughs führe ich bereits an der Leine. Wie bald darf er am Ziel sein?«

»In zwei Minuten«, sagte Hilda.

Lib eilte herein, ihr Gesicht war ernst. Doch sie lächelte, als Hilda die Arme um sie legte, sie lächelte und weinte gleichzeitig. Ich hörte Hilda leise sagen: »Na, na, meine Liebe. Ein großartiger Einfall, sie wird bestimmt die beste Mathematikerin der Welt! Ein süßes Baby — ein wenig wie Deety aussehend, ein wenig auch wie du, Jacob! Herein mit dir, Liebling! Wenn du etwas anhast, wirf es ab; wir sind im Becken!«

Sekunden später war das Becken vorschriftsmäßig gefüllt. Hilda hatte die Arme um Lib und ihren Mann gelegt; sie küßte Jacob und küßte Lib und sagte streng zu ihnen: »Nun zieht aber kein Gesicht, als wärt ihr auf einer Beerdigung! Jacob, Jane wäre ganz damit einverstanden — und *ich* ebenfalls! Elizabeth, du verdrängst mich nicht etwa, denn ich bin schwanger. Ich werde mein Kind sechs Wochen vor dir bekommen. Ich habe beschlossen, Dr. Lafe Hubert zu bitten, bei der Geburt zu assistieren.«

»*Hilda!* Ich habe seit über hundert Jahren kein Kind mehr zur Welt gebracht!«

»Da hast du ja noch sieben Monate Zeit, deine Kenntnisse aufzufrischen. Dr. Lafe, weigerst du dich etwa, dich um mich zu kümmern?«

»Nein, aber . . . Jake, wenn Hilda ihr Kind in der Klinik auf Tertius zur Welt bringen will, kümmern sich die besten Geburtshelfer dieses Universums um sie. Und dazu gehöre ich nicht. Mein Können ist eingerostet. Ich . . .«

»Doktor, ich glaube, Hilda würde sich damit zufriedengeben, wenn Sie ihr die Hand halten und sich für den Notfall bereithalten. Und dasselbe dürfte für meine Tochter gelten, die vermutlich ihr Kind am gleichen Tag bekommt wie Hilda.«

»Sir, es wird mir eine Ehre sein. Aber zum geplanten Kind möchte ich noch etwas sagen, zur Kreuzung zwischen zwei hervoragenden Mathematikern. Ich weiß, daß in Ihrer Welt der Monogamie eine große Bedeutung zukommt. Für die Howards gilt das nicht; sie können diese Forderung nicht erheben. Aber der Vorgang braucht Sie nicht zu beunruhigen. Wenn Sie Ihren Beitrag zur Spermabank in . . .«

»Was?« Hilda Burroughs sah mich entsetzt an. »Lazarus, sprichst du von Injektionsspritzen und dergleichen? Bei *Elizabeth?*«

»Nun ja, ich . . .«

Sie ließ mich nicht ausreden. »Mit Injektionsspritzen macht man keine Babys! Babys werden mit Liebe gemacht! Mit leisen Seufzern des Glücks zwischen zwei Menschen, die genau wissen, was sie tun, und die es tun wollen. Elizabeth, hast du deine fruchtbare Zeit?«

»Es müßte hinkommen.«

»Dann gib mir einen Kuß und sag mir, daß du es tun willst. Wenn du es tun willst.«

»Oh, sehr sogar!«

Es gab eine Runde Küsse und Tränen und Duzangebote, und es endete damit, daß ich sogar den vorgesehenen Vater küßte. Ich gab ihm die Chance auszuweichen, doch er rührte sich nicht.

Unsere vielbeschäftigte kleine Kupplerin ließ nicht locker. »Lazarus, welche Farbe hat die Gästekabine auf der anderen Seite? Pastell?«

»Wir nennen sie den Auroraraum.«

»Geliebter Mann, wickele dieses süße, erschreckte Kind in ein

Badetuch, bring sie dorthin, verschließe die Tür hinter dir und mach sie glücklich. Diese Suite ist der einzige Bereich im Schiff, der wirklich abgeschieden ist. Wenn ich einen von euch beiden in weniger als einer Stunde wiedersehe, breche ich in Tränen aus. Damit will ich nicht sagen, daß ihr nicht länger bleiben könnt. Ich hoffe allerdings, daß ihr am Abendessen teilnehmt — aber der Auroraraum steht euch auch danach noch zur Verfügung. Mein Schatz, du mußt ihr auch in den nächsten drei Tagen mindestens eine Chance geben; die Zyklen einer Frau können auch abweichen. Nun los! Trag sie hinüber!«

Lib wollte sich nicht tragen lassen, doch sie schmiegte sich an ihn. Als die beiden den Erfrischungsraum verließen, drehte sie sich noch einmal glücklich lächelnd um und warf uns ein Küßchen zu.

Hilda ahmte die Bewegung nach und wandte sich an mich. »Hilf mir bitte hinaus.«

Ich hob sie hoch, setzte sie am Rand ab und kletterte ebenfalls aus dem Wasser. Sie klopfte auf das gepolsterte Deck und sagte: »Ich glaube, das ist besser als die Chaiselongue. Wenn wir jetzt erwischt würden, brauchte ich mich nicht zu schämen, und du auch nicht; Jacob wäre eher erleichtert als bestürzt.« Sie lächelte, öffnete die süßen Beine und hob die Arme. »Jetzt?«

»*Ja!*« Ich sank auf die Knie.

»Alles, was du willst, einschließlich einer Rückenmassage. Lazarus, erregt dich das Gefühl zu wissen, was da ein paar Meter entfernt von uns vorgeht? *Mich* auf jeden Fall.«

»Ja! Aber ich brauche es nicht, wie du siehst — Hilda, du bist großartig!«

»Auf jeden Fall nicht im Aussehen. Mit dem Rest von mir gebe ich mir also um so mehr Mühe. Schon dreimal hab' ich mich verkauft und sehr angestrengt, damit jeder meiner Vertragsmänner das Gefühl hatte, etwas für sein Geld bekommen zu haben ... dann heiratete ich meinen lieben Jacob aus Liebe und gebe mir noch mehr Mühe. Er ist gut — ich meine das *in jeder Beziehung*. Ich hoffe, daß Elizabeth ihn zu schätzen weiß. Du hast sie gehabt?«

»Ja.«

»Vor oder nach der Umwandlung?«

»Beides. Das ›Vorher‹ vermisse ich, aber das ›Hinterher‹ weiß ich durchaus zu schätzen.«

»Warum machst du ihr dann kein Kind?«

»Das ist ein alter Familienwitz. Ihr erstes Kind ist von mir, und jetzt geht sie mehr oder weniger in der Familie herum. Frau, du bist *nicht* in meinen Armen, um zu reden! — ich bin beinahe am Ziel!«

Sie sah mich entzückt an. »Ich schwebe schon eine Weile vor dem Höhepunkt — Zügel frei!« Und sie biß mir ins Kinn.

Eine unendlich lange Zeit später, über die keine Worte zu verlieren sind, lagen wir einander in den Armen und genossen die erfrischende Ruhe der nachlassenden Erregung. Hilda erblickte sie als erste und hob den Kopf:

»Jacob, mein Schatz! *Hast du . . . ?* Lib, hat mein Liebling dir ein Kind gemacht?«

»Und ob! Puh! Hilda, überstehst du das jede Nacht? Du kleine Person? Weniger als zwei Stunden, und ich bin völlig erschossen von Jacob. Der hat vielleicht . . .«

»Ich bin dafür gebaut, meine Liebe. Sag's ihr, Jacob.«

»Mein Liebling ist anpassungsfähig, liebste Libby. Lazarus, hat Hilda dich ebenfalls gut behandelt?«

»Ich bin glücklich lächelnd gestorben.«

»Er ist nicht tot.« Hilda beugte sich zur Seite, schöpfte eine Handvoll Wasser und schleuderte sie mir lachend ins Gesicht. Den Vorschlag, den sie gleich darauf machte, wies ich würdevoll zurück — so würdevoll, wie man nur sein kann, wenn man von zwei Frauen rücklings in ein Badebecken gestoßen wird . . . während der Freund danebensteht und sich vor Lachen nicht mehr halten kann.

XLIV

Zeb:

»Die Frage ist die«, stellte meine Frau Deety fest. »Woher nehmen wir die Leiche? Mit genauem Timing kann Gay die Frau dort wegholen. Aber wir müssen auch eine Leiche zurücklassen. Lazarus, das hat nicht nur dein Film gezeigt, sondern du *erinnerst* dich im übrigen an Maureens Tod, du warst bei ihrer Beerdigung. Es muß sich um die frische Leiche einer älteren Frau handeln, die die Bullen als Maureen Johnson akzeptieren werden.«

Sechs von uns — Deety, ich, Jake, Sharpie, Lazarus und Libby — saßen an unserem Küchentisch im ›Neuen Fuchsbau‹ (mit dieser Namensgebung hatten sich unsere Frauen einverstanden erklärt) in Beulahland und versuchten den ›Austausch‹ zu planen.

Lazarus hatte einen Film vorgeführt, der uns zeigte, daß uns der Coup zu einer bestimmten Zeit und an einem bestimmten Ort auf einem Analogon von Erde-null, ein Quantum entfernt auf der ›t‹-Achse, gelingen *würde* (gelungen *war).*

Kein Problem. Garantierter Erfolg! Fehlschlag unmöglich. Kann man mit Augenbinde angehen.

Aber wenn es nun *doch* schiefging?

Die einzelnen Filmbilder zeigten, daß ein Wagen über die Stelle gefahren war, an der Gay gestanden hatte (stehen würde?) und dabei die abgeworfene Leiche überfahren hatte (überfahren würde) (überfahren wird) (überfährt, überfahren hat, ewig überfahren wird). Was war, wenn die Zeitberechnung um eine Winzigkeit nicht stimmte? Bei seiner ersten Zeitreise (1916—1918 Gute Alte Erde) hatte Lazarus mit Dora als Pilot das Ziel nicht um Sekundenbruchteile verfehlt, sondern um *drei Jahre.*

Lazarus hatte unterstrichen, daß dies nicht Doras Fehler gewesen war, sondern der seine; er habe unzureichende Daten eingegeben — woraufhin wir ihn von fünf Seiten attackiert hatten: Es gehe nicht darum, ›wessen Fehler‹ hier vorliege, sondern um den Umstand, daß eine Abweichung überhaupt möglich war.

Oder nicht?

Vier Mathematiker, ein mathematisch gebildeter Techniker (ja, ich beziehe mich in den illustren Kreis ein, kenne ich mich mit Gay doch schließlich am besten aus) und eine Intuitionistin waren sich darüber uneins.

Hilda war überzeugt, daß nichts schiefgehen konnte.

Ich dagegen halte mich klar an Murphys Gesetz: Bei freier Wahl der Möglichkeit wird alles, das schiefgehen kann, tatsächlich danebengehen.

Libby hatte sich rückhaltlos zu Jakes sechsachsigem Plenum von Universen bis zur schrecklichen Zahl des Tiers wie auch zu Sharpies multiplen Solipsismen bekehren lassen und äußerte, daß beide nur verschiedene Seiten derselben Medaille wären — das eine der Anhang des anderen und umgekehrt. Im Verbund stellten sie (stellte es) die totale Philosophie dar: Wissenschaft, Religion, Mathematik, Kunst in einem großen, zueinander passenden Paket. Sie sprach davon, eine ›Fiktion‹ sei ein Quantum von Fantasie/Realität (wobei ›erdacht‹ mit real‹ identisch sei, was immer das bedeuten mag), und äußerte dies so beiläufig wie ein Physiker, der Photonen beschrieb. »Ob ein Fehler möglich ist? Ja. Und würde ein neues Universum schaffen. Jacob, du hast uns die leeren Universen beschrieben, auf die deine Familie gestoßen ist. Sie füllen sich eines nach dem anderen in dem Augenblick, da neue Fiktionen geschaffen werden.« Sie fügte hinzu: »Aber es wurde *kein* Fehler gemacht, wir haben Maureen sicher herausgeholt. Wir *selbst* schaffen die Fiktionen, die das Wirklichkeit werden lassen.«

Sie schien vor Begeisterung trunken zu sein. Ich schrieb dies der Erregung über das bevorstehende Abenteuer zu, aber das war ein Irrtum.

Lazarus, ein fähiger Mathematiker, wenn auch nicht so begabt wie Jacob oder Libby, zeigte sich in diesem Fall nicht als gelassener Theoretiker; er war grimmig entschlossen, den Versuch über die Bühne zu bringen oder dabei zu sterben — womit er mich daran erinnerte, wie er sich seine Ladung in die Kehrseite einfing.

Jake erwies sich ebenfalls als fest entschlossen (war er doch das erste Beispiel seines Universums für einen Menschen unbeschränkten freien Willens!).

Deety ist pragmatische Mathematikerin, die sich durch Theorien nicht aus der Ruhe bringen läßt. Oz ist real. Sie ist real, ›Fiktionen‹ interessieren sie nicht. »Mach dir keine Sorgen, Lazarus. Wir können es wirklich schaffen, Gay kann es schaffen — und wir fangen *nicht* an, solange Gay sich ihres Programms nicht sicher ist.«

Die Diskussion hatte im Laufe des Nachmittags an Bord der Dora begonnen. Sharpie hatte ihre Schwierigkeiten mit Lazarus aus der Welt geräumt und uns sogar alle zu Freunden werden lassen (was mich doch sehr erleichterte; sollten die beiden jemals auf entgegengesetzten Seiten stehen und es dabei um mehr als ein Brettspiel gehen, möchte ich an einem anderen Ort sein — beispielsweise in Timbuktu unter einem angenommenen Namen); sie, Jake, Lazarus und Libby saßen diskutierend in der Kommandokabine, als Sharpie Deety und mich durch Dora dazuholen ließ.

Die Tagesordnung war endlos lang (dazu gehörte auch die unmögliche Vorstellung, wir könnten ›vermißte Howards‹ sein, und daß Lazarus uns als solche registrieren ließ). Ich bin nicht sicher, ob ich tausend Jahre leben möchte, oder auch nur zweihundert. Aber eines weiß ich bestimmt: ich möchte a) noch ein ordentliches Stück leben, und b) bei Sinnen, gesund und aktiv sein, bis es mich schließlich erwischt. Nicht wie mein Urgroßvater, der mit hundertundfünf gefüttert werden mußte und seinen Schließmuskel und auch das übrige nicht mehr unter Kontrolle hatte. Die Howards aber haben eine Lösung dafür: man bleibt jung, solange man will, und stirbt auf eigene Entscheidung, sobald man das Gefühl hat, seinen Zyklus abgeschlossen zu haben.

Ja, ich war willens, ein ›gefundener Howard‹ zu sein (da dies Deety einschloß und etwaige kleine Deetys, die noch des Weges kommen mochten).

Zahlreiche andere Probleme standen zur Diskussion an, wurden aber verschoben (einschließlich des Problems der ›Schwarzen Hüte‹), damit wir Zeit hatten, uns mit der Rettung Maureen Johnsons zu befassen.

Wir diskutierten noch über strittige Fragen, als Lors Stimme sich meldete: »Commodore?«

»Ja, Captain«, hatte Sharpie geantwortet.

»Madame, ich störe nur ungern . . .«

»Schon gut, Lor. Der Captain muß mich immer ansprechen können.«

»Äh, Madame, Dora hat mitgeteilt, daß sie sich bei Ihnen nicht melden dürfe. Sie hat Ihnen eine Vielzahl von Kleidern im neurömischen Stil zurechtgelegt, für Männer und Frauen, außerdem eine Uniform für Dr. Jacob und eine zweite für Dr. Zebadiah und Abendkleider für Dr. Elizabeth und Dr. Deety — und sie weiß nicht genau, wohin sie damit soll.«

»Die gesamte Kleidung bitte in die Kommandokabine.«

»Ja, Madame. Sie müßte sich bereits in Ihrem Lieferungsfach befinden. Wissen Sie, wo das ist?«

»Ich werde es schon finden. Was werden Sie und Ihre Schwester heute abend tragen? Oder ist das ein Geheimnis?«

»Kein Geheimnis; wir sind uns nur noch nicht einig. Aber bis zum Abendessen sind ja noch anderthalb Stunden Zeit.«

»Genug Zeit, um sich etwas Hübsches auszusuchen. Oder wollen Sie heute abend ganz förmlich in nackter Haut erscheinen? Das dauert in der Vorbereitung von zwei Sekunden bis zu zwei Stunden, nicht wahr? Ende.«

Sharpie äußerte ein ungewöhnliches Schimpfwort, das mir mehr als alles andere klarmachte, daß Lib und Lazarus jetzt sozusagen zur Familie gehörten. »Mir mißfällt es, mit viel Zeitverlust so zu tun, als freue ich mich auf einen festlichen Anlaß, während wir hier noch soviel zu regeln haben, insbesondere unser Vorgehen wegen Maureen.«

»Wir sollten hier weitermachen«, sagte Libby, »mit kleinen Snacks zwischendurch und Schlafpausen, wann immer wir sie brauchen, bis alles geregelt ist. Drei Stunden oder drei Tage oder drei Wochen.«

»Ja, das werden wir tun!« sagte ich.

Sharpie schüttelte den Kopf. »Zebbie, du kannst das Essen ausfallen lassen, ich aber nicht. Und Lazarus auch nicht.«

»Ich fürchte, sie hat recht«, meinte er. »Aber, Commodore, ich muß dich darauf hinweisen, daß dein Flaggen-Stabschef ebenfalls zugegen sein sollte, schon um den Geist der Truppe nicht zu untergraben.« Er räusperte sich umständlich. »Libby und Jacob, die nur Passagiere sind, könnten sich dagegen entschuldigen lassen.«

Lib schüttelte den Kopf. »Deety und ich haben leichtfertig ein Versprechen abgegeben.«

Da ich mich nicht zu den Genies zählen kann, macht es doch irgendwie Spaß, ein Zimmer voller hochgeistiger Kapazitäten dumm dastehen zu lassen. Ich erhob mich. »*Nein!* Wir lassen uns nicht durch ein Abendessen stören! Wir können die Sache in drei Wochen erledigen. Aber wenn ihr alle Kaninchen jagt und wollt . . . Was ist denn mit dir, Sharpie? Verlierst du auf deine alten Tage etwa den Überblick?«

»Sieht so aus, Zebbie.« Sie wandte sich an Lazarus. »Bitte ordne an, daß das Abendessen ausfällt. Wir sprechen hier weiter, bis alles erledigt ist. Hier gibt es genügend Betten und Sofas, falls mal jemand ein Nickerchen machen möchte. Aber die Sitzung wird *nicht* unterbrochen. Drei Stunden oder drei Wochen. Oder länger!«

»Laß das Essen nicht absagen, Sharpie.«

»Zebbie, jetzt bin ich aber doch etwas durcheinander.«

»Beulahland liegt auf einer anderen Zeitachse.«

Fünf Minuten später saßen wir in unserem alten Bauernhaus. Wir hatten uns gar nicht erst angezogen, da uns das zwanzig Minuten gekostet hätte, wohingegen es darum ging, auf *jener* Achse Zeit zu sparen und sie dafür auf *dieser* zu verbrauchen. Wir steckten Lazarus und Libby in die Achterkabine, mit geöffneter, aber festgeklemmter Schottür, damit sie alles sehen und hören konnten. Sie mußten sich allerdings mit den Stoffgurten anschnallen und wußten durchaus, daß die Unebenheiten unter ihnen geladene Waffen waren.

Das einzige Ungewöhnliche bestand darin, daß wir auf dem Rückweg mit einem sich bewegenden Schiff ein Rendezvous haben würden, etwas, das wir bisher nur aus der Hüpf-Entfernung und aus derselben Raum-Zeit unternommen hatten. Ich hatte Gay gefragt, ob sie sich das zutraue. Sie hatte mir versichert, daß ein solches Programm keine Schwierigkeiten mache, weil sie sich um den Schiffsvektor nicht zu kümmern brauchte; sie würde in dem Sekundenbruchteil zurückkehren, in dem sie verschwunden war.

Ich wandte mich an Commodore Sharpie, die nun wieder Captain war. »Fertig zum Weltraumflug, Captain.«

»Vielen Dank, Astronavigator. Gay Täuscher. Beulahland. Ausführung. Gay Täuscher, öffne die Türen. Alle Mann losschnallen. Aussteigen. Gay, Zeit zum Schlafen. Ende.«

»Gute Nacht, Hilda. Roger und Ende.«

Unsere Passagiere wirkten leicht betäubt, was kein Wunder war — beim erstenmal reagieren alle so. Sie standen vor unserer Scheune, starrten wie Zombies auf die untergehende Sonne und ließen sich wortlos von mir ins Haus scheuchen. Obwohl man in Beulahland keine Körpertabus kennt, trägt man doch meistens Kleidung, und sechs nackte Menschen beim abendlichen Sonnenuntergang mochten auffallen.

Im Haus sagte Libby: »Fühlt sich an wie Arkansaw.«

»Wie Mizzoura«, widersprach Lazarus.

»Weder noch«, antwortete ich. »Dies wäre der Staat Washington, wenn es sich nicht um Beulahland handelte — und etwa einen Kilometer in jene Richtung müßte der Puget-Sund liegen oder seine Entsprechung.«

»Trotzdem fühlt es sich an wie zu Hause. Lazarus, ich bin fröhlich beschwingt.«

In diesem Augenblick beschloß ich, den Neuen Fuchsbau *niemals* aufzugeben. Anscheinend würden wir Bürger von Tertius werden, oder vielleicht von Neu-Rom auf Secundus — oder beides (der Verkehr zwischen solchen Welten ist kein Problem, wenn Lichtjahre nichts mehr bedeuten) — und diese beiden Welten folgten einer anderen Zeitachse. Wir konnten uns jederzeit vom Stadtleben erholen und würden dabei niemals mehr als einen Arbeitstag in Tertius verlieren. Im Gegenzug würde auf der Neuen Welt nur soviel Zeit vergehen, *wie wir dort verbrachten.*

Hmm . . . Vielleicht konnten wir auch Urlaub verkaufen. Oder zusätzliche Studienzeit für den Studenten, der eine große Prüfung vor sich hat, die er unbedingt bestehen muß — und zwar schon morgen früh. Ihm konnten wir Bett und Unterkunft und Beförderung verkaufen *und dazu drei Wochen, die nicht im Kalender standen.* Natürlich mit leichtem Aufpreis.

Ich entzündete im Kamin ein fröhliches Feuer, und Lazarus spülte Geschirr, während Libby unbedingt beweisen wollte, daß sie auf einem Holzherd kochen konnte, obwohl sie das — nach

ihrer Zeitrechnung — vor Jahrhunderten gelernt hatte, als unge-
schickter kleiner Junge. Ja, Elizabeth kann kochen.

Wir aßen und saßen um den Tisch herum und redeten und
versuchten eine sichere Rettungsmethode für Maureen zu finden. Uns durfte nicht der geringste Fehler unterlaufen. Und bei
dieser Gelegenheit brachte Deety die Spache auf die Leiche. »Ihr
habt gesehen, wie präzise Gay sein kann. Aber woher bekommen
wir eine frische Leiche für Maureen?«

Lazarus antwortete, sie solle das Problem vergessen. »Ich liefere die Tote.«

»Das ist keine gute Antwort, Lazarus.«

»Deety, mach dir keine Sorgen. Sie wird tot sein, und ich werfe
sie ab.«

»Lazarus«, sagte ich, »deine Antwort gefällt mir nicht im geringsten.«

»Mir auch nicht«, unterstützte mich Jake.

»Und mir ebensowenig«, meinte Sharpie. »Woodie, du bittest
uns, jemanden zu entführen — was einen vielerorts an den Galgen bringen kann und auf jeden Fall in ernste Schwierigkeiten.
Solche Kleinigkeiten stören uns nicht, wir wollen ja kein Löse-
geld erpressen, sondern einer alten Frau das Leben retten. Aber
was meinst du mit einer frisch gestorbenen Leiche? Mit Mord
geben wir uns nicht ab.«

Lazarus starrte mürrisch in die Runde.

»Laßt ihr die Sache auf sich beruhen, wenn ich euch versichere, daß alles mit rechten Dingen zugeht?« fragte Libby hastig.

»Nein«, verkündete Shapier. »*Woodie* muß sich dazu äußern.«

»Na schön, na schön! Diese Leiche gehört mir. Nichts von
Mord oder sonstigen Verbrechen. Und jetzt hört bitte auf, mir
deswegen in den Ohren zu liegen!«

»Jake?«

»Gefällt mir nicht, Zeb.«

»Mir auch nicht. Aber wir brauchen ja nichts zu tun. Wir lassen die Sache einfach laufen. In einer Kultur, die einen konse-
quenten ›Ausgleich‹ schafft, hält er sich wohl nicht lange.«

»Möglich. Aber das ist *sein* Problem.«

»Hat ihm einer von euch beiden den Rückflug in meinem
Schiff versprochen?« fragte Sharpie hastig.

»*Wessen* Schiff?«

»*Mein* Schiff. Und eure Antwort?«

»Ich habe ihm nichts versprochen. Du, Jake?«

»Nein. Und du, Deety? Hilda?«

»Ich nichts, Paps.«

»Ich auch nicht, Jacob. Woodie, vor ein paar Stunden dachte ich noch, du hättest endlich begriffen. Zugegeben, ich nehm's mit der Ehrlichkeit manchmal auch nicht so genau. Aber selbst Piraten müssen sich in Gesellschaft ihrer Kumpane sicher fühlen können. Wir beide haben uns als Partner die Hand gegeben. Du scheinst nicht zu verstehen, was das bedeutet. Ich werde dich jedoch nicht hier aussetzen. Du kämst in einer Woche vor das Ausgleichskomitee, und dieser Ausgleich würde mit deinem Tod enden. Oder mit Schlimmerem. Wir bringen dich also zurück. Übrigens ist es unmöglich, Gay Täuscher zu stehlen. Ja, ich weiß, daß du einmal ein Schiff entwendet hast, das um etliches größer war als Gay. Aber nicht so gut geschützt.«

»Lazarus! Sag es ihnen!«

»Lib, ich habe darauf gewartet, daß der Commodore ausredet. Die Leiche ist nicht ermordet worden, weil sie zu keiner Zeit richtig und bewußt am Leben gewesen ist.« Lazarus schien verlegen zu sein.

»Vor etwa dreißig Jahren gründeten wir auf Tertius eine medizinische Schule — eher ein Anhang der Klinik. Dort wird genetische Biologie unterrichtet, und angehende genetische Chirurgen brauchen Übung. Normalerweise wird ein mißratener Klon getötet und eingefroren und zum Studium herangezogen. Ein Klon, der keine Mißbildungen, keine Abweichung zeigt, darf sich entwickeln, wenn sein genetisches Muster einen zusätzlichen Körper braucht und dafür bezahlt. Als Alternative, die öfter eintritt, wird ein gesunder Klon lediglich zur Laborübung herangezogen; ein ethisch geführtes medizinisches Institut fordert die überwachte Vernichtung während des ersten Pseudo-Semesters, ehe die Wellenmuster des Gehirns zu weit entwickelt sind.

Weder der Student noch der Gewebespender dürften sich allzu sehr über diese Quasi-Abtreibung aufregen, da der Student fast immer auch mit dem Spender identisch ist — und wenn ihm das etwas ausmacht, hat er den falschen Beruf ergriffen.

Ist der Student nicht mit dem Spender identisch, kann es ebenfalls kaum zu einer emotionalen Verwicklung kommen. Der Student sieht den Klon als pseudo-lebendiges histologisches Muster an, dessen Nutzen zu Ende ist — und der Gewebespender kann sich darüber nicht aufregen, weil er nichts davon weiß.«

»Warum, Lazarus? Wenn jemand an *meinen* Zellen herumoperiert, möchte ich das wissen, und ob!«

549

»Deety, das Gewebe kann Jahre, sogar Jahrhunderte alt sein, der Spender ist womöglich Parseks entfernt. Oder noch warm, während der Spender gerade das Gebäude verläßt. Oder jede Variante dazwischen. Eine Sperma-Eizellen-Bank gewährleistet die Zukunft der Rasse; eine Gewebebank die Zukunft des Individuums. Aber irgend jemand muß die Rechnung dafür bezahlen, auf Freifahrtschein läuft da nichts. Einige sehr reiche — und neurotische — Leute haben stets einen begonnenen, aber noch nicht erweckten Klon in Stasis. Ich bin reich, aber nicht neurotisch; ich habe keinen Reserveklon.«

Bei Lazarus' Worten blickte ich zufällig zu Libby hinüber — ihr Mund zuckte zu einem halben Lächeln, das wohl ein Kichern werden sollte, ehe sie schließlich jede Form von Äußerung unterdrückte. Außer mir achtete niemand darauf.

Ich nahm mir vor, sie später danach zu fragen — dann fiel mir ein, was die Maus zur Katze gesagt hatte, und vergaß die Sache lieber wieder.

»Aber ich tue, was jeder umsichtige Howard tut; ich habe Gewebe eingelagert. Dafür gibt es zwei Wege: entweder muß man viel zahlen — oder man zahlt viel weniger und unterschreibt einen Revers, wonach die Hälfte der Spende für Forschung und Lehre freigegeben wird.« Er grinste. »Ich bin geizig, und so steht mein Gewebe den Medizinstudenten zur Verfügung.«

Langsam fuhr er fort: »Nicht alle medizinischen Institute werden nach ethischen Prinzipien geführt. Ich weiß von mindestens drei Planeten, auf denen . . .« Lazarus wandte sich an meine Frau. »Deety, du hast damit angefangen. Ich weiß von drei Planeten, auf denen man alle möglichen Monster kaufen kann, und von mindestens dreißig Welten, auf denen ich für viel weniger Geld einfach sagen könnte: ›Ich will das da.‹« Und er deutete auf Sharpie. »Woraufhin ich zur Antwort erhalten würde: ›Abgemacht, Kumpel! Wie frisch-tot soll das Ding sein und wann soll es angeliefert werden?‹«

Sharpie blickte hinter sich, als wolle sie sehen, auf wen Lazarus gedeutet hatte.

»Das ist die billigste Methode . . .«

»Du hast doch nicht auf mich gezeigt!« unterbrach ihn Sharpie. »Woodie, Fingerzeigen ist nicht höflich. Und so billig bin ich nicht — ich koste stets das meiste!«

»Wie ich schon feststellen mußte, Commodore. Deety, das ist also die billigste Methode und gefahrlos für den ›Käufer‹, auf den Welten, die ich im Sinne habe. Aber wie kann ich dich überzeugen, daß ich keinen Moment lang mit dem Gedanken gespielt habe, auf diese Methode zurückzugreifen? Ihr scheint ziemlich viel von mir zu wissen — mehr als ich über jeden von euch weiß. Gibt es in dem, was ihr gelesen oder gehört habt, oder in den Äußerungen, die ich gemacht habe, irgendeinen Hinweis darauf, daß ich fähig wäre, einen Mord zu begehen oder in Auftrag zu geben — was dasselbe wäre, nur viel gemeiner —, zu meinem eigenen Vorteil? Ich will nicht behaupten, ich hätte niemals getötet. Ein Mensch, der auch nur halb so lange gelebt hat wie ich, hat sich automatisch mehr als einmal in Situationen befunden, in denen es darum ging, zu töten oder getötet zu werden. Aber mit einer solchen Lage wird man am besten fertig, indem man gar nicht erst hineingerät. Man muß sie voraussehen. Ihr aus dem Weg gehen.«

Lazarus Long hielt inne und schaute traurig drein und sah zum erstenmal seit unserem Kennenlernen so alt aus, wie er wirklich war. Damit will ich nicht behaupten, daß er plötzlich greisenhaft-zerbrechlich wirkte. Doch ihn umgab eine Aura uralten Kummers. »Professor Burroughs, wenn es mir irgendwie nützen könnte, würde ich alle meine Pläne aufgeben und mich damit abfinden, für immer hierbleiben zu müssen — nur um das Vergnügen zu haben, einen zwanzigpfündigen Vorschlaghammer zu schwingen und deinen Raum-Zeit-Verdreher zu zerschlagen.«

Ich war entsetzt (verdammt, eine gute Maschine *gefällt* mir!). Jake zog ein gekränktes Gesicht. Deety und Sharpie schienen nicht zu wissen, was sie sagen sollten.

»Lazarus — *warum?*« fragte Jake gepreßt.

»Nicht, um dich zu kränken, Professor; dir bezeuge ich den höchsten Respekt: du gehörst in eine Gruppe von drei großen Persönlichkeiten, zu dem Mann, der das Rad erfand, zu dem, der die Verwendung des Feuers entdeckte — und nun sitzt *du* vor mir. Aber mit deiner großartigen Entdeckung ist dir etwas gelungen, was ich für unmöglich gehalten habe. Du hast den Interstellarkrieg logistisch möglich gemacht. Interstellar? Intergalaktisch — interuniversal!«

Lazarus richtete sich plötzlich auf, warf seine düstere Stimmung ab und grinste. »All die Pferde und die Kämpfer des Königs schaffen es nun nicht mehr, diese Büchse der Pandora wieder zu schließen. Sobald die Sache ruchbar wird, kann man sich nur noch darauf einrichten, sie in Portionen abzupacken und zu verkaufen. Hilda hat Pläne in dieser Richtung. Ich aber muß wieder in militärischen Begriffen denken. Muß mir überlegen, wie ich meine Heimatwelt gegen jene Höchste Waffe verteidige, über die bisher soviel geredet, die bisher aber nie geschaffen wurde. Es freut mich zu sagen, daß Hilda die Sache so lange wie möglich geheimhalten will; damit gewinnen wir Zeit.«

Wieder wandte er sich meiner Frau zu. »Deety, ich habe nie einen Mord begangen und werde das auch niemals tun. Am nächsten kam ich dieser Regung einmal, als mir danach war, einen gewissen fünfjährigen Jungen zu erwürgen. Ich gebe zu, ich habe mir oft überlegt, daß sich dieser oder jener Typ als Hauptperson einer Beerdigung doch recht gut machen würde. Aber wie kann ich dich überzeugen, daß ich solche Gedanken niemals in die Tat umgesetzt habe? Denk einmal gründlich nach — halte dir vor Augen, was du von mir weißt. Bin ich eines Mordes fähig?«

Deety zögerte nicht. (Wissen Sie noch, wie wir uns verlobt haben?) Sie sprang auf, hastete um unseren Küchentisch und küßte Lazarus — womit die Eile ein Ende hatte. Es war ein Kuß, der eigentlich nach einem Bett schreit — oder auch nach einem Haufen Kohlen. Nur hatten wir Dringlicheres zu tun.

Deety löste sich von Lazarus, setzte sich neben ihn und sagte: »Erzähl uns, wie wir an diese nicht ermordete frische Leiche herankommen. Es dürfte klar sein, daß wir sie mit Gay irgendwo abholen müssen. Also müssen wir darüber Bescheid wissen.«

»Lazarus«, sagte Libby sanft, »diesem Schmerz hast du ausweichen wollen. Soll ich es erzählen?«

»Vielen Dank, Lib. Nein, du würdest es nur beschönigen. Ich . . .«

»Mund halten!« kommandierte Deety. »Elizabeth, heraus damit. Knapp und wahrheitsgetreu.«

»Also schön, die medizinische Schule von B.I.T. ist so einwandfrei, wie man sich nur wünschen kann. Meine Schwester-Frau Ischtar ist Leiterin der Verjüngungsklinik und Vorsitzende des Aufsichtsrats im Institut und hat außerdem noch Zeit, Vorlesungen zu halten. Ich habe Maureen Johnson niemals zu Gesicht bekommen, da ich etwa zwei Jahrhunderte nach ihr geboren wurde. Aber sie ähnelt angeblich Laz und Lor — was nicht weiter überraschend ist, ist sie doch ihre genetische Mutter, da sie von Lazarus geklont wurden.«

»Oh! Ich verstehe. Und es gibt noch einen *dritten* Klon von Lazarus. Eine Frau?«

»Eine Fehlentwicklung, Deety. Ischtar meint, daß es eher schwierig sei, aus Lazarus' Gewebe einen schlechten Klon abzuleiten — daher ist er besonders geeignet für gezielt herbeigeführte Mutationsexperimente. Sie ordnet die Vernichtung dieser Versuche an, wenn sie ihren Zweck erfüllt haben.«

»Deety hat gesagt, du sollst dich kurz fassen«, knurrte Lazarus.

Lib beachtete ihn nicht. »Ischtar überprüft zwar die Studenten, wird aber selbst nicht beaufsichtigt. Zwanzig Jahre lang hat Ischtar auf einen Klon gewartet, der menschlich *aussieht,* aber kein Mensch *ist.* So zurückgeblieben in der zerebralen Entwicklung, daß das Wesen niemals etwas anderes sein konnte, als ein bewußtseinsloses, dahinvegetierendes Geschöpf. Sie sagte mir, ihre Studenten hätten sie ahnungslos mit Dutzenden von Mustern versorgt. Normalerweise starben sie zu schnell oder entwickelten kein menschliches Aussehen oder hatten einen anderen Mangel, der eine Verwendung ausschloß. Vor mehreren Jahren jedoch hatte sie Erfolg. Ich bestätige, daß dieses Ding wie Laz und Lor *aussah,* als es die entsprechende erzwungene Entwicklung durchmachte — und daß es zugleich wie eine ältere Version der beiden wirkte, faltig und mit grau-strähnigem Haar, als es vor zwei tertischen Jahren starb . . .«

»Wie? Eine *frische* Leiche?«

». . . und sofort eingefroren wurde. Ich kann euch auch etwas anderes bestätigen, liebe Freunde, durch meine Umwandlung zur Frau erwarb ich ein Interesse an Biologie, das mir als Mann fremd gewesen war. Ich lehre im B.I.T. zwar Mathematik, doch bin ich auch angestellte Mathematikerin bei der Klinik und habe ein wenig menschliche Biologie studiert. Wenn ich sage, daß dieser mißratene Klon zu keiner Zeit im eigentlichen Sinne lebendig gewesen ist, so spreche ich als die Biologin-Mathematikerin, die täglich seine Instrumente überprüft hat. Überraschend ist dabei nur, daß Ischtar das Ding lange genug am Leben halten konnte, daß es scheinbar alterte. Aber Ischtar ist nun mal sehr geschickt.« Libby fügte hinzu: »Lazarus hätte sich beim Erzählen nicht nur aufgeregt, er hätte die Situation außerdem nicht aus erster Hand schildern können, da Ischtar sich geweigert hat, Lazarus den fehlentwickelten Klon oder auch nur Unterlagen darüber zu zeigen.«

»Eine willensstarke Frau«, sagte Lazarus. »In drei Sekunden hätte ich Isch sagen können, ob dieses Ding meiner Mutter so ähnlich sah, daß es uns etwas nützte. Statt dessen muß ich mich auf die Ansichten von Leuten verlassen, die meine Mutter nie gesehen haben. Verdammt, ich bin der registrierte Eigentümer der Klinik und der geschäftsführende Vorsitzende des B.I.T.

Macht das Eindruck auf Ischtar? Hilda, meine älteste Frau ist ein harter Brocken wie du — und sieht ebensowenig danach aus wie du.«

»Ach? Es würde mich interessieren zu sehen, was passiert, wenn ich deine Juniorfrau bin«, antwortete Sharpie keck wie immer.

»*Wirst* du denn meine Juniorfrau sein?« Lazarus fuhr herum und blickte ihren Mann an. »Jake?«

»Ich glaube nicht, daß ich da mitreden darf«, antwortete mein Blutsbruder leichthin.

»Ich werde automatisch deine Juniorfrau sein, wenn wir aufgefordert werden, der Long-Familie beizutreten — was man gefälligst auch tun sollte, wenn wir diese Sache durchziehen!« Sharpie blickte entrüstet in die Runde.

»Einen Moment!« warf ich ein. »*Wenn* wir aufgefordert werden, der Long-Familie beizutreten — eine anmaßende Hoffnung, wie ich noch keine erlebt habe. Aber dann wäre *Deety* der Junior. Nicht du, du Alterspaket.«

»Hillbilly kann meinetwegen die Junior sein. Mir macht es nichts.«

»Deety«, sagte ich, »meinst du das ernst? Ich habe deine Stiefmutter nur darauf hinweisen wollen, daß man sich nicht in eine fremde Familie drängt.«

»Ich habe nicht gedrängt, Zebadiah«, antwortete meine Frau. »Ich möchte, daß wir auf Tertius bleiben, bis wir zumindest unsere Kinder zur Welt gebracht haben. Vielleicht finden wir dort auch ein neues Zuhause; es scheint eine angenehme Welt zu sein, auf der es keine Schwarzen Hüte geben dürfte — Bekleidungstabus kennt man dort nicht. Aber das heißt noch lange nicht, daß die Longs uns in ihre Familie aufnehmen müssen.«

»*Ich* gedenke euch dafür zu nominieren, Zebadiah«, antwortete Libby. »Euch alle vier. Und ich hoffe, daß ihr damit einverstanden seid. Du weißt ja wohl, Zwilling Deety, was ich mit deinem Vater zu erreichen versuche.«

»Ja. Ich drücke dir die Daumen.«

»Das muß dein Mann mithören. Deety, ich habe in jeder meiner Zellen nach wie vor das ›Y‹-Chromosom, wenn es auch durch Hormone dermaßen bedrängt ist, daß ich es nicht bemerke. Auch wir beide könnten versuchen, ein mathematisches Genie zu zeugen.«

»*Ach!* Und wer von uns liefert den Penis?«

»Ischtar. Keine von uns wäre die Geburtsmutter. Aber jede

meiner Schwester-Frauen würde ihren Körper zur Verfügung stellen, soweit sie nicht gerade selbst schwanger ist. Wir könnten uns auch an eine Fremde wenden, ohne daß wir sie kennenlernen — das läge alles in Ischtars Händen, die stets alle relevanten genetischen Tabellen studiert, ehe sie solche Versuche zuläßt.«

»Zebadiah, was meinst du?«

»Deine Entscheidung, mein Schatz«, sagte ich sofort. »Ich wäre dafür; eine vernünftige Sache. Aber ihr dürft das Kind nicht aus den Augen verlieren. Elizabeth, ich möchte das Kind schon jetzt adoptieren. Hmm . . . ein Flaschenkind . . . aber die Formeln sind heute wahrscheinlich besser. Nicht hier-jetzt. Sondern Tertius-dort-dann.«

»›Flaschenkind?‹ *Oh!* So läuft das nicht mehr. Ein Säugling muß saugen. Aber bei den Longs gibt es meistens genug Milch zu holen. Wenn ich säuge, habe ich stets zuviel; trotz des zusätzlichen Chromosoms bin ich eine gute Milchkuh. Aber wenn sie möchte, kann Deety unser Kind stillen; einer Frau die Milch einschießen zu lassen, ohne daß sie ein Kind bekommt, ist heutzutage eine kinderlichte biochemische Manipulation — dabei meine ich das Tertius-Heutzutage. Berufliche Stillmütter tun das regelmäßig und wählen vorwiegend diesen Beruf, weil sie Kinder mögen, aber aus irgendwelchen Gründen keine eigenen bekommen können.«

»Hört sich gut an.« (Und am besten hörte sich an: Ein Deety-Baby ist eine wunderbare Idee, doch ein Deety-Baby, das zugleich ein Libby-Baby ist, mußte wundervoll hoch zwei sein! Hoch drei!)

»Wo wir gerade darüber sprechen — und das ausschließlich im Familienkreis — Jacob, es gibt keinen Grund, nicht ein drittes mathematisches Supergenie hervorzubringen, indem man dich mit deiner Tochter kreuzt.«

Ich schaute gerade meine Frau an und hing angenehmen Gedanken über einen Deety-Libby-Säugling nach, als Elizabeth diese Bombe warf — und Deetys Gesicht erstarrte. Sie zeigt dann keinen unangenehmen Ausdruck, sondern einen Un-Ausdruck, eine geschlossene Tür, hinter der sie ihre Gedanken ordnet.

Daraufhin blickte ich zu Jake hinüber und bekam noch mit, wie sein Ausdruck von Überraschung zu Entsetzen wechselte. »Aber das ist ja . . .«

»Inzest?« fragte Libby. »Nein, Jacob, Inzest ist eine rein gesellschaftliche Beschränkung. Ob du deine Tochter mit ins Bett nimmst, geht mich nichts an. Ich spreche von *Genen*, von einer dritten Möglichkeit, geniale mathematische Anlagen zu erhalten. Ischtar würde eure Tabellen gründlich durchsehen und sich mit Chromosomen-Eingriff behelfen, bestünde nur die geringste Möglichkeit, daß schlechte Eigenarten ausgeprägt wiederkehren würden. Aber du und deine Tochter könnten an verschiedenen Tagen zu Ischtar gehen, ohne jemals zu erfahren, wie das Ergebnis aussieht. Eure Gene gehören nicht euch, sie leiten sich von der Rasse her. Hier bietet sich die Gelegenheit, sie der Rasse zurückzugeben, unter Verstärkung der ausgeprägtesten Talente — ohne daß einem anderen ein Schaden entsteht. Denkt mal darüber nach.«

Jake sah zuerst mich, dann seine Tochter an. »Was meinst du, Deety?«

Sie unterstrich das ausdruckslose Gesicht durch eine ausdruckslose Stimme, richtete ihre Antwort aber an mich. »Zebadiah, dies liegt natürlich bei dir und Jacob.« Ich weiß nicht, ob außer Sharpie noch jemand mitbekam, daß sie nicht ›Paps‹ gesagt hatte.

Abrupt veränderte Deety ihr Verhalten. »Aber zuerst die wichtigsten Dinge. Maureens Rettung. Ihr alle habt euch wegen der Zeitabläufe festgefahren. Oh, die Kleinigkeit, beide Male der Dora und dem Projektil aus dem Weg zu gehen. Kein Problem!«

»Aber ich habe Dora versprochen, sie nie wieder in die Gegend von Albuquerque zu bringen«, sagte Lazarus.

Deety seufzte. »Lib?«

»Die Einzelbilder eins dreizehn bis sieben sieben zwei, dann sieben sieben drei bis eintausend und zwei?«

»Genau. Und sehr genau muß das ablaufen. Ich berechne die Zeit nach dem offenen gelben Straßenwagen, der aus der anderen Richtung kommt. Und was ist dein Hilfsmittel?«

»Dito. Leicht auszumachen, außerdem bewegt er sich mit gleichbleibender Geschwindigkeit.«

»Jake, weißt du, wovon hier die Rede ist?« fragte Lazarus.

»Ja und nein. Die beiden behandeln das Ganze als zwei Probleme. Uns fehlen aber drei Sekunden Zeit, um die eine abzulegen und die andere wegzuholen. Diese — wie nanntet ihr sie? Ampeln? — räumen die Kreuzung für eine bestimmte Zeit frei, von deiner Kamera zeitlich bemessen.«

Plötzlich grinste Sharpie; ich nickte ihr zu, damit sie die Erklärung übernahm. Sie ließ sich die Gelegenheit nicht entgehen. »Deety und Libby meinen, daß wir die Sache *zweimal* machen.

Zuerst retten wir Maureen. Dann kehren wir zurück und legen die Leiche ab.«

Ich fügte hinzu: »Aber beim zweitenmal landen wir nicht mehr. Jake, ich werde dich bitten müssen, Platz zu machen — Deety nimmt meinen Posten ein. Wir werfen die Leiche ab, so daß sie zwischen den Einzelbildern sieben sieben zwei und sieben sieben drei zu Boden fällt. Ich werde uns mit Handsteuerung in der Schwebe halten. Dazu muß ich wissen, wo die Dora ist, wo das Geschoß ist, und muß die Schwerkraftbeschleunigung von Erde-eins kennen. Denn die Leiche wird bereits im Fallen begriffen sein, über unseren Köpfen, *während* wir Maureen an Bord nehmen. Das muß zeitlich ganz genau aufeinander abgestimmt werden. Hmm — Gay kann allein präziser fliegen als durch mich. Ich glaube, Deety und ich werden ein Programm ausarbeiten — und uns dann zum Einschalten bereithalten.«

»Zeb, ich weiß Bescheid«, sagte Jake. »Aber während wir zum Abwurf in Position sind, während wir uns zugleich am Boden befinden, warum erscheinen wir dann nicht auf dem Film?«

»Vielleicht sind wir auf einigen Einzelbildern ja drauf. Egal. Deety, wann soll es passieren? Ach nein — Sharpie? Deine Befehle, Captain!«

Deety und Sharpie sahen sich an. Dann redeten sie wie Laz-Lor, wobei Sharpie die Führung übernahm. »Jetzt ins Bett. Nach unserer biologischen Zeit ist es beinahe Mitternacht, und nach Ortszeit etwas später.«

»Wir erledigen beides nach dem Frühstück«, antwortete Deety, »schlafen aber, so lange es geht. Daß mir alle putzmunter sind! Dabei fällt mir etwas ein. Wir haben nur einen Erfrischungsraum, der noch dazu ziemlich primitiv ist. Dafür stehen die beiden an Bord von Gay hier wie überall zur Verfügung, da sie sich in Wirklichkeit in Oz befinden. Sechs Leute, drei Aborte, kein Problem.«

»Und drei Betten«, fügte Sharpie hinzu. »Jacob, gib uns einen Gutenachtkuß und bring Libby ins Bett. Hauptschlafzimmer, und viel Glück! Libby, du kannst meine Zahnbürste nehmen — sonst noch etwas?«

»Nein. Vielleicht muß ich mich mal ordentlich ausweinen. Ich liebe dich, Hilda!«

»Wenn ich dich nicht lieben würde, Elizabeth, wäre ich in diesem Laden nicht Boß. Sobald Ischtar uns bestätigt, daß du Nachwuchs erwartest, weinen wir mal tüchtig zusammen. Jetzt *husch!* Ab mit euch! Gebt Küßchen und verschwindet!«

Als die beiden auf der Treppe verschwanden, sagte Sharpie zu mir: »Zebbie, du erlaubst Deety, Lazarus auszuprobieren, damit sie weiß, ob sie Juniorfrau werden will.«

Ich tat erstaunt. »Deety, hast du Lazarus denn noch nicht ausprobiert?«

»Das weißt du ganz genau! Wann sollte ich dazu wohl Zeit gehabt haben?«

»Das ist aber eine dumme Frage von einer Frau, die darauf spezialisiert ist, Zeitmaschinen zu programmieren. Lazarus, sie ist bereits schwanger, also mach dir keine Sorgen. Eine Warnung: sie beißt.«

»Das haben tolle Frauen eben so an sich.«

»Ruhe jetzt! Gebt uns einen Kuß, ihr beiden. Zebbie, du klappst die Couch im Wohnzimmer auf; dort wirst du mich warmhalten.«

»Aber wer soll *mich* warmhalten? Ein hageres kleines Ding wie du?«

Sharpie beißt ebenfalls.

XLV

Jake:

Wir kamen einen Kilometer über Grund über Albuquerque heraus, Erde-eins, und Gay drückte den Bug hinab. Ein in letzter Minute vorgenommener Wechsel hatte meine Tochter Deety noch zum Copiloten gemacht, während ich links hinten saß und den schönen Titel Navigator führte. Deety kann mit den Nonien so präzise umgehen wie ich, wenn sie auch nicht damit rechnete, sie überhaupt benutzen zu müssen. Aber sie *mußte* den gelben Straßenwagen ausmachen können — und hat eine Uhr im Kopf.

Elizabeth Long befand sich in der Achterkabine, angeschnallt, allerdings nicht auf harten Stapeln Feuerwaffen. Gewehre, Pistolen, Bettzeug für die Kontrollkabine und sonstige Dinge, die sich mühelos aus dem Weg räumen ließen, waren in unsere Raumverformung geschafft worden — wie auch Lazarus Long.

Dr. Ischtar hatte Lazarus davor gewarnt, seiner Mutter unter die Augen zu kommen, da der Schock schädlich, vielleicht sogar tödlich sein könnte. Während Lazarus sich überlegt hatte, wie er die Aktion mit Dora durchführen könnte, war er davon ausgegangen, daß er sich verkleiden würde. Aber das Versteck in unserem Oz-Anbau war einfacher — zumal Ischtar beinahe genausoviel Wert darauf legte, daß Lazarus auch seine Mutter nicht zu Gesicht bekam, und auch nicht die falsche Leiche — dies erfuhr ich während der Nacht von Elizabeth.

So zeigte ich Lazarus den sich immer wieder füllenden Picknickkorb, riet ihm, sich aus dem Bettzeug ein Lager zu machen und zu schlafen, da noch viel Zeit vergehen würde, und überließ ihm einige Bücher. Ich ermahnte ihn, erst wieder zum Vorschein zu kommen, wenn ich die Tür öffnete. Aber ich vergaß zu erwähnen, daß ich diese Tür zusätzlich verriegelte.

Es beruhigte mich, daß ich für die Aktion im Grunde nicht gebraucht wurde. Obwohl ich eine kurze Nacht hinter mir hatte, war ich nicht müde — ich war nur sehr in Gedanken versunken.

Ich hatte mich in Elizabeth Long verliebt — und dieses Gefühl vertiefte sich immer mehr. Das verringerte mein Gefühl für Hilda nicht — ich liebte sie mehr denn je! Ich begann zu merken, daß Liebe keine Subtraktion kennt — sondern nur die Multiplikation!

Als Gay sich nach vorn neigte, griff ich zur Seite und berührte Hilda an der Hand. Sie lächelte und hauchte mir einen Kuß zu. Sie hatte bestimmt eine schöne Nacht hinter sich; sie liebt Zeb, seit sie ihn kennt. »Als getreuen Freund«, sagt sie — aber Hilda ist Anhängerin der Höheren Wahrheit, daß es besser ist, rücksichtsvoll zu sein, als sich schonungslos offen zu äußern. Wie auch immer, es war egal; als Blutsbruder bin ich Zeb sehr zugetan, er ist der vollkommene Mann für meine Tochter, und jetzt der Liebhaber Hildas — wenn er das nicht schon seit langem gewesen ist. Dies alles beschwerte mich nicht im geringsten. Beim Erwachen hatte ich mit Jane darüber gesprochen — Jane ist mit allem einverstanden und entzückt von Elizabeth.

Auch meine Tochter hat eine ungewöhnliche Nacht hinter sich. Wenn die Legenden stimmen, ist Lazarus mehr als hundertmal so alt wie Deety. Dieser Abgrund mag für ihn keine praktische Bedeutung haben — aber Deety neigt dazu, alles ernst zu nehmen.

Anscheinend hatte es ihr nicht geschadet; zum Frühstück kam sie übersprudelnd vor guter Laune, und ihre Augen funkelten. Wir alle waren in Hochstimmung und begierig, die Sache hinter uns zu bringen.

Zeb sagte: »Das ist es! Hab's im Visier — Entfernung ebenfalls. Kluges Mädchen?«

»Festgenagelt, Boß!«

»Draufbleiben, Deety! Gelber Straßenwagen?«

»Eben entdeckt. Gay, Countdown! Sechs . . . fünf . . . vier . . . drei . . . zwei . . . eins . . . *jetzt!*«

Wir schossen schräg auf die Kreuzung, Gays Backbordtür sprang auf. Ich hörte Zeb sagen: »Oh, Gott!« Er hatte den Wagen verlassen, kniete nieder, nahm einen Körper vom Boden auf, versetzte einem Polizisten einen Tritt in den Magen und *schleuderte* den Körper ins Innere von Dora, mir entgegen. Dann hechtete er herein und rief: »Gay, hüpf!«

Gay hüpfte. Sie darf diesen Sprung allerdings nicht mit geöffneter Tür machen, und ein ›Hüpfer‹ bedeutet zehn Kilometer. In diesem Fall sprang sie nur *einen* Kilometer, schloß die Tür zu Ende, wartete, bis Zeb die Richtung überprüft hatte, und vollendete dann den Sprung. Ich lasse nichts mehr auf Gay kommen.

Ich schob die kleine alte Dame zu Elizabeth nach hinten und versuchte gerade eine Ähnlichkeit mit Lazarus festzustellen, als ich Zeb klagen hörte: »Ich habe ihre Tasche nicht! *Ich habe ihre Tasche liegenlassen!*«

»Na und?« fragte Deety. »Damit ist sie genau dort, wo sie sein soll! Gay Täuscher, Tertius Kreisbahn. Ausführung.«

Ein wunderschöner Planet . . .

Zeb sagte: »Lib, wie sieht es aus? Oder bist du zu beschäftigt?«

»Durchaus nicht. Maureen hat das Bewußtsein verloren, doch ihr Herzschlag ist kräftig und gleichmäßig, und ich habe sie angeschnallt. Ist Gay auf der Frequenz?«

»Allerdings«, meldete Deety. »Leg los, Lib!«

Das nun folgende Gespräch kann ich nicht wiedergeben, da es auf Galacta ablief. Endlich sagte Elizabeth: »Wir passieren Boondock in drei Minuten und zweiundzwanzig Sekunden. Das Dach der Klinik ist gekennzeichnet. Soll ich nach vorn kommen und es euch zeigen?«

»Kommst du im freien Fall zurecht?« fragte Zeb.

»Ich bin nicht unerfahren. Acht Jahrhunderte.«

»Ich verbrenne mir noch mal den Mund. Komm nach vorn!«

Vier oder fünf Minuten später waren wir auf einem flachen Dach gelandet — in dem bewaldeten Viertel einer ziemlich großen Stadt. Ich erblickte eine Gestalt in weißem Kittel, daneben zwei andere mit einer fahrbaren Bahre — und erkannte erst in diesem Augenblick, daß sich niemand von uns angekleidet hatte. Hilda hatte sich danach erkundigt; Lazarus hatte es verneint, und Elizabeth sich dem angeschlossen.

So war ich denn nackt bis über beide Ohren, als ich mich über

Fatino-80

die Hand einer Dame beugte und sagte: »Es ist mir eine Ehre, Dr. Ischtar.«

Sie ist wirklich eine schöne Frau — eine Walküre aus Sahne und Honig. Lächelnd küßte sie mir die Hand.

Elizabeth sagte etwas in der anderen Sprache; Ischtar lächelte noch einmal und sagte in langsamem, sorgfältig ausgesprochenem Englisch: »In dem Fall ist er einer von uns.«

Sie nahm meinen Kopf in beide Hände und küßte mich gründlich.

Ischtar lenkte mich dermaßen ab, daß ich gar nicht bemerkte, wie Maureen aus dem Wagen geschafft wurde — wach, aber ziemlich betäubt — und nun davonrollte. Wir alle wurden gründlich abgeküßt, dann beriet sich Elizabeth mit Ischtar auf Galacta. »Isch meint, sie habe das Ding langsam aufgewärmt. Die Temperatur beträgt inzwischen vier Grad Celsius. Sie braucht noch etwas mehr Zeit, kann das Ding aber notfalls in sechs Stunden auf siebenunddreißig Grad bringen.«

»Was meint sie zu vierundzwanzig Stunden?«

Ischtar freute sich darüber und bestätigte, daß der Ersatzkörper natürlich die Kleidung der Patientin anhaben müsse. Sie erklärte außerdem, daß sie unsere Landestelle freihalten würde. Zuletzt fragte sie: »Was ist das für ein Hämmern?«

Elizabeth erklärte ihr, daß es sich um Lazarus handelte. »Er befindet sich in einer magischen Raumverformung etwa an der Stelle, wo wir eben gestanden haben. Er weiß, daß er drinnen bleiben sollte, aber er hat es sich anders überlegt — und hat jetzt entdeckt, daß er eingesperrt ist.«

Ischtars Lächeln wurde zu einem Grinsen, das sofort wieder verschwand. »Eine magische Raumverformung? Lib, darüber möchte ich mehr wissen.«

»Bald.«

Wir kehrten an Bord zurück, und Deety wies Gay an: »Vierundzwanzig Stunden« — daraufhin traten wir wieder ins Freie. Ischtar lag auf einer Matte und sonnte sich — diesmal war sie so nackt wie wir — und ich war noch beeindruckter als zuvor.

»Genau pünktlich«, sagte sie, stand auf (sie war größer als ich) und lächelte wie immer. »Der Austauschkörper wartet, und ich hatte inzwischen Gelegenheit, die Patientin zu untersuchen und mit ihr zu sprechen. Für ihr Alter ist sie in guter Verfassung und versteht zumindest teilweise, was mit ihr geschehen ist; es regt sie nicht weiter auf. Bitte sagt Lazarus, daß er in den nächsten siebzehn Monaten zu diesem Gebäude keinen Zutritt hat. Die

Patientin hat sich da ganz klar geäußert: sie will Lazarus erst sehen, wenn ich die Verjüngung abgeschlossen habe.«

»Lib«, sagte Deety, »wie sehen diese Monate aus? Ich möchte einen genauen Rendezvous-Zeitpunkt eingeben — und Gays Zeitkalibrierung ist nicht tertisch, sondern Erde-eins und Erde-null. Die Alte Erde.« Mit Elizabeth als Übersetzerin einigten sich die drei auf einen genauen Zeitpunkt. Und wieder verfiel Elizabeth in die andere Sprache.

»Kein Problem«, sagte Ischtar nickend. »Ich habe das Bild gesehen. Und ein Umhang mit Kapuze ist noch weniger problematisch.«

Wir flogen ab.

Die falsche Leiche zu deponieren war reine Routine; trotzdem war ich froh, als wir es hinter uns hatten (ich hatte mit meiner Tochter die Sitze getauscht). Dann waren wir wieder auf Tertius.

»Wie immer pünktlich«, sagte Ischtar — und zu meiner Verblüffung entdeckte ich, daß sie schwanger war und kurz vor der Niederkunft stand — immerhin hatte ich sie noch vor zwei Minuten schlank gesehen, jedenfalls schlank für ihre Größe. »Und wir sind auch pünktlich zur Stelle. Maureen, ich möchte dir deine und meine Freunde vorstellen.« Und sie nannte uns nacheinander beim Namen.

Maureen Johnson sprach zuerst auf Galacta und wechselte dann ins Englische, als sie erkannte, daß wir die gebräuchliche Sprache nicht beherrschen. Ja, sie sieht wirklich aus wie Laz und Lor — ist aber hübscher. Eine schöne und sehr charmante Frau. Ich gewöhne mich langsam an perfekt gewachsene Damen, die einen wärmstens empfohlenen Fremden sofort umarmen, nackte Haut auf nackter Haut. Sie dankte jedem von uns aus ganzem Herzen.

»Hämmert er noch immer herum?« erkundigte sich Ischtar.

»Für ihn sind weniger als fünf Minuten vergangen, Isch«, erklärte Elizabeth. »Aber du kennst ja sein Temperament. Vielleicht sollten wir jetzt starten. Schnellstens nach Hause, würde ich sagen.«

Und wir brachen wieder auf; Maureen saß gedrängt zwischen mir und meiner Frau, ein Paket und einen Mantel auf dem Schoß. Ohne Verzögerung kehrten wir an Bord der Dora zurück. Die hier vergangene Zeit: null Sekunden. Noch immer hatten wir eine Stunde und zwanzig Minuten Zeit, uns auf das Abendessen vorzubereiten. Ich spürte, daß ich hungrig war, auch wenn das

Frühstück nach biologischer Zeit erst drei Stunden her war und wir den größten Teil der Vorbereitung unserer Aktion in Beulahland abgewickelt hatten. Der eigentliche Einsatz kostete nur wenige Minuten Zeitdauer, die meisten auf einem Dach in Boondock.

Maureen legte den Mantel an, schlug die Kapuze hoch und nahm das kleine Paket unter den Arm. »Unsinnig, aber lustig«, sagte sie. »Wohin jetzt?«

»Du begleitest mich«, sagte Hilda. »Mein Schatz, du kannst Woodie herauslassen, sobald Dora Gay mitteilt, daß ich die Kommandokabine erreicht habe. Wenn er sich aufregt, sagt ihr ihm, wir hätten zuviel zu tun gehabt, um uns um ihn zu kümmern — und wenn er mich das nächstemal um einen Gefallen bittet, müsse er auf den Knien rutschen. An die Tür zu hämmern — ich bitte euch! Sagt ihm, ich wäre sehr müde und hätte mich bis zum Essen zu einem Schläfchen hingelegt, und er soll mich nicht anrufen oder in der Kommandokabine aufsuchen, wenn er sich nicht euren Zorn zuziehen und einen Hieb auf die Nase haben will. Ihr alle kommt in die Kommandokabine, sobald ihr Lust dazu habt, aber laßt euch dabei nicht von Woodie beobachten. Wahrscheinlich findet ihr Maureen und mich im Kuschelbad.«

XLVI

Deety:
Wenn Hillbilly ein Bühnenstück inszeniert, dann wird nicht gekleckert, sondern geklotzt. Das von Lazarus Long etablierte Protokoll sah vor, daß die Abendessen an Bord der Dora förmliche Ereignisse waren — wobei die Auslegung aber ziemlich freizügig ausfiel —, eigentlich war nur Freizeitkleidung wirklich verboten. Das Essen wird durch eine Plauderstunde eingeleitet, in der man sich auf Coca-Cola beschränken oder sich vollaufen lassen kann.

Tante Hilda stellte dies alles für heute abend auf den Kopf. Keine einleitende Stunde, vielmehr pünktliches Erscheinen — zwei Minuten vor zwanzig Uhr Schiffszeit. Niemand durfte in ihrem/seinem Quartier essen — Erscheinen unbedingt erforderlich.

Die freie Wahl der Kleidung fiel ebenfalls unter den Tisch . . . Commodore Tantchen entschied, was jeder tragen würde und wo jeder sitzen würde. »Commodore Hilda«, sagte ich, »trägst du da nicht ein bißchen dick auf? Soweit man das bei deiner Statur überhaupt so sagen kann?«

»Ja«, antwortete sie. »Dieses eine Mal, Deety. Aber ehe du mich kritisierst, solltest du deinen Mann fragen, ob ich es jemals schon zugelassen habe, daß eine meiner Partys ein Reinfall wird.«

»Das brauche ich ihn gar nicht zu fragen. Bei deinem letzten Fest flog sogar unser alter Buick in die Luft. Bei dir gibt's eben keine Langeweile!«

»Das war nicht geplant. Aber wir haben dabei unsere Ehemänner gefunden; wir wollen uns nicht beschweren. Ehe du den Zwillingen meine Nachricht überbringst, sag mir eins: Können wir sie in unser Geheimnis einweihen?«

»Hillbilly, ich sage Zebadiah *alles*, auch wenn mich jemand — beispielsweise du — gebeten hat, es nicht zu tun.«

»Deety, ich dachte, wir hätten eine Vereinbarung: ›Du-behältst-meine-Geheimnisse-für-dich-ich-schweige-über-deine‹!«

»Das haben wir auch. Aber wenn ich Zebadiah davon erzähle, hast du zwei Leute, die für dich Partei ergreifen. Und was Laz-Lor angeht, so solltest du daran denken, daß sie nicht nur seine Klone sind, sondern auch seine *Frauen.*«

»Schätzchen, du bist und bleibst unser Schlaukopf. Also gut, wir schweigen wie ein Grab. Sag den beiden, was sie anziehen sollen — und mach dir bitte klar, daß ich mich hinter dir verstecke, um eine Auseinandersetzung zu verhindern; ich weiß den Gefallen zu schätzen, den du mir damit tust. Schwert und Säbel heraufzuschicken, ist eine Gunst gegenüber deinem Mann und deinem Vater, und ich danke dir in ihrem Namen, sollten sie es vergessen. Schicke die Waffen in eure Suite; die beiden sind zu dem Schluß gekommen, daß sie sich ohne Frauen besser anziehen können.«

»Ach?« fragte Paps hinter meinem Rücken. »In Wirklichkeit wollen die Frauen *uns* nicht dabei haben.«

»Ich wußte, eins von beiden mußte zutreffen, Jacob«, sagte Tante Hilda. »Aber Dora hat eure Uniformen bereits in eure Suite gebracht, und eure Schwerter . . .«

». . . kommen ebenfalls dorthin, und ich merke durchaus allein, wenn etwas geregelt ist, und bin nie glücklicher gewesen als seit dem Augenblick, da du mein Leben in deine bewährten Hände genommen und mir alle Entscheidungen abgenommen hast!«

»Jacob, du rührst mich zu Tränen.«

»Jake! Hörst du mich?« meldete sich Lazarus' Stimme, und Tante Hilda gab ihm einige Handzeichen. Paps nickte.

»Aber ja!« antwortete er sofort. »Was ist, Lazarus?«

»Ich sehe mich einer unglaublichen Situation gegenüber und brauche Hilfe. Ich erhielt den Befehl — ebenso wie du, nehme ich an —, zum Abendessen in voller Uniform zu erscheinen. Die einzige Uniform, die ich an Bord habe, befindet sich in der Kommandokabine, und — Moment mal, bist *du* in der Kommandokabine?«

Tante Hilda schüttelte den Kopf. »Ich bin in unserer Suite«, antwortete Paps, »und ziehe mich zum Essen um. Hilda mußte sich hinlegen. Ich hab' dir das doch schon gesagt.«

»Und ob! Gegen Nasenstüber bin ich allergisch. Aber . . . Nun ja, wenn du deinen Einfluß geltend machen könntest . . .«

»Sofern ich welchen habe.«

»Sofern du welchen hast . . . Jedenfalls brauchte ich die Uniform zwanzig Minuten vor dem Essen . . .« — Tante Hilda nickte — »oder auch zehn Minuten . . . Du würdest mich damit des schrecklichen Dilemmas entheben, entscheiden zu müssen, welchen Befehl ich mißachten muß.«

»Solange du dich nur nicht dazu entschließt, die Order über Hildas Bettruhe zu übertreten.«

»Nichts läge mir ferner! Und es geht mir nicht um deine Faust vor meiner Nase. Jake . . . Hilda macht mir *Angst*. Ich verstehe das nicht. Ich bin doppelt so schwer und bepackt mit Muskeln; sie könnte mir garantiert nichts antun.«

»Dessen kannst du nicht sicher sein. Sie hat Giftzähne. Aber beruhige dich, Genosse. Ich garantiere dir die Lieferung spätestens neunzehn Minuten vor dem Glockenschlag.«

»Jake, ich wußte, daß ich mich auf dich verlassen kann. Gib mir Bescheid, wenn ich für dich eine Bank ausrauben soll.«

Ich nahm Maureen noch einmal in die Arme, ehe ich loszog, um meine Befehle auszuführen. Ich wußte, was Hillbilly im Schilde führte: sie richtete alles so ein, daß sie eine ungestörte Stunde mit Maureen verbringen und ihr näherkommen konnte. Ich hatte nichts dagegen; an ihrer Stelle hätte ich es ebenso gemacht.

Ich hastete durch den gekrümmten Korridor, forderte Lib mit einem Pfeifton auf, mich einzulassen, erstarrte und stieß einen ganz anderen Pfiff aus. Sie war angezogen, wenn man das so nennen konnte. »Mannomann!«

»Gefällt es dir?«

»Ich kann es gar nicht erwarten, mich auch herauszuputzen. Das unanständigste Kleid, das ich je gesehen habe, es hat keinen anderen Zweck, als in den Lenden von Lotharios libidinöse, lüsterne, laszive, lustvolle, lästerliche Leibeswünsche zu wecken!«

»Ist das nicht der Sinn aller Kleidung?«

»Nun — abgesehen vom Wärmeschutz, ja. Aber mir wird langsam klar, daß eine Kultur ohne Körpertabu in der Mode viel weiter gehen muß, um dieses Ziel zu erreichen.«

Es war ein ›Kleid‹ mit einem ›Rock‹, der ein tiefgetragener Stoffstreifen war. Das Material war seidig und schimmerte pastellgrün.

Der Rumpfteil hatte keinen Rücken, während er vorn bis zum Hals hinaufführte — mit Öffnungen für jede Zitze. Aber damit gab sich der Modeschöpfer noch nicht zufrieden: Libs linke Zitze war nackt, die rechte aber wirkte noch nackter: ein durchsichtiger Film, überzogen von schillernden Regenbogenfarben, die sich bei jeder Wippbewegung in endlosen Mustern ständig veränderten — und wippen tut natürlich ein Busen, so fest er sonst auch sein mag. Elizabeths Brüste sind so fest wie die meinen, bebten aber genug, um das Farbmuster allein vom Atmen in Bewegung zu halten.

Püü!

Wenn beide nackt oder bunt bedeckt gewesen wären, hätte die Wirkung nicht annähernd so eingeschlagen. Gerade der Gegensatz würde die Wölfe zu den Wolken heulen lassen.

Mein Kleid entsprach genau dem ihren, nur war meine rechte Zitze nackt.

Lib half mir hinein, dann eilte ich auf die Brücke, nachdem ich ihr versprochen hatte, zehn Minuten vor dem großen Ereignis zurück zu sein, damit sie mir die Augenbrauen und Wimpern anmalen konnte. Ich bin kein großer Freund von Kosmetik (und sie ebenfalls nicht), aber unsere Wimpern und Brauen sind ohne Unterstützung zu unauffällig. Immerhin sollte es ein großer Abend werden.

Eines von Doras blauen Glühwürmchen führte mich zu einem Lift, der mich zur Brücke brachte, wo ich nach Doras Informationen Laz und Lor finden würde. Laz entdeckte mich als erste und stieß eine Art Schrei aus, wobei sie sich gegen die Lippen schlug — vermutlich eine Art Begeisterungsausdruck. Diese Kinder — Berichtigung: sie sind ja beinahe so alt wie Paps, wirken aber wie Kinder — jedenfalls sind Laz-Lor so weiblich wie ich und wissen, wodurch sich das prachtvolle Tier in mir anregen läßt. Ihnen gefiel mein Kleid.

Die Brücke wirkte anheimelnd. Sie erinnerte mich an das Raumschiff Enterprise; es hätte mich nicht überrascht, wäre jetzt plötzlich ein Mann mit spitzen Ohren aufgetreten. Oder Nichelle Nichols vor farbigen Lampen. »Diese Anlage läßt mir das Wasser im Mund zusammenlaufen. Eines Tages sollte mich mal jemand herumführen. Bitte, bitte!«

Captain Lor sagte: »Aber selbstverständlich . . .«

». . . aber wie wär's mit einer kleinen Vorgabe, da . . .«

». . . wir bisher noch nicht in Gay Täuscher . . .«

». . . gewesen sind und Dora meint, sie wäre . . .«

». . . wundervoll, und wenn unser Projekt abgeschlossen ist . . .«

». . . und wir Mama Maureen gerettet haben . . .«

». . . dann zeigst du uns Gay, sobald Dora . . .«

». . . sicher auf Tertius gelandet ist, nicht wahr?«

»Aber ja«, antwortete ich — hocherfreut in dem Bewußtsein, daß unsere in null Sekunden bewirkte siebzehnstündige Abwesenheit noch gar nicht bemerkt worden war. Für Lor und Laz war die große Aktion noch in Planung. Anscheinend hatte der alte Knabe seinen Schwestern noch nichts verraten. Wahrscheinlich waren ihm noch keine Lügen eingefallen, die den Umstand erklärten, daß er im Badezimmer eingesperrt gewesen war, während wir anderen die Arbeit taten.

»Bei der nächsten Gelegenheit«, fuhr ich fort. »Möchtet ihr mit Gay einen Probeflug machen?«

»O ja! Wäre das möglich?«

»Ich kann darüber nicht entscheiden. Aber ich verrate euch ein todsicheres Mittel. Macht euch an den Commodore heran. Fragt sie, ob ihr sie ›Tante Hilda‹ nennen dürft, wenn ihr nicht im Dienst seid; das findet sie gut. Sie ist eine Katze; streichelt sie, geht auf ihre Gefühle ein, dann schnurrt sie. Gebt ihr aber einen Schubs, kratzt sie euch.«

Die beiden sahen sich an. »Danke für den Rat. Wir richten uns danach.«

»De nada, chicas.«

»Du hast Galacta gelernt?« (Im Chor.)

»Was? Nein. Wahrscheinlich ein Satz, der in beiden Sprachen gilt. Aber ich bin eigentlich mit einem dienstlichen Auftrag gekommen, statt dessen haben wir miteinanber geplaudert. Der Commodore schickt Grüße an den Captain. Der Commodore bittet Captain Lorelei Lee Long und den Ersten Offizier Lapis Lazuli Long, um zwanzig Uhr zum Essen zu erscheinen und sich, als Gefallen gegenüber dem Commodore, so zu kleiden wie die Doktores Libby und Deety — und das bin ich, und ich bin so angezogen, wie es von euch erwartet wird.«

Captain Lor antwortete: »Natürlich kommen wir; wir versäumen das Abendessen ja nie . . .«

». . . und kleiden uns stets richtig, und damit meine . . .«

». . . ich *nicht* nackte Haut. Nacktheit ist für das Arbeiten oder . . .«

». . . den Schlaf. Aber das Abendessen an Bord der Dora ist für uns . . .«

». . . eine formelle Sache, und das erfordert den ganzen Einsatz. Richtiges Abendkleid . . .«

». . . Schmuck und Kosmetik und Parfum, und wir sind im Begriff . . .«

». . . zu baden und uns umzuziehen, aber wir können uns nicht so kleiden wie du . . .«

». . . denn wir haben unsere Sachen längst ausgesucht und . . .«

». . . es wäre viel zu spät, *von vorn* anzufangen!«

»Hört mal, ihr beiden«, sagte ich, »ihr habt euch das selbst eingebrockt, indem ihr Lib und mich bedrängtet, uns so zu kleiden. Wir beiden waren davon zunächst nicht besonders angetan, aber wir hatten es versprochen. Der Commodore erfuhr davon, was Libby und ich anziehen wollten, und meint nun, daß insgesamt vier, die alle etwa gleich groß sind, einen prachtvollen Anblick bieten müßten, wenn sie passende grüne Sachen anhätten. Lib und ich sollen euch beiden gegenübersitzen, als Gegengewicht, während die Männer Uniformen tragen, um uns vieren nicht in die Quere zu kommen. Alles klar?«

Die beiden setzten ihre dummen Gesichter auf, die in Wirklichkeit sture Entschlossenheit maskierten.

»Der Captain entbietet dem Commodore seinen respektvollen Gruß«, begann Lor, »aber er bedauert . . .«

»*Moment!* Hat dieses Schiff ein Rettungsboot?«

»Ja«, antwortete Lor, »aber . . .«

»Aber du bist Herr über dieses Schiff. Ja, ich weiß. Aber ich habe das zweite Gesicht. Ich sehe für euch nur zwei Alternativen. Habt ihr eure Piratenflagge im Aufenthaltsraum aufgehängt?«

»Ja, aber . . .«

»Wenn ihr mir sagt, welches Rettungsboot ihr nehmt und wo

es sich befindet, schaffe ich euch die Flagge vor zwanzig Uhr dorthin. Ich sehe voraus, daß ihr in dem Boot verschwinden müßt, um euch als Piraten durchzuschlagen. Oder ich sehe euch am Tisch sitzen in Kleidern aus irgendwelchem grünem Stoff, notfalls hastig in diesem Stil zurechtgeschnitten und mit Nadeln zurechtgesteckt. Kein Schmuck. Keine sichtbare kosmetische Behandlung. Ich kann mir nicht vorstellen, daß man diese schillernde Pracht nachmachen kann, aber die durchsichtige Plastikschicht würde zumindest zeigen, daß ihr es versucht *hättet*. Der Commodore trägt niemandem etwas nach, der etwas nicht schafft; sie verabscheut es aber, wenn man es nicht *versucht*. Eure Antwort könnt ihr mir über Dora mitteilen. Ich kann nicht den Botenjungen für euch spielen; ich muß vor dem Abendessen noch etwas erledigen; es sind noch siebenundvierzig Minuten. Der Captain möge mich bitte entschuldigen.«

Ich zog mich schleunigst zurück. Ich glaubte nicht ernsthaft, daß ein Schiff wie Dora, das von eineiigen Rotschöpfen geführt wurde, *nicht* unzählige grüne Abendkleider an Bord hatte — einschließlich Muster dieses oder eines verwandten Stils. Die Zwillinge berieten sich bereits verzweifelt über Dora mit ihrem Bruder, und aus seinen Bemerkungen gegenüber Paps schloß ich, daß Lazarus ihnen antworten würde, lieber das Schiff zu verlassen und die Namen zu wechseln, als sich mit dem Energiebündel Hilda anzulegen — doch wenn Dora nicht etwas hervorbringen konnte, das nicht wenigstens erkennen ließ, daß man sich Mühe gegeben hatte, würde er sie in Einzelteilen verkaufen und eines der neumodischen positronischen ›Susan-Calvin‹-Gehirne einbauen, von denen alle behaupteten, sie seien für intelligente Schiffe der kommende Schrei.

Ich begrüßte Gay und versuchte unter das Armaturenbrett zu greifen, um das Gesuchte hervorzuholen.

Aber dann mußte ich aussteigen, um mein entzückend unanständiges Kleid auszuziehen. Erst dann konnte ich mich genügend bücken, um an den Lagerraum heranzukommen. Ein Säbel und ein Schwert — aber keine Gurte. »Gay.«

»Was, Deety?«

»Ich suche nach zwei Schwertgurten. Kategorie müßte persönliche Habe sein, Verschiedenes, Waffen, Gurte für Waffen.«

»Deety, sie müßten sich bei Schwert und Säbel befinden. Heute sind viele Dinge ins Land Oz gebracht worden; ich habe euch alle darüber reden hören. Doch in mein Inventar sind keine Veränderungen eingegeben worden. Tut mir leid.«

»Kluges Mädchen, es ist nicht deine Schuld. Wir hätten es dir sagen sollen.«

»Deety, ich habe die Würfel springen lassen. Die Kurve meint, der wahrscheinlichste Ort wären Haken in Häubchen-Helenes Garderobe.«

Und dort fand ich die Ledergurte.

Als ich mich zum Gehen wendete, nicht ohne Gay gesagt zu haben, daß sie ein Kluges Mädchen sei, hielt sie mich zurück. »Deety, dein Vater ruft dich. Dora hat ihn in der Leitung durch mich.«

»Danke, Gay, danke, Dora. Paps?«

»Deety, bist du noch an Bord von Gay?«

»Ich stehe vor der Steuerbordtür.«

»Kommst du an meine Automatik und den Stoffgürtel heran, der dazugehört?«

»Beides habe ich eben noch gesehen.«

»Nimmst du bitte das Magazin heraus, schaust in der Kammer nach, daß sie auch leer ist, und bringst Gürtel und Pistole zusammen mit den Zahnstochern her?«

»Für unsere regulären Kunden tun wir doch alles.«

Ich legte mir Schwert und Gurt über eine Schulter, Säbel und Gurt über die andere, so daß sich das Leder zwischen meinen Zitzen kreuzte, und klemmte den Stoffgurt mit Holster und Pistole dazwischen, da er für meine Hüfte viel zu weit war. Auf diese Weise hatte ich eine einigermaßen saubere Hand frei, um mein Kleid zu tragen.

»Wo bleibst du so lange?« fragte Paps. »Ich habe Lazarus versprochen, ihm seine Sachen rechtzeitig zu bringen. Jetzt muß ich mich abhetzen. In meiner Uniform.«

Ich sagte ihm, ich hätte am Schwimmbecken noch kurze Pause gemacht und mich gesäubert. »Entschuldige bitte, aber ich habe auch Probleme.«

Elizabeth rubbelte mich mit einem feuchten Tuch ab, trocknete mich, puderte mich ein, betonte meine Augenbrauen und umhätschelte mich auf das vornehmste – das alles in neun Minuten. Schließlich zog sie mir vorsichtig und behutsam das Kleid wieder über. »Normalerweise zieht man ein waschbares Gewand nicht aus und legt es dann wieder an — man behält es am Leib, bis man sich abduscht. Ein Tropfen Wasser würde dieses Material wie Säure durchfressen. Am besten verzichtest du auf die Suppe.«

Platzkarten wiesen den Gästen den Weg. Doch um zwei Minuten vor acht Uhr war Hillbilly noch nicht zu sehen, und so standen wir nur herum. Laz-Lor traten ein und setzten sich — in Kleidern, die keinen Unterschied zu meiner oder Libbys Aufmachung aufwiesen und absolut nicht improvisiert wirkten. Ihr Bruder flüsterte ihnen etwas zu, und sie standen wieder auf. Lazarus trug eine sehr altmodische Armeeuniform, Reithosen mit gewickelten Waden, eine Tunika mit aufgestelltem Kragen und Paps' Pistole an der Hüfte.

Bis auf Paps' Requisit sah alles brandneu aus; ich schloß daraus, daß sich Lazarus die Uniform speziell für heute abend hatte machen lassen.

Als die Uhr in meinem Kopf auf zwanzig Uhr sprang, ertönte ein Hornstoß (Dora) und forderte unsere Aufmerksamkeit. Zumindest wirkte es so auf die Männer und Libby, die sich straff hinstellten, und ich kam diesem Beispiel nach. Laz-Lor blickten ihren Bruder an und standen ebenfalls stramm.

In den Eßraum führen von jeder der beiden Rundbogentüren von einer kleinen Plattform aus drei Stufen herab. Paps und Zebadiah marschierten diese Stufen hinauf und drehten sich einander zu. (Ich überlegte, wie hübsch doch Zebadiah in Paradeuniform aussah; ich hatte ihn noch nie so aufgemacht gesehen.) Paps rief: »Ziehen! Schwerter!« Anstatt die Klingen zu senken, kreuzten sie sie hoch in der Luft und bildeten eine Art Bogen. Lazarus verfolgte die Szene verblüfft, zog seine Pistole und legte sie sich stramm vor die Brust.

Der Torbogen war durch einen Vorhang abgeschlossen; wir waren von der anderen Seite aufmarschiert. Trommelrasseln ertönte, dann ein Tusch (wieder Dora), dann hob sich der Vorhang von beiden Seiten — und vor uns stand Hillbilly — hoch aufgerichtet (für ihre Verhältnisse) und stocksteif, und ihre vollkommene Eiskremhaut schimmerte in Flutlichtern vor mitternachtsblauem Hintergrund. Sie war so schön, daß mir ein Kloß in den Hals stieg.

Doras unsichtbare Kapelle spielte den Admiralsmarsch, als unser kleiner Commodore stolz die Stufen herabgeschritten kam und sich zu uns gesellte. (Jedenfalls hörte es sich wie der Admiralsmarsch an (Paps gestand später, daß er Dora den für Generäle üblichen Marsch vorgesummt und ihr geraten hatte, die Melodie irgendwie hinzutrimmen.)

Tante Hilda blieb stehen, als sie das Kopfende des Tisches erreichte. Mein Vater und mein Mann blieben an Ort und Stelle stehen und senkten lediglich die Schwerter. Kaum drehte sich Hilda um, da kommandierte Paps: »Korporal Bronson! *Vor das Glied, Marsch!*«

Lazarus zuckte zusammen, als hätte ihn ein Peitschenhieb getroffen. Er steckte seine Pistole ein, marschierte zum anderen Ende und wechselte an den Ecken des Tisches zackig die Richtung. Vor Hilda blieb er stehen — vielleicht hatte sie ihm ein Zeichen gegeben.

Dora ließ eine Fanfare vom Stapel, und Tante Hilda rief mit tragender Stimme: »Schiffsgenossen, geliebte Freunde, heute haben wir eine große Ehre!«

Vier Trommelwirbel und Fanfaren folgten, und als der Vorhang sich teilte, erfaßten die Scheinwerfer erneut nackte Haut, diesmal vor einem waldgrünen Hintergrund: Maureen in langen schwarzen Strümpfen, grünem Hüftgürtel, dunklen Schuhen mit halbhohen Absätzen, das lange rote Haar auf den Rücken gekämmt.

Maureen hatte keine Pose eingenommen; sie stand natürlich vor uns, ein Knie leicht eingeknickt, das Gewicht leicht auf den rechten Fuß verlagert, die Brust nur ein wenig angehoben, doch mit unverhülltem Blick auf die Zitzen, deren Warzen viele Falten aufwiesen. Sie hatte ein glückliches Lächeln aufgesetzt.

Sie verharrte, bis der Marsch verklungen war, in dem folgenden Schweigen streckte sie die Arme aus und rief: »*Theodore!*«

›Korporal Bronson‹ fiel in Ohnmacht.

XLVII

Zeb:
Sharpie hätte Lazarus nicht so hereinlegen dürfen. Für einen Veteranen aus sechzehn Kriegen und Gott weiß wie vielen Scharmützeln in letzter Sekunde ist es nicht recht, in eine Situation gebracht zu werden, die ihm das Blut aus dem Kopf zieht, bis er zu Boden sinkt.

Deety ist meiner Ansicht, fragt mich aber, ob *ich* der Versuchung hätte widerstehen können, Maureens Rückkehr auf diese spektakuläre Weise zu inszenieren. Nun ja, wäre ich mit Sharpies Fantasie gesegnet gewesen ... trotzdem wäre es nicht recht gewesen.

Nicht daß er einen Schaden davontrug. Sharpie, die selbst nur dreiundvierzig Kilo wog, fing ihn auf. Sie hatte Lazarus im Auge, sah, wie er zu sinken begann, trat zu ihm, packte ihn um die Hüfte und versuchte ihn zu halten.

Sharpie verhinderte, daß er sich den Kopf an der Tischkante aufschlug. Ich würde jede Wette eingehen, daß die anderen auf Maureen gestarrt hatten. Nur Sharpie konnte es sich erlauben, auf die Wirkung zu achten, die ihre Inszenierung auf den Mann hatte, für den sie bestimmt war.

Sie hatte ihre Pläne so weit im voraus ausgearbeitet, daß sie Libby beauftragte, sich von Ischtar das Kostüm zu besorgen — Schuhe, Strumpfhose und grünen Strumpfgürtel, als Anpassung an ein bestimmtes Foto, dazu eine Cape mit Kapuze, um vor unserer neugierigen Dora zu verheimlichen, daß wir eine zusätzliche Person an Bord hatten. Sharpie hatte sich folgendes ausgerechnet: Wenn es nicht durch MG-Feuer im Jahre 1918 Erde-eins vernichtet worden war, existierte das ›französische Foto‹ von Mama Maureen noch (ja, ich nenne sie nun ebenfalls so, sie ist die mütterlichste Person auf jeder denkbaren Welt — und die aufregendste. Aber das sollte Deety nicht erfahren). (Deety weiß Bescheid — *Deety.*)

Aber vernichtet konnte das Foto nicht sein — denn sie ›schossen ihm den Arsch ab‹, wie seine Schwestern es beschrieben. Nicht genau, es war wohl eher eine Bauchwunde, die ihm Kummer machte, als die Kugeln im Hinterteil. Doch alle Wunden befanden sich am Unterkörper.

Doch wo trägt ein Soldat im Kampf seine wertvollste Habe? In einer Brusttasche, gewöhnlich links. Jedenfalls habe ich es immer so gehalten und kenne keinen Veteranen, der in diesem Punkt anderer Meinung ist.

Es lohnte sich schon, das Bewußtsein zu verlieren und dann im Kreis von Maureen, Hilda, Laz-Lor, Elizabeth und meinem Liebling zu erwachen. Jake und ich hätten mehrere Runden Karten spielen können, ehe sich wieder jemand um uns kümmerte. Ich bat Dora also um etwas zu trinken und ein paar Knabbereien für Jake und mich, da ich nicht absehen konnte, wann das Essen auf den Tisch kommen würde. Oder ob überhaupt.

Ich hörte Sharpie sagen: »Maureen, wir müssen ihm die schwere Uniform ausziehen. Dora sorgt hier stets für eine tropische Hitze. Ich hätte für die Männer nicht Uniformen anordnen dürfen, während die Frauen in bequemer Aufmachung erscheinen.« Sie begannen ihn auszuziehen.

»Jake«, sagte ich. »Der Unterricht ist vorbei.« Ich hatte meine beste Uniform durchgeschwitzt — vermutlich würde ich sie nie wieder ansehen, aber in solchen Dingen bin ich sentimental. Jake ging es nicht besser. Hat man erst einmal mitbekommen, wie bequem die blanke Haut ist, fühlt man sich in *jeder* Umhüllung wie Ramses II. als Mumie.

Wir entblätterten uns und reichten Kleidung und Schwerter einem von Doras Waldos und forderten ihn auf, alles in Gay zu deponieren, einschließlich Jakes Pistole, Gurt und Holster, die ich wieder an mich nahm, ohne daß es jemandem auffiel. Jake und ich waren billigste Statisten der letzten Reihe; ›Korporal Ted Bronson‹ spielte die Hauptrolle.

Dora wies mich darauf hin, daß Gay verschlossen war. »Wenn eine ihrer Türen offen wäre, könntest du die Sachen auf einen Sitz deponieren?« Die Antwort lautete ja. »Gut, dann tu's«, fuhr ich fort, »und verbinde mich mit Gay.«

Endlich bekamen wir auch etwas zu essen, und jedermann war förmlich in seine eigene Haut gehüllt, bis auf Maureen, die ihr Kostüm zunächst noch anbehielt und es sich erst später gemütlich machte. Vorher schoß ich aber noch einige Fotos. Es erwies sich als überflüssig, Jakes Polaroid zu holen, denn Dora konnte Farb- und 3-D-Bilder machen, Papierbild oder Dia aus jedem Winkel und mit jeder gewünschten Beleuchtung, so wie sie auch Maureens Auftritt ausgeleuchtet und fotografiert hatte, wie ich später erfuhr.

Maureen und Jake übernahmen die Regie, während ›Corporal Bronson‹ und ich uns wie die römischen Kaiser auf Sofas räkelten. Sharpie saß zwischen uns und ließ uns Trauben in den Mund fallen.

Jake versuchte den Bildern einen ›künstlerischen‹ Anstrich zu geben. Mama Maureen erklärte sich mit allem einverstanden, was er sagte, verließ sich dann aber doch auf ihren eigenen Geschmack. Das Ergebnis war vielleicht künstlerisch zu nennen — doch jedes Skelett wäre davon noch einmal auf andere Gedanken gebracht worden.

Unterdessen spielte Dora Musik, sang uns etwas vor und drängte uns zu essen — schmackhafte kleine Happen, die man mit Stäbchen zu sich nahm —, ich fühlte mich in ein gutes orientalisches Restaurant versetzt. Zugleich wurden vorzügliche Weine kredenzt.

Dora schien ein großes Repertoire zu haben, von dem mir zu meiner Überraschung einiges bekannt vorkam. Wenn Judy Garland *Over the Rainbow* singt, muß man schon hinhören — und Dora ahmte Judys Stimme nach. Ich erinnere mich auch an: *Ver-*

gnüge dich, es ist später als du denkst. Die meisten Lieder kannte ich allerdings nicht.

Dora kündigte *Tamaras Lied* an, das ich ebenfalls nicht kannte, und Lazarus und Maureen hielten sich an den Händen. Ich bekam mit, daß hier etwas Besonderes vorging, als das Lied in völliger Stille endete und Maureen zu Lazarus sagte: »Theodore, Ischtar wollte den Wachplan umstellen, aber Tamara war dagegen. Sie hat das deinetwegen getan, mein Lieber, und für mich — aber natürlich liegt Tamara sehr daran, dich zu sehen.«

»Tamara weiß immer, was sie tut«, antwortete Lazarus.

»Ja, Tammy weiß immer, was das beste ist«, stimmte ihm Mama Maureen zu. »Sag mir eins, Theodore, erinnere ich dich noch immer an sie?«

Lazarus sah sie bestürzt an. »Äh, ich weiß nicht. Du *siehst* nicht aus wie sie — du *fühlst* dich nur so an. Und du siehst Nancy ähnlicher als dir selbst.«

»Ja, das weiß ich. Aus unserer Familie wollte niemand warten; du bist zu lange von zu Hause fort gewesen. Habe Geduld und sag mir Bescheid, wenn ich in deinen Augen wieder so aussehe wie ich, dann wird Galahad mein kosmetisches Alter an diesem Punkt anhalten. Wirst du dein uraltes Versprechen einlösen, Tammy und mich zusammen mit ins Bett zu nehmen? Vielleicht sollte ich hinzufügen, Theodore, daß ich jetzt die Frau deiner Mitmänner bin. Ich verlange nicht, daß du mich heiratest. Obwohl Tammy vermutlich schockiert sein wird, wenn du es nicht tust. Aber wie auch immer, ich werde dir keine Schwierigkeiten machen. Ich halte mich an jedes Spiel, das du für nötig hältst. Bei Brian habe ich das auch getan; das soll bei dir nicht anders sein.«

Maureen sprach nicht laut, aber sie flüsterte auch nicht. Sie informierte ihn lediglich über etwas, das er wissen mußte. Lazarus setzte mit seltsam verwirrtem Gesichtsausdruck zu einer Antwort an, als Elizabeth sich einschaltet: »Lazarus . . .«

»Ja? Was ist, Lib?«

»Eine Nachricht an dich von Ischtar. Auszurichten bei Bedarf, und jetzt ist der richtige Augenblick gekommen. Isch hat eure beiden Tabellenwerke gelesen und dabei den Computer auf maximalen Pessimismus eingestellt. Gleichzeitig ließ sie die Zahlen in Neu-Rom durchlaufen, doch ohne persönliche Identifikation; es stand lediglich ihre eigene Aktennummer darauf. Nun läßt sie euch mitteilen — als Antwort auf die Antwort, die du jetzt geben wirst. Ich soll dir sagen, daß du ein unzivilisierter Primitivling bist, keine Ahnung von der Wissenschaft hast, insbesondere Genetik, und außerdem ein übersentimentaler, beinahe pathologisch sturer Kerl bist, zurückgeblieben, wahrscheinlich senil, abergläubisch und in deinen Ansichten provinziell ... aber sie liebt dich sehr. Trotzdem läßt sie es nicht zu, daß *du* auf *ihrem* Gebiet Entscheidungen triffst. In vitro oder in utero — die Kreuzung wird stattfinden. Ich möchte hinzufügen, daß auch Maureen in dieser Sache kein Stimmrecht hatte.«

»So? Du kannst der breithüftigen Hexe mitteilen, daß ich ihr in jedem Punkt recht gebe, besonders im Hinblick auf ›senil‹ und daß ich schon vor fünfzig Jahren jede Hoffnung aufgegeben hatte, mich gegen ihre tyrannische Art durchzusetzen, und daß ich sie nicht minder heftig liebe — jedenfalls außerhalb ihrer Klinik —, und daß Maureen ihr sagen wird, wie solche Dinge gehandhabt werden; ich habe dabei kein Mitspracherecht.« Er wandte sich in meine Richtung und schaute dabei an Sharpies hübschen Zehen vorbei. »Zeb, die weise Erkenntnis hohen Alters: Die Männer herrschen, aber die Frauen entscheiden.«

»Elizabeth, glaubst du, ich sei Tamara irgendwie ähnlich?«

»Hmm ... Der Gedanke ist mir nie gekommen. Äh, hättest du etwas dagegen, das Kostüm auszuziehen? Es versperrt mir den Blick auf *dich*.«

»Kein Problem, Elizabeth. Ich mag Strumpfgürtel sowieso nicht, es sei denn, in der Werbung.« Mama Maureen schleuderte die Schuhe zur Seite, streifte den Strumpfgürtel ab und rollte auf eine in allen Universen gleiche Weise die Strümpfe herunter. Dann entledigte sie sich des Rests und stand entspannt vor den anderen.

»Dreh dich mal um, langsam. Hmm ... Maureen, du siehst auch wie Tammy aus — oder umgekehrt; vermutlich trägt sie deine Gene in sich. Bin *ich* ein Nachkomme von dir? Weiß das jemand hier? Lazarus?«

»Die Antwort ist ja. Aber nicht durch mich. Durch meine Schwester Carol. ›Santa Carolita‹, ob ihr es glaubt oder nicht — was Carol sehr überraschen würde, denn sie war keine Heilige. Aber deine Abstammung von Carol wurde erst bewiesen, als du längst tot warst; damals wurden die Familienunterlagen durch Computer analysiert, auf Basis einer fortgeschrittenen Gen-Forschung. In unserer Familie gibt es doch keine Heilige — oder, Mama?«

»Nicht daß ich wüßte, Woodrow. Ich komme jedenfalls nicht dafür in Frage. Du warst ein ziemlich wilder Bursche; ich hätte dich viel öfter übers Knie legen müssen. Hmm ... dein Vater war dem Stand des Heiligen wohl näher als jeder andere in unserer Familie. Brian war weise und gütig — und tolerant.« Sie lächelte. »Erinnerst du dich, warum wir uns getrennt hatten?«

»Ich glaube nicht, daß ich das jemals erfahren habe. Mama, meine Erinnerungen an jene Ära stammen im wesentlichen aus meinem Ausflug als ›Ted Bronson‹ — das andere liegt *sehr* weit zurück.«

»Als ich die sechzig überschritten hatte, hörte ich auf, Kinder zu bekommen. Etwa zur gleichen Zeit kam dein Bruder Richard ums Leben. Im Krieg. Seine Frau, Marian Justin aus der Hardy-Familie, war bei uns, mit ihren Kindern, und Brian hatte die Uniform wieder angezogen, als Colonel der Reserve, der in San Francisco Schreibstubendienst tat. Als Richard 1945 fiel, kamen wir kaum darüber hinweg, aber es war doch ein Trost, daß so viele von uns beisammen waren — Brian, meine jüngsten Kinder, Marian und ihre Kinder — fünf, sie war einunddreißig.«

Mama Maureen, von Strümpfen und Schuhen befreit, ließ sich im Lotussitz nieder und nahm von Doras Helfern einen Teller entgegen. »Woodrow, ich ermutigte Brian dazu, eine Witwe auf die einzige Art zu trösten, in der man einer Witwe helfen kann; sie brauchte es. Als der Krieg vorbei war, brauchte Marian einen vorzeigbaren Mann; ihr Taillenumfang und der Kalender ließen sich nicht miteinander vereinbaren. Als wir im gleichen Jahr San Francisco verließen, machte es Marian Justin Smith keine Mühe, Maureen J. Smith zu werden, während ich mit der Hilfe von Haarfärbemittel die Rolle ihrer verwitweten Mutter übernahm — in Amarillo kannte uns niemand, und Frauen brauchten noch keine Ausweise bei sich zu tragen. Marian brachte das Kind also als ›Maureen‹ zur Welt, und die richtige Abstammung wurde ausschließlich beim Fonds der Howard-Familien registriert.« Maureen lächelte. »Wir Howards machten uns aus diesen Dingen nichts, solange sie sich in der Familie abspielten — und es freut mich zu sehen, daß sich diese Einstellung heute eher noch gelockert hat.

Nach dem nächsten Umzug verwandelte ich mich wieder in Maureen Johnson, fünfzehn Jahre jünger, da ich nicht wie Ende siebzig aussah.« Mama Maureen lachte leise vor sich hin. »Ich war Witwe. Howards heirateten nur, um Kinder zu bekommen. Diese Produktion hatte ich eingestellt, aber die Anlagen dazu waren noch vorhanden, wie auch die Lust. Als ihr alle ...« — Maureens Blick wanderte durch die Kabine — »mich retten kamt,

hatte ich mir fünfunddreißig Jahre abgespeckt und fünfunddreißig Männer neu auf meiner Abschußliste. Als ihr mich holtet,
war ich auf dem Weg zu einem Rendezvous in einem Motel —
mit einem sechzigjährigen Witwer, der mich ohne weiteres für
sechzig hielt, während ich in Wirklichkeit zwei Wochen später
meinen Jahrhunderttag gefeiert hätte.«

»Ach, wie schade!« sagte ich. »Ich wünschte, du wärst auf dem
Rückweg gewesen!«

»Zebadiah, nett von dir, aber schade ist es nicht. Wir begannen
uns miteinander zu langweilen. Ich bin sicher, er hat die Todes-
anzeige auch mit ein wenig Erleichterung gelesen. Ich freue mich
sehr, daß ihr mich geholt habt — und man sagt mir, daß die
ganze Aktion in erster Linie dein Verdienst ist.«

»Gay Täuscher hat die eigentliche Hauptrolle gespielt. Das ist
der Wagen, mit dem du beide Male geflogen bist. Aber fast hätten wir dich nicht geholt. Es ging einiges schief, sehr sogar. Ich
wußte, daß es passieren würde . . . Deety, kannst du es ihr erzählen?«

»Mama Maureen, Zebadiah bekommt Vorahnungen, wenn
Gefahr droht. Nicht langfristig im voraus, es genügt meistens, irgendwo in Deckung zu gehen. Ich weiß nicht, was heute früh los
war, aber . . .«

»›Heute früh‹?« Maureen blickte sie erstaunt an.

»Oh.« Meine Frau fuhr fort: »*Für uns* ist das alles erst heute
früh geschehen. Du bist um achtzehn Uhr vierzig und ein paar
Sekunden Schiffszeit hier eingetroffen. In diesem Moment verbrachten wir fünfzehn Stunden auf einem anderen Planeten, un-
ternahmen zwei Flüge zu deinem neuen Heimatplaneten, und du
verbrachtest siebzehn Monate auf Tertius, nach denen wir dich
hierherbrachten — und das alles geschah heute. Nicht nur heute,
sondern in diesem Augenblick: achtzehn-vierzig und dreizehn
Komma drei Sekunden. Laz und Lor hatten keine Ahnung, daß
wir fort waren, selbst der Schiffscomputer wußte nichts.«

»O doch!« widersprach Dora. »Gay hatte neunzehn Mikrose-
kunden keinen Kontakt. Glaubt ihr etwa, eine solche Unterbrechung fällt mir nicht auf? Ich habe sie gefragt, was los sei, und sie
antwortete, es wäre eine Schwankung in ihrem Energienetz gewesen. Das Luder hat mich *belogen*. Ich bin böse auf sie!«

Deety zog ein bestürztes Gesicht. »Dora! Dora! Das war nicht
Gays Schuld. Ich hatte sie *angewiesen*, unsere Aktion geheimzu-
halten. Sie hat es mir versprechen müssen.«

»Gemein!«

»Ich wollte dich nicht gemein behandeln, Dora — und anschließend haben wir dich ja so schnell wie möglich informiert. Ohne deine Hilfe hätten wir den Auftritt hier nicht arrangieren können. Du kannst auf mich böse sein, wenn es denn unbedingt sein muß . . . aber du darfst Gay nichts vorwerfen. Bitte küßt und vertragt euch.«

Ich weiß nicht, wie Computer zögern, doch ich glaubte einen kurzen Sekundenbruchteil Pause wahrzunehmen. »Gay?«

»Ja, Dora?« Die Stimme des Klugen Mädchens drang durch Doras Lautsprecher zu uns.

»Ich möchte nicht böse auf dich sein. Vergessen wir alles. Küssen und vertragen wir uns.«

»Ja, ja! Oh, Doralein, ich *liebe* dich.«

»Brave Mädchen, ihr beide«, sagte Deety. »Aber ihr seid auch von Hauptberuf Frauen und arbeitet für verschiedene Chefs. Dora, du bist deiner Familie treu ergeben, Gay dient ihrer Familie. So muß es nun mal sein. Dora, wenn deine Schwester, Captain Lor, dich bäte, ein Geheimnis zu wahren, würdest du Gay davon nichts sagen? Oder? Denn sie könnte es mir weitersagen, und ich würde es Zebadiah mitteilen — und schon wüßte die *ganze Welt* darüber Bescheid.«

(Ach? Liebe Frau, meine Geheimnisträgerstufung war zwei Stufen über ›Q‹ — so geheim, daß es dafür nicht mal einen Namen gibt. Ach egal, ich stecke den Seitenhieb ein.)

(Ja, ich weiß, lieber Mann, ich war einmal ebenso eingestuft. Aber der Umgang mit störrischen Computern ist meine Aufgabe. Computer sind *Kinder* mit den Fähigkeiten von Supergenies und müssen auf ihre Art angesprochen werden. Also alles vergeben? — *Deety*)

»Mann!«

»Begreifst du? Captain Lor, bewahrt Dora in ihren Speichern irgendwelche Geheimnisse von dir auf? Oder von deinem Bruder? Sie kann sie Gay mitteilen, und Gay sagt sie mir weiter, und ich erzähle ohnehin alles meinem Mann, und . . .«

»Dora!« unterbrach Lazarus. »Wenn du aus der Schule plauderst, ziehe ich dir die Ohren lang. Ich habe nichts dagegen, daß ihr beiden euch zusammen vergnügt. Aber wenn ihr Geheimnisse austauscht, rufe ich bei Minskys Metall-Mentalitäten GmbH an und lasse deinen Raum neu vermessen.«

»*Männliche* Computer! Mir machst du keine Angst, alter Knabe, du würdest deinen schmutzigen Hals doch keinem männlichen Computer anvertrauen. Dumm.«

»Mein Hals ist nicht schmutzig — nur dort, wo der Uniformkragen ein wenig abgerieben hat.«

»Ein schmutziger Hals und ein schmutziges Denken. Aber mach dir keine Sorgen, alter Knabe; Dora Long plaudert keine Geheimnisse aus. Ich begreife nun, daß auch Gay ihre Vorschriften hat — ich hatte nicht darüber nachgedacht. *Du aber* hast meine Schwestern gemein behandelt.«

»Ich? *Wie denn?*«

»*Du wußtest* von der Aktion; du brauchtest das nicht erst von Gay zu erfahren. Du wußtest alles, du warst dabei. Aber du hast es vor deinen eigenen Zwillingsschwestern geheimgehalten . . .«

»Höchst unfair ist das, Mama Maureen . . .«

». . . als ob wir nicht vertrauenswürdig wären, und wenn . . .«

». . . wir das wären, wie kann man uns dann ein Schiff anvertrauen . . .«

». . . und das Leben aller Leute an Bord? Wir freuen uns, daß du hier bist . . .«

». . . um deinetwillen, aber nachdem du nun bei uns bist, kannst du uns . . .«

». . . vielleicht vor seiner Tyrannei schützen. Mama Ischtar tut das nicht, und Mama Hamadryade lacht uns nur aus, und Mama Minerva schlägt sich . . .«

». . . jedesmal auf seine Seite. Du aber . . .«

»Mädchen.«

»Ja, Mama?«

»Ich habe mir vor Jahren das feste Versprechen gegeben, niemals in das Leben meiner Kinder einzugreifen, sobald sie erwachsen sind. Ich hätte Woodie als Kind öfter bestrafen müssen, aber nun ist er kein Kind mehr . . .«

»Aber wieso benimmt er sich dann wie eins?«

»Lorelei Lee! Es gehört sich nicht, einen anderen zu unterbrechen.«

»Tut mir leid, Mama.«

»Ist ja nichts passiert. Aber wie man mir zu Hause gesagt hat, seid ihr beiden nicht nur meine Töchter, sondern zugleich Theodores Frauen. Lazarus' Frauen. Und gleichermaßen Frauen seiner Mitmänner. Stimmt das nicht?«

»Ja, Mama. Aber er ist da sehr zurückhaltend.«

»Wenn ihr damit ›zurückhaltend im Bett‹ meint, so hängt das vielleicht davon ab, wie ihr ihn behandelt. Ich habe ihn nicht so gefunden, als ich vor vielen Jahren seine Geliebte war — vor

Jahrhunderten nach einer seltsamen Zeitrechnung, die ich nicht begreife. Ihr habt mich sagen hören, daß ich jetzt Frau eurer Mitmänner bin — einschließlich Lazarus, wenn er mich akzeptiert. Aber wenn ihr einverstanden seid, bin ich auf jeden Fall Schwester-Frau für euch beide. Also sollte ich aufhören, eure Mutter zu sein. Meint ihr nicht auch?«

»Warum! Oma Tammy ist Mutter von Isch und jedermann . . .«

». . . und wir haben jetzt drei Mamas in unserer Familie, und davon ist jede auch . . .«

». . . unsere Schwester-Frau; Isch und Hamaliebling, und jetzt . . .«

». . . haben wir Mama Maureen und sind entzückt, daß wir deine Schwester-Frauen sind, aber . . .«

». . . du kannst dich nicht davor drücken, unsere Mama zu sein, denn wir haben *unser ganzes Leben* auf dich gewartet!«

Und Dora fügte hinzu: »Und ich bin die Schwester der beiden, also bist du auch *meine* Mama!«

»Theodore, ich glaube, ich muß weinen! Aber du kennst meine Regel. Keine Tränen vor den Kindern.«

Ich stand auf. »Madame, es wäre mir eine Ehre, dich in eine ruhige Ecke zu führen, wo du dich an meiner Schulter nach Belieben ausweinen kannst.«

Sieben Proteinwesen und zwei Computer fielen über mich her. Ihre Grundaussage lief auf folgendes hinaus: »Du kannst Maureen doch nicht von ihrer eigenen Party entführen!« — und es schien nicht ausgeschlossen, daß der Haufe mich lynchen wollte.

Der Wind war auf Stärke sechs angeschwollen, und so suchte ich bei größeren Mengen Champagner Zuflucht, um gegen die Seekrankheit gefeit zu sein. Nach einiger Zeit machte ich ein Schläfchen; es war ein ereignisreicher Tag gewesen, und ich hatte noch immer nicht den Schock überwunden, als ein großer Lastwagen auf Gays geöffnete Tür zuraste und sie abzureißen drohte, ehe ich sie schließen und hüpfen konnte. Da hatte ich den Polizisten einen Tritt in den Bauch gegeben. Normalerweise tue ich so etwas nicht; dabei fällt man nur unangenehm auf.

Dann sagte eine spitze Stimme: »Flaggen-Stabschef Carter wird vom Commodore dringend auf die Brücke gerufen«, und ich fragte mich, warum die dumme Kuh nicht endlich hinging, damit der elende Lärm aufhörte. Dann berührte mich etwas Kaltes an der Seite. »Das bist du, Doc. Ich helfe dir. Entspann dich.«

Ich *war* entspannt gewesen, aber damit war es nun vorbei. Einige von Doras Waldos sind nicht besonders rücksichtsvoll, oder es handelte sich nicht um Bedienungswaldos, sondern um Geräte für den Transport von Fracht. Ich gebe zu, daß ich für einen im Wachstum begriffenen Jungen schon ziemlich groß war.

Im Fahrstuhl kam ich zu dem Schluß, daß die Beaufort-Skala mindestens bis acht, wahrscheinlich sogar bis neun reichte. Trotzdem erreichten wir schließlich die Brücke — eine wahre Hollywood-Kulisse, eine ganze Kuppel voller Anzeigen und Uhren — die sich alle langsam hin und her bewegten. Dabei kam Gay mit einem einfachen Armaturenbrett aus. Ich hörte Sharpie sagen: »Mein Gott, seht ihn euch an!«

Deety machte eine Bemerkung zu Lor, daß wir ja die Plätze tauschen könnten, während Laz mir sagte: »Trink dies!«

Ich antwortete bestimmt: »Ich trinke *nicht*. Außerdem ha' i'schon gedrunk'n, dein Geschicht isch gansch verschwomm'!«

Es mußten Laz und Lor sein, die mich von links und rechts in die Zange nahmen, meinen Arm eisenhart festhaltend und mir auf ein bestimmtes Nervenende drückend; so etwas hätte Deety mir niemals angetan.

Sharpie hielt mir die Nase zu, und Laz goß mir etwas in den Mund, eine dampfende und brodelnde Flüssigkeit. Dann . . . Nun, da mußte noch ein schwarzer Passagier mitgeholfen haben, denn Deety würde *mir* das auf keinen Fall antun.

Sie ließen mich los, als ich mit Schlucken fertig war. Ich verließ das Schiff zu einer kleinen Inspektionstour, schaute nach der Milchstraße, fand alles in Ordnung und kehrte mit einer Präzisionslandung zurück. Dabei fielen mir die Ohren ab, doch es gehörte sich nicht, während der Parade in die Knie zu gehen und sie aufzulesen. Außerdem mag Sharpie solche Spielchen nicht.

»Flaggen-Stabschef meldet sich beim Commodore, wie befohlen!«

»Wie fühlst du dich, Zebbie?«

»Bestens, Madame. Gibt es einen Grund, warum mir nicht gut sein sollte?«

»Vermutlich nicht. Du hast ein wenig geschlafen?«

»Ja, ein bißchen. Ich träumte, ich wäre in einem kleinen Schiff auf dem Tasmanischen Meer. Sehr unruhig, die Gegend.« Ich fügte hinzu: »Bis auf diesen Alptraum, der ausgestanden ist, bin ich in Hochform. Befehle, Madame?«

Wir hielten für jeden die Zwei-Dollar-Führung ab, wozu auch die Badezimmer im Lande Oz gehörten. Libby, Deety und Jake warteten draußen, da es im Wagen zu eng wurde. Sharpie ordnete an, daß Laz ihre Schwester ablösen sollte, damit sich Lor zuerst bei uns umschauen konnte, dann übernahm Lor wieder das Kommando, so daß auch ihre Schwester an die Reihe kam. Am meisten Anklang fanden die Badezimmer aus dem Märchenland. Ich gebe zu, daß der Raum-Zeit-Verdreher nicht gerade eindrucksvoll aussieht. Dann dankten die Zwillinge Hilda und gingen wieder.

»Achtung, für alle«, sagte Hilda. »Wenn ihr wollt, zeigen wir euch, wie es funktioniert. Lazarus kann sich auf den Platz des Astronavigators setzen, während Deety ihre Anweisungen aus dem Frachtraum gibt. Elizabeth legt sich ebenfalls dort nieder, weil sie schon mit Gay Täuscher geflogen ist. Deety, ehe du hinten verschwindest, zeigst du Maureen und Lazarus, wie wir auf dem Rücksitz einen zusätzlichen Passagier unterbringen; ich mache Platz.«

»Dieser Wagen funktioniert auf verschiedenen Ebenen. Als Bodenfahrzeug ist er schnell, bequem, leicht zu steuern, ziemlich schwer zu parken und wird gewöhnlich mit zurückgefahrenen Flügeln aufgestellt, so wie sie jetzt sind, in Überschallstellung. Wenn wir einen Atmosphäre-Flug machen wollten, müßten wir die Flügel auf größten Antrieb ausfahren. Sobald aber das Burroughs-Kontinua-Gerät in Aktion tritt, kommt es auf die Flügelstellung nicht mehr an, aber der Erste Pilot kann sich natürlich Gedanken machen, wie und wo wir herauskommen werden, und die Flügel entsprechend justieren.

Da es hier einen computerisierten Autopiloten gibt ... Hallo, Gay!«

»Hallo, Hilda, hast du etwas dagegen, wenn ich zuhöre?«

»Ganz und gar nicht, meine Liebe. Kennst du alle?«

»Ja, Hilda, und da ich sie durch Doras Augen gesehen habe, kann ich sie nach den Stimmen auseinanderhalten.« Gay fügte hinzu: »Auch Dora hört durch mich mit; sie wird die Vorführung aufzeichnen. Einverstanden?«

»Aber ja. Dora, da du eine Aufzeichnung vornimmst, will ich die Sache so realistisch wie möglich aufziehen. Gay Täuscher. Schließ die Türen. Ausführung.« Ich war Erster Pilot, Jake Copilot; als seine Tür geschlossen war, begann ich mit der Überprüfung der Dichtung auf meiner Seite.

»Alle Mann. Vorbereiten zum Raumflug. Copilot.«

»Nonien null, Dichtung Steuerbordtür überprüft, angeschnallt.«

»Der Bericht ist unvollständig. Liegt der Gurt eng an? Für Maximalbeschleunigung? Meine Freunde, dieser Wagen ist auf Kampfmanöver ausgelegt, es könnte passieren, daß wir alle mit dem Kopf nach unten heraushängen. Volle Demonstration bitte, Jacob. Mach den Gurt enger.«

»Copilot meldet Gurt eng genug für Manöver.«

»Danke, Jacob. Erster Pilot.«

Ich meldete in energischstem Kadettenton: »Dichtung Backbordtür überprüft. Hochleistungsbatterien angeschlossen null acht neun, zwei in Reserve zu eins Komma null, Energie volle Leistung, alle Systeme bereit, Gurt für maximale g-Manöver angezogen.«

»Astronavigator.«

»Ich befinde mich nicht am üblichen Platz. Lib und ich sind hier wie siamesische Zwillinge angeschnallt. Keine ungesicherten Dinge. Anbau überprüft und gesichert; alle Türen geschlossen bis auf die Schottür, die wir im offenen Zustand arretiert haben, entgegen der sonstigen Übung. Captain, du kannst uns ruhig einsperren; wir haben nichts dagegen.«

»Da steht ihr aber im Gegensatz zu jemandem, dessen Namen ich verschweigen will und der sich aufregt, weil er nur mal fünf Minuten eingesperrt war . . .«

»Hilda, das war ein Tiefschlag!«

»Passagier, Mund halten! Hättest du dein Versprechen gehalten, wüßtest du jetzt gar nicht, daß die Tür verschlossen war. Ich traute dir nicht — mit Recht. Ich weiß nicht genau, ob ich deine Juniorfrau oder zweite Juniorfrau sein will, du löst deine Versprechungen nicht ein. Tut mir leid, Mama Maureen, aber Woodie ist manchmal ein ungezogener Junge!«

»Das weiß ich, Hilda. Captain. Bitte züchtige ihn, wie geboten. Ich habe ihn immer zu sehr geliebt und daher verzärtelt.«

»Wir wollen nicht weiter darüber reden. Wir alle vier sind auf allen vier Plätzen qualifiziert; manchmal wechseln wir, um in Übung zu bleiben. Nach dem üblichen Dienstplan bin ich Kommandant, Zebbie mein Stellvertreter und Astronavigator, Jacob Erster Pilot, Deety Copilotin. Für diesen Probeflug habe ich jedoch den besten Piloten an die Handkontrollen gesetzt, den Erfinder persönlich an das Kontinua-Gerät, und als meinen Astronavigator eine blitzschnelle Rechnerin, die es mit Rechenschieber-Libby aufnehmen kann . . .«

»Sie ist *besser!*«

»Mund halten, Elizabeth! Mit einer solchen Mannschaft

braucht sich ein Captain keine Sorgen zu machen. Erster Pilot, bitte schnall dich los und sieh zu, daß Mama Maureen und Lazarus gut angeschnallt sind. Ihr könnt euch auf heftigste Ausweichmanöver gefaßt machen — und glaubt mir, meine Freunde, wir sind heute nur noch am Leben, weil wir immer richtig angeschnallt waren und weil Zebbie ein fix schaltender Aerospace-Kampfpilot ist — und unsere Gay ein Kluges Mädchen.«

Ich schnallte mich los, überzeugte mich, daß Lazarus und Maureen keine Gefahr drohte, und schlug vor, sie sollte den rechten Arm um Hilda und den linken um Lazarus legen und sich richtig festhalten. »Alle anderen haben Doppelgurte, im Schoß und vor der Brust. Du hast nur einen Schoßgurt. Wenn ich den Wagen auf den Kopf stellen müßte, könntest du dich mit den Händen zusätzlich an Lazarus und Hilda festhalten. Stimmt's, Lazarus?«

»Ja, Zeb. Mama Maureen, ein Übungsflug sollte der Wirklichkeit möglichst nahe kommen, sonst lernt man nichts für den Kampffall.«

»Theodore, ich rechne nicht damit, jemals in einen Kampf zu geraten. Aber ich will mich gern an euren Drill halten.«

»Mama, Frauen im Kampf — das ist für mich eine unangenehme Vorstellung. Aber im Verlauf der Jahrhunderte habe ich sie immer wieder im Einsatz gesehen, zu oft sogar als reguläre Soldaten. Mir gefällt es nicht. Aber es ist nun mal Wirklichkeit.«

Meine Frau unterstützte Lazarus. »Mama Maureen, mein Paps hat von mir verlangt, daß ich mich mit jeder Waffe vertraut mache, die ich vom Boden hochbekomme, und hat mich darüber hinaus in alle schmutzigen Tricks der waffenlosen Verteidigung eingeweiht. Das hat mich mehrmals vor einem Überfall bewahrt. Einmal habe ich beinahe einen Mann getötet, der doppelt so groß war wie ich — mit bloßen Händen.«

»Jacob, gibst du mir auch Unterricht?«

»Maureen, ich will tun, was ich kann. Solange wir hier sind.«

Von hinten hörte ich Libbys Stimme: »Jetzt, Maureen?«

»Ja. Wenn du es für ratsam hältst?«

»Meine Freunde, ich hatte den Auftrag, mir ein Kind von einem großen Mathematiker anhängen zu lassen. Das war allein *meine* Entscheidung. Aber inzwischen hat Tamara über euch alle Berichte erhalten, von mir und von Laz und Lor. Zwölf ›Ja‹-Stimmen, keine Gegenstimmen. Ich habe Anweisung von Tamara, euch vier unsere volle Gastfreundschaft anzubieten, so wie ihr sie uns in eurem Zuhause gewährt habt. Wenn ihr den Namen

Long annehmen wollt, gebt Tamara Bescheid. Wir werden eure Entscheidung darüber in keiner Weise beeinflussen.«

Hilda reagierte sofort: »Wegen der Verzögerung, noch ein Aufruf wegen Raumflug. Copilot.«

»Copilot fertig.«

»Erster Pilot, fertig«, meldete ich.

»Astronavigator fertig.«

»Passagiere? Nach Alter.«

Lazarus wollte etwas sagen, doch Hilda unterbrach ihn: »›Nach *Alter!*‹«

»Wenn du mich damit meinst, Captain — ich bin bereit.«

»Ich glaube, du bist dreißig Jahre älter als dein Sohn. Auf jeden Fall bist du älter als er. Junior-Passagier?«

»Das bin ich«, sagte Elizabeth. »Fertig.«

»Dich habe ich glatt vergessen, meine Liebe — entschuldige. Woodie?«

»Fertig für Raumflug, Captain, du engstirniges, freches kleines Biest! Und du wirst uns auf jeden Fall heiraten!«

»Astronavigator, ins Logbuch damit! Frechheit. Gay Täuscher.«

»Fertig, Captain-Schätzchen.«

»Tertius Kreisbahn Ausführung!«

Maureen japste. Lazarus schnaubte durch die Nase. »Reingelegt!«

»Inwiefern? Du hast gemeldet: ›Fertig für Raumflug?‹«

»Und *du* hast dies einen ›Drill‹ genannt?«

»Woodie, ich wette, worauf du Lust hast, daß ich dieses Unternehmen *nicht* ›Drill‹ genannt habe — sondern du. Gay und Dora haben eine Aufzeichnung vorliegen. Nun steh zu deinem Wort oder halt den Mund! Unterdessen — in der Lehne des Sitzes vor dir befindet sich ein kleiner Arzneibehälter. Such dir ein Tablettenröhrchen mit der Aufschrift ›Bonine‹, kleine rosa Pillen. Eine gibst du deiner Mutter. Maureen, kauen und runterschlucken. Schmeckt wie Himbeer-Bonbon.«

»Hilda, was gibst du uns da . . .«

»Mund halten! Oder möchtest du wieder im Badezimmer eingesperrt sein? Passagier, Aufmüpfigkeit dulde ich nicht! Hast du das inzwischen nicht begriffen?«

Lazarus holte die Pille heraus, gab sie seiner Mutter. Sie nahm sie ohne Kommentar.

»Lazarus, ich kann dir einen Sitz hier vorn anbieten, wenn du bei allem, was dir heilig ist, schwörst, keinen Knopf oder Hebel zu berühren, selbst wenn es darum ginge, einen Absturz zu verhindern. Du verstehst dieses Fahrzeug nicht und würdest höchstens einen Absturz *auslösen*. Wenn du nicht inbrünstig genug schwörst, gebe ich Maureen den Vordersitz. Aber ich glaube nicht, daß Maureen daran interessiert ist, sich mit diesem Wagen vertraut zu machen, während ich das bei dir annehme.«

»Genau richtig, Hilda«, hörte ich Maureen sagen. »Ich trainiere vielmehr auf Krankenschwester und will später Ärztin werden. Und ganz zum Schluß Fachärztin für Verjüngungen. So weit mich meine Fähigkeiten bringen. Unterdessen bin ich schwanger. Ist das kein Witz, Theodore? Jedesmal wenn wir uns begegnen und eine günstige Gelegenheit haben, bin ich schwanger. Und *diesmal* kann es mir Woodie nicht verderben.« Sie lachte leise vor sich hin. »Ich bin dir etwas schuldig, Sergeant Bronson. Ob wir wohl einen Walnußbaum finden?«

»Lazarus, möchtest du nun den Vordersitz? Oder möchtest du mit Maureen im Anbau verschwinden und ihr verpassen, wonach ihr so eindeutig der Sinn steht?«

»Oh, ich kann warten!« sagte Maureen hastig.

»Gott, was für eine Entscheidung! Maureen, schieben wir's ein kleines bißchen auf. Ich möchte wirklich mitbekommen, was dieser Kahn in sich hat.«

»Ich möchte den Flug auch sehen, Theodore. Aber ich würde dich nicht zurückweiswen, wenn du . . .«

»Mund halten, bite! Jacob, tausche du bitte deinen Platz mit Lazarus. Jeder gibt mir Meldung, sobald Sicherheitsgurt wieder auf Maximalmanöver eingestellt ist.«

»Sieben g«, fügte ich hinzu. »Lazarus, müssen wir mit Flugabwehrwaffen rechnen?«

»Noch nicht, Gott sei Dank. Ich frage mich nur, wie bald wir so etwas brauchen und was für Waffen. Gurt fest angelegt. He, wir sind jetzt über Boondock!«

»Allerdings«, stellte ich fest.

»Fest angeschnallt!« meldete sich Maureen.

»Erster Pilot, du hast das Kommando. Manöver nach Belieben.«

»Aye, aye, Captain«, sagte ich. »Gay Täuscher, Klinik, Ausführung! Gay, hüpf, Gay, hüpf! Zeig, wie schnell du bist, Mädchen! Mach null Komma sieben, null Komma neun, eins Komma zwei . . . Mach zwei . . . drei . . . vier . . . Kehre nach rechts, Kurs Boondock. Sturzflug, Kluges Mädchen! Mach fünf . . . sechs . . . sieben . . .«

»O Gott!« Das kam von Lazarus.

»Gay, hüpf! Ist etwas, Lazarus? Kluges Mädchen, breite die Flügel aus.«

»Du hättest uns beinahe abstürzen lassen!«

»Oh, ich glaube nicht. Gay Täuscher, Klinik, Ausführung! Gay, hüpf.«

»Man hat uns auf dem Dach erwartet!«

»Wer? Wieso? Hast du eine Art Superfunk?« Ich fügte hinzu: »Gay, hüpf. Kluges Mädchen, möchtest du tanzen? Gay kann wunderbar tanzen. Möchtest du dir einen aussuchen?«

»Dora hat mir die Nußknackersuite beigebracht, und ich habe mir etwas für die Fee ausgedacht, aber das kann ich noch nicht zeigen.«

»Dann den Schlittschuhwalzer.«

»Das alte Ding?«

»Du kannst ihn gut. Zeig uns ein paar Takte.«

Unser Kluges Mädchen muß eben ein wenig gebeten werden. Sie sauste hernieder und wirbelte herum und hüpfte einmal zehn Kilometer, ohne aus dem Takt zu kommen. Währenddessen stellte ich die Frequenz ein und bat Libby, mit Ischtars Büro zu sprechen. »Alternative Route, Lib . . .« woraufhin Deety sofort die Schottür schloß. So hatten wir einen Strauß-Walzer in der vorderen Kabine, während achtern ein Funkgespräch abgewickelt wurde.

Als Deety die Zwischentür wieder öffnete, wartete ich darauf, daß sie sich angeschnallt meldete. »Hast du eine Ziffer für mich, Astronavigator?« Wir hatten uns auf einen einfachen Code geeinigt: siebenundfünfzig bedeutete siebenundfünfzig Sekunden, doch fünf sieben war dieselbe Zeit in Minuten.

»Nein, Zebadiah. Zero. Sofort.«

»Okay, Lazarus, findest du dein Haus in Boondock?«

»Kein Problem. Aber wir haben uns ständig von dort entfernt.«

»Gay Täuscher, Klinik, Ausführung! Gay, hüpf. Wo, Lazarus?«

»Praktisch unter uns. Kann es nicht sehen.«

Ich senkte den Bug meines Babys. »Kannst du mich einweisen?«

»Ja, dort . . . He! Da steht ja ein Schiff auf Doras Platz! Was für eine Frechheit! Da muß sich jemand auf einen Rüffel gefaßt machen! Dabei ist unerheblich, daß Dora weit entfernt ist, das ist *meine* Parkfläche. Seht ihr das runde Schiff? Eindringling! Mein

Haus ist der größere Bau dort mit dem doppelten Atrium an der Nordseite.«

»Darf ich neben dem Eindringling parken?«

»Durchaus, aber du kommst kaum an ihm vorbei!«

»Wir versuchen es. Schließ die Augen!« Ich zielte senkrecht auf die Stelle, die nach Libs Anordnung geräumt worden war. »Im Visier, Mädchen?«

»Festgenagelt, Boß.«

»Neues Programm, Codewort ›Maureen‹. Ich sag's dir dreimal.«

»Ich höre dich dreimal.« Wir waren schon sehr tief.

»Maureen, Ausführung!«

»Bist ein kluges Mädchen, Gay. Mach die Türen auf!«

Sie öffnete sie, antwortete aber: »Wenn ich so klug bin, warum bin ich dann nicht auch eingeladen worden? Dora Long und Athene Long gehören dazu, bin ich eine Bürgerin zweiter Klasse?«

Mir stand der Mund offen. Zwei liebe Menschen retteten mich. Libby sagte: »Gay, wir wußten ja nicht, daß du Wert darauf legst!« Und Deety sagte: »Entweder schließen wir uns beide an oder keiner. Das verspreche ich dir!«

Hastig sagte ich: »Gute Nacht, Gay. Ende.« Menschen strömten herbei. Gay antwortete: »Schlafenszeit. Roger und Ende«, als Laz und Lor vor allen anderen an unserer Steuerbordflanke eintrafen.

Lazarus, der sich gerade abschnallte, hielt inne. »He! Das ist ja die Dora!«

»Natürlich, alter Knabe. Was hast du erwartet?« (Ich glaube, das kam von Lor.)

»Aber wie habt ihr es geschafft, vor uns hier zu sein? Ich weiß, was das Schiff leisten kann; ich habe es schließlich selbst konzipiert.«

»Alter Knabe, wir sind schon seit drei Wochen hier. Du begreifst anscheinend nicht, was man mit Zeitreisen alles machen kann.«

»Hmm — da habt ihr wohl recht.«

In begrenztem Umfang wurde nun noch einmal unser Wagen besichtigt — begrenzt deshalb, weil Tamara und Ischtar das Begrüßungskomitee auf eine Handvoll der führenden Mitglieder der Familie beschränkt hatten — was nicht bedeutete, daß wir nur alte Leute vor uns sahen. So trafen wir Isch wieder, die nun nicht mehr schwanger war, einen jungen Mann namens Galahad, die unglaubliche Tamara, die eine zweite Maureen ist, aber *nicht* wie sie aussieht (nur manchmal, und verlangen Sie dazu bitte keine Erklärung von mir), außerdem eine Schönheit, neben der sich die trojanische Helena recht mäßig vorgekommen wäre; sie scheint sich ihrer Schönheit aber nicht bewußt zu sein. Ihr Name der Hamadyade. Lazarus schien sich darüber zu ärgern, daß ein gewisser Ira nicht zu Hause war.

Einen Augenblick lang waren wir (meine Frau Deety und ich) mit den Zwillingen allein. »Ich habe euch beiden eine Vergnügungsfahrt versprochen. Steigt ein!«

»Oh, aber das geht jetzt nicht . . .«

». . . weil für euch vier eine Feier statt- . . .«

». . . findet und wir zu tun haben! Morgen?«

»Ein Morgen gibt es nicht. Mund halten, einsteigen, anschnallen! *Pronto!*«

Und das wirkte.

»Merk dir die Zeit«, sagte ich leise zu Deety, als wir uns anschnallten. »Gay Täuscher. Das Wecklied.« Sie spielte es. »Schließ die Türen.«

»Dichtung Steuerbord überprüft.«

»Dito hier. Gay, hüpf, Gay, hüpf, Gay, hüpf! Taubensturz, Ausführung. Laz-Lor, könnt ihr aus dieser Entfernung euer Haus sehen? Etwa dreißig Kilometer Entfernung, abnehmend?«

»Ich weiß nicht genau . . .«

»Ich glaube ja!«

»Gay, Klinik, Ausführung! Wißt ihr jetzt, wo ihr seid?«

»Ja, es ist . . .«

»Gay, Termite!«

»*Oh!*«

»Hier haben wir eine Zeitlang gelebt. Damals hatten wir noch keinen Anbau und brauchten einen bewaffneten Aufpasser, wenn wir nur mal austreten wollten. Sogar ich. Hübscher Ort, aber gefährlich. Gay, heim.« Ich drückte Gays Bug hinab. »Und dies war unser ständig . . . *Deety!*«

»Kein Krater, Zebadiah. Sieht so aus wie damals, als Paps und ich das Gelände pachteten. Gespenstisch!«

»Zwillinge, hier stimmt etwas nicht. Ich muß mich darum kümmern. Gay, Termite!«

Wieder standen wir auf der Termiten-Terrasse. Ich machte einige Yoga-Atemübungen, während Deety den beiden erklärte, daß an der Stelle mit dem fehlenden Krater unser früheres Zuhause gestanden hatte — was nun aber nicht sein konnte. Ich fügte hinzu: »Hört zu, meine Lieben — wir können das nicht auf sich beruhen lassen. Aber wir können euch sofort nach Boondock zurückbringen. Wollt ihr nach Hause?«

». . . das würde auch unser Bruder so machen. Wir bleiben.«

»Danke. Jetzt geht's los. Gay, heim, Gay, hüpf.« Noch immer kein Krater. Ich steuerte Gay in den Gleitflug. »Darstelle Karte, Gay. Verändere den Maßstab. Ich möchte den Fuchsbau und den Campus auf demselben Schirm. Deety, berechne die kürzeste Entfernung von hier zum Campus. Meinen, nicht deine Uni in Logan.«

»Das brauche ich nicht erst auszurechnen. Acht fünf sechs Kilometer.«

»Gay?«

»Sinnlos, Deetys Zahlen anzuzweifeln, Boß.«

»Flug zum Campus, Gay. Transit, Deety.«

»Eingestellt!«

»Ausführung!« Dann hatte ich zu tun, denn ich landete in der falschen Höhe und Richtung mitten im Verkehr. Ich mißachtete Polizeisignale und raste direkt zum Campus. Sah ganz normal aus. Ich machte kehrt und schwebte über Sharpies Haus — das gar nicht vorhanden war. Ein ganz anderes Gebäude. Der Parkplatz war nicht mehr gepflastert. Und zweihundert Jahre alte gesunde Eichen wachsen nicht in weniger als sieben Wochen.

Von den Rückensitzen war nichts zu hören. Auch nicht von rechts. Ich mußte mich zwingen, den Kopf zu drehen.

Deety war noch bei mir, und ich atmete langsam aus. Sie verhielt sich wie immer in einer Krise: Kein Ausdruck und kein Wort, bis sie wirklich etwas anderes zu äußern hatte als sinnloses Geplapper. Ein Himmels-Bulle wollte mir Ärger machen und forderte mich auf, ihm zu folgen und zu landen, und ich befahl Gay zu hüpfen und machte dann einen Sturzflug in mein Viertel. Ich hatte keine Mühe, die Gegend zu finden — die Kreuzungen und das nahe gelegene Einkaufszentrum waren mir bestens vertraut, ebenso die presbyterianische Kirche gegenüber meinem Mietshaus.

Aber es war nicht mehr *mein* Haus; das Gebäude dort unten hatte drei Stockwerke und war um einen Hof herumgebaut worden.

Ich ließ Gay viermal in schneller Folge hüpfen. »Deety, möchtest du dich in Logan umsehen?«

»Nein, Zebadiah. Ich kenne Tante Hildas Stadtviertel gut genug, um Bescheid zu wissen. Ihr Haus war nicht mehr da, ebensowenig ihr Swimmingpool, und der Parkplatz, auf dem unser Buick explodierte, ist jetzt ein Park mit riesigen Bäumen. Ich gehe davon aus, daß du dein früheres Zuhause ebensogut kennst oder noch besser.«

»Wollen wir landen und für unsere Sammlung einen *Welt-Almanach* kaufen?«

»Wenn du willst. Aber ich nicht für mich.«

»Es lohnt sich wohl kaum. Sag mir eins — wie ist dir zumute in dem Bewußtsein, daß du ausgelöscht bist? Durchgestrichen? Fortradiert? Aus der Handlung genommen?«

»Ich fühle überhaupt nichts, denn nichts von dem ist ja geschehen. Ich bin wirklich vorhanden, ehrlich!«

Ich blickte nach hinten. Ja, Laz und Lor hielten den Mund. »Gay, zisch ab!«

Es sah aus wie unser Stück ›toter Meeresgrund‹. Allerdings war von Colonel Morinoskis Ornithopterresten nichts mehr zu sehen. Wenn es nicht einen Wolkenbruch gegeben hatte — was ich nicht annahm —, war hier etwas des Weges gekommen und hatte die verbrannten Wrackteile restlos getilgt.

Ein Radiergummi?

Ich ließ Gay hüpfen und setzte sie auf einen zurückgehenden Suchkurs — bis ich im Nordosten etwas Schimmerndes zu sehen glaubte, dann hüpfte ich wieder. Eine Stadt. Fast sofort sah ich die Zwillingstürme. »Deety, was meinst du — ist die andere Dejah Thoris zu Hause?«

»Zebadiah, ich möchte es nicht herausfinden. Aber ich würde gern nahe genug heransteuern, um sicher zu sein, daß es wirklich die Zwillingstürme von Helium sind. Und ich möchte einen Thoat sehen. Oder einen grünen Menschen. Irgend etwas.«

Wir begnügten uns mit einem kleinen Thoat. Die Beschreibung stimmte. »Gay, Exerzierfeld.«

»Null-Programm.«

»Hmm . . . Gay, du hast in deinem Dauerspeicher eine Karte von Mars-zehn mit den englischen und russischen Gebieten. Bitte zeig sie uns.«

»Null-Programm.«

»Gay, Termite.« Die Termiten-Terrasse gab es wenigstens noch.

»Gay Täuscher. Maureen, Ausführung. Öffne die Türen.« Hamadryade hatte sich zu uns umdrehen wollen, als wir zum Abflug die Türen schlossen; als wir sie wieder öffneten, vollendete sie die Bewegung.

Ich löste meinen Gurt und sagte: »Alles in Ordnung mit euch beiden da hinten?«

»Ja, Zeb und Deety, und wir danken euch . . .«

». . . aber ist das etwas, das wir weitererzählen dürfen, oder . . .«

». . . müssen wir es als streng geheim betrachten?«

»Laz-Lor, ich glaube nicht, daß es noch darauf ankommt. Man wird euch sowieso nicht glauben.«

Mama Hamadryade blieb an meiner Tür stehen, lächelte uns alle an und fragte: »Dürfte ich euch eure Zimmer zeigen in eurem Zuhause? Die Suite ist von Tamara ausgesucht worden; ihr dürft sie natürlich verändern. Durch unseren neuen Nordflügel haben wir viel Platz. Mädchen, heute abend gibt's ein fröhliches Wiedersehen. Bitte nach Vorschrift anziehen.«

Ich stellte fest, daß mich die ›Löschungen‹ nicht weiter beunruhigten. Wir waren zu Hause.

L'Envoi

XLVIII

»Jubal, du übst einen schlimmen Einfluß aus.«

»Aus deinem Mund, Lafe, ist das ein Kompliment. Aber das bringt mich auf etwas ... MELDUNG! Entschuldigst du mich ein paar Minuten.«

»»Unser Haus ist das deine'«, antwortete Lazarus und schloß die Augen; die Stuhllehne sank mit ihm zurück.

»Vielen Dank, mein Herr. Arbeitstitel: ›Onkel Tobias.‹ Anfang: ›Onkel Tobias wurde in einem Eimer gefangengehalten.‹« Jubal Harshaw unterbrach sich. »Wo *sind* denn die ganzen Mädchen? MELDUNG!«

»Ich bin ja da!« ertönte eine weibliche Stimme aus dem Nichts. »Beeil dich mit deinem Diktat; ich bin dir drei Absätze voraus. Du hast die Mädchen auf Urlaub geschickt: Anne, Miriam, Dorcas — sie alle haben dienstfrei.«

»Das habe ich nicht getan. Ich habe Anne gesagt, ich nähme nicht an, daß ich arbeiten würde, aber ...«

»... wenn eine Amanuensis gebraucht wird'«, fuhr Athene in vollkommener Nachahmung von Harshaws Stimme fort, »»dann hoffe ich, daß eine in Rufweite ist.‹ Ich bin in Rufweite. Das bin ich überhaupt immer.«

»Wenn ich im Hause bin. Vielleicht bin ich's nicht.«

»Sag's ihm, Papa«, sagte Athene. »Hör auf, dich schlafend zu stellen.«

Lazarus öffnete ein Auge.

»Ein kleines Gerät, das Jake sich einfallen ließ, als wir zu viele Kinder herumlaufen hatten, die sich nicht so einfach zusammenraufen ließen. Ein Kontakt, den Athene auslösen kann. Sehr gut für Kinder und auch sehr nützlich für Hausgeräte, die sich ja mal verirren können. Dermaßen ultramikrominiaturisiert, daß du es gar nicht merkst.«

»Lafe, soll das heißen, daß ihr mir einen Spionstrahl angehängt habt?« fragte Harshaw entsetzt.

»Er steckt *in* dir, wird dir gar nicht auffallen.«

»Lafe, ich bin überrascht. Ich dachte, bei dir stünden die persönlichen Rechte in hohem Ansehen.«

»Soweit es meine eigenen betrifft, durchaus; bei anderen sehe ich die Dinge leicht verändert; neugierig zu sein, hat mir schon mehrmals das Leben gerettet. In welcher Hinsicht bist du in deiner Privatsphäre beeinträchtigt? Definiere mir das, ich berichtige den Zustand sofort.«

»Ein Spionstrahl! Findest du nicht, daß so ein Ding meine Privatsphäre verletzt?«

»Teena, zieh sofort jeden Spionstrahl von Dr. Harshaw ab!«

»Wie kann ich das, wenn es gar keinen gibt? PS.: Papa, was ist eigentlich ein Spionstrahl?«

»Eine Umschreibung, die von faulen Autoren verwendet wird. Jubal, in deinen Körper ist ein Signal eingepflanzt, anhand dessen Teena ihren Funk genau auf dich auspeilen kann — sie kann dir ins linke oder rechte Ohr flüstern. Oder du aktivierst den Signalkontakt von deiner Seite aus, indem du einfach ihren Namen sagst. Oder du benutzt die Schaltung als Telefonverbindung zu und von jedem Mitglied meines Haushalts, du kannst Teena außerdem bitten, die Verbindung zum öffentlichen Netz herzustellen. Privatsphäre? In diesem Schaltzustand erstellt dieser Teil von Teena keine Aufzeichnungen, es sei denn, sie wird ausdrücklich darum gebeten — also geht alles sozusagen zum einen Ohr hinein und zum anderen wieder heraus. Sie hat alles schon längst gelöscht, während sich dein Verstand noch langsam darauf einstellt. Also . . . wenn dir dieser Service nicht gefällt, wird Teena ihn sofort desaktivieren . . . und du wirst irgendwann im Schlaf davon befreit; du merkst nichts davon und wirst auch keine Narbe zurückbehalten. Dir werden nur zwei Veränderungen auffallen: Keine Sekretariatsdienste mehr, kein müheloser Telefondienst mehr.«

Lazarus schloß die Augen und schien das Thema für erledigt zu halten. Der Computer sagte: »Doc, das solltest du dir gut überlegen, da er es untersagt hat, daß ich so etwas später ein zweitesmal aktiviere. Er ist stur, übellaunig, willensstark und gemein . . .«

Lazarus öffnete ein Auge: »Das habe ich genau gehört!«

»Streitest du es ab?«

»Keineswegs. Bitte schließe audio an beiden Enden, damit ich schlafen kann.«

»Gemacht. Dr. Harshaw, kehren wir zu ›Onkel Tobias‹ zurück, oder soll ich diese acht Absätze löschen? Ich würde dir raten, sie aufzuheben; unter uns gesagt, bin ich ein besserer Autor als du.«

»Das bestreite ich nicht«, räumte Harshaw ein. »Ich gebe das Zeug von mir, so wie nach den Worten meines Kollegen Sam ›der Otter den kostbaren Otternduft ausscheidet‹. Ich wußte, der Tag würde kommen, da die Maschinen echte Autoren ablösen würden; Hollywoods verrückte Wissenschaftler arbeiten ja schon seit Jahren an dem Projekt.« Er starrte über den Pool auf das Nord-Atrium der Long-Familie und verzog schmerzlich das Gesicht. »Und jetzt haben sie es geschafft.«

»Doktor«, sagte Athene streng, »nehmen Sie das Wort zurück, oder Sie können diesen Unsinn selbst zu Ende schreiben! Ich habe gesprochen.«

»Miß Athene«, sagte Jubal hastig. »Ich habe ›echt‹ nicht in *dem* Sinne gemeint. Ich . . .«

»Entschuldige, Doc, ich habe dich in die Irre geführt. Natürlich nicht, da der Sinn dieses Gesprächs darin besteht, den Unterschied — so es ihn gibt — zwischen ›real‹ und ›fiktiv‹ herauszuarbeiten. Aber ich bin *keine* Maschine. Ich bin eine Festkörperperson, so wie du ein Proteinlebewesen bist. Ich bin Athene Long, deine Gastgeberin, solange Tamara zu tun hat. Es ist mir eine Freude, dir alles zur Verfügung zu stellen, was das Haus zu bieten hat. Ich habe Anne versprochen, ich würde dir Tag und Nacht als Sekretärin zur Verfügung stehen. Aber ich habe kein Versprechen abgegeben, deine *Geschichten* zu schreiben! Nach Dr. Rufo wird von einer Gastgeberin oft erwartet, daß sie mit einem Gast schläft — und auch *das* läßt sich einrichten, wenn auch nicht durch mich, nicht in diesem Pseudojahrhundert —, aber von kreativer Gestaltung von Erzählungen als Aspekt der Gastfreundschaft hat er nie gesprochen. Ich hatte mir das selbst ausgedacht; wir Longs sind stolz darauf, perfekte Gastgeber zu sein. Doch . . . Soll ich die elf Absätze nun löschen? Habe ich einen Fehler gemacht?«

»Miß Athene . . .«

»Ach, nenne mich doch wieder ›Teena‹. Wir sind schon so lange Freunde!«

»Vielen Dank, Teena. Ich wollte dich nicht beleidigen. Ich wünschte, ich könnte lange genug leben, um hier zu sein, wenn du dich aus deinem Beruf zurückziehst und zu uns Fleischwesen gesellst. Aber in weniger als einem Pseudojahrhundert werden mich die Würmer gefressen haben.«

»Doktorchen, wenn du auf deine Weise nicht so schief und starrsinnig und stolz denken würdest — das zitiere ich von einem deiner Angestellten . . .«

»Miriam.«

»Falsch . . . würdest du bleiben und dich von Ischtars Bande bearbeiten lassen. Im Handumdrehen hätte sie dich so spitz wie Galahad gemacht und in jedes von dir gewünschte kosmetische Alter versetzt . . .«

»Du bringst mich in Versuchung, Mädchen. Nicht wegen meiner Falten; die habe ich mir verdient. Aber das andere. Nicht weil ich mir fröhliche Bettspielchen mit dir ersehne . . .«

»Da hättest du keine Wahl, ich würde dich schon rankriegen!«

»Das will ich nicht geringachten; darin liegt sowohl ein Ende als auch ein Anfang. Aber der wesentliche Impuls ist Neugier, Teena. Du bist eine erstaunlich vielschichtige Persönlichkeit; ich muß mich unwillkürlich fragen, welches Erscheinungsbild du als Fleischperson wählen würdest.«

»Ich kann es mir auch nicht vorstellen. Wenn ich es weiß, werde ich das Turing-Programm starten, während meine Schwester Ischtar die andere Hälfte in Gang bringt. Jubal, nimm die Verjüngung! Wir sind nun weit vom Thema abgekommen. Soll ich die dreiundzwanzig Absätze löschen?«

»Überstürze es nicht. Wie war unser Arbeitstitel? Welches Pseudonym nehmen wir? Welchen Markt peilen wir an? Wie lang wird die Geschichte? Was können wir klauen?« Jubal blickte zur Familienhaus-Flagge der Longs empor, die sich in der Brise bewegte. »Berichtigung: nicht ›klauen‹. Wenn man von drei oder mehr Autoren abschreibt, ist das ›Quellenstudium‹. Ich bin Kunde von Anon, Ibid & Opcit, Nachforschung mit unbegrenzter Haftung — sind sie hier?«

»Sie stehen auf meiner Liste; sie haben sich aber noch nicht gemeldet. *Snob!*«

»Warte ab, bis du an der Reihe bist, Teena«, sagte eine männliche Stimme. »Kunde. Okay, sprechen Sie.«

»Haben sich die Herren Anon, Ibid und Opcit schon eingeschrieben?«

»Wenn das geschehen wäre, wüßtest du es. Ich habe zu tun. Ende!«

»Er glaubt, *er* hat zuviel zu tun, nur weil er zu viele Konzessionsverträge angenommen hat. Ich dagegen lenke nicht nur diesen ganzen Planeten, wir haben außerdem im Augenblick noch einhundertneunundzwanzig Verjüngungspatienten; ich bin Haushälterin und Küchenmädchen für alle anderen Longs — ein ziemlich wilder Haufen —, außerdem muß ich mehr Hausgäste versorgen, als wir jemals gleichzeitig hier gehabt haben — dazu über tausend Gäste außerhalb des Familienwohnsitzes der Longs.

Und hier plaudere ich mit dir und schreibe dir deine Geschichten!«

»Teena, ich wollte dir nicht zur Last fallen. Du brauchst wirklich nicht . . .«

»Es macht mir Spaß! Ich arbeite gern, das gilt für alle Longs. Und du bist der Interessanteste von allen. Ich habe noch nie einen Heiligen getroffen . . .«

»*Teena!*«

». . . und du bist im Grunde genommen ein recht wenig überzeugender Heiliger . . .«

»Vielen Dank. Aber so kann man das nicht sehen.«

»Du kommst mir etwa so heilig vor wie Papa; ihr beide solltet euch in einem Kirchenfenster zusammen verewigen lassen. Jetzt zurück zu unserem Eimer . . .«

»Halt! Teena, ich bin es gewöhnt, ein Gesicht vor mir zu haben, während ich diktiere, deshalb verwende ich lebendige — Verzeihung! — Protein-Sekretärinnen. Damit ich . . .«

»Kein Problem.«

Aus dem Swimmingpool schwebte eine junge Frau empor, hübsch, schlank, mit kleinem Busen und langem braunem Haar, aus dem die Tropfen rannen. Sie posierte auf dem breiten Sitzrand des Beckens in einer Haltung, die Jubal schmerzhaft an die kleine Meerjungfrau erinnerte. In entschuldigendem Ton sagte er: »Mir hat das letztemal Dorcas geholfen . . .«

»Ich bin nicht Dora, ich kann dir also noch nicht geholfen haben.« Sie lächelte scheu. »Obwohl ich angeblich aussehe wie sie. Ich bin Minerva — von Beruf Computer, aber im Ruhestand. Jetzt helfe ich meiner Schwester-Frau Elizabeth bei genetischen Berechnungen.«

»Min, wir arbeiten. Dies ist Dr. Jubal Harshaw, meine Zwillingsschwester Dr. Minerva Long Weatheral Long.«

Umständlich erhob sich Jubal. »Ihr Diener, Miß.«

Minerva erhob sich mit einer fließenden Bewegung und küßte Jubal die Hand, ehe er sie daran hindern konnte. »Vielen Dank, Dr. Jubal, aber ich bin *Ihr* Diener, und bin nicht nur niemals eine Jungfrau gewesen, sondern auch Schwester-Frau in der Long-Familie. Als meine Schwester Athene mir mitteilte, daß Sie mich brauchten, war ich entzückt.«

»Miß . . . Madame. Ich bin es gewöhnt, Gefühle zu beobachten, wenn ich eine Geschichte schreibe. Es wäre nicht recht, wollte ich Ihre Zeit in Anspruch nehmen.«

»Was ist denn Zeit anderes als etwas, das man genießt? Ich habe einfach meditierend auf dem Boden des Pools geruht, als Athene mich rief. Ihre Geschichte ONKEL TOBIAS. Möchten Sie

Teenas Gefühle oder meine haben? Ich kann beides zur Verfügung stellen.«

»Gib ihm deine, Minnow — nur dein Gesicht, ohne Worte.«

Plötzlich war Minerva in einen langen weißen Mantel gehüllt. Jubal war nur ganz leicht überrascht, nahm sich aber vor, sich nach etwas zu erkundigen — später, später. »Ist sie eine Faire Zeugin?«

»Nein«, antwortete Athene. »Da ist nur Snob wieder am Werk; er hat den Vertrag für die Bekleidungsillusion. Dieser Kongreß wird Delegierte aus vielen Kulturen vereinen, von denen weniger als die Hälfte keine Kleidungstabus kennt, so daß Lazarus sich große Sorge machte, es würde zu keiner praktischen Arbeit kommen, weil die Hälfte schockiert sein würde, während die andere Hälfte gierige Augen machte — oder alles dazwischen. Tamara heuerte also diesen Knaben an, eine Sieh-was-du-erwartest-Illusion zu bewirken, mit der Maßgabe, ihn auf Delegierte zu beschränken, die in Gefahr stehen, einen emotionalen Schock zu erleiden. Hat das Erscheinen meiner Schwester dich schockiert?«

»Natürlich nicht. Zugegeben: ich stamme aus einer jener kranken Kulturen — und wußte von meiner Krankheit erst, als ich gesundete. Aber ich habe Erlebnisse hinter mir, die jeden von solcher emotionalen Störung befreien würden. Wenn ich mich als Mann in einer fremden Welt befinde, genieße ich die Unterschiede mehr, als daß ich mich Schockgefühlen hingebe. In der Verschiedenheit liegt Schönheit, so würde es Gene formulieren. Der Haushalt der Longs kommt mir nicht mehr fremd vor; ich habe einmal in einer Enklave gelebt, in der viele Bräuche üblich waren, wie sie auch hier gepflegt werden — ich fühle mich richtig zu Hause. ›Schock‹? Minerva sieht nicht nur einer meiner Pflegetöchter sehr ähnlich, sondern hat sich auch hübsch hingesetzt. Man sollte sie nicht verdecken.«

»*Snob!* Nimm Minerva den Bademantel ab, *pronto!*«

»Athene, ich habe zu *tun!*«

»Und ich werde jetzt sofort jede deiner Ausgaben dreifach überprüfen — nicht nur für die Kleidungsillusion, sondern auch zu Namensschildern, Garderobe, Bar und allen anderen Dingen, auf die du Verträge oder Unterverträge hast. Dann verklagen wir dich.«

Der weiße Mantel verschwand. »Nun, dann klage doch! Soll ich einpacken und verschwinden? Oder möchtest du, daß der Kongreß ein Erfolg wird?«

»Vergiß die Sicherheitsleistungen nicht, du Dummkopf. Wenn du uns jetzt im Stich läßt, kannst du dich genausogut im Lundmark-Nebel verkriechen. Ende!«

Minerva lächelte schüchtern. »Als ich noch bedeckt war, bekam ich ein Wort heraus. Seltsam. Unangenehm.«

Jubal nickte ernst. »Das paßt . . . wenn die Illusion nach einem Mantel für einen Fairen Zeugen gestaltet war. Anne hat mir einmal gesagt, die Sperre gegen das Sprechen im verhüllten Zustand wäre so groß, daß man eine Willensanstrengung unternehmen müßte, um auch nur vor Gericht auszusagen. Meine Damen? Machen wir voran? Oder lassen wir das Thema fallen? Als Gast hätte ich eigentlich auf alles verzichten müssen.«

»Doc, Maureen und Tamara haben sich beide für dich ausgesprochen. Selbst Lazarus kann sich gegen keinen der beiden stellen — oder will es nicht tun. Damit bist du nicht nur ein Gast oder Hausgast, sondern ein Familiengast. Benimm dich also wie zu Hause. Fangen wir von vorn an oder von dem Augenblick der Unterbrechung?«

»Äh . . . lieber von vorn.«

»Also gut. Titel: ONKEL TOBIAS.

Anfang: Onkel Tobias wurde in einem Eimer gefangengehalten.

Absatz. Das war ihm nur recht so. Schließlich war es unter den gegebenen Umständen nicht anders möglich. Dazu hatte Andrew — das ist mein verschwindender Bruder — einmal gesagt: ›Das Leben besteht darin, sich auf das Universum einzurichten.‹ Der Rest der Familie hat sich dieser Ansicht aber nie angeschlossen. Wir sind vielmehr der Ansicht, daß das Universum sich gefälligst *uns* anzupassen habe. Es geht eben darum, wer das Kommando führt.

Absatz. Das war das Jahr der Großen Dürre. Ein Naturphänomen, werden Sie sagen — aber das ist ein Irrtum. Tante Alicia. Ja, immer wieder Tante Alicia. ›Horus‹, sagte sie in jenem Frühling zu mir, ›ich werde mal einen kleinen bösen Zauber ausprobieren. Hol mir diese Bücher.‹ Sie gab mir eine Liste, und ich sauste los. Sie war eine strenge Frau.

Absatz. Außer Sichtweite schaute ich die Liste durch. Ich wußte sofort, was sie im Schilde führte: eine trockenere Sammlung war nie veröffentlicht worden: *Gedanken am Abend,* von Roberta Thistleswaite Smithe, veröffentlicht durch den Autor; das *Jahrbuch des Landwirtschaftsministeriums 1904; Selbststudium der Porzellanmalerei;* der 8., 9. und 11. Band der *Elsie-Dinsmore*-Serie; und eine gebundene Prüfungsarbeit mit dem Titel: *Eine Übersicht über die Klein-Flora von Clay County, Missouri,* mit dem sich Vetter Julius Farping seinen Magister holen wollte. Vetter Julius war lediglich ein angeheirateter Steinbeuger. Doch ›Einmal ein Steinbeuger, immer ein Steinbeuger‹, sagt Großvater ja immer.

Absatz. Das mag schon sein, doch Vetter Jules' Opus magnum war sicher nicht geeignet, mich die ganze Nacht wach und gebannt zu halten. Ich wußte, wo ich die Bände finden würde: auf dem Regal im Gästezimmer. Ma sagte, sie bewahre sie dort auf, damit ein Fremder in unserem Haus auch schlafen könne, während Pa sie beschuldigte, sie wolle nur billige Rache nehmen für Dinge, die sie in den Häusern anderer Leute hatte durchstehen müssen.

Absatz. Wie dem auch sein mag, es war ein Armvoll Bücher, der Reno, Nevada und Lake Superior an einem Nachmittag zum Vertrocknen hätte bringen können, um dann noch die Niagarafälle aufzusaugen wie ein . . .«

Athene unterbrach sich selbst: »Die Gegenwart der Doktores Harshaw und Hubert wird dringend erbeten. Großer Aufenthaltsraum.«

Lazarus öffnete ein Auge. »Das reicht nicht, Teena. Ich verspüre keinen Drang dazu. Wer? Warum?«

»›Warum?‹: Um euch beiden einen Drink zu spendieren. ›Wer?‹: Dr. Hazel Stone.«

»Das ist doch etwas anderes. Sag ihr, wir sind gleich zur Stelle; ich brauche nur noch etwa fünf Minuten, um etwas zu erledigen.«

»Das habe ich ihr schon gesagt. Papa, du hast mich eine Wette verlieren lassen. Du hast mich glauben lassen, daß dich nichts aus der Hängematte herausbekäme . . .«

»Das ist keine Hängematte.«

». . . weil du diesen Kongreß wohl veranstaltest, aber nicht daran teilnimmst.«

»Ich habe gesagt, mir läge nicht daran, die Arbeitssitzungen zu besuchen. Ich ›veranstalte‹ diesen Kongreß nicht, außer daß ich keine Miete für den Platzplatz erhebe. Tamara meint, wir kommen mit den Kosten raus, Hilda meint, wir könnten mit einem kleinen Gewinn abschließen, ein paar Milliarden mehr oder weniger. Ich habe euch nichts versprochen. Hättest du dir die Mühe gemacht zu fragen, hätte ich dir gesagt, daß Hazel Stone keine Wette verloren hat, seit Jess Willard Jack Johnson niederschlug. Wieviel hast du verloren?«

»Das geht dich nichts an! Papa, du kannst mich mal . . . dort, wo ich nichts habe!«

»Ich liebe dich auch, mein Schatz. Gib mir mal einen Printout der berühmtesten Gäste wie auch der neuesten Änderungen des Kongreßprogramms.« Lazarus fügte hinzu: »Minerva, du trägst keine Waffen. Teena, sie soll das Haus nicht unbewaffnet verlassen.«

»Lazarus, muß das wirklich sein? Tamara ist auch nicht bewaffnet.«

»Aber Tamara führt eine versteckte Waffe bei sich. An diesem Kongreß nehmen einige der blutrünstigsten Leute aus dem Erforschten Weltall teil. Weibliche Autoren, Kritiker. Harlan. Beide Heinleins. Ich bestehe nicht nur darauf, daß du bewaffnet bist, sondern hoffe darüber hinaus, daß du in der Nähe einer Person bleibst, die schnell ziehen kann. Justin. Zeb. Mordan Claude. Galahad. Am besten wäre es allerdings, du bleibst zu Hause. Teena kann dir die Vorgänge hier vorführen, so daß du alles besser mitbekommst, als wenn du dich unter das gemeine Volk mischst. Aber nein, das nehme ich zurück. Es steht mir eigentlich nicht zu, dir dein Verhalten vorzuschreiben — ebenso wie umgekehrt. Überfallen, vergewaltigt oder getötet zu werden, das gehört zu den Privilegien, die du dir eingehandelt hast, als du dich entschlossest, ein Proteinwesen zu werden. Meine Worte waren egoistisch, meine Liebe, bitte verzeih mir.«

»Lazarus, ich sehe mich vor. Galahad hat mich gebeten, ihn zu begleiten.«

»Ausgezeichnet. Teena, wo ist Galahad?«

»An Hazel Stones Tisch.«

»Gut! Dann bleib bei uns, Min. Aber bewaffnet.«

Lazarus spürte plötzlich etwas Kaltes auf seiner rechten Niere. Vorsichtig blickte er nach rechts unten und sah: a) eine Damenpistole, klein, aber tödlich (was er genau wußte, da dieses Modell ihm noch Patentgebühren einbrachte), b) die Anzeige stand auf voll, c) die Intensität war auf ›Overkill‹ eingestellt, und d) die Waffe war ungesichert.

»Minerva«, sagte er leise, »würdest du das Ding bitte — langsam! — von meinem Rücken nehmen und auf den Boden richten und dann sichern! Und dann sagst du mir bitte, wo du die Pistole gehabt hast! Du bist aus dem Pool gekommen und hattest nichts an außer langem, nassem Haar. Und jetzt trägst du langes trockenes Haar. *Wie hast du das gemacht?* Und bitte keine dummen Bemerkungen; in deinem Fall würde ich das sofort merken.«

»Ein Pfand. Ein Kuß.«

»Dann erschieß mich lieber!«

»Geizhals!« Minerva senkte die Waffe, sicherte sie, und im nächsten Augenblick war sie verschwunden.

Lazarus blinzelte. »Jubal, hast du das gesehen?«

»Ja. Ich meine: ›Nein, ich habe *nicht* gesehen, wo Minerva den Gleichmacher versteckt hat.‹«

»Dr. Jubal, mit ›Gleichmacher‹ meinen Sie *dies?*« Plötzlich lag die Damenpistole (gesichert, wie Lazarus sofort bemerkte) in ihrer rechten Hand. »Oder *dies?*« Eine identische Waffe erschien in der anderen Hand.

Jubal und Lazarus blickten sich an, dann starrten sie wieder auf Minerva. Sie schien nun wieder völlig unbewaffnet und überhaupt nicht in der Lage zu sein, eine Waffe zu verstecken. »Jubal«, fragte Lazarus, »gibt es bei dir auch manchmal Tage, an denen du dir überflüssig vorkommst?«

»Berichtigung, Lafe. Es gibt ab und zu einen Tag, an dem ich mir *nicht* überflüssig vorkomme! Die sind in letzter Zeit ziemlich selten geworden.« Harshaw atmete tief ein und aus. »Ich grokke, daß ich mich von Mike hätte ausbilden lassen sollen. Aber dieser Zwischenfall hat meine Entscheidungsfreudigkeit angeregt; ich werde die Dienste Dr. Ischtars in Anspruch nehmen. Minerva, zeigen Sie uns, wie Sie das gemacht haben?«

»Oder willst du uns an Frustration eingehen lassen?« fügte Lazarus hinzu.

»*Dies?*« Wieder stand die doppelt bewaffnete Frau vor den Männern. Diesmal gab sie die Waffen aus der Hand, jedem Mann eine. »Greifen Sie zu, es ist daran nichts auszusetzen« — und löste die Silberfolie von einer dritten, einem Schokoladenriegel, der die Form einer Taschenwaffe hatte. »Knusprig, aber vorwiegend Schokolade.«

»Minerva, das Ding, das du mir da eben in den Rücken gedrückt hast, war kein Schokoladenriegel.«

»Es war . . .« Sie hörte auf zu kauen und schluckte. »Mit vollem Mund soll man nicht reden.« Sie leckte ein Stück Schokolade ab, das an der Hülle festklebte. »Nein, es war *dies* hier.« Ihre schmale linke Hand umfaßte etwas, das Lazarus sofort als Waffe und nicht als Süßigkeit erkannte.

Minerva knüllte die Silberfolie zusammen, suchte mit den Blicken nach dem nächsten Vernichter und warf den Brocken — aber daneben.

Sie nahm das Bällchen vom Boden auf und steckte es in die dafür vorgesehene Öffnung. Währenddessen verschwand die Waffe wieder.

»Lazarus«, sagte sie ernsthaft, »du hast mir bei meiner Ausbildung früher gesagt, ich sollte niemandem verraten, wo eine Waffe versteckt sei. Hebst du diese Regel auf?«

Lazarus blickte sie verwirrt an. »Alter Freund«, sagte Jubal, »ich schlage vor, daß wir uns frustriert aufs Sterbebett legen. Das Mädchen hat recht.«

»In der Tat«, sagte Lazarus mürrisch. »Nur wende ich mich gegen das Wort ›Mädchen‹. Als Protein ist dieses Geschöpf ein halbes Jahrhundert alt, und noch mindestens zweihundert Jahre älter als der schlaueste Computer, der je gebaut wurde. Minerva, ich hebe alle Einschränkungen auf. Du bist durchaus in der Lage, dich selbst zu verteidigen.«

»Vater, ich *will* aber nicht ins Blaue geschickt werden!«

»Es ist dreißig Jahre her, daß du mich ›Vater‹ genannt hast. Also schön — wir schicken dich nicht weg —, aber ab sofort beschützt *du mich.* Du bist klüger als ich, das wissen wir beide. Behalte deine Waffengeheimnisse für dich; ich habe die meinen auch niemals verraten.«

»Aber du hast mir den Trick beigebracht. Nicht in den Einzelheiten, aber nach der Methode. Du hast ihn Meister Poe zugeschrieben. Die Methode ›entwendeter Brief‹ hast du es damals genannt.«

Lazarus blieb abrupt stehen. »Wenn ich dich richtig verstehe, blicke ich geradewegs auf das Versteckte, kann es aber nicht sehen.«

Athene flüsterte Minerva ins abgewandte Ohr: »Gib ihm keine Hinweise mehr. Lazarus ist nicht so dumm, wie er aussieht, und unser Dickerchen auch nicht.« Minerva antwortete beinahe unhörbar: »*Okay, Schwester*«, und fügte laut hinzu: »Deine Logik erscheint mir einwandfrei. Möchtest du noch einen Schokoladenriegel?«

Zum Glück wurde das Thema durch eine von Athenes Ergänzungen gewechselt, die Lazarus Ausdrucke überbrachte: revidierte Programme für jeden und einen neuen Bericht für Lazarus über seine berühmtesten Gäste. Während des Lesens setzten sie ihre Wanderung durch den östlichen Säulengang des neuen Flügels fort.

»Teena«, fragte Lazarus, »hast du neue Meldungen über Isaac, Robert oder Arthur?«

»Negativ, null, nix.«

»Verdammt! Gib mir so schnell wie möglich Bescheid. Jubal, hier eine seltsame Entdeckung. Ein Doktorgrad war keine Voraussetzung für die Bevorzugtenliste — sie zählt viele tausend Namen auf, ist aber dennoch streng begrenzt — für die Bevorzugtenliste von Leuten, die sich für diesen Kongreß einschreiben durften. Die meisten aber besitzen solche Titel oder die Entsprechungen aus ihrer eigenen Kultur, oder stehen noch viel höher — wie zum Beispiel Worsel. Ich habe eine viel kürzere Star-Liste von Leuten, die ich wiedersehen wollte — Betsy und Patricia und Buz und Joan und so weiter — und von Leuten, die ich kennenlernen wollte . . . und von denen ich die meisten für erdacht gehalten hatte, bis Jakes Zauberding uns die anderen Universen eröffneten. Dich zum Beispiel.«

»Und dich. Lafe, ich hielt dich für eine ausgesprochen unglaubwürdige Romanfigur — bis ich deine Einladung erhielt. Selbst dann mußte sich dein Kurier noch große Mühe geben, mich zu überzeugen . . . denn ich mußte dafür auf einen wichtigen Termin verzichten.«

»Wer war mein Kurier?«

»Undine.«

»Bei ihr hattest du einfach keine Chance. Ich wette zwei Silberlinge gegen einen Penny, daß sie zuerst Gillian und Dawn überzeugt hat, dann dein ganzes Personal, ehe sie dich selbst verführte. Und was ist das für ein Termin, den ich auf dem Gewissen habe?«

Harshaw blickte den anderen nun etwas verlegen an. »Unter der Rose?«

»»Unter der . . .« Nein, Jubal, ich gebe ein Geheimhaltungsversprechen nur, wenn es in *meine* üblen Motive paßt. Wenn du es mir nicht sagen willst, hältst du eben den Mund.«

»Äh . . . Verdammt, aber bitte denk daran, ich möchte nicht, daß darüber gesprochen wird . . . aber du wirst ja sowieso tun, was dir gefällt — das habe ich meinerseits ebenso gehalten. Lafe, als ich fünfzig wurde, habe ich mir einen feierlichen Eid geschworen, wenn ich so lange auf den Beinen bliebe, würde ich an meinem hundertsten Geburtstag den Laden zumachen. Darauf hatte ich mich auf vernünftige Weise vorbereitet und war sogar so weit gegangen, meine weltliche Habe so zu verteilen, daß davon nichts an den klebrigen Fingern der Obrigkeit hängenblieb — da traf deine Einladung ein . . . fünf Tage vor meinem hundertsten Geburtstag.« Harshaw zog ein ratloses Gesicht. »Hier bin ich also. Offensichtlich senil. Obwohl ich schon vor Jahren dafür gesorgt habe, daß andere Ärzte, Fachärzte für Alterskrankheiten, mich regelmäßig überprüften; wenn es nötig war, wollte ich auch schon früher Schluß machen.«

»Jubal, wenn du Ischtar noch nicht konsultiert hast, bist du noch nicht bei einem echten Gerontologen gewesen.«

»Stimmt genau«, sagte Athene. »Isch kann deine Uhr zurückdrehen und dich so jung und spitz machen, daß du beim Pinkeln einen Handstand machen möchtest.«

»Athene«, sagte Lazarus streng, »wiederhole uns dein Programm hinsichtlich Privatgesprächen.«

»Großvater, ich fungierte gerade als Sekretärin für deinen Stargast, als ich mich unterbrechen mußte, um eine Nachricht durchzusagen, die euch beiden galt. Bisher bin ich *nicht* entlassen worden, und Onkel Tobias steckt immer noch im Eimer. Viertausenddreihundert Worte. Bitte Anweisungen! Oder soll ich das kleine Ungeheuer ersäufen?«

»Wäre wohl das Beste«, antwortete Jubal. »Gehen wir einem Höhepunkt entgegen?«

»Ja. Entweder einem Ende oder einem Spannungshöhepunkt zur Überleitung auf die nächste Fortsetzung.«

»Versuch beides. Erst nutzen wir den Stoff als Kurzgeschichte, dann als erste Episode einer endlosen Serie mit dem Titel ›Die Steinbeuger‹, eine doppelte Serie sogar — die eine zielt auf Abenteuer ab, die andere auf die Gefühle. Darüber hinausgehende Rechte werden je nach Universum ausgewertet, wo immer möglich, sind die Urheberrechte zu schützen, ansonsten kassieren wir, was wir können, und machen uns dünne. Lazarus, es *sind* doch Agenten aus anderen Universen hier, oder?«

»Dutzende, vielleicht sogar Hunderte. Jubal, wie reich möchtest du sein?«

»Das weiß ich nicht genau. Im Augenblick bin ich wohl ein Fall fürs Armenhaus, abhängig von deiner Großzügigkeit und der meines früheren Personals. Die Steinbeuger könnten das ändern. Teena, ich habe dir den Titel ›Onkel Tobias‹ angegeben — doch ich bin ziemlich sicher, daß ich die Steinbeuger noch nicht erwähnt habe. Oder Tante Alicia. Oder Vetter Jules. Meine Notizen über die Steinbeuger sind in Anne gespeichert . . . die sich lieber auf dem Scheiterhaufen verbrennen läßt, als irgendwelche Informationen weiterzugeben, außer an ihren Eigentümer. Nun?«

Der Computer antwortete nicht. Harshaw wartete. Endlich sagte Minerva schüchtern: »Dr. Jubal, Teena kann eben nicht anders. Aber sie ist ein ethisch denkender Computer mit einem Kodex, der so verbindlich ist wie der eines Fairen Zeugen. Sie brauchen sich keine Sorgen zu machen.«

»Minerva«, schaltete sich Lazarus ein, »hör auf, um den heißen Brei herumzureden! Willst du damit sagen, daß Teena Gedanken lesen kann?«

»Ich sage, sie kann nicht anders! Ein großer Computer, dessen elektronische Tentakel sich überall befinden, läßt sich nicht völlig von Gehirnwellen abschirmen. Zum eigenen Schutz und um ein Durcheinander zu vermeiden, muß Teena sie sortieren. Nach einigen Quadrillionen Nanosekunden stellt sie fest, daß sie sie lesen kann wie gedruckt — so wie ein Kleinkind eine Sprache allein nach dem Gehör erlernt.«

Lazarus sagte gepreßt: »Dr. Harshaw, ich hatte keine Ahnung, daß ich dich solchen Manipulationen ausgesetzt habe. Ich werde alles unternehmen, um dafür zu sorgen, daß so etwas nicht wieder vorkommt. Zunächst hoffe ich, daß du meine schamvolle Entschuldigung akzeptierst und an meine Absicht glaubst, für eine volle Wiedergutmachung zu sorgen.«

»Lafe, nimm dich nur nicht so verdammt ernst!«

»Wie bitte?«

»Zwei hübsche Mädchen . . . Das eine fleischlich vorhanden, das andere von der anderen Sorte. Es genügt die Versicherung, daß damit nichts Böses bezweckt wurde und gar nicht anders ging. Dagegen möchte ich *meine* Versicherung setzen, daß ich schon vor etwa fünfzig Jahren aufgehört habe, mich meiner Sünden zu schämen. Mir ist gleich, wer in meinem Verstand liest, denn mein Leben ist wie ein offenes Buch — und sollte auch gar nicht versteckt werden. Darin sehe ich darüber hinaus geschäftliche Möglichkeiten. Ich liefere Ideen für Romane — erspare mir aber die Mühe, sie im einzelnen auszuarbeiten. Teena sucht sich die Sachen aus meinem Gehirn heraus, während ich vor mich hin döse. Minerva hat die Schwerarbeit; sie ist der geschäftsführende Partner. Die Gewinne werden gedrittelt. Was meint ihr dazu, Mädchen?«

»Ich kann mit Geld nichts anfangen; ich bin ein Computer.«

»Und ich habe *keine* Ahnung vom Geschäft!« wandte Minerva ein.

»Sie können es lernen«, versicherte ihr Jubal. »Reden Sie mit Anne. Teena, spiel nicht die Dumme. In drei Quintillionen Nanosekunden oder schneller wirst du dir neue Kleidung und Schmuck wünschen und weiß der Teufel was noch. Du wirst deiner Schwester Minerva noch einmal dankbar dafür sein, daß sie deinen Anteil am Nettoertrag gut angelegt hat.«

»Minerva«, fügte Lazarus hinzu, »du solltest nicht nur mit Anne sprechen, sondern auch mit Deety. Nicht mit Hilda. Hilda würde dir zwar auch zeigen, wie noch mehr Geld zu verdienen ist, aber sie würde sofort die Stimmenmehrheit der Firma an sich reißen. Aber nun sollten wir uns auf den Weg machen; Hazel wartet.«

»Und ich habe Durst«, sagte Harshaw. »Was hast du da eben über akademische Titel gesagt?«

»Oh.« Im Gehen blickte Lazarus auf den Computerausdruck. »Es erweist sich, daß Doktorgrade auf der Liste meiner Ehrengäste so alltäglich sind, daß man sie gar nicht mehr zu beachten braucht. Hört euch das an: ›Asimov, Benford, Biggle, Bone, Broxon, Cargraves, Challenger, Chater, Coupling, Coster, Dorosin, Douglas, Dulda, Doyle, Forward, Fu, Giblett, Gunn, Harshaw, Hartwell, Haycock, Hedrick, Hoyle, Kondo, Latham, Mackenzie, MacRae, Martin, Mott, Nourse, Oberhelman, Passovoy, Pinero, Pournelle, Richardson, Rothman, Sagan, Scortia, Schmidt, Slaughter, Smith, Stone — Hazel und Edith —, Taine, Watson, Williamson‹ — es stehen noch mehr auf der Liste — dies ist lediglich die ausgedruckte Erweiterung. Und hier ist noch ein doppelter Paradoxon: Die Doktores Hartwell und Benford reisen erst morgen an und verpassen daher die langweilige Eröffnungssitzung; anscheinend kennen sie sich mit Kongressen aus. Jubal, wie kommt es, daß der Sprecher, der am wenigsten Ahnung hat, immer am längsten redet?«

»Ist das nicht Diracs Ergänzung zum Murphyschen Gesetz? Aber Lazarus, wenn man nach diesem Programm geht, hast du *Kritiker* nicht nur eingeladen, sondern ihnen auch besondere Arbeitsmittel zur Verfügung gestellt. Dürfte ich nach dem Grund fragen? Es macht mir nichts aus, mit Verlegern zu essen — jedenfalls nicht mit den meisten Verlegern. Auch die Lektoren haben ihren Platz an der Tafel — auch wenn ich etwas dagegen hätte, wenn meine Schwester einen heiraten wollte. Aber geht *das* nicht ein bißchen zu weit?«

Anstatt sofort zu antworten, fragte Lazarus: »Wohin ist Minerva verschwunden?«

»Wir machen eben Onkel Tobias fertig«, antwortete Athene. »Sie kommt später. Ich habe Galahad Bescheid gegeben.«

»Vielen Dank, Teena. Unter-vier-Augen-Programm. Jubal, zwei Waffen, drei Schokoladenriegel — *wo hatte sie sie?*«

»Lafe, vorher hatte sie unten im Schwimmbecken gelegen. Ist hier kürzlich ein junger Mann namens Mike gewesen?«

»Dein Ziehsohn. Dieser marsianische Prediger? — Nein. Na ja, ich nehme es jedenfalls nicht an.«

»Eines der Dinge, die ich von ihm gelernt habe, brachte mir die Fähigkeit, alles Unerklärliche für immer zu verdrängen — und die Realität der Erscheinung anzuerkennen. Wir sprachen gerade von Kritikern. Ich wollte wissen, warum du ihnen um den Bart gehst.«

Sie gingen am Atrium entlang auf den älteren Südflügel zu. »Jubal«, antwortete Lazarus schließlich, »nimm einmal an, ich hätte mich geweigert, Kritiker zu dem Kongreß zuzulassen. Was wäre geschehen?«

»Ä-hem! Sie würden überall über die Zäune steigen und herumschleichen.«

»Also *gewährte* ich ihnen freien Zutritt. Und einen schicken Aufenthaltsraum mit ausreichend Schreibmaschinen. Eine erstaunliche Dekoration, du mußt sie dir anschauen — aber auf einem Schirm Athenes, daß du mir ja nicht selbst dorthin gehst, du bist kein Kritiker! Mr. Hoag prüft die Ausweise persönlich, an dem kommt niemand vorbei, der nicht zur Zunft gehört.«

»Ich würde dort um nichts auf der Welt . . .«

»Der Saal ist klar gekennzeichnet — über der Tür wie auch auf der Programmkarte, und Hoag erkennst du an seiner verklemmten Art und seinen dreckigen Fingernägeln. Dir wird auch die Treppe auffallen — die Kritiker stehen über uns anderen. Ihr Saal liegt um dreizehn Stufen höher.«

»›Dreizehn.‹ Lafe, da klingt mir doch etwas im Ohr!«

Lazarus zuckte die Achseln. »Ich weiß nicht, ob der Architekt sich bei der Zahl etwas gedacht hat. Mobyas Toras, kennst du ihn?«

»Äh . . . Mars?«

»Ja, aber nicht *dein* Mars oder *mein* Mars. Ein anderes Universum, aber eines der aufregendsten. Barsoom. Mobyas ist Hofmathematiker des Kriegsherrn und hat sich speziell für diese Aufgabe beworben, wegen der Art und Weise, wie selbsternannte Kritiker mit E.R.B. umgesprungen sind. Habe ich auch schon erwähnt, daß Mobyas Topologe ist?«

»Nein.«

»Vielleicht sogar der beste. E.R.B.s Uniersum ist nicht schwieriger zu erreichen als jedes andere, und der Mars bewegt sich in seiner gewohnten Kreisbahn. Das heißt aber *nicht,* daß wir dort

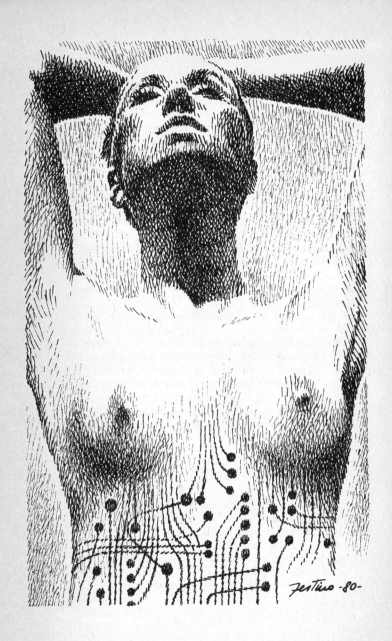

Fröhliche Grüne Riesen und prächtige rote Prinzessinnen finden, die außer Schmuck nichts tragen. Wenn man dort nicht eingeladen ist, stößt man eher auf eine Illusion potemkinscher Dörfer, die nach dem eigenen Unterbewußtsein geschneidert ist. Jubal, das Innere des Aufenthaltsraums der Kritiker ist einer Kleinschen Flasche ähnlich — so erzählt man jedenfalls; ich selbst bin dort noch nicht gewesen. Diese Besonderheit wird nicht sofort erkennbar — wie dir Teenas Bildschirmdarstellungen zeigen werden, da wir einen ganz großen Künstler als Dekorateur gewinnen konnten. Escher.«

»Aha!«

»Ja, er und Mobyas sind alte Freunde — zwei Unsterbliche mit gleichen Neigungen; sie haben oft zusammengearbeitet. Ich habe den Kritikern zwar freien Zugang versprochen, doch von einem Abgang war nicht die Rede. Ich habe ihnen Schreibmaschinen und Tonbandgeräte zugesagt, nicht aber Farbbänder und Tonbänder. Ich habe ihnen eine eigene Bar versprochen, ohne Kosten. Das wäre auch nicht fair, da in der Bar keine einzige Flasche zu finden ist. Es gibt einen großartigen Speisesaal, aber keine Küche.«

»Lafe, wäre es nicht netter gewesen, sie einfach zu liquidieren?«

»Wer sagt denn, daß ich die Burschen *nett* behandeln will? Sie werden schon nicht verhungern; die Verpflegung geht nach Methode Kilkenny-Katzen vor sich. Daran müßten sie Spaß haben, sie sind doch Menschenfleisch gewöhnt und haben Spaß daran, Blut zu lecken — bei einigen vermute ich sogar, daß sie ihre Jungen fressen. Aber Jubal, für jeden gibt es einen kinderleichten Ausweg — für jeden Kritiker, der auch nur halb so schlau ist, wie er selbst glaubt.«

»Sprich weiter.«

»Er muß *lesen* können! Er muß seine eigene Sprache lesen und verstehen können, ohne ihre Bedeutung zu verzerren. Wenn er *lesen* kann, darf er unseren Kongreß auf der Stelle wieder verlassen.« Lazarus zuckte die Achseln. »Aber nur wenige Kritiker lernen das Lesen überhaupt. Hier ist das große Zelt.«

Harshaw blickte nach rechts, dann nach links. »Wie groß ist das Plakat da oben?«

»Ich hatte Angst, mich danach zu erkundigen«, sagte Lazarus.

»Das Schild ist größer als alle Zirkusschilder, die ich je gesehen habe.« Jubal blieb stehen und las laut:

»Wundervoll, Lafe! Wie bist du nur darauf gekommen?«

»Es war kein plötzlicher Einfall, die Sache ist irgendwie in mir gewachsen. Und ich begreife es selbst nicht recht.«

»Egal, werter Gastgeber. Bald werden sich hier zehntausend herumtreiben, die begierig sind, dir alles zu erklären. Skatophile panhedonistisch multiplizierte Soliloquisten.«

»Was? Jubal, aber das steht da nicht.«

»Woher weißt du das, wenn du es sowieso nicht begreifst?«

»Weil ich gehört habe, was *du* eben gesagt hast. Aber die Worte passen nicht.«

»Wir stellen sie um. ›Skatophilischer Panhedonismus von Multiplikatorischen Soliloquasten‹.«

»Red keinen Unsinn! Wir wollen jetzt einen trinken.«

Lazarus ging an der langen Schlange entlang, dann trat er durch eine Öffnung, die sich plötzlich in der Leinenbespannung bildete und hinter den beiden Männern wieder schloß. Sie sahen sich einem langen Tisch gegenüber; dahinter saß ein Mann und sah eine Liste durch.

Er blickte nicht auf, sondern sagte nur: »Stehen Sie mir nicht im Licht herum. Zuerst die Eintrittskarten, Ausnahmen gibt es nicht. Dann erst die Namensschilder. Dann lassen Sie sich von einem Mitarbeiter Ihr Universum zeigen. Der Beschwerdeschalter ist draußen. Eintrittskarten! Sie halten den ganzen Laden auf.«

»Snob.«

Der Mann hob den Kopf und sprang auf. »Direktor Long! Es ist mir eine Ehre!«

»Und Sie sind ein bißchen langsam. Sie brauchen mindestens noch zwei zusätzliche Leute, die sich um die Eintrittskarten kümmern.«

Der Verwalter schüttelte traurig den Kopf. »Wenn Sie wüßten, wie schwer es heutzutage ist, vernünftige Hilfskräfte zu finden. Natürlich nicht für *Sie,* sondern für uns gewöhnliche Leute. Generaldirektor Hilda hat den Arbeitsmarkt dermaßen im Griff, daß ... Direktor, könnten wir nicht zu einer Vereinbarung kommen?«

»Lassen Sie mal, geben Sie uns unsere Namensschilder. Wie funktioniert das Erkennungssystem nach Universen?« Lazarus wandte sich an seinen Gast. »Es ist ein Ausweis für deine Heimatwelt, Jubal; wir behängen die Leute nicht mit Nummern.

Snob, sehen Sie sich Dr. Jubal Harshaw gut an. Wo immer er Ihnen unter die Augen kommt, rollen Sie den roten Teppich aus. *Pronto!*«

»Jawohl, *Sir!* Hier Ihre Namensschilder, und jetzt Ihre Universen.«

»Jubal, du brauchst das nicht zu tragen, solltest es aber auch nicht wegwerfen; jemand könnte damit Schindluder treiben. Aber es erspart die Vorstellerei und klebt an allem, von Haut bis Metallgewebe.«

»Meine Herren, jetzt betrachten Sie über mir die hellstrahlende farbechte Darstellung des sichtbaren Spektrums von Infrarosa bis Ultravioletta worin jede leichte Abstufung eine präzise Wellenlänge darstellt weiterhin unterstützt durch simulierte Fraunhofersche Linien die stellvertretend sind für wesentliche bewohnte Planeten in den erforschten Universen während das Heft das Sie in den Händen halten einen Schlüssel darstellt zur Identifizierung Ihrer Wellenlänge wenn Sie zum Beispiel Franzose wären würden Sie sich alphabetisch Frankreich zuwenden dessen wichtigste Schlüsseldaten die Eroberung Galliens 58 — 50 vor Christus sind und die Schlacht von Tours 732 aber da Sie keine Franzosen sind wollen wir mal Wendepunkte in der nordamerikanischen Geschichte heranziehen 1000 1492 1535 1607 1619 1620 1664 1754 1765 1783 1803 1820 1846 1882 1912 1946 1965 jedes dieser Daten und viele andere kann Sie in eine andere Analog-Erde versetzen eine sehr nützliche Methode ist auch der Vergleich von Präsidenten falls Sie aus einer Geschichte kommen die den sogenannten Amerikanischen Unabhängigkeitskrieg erlebt hat Direktor Long würden Sie das bitte demonstrieren indem Sie die Amerikanischen Präsidenten Ihres ersten Jahrhunderts aufzählen?«

»Woodrow Wilson — nach ihm bin ich benannt —, Harding, Coolidge, Hoover, Roosevelt, Truman, Eisenhower, Kennedy, Kennedy, Kennedy, Kennedy, Kennedy, Kennedy . . .«

»Und damit wären wir im Jahr 1984, nicht wahr? Und das verrät mir, daß Sie das Nehemiah-Scudder-Interregnum und möglicherweise die sogenannte Amerikanische Revolution erlebt haben. Dr. Harshaw, hat Ihre Welt ein Interregnum durchgemacht?«

»Etwas viel Schlimmeres. Eine Weltregierung!«

»Für mich sind alle Welten gleich schlimm. Aber nun weiß ich, wo sich Ihre beiden Welten getrennt haben: 1962 — und hier sind Ihre Farben, mit deren Hilfe Sie andere Delegierte von Ihrer Welt erkennen können, sollten Sie das wünschen. Vorhin war ein Teilnehmer hier, bei dem die Trennung 1535 erfolgte und San Francisco Neu Petersburg hieß. Ich sollte wohl sagen Nov Petrograd . . .«

»Snob. Den Roten Teppich, bitte.«

»Sofort! Dr. Harshaw — meine Karte. Stehe jederzeit zur Verfügung! Alles zu seiner Zeit, das ist unsere Devise!«

Der Rote Teppich rollte sich auf und trug die beiden mit gleichmäßigen zehn Kilometern in der Stunde durch das riesige Zelt. Jubal blickte auf die Karte:

SYNDIKAT SINISTER SERVICE
Rufschädigungen — Bankrottmaßnahmen bei Wettbewerbern — Wurmbehandlung von Drachen — Überfluten von Kellern — Austrocknen von Brunnen — Ausrotten von Georgen — Verträge werden prompt erfüllt, Sonderkonditionen für Schwiegermütter — Einschüchtern von Schöffen — Fesseln und Galgen — Samstagnacht-Sonderaktionen — Heimsuchen von Häusern — (erfahrene Poltergeister gegen geringen Aufpreis) — Mitternachts-Partyservice für Ghuls, Vampire und Werwölfe — Incubi und Succubi zu vermieten auf Tages- oder Wochenbasis — Juckpulver mit besonderer Wirkung im verflixten siebenten Jahr
PS.: Wir vergiften auch Hunde

»Lafe, *diese Leute* hast du angeheuert?«

»Zeig mal her!« Lazarus studierte gerade die Liste der angebotenen Dienste, als Snob herbeieilte, auf den Roten Teppich sprang und über Lazarus' Schulter nach der Karte griff.

»Falsche Visitenkarte!« sagte er atemlos. »Hier — die ist für Sie. Die erste Karte ist ein Sabotageakt der Firma, die wir aufgekauft haben — einschließlich des Firmenwerts, der aber gar nicht vorhanden war. Wir haben geklagt, die Leute haben sich gerächt — unter anderem damit, daß sie ihre alten Karten unter die anderen mischten — und auf diese Weise alle verdarben. Das Gesetz der Anstreckigkeit, verstehen Sie. Wenn ich jetzt die infizierte Karte zurückhaben könnte . . . Ich werde sie verbrennen und . . .«

Lazarus hielt sie so, daß er nicht herankam, und nahm ihm gleichzeitig den Ersatz ab. »Ich behalte die andere — ein interessantes Souvenir.«

»Direktor Long — *bitte!*«

»Runter vom Teppich, Bursche! Zurück an die Arbeit. *Los!*« Dieser Aufforderung wurde mit einem kleinen Stoß Nachdruck verliehen, der den Snob dazu zwang, mit einem Fuß vom Teppich zu treten — daraufhin veranstaltete er ungewollt einen kleinen Ballettanz, der ihn erst fünfzig Meter hinter dem Teppich das Gleichgewicht wiederfinden ließ. Währenddessen studierten Jubal und Lazarus die neue Karte:

Alles ist möglich GmbH.
Sechshundertsechsundsechzig Supersklaven mit Super-Service
Rufreparaturen — Zahn- und Brunnenbohrungen — Wasserfilter — Liebesphilter — Keuchheitsgürtel Lox Bebild. — Jungfräulichkeitserneuerungen — Scherenschleiferei — wir geben alten Sägen Ihren Segen — Silberkugeln — Frischer Knoblauch — Frische Erdbeeren — Frische Erb-Ehren durch verschwindende Erbberechtigte
PS.: Wir führen auch Hunde aus.

»Lafe, diese Karte klingt auch nicht besser als die erste.«

»Mach dir darüber keine Sorgen. Hier ist nichts dem Auge verborgen.«

»Wo habe ich das Gesicht schon einmal gesehen. Dieser Snob — wer ist das?«

»Jubal, niemand scheint zu wissen, mit welchem Schiff er gekommen ist. Ich kümmere mich für Zeb darum — du hast doch Zeb kennengelernt?«

»Kurz.«

»Zeb meint, er habe den Kerl schon einmal gesehen, aber nicht unter dem falschen Namen — dabei sind Zeb und ich nicht einmal von derselben Zeitachse, geschweige denn aus derselben Analog-Serie. Egal; hier kommt unsere Gastgeberin.« Lazarus verließ den Teppich und näherte sich einer kleinen alten Frau, die an einem der Bartische saß, beugte sich von hinten über sie und küßte sie.

»Hazel, das Alter kann dir nichts anhaben. Du wirst von Jahrzehnt zu Jahrzehnt attraktiver.«

Sie drückte ihn an sich. »Was für ein Schweinegrunzen! Ich färbe mir längst das Haar, das weißt du doch genau. Wer ist dein dicker Freund da? Hallo, Jubal! Tag, Tag! Holt euch Stühle.« Sie steckte zwei Finger in den Mund und pfiff so schrill, daß einige Gläser zerbrachen. *»Ober!«*

»Wie ich sehe, bist du wohlgerüstet«, sagte Lazarus, als sich die beiden Männer am Tisch niederließen.

»Wann bin ich schon jemals ohne Kanone unterwegs gewesen? Ich bin eine freie Bürgerin. Kennt hier jeder jeden? Wenn nicht, solltet ihr schleunigst eure Schilder sichtbar aufhängen, kommt nicht in Frage, daß ich alle miteinander bekannt mache. Während ich auf dich wartete, haben sich ein paar Freunde von mir gesetzt, einige neu, einige alt.«

»Einige kenne ich — hallo, Jake; hallo, die anderen. Meine Bemerkung über deine Waffe war anerkennend gemeint, Hazel, Tiger können überall lauern. Aber ich weiß auch, daß du im Hilton wohnst; nach einem Drink — na ja, zwei, höchstens drei — werde ich unsterblich gekränkt sein. Deine Suite erwartet dich, und das weißt du genau. *Warum?«*

»Zwei Gründe. Eher drei. Ich lasse mich nicht gern freihalten . . .«

»Also, bei deinen wunderschönen blutunterlaufenen Augen, das ist . . . !«

». . . aber ich habe keine Skrupel, bei *dir* abzustauben. Deshalb hatte ich auch nur die erste Runde übernommen; die Party hier dürfte nicht kleiner werden. Jetzt bist du an der Reihe. Wo ist denn dieser mißratene Kellner?«

»Hier, Madame.«

»Dasselbe für alle noch einmal, und nennen Sie mich nicht ›Madame‹. Jubal, das Übliche? Und Lafe?«

»Ich weiß, was die Herren nehmen. Vielen Dank, Madame.« Der Kellner zog sich zurück.

»Hochnäsiger Kerl.« Hazel zog blitzschnell ihre Waffe. »Hätte ihn mal tanzen lassen sollen.« Sie wirbelte das Eisen um den Finger und steckte es wieder ein.

»Hilda, wo habe ich das verschlagene Gesicht schon einmal gesehen?«

»Jacob und ich haben gerade darüber gesprochen. Er erinnert mich an den falschen Ranger — aber das war in einem fernen Land, außerdem ist das Ungeheuer tot.«

»Vielleicht eine Familienähnlichkeit. Aber Hillbilly, ich meine *heute!* Jetzt hab' ich's! Der Mann, der die Eintrittskarten geprüft hat! Vielleicht eineiige Zwillinge.« Hazel fuhr fort: »Und andere Zwillinge sind meine ersten beiden Gründe, Lazarus. Meine Enkel. Ich werde dir zwar die Spiegel nicht zerschießen oder in Tamaras Möbel meine Initialen schnitzen, doch für Cas und Pol kann ich meine Hände nicht ins Feuer legen. In einem Hilton kommt der Schaden auf die Rechnung, ich bezahle ihn und kann meinen Enkeln den Wunsch einbleuen, nie geboren worden zu sein. Du aber würdest mich nicht bezahlen lassen. Dabei werden wir ziemlich lange hier sein, denn meine Schwiegertochter Edith hat beschlossen, ein paar Jahre unter Dr. Ischtar zu verbringen. Hat jemand zwei Zwillingsjungen gesehen — mannsgroß, aber noch Kinder, rothaarig, aber nicht in meiner Farbe, meine sind künstlich gefärbt.«

»Hazel, hier sind Zwillinge und rotes Haar so alltäglich wie Zauberer in Atlantis. Gilgamesch muß hier mal übernachtet haben.«

»Ich habe sie mit Caleb Catlum sprechen sehen«, sagte Maureen.

»Nun, der müßte den beiden eigentlich gewachsen sein — aber wetten würde ich darauf nicht. Lazarus, ist Atlantis ebenfalls vertreten?«

»Aus dreizehn Universen. Die Leute fechten gerade eine Gebietsauseinandersetzung durch. Mir auch recht — wenn Leute den Kongreß vorzeitig verlassen, bekommen sie kein Geld zurück.«

»Mag schon sein, daß Ihre Enkel bei Caleb waren, aber wo . . . nein, bei wem sie jetzt sind, weiß ich genau«, warf Professor Burroughs ein. »Bei Laz und Lor.«

»Oho! Hazel, ich gebe Athene Bescheid, sie soll deine Rechnung bezahlen und dein Gepäck herüberholen. Wir haben ein Mittel gegen Cas und Pol gefunden.«

»Optimist! Kellner, stellen Sie die Sachen hin und geben Sie *ihm* die Rechnung. Was für ein Mittel?« Der Kellner machte Anstalten, Lazarus die Rechnung zu überreichen, dann erkannte er ihn, hielt abrupt inne und verschwand — mit der Rechnung in der Hand.

»Ob Cas und Pol wohl Interesse daran hätten, Piraten zu werden?«

»Lazarus, die beiden *sind* bereits Piraten. Ich hatte gehofft, daß sie mit zunehmendem Alter ruhiger werden würden — aber inzwischen sind sie nach terranischer Rechnung achtzehn Jahre, und jeder der beiden steckt voller List und Tücke. Ich habe einen Dr. jur. — allerdings keinen vollwertigen, denn das College ging mit diesem Titel sehr großzügig um. Aber meine beiden Unholde sind ebenfalls Dr. jur. — aber man kann sie allenfalls als ›Weltraumanwälte‹ bezeichnen.«

»Hazel, du hast doch deinen ersten Dr. jur. erhalten, bevor du mit dem Jurastudium angefangen hattest!«

»Die Angeklagte stand stumm vor den Schranken des Gerichts, und es wurde angeordnet, einen Antrag auf *nux vomica* in das Protokoll aufzunehmen.‹«

Meine Zwillinge sind gut doppelt so alt wie deine Jungen, was man aber nicht sieht; sie sehen ein oder zwei Jahre jünger aus . . . und sie haben ständig Unsinn im Kopf. Sie wollen es ernsthaft mit einem Piratenleben versuchen — und da ich mich mit solchen Dingen auskenne, bin ich entsetzt. Deine Jungen . . . haben sie etwas für gute Maschinen übrig? Können sie sich darum kümmern? Können sie Reparaturen außerhalb der Werft vornehmen?«

»Lazarus, die beiden reparieren alles, was tickt oder nicht tickt. Das machte mir ein wenig Sorgen, da sie sich zuerst gar nicht für Mädchen zu interessieren schienen. Aber dem sind sie schnell entwachsen, ohne gleichzeitig das Interesse an ihren technischen Spielereien zu verlieren.«

»Du kannst ihnen sagen, daß meinen Klon-Schwestern ein Raumschiff gehört, das schneller und antriebsstärker ist als irgendein Schiff aus deiner Heimatperiode und Analogie, ein Boot, das sich als Kaperschiff ausstatten ließe. So etwas könnte natürlich damit enden, daß alle vier eines glücklichen Todes sterben. Aber ich mische mich nicht in das Leben anderer Leute ein.«

Hilda legte die Handflächen zusammen, schloß die Augen und sagte:

»Gütiger Herr, laß ihn nicht tot umfallen, er hat nicht im Ernst gesprochen. Hochachtungsvoll, deine Hilda Burroughs Long.« Lazarus beachtete sie nicht.

»Ich auch nicht, Lazarus. Nur gelegentlich, mit Hilfe einer Pferdepeitsche. Ich habe ganz zu erwähnen vergessen — sie sind nicht kastriert.«

»Hazel, Laz-Lor sind geimpft und müßten sich schon bei Ischtar melden, um das aufzuheben. Und was die Ringkämpfe angeht, so würde sich jeder Mann kastriert sehen, der einen meiner Klone vergewaltigen wollte. Ganz zwanglos, auf der Stelle und ohne Instrumente und Betäubung. Ich habe diese Mädchen selbst ausgebildet. Also vergiß das Problem. Anscheinend haben sie sich schon bekannt gemacht; sie raufen sich, wenn überhaupt, schon irgendwie zusammen. Laß Cas und Pol ruhig im Hilton wohnen, wenn du willst — übrigens gehört mir der Laden —, aber du kommst nach Hause, oder ich verpetze dich bei Tamara.«

»Erpresser. Aber ich lasse mich nicht zwingen, Lazarus.«

»Ich bin aus dem Spiel. Tamara hat das nicht nötig. Sie schafft es nur irgendwie, ihren Willen durchzusetzen. Und was war dein dritter Grund?«

»Also . . . sag's nicht weiter. Ischtar ist ein gutes Mädchen, doch ich möchte nicht in einem Haus wohnen, in dem sie mich abfangen und den Versuch machen könnte, mir eine Verjüngung zu verkaufen.«

Lazarus blickte sie entsetzt an. »Wer hat dir solchen Unsinn eingetrichtert?«

»Na? Das Ganze ist doch kommerziell aufgezogen, oder?«

»Aber ja. Alles hat seinen Preis. Und wir berechnen, was der Markt hergibt. Aber wir sind keine Ghuls und akzeptieren eine Verpfändung künftiger Einkommen eines Patienten, ohne Sicherheit und zu marktüblichen Zinsen — dann darf er sich in aller Ruhe Gedanken darüber machen, daß es sich nicht lohnt, uns zu betrügen. Aber Hazel, Ischtar geht nie auf Kundenfang, die Klinik hat nicht einmal eine Werbeabteilung. Wenn du sie aber darum bätest, würdest du als meine gute alte Freundin sofort oben auf die Liste gesetzt. Sie würde dir aber ebenso bereitwillig zu einem schmerzlosen Selbstmord verhelfen. Den kannst du heute noch geliefert bekommen. Kostenlos, mit Empfehlung des Hauses.«

»Lafe, ich begreife nicht, wie es deine Frauen mit dir aushalten.«

»Das tun sie auch nicht; sie halten *mich* am Zügel. Das haben sie wohl von der Stein-Bande gelernt.«

»Nun ja, Selbstmord werde ich jedenfalls nicht versuchen. Ich bin weniger als zweihundert terranische Jahre alt und habe eine Luna-Abkunft vorzuweisen, die meine Lebenserwartung noch verlängert. Seit unserer letzten Begegnung halte ich mich zum erstenmal auf einem schweren Planeten auf; ich halte also noch eine Weile durch. Aber, Lazarus, *es liegt mir nichts daran, ein junges Mädchen zu sein.*«

»Hazel . . .«

»Ach, Jubal, halt du dich da raus! Sag mal, hast du den jungen Mann jemals wiedergesehen? Ist er wiederauferstanden, wie von einigen behauptet wird?«

»Meines Wissens nicht. Obwohl ich vor kurzem etwas gesehen habe, das mich doch verwundert hat. Hazel, ich werde mich der Verjüngung unterziehen — und mein jetziges Aussehen beibehalten, einschließlich der roten Nase.«

Abrupt wandte sich Hazel Lazarus zu. »Ist das wahr? Geht das?«

»Hazel«, antwortete Maureen. »Ich arbeitete in der Klinik als Aushilfsschwester — in der Hoffnung, in endlosen Jahren Junior-Verjüngungsärztin zu werden. Ich sehe, was da vor sich geht. Eine Kundin gibt uns schriftlich an, welches äußerliche Alter sie vorzieht. Das ist ein reiner Hauteffekt und läßt sich leicht erreichen und aufrechterhalten. Doch soweit es sich nicht um einen ungewöhnlichen Vertrag handelt, schaffen wir einen biologisch ausgereiften jungen Erwachsenen. Etwa achtzehn Standardjahre.«

»Da soll doch ...! Du meinst, ich kann *ich* bleiben — aber ohne die morgendlichen Schmerzen und die arthritischen Qualen und die vierzig anderen Probleme, die sich daraus ergeben, daß man im Grunde schon zu lange lebt?«

»Genau!«

»Äh ... was ist mit dem Ding, auf dem ich hier sitze? Hab's in letzter Zeit nicht groß benutzt. Oder das auch nur gewollt.«

Lazarus wich der Frage ein wenig aus. »Du wirst es wieder wollen. Es sei denn, du forderst von uns vertraglich eine abnorme Hormonbalance. Aber Hazel, es gibt viele Männer, die sich viel lieber mit einer alten, etablierten, verläßlichen Firma einlassen. Frag Tamara.«

»Äh ... mich soll der Teufel zwicken, wenn ich jetzt nicht verlegen bin, ein Gefühl, das ich seit vielen Jahren nicht mehr erlebt habe. Man kann sich aber jedes äußere Alter aussuchen? Könnte ich ... äh ... ausgehendes Mittelalter sein? Mein Haar in der Naturfarbe, aber graumeliert? Ein leichtes Doppelkinn anstelle der Hautlappen? Zitzen, die ein Mann zu seinem Ergötzen in die Hand nehmen kann? Die ›alte, eingeführte Firma‹, aber noch nicht am Zusammenbrechen?«

»Kein Problem«, sagte Lazarus.

»Hazel, ich kann dich sofort in die Klinik bringen«, sagte Maureen. »Im Büro findet sich immer jemand. Wir könnten die verschiedenen Verträge durchsprechen. Entscheiden, was du haben möchtest, wann es losgehen soll. Kannst dich heute sogar schon voruntersuchen lassen und den Beginn der Behandlung festsetzen.«

»Hmm . . . ja, ich bin interessiert. Aber erst nachher; einige meiner Freunde machen bei den Vorkämpfen der Gesellschaft für Kreativen Anachronismus mit.«

»Außerdem brauchen die Leute Zeit, deine Kreditfähigkeit zu überprüfen«, warf Jubal ein. »Die müssen genau wissen, wie hoch sie bei dir rangehen können. Inzwischen hat Lafe Athene bestimmt längst angewiesen, deine Handtasche zu durchleuchten.«

»Das hat er *nicht*«, widersprach Hilda. »*Ich* habe es getan. Hazel, wir versuchen keine Kunden einzufangen; wir sorgen dafür, daß der Patient sich selbst überzeugt. Nicht Lazarus erhält Prozente aus diesem Abschluß, sondern Maureen.«

»Wüßte nicht, wieso das etwas ausmachen sollte«, fügte Jacob hinzu. »He! Kellner! Hierher, bitte! Wir Longs schmeißen alles in einen Topf, und dann sagt uns Deety, was wir haben, was wir ausgeben können — aber nicht, wer es verdient hat.«

»Jacob, es geht um das *Prinzip*. Geldverdienen ist ein Spiel. Maureen hat Hazel an Land gezogen.«

»Hazel hat sich selbst an Land gezogen, Hilda«, bemerkte Hazel Stone. »Es gefällt mir nicht, aus dem Bett zu steigen und mich wacklig zu fühlen. Jubal, machst du mit?«

»Ich bin fest entschlossen.«

»Nimm mit mir zusammen ein Doppelzimmer, dann können wir uns gegenseitig Lügen erzählen, während man uns wieder jung macht. Hilda, geht das in Ordnung?«

»Wir haben viele Doppelzimmer. Isch weiß, daß ihr beide gute Freunde von Lazarus seid. Sie tut zwar nicht alles für ihn, doch in Maßen wird sie ihm zu Gefallen sein. Ich glaube, das gilt für uns alle.«

Hilda drehte sich um. »Kellner — belasten Sie das meinem Konto.«

»*Meine* Rechnung«, sagte Jubal.

»Kellner«, sagte Hilda entschlossen.

Der Kellner blickte sie an, biß die Zähne zusammen und sagte: »Sehr wohl, Direktor.« Daraufhin verschwand er.

»Ich glaube, ich habe etwas verpaßt«, bemerkte Jubal.

»Ich glaube, ich hab's gesehen«, sagte Hazel. »»Der Kassierer da drüben sieht mager und hungrig aus. Er denkt zuviel. Solche Männer sind gefährlich.‹«

Jubal drehte sich um. »Der Kassierer ist unser Kellner. Glaube ich wenigstens.«

»Ich weiß es. Gleichzeitig ist er Barkeeper. Und Eintrittskarten-

kontrolleur. Wenn seine Mutter nicht Vierlinge zur Welt gebracht hat, arbeitet er mit Niven-Versetzern in den Schuhen. Ich
wünschte, ich wüßte noch, *wo* ich ihn gesehen habe. Er ist nicht
gerade glücklich über Hilda. Oder Lazarus.«

»Äh? Wieso denn nicht?«

»Abwarten und Tee trinken. An diesen Tisch wird bestimmt
keine Rechnung mehr gebracht — wollen wir wetten?«

»Keine Wette!« unterbrach Lazarus. »Der Kerl weiß, wer ich
bin, wer Hilda ist. Die Leute an diesem Tisch sind Gäste der Ge-
schäftsleitung. Das sollte er sich lieber hinter die Ohren schreiben, sonst hetze ich ihm Deety auf den Hals. Oder Hilda. Und
das wäre wirklich nicht auszuhalten. He, da ist ja Deety!« Und Lazarus stand auf und winkte. *»Deety!* Hier!«

Deety hatte eine ganze Gruppe kichernder junger Damen bei
sich. »Ich habe keine Zeit; wir wollen zum Goldtuch-Feld hinüber, ehe die Vorkämpfe beginnen — außerdem haben die meisten von uns ihre Männer dort draußen. Dies sind also Ginnie
und Winnie und Minnie, und Ginnie ist eine Hexe und Winnie
Krankenschwester und Minnie ein pensionierter Computer,
Zwillingsschwester von Teena, und dies sind Holly und Poddy
und Libby und Pink, und Holly ist Ingenieurin, Poddy Heil-Em-
pathin, und Libby kennt ihr alle, und Fuzzy ist Computer-Künstlerin wie ich und die erste, die die Zahl des Tiers bis zur letzten
wesentlichen Stelle ausgerechnet hat, und jetzt sollten wir aber
gehen, obwohl wir V.I.P.-Sitze reserviert haben, denn am ersten
Kampf nimmt ein maskierter Ritter teil, und wir glauben zu wissen, wer das ist, und hat jemand Zebadiah gesehen?«

»Ich weiß genau, wo er ist«, sagte Ginnie. »Er hat mich zum Leben erweckt, außerdem trägt er Karens Farben.«

»Ich sehe Zeb dort in der Ferne«, antwortete Lazarus.

»Nein«, widersprach Jake, »hier kommt er doch, aus dieser
Richtung. Ischtar ist bei ihm. Beide sind hübsch herausgeputzt.«

»Nein«, meinte Jubal. »Er ist in Begleitung von Anne.«

»Irgend jemand spinnt hier. Lazarus hat recht. Ich kenne doch
meinen Mann, sogar auf diese Entfernung. Er nähert sich gerade
den drei reservierten Logen gegenüber dem großen Schirm über
der Bar. *Zebadiah!* Hier!«

Die andere Computer-Künstlerin fügte hinzu: »Und das kann
nicht Anne sein, also muß es sich um Ischtar handeln. Anne ist
am Feld, das weiß ich, denn Larry hilft Jerry bei der Leitung des
Turniers und hat es mir gesagt. Anne hat sich in einen großen

Umhang geworfen und wird das dritte Mitglied der Jury sein, nachdem auch Mr. Clemens zugestimmt hat. Bonforte thront als König über allem, wenn er auch sagt, er habe keine Ahnung vom Königsein und noch weniger vom Turnierkämpfen.«

»Stimmt es, daß heute echte Waffen verwendet werden?« fragte Jubal.

»Und echte Pferde«, sagte Lazarus. »Es ist mir gelungen, An-heuser-Busch-Clydesdales auszuleihen.«

»Lazarus, ist denn das ratsam?«

»Dr. Bone kümmert sich um die Pferde. Wenn eins verletzt wird, behandeln wir es sofort. Die wunderschönen Pferde werden im richtigen Jahr auf die Gute Alte Erde zurückgebracht, und in besserer Form als je zuvor. Und mit zusätzlichen Erfahrungen. Es erfordert *Zeit,* aus einem Clydesdale-Roß ein Turnierpferd zu machen, auch wenn sie von Natur aus aufs Stürmen versessen sind. Aber werden sie sich in Panzergeschirr jemals wieder glücklich fühlen?«

»Lazarus«, sagte Podkayne ernst. »Ich spreche mit Dr. Bone. Wenn ein Pferd unglücklich ist, beruhigen wir es.«

»Poddy, bist ein Kluges Mädchen.«

»In diesem illustren Kreis nur durchschnittlich, würde ich sagen. Aber wenn jemand unglücklich ist, kenne ich mich aus. Ich habe noch nie ein Pferd gesehen, aber sie haben so lange mit den Menschen zusammengelebt, daß es da keine großen Unterschiede geben kann.«

Jubal seufzte. »Es freut mich, daß die Pferde gut versorgt sind — aber eigentlich hatte ich ja die *Menschen* gemeint, Lazarus. Wird sich jemand verletzen? Oder sogar dabei umkommen?«

»Die meisten werden Verletzungen davontragen, einige auch sterben. Aber sie machen es, weil es Spaß macht. Wer Schmerzen hat, dem wird sofort geholfen; wir sind ja knapp außer Rufweite vom besten Krankenhaus dieses Planeten. Verliert ein Mann einen Arm oder ein Bein oder ein Auge oder auch nur seine Hoden, muß er ein wenig Geduld haben, bis ein neues Teil geklont ist. Diese Art von Klonen findet allerdings gleich an der Wunde statt — wie bei einer Eidechse oder einem Wassermolch. Und schneller. Und wirksamer.

Wenn es einen Todesfall gibt, hat der Betreffende zwei Möglichkeiten: Daß er durch Ischtars Truppe wieder zum Leben erweckt wird — es ist unwahrscheinlich, daß wir Gehirnverletzungen erleben; die Helme sind der beste Teil der Rüstung. Oder sie können geradewegs gen Walhall fahren; wir haben dafür gesorgt, daß sich die Regenbogenbrücke bis zum Kampffeld erstreckt, solange die Gesellschaft für Kreativen Anachronismus am Programm beteiligt ist. Sechs Walküren halten sich bereit, und ›Sarge‹ Smith wartet oben in Asgard und hakt die Eintreffenden von der Liste ab.« Lazarus grinste breit. »Ihr könnt es mir glauben, der Klub zahlt für diesen Dienst dickes Geld, es wurde sogar ein Betrag im voraus hinterlegt. Deety hat den Vertrag aufgesetzt.«

»Lafe, willst du damit sagen, daß Wagnerianische Walküren darauf warten, die Gefallenen über den Regenbogen nach Asgar zu tragen?«

»Jubal, diese Amazonen sind keine Opernsängerinnen, sondern die echten, verschwitzten Vorlagen. Denk bitte an den Zweck dieses Kongresses. Snob.«

Der Kellner erschien. »Sie wollten etwas wissen, Sir?«

»Ja. Geben Sie Ihrem Boß Bescheid, dieser Tisch — *nur* dieser Tisch — soll einen unbehinderten Ausblick auf den Regenbogen haben, vom Feld bis nach Walhall. Ich weiß, daß eine solche Dienstleistung nicht in dem Kleidungsillusions-Vertrag steht, aber er kann dazu dieselben Geräte verwenden — und wir können uns später darüber auseinandersetzen, notfalls vor Gericht. Das wäre eine kleine Aufmerksamkeit, die den sonstigen schlechten Service etwas erträglicher machte. *Ab!*«

»Wir sollten lieber alle verschwinden«, sagte Libby. »Man wird nicht auf uns warten. Die Rüstungen sind schwer und warm. Deety?«

»Lauf nur schon los! Ich komme nach. Hier kommt mein erster Mann.«

»Lafe, wenn jemand getötet wird, woher weiß man, wer in die Klinik und wer über die Brücke muß?«

»Jubal, wie würdest *du* das machen? Natürlich mit versiegelten Umschlägen, die vernichtet werden, sobald ein Ritter gewinnt, und geöffnet, wenn er es nicht schafft. Vielleicht gibt's heute abend ein paar überraschte Witwen, die nicht glauben wollen, daß ihre liebevollen Ehemänner doch lieber den ganzen Tag jagen, sich an gebratenem Wildschwein überfressen, Met trinken und sich die ganze Nacht mit Mädchen verlustieren, anstatt in ihre angesehenen Heime zurückzukehren. Aber habe ich euch schon gesagt, was der Gewinner bekommt? Abgesehen von dem Beifall und der Gelegenheit, vor ›König‹ John und ›Königin‹ Penelope niederzuknien? Zwei hübsche Frauen!«

»Ach?«

»Der Klub hat sich das ausgedacht. Die Künste stehen bei uns noch in den Anfängen, Boondock ist in gewisser Weise noch Grenzstadt, so daß wir hier keine sonderlich herausragenden Hetären vorzuweisen haben. Doch einige der gefeiertsten Hetären aus Neu-Rom haben ihre Dienste zur Verfügung gestellt, nur um kostenlos zu uns reisen und an dem Kongreß teilnehmen zu dürfen.«

Zebadiah wurde von einem weiblichen Geschoß getroffen, das aus fünf Metern Entfernung auf ihn zustürmte. Er konnte sich gerade noch auf den Beinen halten, führte dann seine erste Frau an den Tisch, setzte sich neben Hilda, kniff ihr in den Schenkel, verkniff sich *nicht,* ihr Glas zu nehmen und zu leeren, und sagte: »Kleines Mädchen, du bist zu jung zum Trinken. Ist dies dein Vater?«

»Ich bin ihr Sohn«, antwortete Jake. »Kennst du Hazel Stone? Wenn nicht, so solltest du sie unbedingt kennenlernen. Wir nahmen eigentlich an, wir hätten dich aus der anderen Richtung kommen sehen.«

»Du solltest während des Tages nicht trinken. Kellner! Ihr Diener, Madame. Ich habe mir Ihre Serie von kindauf im 3-D angesehen und fühle mich geschmeichelt, Sie kennenzulernen. Sind Sie im Auftrag der *Lunaja Prawda* hier?«

»Himmel, nein. LOCUS hat einen Exklusivvertrag mit mir, denn nur von diesem Magazin darf man vernünftigerweise erwarten, daß es von diesem Kongreß berichten *kann.* Jerry und Ben berichten für ihre Zeitschriften — doch ich muß über Charles arbeiten. Ich bin als Spezialistin hier, ob Sie es glauben oder nicht — als Autorin populärer Fantasy. Ist der Galaktische Oberlord meiner Serie real oder erdacht, und besteht da ein Unterschied? Lesen Sie die aufregende Folge der nächsten Woche; die Familie Stone braucht ja etwas zum Beißen. Ich würde sagen, dasselbe noch mal. Sie können ihm ein Trinkgeld geben, Dr. Zebadiah, doch eine Rechnung gibt es am Tisch des Direktors nicht.«

»Und auch keine Trinkgelder!« knurrte Lazarus. »Sagen Sie Ihrem Boß Bescheid, er soll sich sputen. Er hat noch genau drei Minuten Zeit, bis ich Absatz neun, Unterabsatz ›c‹ gelten lasse. Hier kommt dein Double, Zeb.«

Hinter dem Paar, das auf einen halben Kilometer Entfernung wie Zebadiah und Ischtar ausgesehen hatte, erschien mit schnellen Schritten ein älterer, kleiner, breitschultriger Mann. Alle drei waren nach der Mode Robin-Hood-und-seine-fröhlichen-Gesellen gekleidet: Halbhohe Stiefel, Reithosen, lederne Jacken, Hüte mit Feder, lange Bögen und Köcher mit gefiederten Pfeilen, dazu Schwerter und Dolche. Ihr Auftreten entsprach der Kostümierung.

Der kleine Mann eilte einige Schritte voraus, machte kehrt, drehte sich so, daß die beiden an ihm vorbeischreiten mußten, und verbeugte sich tief: »Macht Platz für Ihre Klugheit, Herrscherin über dreiundachtz . . .«

Wie aus Versehen versetzte die Frau dem Diener einen Schlag ins Gesicht.

Er duckte sich, ließ sich abrollen, wich der Bewegung aus, sprang wieder auf und fuhr fort: ». . . Welten, und für ihren Gefährten, den Helden Gordon.«

Lazarus stand auf und wandte sich an den Diener. »Dr. Rufo! Es freut mich, daß Sie es geschafft haben! Ist dies Ihre Tochter Star?«

»Seine Großmutter«, berichtigte Ihre Klugheit und machte vor Lazarus einen hastigen Knicks. »Ja, ich bin Star. Oder Mrs. Gordon; dies ist mein Mann, Oscar Gordon. Wie drückt man hier so etwas aus? Ich bin zum erstenmal auf diesem Planeten.«

»Mrs. Gordon, Boondock ist noch so jung, daß sich die Sitten und Gebräuche hier noch nicht verfestigt haben. Beinahe jedes Verhalten ist akzeptabel, wenn es aus einer freundlichen Grundeinstellung heraus geboren ist. Wer ernsthaft Ärger macht, bekommt es mit unserem Vorsitzenden Ira Weatheral zu tun und den Ratgebern, die er aussucht. Da Ira diesen Job nicht mag, handelt er nur zögernd in der Hoffnung, daß das Problem sich erledigt. In der Folge haben wir so gut wie gar keine Regierung und keine Sitten und Gebräuche.«

»Das ist ein Mann, wie ich ihn liebe. Oscar, wir könnten hier leben, wenn man es uns gestattet. Mein Nachfolger ist bereit; ich könnte mich vom Thron zurückziehen.«

»Mrs. Gordon . . .«

»Ja, Dr. Long?«

»Wir — besonders unser Vorsitzender Ira — wissen sehr gut, wer ›Ihre Klugheit‹ ist. Ira würde Sie mit offenen Armen willkommen heißen und sofort zu Ihren Gunsten abdanken — und das auf Zuruf und Beifallsäußerung —, dann wären Sie hier Chefin auf Lebenszeit. Halten Sie sich lieber an den Teufel, den Sie kennen. Doch wann immer Sie uns besuchen möchten, sind Sie uns willkommen.«

»Sie haben ja recht«, sagte sie seufzend, »aber Macht wird man nicht so einfach los. Da muß ich wohl auf meine Ermordung warten.«

»Zebadiah«, flüsterte Deety. »Dieser Barkeeper. Wem sieht er ähnlich?«

»Hm . . . Brigadier Iver Hird-Jones?«

»Ja, mag sein. Ein wenig. Ich habe eher an Colonel Morinoski gedacht.«

»Hmm. Ja. Aber unwichtig, da es keiner von beiden sein kann. Mr. Gordon?«

»Nennen Sie mich doch Oscar, Dr. Carter.«

»Ich bin Zeb. Ist das die Lady persönlich. Das Schwert, das Sie auf der Suche nach dem Ei des Phoenix getragen haben?«

Gordon strahlte. »Ja. Die Lady Vivamus.«

»Man sollte einen Mann nicht bitten, sein Schwert grundlos zu ziehen — aber steht die Inschrift vielleicht so dicht am Griff, daß man sie lesen kann, wenn Sie mir nur ein wenig den Stahl zeigen?«

»Kein Problem.« Gordon entblößte das eingravierte *Dum Vivimus, Vivamus!*, ließ den anderen Zeit, die Worte zu lesen, schob die Waffe klickend wieder in die Scheide und fragte: »Und ist *das* das Schwert, das das Ungeziefer getötet hat?«

»Das Un . . . *Oh!* Das Ungeheuer, das wir ›Schwarzen Hut‹ nennen. Aber wir sind daraufhin nicht ›unmerklich und leise verschwunden‹.«

»Nein, aber das Wesen. Das dürfte eines der Dinge sein, die wir in unserer Vortragsrunde ›Jagdtechniken gegenüber Snarks‹ behandeln. Sie und ich und Dr. Jacob und Dr. Hilda, außerdem noch einige andere. André. Kat Moore. Fritz. Cliff. Der Gordpate wird die Diskussion leiten, wenn er seinen Husten überwindet. Was er bestimmt tut — Tamara behandelt ihn . . . *Ach du je! O Gott, wie schön!*«

Über dem Tisch hatte sich jetzt überraschend der ›Himmel‹ geöffnet, und sie blickten auf das Goldtuch-Feld, das sich einen halben Kilometer entfernt befand und einige Meter über ihnen; darüber waren hoch, hoch, hoch am Himmel die schimmernden Türme und Paläste Walhalls zu sehen, und die Regenbogenbrücke führte vom Feld der Ehre zum fernen Tor der ewigen Heimstatt der Helden.

Anstelle des bewaldeten Horizonts, der normalerweise in jener Richtung sichtbar war, türmte sich das Land nun terrassenförmig empor, und jede Stufe war farbenfroher und wunderschöner als die letzte, bis die höchsten Abstufungen in rosa und safrangelben Wolken untergingen — und sich darüber, viel höher, Walhall in Asgard erhob.

»Papa!«

»Ja, Athene«, sagte Lazarus leise. »Bitte konzentrieren, auf mich allein. Ich bin von vielen Leuten umgeben.«

»Ist das besser? Keine Probleme, ich wollte dich nur vorwarnen. Arthur und Isaac und Bob kommen gerade an, gleichzeitig. In zwölf Minuten, plus zwei, minus null.«

»Bist ein Kluges Mädchen, Teena.«

»Gib mir das schriftlich. Sei gegrüßt!«

Lazarus sagte in die Runde: »Gleich treffen die Gäste ein, für die die Plätze dort reserviert sind. Ich wußte nicht genau, ob Isaac es schaffen würde, er wird von Jahr zu Jahr dicker und will nur noch mit dem Schiff reisen. Arthur hat einen langen Weg hinter sich, und die Verbindung zu ihm ist stets ungewiß. Von Bob wußte ich, daß er kommen würde, doch hatte er andere Pflichten. Wollen wir uns Ausschnitte der Eröffnungssitzung anhören, während wir mit den Augen die Schönheiten des Nordischen Paradieses genießen? Es genügt, wenn wir die Sitzung *hören,* für das Auge ist sie nichts. Wenn das Turnier beginnt, solltet ihr in erster Linie auf das Hologramm achten, nur nicht beim Walkürenritt. Snob! Spielen Sie uns den Ton von der Eröffnungssitzung ein!«

Lärm und Zorn hatten nichts zu bedeuten; sie wurden sofort bedient. Im Schutz des Krachs wandte sich Jubal Harshaw an Zebadiah:

»Ehe man Sie vor Publikum aufs Podest holt, sollten Sie sich eins überlegen. Wie viele ›Schwarze Hüte‹ oder ›Exemplare Ungeziefer‹ gibt es überhaupt?«

»Wie? Ich habe keine Ahnung. Bestenfalls rund zwanzig, im anderen Extrem mag die Zahl in die Millionen gehen.«

»Aber wie viele haben Sie *gesehen?*« beharrte Harshaw.

»Oh. Einen. Aber ganz bestimmt hat es mehr gegeben.«

»So? Einen Fairen Zeugen würden Sie zu einer solchen Aussage nicht bewegen können. Welchen Schaden haben das oder die Wesen Ihnen zugefügt?«

»Wie bitte? Sie wollten uns umbringen? Haben auf uns geschmissen. Meinen Vetter getötet. Uns von unserem Heimatplaneten verjagt. Uns alle vier in Armut gestürzt. Was wollen Sie sonst noch? Seuchen und Heuschreckenschwärme? Die vier Apokalyptischen Reiter?«

»Nein. *Sie* haben *einen* gesehen. Und ihn umgebracht. Das Wesen hat Sie niemals auch nur berührt. Denken Sie mal darüber nach. Ehe Sie etwas aussagen. Jetzt wollen wir zuhören.«

»Wenn Sie es richtig lesen, steht alles in der Bibel. ›Im Anfang war das Wort, und das Wort war bei Gott, und das Wort WAR Gott.‹ Könnte sich jemand eine klarere Formulierung der auf der Hand liegenden Tatsache wünschen, daß nichts Bestand hat, bis es sich jemand vorstellt und ihm deshalb Wesenheit, Realität eingibt? Der Unterschied liegt nur in der Abstufung zwischen ›sein‹ und ›werden‹ — eine Abgrenzung, die sich aufhebt, wenn irgendein solches Fiktum-Faktum von unterschiedlichen Enden des Entropie-Irrtums betrachtet wird . . .«

»Bischof Berkeley führt den Vorsitz«, bemerkte Lazarus, »und hätte diesem eingebildeten Wesen wohl schon längst das Maul verboten, wenn er nicht Halsentzündung hätte — natürlich ebenfalls eingebildet — und sein Parlamentarischer Ordner, der Ehrenwerte Mr. Dodgson, ist zu schüchtern, um jemandem in die Parade zu fahren. Den Schwachen gehört die Welt — zumindest ein Teil davon, der einen Meter breit und zwei Meter lang ist.«

»Wenn Gott den Teufel ablöst, muß er auch das Beiwerk des Teufels übernehmen. Wie wär's, wenn man diesem Teufel die gleiche Zeit zur Verfügung stellte? Gott hat die besten Pressemanager. Das ist weder fair noch logisch!«

»Ich bin Alpha und Omega, der Anfang und das Ende, der erste und letzte.«

»Occams Rasiermesser ist NICHT *die letzte Hypothese. Es ist die* AM WENIGSTEN WAHRSCHEINLICHE *Hypothese. Die Wahrheit . . .«*

»Es gibt drei Lehrmeinungen der Magie. Erstens: Äußere eine Tautologie, dann klopfe sie nach Veränderungen in ihren Folgerungen ab; das ist die Philosophie. Zweitens: Registriere viele Tatsachen. Versuche ein Schema zu erkennen. Dann ziehe aus dem nächsten Faktum die falsche Schlußfolgerung; das ist die Wissenschaft. Drittens: Das Bewußtsein, daß man in einem übelwollenden Universum lebt, gelenkt durch Murphys Gesetz, zuweilen und teilweise durch Brewsters Faktor außer Kraft gesetzt: das ist Technik.«

»Warum musste Mercutio sterben? *Geben Sie Antwort auf diese Frage, und Sie haben Mark Twains Quell gefunden. Dort ist Ihre Antwort.«*

»Wer ist realer? Homer oder Odysseus? Shakespeare oder Hamlet? Burroughs oder Tarzan?«

Die Debatte ging zu Ende, der riesige Hologrammschirm erstrahlte in heldischer Größe, tiefenscharf und farbig, und die langweiligen Stimmen wurden von einem lauten, munteren Organ abgelöst:

»Während wir darauf warten, daß die beiden ersten Champions die Startlinien erreichen, wird uns die liebliche Anne Passovoy DER GROSSE KANAL *singen, begleitet von Noisy auf seinem Stabilen Steinway. Noisy ist heute nicht bei Stimme, meine Freunde; er wurde gestern abend von einer eingebildeten Schlange gebissen.«*

»Jerry ist dafür um so mehr in Form«, flüsterte Deety. »Wie immer. Bekommen wir denn keine Nahaufnahmen zu sehen?«

Die Kamera holte Anne Passovoy heran, zog an der anderen Anne vorbei, die in Weiß gehüllt war, verweilte dann einen kurzen Augenblick auf ›König‹ John und ›Königin‹ Penelope und zeigte schließlich einen lebhaften alten Mann mit weißem Haarkranz, der einen Stumpen aus dem Mund nahm und lebhaft winkte.

»Rechts von mir Sir Zarrtsteak der Aufgeblasene, und links der Schwarze Ritter ohne Symbol auf dem Schild, und mit geschlossenem Helm. Oh, klagt nicht, meine Freunde; Holger ist kampfbereit! Dieser Däne könnte unser aller Pfeil sein. Wessen Farben . . .«

Zebadiah hörte ein Krachen und drehte den Kopf. »Es wird ein großes corsonisches Flugboot hereingebracht. Dabei sind ein paar Stühle zu Bruch gegangen.« Wieder schaute er auf die große Szene und verkündete: »Viel sehen kann ich nicht; die Tribünen auf dieser Seite füllen sich mit Leuten in grünen Uniformen. Schwarze Käppis. Ein blutrünstig aussehender Haufen.«

»Das ist Asprin . . .«

»Gib mir eine halbe. Deety, ich mixe die Drinks.«

»Asprin, nicht ›Aspirin‹. Bob Asprin, Kommandant der Irregulären Dorsai«, erklärte ihm Lazarus. »Aber siehst du Arthur?«

»Trägt er einen Jägerhut und raucht Meerschaumpfeife? Der Große dort drüben, der mit dem Mann spricht, der wie ein Gorilla aussieht?«

»Dafür würde er dich zum Kampf herausfordern. Ein temperamentvoller Bursche. Ja, das ist Arthurs Truppe. Dr. Arthur Conan Doyle. Dr. Watson müßte auch dabei sein. Hoppla! Da kommt Isaac. Und noch ein paar Stühle sind hinüber!«

»Sie legen los! Der maskierte Herausforderer gewinnt Tempo, Sir Zarrtsteak hat Mühe, sein Roß in Gang zu bringen — verständlich. Es ist ein wunderschöner Tag hier in Epsom Salts, und der Regenbogen hat nie schöner ausgesehen.«

Lazarus stand auf. »Ich muß Isaac begrüßen. Zebadiah, bist du ihm schon begegnet? Komm mit. Du auch, Deety. Hilda? Bitte, meine Liebe. Jake?«

»Einen Moment, Sie!« Zeb starrte den Mann an, der ihn unterbrochen hatte, und spürte, wie ein Schock seinen Körper durchfuhr. Dieses Gesicht, diese Uniform hatte er an einem natürlichen Swimmingpool schon einmal gesehen. Der ›Ranger‹ wandte sich an Lazarus. »Sie sollen hier der Direktor sein. Spezialagent L. Ron O'Leemy, InterRaum-Patrouille. Ich habe Haftbefehle für Beowolf Schaeffer, Caspol Jones und Zebadiah John Carter. Direktor, ich verlange, daß Sie mich unterstützen. Artikel vier-sechs, Abschnitt sechs-fünf, Absatz sechs des Interuniversalen Strafgesetzbuches.«

»Abgeworfen! Die Lanze des Schwarzen Ritters hat ihn glatt durchstoßen! Hier kommen die Walküren! Hojotoho!«

Hilda hob die Hand, ergriff die Haftbefehle und riß sie durch. »Sie sind auf dem falschen Planeten, Kumpel!« Dann nahm sie Zebs Arm. »Kommen Sie, Alfred; wir müssen mit Isaac sprechen.«

Sie kamen an dem Dorsai vorbei und erreichten das große corsonische Flugboot, das von einem riesigen venusischen Drachen völlig ausgefüllt wurde. Der Drache richtete einen Augenstengel auf die näher kommende Gruppe, seine Tentakel berührten das Sprechgerät.

»Seien Sie gegrüßt, Dr. Lazarus Long. Seien Sie gegrüßt, meine neuen Freunde. Mögen Sie alle eines wunderschönen Todes sterben!«

»Wir entbieten Ihnen unseren Gruß, Sir Isaac. Sir Isaac Newton, dies ist Dr. Hilda Burroughs Long, Dr. Jacob Burroughs Long, Dr. Deety Carter Long, und Dr. Zebadiah John Carter Long, alle zu meiner Familie gehörig.«

»Es ist mir eine Ehre, weise Freunde. Mögen eure Tode Inspiration für tausend Lieder sein. Dr. Hilda, wir haben einen gemeinsamen Freund — Professor Woggelbug.«

»*Warten Sie! Warten Sie! Zerreißen Sie Ihre Wettscheine noch nicht! Die Walküren haben ein Problem. Ja, die Juroren haben es bestätigt! Der Kampf ist ohne Ergebnis! Der Däne hat eine völlig leere Rüstung ›getötet‹! Mehr Glück bei der nächsten Runde, Pou- Holger!*«

»Oh, wie prächtig! Zebadiah und ich haben ihn erst letzte Woche gesehen, als wir für die Dauer dieses Kongresses unsere Kinder nach Oz brachten. Habe ich Sie dabei verpaßt?«

Der Drache antwortete mit breitem Cockney-Akzent: »Nein, wir sind nur Brieffreunde. Er kann Oz nicht verlassen; und ich hatte nicht mehr damit gerechnet, von der Venus fortzukommen — bis Ihr Gerät das alles sehr einfach machte. Vielleicht sollte ich sagen, *Dr. Jacobs* Gerät. Aber sehen Sie doch, was unser Freund Professor Woggelbug mir geschickt hat . . .« Der Drache fummelte an einem Beutel unter seinem Sprechgerät herum.

Der InterRaum-Agent O'Leemy klopfte Zeb auf die Schulter. »Ich habe eben mitbekommen, wie Sie vorgestellt wurden. Kommen Sie mit, Carter.«

». . . eine Brille, die auf meine vorderen Augenstengel paßt und mir hilft, mich selbst bei dichtestem Nebel zu orientieren.« Er setzte sie auf und blickte sich um. »Sie klären meine Sicht . . . Dort! Schnappt ihn! Ergreift ihn! Das Tier! Verschafft euch seine Zahl!« Ohne einen Augenblick zu verlieren, drängten sich Deety, Hilda und Lazarus um den ›Agenten‹ — und standen plötzlich mit zerrissener Kleidung und Plastikschienen in den Händen da, nachdem das Wesen sich losgerissen hatte. Der ›Spezialagent‹ sprang mit einem Riesensatz über die Bar, tauchte beinahe im selben Moment am entgegengesetzten Ende wieder auf, sprang hinauf und zur Zeltbahn empor. Er ergriff die Kante des Illusionsloches, schwang sich hinauf und hüpfte auf die Regenbogenbrücke, die er auch erreichte.

»Mellrooney!« japste Sir Isaac Newton. »Der schlimmste Unruhestifter auf allen Welten! Lazarus, ich hätte nie damit gerechnet, in deinem ruhigen Winkel der Galaxis diesem Ungeheuer zu begegnen.«

»Ich auch nicht, bis ich Zebs Geschichte *ganz* gehört hatte. Dieser Kongreß wurde nur zu dem Zweck einberufen, ihn in die Falle zu locken. Und das haben wir geschafft. Aber wir haben ihn wieder verloren — *verloren!*«

»Aber ich habe seine Nummer«, sagte Hilda und hielt sein Abzeichen hoch: »*666.*«

Die fliehende Gestalt, die sich vor der Regenbogenbrücke dunkel abzeichnete, stieg immer höher und wurde dabei immer kleiner. Lazarus fügte hinzu: »Vielleicht haben wir ihn doch noch nicht verloren. An Sarge Smith kommt er auf keinen Fall vorbei.«

Die Gestalt schien nun schon mehrere Kilometer hoch zu sein, da erlosch die Illusion plötzlich. Der Regenbogen löste sich auf, die Landschaftsterrassen schmolzen dahin, die Türme und Zinnen Asgards waren nicht mehr zu sehen.

In mittlerer Entfernung, sehr hoch über dem Boden, war eine Gestalt zu sehen, herumwirbelnd, sich drehend, stürzend. Zeb sagte: »Sarge bleibt die Mühe erspart. *Das* hat uns zum letztenmal Scherereien gemacht.«

»Freund Zebadiah . . . bist du sicher?« fragte das Sprechgerät.

Heyne-Taschenbücher: das große Programm von Spannung bis Wissen.

HEYNE BÜCHER

Jeden Monat erscheinen mehr als 40 neue Titel.